U0678003

国家出版基金项目
NATIONAL PUBLICATION FOUNDATION

中国文物志

可移动文物编 II

玉石器 金银器 书法绘画

中国文物志编纂委员会 编

董保华 总编纂

董琦 副总编纂

文物出版社

总 目 录

本册目录

第三章　玉石器

第一节　礼仪用玉

III

第二节　装饰用器

第三节　陈设用器

第四节　日用器皿

第五节　工具

第六节　丧葬用器

第四章　金银器

第一节　装饰用器

第二节　饮食器具

第六节　其他

第五章　书法绘画

第一节　书法

第二节　绘画

第三节　壁画

第四节　版画

第三章

玉石器

若用一种物质和文化来概括中国文化特质的话，那便是玉和玉文化。没有哪一种物质遗存像玉器一样纵贯中国古代社会，深入中华民族文化的骨髓，融入中华民族文化的基因，一直在国家权力中枢和社会运行中发挥着如此重要的作用。自从儒家文化融入玉文化，"玉德"逐渐成为上至皇室王亲、文人士大夫，下至普通民众修身养性的追求。同时，玉器在日常生活中的影响也不可或缺。因此，通过众多考古发掘、征集、收藏的玉器，可作为认识古代中国的极佳媒介。按照功能和用途的不同，玉石器可分为礼仪用玉、装饰用玉、陈设用玉、日用器皿、工具用玉、丧葬用玉及其他七类。

礼仪用玉虽然不是出现最早的玉器品类，但却是最重要、种类最多的一类玉器。因其独一无二的重要作用，这类玉器一般制作得较为规整、精致、庄重。早在距今8000～6000年的兴隆洼文化，玉器可能就已具有标志墓主人等级、地位、身份的功能，这是玉礼器的萌芽阶段。在距今5500年左右，玉器已明确开始成为标志身份与等级的礼器，玉器绝大多数出土于高等级大墓之中，为社会富裕阶层或权势阶层所控制与掌握。自此以后，玉礼器的发展和使用一直贯穿了其后的中国历史进程，一直延续至清代。史前的玉礼器主要有玉琮、玉石钺、玉璧、牙璧、玉戚、玉圭、牙璋、玉龙、大玉刀等。进入夏商周三代之后，玉琮、玉璧在礼仪方面的作用逐渐式微，有些则延续其强劲的发展势头，如玉钺、玉戚、玉圭、牙璋、大玉刀等。同时，这一时期还出现了新的礼仪用玉品类，主要有柄形器、玉戈、玉矛、玉剑、玉簋。进入秦汉帝国后，礼仪用玉的使用发生了较大的变化，史前和三代流行的玉礼器绝大部分退出了历史舞台，仅剩下玉圭、玉璧比较重要，同时产生了其后两千年中最重要的玉礼器——玉印。之后，玉礼器的使用主要体现在玉玺、玉印之上，至明代出现了短暂的复古风潮，玉圭重新被利用，但总体来说，难以再现往日的鼎盛。

装饰用玉是所有玉器品类中出现最早、延续时期最长、种类最为丰富的一类。它主要作为人身和器物上的佩饰器和装饰器，虽然它们的本质功能为装饰品，但是由于玉料资源的珍贵性、玉器加工的费时性和高难度，所以部分装饰用玉同时附带标志身份和等级的礼仪功能。中国存世最早的装饰玉器出现在距今9000年的黑龙江小南山遗址，主要器类有弯条形器、管、珠、璧、环等。新石器时代中期，装饰玉器在东北的兴隆洼文化中主要是玉玦，在长江流域主要是玉玦和玉璜。至新石器时代晚期，史前的装饰用玉得到了极大的发展，一方面是原有器类大规模使用，另一方面是出现了很多新的种类，如动物形玉佩、组合玉璧环、带钩等。进入夏商周三代，装饰用玉一方面延续了史前的大部分种类，同时产生了组玉佩、玉觽、玉韘、玉珩等新的种类。这一阶段的早期玉觽和玉韘兼具实用功能。至此，装饰类玉器的种类基本齐备，之后的时代中除了玉带板，种类上无大突破，只涉及具体形态和风格的变化。需要强调一点的是，装饰品在隋唐宋元明清时期，其中一些品类，如玉腰带及部分玉佩，是舆服制度的重要组成部分。

陈设用玉相较于礼仪用玉和装饰用玉而言，出现时间较晚。这是因为早期玉料珍贵而不易获得，需要一定的社会进步及人类审美情趣的提高，以及青铜和铁质制玉工具的出现，才能够制作圆雕、立体、复杂的陈设之器。因此，陈设类玉器直到青铜时代才出现在历史舞台上，但是数量少、体形小、种类不丰富，这种状况一直延续至隋唐时期。早期的陈设用玉种类主要包括小摆件、玉镇、玉座屏等。至两宋时期，是陈设用玉的突破性发展时期，出现了很多新的器类，如追慕三代遗风的仿古玉容器、文房用具等。元代的陈设用玉传世和出土品都不多见，相对之前的两宋和接下来的明清都无突出的特色，唯一可观的是渎山大玉海，开启了大型陈设类玉器制作的先河。明清时期是陈设类玉器的又一个高潮时期，种类更加丰富，既有复古之物，也有时新之器，如新出现花插、大型玉山子、玉如意、玉观音等。总体来说，呈现出丰富多彩、品质较高、工艺精美的特点。

由于制作日用器皿一般需要大体量的玉料和较为高超的制玉工艺，加之玉料的珍贵性，因此玉质日用器皿出现的时代虽然不晚，但是在殷墟之前却无大的发展。最早的日用器皿出现于良渚文化时期，仅有玉勺一种，而且数量极少。之后的龙山时代至早商阶段，均无日用器皿的发现。至殷墟时期，玉石质器皿出现一次爆发，器形有豆、盘、簋、盂、尊、觯、鬲、罐类、器盖、俎、豆、杯等，均为盛储实物的用器，已知材质者均为似玉美石大理岩，均出土于高等级贵族墓葬中。之后的两周时期，玉质日用器皿的使用，数量少、种类单一，再次陷入沉寂。这种情况一直持续到西汉早期，至汉武帝时期，出现玉卮、玉樽、高足玉杯等新型器皿。两汉之后，直至唐宋时期，日用器皿主要为形体不大的玉盒、玉勺等小件器物。明清时期是玉质日用器皿的大发展时期，种类较多、工艺精湛，在乾隆皇帝时期还有模仿域外的痕都斯坦式器皿。

工具用玉是所有玉器品类中产生最早的一类。中国古代最早的玉器出自近几年发掘的黑龙江小南山遗址，其中里面就有玉斧和玉锛等工具类玉器，工具类玉器在之后的新石器时代各个阶段都有生产制作，主要包括玉斧、玉锛、玉铲、玉凿、玉刀、刻刀和其他零星器类。进入三代，史前时期的玉质工具器类数量大为减少，而且多分布在中原王朝的外围地区。这一时期新诞生的工具类玉器就是刻刀、削刀、玉匕及调色器，除刻刀数量较多外，其他几类数量都较少。东周之后，工具类玉器基本淡出历史舞台。

丧葬用玉产生于新石器时代晚期。考古发

现最早的丧葬用玉是在崧泽文化中，为穿孔玉饰充当口琀。在史前时期，丧葬用玉主要为口琀，海岱地区的大汶口文化晚期至龙山时期还出现了玉握和覆盖在眼窝之上的葬玉。及至夏商两代，丧葬用玉主要依然是口琀和握玉，但这一时期新出现大量玉鱼，有些可能已作为棺饰之用。丧葬用玉的极大发展时期是周代至汉代。周代发展出一套完备的丧葬用玉系统，主要有玉覆面、口琀、握玉、足端殓玉、饰棺用玉、丧葬用璧、墓地和墓葬祭祀用玉等。汉代葬玉从形制上大致可分为玉衣、玉琀、玉塞、玉璧等，至东汉时期新出现压胜辟邪用玉。汉代作为葬玉发展史上最辉煌的时期，葬玉不仅代表着当时玉器的制作工艺和审美观点，更是国家经济实力和执政理念的体现。两汉之后，随着丧葬文化和相关执政理念的变化，丧葬用玉衰落了下去，为数不多新出现的丧葬用玉就是玉灵牌。

除了上述的礼仪用玉、装饰用玉、陈设用玉、玉质日常器皿、工具用玉、丧葬用玉等主要品类等，其他类别的玉质器物数量较少、不成体系，大多都偶有见之，如宗教用玉、玉币、棋子、棋盘等。虽然这些玉器数量不多，但同样是中国玉文化的重要组成部分，代表了当时的思想和意识、工艺和情趣，丰富了中国古代玉器的品类。另一方面，正是其罕见性，更凸显出其独特性，因此作为其他类玉器，括而述之。

第一节　礼仪用玉

张陵山4号墓玉琮　新石器时代良渚文化早期（前3300～前2800年）文物。20世纪70年代，江苏省吴县张陵山4号墓出土。张陵山遗址分东西两座土墩，由于附近砖瓦厂不断取土，西墩近1/2面积被挖掉，陆续出土玉器和其他新石器时代遗物。1977年5月，南京博物院对遗址西墩进行考古发掘。

张陵山4号墓玉琮高3.5厘米，直径10厘米，孔径8.2厘米。琮黄绿色玉质，带褐红色斑，玉质润泽晶莹。整体呈圆筒形，中间对钻圆孔，孔壁留有钻孔台痕。器外表琢有四块对称长方形突弧面，在每块突面上阴刻兽面纹，粗眉圆眼，阔口獠牙，形象生动。

张陵山4号墓玉琮为张陵山西墩上、下两层11座墓葬中出土的唯一一件玉琮，4号墓为该墓地出土随葬品最多的墓葬，可见在良渚文化早期已具有等级与宗教意义。玉琮形制与玉镯接近，但器表兽面纹又与一般玉镯有所区别，为玉琮起源研究提供了资料。

张陵山4号墓玉琮藏于南京博物院。

瑶山9号墓玉琮　新石器时代良渚文化（前3300～前2200年）文物。1987年，浙江省杭州市余杭区瑶山9号墓出土。1987年5月1日，当地村民盗掘瑶山西北坡墓地。浙江省文物考古研究所技工闻讯上报有关部门，制止盗掘村民。之后，省市县三级文物部门组成发掘队，开始10余年瑶山发掘。瑶山9号墓玉琮出土于瑶山良渚文化祭坛和贵族墓地。

瑶山9号墓玉琮高4.5厘米，射径7.95厘米，孔径6.3厘米。因出土时受沁严重，表面通体为黄白色，有灰褐色瑕斑。整器呈圆筒形，中间对钻大孔。器表有4个对称长方形弧凸面，其上各饰一组兽面纹，图案基本相同。椭圆形眼眶、额、鼻均为浅浮雕，圆眼管钻而成。鼻微隆起，鼻翼较阔，阴线刻出鼻孔。嘴扁宽且弧凸，其上阴刻出两对獠牙，其中内侧

朝上、外侧冲下。主体纹饰空隙阴线刻有繁密卷云纹。兽面纹之上还有3组羽状纹，象征神人羽冠。

瑶山9号墓仅出土这一件玉琮。出土时，有2件玉柱形器分列其两边，可能存在某种特殊含义。学者认为，玉琮起源于玉镯。张陵山兽面纹玉琮和瑶山9号墓玉琮形体似镯，横截面呈圆形筒形主体，同是良渚文化较早玉琮代表。

瑶山9号墓玉琮藏于良渚博物院。

反山12号墓玉琮 新石器时代良渚文化（前3300～前2200年）文物。1986年，浙江省杭州市余杭区反山12号墓出土。出土于良渚遗址群莫角山宫殿台地西北方向的反山良渚中期贵族大墓。1985年下半年，余杭县长命制动材料厂新厂址选中反山，这一情况被浙江省文物考古研究所文保员发现并及时上报。浙江省文物考古研究所派工作人员进行调查，并于1986年5月开始发掘。

反山12号墓玉琮高8.9厘米，上射径17.1～17.6厘米，下射径16.5～17.5厘米，孔径3.8～5厘米。整器约重6500克。出土时已受沁，通体为黄白色，有紫红色瑕斑。整器略呈矮方柱体，内圆外方，中孔较细，内留有台痕，射部如璧形。外壁四面各有一竖槽，宽约5厘米。由横槽分为上下两节，每节再分上下两个组成部分。在四面竖槽中各刻有两个完整神徽图案，每个图像细部特征基本一致，戴羽冠神人骑坐在圆眼、宽鼻、宽嘴并带有獠牙神兽上，神人面部、羽冠与神兽眼睛、鼻子和嘴巴浅浮雕而成，其他纹饰皆阴刻而成。在分为两节呈角尺形长方形凸面上，以转角为中轴线向两侧展开，每两节琢刻一组简化神人兽面纹图案，

四角相同，左右对称，在兽面纹两侧各雕刻一鸟纹，神人兽面纹鸟纹图案全器四角上下共8组，与竖槽内神人兽面纹相呼应。

反山良渚中期贵族大墓发掘是浙江境内良渚文化考古首次发掘高土台墓地，具有突破性意义。反山12号墓是浙江境内发现的第一座良渚文化贵族大墓，也是反山良渚文化贵族墓地中出土玉器最多的一座墓葬。反山12号墓玉琮形体宽阔硕大，纹饰独特繁缛，为良渚文化玉琮之首，堪称"琮王"。为探索良渚文化先民宗教信仰、思想观念与制玉工艺和水平提供重要资料。

反山12号墓玉琮藏于浙江省博物馆。

寺墩3号墓玉琮 新石器时代良渚文化（前3300～前2200年）文物。1982年，江苏省常州市武进县寺墩3号墓出土。寺墩为一高出地面20米椭圆形土墩。1973年，出土有琮璧等良渚文化玉器，之后又两次发现玉器。1979年，村民再次挖出璧琮，南京博物院前往调查征集，初步确定寺墩为一处良渚文化墓地。1982年，开始较大规模发掘。共出土玉琮32件，除其中5件外，其余玉琮均围绕在人体骨架四周，寺墩3号墓玉琮即围绕在墓主头部。

寺墩3号墓玉琮高36.1厘米，上射径6.8～7厘米，下射径6.2～6.3厘米，孔径4.5厘米。出土时已受沁严重，通体大致呈灰白色。整器形体高大，略呈上大下小形，内圆外方，中孔稍大，内留有台痕，为双面对钻而成。琮体共分13节，每节高度差别不大，较为接近。四面外壁各有一竖槽，槽内无纹饰。每节以四角为中心，琢磨简化神人兽面纹，花纹简洁，趋向规范化、程式化。

寺墩3号墓玉琮高大的琮体、规整的制作，皆显示出5000年前良渚文化先民高超制玉工艺。寺墩3号墓是已知良渚文化墓葬出土玉琮最多的墓葬，也是江苏省境内出土琮璧数量最多的墓葬。不仅增加良渚文化玉器资料，亦为中国玉殓葬起源提供实物线索。

寺墩3号墓玉琮藏于南京博物院。

金沙遗址玉琮　新石器时代良渚文化（前3300～前2200年）文物。2001年，四川省成都市金沙遗址出土。金沙村出土大批遗物，成都

市文物考古研究所开始对金沙遗址大规模发掘。经多年发掘与研究，确认金沙遗址可能是商代晚期至西周时期蜀国都邑所在。金沙遗址出土的24件琮，均位于"梅苑"东北部地点宗教祭祀区。

金沙遗址玉琮高22.2厘米，上宽6.9厘米，下宽6.3厘米。青玉，质地温润，器表局部有白化现象及黑色沁斑，但整体仍呈现半透明状。整器为长方柱体，外方内圆，器上大下小，中间贯穿一孔，内壁两头大中间小，为双面对钻而成，上下均出射。全器分为10节，每节由两条带细密弦纹平行凸棱，由三角形眼角、重圈眼与阴刻卷云纹短横凸鼻三部分组成简略抽象神人面纹。上射部阴刻一人形符号。器内外打磨抛光，制作十分规整。

琮的形制与纹饰都与良渚文化多节琮十分相似，但保存情况却判然有别，而且有后期改制迹象，上端刻画人形图符也与良渚文化常见的"鸟立坛柱"类刻符相异。一些研究者认为，该玉琮不是良渚文化制品。但也有学者认为，此琮玉料在良渚文化中并不鲜见，且琮体白斑处有清晰可辨绢云母状纤维构造，是良渚文化玉器独有材质特点，据此断定金沙遗址玉琮是件良渚文化晚期选用罕见的细腻玉料制作多节琮。这是西南地区已知所见无论形体、玉质还是做工均称翘楚的一件玉琮。

金沙遗址玉琮藏于金沙遗址博物馆。

五莲丹土玉琮　新石器时代大汶口文化晚期至龙山文化早期（前2800～前2300年）文物。1978年，山东省五莲县丹土遗址出土。丹土遗址自20世纪50年代就发现玉器，多次调查后，山东省文物考古研究所开展四次较大规模

田野工作。考古发现大汶口文化晚期至龙山文化中期偏早城墙和壕沟。五莲丹土玉琮与1件镶嵌有绿松石大玉钺和1件玉镯同出于一个坑内。

五莲丹土玉琮高3.5厘米，宽7.3厘米，内径6.6厘米。整器为扁长方体，外方内圆，射面低于筒状口沿。玉色原为青灰色，大部分已被沁呈乳白色，局部呈赭褐色。琮体四面各有一竖槽，四边近角部阴刻有3条直线和2个圆圈，组成兽面纹，通体磨光。

五莲丹土玉琮为山东境内史前时期所仅见，一同出土玉钺的形体硕大、制作规整、外观精美，应是出土于墓葬之中。五莲丹土玉琮虽外观近似良渚文化晚期玉琮，但从细节看，应为山东本地制作。

五莲丹土玉琮藏于五莲县博物馆。

芦山峁遗址玉琮 新石器时代龙山时期（前2500～前2000年）文物。1981年，陕西省延安市芦山峁遗址出土。芦山峁村一位村民向延安当地文物部门送交9件玉器，并反映芦山峁村一些村民家中，还散存一部分玉器。随后，文物部门工作人员几次到芦山峁村对玉器出土地点进行调查，并先后征集玉器14件，其中包括芦山峁遗址玉琮。

芦山峁遗址玉琮高4.4厘米，直径7.1厘米，孔径6.4厘米。青绿色，间有墨绿色斑。外方内圆，两端有射，四个边壁较平直，转角轮廓较硬朗而明显。以四个转角为中心，向两边各形成长方形装饰框带，每个大框带里有一条凹槽，将之分为上下两个小框带。每个小框带里各雕琢出大眼兽面纹，双眼虽为阴刻线，但眼眶却为凸弦纹，兽面嘴巴也是浮雕的。但较为特殊的是，左右相邻兽面都呈面向颠倒布局，与常见玉琮纹饰布局相异。

芦山峁遗址玉琮上兽面纹，貌似良渚文化中晚期玉琮风格，但又存在明显区别。由此说明，是仿照良渚文化中晚期玉琮制作，制作者已不了解玉琮上兽面纹原本含义，只是模仿做纹饰，并有意将玉琮一对角棱及角面上兽面纹倒置，形成四个角面兽面纹一正一反，以取别致。与芦山峁遗址玉琮一同出土还有另一件已残为四段青玉琮，引起学界相当关注，对探讨龙山时期区域间文化交流与互动极为重要。

芦山峁遗址玉琮存于延安市文物研究所。

石峡105号墓玉琮 新石器时代石峡文化（前2500～前2000年）文物。1972年，广东省韶关市马坝石峡遗址105号墓出土。石峡遗址

发现于著名的"马坝人"洞穴遗址所在狮头与狮尾梁山之间峡地。1973～1976年进行过多次发掘。

石峡105号墓玉琮高13.8厘米，射径7.2厘米，上孔径5厘米，下孔径4.7厘米。灰黑色，有灰色斑纹点。长方柱体，内圆外方，上大下小，四面平直，四角近直，分五节。每节间刻出明显凹槽，每节以方角为中轴刻出一组简化人面纹，额部有两条横向凸带纹，下端相当于嘴部位置刻出一条横向短凸带纹，内刻细弦纹和单线眼圈纹，但因磨损已模糊不清。内圆孔为双面管钻，孔内遗留有残断玉芯。

石峡遗址发掘共发现6件玉琮，另在广东封开禄美村和海风田墩亦出土有玉琮。其中一些玉琮与良渚文化玉琮完全一致，一些明显为仿制。除玉琮外，其他种类玉器、陶器、石器也与东南沿海和长江下游同类器物有千丝万缕联系。这为研究广东地区与长江中下游新石器时代晚期诸文化关系，提供重要实物资料。

石峡105号墓玉琮藏于广东省博物馆。

陶寺3168号墓玉琮 新石器时代陶寺文化（前2500～前1900年）文物。1978年，山西省襄汾县陶寺遗址3168号墓出土。陶寺遗址在20世纪50年代初被发现，后经多次复查，确认为晋南地区龙山时期面积最大、最重要遗址。1978年开始长达30余年考古发掘与研究，发现城址、宫殿、贵族墓葬、观象台等一批极重要遗存。

陶寺3168号墓玉琮通高3.2厘米，边长6.8厘米，孔径6.3厘米，射高0.3厘米。黄褐间黑褐色，器表温润光滑。单节，外方内圆，四面微显弧凸，矮射，四面中部有竖向带状浅槽，其两侧有对应横向线状槽三道。器表内外经打磨，但纹饰制作略显粗糙。

玉琮不是晋南地区用玉传统器形，而是突然出现的，显然为外来用玉文化影响所致。陶寺遗址玉琮出土，反映龙山时期不同区域间文化交流与互动。

陶寺3168号墓玉琮存于中国社会科学院考古研究所。

陶寺22号墓玉琮 新石器时代陶寺文化（前2500～前1900年）文物。2002年，山西省襄汾县陶寺遗址22号墓出土。按照"中华文明探源工程玉研究"课题要求，中国社会科学院考古研究所联合山西省、市文物部门，在陶寺中期小城西北部钻探出面积约1万平方米墓

较多玉器发现，亦为探索陶寺早、中期贵族丧葬理念变革，提供极为重要资料。

陶寺22号墓玉琮藏于山西博物院。

静宁后柳沟村玉琮 新石器时代齐家文化（前2300～前1800年）文物。1984年，甘肃省静宁县治平乡后柳沟村出土。静宁县治平乡后柳沟村村民在村附近山脊上耕地挖土时，发现一个坑，坑上盖一块石板，在坑中发现多件琮璧。以往报道数量是四琮三璧。另有报道当初出土时是四琮四璧。由于琮璧一出土即被乡民瓜分，乡政府得知后设法追缴并拨交给静宁县博物馆，但只追回7件完整者，另一件玉璧因已破损成多块，无法完整复原，因而未上缴。

静宁后柳沟村玉琮A高14.7厘米，宽8.2厘米，射径8.2厘米。呈青色，有褐斑。体作委角长方体，中心有一上下对穿圆孔。琮体四面各有一竖槽，竖槽两边与转角处有十三节瓦楞纹。器体打磨精致。B高16.7厘米，宽7.2厘米，射径7.2厘米。青绿色，表面局部有白色沁斑。体呈长方形，两端作环形口，中心又一两面对钻圆孔。器表饰悟道一组弦纹三组。器体打磨精致。C高16.7厘米，宽7.2厘米，射径

地。为了解墓地时代，进行小规模发掘。随葬品丰富，为陶寺中期大墓。陶寺22号墓玉琮出土于南侧墓壁第1龛中，与2件玉戚一同盛放于一漆木盒中，表明这些玉器较为贵重，为墓主生前珍爱之物。

陶寺22号墓玉琮高2.85厘米，边长5.1厘米，孔径4.4厘米。青绿色，局部有杂色。平面呈正方形，无射部，中孔不甚规整。器表光素无纹。此件玉琮无射，只具备一件完整玉琮大致外形。

陶寺中期小城墓地和22号墓的发现，对了解陶寺城址聚落变迁起到关键性作用，对理解陶寺中期城址性质具有重要意义。玉琮及其他

A　　　　B　　　　C　　　　D

7.2厘米。湖绿色，表面有褐斑和白斑。体两端作环形口，中心又一两端对钻圆孔，体作长方形。器体打磨精致，光素无纹。D高12.8厘米，宽8.3厘米，射径8.3厘米。青玉质，局部有乳白色沁斑。体作规整长方体，两端作环形口，中心有一两端对钻圆孔。器体打磨精致，光素无纹。

齐家文化玉琮多光素无纹，只有后柳沟村两件玉琮分别有瓦楞纹和弦纹，是齐家文化仅见的两件带纹玉器。静宁后柳沟村玉琮在齐家文化玉器中形体高大、玉质精美、做工精致。多位学者指出，后柳沟村玉器出土单位为祭祀坑，这些玉器为齐家先民祭祀神灵瘗埋品，为探讨齐家先民用玉观念、用玉制度提供线索。

静宁后柳沟村玉琮藏于静宁县博物馆。

花园庄54号墓玉琮 商代晚期文物。2000年12月初，河南省安阳市花园庄54号墓出土。为配合当地基本建设，中国社会科学院考古研究所安阳工作队在花园庄村东进行钻探，发现10余座商代墓葬。

花园庄54号墓玉琮高4.47厘米，外方边长6.36～6.68厘米，内孔径5.35厘米，射高0.4厘米。整体不很规整，黄褐色，夹有大量杂色斑点，玉质较差。通体素面，打磨平整光滑。内孔略扁，可能为两面管钻后进一步打磨所致。射与外方体衔接处呈弧面，射较矮。

殷墟时期，玉琮主要见于高等级墓葬中，以妇好墓为最，出土玉琮与琮形器达14件之多。此时，琮已明显退化，形制小而简单，且素面居多。由于殷墟时期高等级墓葬大多被盗严重，琮摆放位置保持原始位置者罕见，而花园庄54号墓玉琮出土时，位于棺中部偏北墓主人背部，较为难得。且这种出土位置较为特殊，似暗示此琮别样功能。

花园庄54号墓玉琮存于中国社会科学院考古研究所。

张家坡170号墓玉琮 西周文物。1985年，陕西省长安县张家坡170号墓出土。张家坡位于长安县沣河西岸马王镇西约500米，沣西一带相传是周文王"既伐于崇，作邑于丰"的都城遗址。1949年后，考古工作者即开始考古工作。20世纪70年代末，中小型砖瓦窑厂在沣西一带破坏许多基址与墓葬，西周井叔家族墓地就是在这种情况下发现并于1983年开始发掘。张家坡170号墓玉琮位于1985年发掘的170号墓中东南隅棺椁之间，与一件玉戈同出。此墓墓

主为西周晚期一代井叔。

张家坡170号墓玉琮高5.5厘米，宽4.3厘米，射高0.9厘米，孔径3.6厘米。青玉，器表为青褐色。外呈方形，内有圆孔，两端有短射。器表四壁各雕刻相同的一只鸮卧状凤鸟纹，凤鸟均钩喙、垂冠、扬翅、卷尾、露尖爪，纹样采用细线直刻和粗线斜刻相结合技法，此种技法为西周玉雕典型工艺。在孔内壁和外壁四面纹饰线槽中，尚残留有较多朱砂。

张家坡170号墓玉琮为新石器时代末期玉琮，在西周时期加琢当时所流行凤鸟纹，并对玉琮射口加以磨削使其略微内敛。

张家坡170号墓玉琮存于中国社会科学院考古研究所。

虢国墓地2009号墓玉琮 西周晚期文物。1990年，河南省三门峡市虢国墓地2009号墓出土。1989年，在虢国墓地南区北百余米建设居民小区，引发一场大规模盗掘和走私文物事件。1990年初，虢国墓地发生盗墓案件后，河南省文物考古研究所与三门峡市文物工作队组成联合考古队，开始对虢国墓地进行第二次大规模考古发掘。

虢国墓地2009号墓玉琮高2.6厘米，射径3厘米。白玉，玉质温润，局部受沁为红色。琮体矮小，内圆外方，上下两端有短射，通体素面。琮体表面有崩疤或凹陷，似经长期使用或把玩。

虢国墓地2009号墓玉琮形制古朴，与龙山文化时期矮型素面琮形制近似，但形体极小，应当为西周时期作品。由此可见，玉琮形制从史前至三代逐渐变小，也预示玉琮功能转变为从史前敬天礼神至三代逐渐退出玉礼器舞台。

虢国墓地2009号墓玉琮藏于三门峡市博物馆。

金胜村赵卿墓蟠虺纹玉琮 春秋文物。1987年7月，山西省太原市金胜村赵卿墓出土。太原第一热电厂进行第五期扩建工程，考古队配合基建进行勘探时，在太原南郊金胜村西300米发现一批大中型东周墓葬，赵卿墓是其中最大的一座。施工部门极力阻止墓葬发掘，考古队经多方争取，获许发掘该墓及车马坑。蟠虺纹玉琮出土时位于墓主赵卿胸前，与各类玉佩、璧、璜、环等相杂其间。赵卿墓中另出土9件玉琮，但是质地较差，制作比较粗糙，周边四方形或长方形，孔径极小，高度较矮。这些玉琮位置分散，或在主棺内或附近，或在陪葬

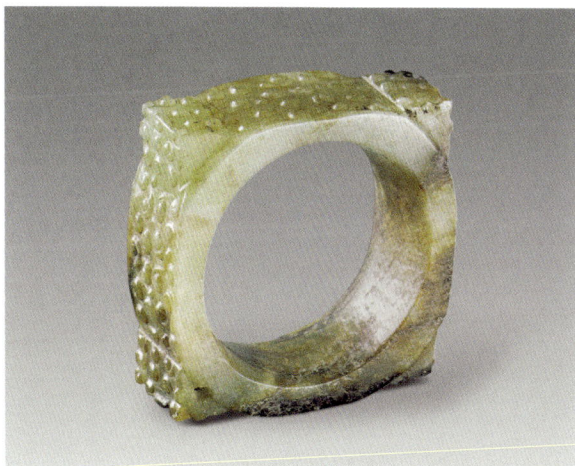

人棺上，或在墓室中，其功用较为复杂。

金胜村赵卿墓蟠虺纹玉琮高1.9厘米，边长4.3厘米，孔径3.4厘米。淡青色，有褐色斑。玉质细腻，制作精致。器体正方，中间圆孔大而直，矮射。四边遍饰蟠虺纹，浮雕感较强。器表经打磨、抛光，较具光泽。

金胜村赵卿墓蟠虺纹玉琮存于山西省考古研究院。

曾侯乙墓玉琮　战国文物。1977年9月，湖北省随州市曾侯乙墓出土。曾侯乙墓位于随州市区西北约2千米东团坡之上。中国人民解放军某部因扩建厂房，对东团坡进行土地平整时，发现该墓。之后，湖北省博物馆对曾侯乙墓进行考古发掘。曾侯乙墓玉琮出土时，位于墓主头顶左侧，正放，且中孔较大，推测为束发器。

曾侯乙墓玉琮高5.4厘米，孔径5.5厘米，中部厚0.7厘米。灰白色，有褐色沁。形体较小。四面平齐，孔为对钻。四面各以阴线刻一兽面纹，射上阴刻"S"形纹、三角纹，线条流畅、刻画细腻。琮形制较早，纹饰当为后来加刻。

与良渚文化玉琮功能不同的是，至东周时期玉琮功能似乎已脱离神圣，而转为世俗。为重新审视《周礼》等文献所记载相关内容提供了实物资料。

曾侯乙墓玉琮藏于湖北省博物馆。

三里墩西汉墓玉琮　西汉文物。1965年，江苏省涟水县三里墩西汉墓出土。三里墩原为一座规模较大封土墩，1959年后由于群众历年挖取黑土，封土墩已形成深4米大水塘。1965年，群众在黑土塘北部扩大挖掘面积，发现三里墩西汉墓。随后，南京博物院对该墓进行考古发掘。三里墩西汉墓玉琮出土时并不在棺室内，而是位于椁室东端，与两件银匜、金带钩放置在一起。

三里墩西汉墓玉琮通高9厘米，宽6.9厘米，孔径5.5厘米。由盖、琮、底座三部分组成。琮系黄玉质，沁色较重。外方内圆，四面光素无纹，形制较为古朴。盖为鎏金银盖，盖面镶嵌有一枚水晶泡。底座亦为鎏金银座，四足为展翅飞鹰造型，精致而逼真。玉琮年代应较早，盖与底座系后配。

西汉时期，玉琮早已退出玉礼器舞台。三里墩西汉墓玉琮当为前代遗留物，已丧失其原

有功能，被改作玉质容器。三里墩西汉墓玉琮对了解玉琮发展演变史及西汉用玉观念极为重要。

三里墩西汉墓玉琮藏于南京博物院。

傅家遗址玉璧 新石器时代大汶口文化（前4300～前2500年）文物。1985年5月，山东省广饶县傅家遗址出土。傅家遗址位于山东境内泰沂山脉以北地区。为配合潍博公路拓宽，山东省文物考古研究所与广饶县博物馆，对傅家遗址进行三次抢救性发掘，发现有大汶口文化中、晚期玉石器若干。

傅家遗址玉璧直径14厘米，孔径6.6厘米，厚1.1厘米。呈淡青色，有大量白斑、黄褐斑和灰褐斑，并多处有绺，通体抛光。边缘圆弧，璧内圈较厚，向外缘渐薄，剖面呈楔形。璧内圈一周有漩涡形浅凹槽，为管钻痕迹，有裂痕。

根据学者以往研究，大汶口文化中晚期之时，这一地区发现玉器遗址和数量较少，用玉情况不太明朗。在大汶口文化中作为礼器琮、璧、钺数量并不多。大汶口文化玉璧剖面既不同于红山文化玉璧剖面细长枣核形，也不同于

良渚文化玉璧剖面扁长方形。傅家遗址玉璧对探讨大汶口文化用玉特点具有重要作用。

傅家遗址玉璧存于山东省文物考古研究所。

牛河梁第二地点一号冢21号墓玉璧 新石器时代红山文化（前4100～前2900年）文物。1989年，辽宁省朝阳市牛河梁遗址第二地点一号冢21号墓出土。1981年4月，辽宁省在建平县开展文物普查，培训班上富山公社文化站站长赵文彦提供当地群众收集出土玉器信息。培训班结束后，郭大顺等即前往马家沟村进行考古调查，在村西发现一处红山文化遗址并清理两座墓葬。这处红山遗址后来被编为牛河梁第二地点，两座墓葬所在地点属一号冢。此次发现揭开牛河梁遗址发现与发掘序幕，而第二地点也成为牛河梁遗址中发掘时间最早、延续时间最长、工作量最大的一个地点。牛河梁第二地点一号冢21号墓玉璧位于墓主头骨侧颌下。21号墓共出土玉器20件，仅玉璧就有10件之多，是牛河梁遗址已知发现单个墓葬随葬玉器数量最多的一座墓。

牛河梁第二地点一号冢21号墓玉璧最大径12厘米，孔径3.9厘米，厚0.6厘米。呈碧绿

色，质地均匀，有白色瑕斑。器体外缘呈方圆形，边缘部有一残缺口。内孔呈圆形，璧体靠近孔边两面及外缘经打磨而渐薄，且孔边薄似刃，璧体两面中部较厚，边缘亦经打磨，渐薄似刃。玉璧靠近上侧边缘中部有三个小孔，左右二孔为对钻，中孔为单面钻。通体抛光、精磨，光泽圆润。

牛河梁第二地点一号冢21号墓玉璧属红山文化玉器中精品。有些学者根据《尔雅》对玉璧定义，认为红山文化玉璧不是真正意义上的玉璧。不管如何定义，红山文化玉璧是所见年代较早璧环类玉器，为玉璧起源提供可探讨资料。

牛河梁第二地点一号冢21号墓玉璧存于辽宁省文物考古研究所。

凌家滩1987年4号墓玉璧　新石器时代凌家滩文化（前3600～前3300年）文物。1987年6月，安徽省含山县凌家滩遗址出土。1985年，凌家滩村民在此挖坟埋人时，挖出许多陶器、石器、玉器。当地乡文化站站长知道后，立即赶赴现场，收缴部分文物。之后，安徽省文物考古研究所工作人员前往凌家滩调查，确认此处为新石器时代晚期文化遗存。1987年6

月，对凌家滩遗址进行试掘，发现出土玉璧的1987年4号墓。

凌家滩1987年4号墓玉璧直径6.9厘米，孔径2.2厘米，厚0.1～0.4厘米。质地为透闪石，因长时间埋于地下受沁而呈鸡骨白色，局部泛黄斑。器形不甚规整，扁圆形，内壁边缘上下左右有4个对称小孔，外壁边缘有对称两孔与内壁一对孔基本上呈一条直线，整器上共钻有6个小孔，孔径0.2厘米。器表肉部中间厚，靠近两侧边缘器体减薄，头部横截面呈细长枣核形。器表经打磨，较光滑润亮。

玉璧出土后不久，就结束试掘。1987年下半年，为更深入了解凌家滩墓地内涵，开始正式发掘。1998年，进行第二次发掘。通过后续考古，逐渐认识到凌家滩遗存是一种早于良渚文化，而与红山文化年代相当的考古学文化。凌家滩1987年4号墓玉璧形制特殊，有6个小孔，且尺寸不大，应为系璧。

凌家滩1987年4号墓玉璧存于安徽省文物考古研究所。

反山20号墓玉璧　新石器时代良渚文化（前3300～前2200年）文物。1986年5月，浙

江省杭州市余杭区反山20号墓出土。1986年5月发掘20号墓，共出土玉璧43件，反山20号墓玉璧是形制最为规整者，形制硕大，而中孔较小。表明至良渚文化中期玉璧已形成定制，而与早期直径小、孔径大、器形不规整、厚薄不均匀玉璧差别较大。

反山20号墓玉璧直径18厘米，孔径5厘米，厚0.8～1.2厘米。因受沁而整体呈南瓜黄色，局部夹杂白色网纹和褐色瑕斑。整器极为规整和匀称，光泽感好。表面尚可观察到摩擦痕迹，是使用痕迹还是打磨所致，尚不明确。中间圆孔为对钻而成，孔内壁打磨得甚为精细。

从反山墓地发掘开始，揭开浙江境内良渚文化墓地发掘序幕，后经瑶山、汇观山、横山等一系列高级贵族墓地及其他众多中等级墓葬发掘，使研究人员逐渐认识到玉璧为良渚文化核心玉礼器之一。反山20号墓玉璧为良渚文化中期玉璧典型代表。同墓出土其他一些玉璧，制作痕迹明显，表面粗糙。

反山20号墓玉璧藏于浙江省博物馆。

草鞋山199号墓玉璧 新石器时代良渚文化（前3300～前2200年）文物。1972年，江苏省吴县唯亭草鞋山遗址199号墓出土。草鞋山遗址是环太湖地区良渚文化典型遗址，地处苏州市东郊，北距阳澄湖约650米。1972年，人工取土时发现琮、璧等玉器，被农民拿走。后征集和征购其中一部分，应为墓葬所出，草鞋山199号墓玉璧即为其中一件。

草鞋山199号墓玉璧直径21.2厘米。青绿色玉质，由于埋藏缘故，表面受沁泛黄。玉质结构致密，局部带深褐色斑点。器呈扁平圆形，双面光滑，璧较厚，边缘较为规整。中间对钻小孔，孔壁经修磨。

草鞋山199号墓玉璧形制规整，形体硕大，是江苏省内出土最为精美的良渚文化玉璧之一。根据199号墓内出土玉器和其他文物特征判断，199号墓相对年代为良渚文化晚期。

草鞋山199号墓玉璧藏于南京博物院。

清凉寺30号墓玉璧 新石器时代陶寺文化（前2500～前1900年）文物。2003年秋至2005年初冬，山西省芮城县清凉寺墓地30号墓出土。2003年正式发掘前，对清凉寺墓地多次调查，并征集两批玉器。2003年深秋至2005年初冬，考古工作者对墓地进行三年抢救性发掘。

清凉寺30号墓玉璧直径16.6厘米，孔径6.7厘米，厚0.5厘米。深灰色，但色度深浅不一，局部受沁发白，局部有黑色瑕斑。外缘不甚规整，内径则由双面管钻对钻而成，甚为规整。器体厚度均一，剖面呈扁长方形。器表经抛光，较为光滑。

与良渚文化玉璧孔径较小不同，清凉寺30号墓玉璧孔径较大，可佩戴在手腕上。发掘者通过考察整个墓地出土璧环类器物，发现玉璧与玉环用途一致，即其位置多数套在手臂上，都属于装饰玉，在当时为珍贵、不易获得的奢侈品，除装饰作用，应当还有象征财富与地位的用意。

清凉寺30号墓玉璧存于山西省文物考古研究所。

陶寺22号墓玉璧　新石器时代陶寺文化（前2500～前1900年）文物。2002年，山西省襄汾县陶寺遗址22号墓出土。该玉璧出土时盖在22号墓北2龛中1件彩绘折肩罐口上，位置十分特殊。

陶寺22号墓玉璧直径15.6厘米，孔径6.6厘米，厚0.75厘米。玉璧颜色不均匀，整体大致为黄白色，夹杂大量棕褐色杂质。内孔直壁，外缘弧壁，表面打磨光滑。璧面稍窄，孔径较

大，这一特征与其他同时期陶寺玉璧相同。

22号墓为陶寺文化中期大墓，出土玉璧表明其墓主人身份、等级、财富，为了解龙山时期玉璧使用提供了新的启示。

陶寺22号墓玉璧藏于山西博物院。

皇娘娘台遗址玉璧　新石器时代齐家文化（前2300～前1800年）文物。甘肃省武威市皇娘娘台遗址出土。武威皇娘娘台遗址是一处齐家文化重要遗址，位于齐家文化分布区西部河湟地区。遗址前后经四次发掘，发现大量齐家文化玉石璧。

皇娘娘台遗址玉璧直径8.5厘米，孔径2.2厘米，厚0.6厘米。青白玉，边缘有黄褐色沁斑。玉璧近正圆形，不甚规整，璧面平整，光素无纹。断面不等高，一边高，一边低，边缘打磨较粗糙，中孔单面钻成，孔呈一面大，一面小，钻透处留有裂纹毛刺，未做修饰。玉璧边缘有多处磕缺、磨损，可能是使用过程中产生的。

皇娘娘台遗址出土几百件玉、石璧，有圆形、椭圆形和方形三种，一般采用玉料和大理石制作，颜色有绿色和白色。相当部分玉璧制作不甚精湛，尚有截锯痕迹。皇娘娘台遗址玉璧是这批玉石璧中精品。皇娘娘台遗址齐家文

化玉石璧出现两种不同制作方式。一种是由管钻而来正圆与接近正圆形玉璧；另一种是在方形玉料上去角、不断琢磨，接近圆形玉璧，这类玉璧通常不甚规整、制作粗糙，而方形玉璧更是其来不及深加工的有力证明。皇娘娘台遗址出土玉、石璧规整较少，绝大部分为第二种方式制作的粗糙玉、石璧。

皇娘娘台遗址玉璧藏于甘肃省博物馆。

静宁后柳沟村玉璧 新石器时代齐家文化（前2300～前1800年）文物。2009年，甘肃省静宁县治平乡后柳沟村出土。

静宁后柳沟村玉璧A直径27.8厘米，孔径5.9厘米，厚0.7厘米。青玉质，有深褐色斑纹。体扁平，中心有一单面钻圆孔。通体磨光，素面。B直径27.3厘米，孔径7厘米，厚0.78厘米。青色，局部有深褐色斑和白色沁斑。体扁平，中心有一单面钻圆孔。外缘不甚规整，通体磨光，素面。C直径32.1厘米，孔径4.8～5厘米，厚0.78厘米。青白玉质，有深浅不一褐色斑纹。体扁平，中心又一单面钻圆孔。外缘不甚规整，通体磨光，素面。

这组玉璧均孔径较小，肉面宽大，肉度较厚，制作不惜工本，在齐家文化玉璧中属于精品。虽然其中2件玉璧外缘不甚规整，但相较于齐家文化其他玉璧，这2件玉璧形制硕大、制作精美。这组玉璧应为齐家文化祭祀坑遗物。根据学界以往研究，齐家文化祭祀用玉较多，巫玉色彩浓重，这组玉器无疑是最佳证明。

静宁后柳沟村玉璧藏于静宁县博物馆。

喇家4号房址玉璧 新石器时代齐家文化（前2300～前1800年）文物。2000年，青海省民和县喇家遗址4号房址出土。1999年，考古工作者对青海省民和县官亭盆地古遗址群开展考古研究时发现喇家遗址，并进行试掘。2000年，对喇家遗址进行正式发掘。玉璧出土时，位于4号房址一段经特殊处理且涂层为黑色墙壁旁，并放置另外2件玉璧和玉料等。4号房址修建考究，不同于一般家庭住房，有可能是集体活动场所或宗教活动场所。

喇家4号房址玉璧长径8.3厘米，短径7.4厘米，孔上径3.89厘米，孔下径3.62厘米，厚0.5～0.86厘米。呈绿色，局部受沁呈白色。不规则扁圆形，素面。内孔较规整，圆形，单面钻，位置偏移。整体中间厚边缘薄，周边不规整，两对直边，两对边圆弧，两端磨制痕迹较明显，整体近似圆形方璧。根据玉璧形状和制作痕迹推断，中间圆孔为管钻，外边由方形玉料去角磨制而成。这种制作工艺是齐家文化

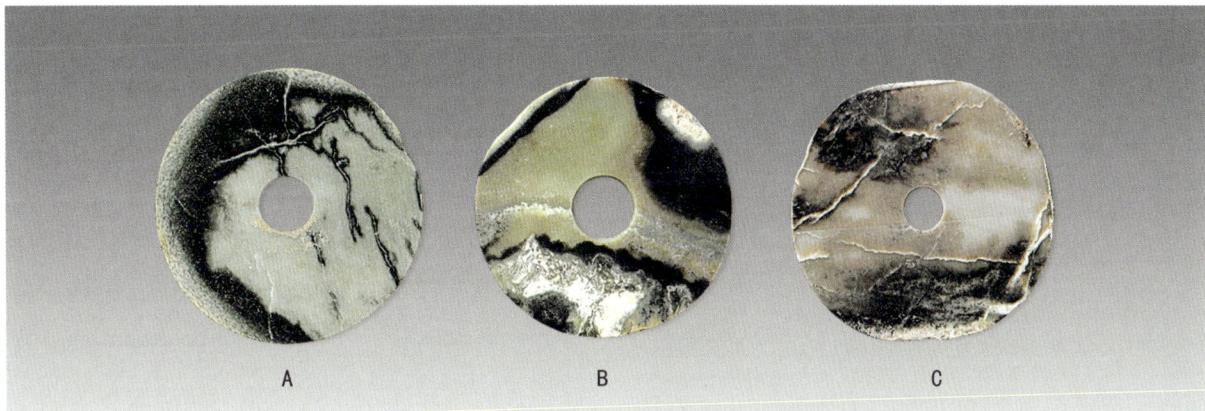

A B C

典型制玉风格。

4号房址属一场意外灾难废弃，室内主人生前所用生产工具、生活用品、祭祀用器均保持原位，反映出当时人们日常生活状态及所需物品，真实再现齐家远古先民生活场景中一幕。

喇家4号房址玉璧存于青海省文物考古研究所。

孙家岗9号墓玉璧 新石器时代后石家河文化（前2300～前1800年）文物。1991年11～12月，湖南省澧县孙家岗遗址9号墓出土。孙家岗遗址为石家河文化晚期墓群，属石家河文化晚期划城岗类型。发掘清理33座墓葬，其中6座墓中出土有玉器。

孙家岗9号墓玉璧直径16.3厘米，孔径5.3厘米，厚0.9厘米。玉质受沁后表面为乳白色，扁平圆形。璧面内外边缘均打磨成平直，素面无纹，打磨光滑。玉璧制作规整，孔为正圆形，当为管钻而成，外缘虽然并非正圆形，但经打磨后已近圆形。

根据以往研究，石家河文化晚期遗存与石家河文化早期遗存文化面貌存在较大差别。因此，有学者建议将石家河文化晚期遗存从石家河文化中独立出来，称之为肖家屋脊文化或后石家河文化。虽长江中游用玉文化在此前便已存在，但大规模使用玉器并形成自己风格，却始自石家河文化晚期。这一时期从大范围来说，已处于龙山时代末期。石家河文化晚期用玉特点是琮、璧、钺等玉礼器数量较少，装饰用玉特别发达，尤其是造型各异的人面像和动物性玉饰。孙家岗9号墓玉璧是石家河文化晚期少见的玉礼器。玉璧质料为高岭玉，与孙家岗墓地其他玉器材质相同，应为本地仿制作品。

孙家岗9号墓玉璧存于湖南省文物考古研究所。

大甸子853号墓玉璧 青铜时代夏家店下层文化（前2000～前1400年）文物。1973年，内蒙古自治区敖汉旗大甸子墓地853号墓出土。大甸子墓地是夏家店下层文化一处代表性墓地，位于内蒙古自治区赤峰市的敖汉旗南部。大甸子村中学在村东南扩建校舍，屡次挖出人骨与完整陶器，适逢旗文化馆王玉珩经此，择取几件带回旗文化馆陈列，并将这一情况介绍给考古工作者。考古队对大甸子遗址进行一次试掘和四次正式发掘，共清理夏家店下

层文化墓葬804座。853号墓为大甸子墓地中大型墓，且有木构葬具，玉璧位于墓主人胸腰之际。根据研究，大甸子墓地出土玉璧是礼器，限于少数成年人使用，标志墓主人等级、地位、身份等。

大甸子853号墓玉璧直径8.2厘米，孔径3.2厘米，厚0.4厘米。为浅绿色、泛黄。器体厚薄不均，外缘呈不规则圆形并有磕缺，内缘呈正圆形，靠近外侧边缘有两个并行排列小圆孔，孔间距为1厘米，孔径为0.3~0.6厘米，孔缘有系缚磨痕。横截面形状为扁长枣核形，内外缘均琢磨成刃状。通体抛光，素面无纹。

大甸子853号墓玉璧不论形制还是制作工艺，都源于当地其前红山文化玉璧风格与传统，与牛河梁等地红山文化玉璧十分相似。有学者认为，此玉璧与红山文化玉璧十分相似，但在细部雕琢方面也存在一定差异，并非是红山文化遗物。也有学者将其归入红山文化遗存。

大甸子853号墓玉璧存于中国社会科学院考古研究所。

花园庄54号墓有领玉璧　商代晚期文物。2000年，河南省安阳市花园庄54号墓出土。为配合农村宅基地建设，安阳考古工作队对花园庄东地进行考古钻探，发现该墓。在与盗墓贼斗争中，考古工作者迅速对该墓进行发掘。

花园庄54号墓有领玉璧直径16.36厘米，孔径5.35厘米，孔壁高4.47厘米。青色、泛黄，夹有大量褐色斑点。整器规整，两面抛光，均刻有五组由三周细线构成同心圆阴线纹。每组同心圆纹间，用较宽阴线凹槽隔开。线条规整流畅，两面线纹对称分布。璧孔内圆略扁，可能为管钻后进一步打磨而成。孔壁呈弧面，中间凸起，整个璧孔呈束腰形。璧孔之上有领，领较低。

学界一般将花园庄54号墓有领玉璧称为有领璧或凸缘璧。这类玉璧在商代晚期十分流行，且分布范围广泛。不仅河南安阳殷墟有出土，在四川三星堆和江西新干大洋洲商墓等南方地区均有发现，三星堆甚至有青铜制有领璧。有学者认为，有领璧起源可能是为应当时流行套戴多件玉石璧、铜璧等而发展出的特殊璧形腕饰。然而，在殷墟、三星堆、新干大洋洲皆未见到有领璧戴于腕部情况。在殷墟小屯丙组建筑基址下，曾出土1件同心圆纹有领璧。

54号墓仅出土1件有领璧，形制精美，当为玉礼器，并非腕饰。

花园庄54号墓有领玉璧存于中国社会科学院考古研究所。

大洋洲商墓有领石璧 商代晚期文物。1989年下半年，江西省新干县大洋洲商墓出土。为维修赣江大堤，新干大洋洲乡农民在程家村涝背沙丘掘取沙土，发现一批锈迹斑驳青铜器，随即被群众哄抢。新干县政府得到消息后，立即深入各村追缴被哄抢文物。当时，江西省文物考古研究所正在牛头城遗址进行考古发掘，得到消息后赶往涝背沙丘，经调查分析，随即发掘，取得重大考古成果。

大洋洲商墓有领石璧直径16.8厘米，孔径6.92～6.96厘米，领高0.85～0.93厘米，厚0.26～0.3厘米。磷铝石质，摩氏硬度4.5～5，具有蜡脂光泽，不透明，沁蚀较为严重。出土时断裂成3块，其中1块呈青黄色，其余2块因受沁大面积泛白。体扁薄，中间有1对钻大圆孔，孔周两面均有凸起成环状圆口。正反面均饰有8组同心圆线刻线，每组由3条细线构成，各组线条间距大致相等，线条规整而流畅。孔壁正圆，打磨精细，两面抛光。

有领璧环类玉器最早出现于龙山时期，但数量一直较少，直至商代晚期才大规模使用并流行起来。有学者认为，有领玉璧起源于三星堆文化。大洋洲商墓有领玉璧出现在长江下游以南地区，为有领玉璧分布范围的探讨提供了实物资料。

大洋洲商墓有领石璧藏于江西省博物馆。

三星堆一号祭祀坑有领石璧 商代晚期文物。1986年，四川省广汉市三星堆遗址一号祭祀坑出土。三星堆遗址位于广汉市南兴镇北面，遗址主要分布在南兴镇所辖三星、真武、回龙三个自然村，及三星乡所辖仁胜、大堰两个自然村境内鸭子河与马牧河两岸阶地上。1931年，遗址北部真武村农民燕道城在其宅旁掏沟车水溉田时，挖出玉石器300余件。1986年，当地砖厂制砖取土时，发现三星堆遗址一号祭祀坑和二号祭祀坑。

三星堆一号祭祀坑有领石璧直径14厘米，璧面宽3.8厘米，孔径6.6厘米，厚0.4厘米。为蚀变白云岩，颜色呈云雾状黑灰色，黄褐色斑点散布于器身表面。全器残为三段，经拼接复原。孔周缘两面凸起为领，领高度不一致，呈斜面状，最高处高出璧面0.65厘米，孔壁较

直。璧面平整，边缘经磨整，断面呈扁长方形，表面抛光，璧面有两圈为一组的五组同心圆凹弦纹。

一号祭祀坑仅出土1件有领玉璧，其他有领器为有领玉环、有领戚形玉器。三星堆遗址是有领玉器一个集中分布点，二号祭祀坑亦出土有较多有领玉璧。这两个坑的功能有祭祀坑、埋藏坑等不同说法。有领玉璧在当时分布范围较广，从权力中心大邑商到周边方国，表明这种玉器承载着共通价值观。

三星堆一号祭祀坑有领石璧藏于三星堆博物馆。

河南屯遗址玉璧 春秋文物。1972年，陕西省凤翔县河南屯遗址出土。凤翔县南指挥乡河南屯村民在村东平整土地时，于地表4米深断崖处，发现两块平置大型玉璧。此处位于秦都雍城城墙外西南方向约1.5千米，附近有秦汉时夯土遗址。

河南屯遗址玉璧直径16.8厘米，孔径4.2厘米，厚0.5厘米。表面颜色分布较为有趣，一半为墨绿色，一半为浅绿色，边缘有受沁白斑。圆度规整，应为管钻而成。两面均阴刻出四圈三种不同秦式龙纹，从外至内，第一圈和第三圈均为方形龙首纹，第一圈为24条，第三圈为14条；第二圈有7组14条身尾互叠呈交尾状之龙纹，龙张口吐獠牙，身尾外轮廓大致呈长三角形，第四圈即围绕璧孔一圈，两面均阴刻5组10条身尾互叠呈交尾状之龙纹，其龙纹更为简略，头部为变形勾连云纹，身尾为三角云纹。整器每面阴刻龙纹62条，两面为124条龙纹，璧外缘和孔外缘均阴刻两圈细线，使所有龙纹均处在两圈环线中，纹饰线条均匀流

畅。这种用细阴刻线刻划方折龙纹纹饰风格，是春秋时期秦国玉器典型风格。

同出另一件玉璧直径29.7厘米，孔径5.9厘米，厚0.9厘米，此玉璧是所发现春秋时期形体最大玉璧。有学者认为，此璧应是甘、青地区齐家文化遗物，秦人对其利用并雕琢上秦式龙纹。玉璧呈墨绿色，两面均碾琢极细阴线组成四圈环带状之秦式龙纹。2件大型玉璧出土时均平置，附近又有建筑遗址，推测是建筑奠基时举行祭祀活动遗物，为春秋时期祭祀研究提供了极好的实物资料。

河南屯遗址玉璧藏于凤翔县博物馆。

曾侯乙墓玉璧 战国文物。1977年9月，湖北省随县曾侯乙墓出土。曾侯乙墓位于湖北省随县城郊东团坡上。武汉军区空军雷达所在此处扩建营房，实施爆破时发现铜器。后经考古工作人员确认为古墓葬。随后，湖北省文物考古队到达随县进行勘探，确认是一座巨型岩坑竖穴木椁墓。发掘后，根据铜器铭文资料确认，为战国早期曾国一代国君曾侯乙墓葬。

曾侯乙墓玉璧直径8厘米，孔径3.4厘米，厚0.6厘米。青白色，质地莹润、细腻，一侧

略有沁蚀，呈鸡骨白色。玉璧内外缘均由管钻而成，并经打磨，未留下痕迹。内外缘各有一窄圈绚索纹，之间为三周主体纹饰，每周纹饰以云纹为主，其间夹以谷纹。主体纹饰通过减地方式，突出云纹和谷纹，使纹饰具有立体感。整器抛光，表面呈现莹亮光芒。

曾侯乙墓玉璧纹饰和制作工艺代表战国早期玉器风格，即多采用减地云纹或谷纹，抛光精细，光亮感强。战国时期，直径10厘米以下玉璧已失去礼制含义，一般作为装饰品。曾侯乙墓玉璧尺寸不大，玉质较好，纹饰精美，当为曾侯乙生前佩饰之物，死后随其深埋于地下。

曾侯乙墓玉璧藏于湖北省博物馆。

望山2号墓玉璧　战国文物。1965年冬，湖北省江陵县望山2号墓出土。望山墓地是楚郢都纪南城外重要楚国墓地之一，在江陵县裁缝乡境内。湖北省荆州地区漳河水库修建渠道工程，考古工作者配合工程进行文物勘探，发现望山墓地，随即进行发掘。2组玉璧与龙形玉佩即出土于2号墓中。2件玉璧尺寸较大，其中1件出土时位于头端内棺与中棺间，1件位于内棺头端。2件龙形玉佩出土时，均位于棺内

墓主胸腹两侧，为墓主身上佩饰用玉。

望山2号墓玉璧左玉璧直径21.6厘米，孔径7.9厘米，厚0.7厘米，玉佩长18.8厘米，宽11.6厘米，厚0.4厘米。右玉璧直径21.4厘米，孔径6.9厘米，厚0.6厘米，玉佩长18厘米，宽13厘米，厚0.4厘米。两组玉器各1对。玉色碧绿晶莹，光泽温润，堪称美玉。2件玉璧保存较好，只有一璧边缘有浅褐色沁蚀，两璧边缘有小磕缺。孔边和器边各有一圈阴刻线，两圈阴刻线间为阴刻谷纹。佩作龙形，边缘饰以阴线，龙躯饰谷纹。2件玉璧制作规整、抛光精美，2件龙形玉佩造型优美、制作精良。

从望山2号墓玉璧造型看，佩与璧原系从一块玉料上分解而成。当时玉工根据玉料形状设计、制作出这2组玉器。2组玉器玉质、纹饰相同，造型也基本相同，尺寸相差也不大，应为对开成形，2件龙形玉佩表面有片切割开料而形成的加工制作痕迹。2组玉器造型和纹饰为战国时期楚系玉器典型风格，为研究楚系玉器使用提供了极佳例证，是研究楚系玉器制作工艺极好的实物资料。

望山2号墓玉璧藏于湖北省博物馆。

洛阳金村玉璧 战国文物。1928年夏秋之际，河南省洛阳市金村出土。当年多日大雨，金村村东农田突然塌陷，露出大洞。当地农民进洞探奇，从而发现古墓。金村发现古墓消息传出去后，引来众多文物盗贼。1928～1932年，外国学者和传教士带着荷枪实弹卫兵，在金村一带公开盗挖文物，共盗掘大墓8座，出土文物数千件。这些珍贵文物被盗掘者转运至10余个国家，存留国内文物微乎其微。根据金村大墓出土文献资料，金村古墓为东周时期周天子王陵。洛阳金村玉璧是幸存于国内少数周天子文物之一。

洛阳金村玉璧直径21.4厘米，厚0.4厘米。青玉，质地莹润、细腻，表面局部因受沁而呈现褐色。体为扁圆形，中间有一圆孔。内外廓各饰弦纹一周，中间满饰谷纹，两面纹饰相同。整器制作规整，磨制精细。

比较有名的收录金村大墓文物的学者是日本的梅原末治，著有《洛阳金村古墓聚英》，其中收录67件玉器。梅原末治以为金村银器铭文中"三十七年"是"秦始皇三十七年"，认定金村古墓是秦代墓葬。之后，有学者读出编钟上有个"韩"字，便认为这是"韩墓"。1946年，唐兰发表《洛阳金村古墓为东周墓而非韩墓考》，初步确定此处为东周贵族墓群。根据出土文物及铭文资料和文献记载，学界逐步认识到金村大墓为东周时期周天子王陵。

洛阳金村玉璧藏于河南博物院。

杨公战国墓玉璧 战国文物。1977年1月，安徽省长丰县杨公战国墓出土。杨公位于长丰县以北，与楚国最后一个都城寿县接壤，地理位置十分重要。杨公公社农民在兴修水利中发现古墓葬，之后考古队进行四次发掘，清理11座战国晚期楚国贵族墓葬与一座车马坑。

杨公战国墓玉璧直径13.8厘米，孔径3.8厘米，厚0.4厘米。为青白玉，局部有褐色沁斑，部分边缘因受沁变为黑色。器呈扁平状，正反两面纹饰相同，璧边缘和孔周围各有一道阴刻廓线，两道廓线间用平行斜线交错成菱形网格，两面网格内满饰蒲纹，排列有序。整件玉璧表面光亮，琢磨细致，制作规整。

该墓地出土42件玉璧，杨公战国墓出土的玉璧，可作为战国晚期玉璧形制的代表。

杨公战国墓玉璧存于安徽省文物考古研究所。

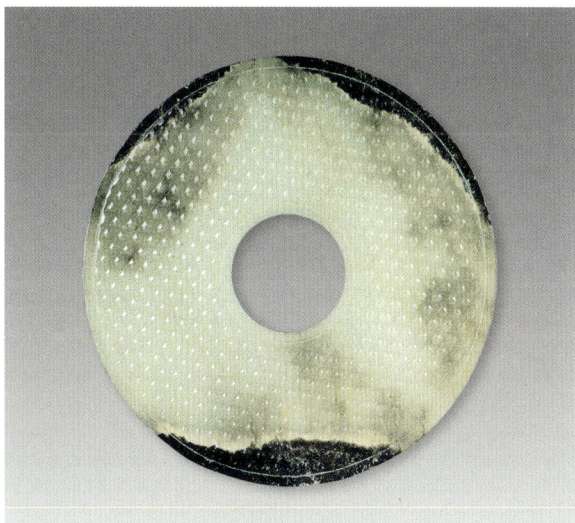

南越王墓玉璧　西汉文物。1983年6月，广东省广州市象岗南越王墓出土。一支工程队在广州解放北路象岗山进行基建施工时，发现西汉初年南越国第二代国王赵眜陵墓。后经考古发掘，取得丰硕成果。

南越王墓玉璧宽10.2厘米，璧径7.2厘米，孔径4.1厘米，厚0.3厘米。青玉，因为受沁表面呈灰黄白色中透绿，质地较软。璧面琢勾连涡纹，内外周缘起棱，璧孔较大，其中透雕一龙，昂首挺胸，尾部卷曲，作前行状。廓外两侧各透雕一凤，攀附璧缘上，凤鸟回首曳尾，呈攀缘状。龙凤皆以细阴刻线勾勒细部。整器制作规整、精美，玉璧边缘略有损缺。

南越王墓玉璧尺寸不大，制作精美，当为墓主生前佩饰。根据玉璧在墓葬中出土位置及与其他随葬品共存关系，可判断玉璧为南越国王赵眜随葬组玉佩中一个构件。两侧出廓形玉璧从战国早期开始出现，这种风格一直延续至西汉时期，属佩饰。这件透雕龙凤涡纹玉璧的发现，证明这类玉璧为组玉佩中构件，为这类玉璧实际使用方式提供一个例证。

南越王墓玉璧藏于广州西汉南越王墓博物馆。

狮子山楚王陵玉璧　西汉文物。1994年，江苏省徐州市狮子山楚王陵出土。1984年，徐州狮子山脚下砖瓦厂一民工在取土时，挖出彩绘兵马俑，发现大批兵马俑群。考古工作者经多次调查和实地勘察，1991年，找到陵墓。1994年，进行发掘。

狮子山楚王陵玉璧直径23.2厘米。青玉，里面含有褐色杂质，透明度较好。扁平圆形，器形较大，琢磨精细光滑。两面纹饰，花纹相同，中间以绞丝纹将花纹分为内外两区，内区为谷纹，外区系4组8条同首异体夔龙纹，呈对称状分布，龙身主体基本呈"M"形，龙身从龙头部位伸出，呈波浪起伏状，一直到尾部，龙腿仅刻划出后腿，并与龙身后段相交。

狮子山楚王陵玉璧藏于南京博物院。

中山靖王刘胜墓玉璧　西汉文物。1968年5月，河北省满城县陵山中山靖王刘胜墓出土。解放军某部指战员在满城县陵山施工，发现一座墓葬。指战员保护现场，并向有关部门报告。周恩来亲自做出批示，迅速成立考古工作队对墓葬进行发掘，根据墓葬遗物判断为西汉中山国靖王刘胜墓葬。

中山靖王刘胜墓玉璧高25.9厘米，直径

13.4厘米，孔径4.2厘米。玉质晶莹洁白，表面局部因受沁而泛黄。两面琢刻细密、圆润、凸起谷纹，周缘起棱。璧上端饰透雕双龙卷云纹纽，双龙昂首相背，曲身张口挺立于璧缘上，似有凌云欲飞之势。自龙尾腾起对称卷云纹，至上端聚作一桃形顶，上有一穿孔。玉璧制作规整，抛光精良，纹样优美，龙纹造型生动，是汉代玉器中珍品。

中山靖王刘胜墓玉璧为典型的出廓璧。出廓璧出现于战国早期，战国时期至西汉早期出廓透雕纹饰通常位于玉璧内孔或左右边缘。西汉中期以降，出廓部分开始集中于玉璧正上方，年代越早，出廓部分越高。刘胜墓玉璧出廓部分几乎与璧径相当，是年代较早的体现。出廓玉璧在最大程度利用玉料同时，丰富玉璧造型视觉效果，是对传统礼器形制 大突破。

中山靖王刘胜墓玉璧存于河北省文物保护中心。

枣园南岭汉墓玉璧 西汉文物。1997年11月，陕西省西安市北郊枣园南岭汉墓出土。在配合基本建设时，钻探发现枣园南岭汉墓，随后进行发掘。

枣园南岭汉墓玉璧直径21厘米，孔径8厘

米，厚0.5厘米。青玉，表面青浅绿间以浅黄、铁锈斑纹，丝纹两面皆有。形制规整，两面雕纹。从内孔缘至外缘共琢有四圈同心圆阴线，构成内、中、外三个弦纹带，弦纹面均素面。内、中弦纹带间雕琢变形卷云纹，排列两圈，内圈32个，外圈40个，其中蝌蚪文1个，两圈共71个变形云纹。云纹如桃形，线条优美。中、外量弦纹带间雕琢动物纹，占据玉璧大部分面积，8个动物纹上下左右相互对称，四大四小。大动物面部轮廓以粗线勾勒，小动物面部以细线勾勒，前肢皆以粗线勾勒，并加饰细阴线。玉璧两面纹饰内容和结构大体相同。

玉璧厚度一致，圆度规整。简化夔纹、牛首纹、变形云纹等多种纹样巧妙绘于一体，画面组合新颖，表面光滑，刀法细腻有力，线条转折流畅，代表该时期工艺较高水平，为不可多得精品。发掘者认为，该玉璧纹饰具有战国时期遗风，可能为秦时期器物。

枣园南岭汉墓玉璧存于陕西省考古研究院。

灵圣湖汉墓玉璧 西汉文物。2012年，山东省定陶县灵圣湖汉墓出土。灵圣湖汉墓位于山东省定陶县马集镇大李家村西北约2千米。

由于墓地中封土最大一座多次被盗，2010年10月起，对该墓进行抢救性发掘。2012年，墓葬发掘接近尾声时，考古人员发现主墓室门前下方一器物坑，其内放置一外围缝制丝织品并用横竖丝带捆绑竹笥，长49厘米，宽29厘米，高20.5厘米。竹笥内叠放丝质女士汉袍一件，保存基本完好，呈酱紫色，上有红色花纹，颈背部有用十字花丝带系结缝制在衣服上玉璧一件。玉璧完好无损，形体硕大。

灵圣湖汉墓玉璧直径18.6厘米，厚0.2厘米。青玉，内圈主体纹饰为谷纹，外圈为夔龙纹。这件玉璧形制规整，玉质精良，制作精致。

根据墓葬形制及相关文献资料，发掘者认为，该墓墓主很可能是汉哀帝母亲丁太后，时代为西汉晚期。在以往发掘同类大型墓葬中，未曾见过墓底部专设器物坑现象，是中国首次发现。丝织品保存基本完好，是北方地区已知发现保存最好的汉代服饰。这件丝织品出土和背部缝系玉璧做法，不仅为汉代服饰和汉代玉璧功用研究提供重要实物资料，也为研究汉代帝王埋葬制度提供重要依据。

灵圣湖汉墓玉璧存于山东省文物考古研究所。

咸阳师范专科学校汉墓玉璧 东汉文物。2006年1～3月，陕西省咸阳市师范专科学校汉墓出土。墓葬位于西汉成帝延陵东南2000米、平帝康陵南部1500米处，周围分布封土墓葬比较密集，且多2～3个成组排列，属当时埋葬区域，可能同西汉帝陵有一定关系。2006年1月，位于咸阳头道原上的咸阳师范学院科技苑工地楼基内，经钻探发现古墓葬一座。2006年1～3月，咸阳市文物考古研究所进行清理，共发掘墓葬二座，玉璧即出土于1号墓中。

咸阳师范专科学校汉墓玉璧直径23.4厘米，孔径4.2厘米，厚0.5厘米。青玉，颜色青中泛白。玉璧形制规整，两面雕琢相同纹饰。孔缘和璧外缘各雕一阴线圈，玉璧中部雕琢一圈绚纹，将玉器分为两个环形单元，内圈浮雕出带六角格子蒲纹，外圈雕琢四组兽面纹，且互相对称，兽面均为菱形眼，头上一对弯角，直鼻，两股鼻毛向两侧翘起，前两肢与后两肢交缠，位于面部两侧并向左右伸展。

根据墓葬地理位置、规模、布局及随葬品看，1号墓墓主身份可能为二千石一级高级官吏。

咸阳师范专科学校汉墓玉璧存于咸阳市文物考古研究所。

甘泉老虎墩汉墓玉璧 东汉文物。1981年，江苏省扬州市邗江区甘泉老虎墩东汉墓出土。甘泉镇位于扬州市西北郊约12千米处，在镇西约500米处有一高大黄土墩，当地群众称为"老虎墩"。数年前，村民依墩造砖窑时，发现此墩有明显夯土堆积迹象。1981年村民取土制砖时，在墩南侧发现砖砌墓门和券顶，当即上报当地文化部门。

甘泉老虎墩汉墓玉璧高9厘米，直径7厘米，厚0.4厘米。青玉，晶莹温润，局部带褐色沁泽。主体呈璧形，上面出廓，为东汉时期典型出廓璧形态。通体透雕，出廓部分透雕仰身凤鸟，璧面透雕一对相背游动螭龙，用细阴刻线表现龙凤细部，廓内外透雕"宜子孙"三字，构思奇妙。

东汉时期，出廓璧开始出现"长乐""万寿""益寿""延年""长宜子孙""宜子孙"等吉祥文字，而这座墓葬年代即为东汉中期。这类吉祥文字早在铜镜上面出现并蔚然流行，吉祥文字玉璧所见数量不多，主要见于诸侯王、列侯等高等级墓葬中。"宜子孙"玉璧构思巧妙，镂雕精美，制作精细，为研究东汉时期玉器工艺和审美提供绝好资料。

甘泉老虎墩汉墓玉璧藏于扬州博物馆。

中山穆王刘畅墓玉璧 东汉文物。河北省定县陵头村中山穆王刘畅墓出土。定县位于冀中平原西部，古称中山之地，汉代沿其故名，封子弟于此为中山国。卢奴为汉时中山国都，位于定县县城。定县城南北陵头村一带为中山国王陵墓区，中山穆王刘畅墓即位于北陵头村西约200米处。这件玉璧发现于刘畅墓中室通往西后室门外西侧，西后室为刘畅墓室。根据满城汉墓玉璧出土情况，发掘者认为玉璧可能置于刘畅玉衣之内，被盗时随尸体和玉衣移动被遗落在门侧。

中山穆王刘畅墓玉璧高30.5厘米，直径24.4厘米，厚1.1厘米。青玉，半透明，表面有温润、明亮光泽，局部不沁蚀处泛红褐色。璧之内、外边缘为素面宽带，璧面饰规整乳丁纹，粒粒圆润饱满。其上部透雕二龙衔环钮，璧身两侧各透雕一龙为装饰，生动活泼。整器玉质细洁莹润，造型端庄优美，制作规整、精细。

东汉时期，帝王贵族依旧追求尸身不腐、成仙升天，不仅使用玉衣包裹尸体，往往还在

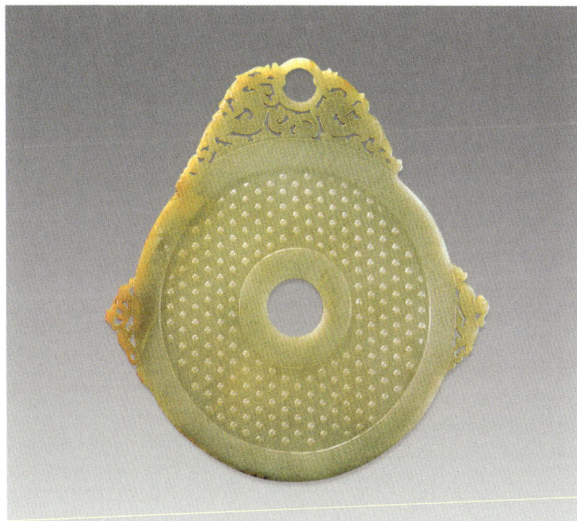

玉衣内放置一些玉璧。中山穆王刘畅墓玉璧玉质精良，造型精美，表现出高超制玉工艺，很可能是墓主生前拥有的一件艺术珍品。

中山穆王刘畅墓玉璧藏于定州市博物馆。

中山简王刘焉墓玉璧 东汉文物。1959年，河北省定县北庄中山简王刘焉墓出土。中山简王刘焉墓位于定县城北1.5千米的北庄西北边，其东南紧靠京广铁路。1959年，由于铁路建设，河北省文化局文物工作队对中山简王刘焉墓进行发掘。出土玉石器47件，"玉匣"饰片5169片，这件玉璧是其中最精美一件。

中山简王刘焉墓玉璧高25.5厘米，宽19.9厘米，厚0.7厘米。青色，质地细腻莹润。璧面布满谷纹，在孔和外缘边缘上各刻弦纹一周，周缘较窄。璧上端出廓部分近似于长方形，高度为璧身直径1/4左右。附刻有透雕双蟠螭纹，作曲身舞爪相斗状姿态，两头相对于玉璧正上方，尾巴贴附于玉璧斜上方，矫健有力。两螭身躯上下及之间生出卷曲蔓草纹，勾连复杂，镂雕技术炉火纯青。琢刻艺术精湛，抛光莹润，表面光泽熠熠生辉。

发掘者根据随葬品、墓葬形制、砌筑方法、石刻题铭及文献记载，推测此墓为东汉早期中山简王刘焉墓。玉璧出土，为研究汉代玉璧造型、工艺提供极佳标本。

中山简王刘焉墓玉璧存于河北省文物保护中心。

五莲丹土牙璧 新石器时代大汶口文化晚期至龙山文化早期（前2800～前2300年）文物。1956年冬至第二年春，文物普查中征集。丹土遗址位于山东省东南部五莲县，遗址距离著名两城镇遗址仅数千米。

五莲丹土牙璧最大齿径22.5厘米，内径7.2厘米，厚0.5厘米。因受沁表面呈现浅灰色，局部上可看到其原色应为绿色斑点沁。牙璧中部为圆孔，圆度不是十分规整，其形成原因应是，中孔在由管钻形成后，又再次进行打磨。器外缘有三齿牙，其中两齿上有小扉牙。其下端一齿上面有两组扉牙，一组在齿牙中部，一组靠近齿牙末端。左侧齿牙上有一组扉牙，位于其中部。牙璧整体中间厚、边缘薄，通体磨光，表面有划痕及小磕缺。这件牙璧直径达22.5厘米，是所见牙璧中器体最大者。

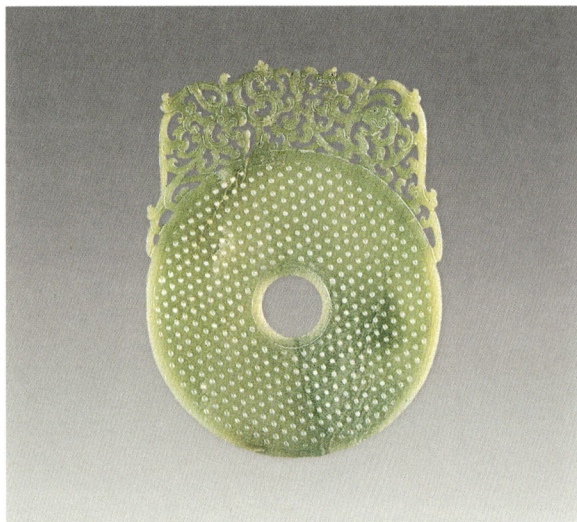

海岱地区考古发现牙璧主要分布于鲁东南、鲁北一带。丹土遗址年代范围为大汶口文化晚期至龙山文化早期，新石器时代牙璧中，其年代相对较早。丹土遗址和其他大汶口文化晚期遗址中出土牙璧，有学者认为牙璧起源于大汶口文化。有学者认为源于辽东半岛和内蒙古一带出土牙璧。牙璧形态，有学者认为整体像一只高度抽象鸟形，牙璧扉牙最初表达的是鸟足和喙。另有学者则认为，牙璧齿牙设计原型，应是源自侧身蝉形，其中牙根是蝉头，牙颈和牙冠则代表蝉身。

五莲丹土牙璧藏于五莲县博物馆。

清凉寺100号墓牙璧 新石器时代陶寺文化（前2500～前1900年）文物。2003～2005年，山西省芮城县清凉寺遗址100号墓出土。1975年和1984年，当地村民在清凉寺旁断崖上取土，先后发现数十件史前玉石器。2003～2005年，为文物保护和科学研究需要，考古工作者对清凉寺墓地进行抢救性发掘，取得重大收获。这件牙璧出土时，与1件组合璧环和1件玉环叠套在墓主左手腕部。从出土状况看，牙璧功能显然与玉璧环功能相同，皆为佩饰。

清凉寺100号墓牙璧孔径6.2厘米，中心厚度0.5厘米。透闪石青玉，因长埋于地下受到沁蚀，周边及孔壁有白化现象，表面有铁线般纹裂和裂纹。器形平面为方形，中间为大孔，由孔向边缘逐渐变薄，断面为楔形，四牙边刃明显，牙沟有摩擦痕迹。两面均有线拉切痕迹。中心孔为管钻，由两面对钻而成。整器抛光较好，光素无纹。

牙璧形制一般为圆形、三牙，而这件牙璧方形、四牙，形制特殊，且清凉寺墓地仅出土1件，虽为佩饰，但同时也具有彰显墓主社会地位的作用。

清凉寺100号墓牙璧存于山西省考古研究所。

郭家庄160号墓牙璧 商代晚期文物。1990年秋，河南省安阳市殷墟郭家庄160号墓出土。郭家庄位于安阳市西北，高楼庄西南约300米处。中国社会科学院考古研究所安阳工作队在郭家庄西部，清理12座商代墓葬，其中160号墓是一座未经扰动、保存完整的较大的长方形竖穴土坑墓，墓中出土一大批珍贵文物。

郭家庄160号墓牙璧外径10.8厘米，内径

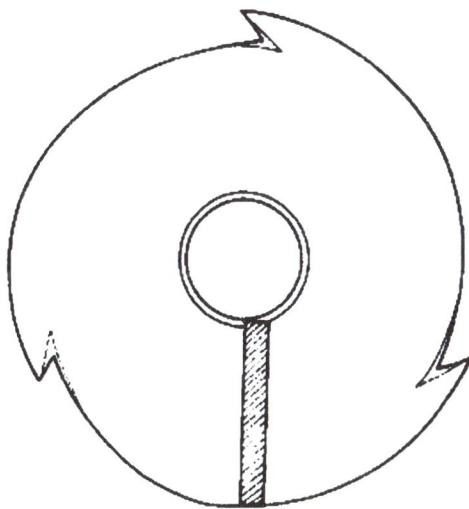

2.8厘米，厚0.6厘米。由灰白色玉石制成，主体为圆环形，中央有一圆孔，一面抛光，一面较粗糙，外廓同向斜出三个机牙，牙颈微鼓，牙冠尖出。

安阳殷墟已知出土7件完整牙璧，其中4件直径2～6厘米，3件直径在10厘米之上。郭家庄160号墓牙璧属商代牙璧中大型者。一般商代晚期玉器多出土于棺内墓主身体上下或周围，这件牙璧出土于椁室之中。

郭家庄160号墓牙璧存于中国社会科学院考古研究所。

敖汉旗份子地遗址石钺　新石器时代红山文化（前4100～前2900年）文物。内蒙古自治区敖汉旗份子地遗址采集。份子地遗址位于内蒙古自治区赤峰市敖汉旗北部新窝铺乡份子地村，遗址为一处大型红山文化聚落。

敖汉旗份子地遗址石钺长15.6厘米，宽14.2厘米，中心孔径2.8厘米，边缘孔径1.2～1.4厘米。石质，灰白色，夹杂有黑色斑点，但石质非常细腻。器体近似扁宽梯形，通体磨光。顶部平直，两侧略外撇，呈斜直状，刃部呈圆弧状外凸，有明显使用痕迹。上端较厚，并在两侧边有明显粗糙面，且刻有细槽。近上端两侧

各穿一小孔，两面管钻而成，孔壁存钻痕。体正中偏上两面穿一大孔，孔壁磨光。孔缘至上端之两侧，由于酸蚀而形成黑色绑缚木柄之物痕迹。

红山文化中石钺数量极少，考古材料仅发现几件。这件石钺形制较为特殊，同时期其他考古学文化石钺皆呈长条形，而这件石钺呈扁宽梯形。

敖汉旗份子地遗址石钺藏于敖汉旗博物馆。

南河浜61号墓玉钺　新石器时代崧泽文化（前3700～前3300年）文物。浙江省嘉兴市南河浜遗址61号墓出土。该墓位于遗址一处祭台上，规模较大，属遗址第一等级墓葬，随葬品等级高且丰富。其所在发掘区A区，仅出土这一件玉钺，发掘者认为，该墓墓主应是巫师或首领。南河浜遗址共出土玉钺2件，出土时均位于墓主胸腹部。

南河浜61号墓玉钺长15.2厘米，宽4.3～6.6厘米，最厚处1.4厘米，孔径1.2厘米。透闪石软玉，玉色青绿，含白色沁斑，较透明。器身略呈窄扁平梯形，较厚重。上端斜直，边角圆润，下刃圆弧，刃角不明显，刃为双面磨制，器体近上端有一圆孔，两面管钻而成，孔中间

留有明显台脊。

崧泽文化上承马家浜文化，下接良渚文化。南河浜遗址为一处重要崧泽文化遗址。遗存分为两期五段，包含从崧泽文化早期到晚期连续不断发展过程，为研究崧泽文化提供了分期标准。玉钺出现反映崧泽文化已开始有玉礼器，这改变以往玉器性质，从而使玉器由装饰功能而走向礼制功能，开启之后良渚文化辉煌用玉时代。

南河浜61号墓玉钺存于浙江省文物考古研究所。

凌家滩遗址玉钺 新石器时代凌家滩文化（前3600～前3300年）文物。1998年下半年，安徽省含山县凌家滩遗址出土。凌家滩遗址出土玉钺数量较多，器身很薄，基本为扁长形、弧刃，制作规整，大多数刃口从两侧延伸至顶部，刃口锋利，多数玉钺表面留有弧形凹痕，总体呈现出标准化生产。

凌家滩遗址玉钺长28厘米，刃宽13.2厘米，顶宽9厘米，厚0.9厘米。玉钺表面灰白，泛绿斑纹。器体呈"风"字形，剖面扁弧，器体中间最厚，略凸弧，向两侧边渐薄。平顶微外弧，边角有崩缺。宽弧刃，较完整。近顶有

一对钻圆孔，钺一面在孔以下切割较多，孔以下至刃部内凹。钺面上部有数道弧形线切割痕。表面琢磨光滑。

凌家滩遗址玉钺形体较大，较为完整，制作精致，在凌家滩遗址出土的玉钺中亦属佼佼者。其上端弧形凹痕为典型玉器开料工艺中线切割痕，表明当时玉器制作技术仍处于线切割时代。玉钺刃为弧刃，与龙山时代多为平刃不同，弧刃需要更加费时费力费料。凌家滩遗址玉钺对研究良渚文化前长江下游地区玉器特点及当时社会复杂化都十分重要。

凌家滩遗址玉钺存于安徽省文物考古研究所。

西坡6号墓玉钺 新石器时代仰韶文化晚期（前3500～前2900年）文物。河南省灵宝县西坡遗址6号墓出土。西坡墓地共出土玉器14件，种类有钺和环两种，以钺为主，有13件。西坡墓地已发掘墓葬34座，只有9座墓葬随葬玉钺，都出土于大中型墓葬中，是死者生前身份和地位的象征。

西坡6号墓玉钺长12.9厘米，宽5.6厘米，厚0.88厘米。蛇纹岩，颜色斑驳，大体呈青色，有浅绿色斑纹。体近梯形，顶近平，直边

略斜，中间厚两边薄，双面舌状弧刃。近顶有一孔，两面管钻而成，先由一面钻约0.6厘米深，再由另一面钻约0.2厘米，将中间部分击穿，孔壁经加工，两面孔径均为1.4厘米。器身一面留有线切割留下弧形凹痕，顶未磨整，其余部分均经磨光。刃部无明确使用破损痕迹，穿孔周围亦无系柄痕迹。

西坡玉钺均为这种长舌状形制，均无使用痕迹，当非一般社会成员所拥有。西坡玉钺近似早期石质工具，属玉钺早期形态，从多种生产工具中脱颖而出，率先成为黄河中游地区具有礼仪性质的器物。

西坡6号墓玉钺存于河南省文物考古研究院。

瑶山9号墓玉钺　新石器时代良渚文化（前3300～前2200年）文物。1987年5月，浙江省余杭市瑶山9号墓出土。瑶山为良渚遗址群中一处重要墓地兼祭坛遗址，位于余杭市安溪镇。1987年5月1日，当地部分村民分别在瑶山西北坡、余杭与德清交界羊尾巴山南坡进行盗掘，并在瑶山挖出大量良渚文化玉器。正在安溪镇家中的浙江省所技工闻讯后，立即向上级文物主管部门汇报，及时制止村民盗掘。鉴于情况

紧急，文物管理部门与公安部门迅速到场，在打击盗掘、收缴文物同时，立即进行抢救性考古发掘。

瑶山9号墓玉钺长15.6厘米，顶宽10.6厘米，刃宽11.6厘米，上孔径1.55厘米，下孔径2.2厘米，厚0.8厘米。因长期埋于南方酸性土壤环境中而受沁，表面呈鸡骨白色，局部有浅黄色斑点。平面略呈长方形，弧刃宽于顶端，一刃角残，上部对钻一大一小两圆孔。顶端留有弧线切割后崩碴，略经打磨。圆孔一侧有直向切割痕，斜切入钺面。器体横截面呈扁枣核形，中间厚，向两侧减薄而形成边刃。下孔两侧至顶端两角各有一粗细线痕，宽约1厘米，顶端缘有斜向细线痕。钺体表面精心磨光，十分细腻莹润。

瑶山9号墓玉钺的器形，继承了长江下游地区中间厚、两侧薄、三面有刃玉钺的传统。瑶山9号墓玉钺表面上端、下孔两侧至顶端两角各有一粗细线痕，宽约1厘米。不少学者认为，这是玉钺装柄绑缚痕迹。

瑶山9号墓玉钺藏于良渚博物院。

反山12号墓玉钺　新石器时代良渚文化（前3300～前2200年）文物。浙江省余杭市反山12号墓出土。反山是良渚文化遗址群中又一处重要贵族墓地，位于良渚内城西北角外，为一处小高地。小高地是良渚先民运土堆筑营建而成，用于祭祀、埋墓。墓地营建布局有序，体现良渚文化社会组织结构复杂程度。苏秉琦以"山陵"比喻，誉为"土筑金字塔"。反山12号墓属于墓地中最高等级的墓葬。

反山12号墓玉钺冠饰（上）高3.6～4.7厘米，宽8.4厘米，厚1.35厘米。玉钺（中）长

17.9厘米，上端宽14.4厘米，刃宽16.8厘米，最厚0.9厘米，孔径约0.55厘米。钺镦（下）高2.8厘米，宽8.3厘米，厚2.3厘米。由钺、上下端饰三部分构成。透闪石软玉，淡绿色，沁为花白色，透光性好，有紫褐色瑕斑，钺与端饰应取自同料。钺呈"风"字形，弧刃鼓背，上端有一小穿孔，背部嵌入柄部部分粗糙，其余部分抛光精细。在钺刃角上两面对应位置，分别雕琢有图案，上角为雕琢完整正面浅浮雕神人兽面纹，下角为浅浮雕鸟纹。钺冠饰下部有卯眼可安柄。椭圆形钺镦，有卯眼和横孔可和钺把固定。从出土位置判断，钺杖总长约70厘米。另外，安装玉钺木柲有小玉粒，下端饰附近还有琮式管和龙纹管，亦应为玉钺之上装饰。玉钺出土时，位于墓主身体左侧。

反山12号墓玉钺构件复杂，雕琢有神徽和鸟纹，非同一般。反山12号墓还出土良渚文化"琮王"。玉琮、玉钺是良渚文化身份和等级的标志，可见12号墓主人在该墓地中，拥有独一无二的地位。

反山12号墓玉钺藏于浙江省博物馆。

五莲丹土玉钺 新石器时代大汶口文化晚期至龙山文化早期（前2800～前2300年）文物。山东省五莲县丹土遗址出土。遗址最初发现于1934年。1957年，山东省文物普查在该遗址首次发现较多玉石器。1995年、1996年、2000年，山东省文物考古研究所等单位对遗址进行试掘、勘探和发掘，发现大汶口文化晚期、龙山文化早期和中期三个城圈，及部分大汶口文化晚期、龙山文化早期房子和墓葬等，表明此处是一个从大汶口文化晚期至龙山文化早期重要的中心性聚落。

五莲丹土玉钺高30.5厘米，宽18厘米，厚0.3厘米。浅灰色，局部颜色较深，亦有网状斑痕。器体呈梯形，直背倾斜，下端刃部亦为斜刃，刃双面磨制，两侧边一边竖直，一边到下端微外侈，靠上部一侧嵌有一块硬度较高圆形绿松石，一端中部有一对钻而成圆孔，上端中部有一半圆形口。器表通体磨光，十分光滑细腻。刃角、中部曾残断，经拼接修复。

大汶口文化晚期海岱地区开始出现平直刃玉钺。这件玉钺棱角分明、刃部平直，推测不晚于龙山文化早期。五莲丹土玉钺是海岱地区所见形体最大的玉钺，长30余厘米，厚度仅有0.3厘米，足见当时开料技术成熟。通过仔细观察，上下两端倾斜，一侧外侈，有边刃，玉钺应是由大玉刀改制而成，而镶嵌绿松石圆孔应为大玉刀背上穿孔。大玉刀在龙山文化时期才出现，从侧面证明该玉钺年代。

五莲丹土玉钺藏于五莲县博物馆。

西朱封203号墓玉钺　新石器时代龙山文化（前2500～前2000年）文物。1989年，山东省临朐县西朱封遗址203号墓出土。西朱封遗址位于山东省沂泰山脉北部临朐县城南约5千米，弥河北岸台地上，遗址面积约10万平方米。1989年，考古工作者对遗址进行第一次发掘，发现2座龙山文化大型墓葬。

西朱封203号墓玉钺长15～15.9厘米，宽8.5～9厘米，厚0.8厘米。呈墨绿色，颜色不均匀，局部颜色深呈墨色。玉钺大体呈长方形，顶端上斜，其他三边基本呈平直或竖直状，用管钻法在上端钻出一大一小两圆孔。通体经抛光打磨，器形规整。

西朱封遗址发掘的两座大墓，是龙山文化时期的贵族墓葬。这两座墓中，随葬玉器数量多而精美。墓中还有数量较多的彩绘陶器，有些彩绘陶器在彩绘木箱中盛放，显示贵族的等级身份。

西朱封203号墓玉钺存于中国社会科学院考古研究所。

陶寺3168号墓玉钺　新石器时代陶寺文化（前2500～前1900年）文物。1978年，山西省襄汾县陶寺遗址3168号墓出土。

陶寺3168号墓玉钺长16.8厘米，柄端宽7.8厘米，刃端宽9厘米，厚0.4厘米。透闪石，呈灰色，有黑色或褐色斑纹，局部呈墨绿色，器表光洁具有玻璃光泽。柄端稍窄于刃端，长方形，弧刃，两侧长边磨成薄刃状。共见四孔，其中主孔为桯钻单面钻成，直径1.2厘米，孔径0.8厘米；一侧还有三个稍大散孔，亦单面钻成，其一在柄端边缘，另两孔在近中部套合在一起，孔径1.3～1.5厘米。出土时，三散孔中都嵌补着特意加工玉片。背端散孔嵌片虽同孔周钺体厚薄相当，颜色、纹理接近，但是颜色并不完全符合，说明并非是原孔钻心。另一处相套两孔，嵌片也合在一起，合缝严密，纹理和颜色与孔周一致，应是从原孔切割下来，套合二孔中嵌片也连为一体。

陶寺文化用器吸收了四周考古学文化因

素，其中山东地区文化因素尤其浓厚。在山东龙山文化中早就有在主孔之外，另钻散孔并镶嵌小玉片或绿松石现象。

陶寺3168号墓玉钺存于中国社会科学院考古研究所。

望京楼遗址玉钺 商代文物。20世纪八九十年代，河南省新郑市望京楼新村乡出土。望京楼遗址北距郑州商城约25千米，南距郑韩故城约4千米。在20世纪40年代，就出土过青铜器。1974年，当地村民农作时又发现一批铜器和玉器，邹衡认为此处是当时比较重要邑聚。20世纪八九十年代，又采集到一批铜器和玉器，其中就包括这件玉钺。2010年，为配合基本建设，对该遗址进行大规模钻探和发掘，一举发现夏商两代不同时期城址。

望京楼遗址玉钺长13.5厘米，宽8.3厘米，厚0.8厘米。呈青黄色，局部有深褐色沁斑和灰黄色筋状条斑。体为扁平长方形，一侧边平直，另一侧边向刃部逐渐外侈，靠近边缘可见明显边刃，刃两面磨制，顶端一边高一边低，平刃，刃角方圆，由两面磨成，刃面角度与侈边边刃基本相同。上半部有三孔，两孔居

中，其中一孔位于顶端，呈半开合状，剩余一孔位于上端一角，孔径小于中间两孔。器体通体磨光，两面光素无纹。

望京楼遗址玉钺藏于河南博物院。

前掌大120号墓玉钺 商代晚期至西周早期文物。20世纪70年代末，山东省滕县前掌大120号墓出土。滕县位于山东省南部。1964年，考古工作者对该市进行大面积考古调查。20世纪70年代末，又进行复查，在前掌大村北小魏河旁断崖上发现有墓葬存在，8次发掘清理出一批商周时期墓葬。前掌大120号墓年代为西周早期，为一座中型墓葬。玉钺墓主是一年轻女性，另有一年轻男性殉葬。出土时，与其他装饰性玉器、柄形器、小玉戈等26件玉器集中在棺内南部一个很小范围内。

前掌大120号墓玉钺高7.1厘米，宽3.9厘米，刃宽2.5厘米。青绿色，微沁，半透明。阴线双面雕，分为器身和柄两部分，柄前端上部饰一站立状虎，虎头平视前方，立耳，四肢直立，虎尾上卷。钺身较宽，"八"字形弧刃，钺体中间对钻一穿孔，穿孔与柄间有折线表示绑束图案，柄部扁平，柄末端向上翘起，

在翘起部分两端各对钻一圆孔。

商周时期，玉钺一般多出自男性墓葬中，尤其进入周代之后更加如此。前掌大120号墓玉钺直接雕出柄部，并在柄部上端琢出玉虎，这种形制独一无二。这样设计不仅造型优美，制作亦十分精致，小巧可爱，莹润美观。可能与墓主为年轻女性的身份有关。

前掌大120号墓玉钺存于中国社会科学院考古研究所。

虢国墓地2009号墓玉钺 西周晚期文物。河南省三门峡市虢国墓地2009号墓出土。虢国是西周时期重要的周王同姓诸侯国。虢国墓地是一处保存完好的大型邦国公墓。墓地内所有墓葬依墓主身份高低从北向南依次排列，分布于墓地最北端的第七、第八组墓葬规格最高。2009号墓属第八组，墓主为虢仲，一代国君。

虢国墓地2009号墓玉钺长13.2厘米，宽2.7厘米，厚2.1厘米。青玉泛蓝色，器身有褐色沁和附着铜锈，玉质温润。整体近似铜斧，器身厚重。钺体中部起脊，脊两侧减地形成两条浅

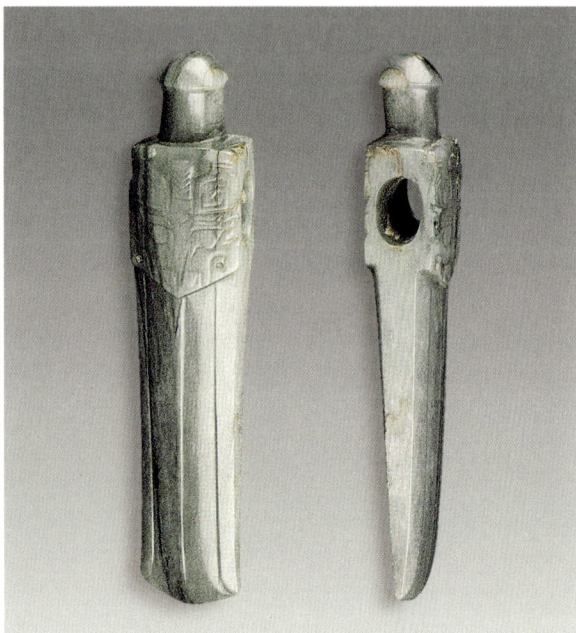

凹槽带。器身上厚下薄，逐渐向刃部渐薄，最终形成弧刃，刃部较圆钝。上方有蘑菇状柱，之下为长方銎，銎部正背面琢饰正面像兽面纹，角、额、眼、鼻、嘴部俱全，具有浅浮雕风格。銎孔管钻而成，孔口经打磨。器身经磨光，莹润光亮，表面无使用痕迹，应为礼器。

进入西周时期，玉钺越来越少，这种形制独特玉钺更是极为少见。虢仲墓还出土有另外一件玉钺，造型大体相似，唯较细长，长方形柱，兽面纹更加具象、立体。虢国墓地中还有一代国君虢季的墓，其墓葬中并没有玉钺出土。

虢国墓地2009号墓玉钺藏于三门峡市博物馆。

黎城广志山采集玉戚 新石器时代龙山文化晚期（前2500～前2000年）文物。1964年，山西省黎城县后庄村广志山采集。黎城县位于山西上党盆地东北部，太行山东麓。该玉戚体型较大，器体较薄，仅厚0.4厘米。这种开料技术至少到龙山文化晚期才出现，推测其制作年代上限为龙山文化晚期。

黎城广志山采集玉戚长20.6厘米，背宽11厘米，刃宽13.1厘米，厚0.4厘米。青玉，玉质并不纯净，包含有大量深色杂质，表面有沁斑。整体保存完好，整体呈梯形，两边内弧，中上部有齿阑，背较平，刃略外弧，中间靠背部有一圆形钻孔。在圆孔之下器体中上位置两面均饰神面纹。神面纹为阴线刻，一侧为神人半侧面头像，头戴冠饰，披拂长发，眼眉清晰可辨；一侧为一方形台座上置神人冠饰形象，神秘威严。

黎城广志山采集玉戚上雕刻神面纹，这

种文化因素，是东玉西传极好例证。玉戚与玉钺形制十分接近，唯多两侧扉牙，这类玉器最初也被称为玉钺。根据吴大澂《古玉图考》著录，将这类两侧有扉牙玉钺改称为玉戚。

黎城广志山采集玉戚藏于山西博物院。

二里头5号坑玉戚 二里头文化文物。1975年秋，河南省偃师市二里头遗址5号坑出土。二里头遗址位于洛阳市偃师市，为二里头文化时期一处重要都邑。1959年，徐旭生率队在豫西进行"夏墟"调查时，发现二里头遗址，从此拉开夏文化探索序幕。1975年秋，考古工作者在二里头遗址清理两个被盗过土坑，编号4号、5号坑。

二里头5号坑玉戚刃宽10厘米，厚0.6厘米。青玉，其上有沁斑。背部较圆，两侧近斜直，每侧各饰6个扉牙，每3个为一组，构成一个标准"介"字形冠，齿刃，刃分4段，每一段大多为两面直刃，段间交接处较厚。器身中部有一个大圆孔，非常规整，但钻成后并未经加工，孔一面大、一面小，表明为单面钻，孔壁上有管钻留下来旋转痕。通体磨光，除扉牙无任何其他装饰纹样，亦未见明显使用痕迹。

这件玉戚明显是由玉璧改制而成，因此又被称为"玉璧戚"，与长方形玉戚在制作方式上差别较大。不少学者认为，"介"字形齿牙装饰起源于海岱地区，代表神祇或神祖。因此，这种"玉璧戚"起源可能具有较多东方因素。

二里头5号坑玉戚存于中国社会科学院考古研究所。

花园庄54号墓玉戚 商代晚期文物。2000年12月，河南省安阳市花园庄54号墓出土。54号墓位于安阳殷墟宫殿宗庙区内。2000年12月，墓葬被盗，立即进行抢救性发掘。花园庄54号墓玉戚出土时，从中部斜断成两半，估计是棺椁塌陷受压所致，后经拼接修复。

花园庄54号墓玉戚长19.9厘米，刃宽19.2厘米，厚0.36厘米。牙黄色，整体颜色不均，柄端受沁，色泽较深。整器原为一玉璧，经改制而成戚。柄部前端有两条相距0.5厘米"双阴挤阳"线纹，柄两端分别有一小型桯钻圆孔，可能用于固定木柄。其他部位无纹饰。两侧斜边，每侧有6个扉牙，每3个一组构成"介"字形冠饰。刃部稍加磨制，较圆钝，应不是实用器。器体中部有一个十分规整圆孔，

管钻而成，圆孔边缘经打磨，没有台痕。

商代是玉戚类玉器繁荣发展时期，仅54号墓就出土有6件玉戚、1件石戚。

花园庄54号墓玉戚存于中国社会科学院考古研究所。

殷墟小屯采集玉戚 商代文物。1970年，河南省安阳市小屯采集。小屯是殷墟遗址核心区域，有大量宫殿、宗庙建筑基址遗存，亦有少量墓葬分布于此。

殷墟小屯采集玉戚长13.82厘米，最厚1.09厘米，宽5.25～6.19厘米。青色稍泛黄，颜色与质地匀净。器体大致呈梯形，一面平整，一面微凸。顶端不平直，弧刃，单面刃较圆钝。上端中部有对钻小圆孔，其下为两组数道阴线纹夹斜"十"字交叉纹。两侧各有6个扉牙，每3个为一组构成抽象"介"字形冠饰。表面通体抛光，润滑细腻。

这件玉戚不仅玉质上乘，制作也十分精美，是殷墟遗址所见仅有刻纹玉戚。殷墟玉石质戚钺类主要出自贵族墓，常与铜兵器伴出。出土位置，多位于棺内墓主人头至腰部。在规模较大墓葬中，有时放置在棺椁之上，或于丧葬仪式结束后埋藏于填土内。贵族墓殉人有时也使用戚钺，以石质或器形较小者为多。有的贵族墓内，长度不超过5厘米的小玉戚用作口琀。

殷墟小屯采集玉戚存于中国社会科学院考古研究所。

金沙遗址玉戚 商代晚期至西周早期文物。2001年，四川省成都市金沙遗址出土。出土地点在金沙遗址滨河祭祀场所，发现大量祭祀遗物，包括玉器、金器、铜器、象牙、石器、漆木器、骨器、卜甲、野猪獠牙、鹿角及数千件陶器。

金沙遗址玉戚长13.4厘米，宽11.5～13厘米，孔径6.1厘米。璧戚。透闪石，呈深墨绿色，不透明，器表上残存有青铜锈斑、少量黑色条状斑、深红褐斑、牙黄色点状沁斑。柄部上端残存大块黑色胶状物质及一点红色朱砂，可能是横向安柄时使用粘接物。朱砂附着在胶状物质上，推测可能是原柄上有涂朱。该器扁平似玉璧形，中部有大圆孔，孔壁光滑。顶端呈圆形。两侧各有两组锯齿状突起扉牙，每组两齿，共有四牙。刃部分四段磨成连弧形双面刃，段间交接处比较圆润。

在金沙遗址既有这样圆润璧戚，也出土有长方形戚，但二者与中原玉戚不同的是两侧扉牙。殷墟时期，玉戚无论是璧戚还是长方形戚，两侧基本多是6个齿牙，每3个为一组构成"介"字形冠，"介"字形冠是简化神面纹。金沙遗址玉戚两侧齿牙或多于6个，或少于6个，显然对两侧齿牙含义已模糊不清，只是象征性地琢出。西周之后，基本不见玉戚踪迹。

金沙遗址玉戚存于成都市文物考古研究所。

虢国墓地2001号墓玉戚　商周时期文物。1990年，河南省三门峡市虢国墓地2001号墓出土。1956年，该墓地被发现后，先后经四次钻探和两次大规模发掘。2001号墓是第二次大规模发掘成果。1990年，由于当地村民建房私自钻探，引发一场大规模盗掘和走私文物事件。考古部门迅速介入，使得2001号墓得以保存。这件璧戚出土时，连同玉圭、玉戈、柄形器等放置在外棺盖上，其中玉戚在西北角，一件较大玉戈置于中部，而其他器物则集中置于北端，是落葬过程某种特殊安排或仪式。

虢国墓地2001号墓玉戚长14.4厘米，宽13.3厘米，厚0.8厘米。青玉，呈豆青色，间

杂有少量黄白色斑纹与斑点，半透明。形体较大，体呈扁圆状。顶端略窄，刃端阔而呈弧形，两侧边有扉牙各6个装饰，亦3个一组构成"介"字形冠，中部有一圆穿孔，从剖面看应为单面钻穿孔。背面上留有一道锯切痕迹。

2001号墓为虢国国君虢季墓葬，时代为西周晚期。西周时期，玉钺、玉戚等玉兵不仅数量减少，且小型化。这件璧戚形体较大，扉牙仍为"介"字形。因此有学者认为，从器形上、雕工上看应是商代晚期遗物。

虢国墓地2001号墓玉戚藏于河南博物院。

黄季佗父墓玉戚　春秋文物。1988年6月，河南省光山县宝相寺黄季佗父墓出土。黄国为商周时期的嬴姓诸侯国，其地望在河南信阳光山、潢川一带，在春秋时期被楚灭国。1983年，光山宝相寺发掘黄国国君黄君孟夫妇墓。1988年6月18日，光山县城关镇砖瓦厂施工取土时，又发现一座木椁墓，根据铜器铭文可知墓主为黄国大夫黄季佗父，年代为春秋早期。

黄季佗父墓玉戚长15.4厘米，上宽4厘米，下宽6.3厘米，厚0.8厘米。青玉，呈青白色，

里面夹杂大量深色条带状杂质。器体扁平，上端窄，下端略宽，上下两端皆为弧形，上下端皆有刃，刃中部有凸棱，刃两面磨制。器身两面各有2组扉牙，每组扉牙之上还有3个小齿，其中部分小齿多有崩缺，钺上端有一单面钻孔。器身一面光素，另一面有一组纹饰，用双阴线雕刻。

从戚钺类玉器发展历程看，经历最初弧刃、"风"字形形状，过渡到棱角分明、长方形状，到末期又掀起复古风潮，以弧形刃、"风"字形形状结束。

黄季佗父墓玉戚藏于河南博物院。

两城镇遗址玉圭　新石器时代龙山文化（前2500～前2000年）文物。1963年，山东省日照市两城镇遗址采集。日照两城镇龙山文化遗址，是中国著名新石器时代遗址之一。20世纪50年代后期，对该遗址继续开展考古工作，这件玉圭最初是两城镇一所小学开辟操场时，在工程废土中发现。1963年，刘敦愿在两城镇调查时，在农民家里看到该兽面纹玉圭，因此专门撰文介绍。

两城镇遗址玉圭长18厘米，宽4.5～5厘米，厚0.5～0.85厘米。2012年，山东龙山文化玉器课题组对两城镇遗址玉圭进行材质检测，为透闪石软玉，玉质细腻莹润。玉圭玉质坚硬，色青泛黄，其中一面因受沁基本上呈灰白色，另一面以断痕为界，一侧因受沁绝大部分呈灰白色，另一侧基本保留原色。器作窄长梯形，四面平整规范，较大一端为单面斜刃。柄端两面以连续阴刻旋转曲线围绕目纹展开，雕琢出一副狰狞兽面形象，头戴"介"字形冠，两面兽面纹并不相同。

这件玉圭为平首圭，刻有类似风格纹样玉器早有发现，但都是传世品。这件兽面纹玉圭为此类传世品的断代提供了一个年代标尺。

两城镇遗址玉圭藏于山东博物馆。

侯马煤灰制品厂132号坑玉圭　新石器时代龙山文化（前2500～前2000年）文物。1971年四五月份，山西省侯马市煤灰制品厂东周祭祀遗址132号坑出土。煤灰制品厂东周祭祀遗址位于晋国晚期都城新田，即侯马市。晋都新田遗址早在1952年就被发现，1961年被国务院公布为第一批全国重点文物保护单位。1971年4～5月，在煤灰制品厂进行钻探发掘，发现祭

祀坑156座。

侯马煤灰制品厂132号坑玉圭高21厘米，宽4厘米，厚0.1厘米。原色应为青黄色，由于受沁表面呈牙黄色。整体为长条形，两边斜收，上宽下窄，下部有一个直径为1厘米圆孔，上下两端皆有磨制薄刃，上端刃部微凸，下端刃部较为平直。正面圆孔上为两组阴刻弦纹带饰，每组弦纹有6条阴刻线，两两为一小组。弦纹以上阴刻1只昂首挺胸展翅鹰。背面平整无纹。整器制作十分精致，抛光极好。

这件玉圭出土于东周时期祭祀坑，但其本身并非东周时期制作遗物，而是新石器时代末期遗物。石家河遗址出土的后石家河文化片雕玉鹰，双鹰展翅侧面立于兽面之上，为这类玉器提供了年代标尺。132号坑玉圭上鹰纹与其风格近似。鹰纹玉圭在新石器时代末期制作，一直传承至周代，被晋国公室收藏。据研究，煤灰制品厂祭祀遗存应附属呈王路宗庙遗址，这件玉圭在东周时期由于宗庙祭祀而被埋于地下。

侯马煤灰制品厂132号坑玉圭存于山西省考古研究院。

陶寺1700号墓玉圭 新石器时代陶寺文化（前2500～前1900年）文物。1978～1984年，山西省襄汾县陶寺遗址1700号墓出土。陶寺遗址面积约300万平方米，是龙山文化时期晋南面积最大遗址。陶寺墓地，还出土有另一件尖首形玉圭，材质为阳起石软玉，形制与介绍这件玉圭大体相似，唯顶端突尖不甚明显，中部偏下多一钻孔。

陶寺1700号墓玉圭高17厘米，宽3.7～4.9厘米，厚1厘米。软玉，乳白色，细腻温润，表面光滑。上端呈等腰三角形，宽于柄端，两翼稍薄，磨成钝刃状。两侧长边斜收，边缘圆钝，底端略窄而平直。全身光素无纹，没有钻孔。玉圭出土于晚期中型墓中，顺向平置死者胸腹间，尖端朝向墓主足端。

这是所见时代最早的尖首形玉圭。陶寺墓地玉圭的发现，对玉圭起源、使用及功能研究意义重大。

陶寺1700号墓玉圭存于中国社会科学院考古研究所。

二里头三区2号墓玉圭 二里头文化文物。1980年秋，河南省偃师市二里头遗址三区

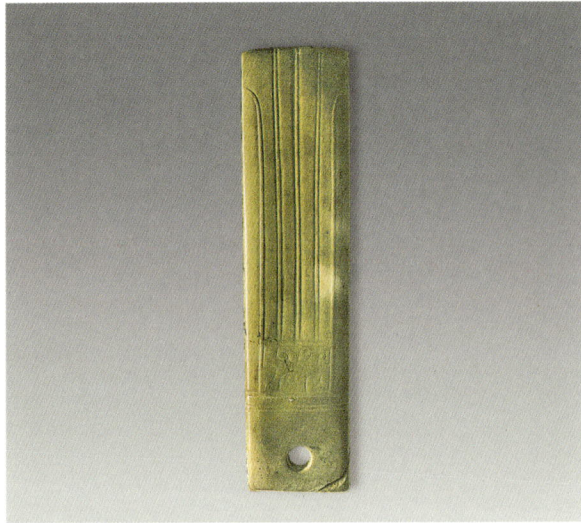

2号墓出土。

二里头三区2号墓玉圭长17.4厘米，宽4.4厘米，厚0.6～0.8厘米。刃端颜色近象牙黄色，中部及两孔间表面有沾染青铜锈而形成翠斑附着物，局部被沁成淡青色，下端表面附着朱砂和泥土。玉圭近长方体状，通体磨光，刃部为两面开刃，近首端有二圆孔，剖面两圆孔为单面钻穿孔。两孔间有双凸线两组，其间饰菱形云雷纹，立体感较强。首端圆孔上端一面有三道朱色条纹，皆通向圆孔，应为按柄绑缚痕迹。接近刃部一面与首端附有残存麻布。

二里头遗址的圭可能脱胎于斧铲类工具，虽仍保留刃部，但已失去实用功能。三条朱色绑缚痕迹，表明二里头玉圭是装柄的，可能作为礼仪用器，下葬时还用麻布进行包裹。

二里头三区2号墓玉圭存于中国社会科学院考古研究所。

妇好墓玉圭　商代晚期文物。1976年开春后，河南省安阳市妇好墓出土。妇好墓位于殷墟小屯宫殿宗庙区。妇好墓中共出土3件这类风格玉圭，这件玉圭尺寸介于中间，但纹饰是最为复杂的。尺寸较小的玉圭明显为改制器，

其原身应为残断玉戈，一侧尚可看到阑部。

妇好墓玉圭长19.6厘米，宽4.8厘米，厚0.9厘米。原色应为青玉质，受沁后变为土黄色，局部有白斑。体呈长方形，上下端近平并有厚刃。两面纹饰相同，下端雕刻一方框，里面饰变形云纹，方框之下刻4条平行阴刻线，两两一组，方框之上及两侧有10条竖向阴刻线，亦两两一组，其中中间三组一直通向刃部，两侧的2组在距刃部一小段距离时拐向两侧边缘。下端有一圆形穿孔，孔径1.1厘米。

妇好墓玉圭藏于河南博物院。

永凝堡3号墓玉圭　西周文物。1980年，山西省洪洞县永凝堡西周墓地3号墓出土。20世纪50年代初，当地村民取土建房时，发现陶器和铜器。1980年，考古队调查发现墓葬56座，清理其中22座。

永凝堡3号墓玉圭高12.8厘米，宽2厘米。大体呈灰白色，局部有黑色斑和青色泛黄玉质。体呈细长的长方形，上端尖首，首部以下平直，靠近下部有一小圆孔，不在器体正中，位置稍偏向一侧。素面无纹，经打磨，较为平整光滑。

玉圭为周代主要礼仪用玉，与周代命圭制度密切相关。据文献记载，周天子在册命诸侯时，赐圭是其中必要仪式。玉圭是受封者的符信，也是身份标志物。尖首圭最早见于陶寺遗址。二里头文化至中商时期不见尖首圭，均为平首圭。殷墟时期重现尖首圭，此后成为玉圭形制主流，西周所见玉圭基本为尖首圭。

永凝堡3号墓玉圭存于山西省考古研究所。

中山靖王刘胜墓玉圭 西汉文物。1968年5月，河北省满城县中山靖王刘胜墓出土。

中山靖王刘胜墓玉圭长9.4厘米，宽2.35厘米，厚0.4厘米。青玉，长期埋于地下受沁，表面满布土黄色斑。玉圭上端射似等腰三角形，下端为平直长方形，其上没有穿孔，为典型尖首圭。玉圭素面，制作十分规整。

周代以来，玉圭在墓葬中位置多在棺椁之间或棺椁盖板之上，明显表示这类玉圭与丧葬密切相关，可见这一传统从周代一直延续至汉代。刘胜墓中还出土另外2件玉圭，其中1件为青玉、1件为碧玉，长度和厚度都比这件玉圭超出一倍以上，这2件玉圭下端各有穿孔，亦出土于棺椁之间。中山靖王刘胜墓玉圭与其中

1件大玉圭并排放置，旁边还有玉璧出土。圭璧组合在汉代比较常见。

中山靖王刘胜墓玉圭存于河北省文物保护中心。

茅坡村汉墓玉圭 西汉文物。2001年，陕西省长安县茅坡村汉墓出土。茅坡村汉墓位于西安邮电学院新校区内。2001年，为配合新校区基本建设，清理两座大型汉墓。虽遭盗扰严重，仍残留有玉璧、玉圭、玉猪等精美玉器，在其中一座汉墓内出土4件玉圭。

茅坡村汉墓玉圭前3件长9厘米，宽2.5厘米，厚0.5厘米。后1件残长7.3厘米，宽2.5厘米，厚0.5厘米。4件玉圭均为青玉，青灰色。扁平体，均为尖首长方形。其中1件底部略残，中部残断经拼接修复。4件玉圭两面均有雕纹，可清楚看出，前3件是由蒲纹双身兽面纹玉璧改制而成，后1件是由谷纹双身兽面纹改制而成，4件玉圭为典型改制器。

汉代用玉璧改制成其他玉器现象十分常见，也是被改制主体。改制也是有等级的，改制玉器主要发现于皇室、王侯及高等级贵族墓葬当中。由于玉璧在汉代可用于祭祀、朝贺、

纳聘、馈赠、装饰、丧葬等，用途广泛、数量巨大，所以在王侯、高级贵族去世后，如若急需相关葬玉，就会使用多余玉璧进行改制。茅坡村邮电学院汉墓规模较大，地表之上还发现有建筑遗迹，表明这处汉墓有墓园，等级较高。这四件玉圭的发现，为汉代玉器制作、玉圭使用制度研究，都提供极好材料。

茅坡村汉墓玉圭存于西安市文物保护考古所。

延陵南阙门遗址玉圭 西汉文物。陕西省咸阳市周陵乡汉成帝延陵陵园南阙门遗址出土。延陵为汉成帝刘骜陵墓，修筑于成帝建始二年（前31年）初春。陵墓封土底部和顶部平面均为方形，底部边长173米，顶部边长51米，封土高31米。

延陵南阙门遗址玉圭长11厘米，宽2.5厘米，厚0.4厘米。4件玉圭均为典型尖首玉圭。左侧第一件为白色，玉质较为均匀，基本没有杂斑。左侧第二件亦为白色，表面有少量泛黄杂斑。第三件由于夹杂有大量黑色或灰色杂斑

而致使其大体呈灰色。第四件玉圭为墨色，表面有浅色杂斑。4件玉圭尺寸、大小、形制基本一致，扁平体，长方形，尖首，形制较为规整，通体抛光，无纹饰，表现出较为规模化制作生产水平。

在考古发掘中，经常见到用于祭祀玉圭，通常和玉璧一起使用，也可单独使用。如汉昭帝平陵与上官皇后陵之间连接二陵道路两侧，发现东西向排列成组玉器，每组玉器均由玉璧和玉圭组成。考古发现，这些专门为祭祀活动而制作玉器尺寸都不大，这4件玉圭形体较小，也属于祭祀用小型玉圭。据报道，延陵南门附近出土玉圭共8件，出土时排列整齐。

延陵南阙门遗址玉圭藏于咸阳博物院。

定陵玉圭 明代文物。1956年春，北京市昌平区十三陵定陵地宫出土。20世纪50年代中期，一项考古计划试图解开十三陵秘密，推进明史研究。最早提出计划的，是吴晗与郭沫若。这份计划经国务院总理周恩来批准，1956年春实施，对定陵进行发掘。墓中出土大量随

葬品，这2件玉圭位于万历帝棺内西端。

定陵玉圭左长26.8厘米，宽5.9厘米，厚0.97厘米；右长27.3厘米，宽6.4厘米。玉质极佳，细腻莹润。左件青玉，洁润细腻，正面两侧各有一凹槽，槽内凸起竖脊，背面平素，造型端庄、别致。右件玉圭上尖下方，正面阴刻四山纹，纹样描金。四山分上下左右，象征东、南、西、北四镇之山，寓意"江山在握，安定四方"。为皇帝大典时所持之圭。玉圭均为尖首圭，制作规整，打磨精细，端庄大气。

在崇古思潮影响下，明代玉圭被大量生产而作为朝廷礼仪用玉。明万历皇帝定陵中，陪葬有8件玉圭。

定陵玉圭藏于定陵博物馆。

石峁遗址采集牙璋　新石器时代龙山时代文物（前2500～前2000年）。陕西省神木县石峁遗址出土。神木县在陕西省东北部，北半部为毛乌素沙漠南缘，南半部系高原沟壑区，石峁遗址即位于秃尾河支流洞川沟山梁上，北距长城10千米。1976年，戴应新根据高家堡公

社提供线索发现该遗址。遗址发现后，很快进行调查，征集到一批出土文物，其中有28件牙璋，这是其中1件。

石峁遗址采集牙璋长30.6厘米，宽9.3厘米，厚0.4厘米。墨玉，油黑如漆，唯刃口薄处色呈深茶色，器表有白色蚀斑。长体扁平肥宽，柄近似方形，柄端一角磕缺，柄端上部中间有一圆孔。首端呈内弧刃。一尖残失，刃部有细小崩口。圆孔及上部两侧为横卧牛角形阑，阑上雕出牙饰。在阑部上方两侧还雕有3个等距离直立小齿，这种形制牙璋极少见到。牙璋表面通体抛光、莹润光亮。牙璋体量较大，但只有0.4厘米厚，反映出当时玉器开料工艺十分高超。

有学者将石峁遗址采集牙璋两侧阑部及其之上扉牙称之为"介"字形冠，认为这种形制扉牙源自海岱地区。一些学者认为，制作牙璋所用墨色玉料是石峁玉器特色，这件牙璋应为当地制作。除这件牙璋，戴应新还征集有另外27件牙璋。据其披露，当时有些牙璋品相不

好，并未征集。石峁遗址是龙山文化晚期至二里头文化时期出土牙璋最多地点，其中部分单阑形牙璋具有早期的特征。有学者认为，石峁是牙璋起源地。

石峁遗址采集牙璋藏于陕西历史博物馆。

司马台遗址采集牙璋　新石器时代龙山文化（前2500～前2000年）文物。山东省海阳市司马台遗址调查采集。司马台遗址位于海阳县城西南35千米，《莱阳县志》中有司马台的记载，1973年发现遗址。1974年，被群众挖土破坏，出土大量器物。从取土断崖看，遗址第一层为扰土层，第二层为岳石文化层，第三层为龙山文化层。三个文化层中，岳石文化层堆积最厚，龙山文化层堆积最薄。司马台牙璋为调查时采集而得。

司马台遗址采集牙璋长27.5厘米，刃宽7.2厘米，厚0.5厘米。墨绿玉，质地细腻，有斑点。扁平长身。一端为方形短柄，柄部正中有一穿孔，短柄与器体结合处两侧各有一突出

于体侧的阑，为单阑。刃部较宽，一侧较尖锐，一侧略低平，刃线呈内弧弯月形。牙璋一面柄端及阑部有一条竖向平直台痕，表明牙璋开料时使用片切割工艺。在器身表面有制作时产生疤痕，尤其在柄端，疤痕上面可见明显琢制痕迹。阑部孔由管钻单面钻而成，管钻口经精细修磨。在牙璋后期加工中，表面经抛光，在片切割痕一侧有竖向细小打磨痕。

根据检测，牙璋为透闪石软玉制作而成，质地非常细腻。该牙璋为采集品，其年代有不同说法。山东学者认为，牙璋为单阑，具有早期牙璋形制特征，司马台遗址有龙山文化层，这件牙璋年代应是在龙山文化早期。另有学者通过对比研究考古发掘品牙璋，经类型学分析认为，与这件牙璋共存玉器还有1件年代较晚的有领环，其绝对年代应在夏商时期。对产地也有不同看法，山东学者认为为本地制作。一些学者认为该牙璋玉料为墨绿色，与石峁玉器玉料相似，这件牙璋由石峁传播到此地。

司马台遗址采集牙璋藏于海阳市博物馆。

广东省博物馆藏牙璋　新石器时代龙山文化时期（前2500～前2000年）文物。传世品。20世纪60年代初，该牙璋由广东省文物管理委员会拨交给广东省博物馆。

广东省博物馆藏牙璋长25厘米，刃宽7厘米，厚0.9厘米。青绿色玉质，间有斜道褐色斑纹，器身两侧各有一牙，刃部微凹，分叉不太明显，刃部有小崩缺。通体琢磨光亮，制作精细。两面残留有粗糙面，里面残留有朱砂，牙璋刃部及表面有小磕崩，微小磕痕用肉眼看不到朱砂，高倍照片放大后可清楚地看到在这些小磕痕、磕缺里面也有朱砂。柄部底端破裂

面亦有朱砂。器身小磕缺处、钻孔内、两侧牙上都有朱砂。牙璋附有一个盒子和一块布料，盒盖外侧中央竖刻两行四句文字，曰："儒者席珍，克垂厥后，什袭而藏，永昭世守。"该牙璋经国家文物鉴定委员会鉴定，并认为其年代为新石器龙山文化时期。其风格为典型黄河流域单阑形牙璋，表面凹槽和磕缺中布满朱砂，应出自贵族墓葬当中。

据研究，这件牙璋为明代岭南大儒陈白沙所收藏。陈白沙是广东唯一一位从祀孔庙的明代硕儒。从陈白沙诗文可知，其对这件碧玉十分珍爱。陈白沙去世后，这件牙璋由陈氏后裔收藏、保管。抗日战争期间，这件牙璋流落他乡，后经斥资10万赎还给陈氏后裔。这是一件具有传奇经历的牙璋，也是国内收藏最早且流传有序的一件牙璋。

广东省博物馆藏牙璋藏于广东省博物馆。

二里头五区3号墓牙璋 二里头文化文物。1980年秋，河南省偃师市二里头遗址五区

3号墓出土。

二里头五区3号墓牙璋长54厘米，最宽14.4厘米，厚0.8厘米。青灰色，表面因受沁局部呈红褐色，表面亦残留有少量朱砂。牙璋整体似窄长铲，两侧外侈，刃端为全器最宽处，凹弧斜形端刃，两面磨刃，刃端一侧刃尖较高，一侧稍矮，高低差较小。近刃部长边一侧靠近器身边缘有一圆穿孔，嵌以白色圆片。相对二里头出土其他3件牙璋各部位比例，牙璋阑部以上到刃端器身较短且宽，显得较为肥大。阑部为两阑形，两侧齿饰对称，下阑上各有五小齿，上阑为单齿，上、下阑间两侧各有两组齿饰，每组有2个小齿饰，每个小齿都十分尖锐。柄部近阑处有一小圆孔，柄部下端稍残。牙璋表面无纹，通体磨光，制作精细。

五区3号墓除出土这件牙璋，还出土另外1件牙璋，器体略小，长48.1厘米，除柄部钻孔外，器身无钻孔。二里头遗址已发掘出土4件牙璋，皆出土于墓葬中。以二里头五区3号墓

牙璋形体最大。3号墓出土器物丰富，墓室面积较大，为二里头遗址贵族墓葬。

二里头五区3号墓牙璋存于中国社会科学院考古研究所。

望京楼遗址采集牙璋 二里头文化文物。河南省新郑市望京楼新村乡采集。望京楼遗址位于新郑市区北约4千米，北距郑州商城约25千米，南距郑韩故城约4千米。20世纪60年代，遗址就出土过青铜器。1974年，当地村民在农作时，又发现一批铜器和玉器。80年代后半期至90年代，在该遗址又发现一批铜器和玉器。几批夏商时期铜器和玉器的发现，使学界认识到该遗址重要性。2010年，为配合郑新快速通道建设，考古工作者对该遗址进行较大规模钻探和抢救性发掘，证实望京楼遗址是二里头文化时期与商代的重要城邑。望京楼遗址采集牙璋虽为采集品，但其形制与二里头出土牙璋相比，形制与风格近似，推测为二里头文化时期遗物。

望京楼遗址采集牙璋长37.5～41厘米，宽10.2厘米，厚0.4～0.5厘米。青玉，质地较为纯净、细腻，表面有自然纹理，有长期埋藏而形成的鸡骨白沁色。器体呈长条形，体扁薄。器体最宽处在上端刃部，刃部呈内凹弧形，两面磨刃，较为锋利，一侧刃尖较高、一侧较矮。器体中部微束腰，器身之上细看有斜向或横向极细短阴线，似为打磨而形成。阑部为两阑形，装饰较为复杂，下阑不对称，每侧下阑上装饰有两组小齿牙，两个为一组，在其中一侧下阑下部还有垂下来小齿饰。上阑较为简单，为单独一个大齿，在上、下阑间尚有两组小齿饰，亦为两两一组。两侧阑部中间有13条细阴刻线，细看应为制作齿饰时规范线，两面纹饰相同。阑部以下为柄部，柄底端稍残，柄部近主阑处有一双面钻圆孔。

在牙璋器身两侧近边缘处有阴线沟槽，从阑部一直向上延伸至刃部，这种边缘有阴线沟槽牙璋也见于石峁和成都平原。

望京楼遗址采集牙璋藏于河南博物院。

三星堆一号祭祀坑牙璋 商代中期文物。1986年7月，四川省广汉市三星堆遗址一号祭祀坑出土。1986年7月18日，三星堆遗址一号祭祀坑在砖厂取土过程中发现。抢救性发掘后，出土牙璋40余件。

三星堆一号祭祀坑牙璋长38.2厘米，射宽8.2厘米，邸长6.5厘米，宽5.3厘米，厚0.8厘米。材质为蚀变大理岩，灰黑色。器物被大火烧后和长期埋藏大部分呈鸡骨白色。其上有数道龟裂纹，器残断，经拼接基本复原。器体呈长条形，一面微凸，另一面较平，器体两侧有刃，前端向中间斜收，顶端镂刻出一立鸟形

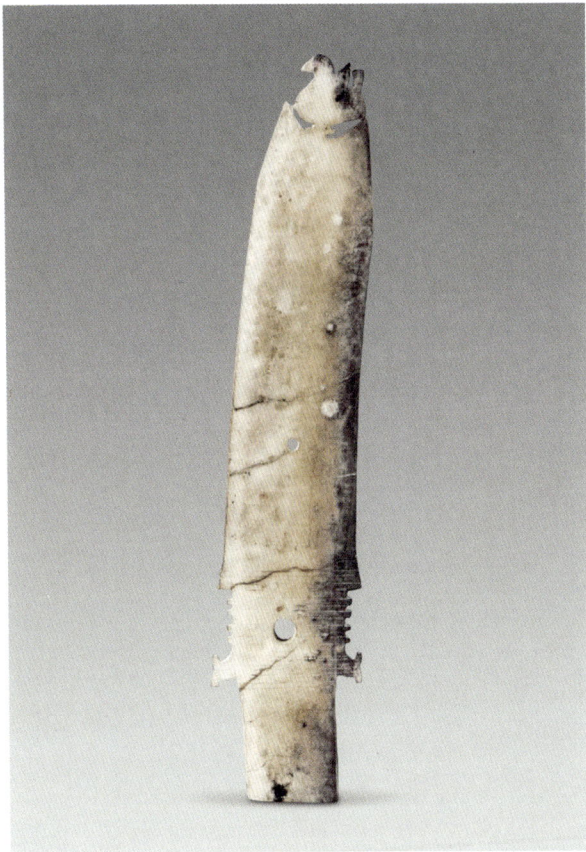

图案，鸟尾微残缺。器身两面均阴刻一璋形图案。阑部两侧均有齿饰，上组二小齿，中间四齿，下组齿饰呈鸡冠状。两面两侧齿饰间有起稿齿饰平行阴线，正中有一圆穿。柄端呈长方形，末端斜收。

牙璋形似戈，这类牙璋为数不少，占一号祭祀坑出土牙璋数量一半以上。此类牙璋与其他牙璋最明显区别，在于器体最宽处在阑部，而前端凹弧刃则成为全器最窄处。不少学者提出，这类牙璋原体应为大玉戈，为使用需要而加工、改制成牙璋。三星堆牙璋有个特殊之处，在顶端凹弧刃内雕一鸟。有学者认为鸟在三星堆祭祀中具有特别地位，赋予神树生命的就是鸟。

三星堆一号祭祀坑牙璋藏于三星堆博物馆。

三星堆一号祭祀坑牙璋 商代中期文物。1986年7月，四川省广汉市三星堆遗址一号祭祀

坑出土。三星堆遗址发现较早。1931年，遗址北部真武村农民燕道诚在其住宅旁挖出玉器300余件，不久流散于世。1986年7月18日，三星堆遗址一号祭祀坑在砖厂取土过程中发现。抢救性发掘出土牙璋40余件，此件为其中一件。

三星堆一号祭祀坑牙璋长23.2厘米，射宽6.5厘米，邸长4.2厘米，宽3.5厘米，厚0.7厘米。材质为角砾化蚀变白云质大理岩，白色，局部有灰蓝色云状薄斑，刃端一侧刃尖呈黑色。出土时残断，后经拼接修复。器形扁平，上端呈弧形宽叉刃，最宽处约为柄端宽度两倍，叉口较深，刃尖窄长，略显尖锐。柄端与器身交接处为阑部，阑部两侧为六齿齿饰，齿较长，两侧齿饰之间正中有一圆穿，直径为1厘米，为单面钻。柄端长方形，两侧较薄，中间略厚。

这类阑部有对称牙饰，前端深凹呈"V"字形牙璋在三星堆遗址出土数量较多。"V"字形顶端下打磨凹槽，是三星堆牙璋一个独特之处。陕北石峁遗址出土有深"V"字形刃牙璋，但"V"字顶端下没有打磨凹槽。另外，这种"V"字顶端下打磨凹槽牙璋在广东亦有出土。

三星堆一号祭祀坑牙璋藏于三星堆博物馆。

金沙遗址牙璋　商代晚期至西周早期文物。2001年，四川省成都市金沙遗址出土。金沙遗址位于成都平原东南边缘，地处成都市西北部，东距市中心约5千米。2001年2月，房地产公司在此开挖下水沟时，发现大量玉石器、铜器和象牙等文物。随后，开始大规模勘探和考古发掘。

金沙遗址牙璋长42.25厘米，宽4.32～9.18

厘米，厚0.36～0.55厘米。透闪石软玉，墨色，质地较为纯净、细腻，是金沙遗址中少数玉质纯净玉器之一，与金沙遗址中绝大多数玉器夹杂大量色斑形成鲜明对比。器体呈长条形，体扁薄。器体最宽处在上端刃部，刃部呈斜内弧形，长边一侧微厚，短边一侧略薄。器身中部微束腰，柄部近主阑处有一双面钻圆孔。阑部装饰较为复杂，两面相同，整体造型横视为一立体阔嘴伏卧兽形，较抽象化，阑部间器身上有四组平行细阴刻线，圆孔紧挨最下端一组阴刻线。制作较为精细，器表打磨极为光滑，复杂的阑部装饰显示出极高玉器制作工艺。器物较完整，刃部微有茬口，柄部尾端有两处破损。

这件牙璋是金沙遗址采集100余件牙璋中，制作最为精细一件，从阑部齿突看，制作已经几何形化，相当规范、统一。牙璋风格和造型与中原地区同类器十分相近，尤其与前述望京楼牙璋相当近似。有学者认为，其很可能是通过交换、馈赠等方式，从其他地区获得。这件牙璋是研究金沙遗址礼制，研究成都平原与中原地区商周时期文化间关系的重要资料。

金沙遗址牙璋藏于金沙遗址博物馆。

肖家屋脊6号瓮棺柄形器　新石器时代后石家河文化（前2300～前1800年）文物。1988年，湖北省天门市石河镇肖家屋脊6号瓮棺出土。肖家屋脊遗址是石家河遗址群中一处重要遗址，位于湖北省天门市西北约16千米处。20世纪50年代，开始石家河遗址群考古工作。1987～1991年，在此进行八次发掘。

肖家屋脊6号瓮棺柄形器长5.4厘米，顶面长0.85厘米，宽0.6厘米。表面局部因受沁而呈乳白色，从里面透出来原有颜色应为黄绿色，玉质莹润，具有玻璃光泽。器上段为长方柱形，饰竹节形纹。中间偏下段为扁柱形，下端为圆锥形榫，榫为圆锥形，钝尖。通体打磨光滑，细腻温润。

20世纪80年代前，对石家河文化遗存认识尚较为笼统，对所见玉器称之为石家河文化玉器。随肖家屋脊等遗址考古工作推进，逐渐认识到原石家河文化晚期遗存与早中期遗存之间，已发生质的变化，有较多中原文化因素。因而，将原来石家河文化晚期遗存从石家河文化中独立出来，称为后石家河文化。后石家河文化已处于龙山时代末端，其下限已进入二里头文化时期。有学者认为，肖家屋脊柄形器是已知所见时代最早柄形器，其起源应在后石家河文化。除这件柄形器，肖家屋脊还出土其他

6件柄形器，皆有榫。

肖家屋脊6号瓮棺柄形器藏于荆州博物馆。

二里头4号墓柄形器 二里头文化文物。1959～1978年，河南省偃师市二里头遗址4号墓出土。1959～1978年，中国社会科学院考古研究所在二里头遗址进行二十次发掘。

二里头4号墓柄形器长17.1厘米，柄部宽1.8厘米，厚1.5～1.8厘米。青玉，乳白色泛青。外形似四棱鞭，柄部亦有亚腰形凹进，最窄处位于中部靠下，每面中部刻有两道纵刻线，组成8个长方形花瓣，下端有一周凸弦纹；器身共分6节，每节饰有相同兽面纹和花瓣纹，组配匀称，第1节每面有半个单线和双线雕刻兽面纹，刻线相连，组成两个完整兽面纹，下面各有一周细凸弦纹；第2节每面中部刻成两个花瓣纹，上下各有一周细凸弦纹；第

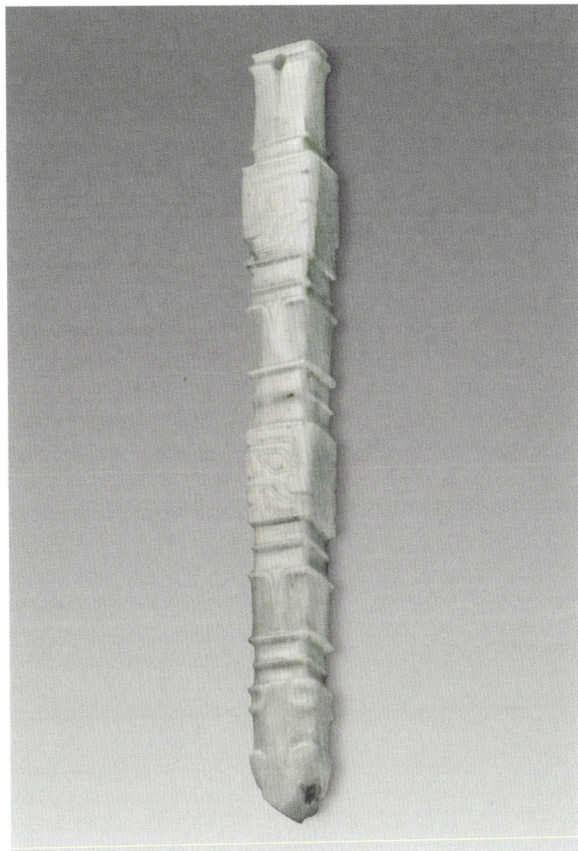

3节纹饰与第1节相同，唯兽面纹方向相反；第4节纹饰与第2节同；第5节每面用浅刻和浮雕方法雕刻成一个完整兽头，两面兽头形象生动，两侧为变形兽头。每节中间束腰，中间有一周细凸弦纹。顶端及正背两侧各有一孔，三孔相通，末端侧面有一对穿孔。制作相当精细，出土时表面有朱砂。

柄形器是二里头遗址出土玉器中数量最多也极具特色的一种器物，其最早出现于二里头文化二期。二期所见玉柄形器皆为形制相对简单的细长条形束颈素面玉器，三期开始出现有纹饰装饰柄形器。二里头文化玉器以网格阴刻线为主要特征，这件玉柄形器既有阴刻线，又采用双线雕甚至浅浮雕技法，应代表当时最为先进制玉工艺。玉柄形器功能有多种说法，基本认为其是一种玉礼器。

二里头4号墓柄形器存于中国社会科学院考古研究所。

李家嘴2号墓柄形器　商代早期文物。1974年，湖北省武汉市黄陂区盘龙城李家嘴2号墓出土。1954年，盘龙城遗址被发现。1956年，被公布为湖北省重点文物保护单位。李家嘴为盘龙城遗址中一个重要地点。1974年下半年发掘时发现2号墓。

李家嘴2号墓柄形器长13.6厘米，首宽1.9厘米，最厚1.1厘米。呈白色，其上分布有极小斑点，下端两孔间有条状黄褐斑。透闪石软玉，质地均匀、细腻，具有蜡状光泽，摩氏硬度5～6。器体为长条状，首、刃端均平，端部切割成斜边，微束颈，其上中部有一道凸弦纹。器身横截面呈长方形，中段较厚，颈部和刃端较薄。刃部有钻孔两个，一大一小。通体打磨光滑，形制简朴大方。

除这件柄形器，李家嘴2号墓还出土有其他五件玉柄形器，形制大同小异，均为束颈长条形素面，只有底端形态或平或斜，但只有这件柄形器上面有钻孔。玉柄形器上面有钻孔，最早出现于二里头文化时期。推测这件双孔柄形器应为其他器物改制品。

李家嘴2号墓柄形器存于湖北省文物考古研究所。

晋侯墓地31号墓柄形器　西周文物。山西省曲沃县晋侯墓地31号墓出土。晋侯墓地位于山西曲沃县北赵村西南，是天马—曲村遗址重要组成部分。1991年，墓地多座大墓连续被盗。1992年，国家文物局批准对墓地进行大规模抢救性发掘。1993年上半年，发掘31号墓。

晋侯墓地31号墓柄形器长10.3厘米，宽3.8厘米。由于受沁，表面基本被褐色沁蚀所覆盖，只有边缘局部隐露出其原色为青绿色。

整器为长条形片状，下端呈尖状，其上有单面管钻而成圆形穿孔，首端较平，也有穿孔，孔径较小。两侧与平端有扉棱。双面均刻有形制相同凤鸟纹和龙纹。凤鸟昂首挺立，爪置于龙身；龙身盘曲，吻前有一穿孔，内嵌绿松石。纹饰多以斜刀纹和较细阴线相配合技法勾勒轮廓，颇为精致。表面附着较多朱砂。

西周时期是玉柄形器重要发展时期，不仅数量剧增，且出现新种类，这种剖面呈扁长方形片状、边缘有扉棱、两面琢刻西周时期典型凤鸟纹或龙凤纹柄形器，仅流行于西周时期。有学者认为，这类柄形器是可能在祭典中充当招降神祖之灵的"玉梢"。有学者认为西周时期出土于墓主胸腹部柄形器，是被握在手中仪仗类礼仪用玉。

晋侯墓地31号墓柄形器存于山西省考古研究所。

张家坡152号墓柄形器 西周文物。1985年春，陕西省长安县张家坡墓地152号墓出土。

张家坡村位于长安县沣河西岸，沣西一带相传是周文王"既伐于崇，作邑于丰"都城遗址。1949年以来，经多次调查发现这一带是西周文化遗存分布最密集地区，应为丰京遗址所在。70年代末，中小型砖瓦窑在沣西一带对遗址造成极大破坏。1983年开始，为抢救西周遗存，考古队调查发现张家坡井叔墓地。1984年，发掘井叔墓地。1985年春季，清理152号墓。

张家坡152号墓柄形器长11.2厘米，宽2.2厘米，厚0.4厘米。透闪石软玉，呈青绿色。梯形顶，束颈，颈上下各有一条刻纹，以示柄形，末端略作凹弧形。玉质莹润，打磨精细。

该墓地中柄形器常出土于墓主胸部或腰部。

张家坡152号墓柄形器存于中国社会科学院考古研究所。

虢国墓地2001号墓柄形器 西周文物。1990年，河南省三门峡市虢国墓地2001号墓出土。该柄形器出土时，位于墓主左股骨之上。

虢国墓地2001号墓柄形器长13.2厘米，下宽2.5厘米，上宽5.4厘米，厚0.4厘米。青玉，由于长期埋藏全部受沁后呈灰白色。玉质细腻，微透明。体大致呈扁等腰梯形，顶和两侧有对称齿牙，两面纹饰相同，各饰一组人凤合纹。凤纹在上，回首高冠，圆眼，钩嘴，尾羽向上卷过头顶后复下垂于胸前，利爪附着于人形头顶；人形屈腿蹲坐，长发飘逸，横"臣"字目。柄形器下端有一短榫，其上中部有一小圆穿孔。

2001号墓葬中另出土有2件柄形器，大小不同，形状基本一致，均作扁长条形，束颈，末端较薄或有刃部，光素无纹。出土时，1件位于外棺盖上，1件位于内棺盖上。有学者认

6.6～6.9厘米，内长8.4厘米，宽4.5～5.8厘米，厚0.5～0.7厘米。青玉，直内，双重援，援面中部微内凹，上下边有刃，刃由两面磨成，刃与援间有一条折棱，相接处有弧形凸起增厚，上下刃前端磨成斜刃，相聚成锋。内前部较宽，钻有一单面孔，并有按秘痕。援后部有若干条平行浅刻细线纹，均十分纤细。细线分为5组，每组间距大体相当，紧挨内部穿孔一组共10根，基本上每2根又形成一组，组间距和每组线间距离都十分小；第2组和第3组都是6根，各分为3组；第4组和第5组各有8根细线，并均分为4组。后部较窄，内末呈弧形。此器轮廓规整，边棱整齐，刃口锋利，磨制极为精细。

在玉质兵器中，玉戈是出现年代最早、数量最多、使用时间最长、礼制意义最明显的类型。3号坑的发现表明，至迟在二里头文化三期，玉戈成为贵族墓葬随葬品的基本组成部分。

二里头3号坑玉戈存于中国社会科学院考古研究所。

李家嘴1号墓玉戈　商代早期文物。1974年下半年，湖北省武汉市黄陂区盘龙城李家嘴1号墓出土。

李家嘴1号墓玉戈长94厘米，援宽13.5厘米，厚0.5厘米。蛇纹石，具有蜡状光泽，摩

为，出土于棺椁之间或棺盖上的柄形器与墓主身上柄形器功能不同，应为丧葬用玉。

虢国墓地2001号墓柄形器藏于河南博物院。

二里头3号坑玉戈　二里头文化文物。1975年秋，河南省偃师市二里头遗址出土。根据3号坑形制和出土铜器、玉器等文物分析，应是一座二里头文化三期墓葬。

二里头3号坑玉戈通长30.2厘米，宽

氏硬度3.5。由于表面受沁较为严重，呈灰白色，局部泛黄色，有杂斑。长方形内，有阑，长援上扬，尖与援基本成一体。援与内中部起脊，为整器最厚地方，以脊为中心向两侧减薄。内上有解玉时切割痕迹和一小孔，孔为单面钻。玉戈体量极大，长94厘米，是已知所见体量最大玉戈。

盘龙城遗址出土玉戈与二里头文化时期及同时期郑州出土玉戈相比，体量偏大，在形制上突出特点是窄援，援长和援宽比例大于5：1。体量如此之大的玉戈，表面基本完整，应非实用器。

李家嘴1号墓玉戈藏于湖北省博物馆。

妇好墓玉戈 商代晚期文物。1975年冬，河南省安阳市妇好墓出土。

妇好墓玉戈通长27.8厘米，戈长15.8厘米。为铜内玉援戈，由玉援和青铜内两部分嵌合而成。玉援呈青黄色，器体扁薄轻脆，呈圭形，上、下两边出刃，中部起脊，前锋三角形，十分锐利，近末端处有圆形穿孔。铜内有上、下阑，阑后有秘槽。内前端近方形，饰饕餮纹，遍镶绿松石；后段作鸟形，岐冠伸出后缘外，鸟身亦镶嵌绿松石。

商代铜内玉兵，全国各地区都有出土，以安阳殷墟出土最多。这类玉兵特点是，铸造精密程度高，内或柄上大都铸有兽面纹并在纹中镶嵌绿松石，且玉刃也都很犀利，制作非常精致。金玉结合器物最早出现于二里头文化时期，是绿松石与青铜结合。殷墟时期，出现绿松石、青铜和玉的结合，数量不少。有学者认为，殷墟时期绿松石镶嵌的出现，来自北方文化因素影响。

妇好墓玉戈藏于中国国家博物馆。

燕国墓地玉戈 西周文物。1973年，北京市房山县琉璃河西周燕国墓地出土。琉璃河遗址位于北京市西南43千米处琉璃河地区，遗址是1962年考古工作者在房山进行田野考古调查时发现。1964年，黄土坡村居民就挖出过铜器。1973年，在黄土坡村及附近进行钻探，发现大量墓葬，发掘出土一大批重要遗物。玉戈出土时上面附着泥土，已断为三段。

燕国墓地玉戈长35.5厘米，宽10.2厘米。青玉，经土沁呈鸡骨白色。体扁平，援中部有一随形凸背，两面刃，一边略成弧形，戈锋尖锐。内呈长方形，近阑处居中有一单面钻小孔。孔与援之间有双道平行浅阴刻线，阴刻线之间地子平滑，饰阴刻斜角云雷纹，线条十分流畅，内上有7组阴刻线，每组2条，内末端构成7组扉牙。

这件玉戈在西周时期玉戈中属大型玉戈。

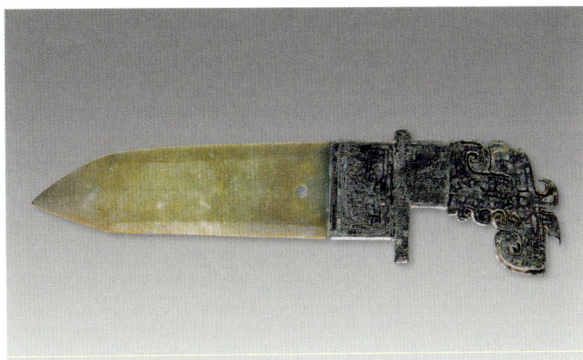

西周时期玉戈可分为两类，一类为大型直援玉戈，一类为10厘米左右小型玉戈，小型玉戈此时多为组玉佩里面构件或充当装饰品。有学者认为，大型玉戈在西周时期功能与玉圭相同，为礼仪用玉，只是使用场合不同而名称有异。燕国墓地玉戈制作规整，十分精美，是燕国墓地中发现体型最大、最为精美的玉戈，应为礼仪用玉。

燕国墓地玉戈藏于首都博物馆。

晋侯墓地63号墓玉戈　西周文物。1993年下半年，山西省曲沃县晋侯墓地63号墓出土。

晋侯墓地63号墓玉戈长15.8厘米。因长期埋于地下受沁而呈黄褐色，根据器身局部透露出来颜色判断，玉戈原为白色。整器造型别致，为戈与立鸟组合。戈援长内短，直援，向锋尖逐渐斜收，中间起脊，脊一直延伸至内部，比较少见，边刃和锋端尖锐。内接近方形，其上无孔。内下接立鸟，鸟为昂首，圆眼弯喙，长颈饰有鳞纹，腹部微鼓，翼翅略张，足爪粗壮，尾羽及地，足下穿孔。纹饰皆用单

阴线刻划。

西周时期玉戈形态多样化，弯形玉戈增多，新出现与鸟造型或鸟纹结合玉戈。这件玉戈就是与立鸟结合，造型奇特。63号墓出土的多件玉戈位于棺椁之间，下连镂孔铜饰。有研究者根据日本出光美术馆所藏1件铜器，将晋侯墓地此类器物下铜片复原为对称的凤鸟形状。这类玉戈与铜饰所构成器物，就是文献中记载的"翣"，其上的戈或圭是文献中所说"戴圭"，是送葬时随柩车而行翣的翣首，是对死者生前乘车状况的模仿。

晋侯墓地63号墓玉戈存于山西省考古研究所。

强家1号墓玉戈　西周文物。1981年初，陕西省扶风县强家村1号墓出土。强家村是周原遗址中一个非常重要的遗址点，考古工作者曾在这里发现过西周房屋基址散水、灰坑、墓葬、车马坑和青铜器。1981年初，强家生产队在强家沟内打坝平地时，于断崖上发现夯土层，经钻探查明是一座西周墓葬，之后进行抢

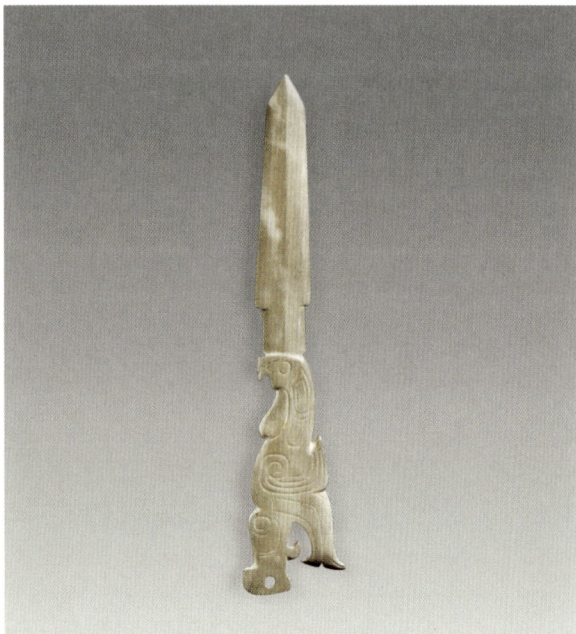

救性发掘。这件凤鸟纹玉戈出土时位于墓主头顶外侧，与之共存还有玉玦、各类穿孔牌饰、玉管、小兽首、玉蚕、玛瑙珠管等。

强家1号墓玉戈长7.5厘米，厚0.35厘米。白玉，乳白色，有少量斑点，半透明，通体抛光，总体显得温润细腻。援微曲无脊，三角形锋，援两侧开刃，刃面斜坡面相对较宽，短椊头状内，上下阑部均为凤鸟首形象，凤鸟圆眼尖钩喙，颈部修长，且振翼于鸟首之上，似做起飞状。两面纹样相同。斜刀雕琢技法清晰可见。玉戈构图优美，制作精巧奇特。

强家1号墓玉戈藏于宝鸡市周原博物馆。

南指挥村秦公1号墓玉戈　春秋文物。1976年，陕西省凤翔县南指挥村秦公1号墓出土。1974年，秦始皇兵马俑发现后，为探索更早的秦文化，考古工作者对文献中记载的陕西西部凤翔一带进行调查。1976年，南指挥村一村民在地里取土，发现土的颜色和形状与周围黄土不同。考古队员听到消息，迅速进行实地勘察，确认此处应为一座大墓。随后，进行考

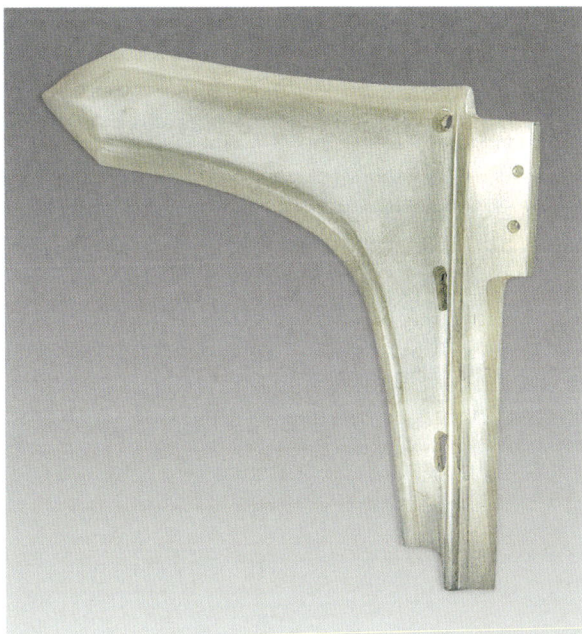

古发掘。该墓为春秋时期秦景公墓葬，被盗严重，依然出土包括了这件玉戈在内的一批珍贵遗物。

南指挥村秦公1号墓玉戈长13.6厘米，宽11.8厘米，内长3.5厘米，内宽1.6厘米，内厚0.5厘米。青白玉，通体磨光，具有蜡脂光泽。外援较直，内援弧形，直内较短，长胡三穿。援上下两侧开刃，刃后部又磨出凹形沟槽，三角形锋，胡上三穿，靠上一穿为圆形，其余两穿为长方形，阑部为凸起长条形，在长方形直内中部切割出一凹槽，并在内部钻两小孔，以便将柲一部分嵌入内部凹槽中先固定，然后再将柲体透过三穿绑缚。整件玉戈造型简朴大气，光洁莹润。

玉戈是模仿青铜戈而诞生的一类玉器，南指挥村秦公1号墓玉戈为素面，与秦国玉器简朴风格相一致，对研究秦国玉器制作、风格、礼制十分重要。

南指挥村秦公1号墓玉戈藏于陕西历史博物馆。

狮子山楚王陵玉戈　西汉文物。1994年，江苏省徐州市狮子山楚王陵出土。

狮子山楚王陵玉戈长17.2厘米，宽11.2厘米，厚0.7厘米。青白玉，表面局部有沁蚀，边缘沁泽较重。仿青铜戈造型，援、内、胡、穿齐备，微弧援，弧形锋，长方形内，内上一角缺失，有一较大楔形穿孔，宽胡，胡上有三个半圆形穿。胡、援内侧间镂雕回首爬行螭虎，器身两面琢刻勾连云纹，戈内部两面还分别浅浮雕螭龙、凤鸟纹。

汉代玉戈已罕见，仅在河南永城僖山1号汉墓及狮子山楚王陵等少数大型高等级汉墓中

出土。狮子山这件玉戈除具有援、内、胡、穿等，附雕极具动感的螭虎，戈身遍布纹饰。

狮子山楚王陵玉戈藏于徐州博物馆。

安阳黑河路玉矛 商代晚期文物。1996～1999年，河南省安阳市殷墟黑河路出土。黑河路遗址墓葬位于殷墟西南部。为配合基本建设，中国社会科学院考古研究所安阳工作站对遗址墓葬区进行发掘，清理晚商墓葬728座。

安阳黑河路玉矛通长22.95厘米，铜骸长12.4厘米，援宽5.48厘米，厚0.36厘米。灰白色泛青，局部有褐色斑。玉矛大体呈圭形，三角形前锋略残，中部起脊，以脊为中线器体向两侧减薄，到边缘形成刃部，玉矛中部脊线上有一钻孔，钻孔两侧边缘稍靠上各有一豁口，一条裂缝沿其中一口横贯玉矛。玉矛下面为铜骸，截面椭圆形，前细后粗。骸前端作蛇头状，中空以与玉矛衔接。铜骸通体用绿松石镶嵌出纹饰，绿松石绝大部分已脱落。其纹饰前、后两端均为简化饕餮纹，中间为交错三角形纹。

玉矛作为玉兵的一种，数量与地位并不如

玉戈。玉矛也是商代新出现玉器品种，仿自青铜矛。这件矛的矛体为圭形，其上有一穿孔，表明玉矛应为其他器改制而成，穿孔为前器遗留物。

安阳黑河路玉矛存于中国社会科学院考古研究所。

大洋洲商墓玉矛 商代晚期文物。1989年下半年，江西省新干县大洋洲商墓出土。

大洋洲商墓玉矛长48.5厘米，中段宽4.5厘米，厚0.8厘米。透闪石，摩氏硬度5.5～6，灰黄色，蜡状光泽，大面积泛白，不透明，严重受沁。器体呈柳叶形，前锋尖锐。中脊突出并微带

边刃，边刃甚薄。末端两面中心部位均有一斜浅凹槽，凹槽呈双翼镞形，凹槽尾端有三角形缺口，也呈翼状，两侧各钻一小圆穿，单面钻，凹槽前方有一单面钻大圆孔。器身通体磨光，中部及靠上有两道裂纹。据玉矛下端形制特点，凹槽、三角形缺口和大小穿孔应都是用来连接固定铜骹的，只是铜骹遗失，只剩矛叶。

该大墓仅出土1件玉矛，没有使用痕迹，应为仪仗之器。铜骹玉矛在商代发现数量不多，一般出土于高等级贵族墓葬中，显示身份与地位。这件玉矛铜骹脱落，为了解玉矛与铜骹结合部位情况，提供了直观资料。

大洋洲商墓玉矛藏于江西省博物馆。

金沙遗址玉矛　商代晚期至西周早期文物。2001年后，四川省成都市金沙遗址出土。2001年以来，金沙遗址发掘出土大量珍贵文物。玉器是其中最富特色、数量也最多的一类器物，主要集中出土于"梅苑"地点祭祀活动区内。金沙遗址玉矛出土时受损，经拼接复原。

金沙遗址玉矛长24.51厘米，身宽1.78～4.72厘米，身厚0.5～0.7厘米。透闪石软玉，牙白色，透明。玉质温润，制作精细。矛体呈细长柳叶形，中间无脊，有一台面，从台面向两侧

减薄而形成边刃，至近锋尖处交接，锋刃尖锐，稍有残缺。玉矛断面呈横六边形。玉矛边刃和锋刃有小残缺，并有崩疤，但看不出有使用痕迹，也没有绑缚痕迹。

金沙遗址出土玉器基本无使用痕迹，器物等级较高，制作也很精细。这些器物大多具有礼神、祀神、通神作用，均应划定为礼仪用器范畴。金沙遗址玉矛出土于祭祀区内，是金沙遗址中为数不多的玉矛中材质最好、制作最为精致者。

金沙遗址玉矛存于成都文物考古研究所。

五莲丹土玉刀　新石器时代龙山文化（前2500～前2000年）文物。山东省五莲县丹土遗址采集。

五莲丹土玉刀长51厘米，宽22厘米，厚0.3厘米。表面因受沁而颜色斑驳、交杂，大体呈浅灰色。器体扁薄状，为梯形。直背，两侧边向外斜直，刃部宽背部，双面刃，刃部斜直略内弧。靠背部有两个对面管钻圆孔，一端中下部有2个单面钻圆孔。通体磨光，素面无纹。玉刀形体硕大，为山东地区新石器时代所见最大玉刀。

丹土遗址的龙山文化遗存为两城镇类型，

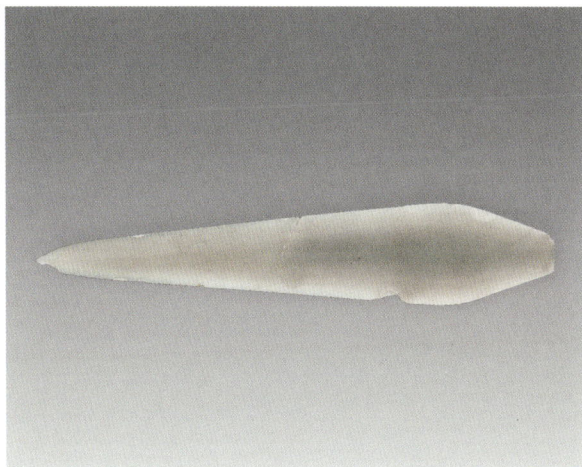

两城镇类型分布范围内出土了数量较多的玉器。只有3处龙山文化遗址出土这种大型玉刀，分别是两城镇、丹土和西朱封，均为地区中心遗址，这从侧面反映出大型玉刀蕴含的等级性。

五莲丹土玉刀藏于五莲县博物馆。

芦山峁遗址玉刀 新石器时代龙山文化时期（前2500～前2000年）文物。1981年，陕西省延安市芦山峁村征集。1981年2月，芦山峁村一社员向延安地区群众艺术馆送交9件玉器，并反映该村一些社员家中还散存一部分玉器。随后，考古人员几次到芦山峁对出土地点进行调查，又先后征集到一批玉器，其中就包括这件七孔玉刀。据当地群众反映，这些玉器都是1965年、1967年前后在该村垴畔坡和与之相连的小峁、马家圪向阳山坡上出土的，出土地点位置较高，大都位于山巅附近。

芦山峁遗址玉刀长54.6厘米，宽10厘米，厚0.4厘米。呈青黄色，间有鸡骨白斑纹。长条形，背短刃长，背面平齐，背边缘钻有3个大半圆形孔。中部靠上等距离钻3个圆孔，稍窄一端居中钻有一小孔。刃部系两面磨制而成，中部略内凹，两端微斜，均琢出扉棱。通体打磨光滑，制作规整、精致。

玉刀两侧边上齿棱，分别有上下4个。这是所见年代最早的在两边侧棱上装饰扉牙大玉刀。玉刀背部3个未封边穿孔，有学者推测是使用时断裂所致，于是修整后再在内侧穿三孔。有学者推测玉刀两侧边扉牙装饰，可能是后期改制所加工的。玉刀可能经历三次制作和三次使用。

芦山峁遗址玉刀存于延安市文物研究所。

清凉寺146号墓玉刀 新石器时代陶寺文化（前2500～前1900年）文物。2003年深秋至2005年初冬，山西省芮城县清凉寺墓地146号墓出土。

清凉寺146号墓玉刀背部长24.8厘米，刃部长25.4厘米，宽6.1～7.3厘米，最厚处1厘米。呈深灰色，通体磨光。背部较为平直，刃部内弧，靠近背部有两个单面钻成圆形穿孔，其中一面两小孔外侧均有斜通角端朱砂痕迹，朱砂鲜艳红亮。

清凉寺墓地第二期墓葬中，流行用石质多孔刀随葬，形状不甚规整。到第三期这种多孔石刀基本不见，出现长条形双孔玉刀。清凉寺墓地第二期与第三期玉石器的变化，受到了陶寺文化的强烈影响。

清凉寺146号墓玉刀存于山西省考古研究院。

喇家遗址玉刀 新石器时代齐家文化（前2300～前1800年）文物。20世纪80年代初，青海省民和县喇家遗址征集。喇家遗址位于青海民和县官亭盆地。民和县博物馆在喇家遗址进行调查时，征集到7件玉器，其中就包括喇家遗址玉刀。玉刀中间断裂，粘接修复。

喇家遗址玉刀长41.2厘米，宽6.5厘米，厚0.8厘米，孔径0.7～0.8厘米。原色为青绿色，表面大部分被牙黄色沁色所覆盖，局部有浅黄色斑点。靠近柄端一半沁色较厚，另一半起沁色较薄，透出少量玉质原色。玉刀质地细腻，磨制精致。器体为长条形梯形，背平直，刃微凹呈弧形，比背部稍长，刃缘磨斜，较为锋利。一端为柄状略窄，其上有一孔。靠近背部上侧，有三分基本等距小圆孔。玉刀素面，抛光较好。

在喇家遗址17号墓所在土台边缘地层中，还出土1件残断的多孔玉刀，所剩部分长32.8厘米，可见是1件形体硕大的玉刀。发掘者认为，喇家遗址17号墓所在人工土台是一个祭坛，大型玉刀当为祭祀之器。多孔玉刀是齐家文化主要玉礼器之一。据考古资料，齐家文化范围大致可分为东部泾渭上游地区、中部洮河流域和西部河湟地区。考古所见齐家文化多孔玉刀分布于西区河湟地区，与齐家文化玉琮多分布在中、东部截然相反。因此，有学者提出齐家文化玉礼器组合可分为两个系统，即中、东部玉礼器为琮、璧组合，而西部为刀、璧组合。

喇家遗址玉刀藏于民和县博物馆。

二里头57号墓玉刀 二里头文化文物。1986年秋季和1987年春秋，河南省偃师市二里头遗址57号墓出土。

二里头57号墓玉刀长53.5厘米，宽8.8厘米，厚0.7厘米。豆青色，表面有较大面积褐色沁蚀。长条扁平梯形，直背，直刃，背短于刃。长边为双面刃，近刃处于两侧变薄。刀面近背部有等距离圆孔3个，孔径基本一致，约为0.4～0.5厘米。玉刀两侧各有2组4个扉牙，右侧扉牙分组不如左侧扉牙分组明显。距刃部约1.5厘米处起脊，中部最鼓，脊与刀面连接处十分圆润、过渡自然，体现当时较高琢玉工艺。

长条形多孔玉刀起源于新石器时代长条形石刀。二里头长条形多孔玉刀大而薄，侧边还有扉牙装饰，且未见明显使用痕迹。推测应为祭祀或仪仗用器。

二里头57号墓玉刀存于中国社会科学院考古研究所。

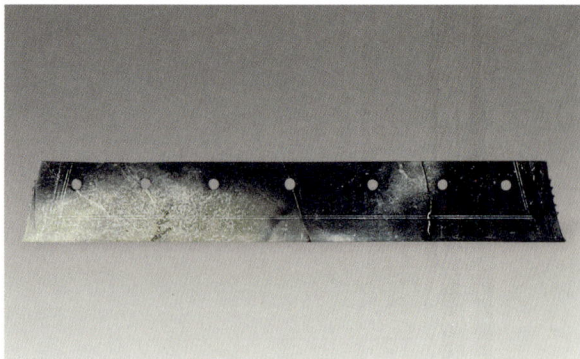

二里头7号墓玉刀　二里头文化文物。1959～1978年，河南省偃师市二里头遗址7号墓出土。

二里头7号墓玉刀长65厘米，宽9.5厘米，厚0.1～0.4厘米。玉色墨绿，左边部分从刃部往上有较大面积鸡骨白色沁蚀。体形硕大，长达65厘米，是二里头文化中发现尺寸最大玉刀。体长，呈扁梯形，直背，直刃，刃长于刀背，为双面刃，较为圆钝，应非实用器。两侧斜边，每边各有对称齿牙6对，细小而锋利。近背上方有等距离圆孔7个，孔数也是已知所见二里头玉刀中最多的。体两侧阴刻斜线网格纹，靠近刃部亦有一组2道平行阴刻线，与两侧阴刻纹饰带相接，两面均有。通体抛光，制作极为规整。

二里头7号墓玉刀体形硕大，光滑细腻，是二里头文化时期大型片状玉器的精品。

二里头7号墓玉刀藏于洛阳博物馆。

金胜村赵卿墓玉剑璲　春秋文物。1987年9月，出土于山西省太原市金胜村赵卿墓。出土时位于墓主人腰间，为墓主的贴身随葬品。

金胜村赵卿墓玉剑璲长5.2厘米，宽4.2厘米，厚3.1厘米。材质莹润上乘，为青玉，因长期埋藏有较多的黑褐色沁斑。整体呈不规则的梯形，正面浮雕各种动物，上部雕蟠螭纹，

蛇首伸向左上方，雕隐起的圆眼，中部为不完成的鸟纹，下部雕螭龙纹，其间填饰蟠螭纹，做工精致。

赵卿墓共出土各种剑饰15件，出于墓主人身边和腰间，和青铜剑放在一起，种类有剑首、剑格、剑璲、剑珌等。虽然种类较为齐全，但它们并不是一套完整4件的玉剑饰组合。赵卿墓的时代处于玉具剑发展的早期阶段，所以一套完整的玉剑饰组合尚不完备。该剑璲是早期玉剑饰的优秀代表。

金胜村赵卿墓玉剑璲存于山西省考古研究院。

曾侯乙墓玉剑　战国文物。1977年，湖北省随州县曾侯乙墓出土。玉剑出土时位于主棺墓主腰腹部。

曾侯乙墓玉剑通长33.6厘米，宽5.1厘米，中厚0.5厘米。白玉，表面沁色较少，显得莹润细腻。整器由剑首、茎、格、身、珌五部分组成，其间以金属物连接。首为透雕双首共身龙形，并用细阴刻线雕刻出龙的细部和鸟。格透雕单面云纹，上面有一组"十"字纹将云纹分为四组，反面有一剑挂钩。其余3节

皆素面。该剑整器全部为玉质。

这类玉剑具最早出现于春秋晚期。战国时期至汉代是玉剑具极为盛行时期，装饰精美玉具剑多出土于棺内墓主腰腹部，显示佩剑者高贵身份和地位。这件玉剑通体磨光，用料大方，设计精巧，玉质上乘，是一件珍贵文物。

曾侯乙墓玉剑藏于湖北省博物馆。

中山靖王刘胜墓玉具铁剑 西汉文物。1968年5月，河北省满城县中山靖王刘胜墓出土，位于墓主棺内。

中山靖王刘胜墓玉具铁剑通长105.8厘米，宽3.1厘米；剑首直径5.7厘米，厚1.2厘米；剑璏长9.7厘米，宽2.3厘米；剑珌长3.8～5.9厘米，宽6～7.2厘米。剑身铁质，细长扁平，中脊稍高。该剑玉饰齐备，包括玉剑首、玉剑格、玉剑璏、玉剑珌四部分，玉质精良，均为白玉，做工精致，器表均浮雕纹饰。剑格一面浮雕穿游于云中的螭龙，龙首已残，另一面作浅浮雕卷云纹。剑首圆形，中间作以圆形突起，上阴刻卷云纹，周围浮雕2只身躯

修长的螭龙，首尾相连呈圆形。剑首底部中心有2个相通的小孔，孔外为一圈凹槽，槽外有三小孔。剑璏呈长方形，背有鋬，表面浮雕1只雄健有力而修长的螭龙。剑珌作不规则梯形，剖面为长方形，两面浮雕5只大小不一的螭龙，翻腾嬉戏于云海之间。剑珌上端有三小孔，两侧小孔斜向中心，三孔相同。

根据考古发现，西汉时期是玉具剑最为流行的时期，出土数量最多，形制最为完备，制作最为精良。根据《后汉书·舆服制》记载，佩剑在汉代有完整的佩带制度，被纳入制度化的礼仪系统，为等级身份的标志。刘胜墓这套完整的玉剑饰玉质、做工皆十分突出，是西汉玉具剑的杰出代表。

中山靖王刘胜墓玉具铁剑存于河北省文物保护中心。

三星塔拉遗址玉龙　新石器时代红山文化（前4100～前2900年）文物。1973年，内蒙古自治区翁牛特旗三星塔拉村农民交给文化馆。三星塔拉汉译名为"有祭祀物的草甸子"。1971年，三星塔拉一农民在村后小山上劳动时，挖出三星塔拉遗址玉龙，开始误以为是铁钩子，带回家由小孩拖玩，玉龙逐渐露出本色。后来这家人将玉龙交给文化馆。从此，红山文化玉龙震惊世界。

三星塔拉遗址玉龙高26厘米，剖面直径2.3～2.9厘米。呈碧绿色。体蜷曲，形似"C"字，吻前伸，嘴紧闭，鼻端平齐，双眼突起，额及颚底皆刻细密方格网纹。颈脊长鬣上卷，边缘削成锐刃，末端尖锐。尾向内弯曲，末端圆钝。背有1对穿圆孔，可供穿挂用。

三星塔拉遗址玉龙藏于中国国家博物馆。

牛河梁第2地点4号墓玉猪龙　新石器时代红山文化（前4100～前2900年）文物。辽宁省朝阳市建平县红山文化牛河梁第2地点4号墓出土。

牛河梁第2地点4号墓玉猪龙通体高10.3厘米，宽7.8厘米，厚3.3厘米。淡绿色，微泛黄，通体精磨，光泽圆润。头部较大，双耳竖起，均呈圆尖状，双目圆睁，吻部前凸，嘴微张。体卷曲如环，扁平光素，尾端慢收或略折收呈圆尖状，与吻部相距甚近，颈部偏中部位有一个从两面对钻而成小圆孔。玉猪龙背部还有红褐色斑，有人认为这可能是河磨玉原有皮

壳，对研究牛河梁玉器原料来源有一定作用。

发掘牛河梁前，玉猪龙早有传世品出现，但人们不知其来源。这件玉猪龙是首次通过考古发掘得到实物标本，意义非同小可。

牛河梁第2地点4号墓玉猪龙存于辽宁省文物考古研究所。

凌家滩16号墓玉龙 新石器时代凌家滩文化（前3600～前3300年）文物。1998年10～11月，安徽省含山县凌家滩遗址16号墓出土。凌家滩玉龙是所知中国年代较早的环形动物玉雕作品。

凌家滩16号墓玉龙长径4.4厘米，短径3.9厘米，厚0.2厘米。呈偏心穿孔环状，首尾相接，在接近尾部一侧有一可穿线系挂小孔。首部兽面吻部突出，上下唇微启，为橄榄形眼，上下一对獠牙位于嘴角根部，上獠牙齿尖位于眼后，额部隆起，双耳位于头顶，并耸向后方。首部圆雕呈兽面，沿环一周外侧刻一规整弧线，表示脊背线，与脊背线相连有17条向外放射斜线。玉龙表现内涵，主要体现在兽面及脊背纹饰上。

凌家滩玉龙兽面吻部、嘴唇、獠牙、眼、额、双耳特征，由于受器形较小限制，刻线潦草，不易辨认。玉龙应是用于佩戴的坠饰。

凌家滩16号墓玉龙存于安徽省文物考古研究所。

史思明墓玉哀册 唐代文物。1966年，北京市丰台区王佐乡唐代史思明墓出土。史思明墓位于北京市丰台区王佐乡林家坟西约100米处，地面原有高大封土堆，当地称之为"大疙瘩"。农民长年在此取土。1966年春，封土取尽后发现此墓，出土玉册、马镫、铜牛等文物，相继失散。经派人调查处理，追回部分文物。

史思明墓玉哀册长28.4～28.6厘米，宽2.8～3.2厘米，厚1.4厘米。汉白玉，共出土44枚（段），残断较多，仅8枚完整。玉册形制规整，均为长条形，上下两端1.5厘米处均有3毫米直径小孔，以便彼此连缀。每枚玉册均有阴刻行书体文字，字口内填金，每枚玉册满刻为11个字。其中七枚玉册背面极浅细地刻划有"哀"字，一枚玉册背面有磨痕，仅可辨

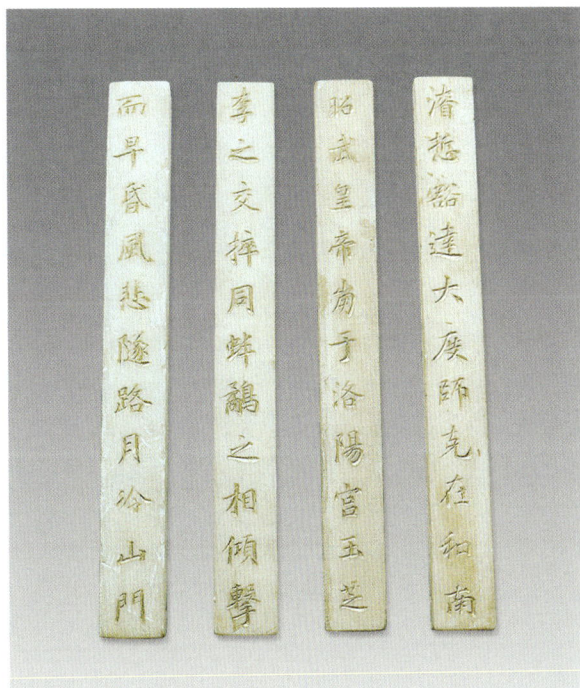

认一个"七"字。44枚（段）玉册并非一套，根据文字内容判断，而是包含谥册、哀册各1套。这4枚玉册为哀册部分。

玉册是中国古代册书一种，形式模仿简牍，册文直接镌刻在编联成册的大理石或汉白玉册条上。唐宋时期，玉册是中原王朝即位、册命、上尊号、上徽号、上（或赐）谥号、追谥、遣奠、封禅、祀汾阴后土、谒陵、郊庙等礼制活动中使用的重要仪具。哀册亦称"哀策"，古代帝王死后，将遣葬日举行"遣奠"时所读的最后一篇祭文刻于册上，埋入陵中，是为哀册，多书于玉片之上。据玉册册文，与文献相关记载考证，墓主为史思明。史思明为安史之乱主要参与者，曾称帝，因此墓中有玉质哀册。此哀册为研究唐代礼制提供了资料。

史思明墓玉哀册存于北京市文物研究所。

妇好墓玉簋　商代晚期文物。1976年春，河南省安阳市妇好墓出土。这件玉簋出土时，位于椁顶之上，与之并列而置的还有1件白色大理岩玉簋，白色玉簋内放置骨勺2件、铜匕1件。置于椁顶之上，当为下葬时某种特定仪式。

妇好墓玉簋高20.5厘米，口径12.5厘米，壁厚1～1.6厘米。碧绿色。直口微外弧，平沿方唇，腹部微鼓，圜底略外凸，中部高于圈足，圈足直矮。腹部外侧有对称四条扉棱，口下有两周凸弦纹，扉棱之间饰波形云雷纹。圈足上下饰凹弦纹，圈足之上饰云纹兼目纹。制作规整、纹饰雕刻细腻，是商代玉器中难得的大型玉质作品。玉簋仿青铜簋而作，是殷墟时期新出现器类。

据殷墟考古发掘资料，玉簋只出土于王室贵族、王陵之中，制作玉簋需要较大玉料、较高超制作工艺，标志身份与等级。妇好墓玉簋出土，对研究当时制玉工艺、玉器造型来源、葬仪及礼制都极为重要。

妇好墓玉簋藏于中国国家博物馆。

咸阳狼家沟皇后之玺　西汉文物。1968年9月，陕西省咸阳市北塬韩家湾狼家沟出土。9月一天下午，韩家湾公社社员孔祥发儿子孔忠良放学回家，走在狼家沟水渠边发现皇后之玺。孔祥发问明玉玺来由，仔细查看古字，回忆国家关于文物保护政策宣传和文物知识介绍，觉得不是一个普通图章，而是一件文物。第二天，孔祥发到陕西历史博物馆，经文物考

古工作人员鉴定，得知是汉代皇后玉玺，将其捐献给国家。玉玺出土于长陵西南约1千米的狼家沟，此处为长陵山坡上第一道深水沟。

咸阳狼家沟皇后之玺边长2.8厘米，高2厘米。重33克。羊脂白玉，玉质坚硬致密，纯净无瑕，无任何受沁现象。印面为正方形，螭虎纽。玺台四侧面呈平齐长方形，并琢出长方形阴线框，其内雕琢出4个互相颠倒并勾连的卷云纹。玺面阴刻篆书"皇后之玺"四字。

玉玺出土地点临近长陵，推测为吕后之印。

咸阳狼家沟皇后之玺藏于陕西省历史博物馆。

中山靖王刘胜墓玉印　西汉文物。1968年6～8月，河北省满城县陵山中山靖王刘胜墓出土。玉印位于刘胜墓棺床南侧。

中山靖王刘胜墓玉印高2.3厘米，长2.8厘

米，宽2.8厘米。灰白色玉质，光洁明亮。方形，纽为一站立回首翘望之螭虎，四肢粗壮有力，长尾卷于腹下。座缘四周阴刻卷云纹，无印文。造型生动，琢磨细腻。

中山靖王刘胜墓玉印存于河北省文物保护中心。

第二节　装饰用器

晋侯墓地63号墓组玉佩　西周文物。1993年下半年，山西省曲沃县晋侯墓地63号墓出土。1993年下半年，山西省考古研究所和北京大学考古学系对北赵晋侯墓地进行第四次抢救性发掘，清理62号、63号和64号3座大墓，及附属20余座祭祀坑和打破大墓的2座汉墓。该组玉佩出土于63号墓棺内，为墓主人胸饰。

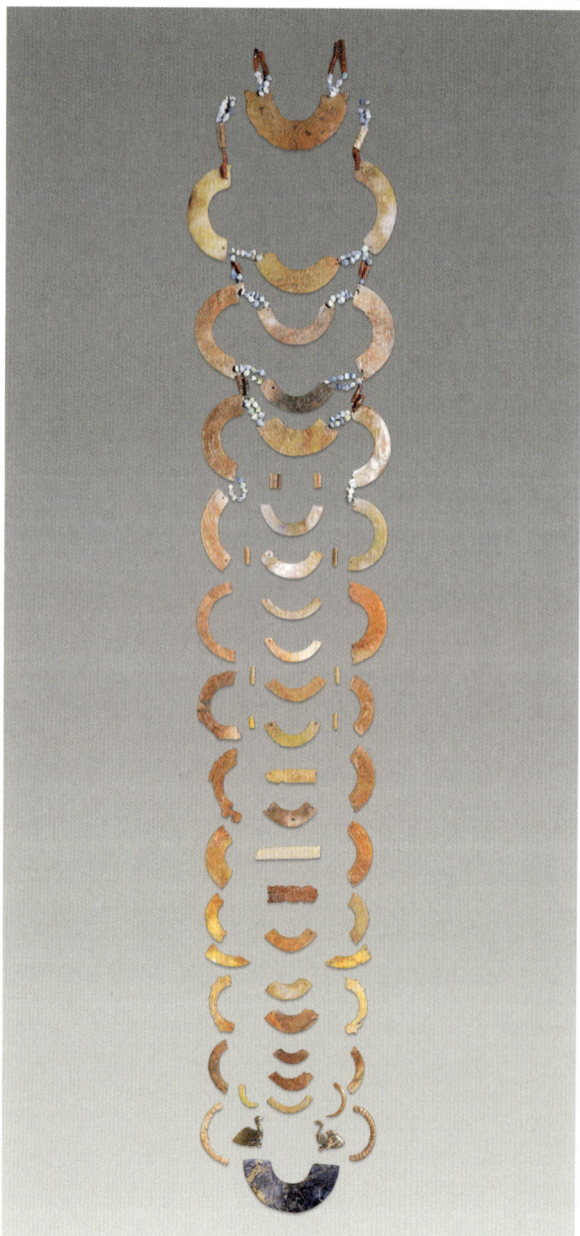

晋侯墓地63号墓组玉佩经复原后通长约158厘米。由玉璜、玉珩、冲牙、玉管、绿松石珠、玛瑙管和其他小件玉饰组成，共204件，可大致分为三列。中列由玉璜19件、玉珩3件、玉雁2件组成，左右两列各有玉璜13件和冲牙1件，上部由玉管、玉珠和玛瑙管串联。其中45件玉璜为该组玉佩主要构件，玉色黄褐，双面刻纹，由双勾隐起阳线组成人龙合体纹，一端人首，另一端龙首，人首侧视，大眼阔口，圆鼻巨耳，腮下有须，前肢出利爪。组配下端两件玉雁昂首展翅，姿态生动。

晋侯墓地63号墓出土这组玉佩饰结构完整，保存完好，为西周组玉佩中精品，是研究西周时期晋国诸侯用玉制度的珍贵资料。

晋侯墓地63号墓组玉佩存于山西省考古研究所。

晋侯墓地92号墓组玉佩　西周文物。1994年5～10月，山西省曲沃县晋侯墓地92号墓出土。1994年5～10月，北京大学考古系和山西省考古研究所在北赵晋侯墓地进行第五次大规模发掘，清理晋侯及夫人大型墓葬五座。这些墓葬大多保存完好，这组玉佩位于92号墓棺内墓主人右股骨右侧。

晋侯墓地92号墓组玉佩总长68.5厘米。为一组玉牌联珠串饰，由镂空鸟纹玉佩1件、玛瑙珠管375件、料管108件、煤精石扁圆珠16件，共500件组成。玉牌为青玉，梯形，镂空透雕双鸟，双鸟背向而立，鸟尾上翘与华冠相连，身体阴刻线纹。上端有对穿小孔6个，分别维系6串料管，下端有斜穿小孔10个，用以维系下部串饰，下部串饰由料管、玛瑙珠管相间组串而成。

晋侯墓地92号墓出土这组玉佩饰构件极为

繁复，工艺精湛，为西周组玉佩中精品。

晋侯墓地92号墓组玉佩存于山西省考古研究所。

虢国墓地2001号墓组玉佩 西周文物。1990年，河南省三门峡市上村岭虢国墓地2001号墓出土。2001号墓为虢国国君虢季墓葬，该组玉佩位于墓主人颈后中部，为总贯项饰枢纽。

虢国墓地2001号墓组玉佩通长约126厘米。这件七璜联珠组玉佩可分为上、下两部分。上部由1件人龙合纹玉佩、若干玉管与2行12组红玛瑙珠相间串联而成。下部由7件自上

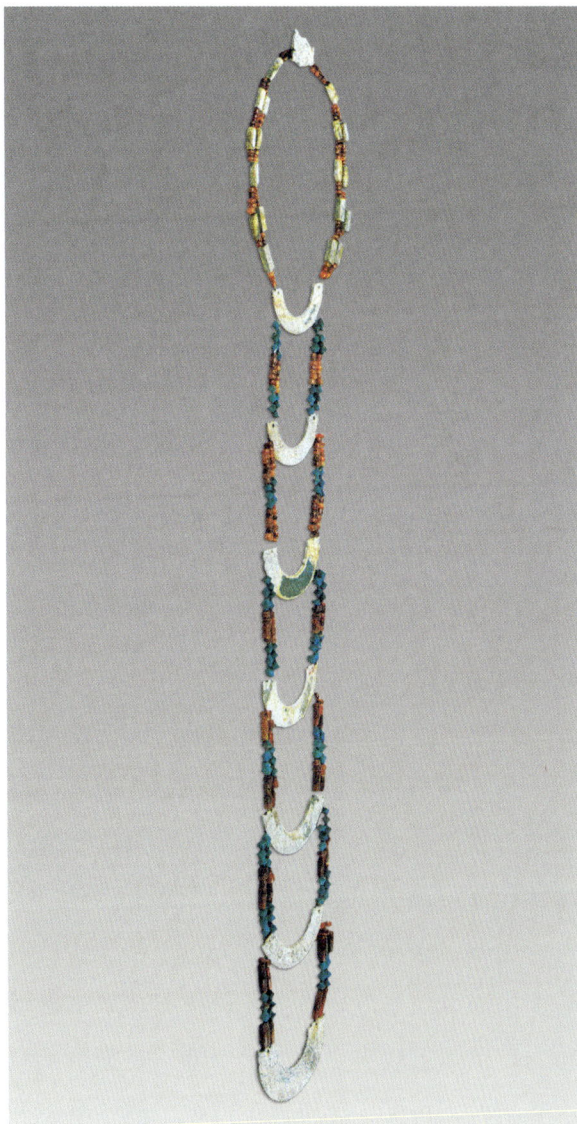

而下大小依次递增玉璜与纵向排列成2排4行相
互对称红色圆形玛瑙管、红色玛瑙管形珠、浅
蓝色菱形料珠相间串联而成。出土时，摆放得
有条不紊，有些玛瑙珠孔内仍残留红色线痕，
少数玉璜局部因被其他玉器叠压尚保持原有晶
莹温润色泽。这组佩饰以青白色玉璜为主体，
复以红、蓝二色珠、管点缀其间。

　　玉璜组配主要盛行于西周早中期至春秋
时期黄河中下游地区，具有明显等级性。西周
晚期，多璜组佩构件种类、玉璜外形尺寸和珠
管色彩配置都有一定规范。玉璜大小和弧度由
上而下依次递增配列方式已成定制，左右两侧
也固定缀以红色或多彩相间单股或双股珠管串
饰。虢国墓地2001号墓组玉佩正是这种规范的
极佳例证。

　　虢国墓地2001号墓组玉佩藏于河南博物院。

　　南越王墓墓主组玉佩　西汉文物。1983
年8月，广东省广州市象岗山南越王墓出土。
1983年6月，发现南越王墓。8月，由广州市文
物管理委员会、中国社会科学院考古研究所、
广东省博物馆组成象岗汉墓发掘队进行发掘。
南越王墓凿山为陵，共七室，墓主置主室正中
稍偏西处，该组玉佩位于墓主所着玉衣胸腹
处，覆盖于组玉璧上。

　　南越王墓墓主组玉佩复原长约68厘米。由
玉、金、煤精和玻璃等不同材质组件组成，自
上而下依次是璧、小玉人、兽头形饰、玉人、
玉珠、璧、壶形饰、金珠、玻璃珠、璜、玉
人、金珠、煤精珠、璜、玉人、玉珠和套环。
其中出廓凤纹系璧、镂雕龙凤纹璧、犀牛形璜
和龙首璜体量较大，且居于中轴，是整组玉佩
主要组件，每件主要组件下维系一或三组小型

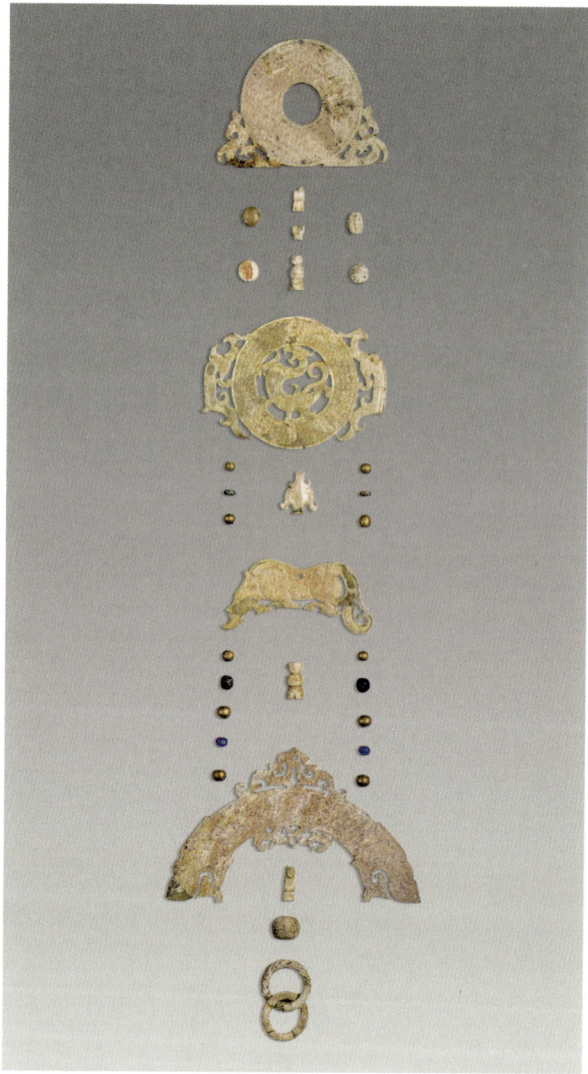

玉饰和玉珠。

　　玉佩在佩戴方式上当属胸佩，结构复杂，
制作精美，设计上注重视觉感受，反映墓主人
尊贵身份，是研究西汉诸侯级贵族用玉制度宝
贵材料。有学者指出，这组玉佩诸多组件包含
多种文化因素，其中套环属中原风格；出廓凤
纹系璧、镂雕龙凤纹璧、龙首璜和花朵形饰等
则属楚地风格；还有平头玉人、犀牛形璜、金
珠和玻璃珠等见于南越本地因素，是楚、汉、
南越文化交流融合重要证据。

　　南越王墓墓主组玉佩藏广州西汉南越王博
物馆。

窦绾墓组玉佩 西汉文物。1968年8月，河北省满城县陵山中山靖王妻窦绾墓出土。1968年5月，发现满城汉墓一号墓即中山靖王刘胜墓，由中国社会科学院考古研究所与河北省文物工作队共同发掘。同年8月，发掘二号墓，即中山靖王妻窦绾墓，墓葬由墓道、甬道、南北两耳室和中、后室六部分组成，该组玉佩位于后室中窦绾玉衣内胸部。

窦绾墓组玉佩玉舞人高2.5厘米。由玉舞人、玉蝉、玉瓶形饰、玉花蕊形饰和联珠形玉饰为主体，并有水晶、玛瑙和石质珠子同出，玉饰皆为白玉，部分微黄，发掘者推测玉饰是串联在一起的串饰，并加以复原。其中玉舞人是这组玉佩最重要组件，透雕，阴线刻饰细部，两面纹饰相同，上下各有一圆形小孔，舞人上穿长袖衣，下着长裙，作"翘袖折腰"舞姿，姿态舒展灵动。两只玉蝉其一细线雕刻羽翼，形态逼真，体内自口至尾竖穿一孔，表面涂朱；另一玉质较差，只具蝉形，未刻细部。瓶形饰琢磨细致，体中纵横各穿一孔，"十"字相交。花蕊形饰作细长花蕊形，短柄，花蕊和柄部各有一横穿圆孔。联珠形饰玉色乳白，微有光泽，平底联珠形，上珠横穿一孔，平底纵穿一孔，两孔"T"字相交。

这组玉佩是西汉组玉佩中精品之作，具有明显女性特征，是研究西汉诸侯夫人用玉情况的宝贵材料。

窦绾墓组玉佩存于河北省文物保护中心。

三桥镇汉墓组玉佩 西汉文物。1978年，陕西省西安市三桥镇购得。据了解，这组玉佩是1978年当地老百姓在挖土时所获，被西安市文物商店购得。西安市文物商店改组为西安市文物交流中心后，玉佩一直被保存下来。

三桥镇汉墓组玉佩由上至下鹰形玉珩长

9.9厘米，宽4厘米，厚0.25厘米；双鹰纹玉璧直径7厘米，孔径3厘米，厚0.3厘米；玉舞人长4.4厘米，宽2.2厘米，厚0.2厘米；玉觿长10厘米，宽3.2厘米，厚0.25厘米。玉佩自上而下由鹰形玉珩1件、双鹰纹玉璧1件、镂空玉舞人1对和凤形玉觿1对组成，均为白玉所制，有部分灰白沁斑，串连各组件丝绶已朽。其中鹰形玉珩阴刻镂空透雕1只展翅侧首飞翔玉鹰，形态夸张，凸显雄鹰的矫健凶猛。玉璧面浅浮雕回首双鹰，双鹰背向分立两侧。2件玉舞人大小、服饰相同，方向相反，镂空透雕，细阴线刻画细部，两面纹饰相同，上下各有一圆形小孔，舞人长眼细眉，高鼻小口，作"翘袖折腰"舞姿，形态婀娜多姿，笑容可掬。2件凤形玉觿形制一致，圆眼尖长喙，头顶有卷曲高冠，身尾相连呈弧形，以细阴线勾勒整体轮廓，并以细线卷云纹和并排短阴线纹表现羽翼乃至绒毛等细部，两面纹饰相同。

这组玉佩造型采用动物、人物形象，流畅生动。

三桥镇汉墓组玉佩存于西安市文物交流中心。

王士良墓组玉佩　隋代文物。1988年，陕西省咸阳市张湾王士良墓出土。王士良墓位于咸阳市渭北区杜镇靳里村东，1988年在基本建设过程发现，墓葬封土已被铲平，但墓室保存完好，随后陕西省考古研究所进行清理，为一座竖穴式土洞墓。

王士良墓组玉佩由上至下云纹边玉珩长13厘米，高6.9厘米，厚0.5厘米；半圆形珩长12.4厘米，高5.8厘米，厚0.5厘米；玉璜1对长7.8厘米，宽3.8厘米，厚0.5厘米；玉璧形佩直径6.9

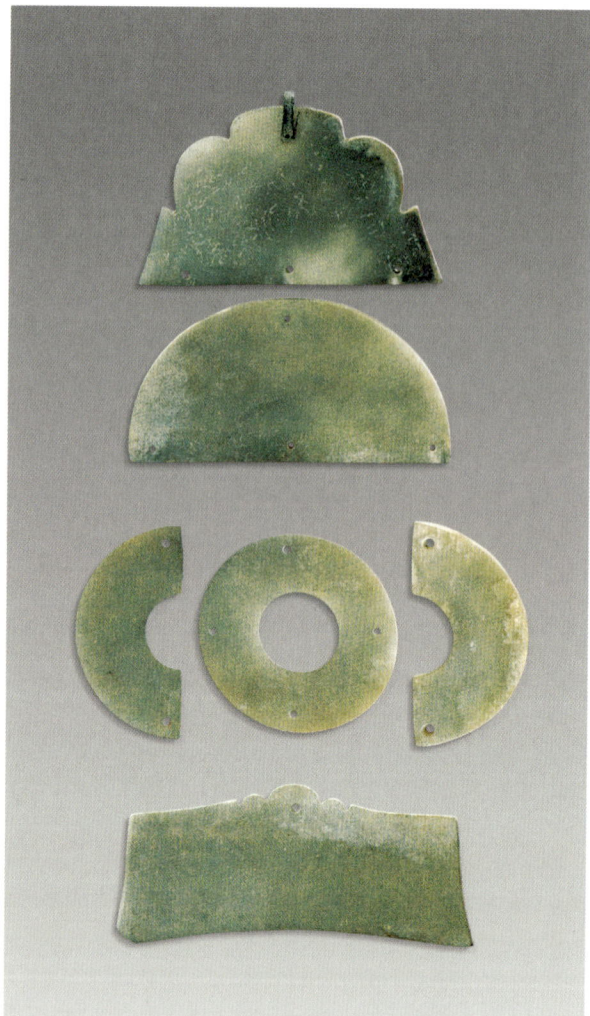

厘米，孔径2.8，厚0.5厘米；云头梯形佩长14.5厘米，高5.2厘米，厚0.5厘米。这组玉佩为青玉所制，夹青褐斑。自上至下由云纹边玉珩1件、半圆形珩1件、玉璧形佩1件、玉璜1对和云头梯形佩1件组成，各组件均抛光无纹饰。其中云纹边玉珩扁平体，底部平边，两侧下部为斜边，上部和顶端为三曲云纹边，底边一排钻三孔，上端中部钻一空，铆固一铜环。半圆形珩扁平半圆形，亦钻四孔，位置与云纹边玉珩相同。玉璧璧面外缘等距钻有四孔。2件玉璜形制相同，弧形扁平体，两端外侧各钻一孔。云头梯形佩扁平梯形，底边微曲，脊部呈三曲云头形，正中钻一孔。

该组玉佩保存完好，风格简洁，通体素面无纹，抛光精细。据历史文献记载，墓主王士良下葬于隋开皇三年（583年），生前官居北周上大将军、大都督、刺史、郡公，隋授使持节、上大将军，因而这组玉佩有别于典型隋唐组玉佩，仍保留北周作风，是考察南北朝至隋唐时期组玉佩风格的宝贵材料。

王士良墓组玉佩存于陕西省考古研究院。

张九龄墓组玉佩 唐代文物。1960年7月，广东省韶关市罗源洞张九龄墓出土。1960年7月，张九龄墓由广东省文物管理委员会与华南师范学院历史系共同发掘。由于该墓葬自宋以

来经历过不同程度破坏，各组件出土时散落于墓室内各处，故整组玉佩原本形制已不可考。

张九龄墓组玉佩分别长2.5～6厘米，宽1～3厘米，厚0.4～0.5厘米。遗存组件7件，均为灰白色，素面，表面未抛光，可见细磨错痕。7件形态各不相同，一作五角形，一作浪花形（蝙蝠形），二作半月形（璜），三作云形（如意形）。浪花形玉饰及2件体量较大云形玉饰均穿四孔，顶端正中一孔，底端一排等距分布三孔，小型云形玉饰在上下中间位置各穿一孔，2件半月形玉饰在两端各穿一孔，五角形玉饰在顶端中间位置穿一孔。

这组玉佩所用玉料质地较差，工艺不甚精湛，规格也比较小，与墓主身份和当时制度不相称。发掘简报编写者提出几种可能解释，包括历代盗掘破坏导致精美随葬品散失、迁葬、张九龄晚年政治失意等，其后也有学者提出这组玉佩可能系随葬明器观点。尽管这组玉佩出土时位置已被扰乱，整体形制不明，但仍对研究唐代组玉佩使用情况具有重要价值。

张九龄墓组玉佩藏于广东省博物馆。

陈国公主墓组玉佩 辽代文物。1985年，内蒙古自治区奈曼旗青龙山镇陈国公主墓出土。陈国公主墓是公主与驸马合葬墓，位于青龙镇东北10千米斯布格图村西南山坡上。1985年6月，在斯布格图村西北兴建水库，发现这座墓葬。哲里木盟奈曼旗各级文化部门十分重视，立即采取保护措施并向上级反映，这座墓葬才得以完整保存。这组玉佩出土时，位于尸床东部，公主夫妇头部上端。

陈国公主墓组玉佩通长14.8厘米。玉佩共6件，由白玉、青白玉制成。上方为镂空绶

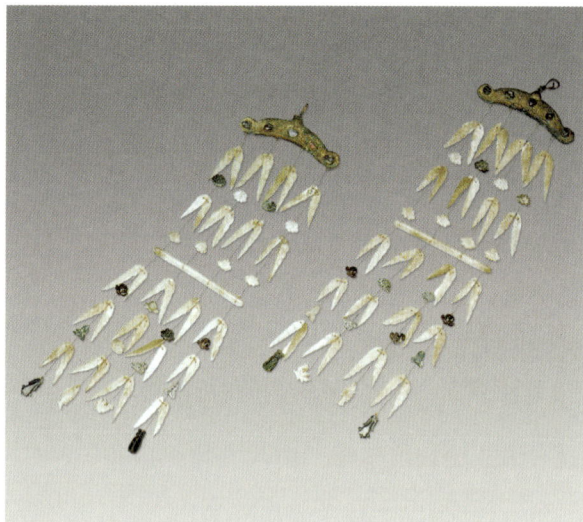

带纹玉饰1件，长6.5厘米，宽4.1厘米，略呈长方形，绶带纹流畅舒展，下端以鎏金银链系挂5件玉坠饰。5件玉坠饰自左到右依次为摩羯鱼玉坠、荷叶双鱼形玉坠、双凤形玉坠、双龙形玉坠和莲花卧鱼形玉坠，长4.9~7.5厘米，均为镂空透雕出整体轮廓，再以细阴线刻画细部，刀工精湛，抛光精细，动物形象生动。

陈国公主墓中除这件组玉佩有鱼形玉坠，还出土有3组纯鱼形玉坠与银链组成组玉佩，多悬挂在公主身上。玉佩玉质细腻莹润，玉色光洁，造型丰富精美，是辽代玉器精品。

陈国公主墓组玉佩存于内蒙古自治区文物考古研究所。

定陵组玉佩　明代文物。北京市昌平区十三陵定陵地宫出土。1956年5月，由中国社会科学院考古研究所和北京市文物局组成长陵发掘委员会工作队，对定陵进行发掘，这两套组玉佩出土于后殿，各自装在匣子里，放置在凤冠旁边，可能与凤冠一同佩戴。

定陵组玉佩通长61厘米。这两套组玉佩形制相同，顶端为荷叶形鎏金铜提头，两面均錾刻二龙戏珠纹，每面各嵌红宝石2颗、蓝宝石

3颗，上部正中有环鼻与带环挂钩相连，下部有4个环鼻分别用黄色四线组串其他组件。提头以下玉饰成4串10排，第一、三、五、七、九各排系青玉阴刻玉叶，每2叶为1组，上部串系黄丝穗；第二、四、六、八、十各排则串系不同材质和形态的小型饰件，有碧玉、玛瑙、绿松石、水晶、青金石等小颗粒雕刻花朵、玉蝉、蟾蜍、鸳鸯、鱼、鸡等，另外第四排玉饰下方用1件扁长条形玉珩将整组玉佩联系起来，又似分割为上下两部分。

试掘简报中提到上端铜钩可能是用以将其佩挂在腰间两侧，行动时玉件互相撞击会发出清脆声音。有学者根据形制推测，这两套组玉佩当为文献中记载的"玉禁步"，用料考究，做工精细，代表当时玉器制作工艺最高水平，是研究宫廷礼制和制玉工艺的重要材料。

定陵组玉佩藏于定陵博物馆。

兴隆洼117号居室墓玉玦　新石器时代兴隆洼文化（前6200~前5400年）文物。兴隆洼聚落遗址位于内蒙古自治区赤峰市敖汉旗宝国吐乡兴隆洼村，1983~1986年进行过四次发

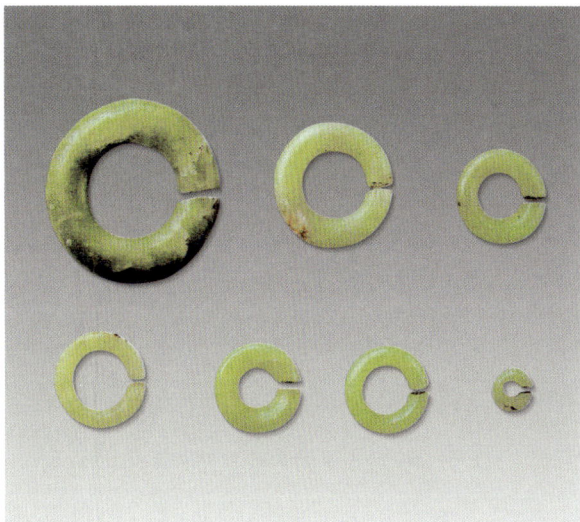

掘，并提出了"兴隆洼文化"的命名。1992年该遗址进行了第五次大规模发掘，117号居室墓为此次发掘成果。

兴隆洼117号居室墓玉玦左侧直径2.9厘米，孔径1.4厘米，厚0.5～0.6厘米；右侧直径2.8厘米，孔径1.3厘米，厚0.4～0.5厘米。这2件玉玦为1对。整体呈黄绿色，玉质较为纯净，左侧玉玦有少许红褐色沁斑。器体呈圆环状，一侧有一道窄缺口，靠近内侧边缘磨薄，形成一道棱线，外缘弧形。通体抛光，光泽感较强。出土时分别位于墓主左、右耳部。

玉玦为兴隆洼文化的典型器类，制作过程至少需要经过采集原料、开片、琢磨毛坯、中央穿孔、内沿修整、器身抛光及切割玦口等步骤，表明当时已形成了较为完备的制玉技术体系。玉玦出土时位于墓主耳部，其功能为佩戴的耳饰，主要起装饰作用，但同时可能还具有标志墓主身份和地位的作用。

兴隆洼117号居室墓玉玦存于中国社会科学院考古研究所。

洪格力图墓葬玉玦 新石器时代兴隆洼文化（前6200～前5400年）文物。1997年，内蒙古自治区巴林右旗洪格力图墓葬出土。1997年夏，内蒙古自治区巴林右旗洪格力图敖包一带墓葬发生文物盗掘事件，所盗文物中包括为数众多玉器。后经警方和文物部门努力，失盗文物被追缴，其中包括这组玉玦。

洪格力图墓葬玉玦大小不一，共7件。上排左一，外径5.1厘米，孔径2.5厘米，厚0.72厘米，缺口0.25厘米，淡绿色间有白色云状斑纹，器身扁薄，不规则形，由孔缘和周缘往上磨出斜面使内外缘成刃状，两面微鼓，缺口为不规则斜切而成豁口，磨制精细，有光泽，一处有因原料欠缺形成的凹痕。上排左二，外径3.5厘米，孔径2.8厘米，厚0.55厘米，缺口0.18厘米，淡绿色间白色斑纹，形制与左一块基本相同，内缘呈刃状，外缘为钝刃状，缺口为不规则斜切豁口，通体磨光，有光泽。上排右一，外径2.7厘米，孔径1.6厘米，厚0.48厘米，缺口0.2厘米，淡绿色，无杂质，器身呈环形，由孔缘向上磨成斜面，使孔缘成薄刃状，向上起棱，外缘圆钝。斜面至外缘间琢磨成平台，缺口为两面斜切，磨制精细，器表光滑。下排左一，外径2.68厘米，孔径1.25厘米，厚0.55厘米，缺口0.2厘米，淡绿色玉质，内有一块黑色斑点，器身呈环形，两面幅度不一斜面使内缘呈稍偏向一面刃状，外缘呈钝刃状，一面有平台，另一面微鼓，缺口为不规则斜切而成，磨制精细，有光泽。下排左二，外径2.5厘米，孔径1.05厘米，厚0.6厘米，缺口0.2厘米，淡绿色玉质，表层有一处土蚀白色斑纹，由孔缘向内上磨出斜面，且两面斜度不等，内缘呈刃状，外缘呈圆弧状，一面内上起脊，另一面微鼓，缺口两侧磨成平台，缺口为不规则斜切而成，磨制精细，光滑。下排右二，外径2.45厘米，孔径1.3厘米，厚0.45厘米，缺口0.15厘米，淡绿色玉质，无任何杂质或斑纹，色泽纯净单一，沿孔缘有斜面，内缘呈刃状，外缘呈钝刃状，两面微鼓，缺口为不规则斜切而成，磨制精细，器表光滑。下排右一，外径1.25厘米，孔径0.45厘米，厚0.6厘米，缺口0.15厘米，淡绿色玉质间白色云状斑，孔为对穿，周边无斜面，孔壁较平整，外缘为圆弧形，一面磨成平台，另一面微鼓，有两处凹痕，通体磨光。

这组玉玦数量较多，大小有序，加工精细，年代问题上存在争议。发掘者认为，其质地颜色与本旗那斯台红山文化遗址出土玉器别无二致，年代为红山文化早期。有学者提出其年代当属兴隆洼文化时期。

洪格力图墓葬玉玦藏于巴林右旗博物馆。

城头山680号墓玉玦 新石器时代大溪文化（前4400～前3300年）文物。1991～2002年，湖南省澧县车溪乡城头山古城址680号墓出土。澧县城头山遗址是长江中游一处十分重要的新石器时代中期至晚期遗址。1978

年，澧县文物考古工作者发现这座古城遗址。1991～2002年，由湖南省文物考古研究所进行多次发掘。

城头山680号墓玉玦外径2.4～2.75厘米，内径0.65～0.5厘米，厚0.6厘米。玉色青白，玉质受沁形成黄色斑块。器身较厚，略呈椭圆形，缺口不平，断面呈椭圆形，孔偏向远离缺口一侧，通体光素无纹。玉玦外形及内孔均为管钻制作而成，器壁上留有明显管钻旋转痕迹。缺口两侧并不平直，一侧靠近边缘还留有打击后突出小台，由此可见制作痕迹并未经精细打磨，显得制作较为粗糙。

大溪文化是长江中游玉器初步发展时期，这一时期所见玉器种类主要是玉玦和玉璜。这件玉玦内孔偏居一侧，形制特殊，是研究中国早期玉器典型标本。

城头山680号墓玉玦存于湖南省文物考古研究所。

北阴阳营191号墓玉玦 新石器时代北阴阳营文化（前4000～前3000年）文物。1954年，江苏省南京市鼓楼岗北阴阳营191号墓出土。1954年9月，某基建工程队在平整土地时

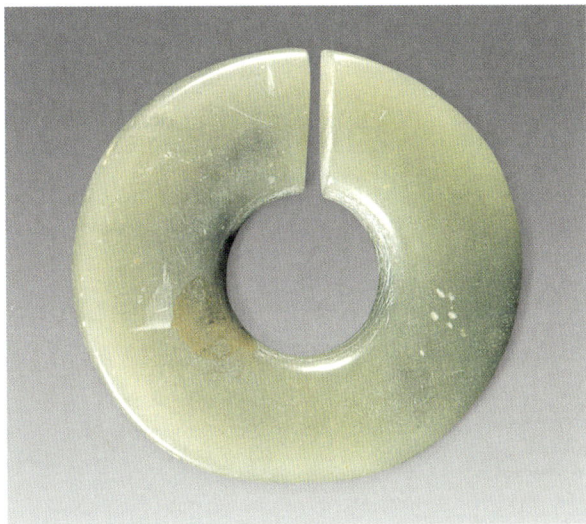

发现北阴阳营址，遗址内部分文化遗物暴露出来，南京博物院考古人员对现场进行调查，确认是一处重要古文化遗址。该玉玦与另一件玉玦成对位于墓主人耳下，当为耳饰。

北阴阳营191号墓玉玦直径4.6厘米。绿色蛇纹石，局部有浅色沁痕，呈环状，剖面呈梭形。一侧从里至外切一缺口，缺口较平整，系线切割工艺所致。内孔基本居于正中，孔壁较粗糙，系用实心钻两面对钻形成。玉玦通体素面，表面经过打磨处理，较为光滑。

北阴阳营遗址出土玉玦46件，是新石器时代中期出土玉玦最多遗址之一，这件玉玦是其中精品。史前玉玦功能尚有不同认识，这件玉玦明确出土于墓主耳下，作为耳饰确凿无疑。

北阴阳营191号墓玉玦藏于南京博物院。

石峡31号墓玉玦 新石器时代石峡文化（前2500～前2000年）文物。1973～1978年，广东省韶关市马坝石峡遗址出土。1972年冬，曲江县文化馆人员在石峡梯田发现陶片、石器和红烧土，并将这一情况上报省主管部门。1973年，广东省博物馆派人调查，确认此处为新石器时代晚期至青铜时代大型遗址。

1973～1978年，广东省博物馆牵头组织发掘，该玉玦出土时位于墓主肩部。

石峡31号墓玉玦直径6.2厘米，孔径3.2厘米。由于岭南酸性土壤长期沁蚀，表面已完全受沁呈褐色，原色不知。玦面扁薄，剖面内厚边缘薄，缺口切割整齐，为片切割从环体边缘和内孔两侧对半剖切而成。内孔居中，单面管钻而成。外缘等距雕有四个"山"字形装饰。玉玦可明显分出正反面。反面平直，正面在靠近边缘处急剧变薄，形成明显棱线，反面打磨得不如正面光滑。这种形制和工艺是岭南玉石玦特点。

玉玦边缘的装饰特别，除"山"字形，这种边缘带装饰玉玦主要分布在中国岭南、台湾和东南亚等地。

石峡31号墓玉玦藏于广东省博物馆。

晋侯墓地31号墓玉玦 西周文物。1993年上半年，山西省曲沃县晋侯墓地31号墓出土。推测墓主人为晋献侯夫人，该玉玦与另一件玉玦成对位于棺内墓主耳部。

晋侯墓地31号墓玉玦直径4.9厘米。色白，微受沁，整体呈较粗圆环状，内外缘均为

正圆形，一侧有缺口。玉料曾作为其他用途，故而纹饰不全。双面各饰有一对不完整凤鸟纹，凤鸟相对而立，大圆眼，弯喙，长冠下垂，羽翼微展，饰有鳞纹。另外，还饰有带状纹，宽0.5厘米，上面刻有9条细线。

31号墓出土的这对玉玦，均系其他玉件改制而成。一件饰凤鸟纹，另一件饰夔龙首纹，刀法细腻，工艺精湛。

晋侯墓地31号墓玉玦存于山西省考古研究院。

黄君孟夫妇墓玉玦 春秋文物。1983年4月，河南省光山县宝相寺黄君孟夫妇墓出土。

1983年4月，河南信阳地区文管会与光山县文管会联合对黄孟君夫妇墓进行抢救性发掘。该墓葬为夫妻同穴合葬墓。丈夫椁室偏北，出土11件铸有"黄君孟"铭文铜器，内椁及棺木均破坏严重。妻子椁室偏南，出土14件铸有"黄子作黄夫人孟姬"铭文铜器，椁室及人骨均保存完好。这对玉玦出土于黄君孟椁室。

黄君孟夫妇墓玉玦直径2.3厘米，孔径1.2厘米，高2.65厘米。黄白色，整体呈不相连圆柱体，中空，外表饰蟠虺纹，上端口沿饰重环纹。

这对玉玦所饰细密蟠虺纹，在稍晚的春秋中期至战国盛行，在黄君孟夫妇墓中应是春秋早期至中期的过渡型。黄国是周代嬴姓国，黄君孟夫妇墓年代明确，这对玉玦出土为研究春秋早期淮汉地区国君墓随葬玉器提供一手资料。

黄君孟夫妇墓玉玦藏于河南博物院。

曾侯乙墓玉玦 战国文物。1978年5～6月，湖北省随县曾侯乙墓出土。

曾侯乙墓玉玦左，直径3.2厘米，孔径1.1厘米，厚0.3厘米；玉玦右，直径5.2厘米，孔径2.4厘米，厚0.3厘米。这2件玉玦虽大小相异，但均选青白色透闪石质软玉为原料，内外

缘均近圆形，且选用纹饰种类也比较类似。左侧较小一件，外缘装饰一周斜线纹，其余部分成组浮雕变形云纹；右侧较大者，内、外缘及缺口处均饰一周斜线纹，斜线纹间饰粗线阴刻相对云纹两周，间或有斜线纹填充其间。

曾侯乙墓玉玦玉质莹润，纹饰紧凑，工艺精湛。曾侯乙墓墓室虽有盗洞，但绝大部分器物未被盗扰，出土大量青铜器、金器、玉器和漆木器等，提供了战国早期列国诸侯墓葬的典型。

曾侯乙墓玉玦藏于湖北省博物馆。

石寨山13号墓玉玦 西汉文物。1956年11月～1957年1月，云南省晋宁县石寨山13号墓出土。1954年10月，云南省博物馆在晋宁调查时发现石寨山古墓群。1956～1960年、1996年，共进行五次发掘。其中1956年11月～1957年1月进行第二次发掘，清理19座墓葬，出土随葬品3100余件。这组玉玦出土于第二次发掘清理的13号墓中，共28件。

石寨山13号墓玉玦最大件外廓3.5～4.4厘米，孔径1.5～1.9厘米，厚0.09～0.2厘米；最小件外廓1.7～2.1厘米，孔径0.6～0.7厘米，厚0.1～0.2厘米。多呈灰白色，不透明，

表面光洁平滑，有几件附着有织物痕迹。外缘均呈圆形或近圆形，中间大孔偏向缺口一侧，环的部分在缺口附近收窄，缺口宽0.1～0.2厘米，缺口两侧钻有细圆穿孔，其中有一件还在侧面钻一小孔。这组玉玦均素面，打磨规整，大小相依有序。

成组玉玦虽素面无纹饰，但修整得规整平滑，数量众多，代表滇文化玉器的工艺水平。石寨山古墓群第二次发掘中，在6号墓中出土了著名的"滇王之印"，掀开古滇国神秘面纱。这批玉玦出土对古滇国用玉制度研究具有重要价值。

石寨山13号墓玉玦藏于云南省博物馆。

草鞋山87号墓玉环 新石器时代崧泽文化（前3700～前3300年）文物。1972～1973年，江苏省吴县草鞋山遗址87号墓出土。草鞋山遗址位于阳澄湖南岸。1956年，江苏省文管会普查时发现。1972～1973年，南京博物院在吴县文化馆协助下，先后进行一次探掘和两次发掘，总发掘面积1050平方米，清理新石器时代居住遗址、11个灰坑（窖穴）和206座墓葬。遗址文化层包含马家浜文化、崧泽文化、良渚

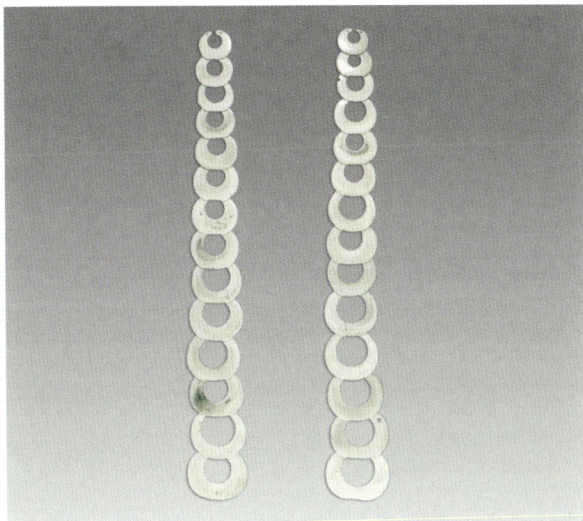

文化和春秋时代吴越文化等多个时代遗存，为太湖地区新石器时代研究提供年代标尺。该玉环出土于属于崧泽文化的墓葬87号墓中，简报中称为"石环"。

草鞋山87号墓玉环直径9.5厘米。玉色青白，质地细腻，保存良好。外缘近圆形，不甚规整，孔居中，大致呈正圆。环壁薄厚不均，素面，一面切痕清晰可见。

草鞋山遗址早期发掘中发现崧泽文化墓葬89座，其中仅21座墓葬随葬有装饰品，玉环更为少见。87号墓墓主人为一成年女性，包括这件玉环在内随葬品共17件，与同墓区其他墓葬相比随葬品更丰富精美，说明墓主人身份地位可能较高，当时氏族内部已出现贫富分化。

草鞋山87号墓玉环藏于南京博物院。

凌家滩玉环　新石器时代凌家滩文化（前3600～前3300年）文物。1987年11月，安徽省含山县凌家滩遗址出土。

凌家滩玉环直径9.9厘米，孔径7.7厘米，宽1.1厘米，厚0.1～0.4厘米。玉色灰白泛绿斑，半透明，推测原料属透闪石。整体呈窄圆环形，内、外缘均近圆形，孔居中，外边缘琢

磨有87个齿孔（包括两个半孔）。断面呈三角形，外缘厚，内缘薄，内壁有对钻痕迹。素面，表面有温润光泽。

凌家滩玉环齿边特征为凌家滩玉环中仅见，却为玉璜、玉珩等弧形器所常用，工艺精湛。

凌家滩玉环存于安徽省文物考古研究所。

罗墩8号墓玉环　新石器时代良渚文化（前3300～前2200年）文物。1993年，江苏省常熟市练塘镇罗墩遗址8号墓出土。1992年2月，发现罗墩遗址，是一处高出地面的良渚文化高台墓地。1993年4、10月，苏州博物馆与常熟博物馆联合组成考古队进行两次抢救性发掘，清理良渚文化墓葬14座，出土玉、石、陶器250件，并对残余土台进行发掘。墓葬排列有序，分南、中、北三排东西分列，墓葬内的随葬品普遍比较丰富。罗墩8号墓玉环出土于8号墓棺内墓主人两股骨之间，简报称为"玉双龙牌饰"。

罗墩8号墓玉环直径3.4厘米，孔径1.2厘米，厚1厘米。淡黄玉质，带赭红色瑕斑。形如环，但肉略宽，孔居中呈近圆形，系双面对钻而成，留有明显钻孔台痕。通体磨光，在外缘一侧纵向雕刻一对相对龙首，龙首由嘴、

眼、角组成，环另一侧为双龙共用龙身。龙形采用减地浅浮雕手法进行雕刻，对称展开，雕琢长度约占整个外缘1/2。具体手法是先在外缘端面开一道宽0.12厘米，深0.24厘米凹槽，两边各等称留出厚0.37厘米突起嘴唇，然后依次相向利用减地隆起弧线来体现出似有似无鼻梁，上部雕琢二只圆突球形眼睛，再在眼上方刻出一对竖挺而略成圆端龙角，龙面轮廓清晰，有较强立体感。

罗墩墓地随葬品中玉器占主要地位，随葬玉器是一种普遍现象，其中以管、珠、镯、戒、环、坠等小件器物为主。这件龙形玉环构思巧妙，布局严谨，线条简练。虽归入玉环一类，但罗墩8号墓玉环出土位置与其他玉环不同，发掘者推测其为挂于腰间装饰。

罗墩8号墓玉环藏于常熟市博物馆。

下靳47号墓玉环　新石器时代陶寺文化（前2500～前1900年）文物。1998年5～8月，山西省临汾市尧都区下靳墓地47号墓出土。1997年，发现下靳墓地，东南距陶寺遗址约25千米。1998年1月，经中国社会科学院考古研究所考察，确认为一处陶寺文化时期墓地。同

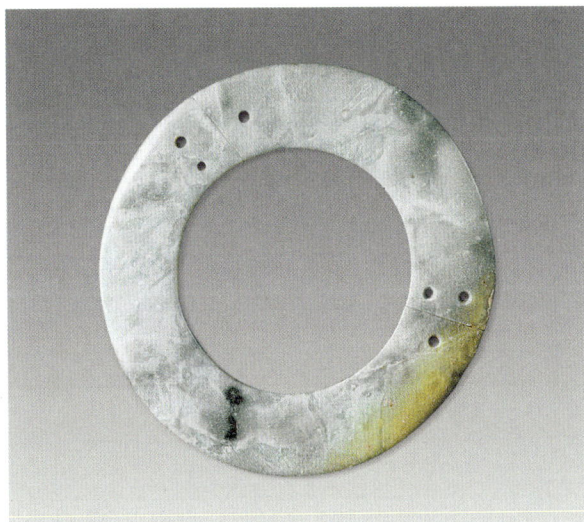

年5～8月，由山西省考古研究所与临汾行署文物局、临汾市文化局组成下靳考古队，进行两个阶段抢救性发掘，清理墓葬480座。这件玉环出土时断裂成两部分，套于墓主右前臂上。

下靳47号墓玉环直径11.8厘米，孔径6.9厘米，厚0.5厘米。玉色青白，有深蓝色斑，扁平体，截面呈楔形，内缘厚外缘薄。内外缘均呈正圆形，孔居中。素面，抛光较好。出土时断裂，但两处断口各有3个穿孔，分布于断口两侧，其中一侧三孔为双面锥钻，另一侧三孔为单面锥钻。说明其在墓主人生前使用过程中已断裂，修复后继续使用直至随葬。

下靳墓地年代相当于陶寺文化早期，其墓葬均为中、小型墓。这件玉环虽在断裂后又经修补加工，但器形规整，抛光精细，当属下靳墓地随葬玉器中良品。47号墓墓主为一老年男性，墓内随葬品除这件玉环外，还有管状、璜状、璧状玉串饰，及镶嵌绿松石饰物，右股骨上还放置1件玉钺，推测其生前拥有一定财富和地位。

下靳47号墓玉环存于山西省考古研究所。

下靳483号墓玉环　新石器时代陶寺文化（前2500～前1900年）文物。1998年5～8月，山西省临汾市尧都区下靳墓地483号墓出土。

下靳483号墓玉环直径11.5厘米，孔径约6.5厘米，厚0.2厘米。青玉，泛黄。由6片穿孔玉片连缀而成，其中5片系同一块玉料开片而成，纹理、色泽、玉斑均相近，每片均一端尖、另一端平，尖端单面锥钻单孔，平端双面锥钻双孔，两片之间单孔对双孔连缀。另一片玉色不同玉片两端皆平，但连缀方式相同。截面呈扁平条形，内外缘形状均不甚规则，整体

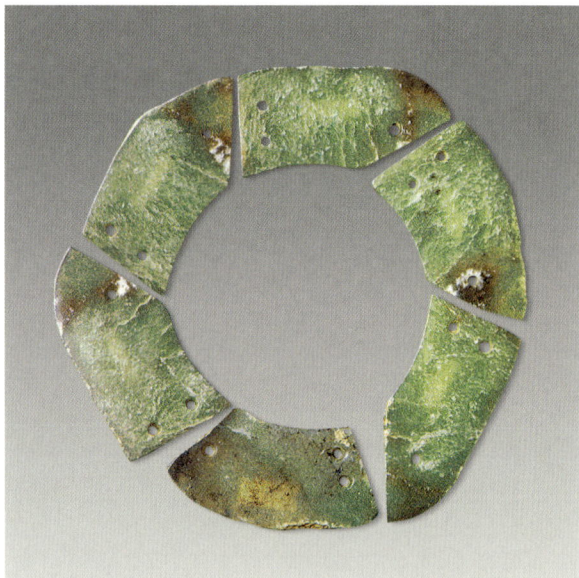

上保持近似玉环形态。素面，通体抛光。

下靳墓地中环璧类玉器连缀现象非常普遍，有的是断裂修补后继续使用。这件玉环设计制作之初，将一块小料锯割成数片拼缀而成。说明玉料珍贵稀缺，下靳居民需要采用这种工艺合理利用玉料。

下靳483号墓玉环存于山西省考古研究所。

喇家17号墓玉环　新石器时代齐家文化（前2300～前1800年）文物。2003年，青海省民和县喇家遗址17号墓出土。2003年在小广场北边发现一处人工堆筑土台，土台顶部中间玉

环放置于墓主头颈部。

喇家17号墓玉环直径10.5厘米，孔上径5.3厘米，下径4.97厘米，厚0.42～0.63厘米。玉色浅绿，夹杂深褐色斑，局部受沁呈白色。内外缘均呈近圆形，孔居中，但边缘加工不规整，有自然破裂面。环面起伏不平，厚薄不一。孔为单钻而成，旋转痕迹明显，有断裂痕迹，断裂处略经打磨。通体素面，经过抛光。

这件玉环与其他14件玉器和1件猪下颌骨同出于一座墓葬中，足见墓主身份不凡。发掘者推测，墓主特殊身份可能是巫师之类神职人员。

喇家17号墓玉环存于青海省文物研究所。

晋侯墓地63号墓玉环　西周文物。1993年9月11日～1994年1月6日，山西省曲沃县晋侯墓地63号墓出土。63号墓是一座有南北两条墓道中"字"形墓，保存完好，随葬品丰富。这件玉环位于墓主头顶处。

晋侯墓地63号墓玉环直径15.6厘米，孔径6.8厘米，厚0.4厘米。茶褐色，半透明。体量较大，内外缘均为正圆，孔居正中，形制规整。两面纹饰相同，均饰两条盘旋龙纹，龙首接近环外缘，龙身盘曲呈圆弧形，尾尖收于内

缘，双龙收尾相接。龙鼻上卷，张口，"臣"字眼，有利爪。其余空隙处以卷云纹填充。

推测墓主为晋穆侯次夫人，随葬器物4280件，仅玉器就有800余件。这件玉环构图细腻，双龙生动，代表了西周末年晋国玉器制作水平。

晋侯墓地63号墓玉环存于山西省考古研究院。

曲靖八塔台265号墓玉环 春秋文物。1977年11月～1982年底，云南省曲靖市八塔台265号墓出土。1977年，发现云南曲靖八塔台古墓葬群。1977年11月至1982年底，云南省文物工作队在当地文化部门配合下，除对破坏较大的一号封土堆进行发掘外，还对二号封土堆进行七次发掘。共发掘春秋战国时期封土堆墓30余座、战国至两汉时期的竖穴土坑墓384座、宋代至明代火葬墓304座，出土随葬品1000余件，是一处年代跨度长、墓葬密集、出土遗物丰富的古墓葬群。

曲靖八塔台265号墓玉环直径9.1厘米，孔径5.7厘米。呈鸡骨白色，素面磨光。近圆环形，有领，内缘向两面出棱，截面"T"字形。外缘近圆形，有四处突起，突起部分呈弧曲形。断裂成三部分，每条裂痕两侧各有一圆形穿孔，系断裂修补后再继续使用，作为随葬品埋入墓葬中。

这件玉环形制规整，设计精巧，是八塔台古墓葬群出土青铜时代玉器中的精品之作。八塔台青铜时代的遗存可确定为滇文化遗存，反映了滇文化东部边缘的文化面貌。

曲靖八塔台265号墓玉环存于云南省文物考古研究所。

黄孟君夫妇墓玉环 春秋文物。1983年4月，河南省光山县宝相寺黄君孟夫妇墓出土。

黄孟君夫妇墓玉环直径11.6厘米，孔径6厘米，厚0.2～0.3厘米。内、外缘均呈正圆形，孔居中，内缘较外缘稍厚。玉色深灰，局部有沁。正面以双勾线法满饰变形的鸟兽纹，背面素面磨光。

这件玉环纹饰细密，工艺精湛。黄国是周代嬴姓国，黄君孟夫妇墓年代明确，这件玉环出土，为研究春秋早期淮汉地区国君墓随葬玉器提供了实物资料。

黄孟君夫妇墓玉环藏于河南博物院。

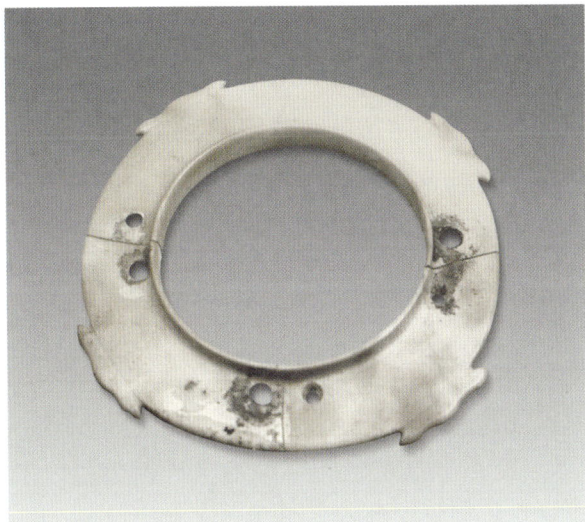

分水岭53号墓玉环 战国文物。1954～1972年，山西省长治市分水岭53号墓出土。20世纪50年代起，为配合长治市政基本建设，进行长治分水岭墓地文物保护项目。1954～1972年，山西省文物管理委员会晋东南工作组与长治市博物馆在该墓地进行多次钻探和发掘，共钻探出墓葬550余座，选择性发掘270余座，这些墓葬绝大多数保存完好。系统整理材料的有东周墓葬165座，其中陶器墓140座、铜器墓25座。其中分水岭53号墓是一座铜器墓，位于最西侧发掘区内，这件玉环位于墓主头部。

分水岭53号墓玉环直径5.2厘米，孔径2.8厘米，厚0.7厘米。玉色呈乳白色，器表有光泽。内、外缘均呈正圆形，雕琢突起弦纹，孔居中。玉环两面均在两道弦纹之间浮雕六组蟠虺纹，间以阴线刻出鳞纹和水波纹加以装饰。

这件玉环工艺精湛，纹饰风格疏朗，特色鲜明，代表战国早期晋东南一带制玉水平。推测53号墓墓主为战国时期赵国贵族。

分水岭53号墓玉环藏于山西博物院。

商王村1号墓玉环 战国文物。1992年，山东省临淄市商王村1号墓出土。1992年，临淄市博物馆考古工作人员对临淄水泥厂建设工程用地进行抢救性发掘，清理战国至两汉时期墓葬100余座，其中1号墓保存完好，出土器物丰富，是齐国考古的重要发现。2件玉环同出土于商王村1号墓墓主两侧。

商王村1号墓玉环直径11厘米，内径6.1厘米，厚0.4厘米。白玉，玉质较好，有光泽。扁平体，内、外缘均呈正圆形，孔居中。两面纹饰相同，内、外缘各饰一周绹纹，两周绹纹之间透雕左右对称双龙及双螭。双龙曲颈回首，张口露齿，杏仁目，云纹冠，身修长，尾饰绞丝纹。双螭口衔龙尾，身弯曲翻转，尾部饰云纹。

商王村1号墓玉环纹饰构思精巧，双龙与双螭姿态生动，透雕工艺精湛，实属精品。根据出土器物铭文"越陵夫人"推测，墓主为一位较高身份的女性。

商王村1号墓玉环藏于临淄市博物馆。

南越王墓玉环 西汉文物。1983年8月至10月初，广东省广州市象岗南越王墓出土。这件玉环出土于南越王墓东侧室过道北侧西墙下，发掘简报中称为"双龙凤纹玉环"。

南越王墓玉环直径9厘米，孔径4.8厘米，厚0.4厘米。青玉，玉质坚硬，局部受沁，微有剥蚀。双面透雕二龙二螭相互缠绕，组成环面一周纹饰，龙和螭皆作大跨步腾飞状，两两相对。龙身瘦长呈弯曲状，螭首嘴较尖，两耳亦呈尖状竖起，螭身与龙身交错，混为一体。龙身上还用阴线刻饰细云纹。

这件玉环玉质较好，雕琢工艺精湛。根据东侧室出土4个"夫人"玺印、棺漆残痕、组玉佩及人骨残骸推测，该室应为从殉夫人葬所。这件玉环出土时与另外1件玉环、2件玉璜、2件玉管和1件玉舞人叠放在一起，应是一副组玉佩中的一件，出于右夫人棺位西侧，可能属右夫人所有。发掘者判断，南越王墓墓主为汉初第二代南越王赵眜，生前僭越称帝，右夫人在从殉诸夫人中地位最高。

南越王墓玉环藏于广州西汉南越王博物馆。

南越王墓玉环　西汉文物。1983年8月至10月初，广东省广州市象岗南越王墓出土。此玉环出土时间、情况与上件南越王墓玉环相同。墓主人置主室正中稍偏西处，葬具一棺一椁，着玉衣。这件玉环出土于主室棺内，被放

置于墓主玉衣头罩之侧，发掘报告中称为"龙凤纹重环佩"。

南越王墓玉环直径10.6厘米，孔径5.2厘米，厚0.5厘米。玉色青白，有浅褐色斑，质硬，透青亮有光泽。圆璧形，双面透雕，以圆圈分隔为内外两环。内环透雕一游龙，前后两爪及尾部延伸至外环；外环透雕一只凤鸟立于游龙伸出前爪之上，回眸与游龙对视，凤首高冠及凤尾长羽向上下两方延伸呈卷云纹，填满外环剩余空间。除以透雕一龙一凤作为主体纹饰外，还在玉环外缘上、用作分隔圆圈上、龙凤身躯上以阴线刻画细部纹饰，且在龙凤身躯边缘采用分减手法，以便在平面上获得主体纹饰略呈立体观感。

南越王墓玉环藏于广州西汉南越王博物馆。

清凉寺155号墓玉璧　新石器时代陶寺文化（前2500～前1900年）文物。2003年秋至2005年初冬，山西省芮城县清凉寺墓地155号墓出土。

清凉寺155号墓玉璧直径18.5厘米，孔径6.2～6.8厘米，厚0.4厘米。浅绿色青玉，有深褐色斑痕，间有白色不规则纹理。整体玉质

较好，抛光精细。整器由两个成形对开玉璜拼合而成，两件璜纹理部位相同，结合部两边有6个桯钻小穿孔，分单面钻和双面钻两种。上侧玉璜在有两小孔一端边缘有缺损，下侧玉璜边缘中间亦有磨损。玉璧表面内、外边缘未打磨变薄，因而剖面呈扁长方形。中孔呈椭圆形，长径为6.8厘米，短径为6.2厘米，由此判断中孔非管钻而成。根据上述制作玉璧时工艺，可推断应先将玉料磨制呈半圆形，而后制作出中孔，再对开剖成两半，最后再钻出玉璜两端小孔以绑系一起。

有些学者将龙山时期流行于黄河中、上游地区此类联璜成璧玉器命名为"玉围圈"，有称之为"复合璧"或"联环形器"等与璧或环关联名称。在晋南一带此类玉器中孔较大，为新石器时代晚期此地区臂、腕佩饰器中一种。

清凉寺155号墓玉璧存于山西省考古研究院。

师赵村遗址玉璧 新石器时代齐家文化（前2300～前1800年）文物。20世纪80年代，甘肃省天水市师赵村遗址出土。师赵村遗址位于甘肃东部天水市，属齐家文化分布区东部泾渭上游地区。遗址经多次发掘，出土玉器主要

有环、璧、璜等片状玉器。"玉围圈"与多件素面扇形玉璜同出土师赵村遗址齐家文化一处房址内，而玉器作为一种特殊上层意识形态载体，彰显此处房址具有特殊功能。

师赵村遗址玉璧长7.3～10厘米，宽2.4～2.8厘米，厚0.3～0.5厘米。呈现绿色，表面有黄褐色沁斑，并可看到玉质表面有裂纹，玉质内有云朵状般团块。整璧由3件玉璜组合而成，单璜扇面形，每个璜两端各有一钻孔，每个孔均为单面钻，三璜缀合成璧。整璧制作精细，内孔和外缘均较规整，应为管钻而成，然后将整璧切割为3件单体玉璜。器表通体磨光、光素无纹。

由3件乃至多件玉璜组合成连体玉璧，在齐家文化中十分普遍。早前认为玉璜为历史时期配饰物，为独立个体。黄河中上游地区史前玉璜以围圈组合形态，赋予特殊意义。璜的此种意义直到近二三十年才得到认识和重视，此前"玉围圈"即使是整套出土，也常被分散处理。

师赵村遗址玉璧存于中国社会科学院考古研究所。

中山国1号墓玉璧 战国文物。1974年11月，河北省平山县七汲村中山国1号墓出土。

中山国1号墓为中山王譻墓。

　　中山国1号墓玉璧高4厘米，横宽7.6厘米。青白色，内有黑色斑点，质地温润。中间为谷纹璧，内外周缘起棱，璧面上端附着有铜锈。玉璧两侧透雕相背而立凤鸟，凤冠修长，与璧边相连，凤首外向，尖喙连胸，凤身弯曲，细颈挺胸，翼尖向后上卷，尾翎末端与璧边缘连接，灵动别致，气宇轩昂。

　　中山国为战国时期中国北方游牧民族白狄鲜虞族建立国家，在战国史研究中占有很重要地位。鲜虞人骁勇善战，从建邦伊始就积极参与列国纷争，中山国许多重大事件都与战国历史相合。周赧王十九年（前296年），中山被赵所灭，宗庙即废。中山国1号墓玉璧尺寸不大，造型优美，当为中山王生前珍爱佩饰。这种出廓玉璧为战国时期新出现器形，突破以往玉璧固定造型。同一时期周王所在洛阳和战国早期侯马祭祀遗址，均有出土。白狄鲜虞人定都灵寿城后逐渐中原化，这件玉璧是重要物证。

　　中山国1号墓玉璧存于河北省文物研究所。

　　凌家滩14号墓玉璜　新石器时代凌家滩文化（前3600～前3300年）文物。1998年下半年，安徽省含山凌家滩遗址14号墓出土。

　　凌家滩14号墓玉璜外径12.1厘米，内径5.6厘米，宽2.1厘米，厚0.3厘米。呈或白色，器长扁圆形，约为一完整玉璧的1/2，内孔规整，应为管钻而成，在器体两端各有一小圆孔。器体外缘阴刻一周凹线，在凹边刻33个半圆形小齿牙。玉璜表面经打磨，光滑亮泽。

　　中国史前玉璜最早出现于长江下游地区，早期玉璜形制多不规整。凌家滩文化时期，玉璜形态基本固定下来。这件玉璜边缘刻有一周齿牙，体现凌家滩先民独特制玉工艺。

　　凌家滩14号墓玉璜藏于安徽博物院。

　　瑶山11号墓玉璜　新石器时代良渚文化（前3300～前2200年）文物。1987年，浙江省杭州市余杭区瑶山11号墓出土，位于墓室南部。

　　瑶山11号墓玉璜长12.7厘米，宽4.8厘米。玉质沁为黄色，原色已不知。半璧形，器体匀薄，边缘稍更薄，底缘略有缺损，但经打

磨。器体以线具镂空勾勒出神兽面纹。镂空的方式是先以实心钻钻出小孔和定位，然后以线具向两边或四周扩展。兽面纹有菱角形双眼，眼角两端上卷，圆孔代表眼珠。两眼之间用弧边"十"字形或三角形镂孔表现出鼻梁和鼻翼，鼻下面用弧形孔和阴线勾勒出阔嘴，嘴两端上翘。其余部位琢镂不规则的孔和阴线。

该玉璜出土时与较多的玉管串饰共存，应为组合串饰。玉璜在良渚文化中数量不是十分丰富，根据已有研究成果大多数出土于高等级女性墓中。

瑶山11号墓玉璜存于浙江省文物考古研究所。

陶寺22号墓玉璜 新石器时代陶寺文化（前2500～前1900年）文物。2002年，山西省襄汾县陶寺遗址22号墓出土。2002年，考古工作人员在陶寺遗址中期大城南垣钻探出面积约1万平方米的墓地，发掘陶寺文化中晚期墓葬22座。其中22号墓为一座大型竖穴土坑墓，虽盗扰严重，仍出土一批珍贵文物，这对玉璜即为其中随葬品。

陶寺22号墓玉璜长9.25厘米，宽3.05厘米，厚0.15～0.18厘米。为白玉制成，整体呈白色，边缘局部为浅褐色。大小一样，形制完全相同，应采用成形对开工艺。整体如璜形，一端有单面钻圆孔，另一端开槽，拱背部各有四个扉棱，扉棱均为浅"U"形，造型独特。

这对玉璜位于墓室北端一个壁龛箱顶，同出的还有玉璜和一件被认为属于后石家河文化的玉兽面，均为研究史前玉璜的重要资料。

陶寺22号墓玉璜藏于山西博物院。

晋侯墓地31号墓玉璜 西周文物。1993年上半年，山西省曲沃县晋侯墓地31号墓出土。晋侯墓地是晋侯及夫人埋葬之处。31号墓是未被盗扰的一座女性墓。

晋侯墓地31号墓玉璜长7.3厘米。原色为青色稍泛黄，因长期埋藏受沁表面而呈褐色，出土时附着有朱砂。整器大约为一完整玉环1/3，形制十分规整。两面纹饰相同，皆以双勾阴线刻画变形龙纹，两端的穿孔为龙眼，凸出棱为龙口，躯干饰有卷云纹，两条龙纹身尾相叠。

这件玉璜利用两端凸棱雕刻龙口，使二维平面化龙纹具有三维立体化视觉效果。玉璜上雕琢叠身龙纹，是西周玉璜的典型纹饰之一。

晋侯墓地31号墓玉璜存于山西省考古研究所。

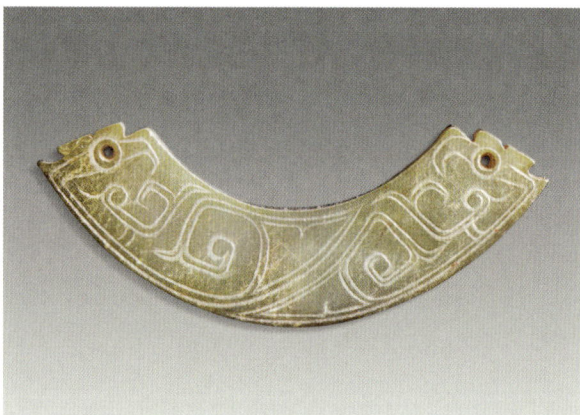

曾侯乙墓玉璜 战国文物。1977年湖北省随县曾侯乙墓出土。曾侯乙墓是战国早期曾侯墓葬，除出土大量精美青铜器、漆木器外，出土玉器323件，器类丰富且制作考究，此件为其中精品。

曾侯乙墓玉璜长15.2厘米，宽4.6厘米，厚0.6厘米。青绿色，器体两端有沁蚀痕迹。玉璜宽度较大，以透雕镂空手法勾勒出纹饰轮廓，整体呈左右对称格局。正面主体纹饰为左右各两只顾首龙纹，其下方由左右各一只立形凤鸟托住，器体上边缘有左右对称蛇纹各一处，下边缘在两只凤鸟两侧各有一处蛇纹，共六处蛇纹，璜身整体左右两侧各有直角形装饰纹封边。玉璜外弧上端有一斜向直线形开料痕迹。背面为素面。玉器打磨抛光程度较高。龙纹整体呈不规则"S"形，上唇上卷、下唇外翻、有角、有趾爪、有尾并饰以长平行线，龙身上多饰以卷云纹，卷云纹坡面斜度较大从而较为立体，有细线刻划圆形龙眼和龙身麟甲状装饰纹线。凤鸟纹整体呈立形，有变形凤冠，钩喙，有趾爪，身侧有长平行线装饰下垂羽翼，身后有长平行线装饰上卷尾翼，尾翼末端以卷云纹收尾，凤纹有阴线刻划小圆眼。蛇纹呈俯视展开，蛇身形状随器形卷曲，头部呈三角形，左右各有一阴线刻划的眼睛，蛇身中间有阴线刻划中线，并刻划有短平行线状麟甲纹线，蛇尾有细长平行线装饰。玉璜两侧有封边，并饰以简单卷云纹。

整件玉璜精心设计，具有楚式玉器风格。楚式玉器多用镂空，装饰繁复，一般多用龙凤纹作为主体纹饰。

曾侯乙墓玉璜藏于湖北省博物馆。

大葆台1号墓玉璜 西汉文物。北京市丰台区大葆台1号墓出土。大葆台西汉墓位于北京丰台区郭公庄西南隅，离市中心约15千米。据《汉书·地理志》等，大葆台汉墓遗址位于西汉"燕地广阳国"内。该墓地共有大型木椁墓两座，封土相连，墓主应为夫妇二人，两墓早年被盗。一号墓使用"梓宫、便房、黄肠题凑"墓制，推测墓主为广阳顷王刘建夫妇。

大葆台1号墓玉璜长10.3厘米，宽3.1厘米。青白玉，青灰色中略带褐色斑。璜身两面形式和纹饰相同，通体为阴线砣刻，近周边处阴刻一圈弦纹封边，其内部为主体纹饰，满布回纹，组成重复7组半的变体夔龙纹，靠近外弧偏中央处和一端近边缘处各钻一圆孔，以供佩系所用。

玉璜无钻孔一侧纹饰中断，无阴线弦纹封边，推测是原器物损毁后改制而成。玉璜纹饰风格流行于春秋时期，不排除此物为早期遗留。

大葆台1号墓玉璜藏于大葆台西汉墓博物馆。

金胜村赵卿墓玉珩 春秋文物。山西省太原市金胜村赵卿墓出土。1987年7月，太原第一热电厂进行第五期扩建工程，考古部门进行两次大规模勘探，在第二次勘探时发现一批大中型东周墓，其中最大的是251号墓及车马坑。该玉珩位于墓主身上，应为组玉佩构件之一。

金胜村赵卿墓玉珩长11厘米，厚0.4厘米。青黄色，两端有黑色沁蚀痕迹。器体较为厚重，璜身较窄，纹饰立体。珩身外侧有立体封边，两侧呈变体龙首形状，两侧上下边缘有扉棱状凸起，作为变形龙角和龙身构件，珩身布满立体蟠虺纹，在玉珩两侧作为变形龙首上下颚或和扉棱相连。上部钻有一孔，孔侧有立体封边。地纹上有细阴线刻划装饰曲线，将相邻蟠虺纹相连。

太原金胜村251号墓是山西发现规模最大、规格最高且未经盗扰的东周贵族墓葬，发掘者并未对墓主人作最终确认。从晋阳历史地位，与墓葬形制规模及出土遗物看，墓主人为晋卿赵氏，故名赵卿墓，时代为春秋晚期。组玉佩构件中玉璜在春秋时期逐渐转变为玉珩，这件玉珩是过渡期的重要标本。

金胜村赵卿墓玉珩存于山西省考古研究所。

曾侯乙墓玉珩 战国文物。1977年9月，湖北省随县曾侯乙墓出土。

曾侯乙墓玉珩上，长12.3厘米，宽2.8厘米，厚0.6厘米；玉珩下，长12.7厘米，宽2.8厘米，厚0.6厘米。两件玉珩玉质与造型相同，或为同一块玉料剖开制成。青白色，边缘处和内部有褐色沁斑。每件玉珩分为三段，左右两段呈龙首形状，整体构成双首共身龙。两侧边缘处微起牙扉，作为变形龙眉、龙角和上下颚等部件，有细绞丝纹装饰龙须，有立体浮雕小圆眼。珩身布满云谷相杂纹，中段与左右两段之间有长方形斜线纹分隔，中段上下也有长条形斜线纹装饰，器身装饰少量细密网格纹，器身上方钻有一孔，可供佩系使用。

玉珩表面纹饰较为繁密，时代特征明显，具有较浓厚楚式风格。这组玉珩是战国早期玉珩精品，对研究楚式玉器工艺特征十分重要。

曾侯乙墓玉珩藏于湖北省博物馆。

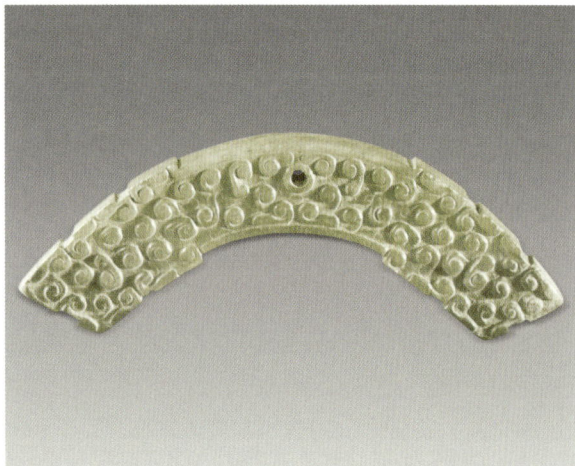

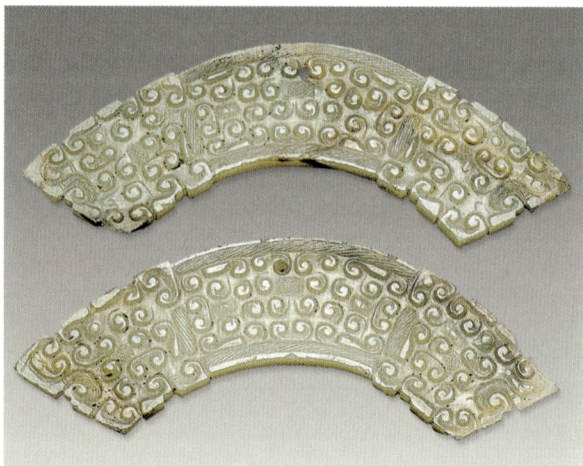

鲁故城乙组52号墓玉珩 战国文物。1978年，山东省曲阜县鲁国故城乙组52号墓出土。

鲁故城乙组52号墓玉珩长8.7厘米，宽4.35厘米，厚0.2厘米。白玉微泛黄，有黑褐色沁，玉质纯净，透光性和光泽度较好。珩身主体近边缘处由阴刻弦纹封边，其内部布满互相勾连云纹，转折介于方圆之间，纹饰全部为阴线。珩身主体下出廓，为透雕的双龙，双龙相向而视，有阴线刻小圆眼，龙身呈"S"形，上颚上翻，口呈水滴形，下颚上钩，尾向下卷。龙足上下相连，并饰以长平行线纹，龙体雕阴线麟甲纹，尾部雕琢细密的阴线纹。龙上颚、角与尾部均有部分与珩身相连。此器位于墓主人腹部，应是其珍爱佩饰。

战国玉器的某些器形在原有使用功能基础上，进行创新变化。玉珩、玉璧等器形在外廓处透雕对称动物纹饰，形成出廓珩、出廓璧。

鲁故城乙组52号墓玉珩存于曲阜孔府文物档案馆。

中山王墓1号墓玉珩 战国文物。1974～1978年，河北省平山县中山王墓1号墓出土。

中山王墓1号墓玉珩长4.9厘米，宽1.5厘米。黄褐色，质地温润。整体曲度很大，约为半环状，两端呈龙首形象，形成双龙共体的形制。龙首形象比较具象，有近三角形龙角，阴刻菱形眼睛，上吻较长并向上回卷呈勾云纹，口部钻有一孔，颈部有绞索纹装饰条带，颈下有勾云纹做装饰。双龙共用身体饰以较大勾云纹，并在勾云纹之间饰以方形或长方形网格纹，上下有较宽封边。玉珩上端中间有一较大穿孔。

此件玉珩弧度很大的特征，常见于楚式玉珩中，绞索纹颈圈与方格纹也是典型楚式纹饰。这种情况在中山王墓玉器中多次出现，反映出春秋战国时期玉器流通的频繁。

中山王墓1号墓玉珩存于河北省文物研究所。

北山头汉墓玉珩 西汉文物。1997年12月，安徽省巢湖市北山头西汉墓出土。北山头汉墓位于巢湖市老火车站前北山头。1997年12月，在城市基本建设中发现，随后安徽省文物考古研究所和巢湖市文物管理研究所组成联合考古队，对北山头汉墓进行发掘。墓葬为一座土坑木椁墓，年代为西汉早期。墓葬出土有"曲阳君"铭玉印及大批与皇室宫廷相关随葬器物，推断墓主身份地位大致不低于汉初列侯级别。

北山头汉墓玉珩长17.6厘米，宽2.7～3.25厘米，厚0.3厘米。白色，局部有黑色沁蚀。

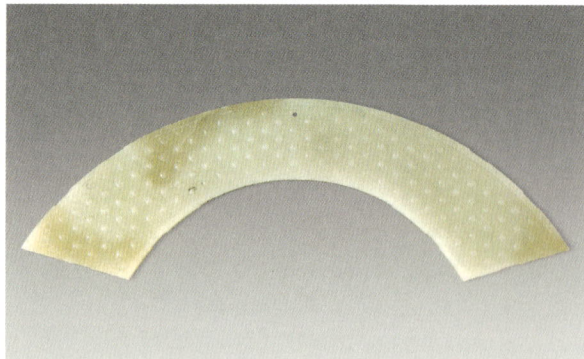

器呈扁平半弧形，横截面为长方形，通体抛光精致、光泽亮润。器物整体外侧有一圈封边。玉珩两端雕刻龙首，龙首形象生动，龙角向后上方扬起，上吻向上略翘，口为镂空卷纹，下颌部有出尖装饰。大眼圆睁，龙首与封边之间打磨出坡面，形成光晕流转立体效果，并有细线刻划出獠牙、髭毛等细节，颈部位置有绞索纹装饰。珩身主体中间部分满刻勾连谷纹。玉珩上端正中有一小孔，两面纹饰相同。

除这件玉珩，该墓还出土1件与这件几乎一模一样的玉珩，造型、纹饰、玉质相同，唯厚度稍有差异，应为同块玉料对剖成形，然后再雕琢纹饰。2件玉珩具有楚式玉器遗风。

北山头汉墓玉珩藏于巢湖市博物馆。

狮子山楚王陵玉珩　西汉文物。1984年12月，江苏省徐州市狮子山楚王陵出土。1984年12月，江苏省徐州市狮子山西麓发现大批兵马俑群。1991年，考古工作者探明一座西汉诸侯王陵墓。1994年，开始狮子山楚王陵发掘。此墓虽被盗扰，仍出土文物2000余件，其中包括玉珩等精品。

狮子山楚王陵玉珩长19.3厘米。黄白色，透明滋润，局部带浅褐色沁。器呈扁平弧形，两端有极薄牙扉，应为双首龙纹逐渐简化而成

的。器身外侧有封边，内部布满均匀谷纹。正中上端穿一孔。

狮子山楚王陵中大多数璧、珩等玉器，采用新疆和田白玉，玉质上乘，制作精美。

狮子山楚王陵玉珩藏于南京博物院。

前掌大132号墓玉觿　商代晚期文物。山东省滕县前掌大132号墓出土。1964年，前掌大遗址被文物普查队发现。20世纪70年代，进行数次复查。1981年秋，中国社会科学院考古研究所山东工作队开始发掘，清理出一大批商周时期墓葬。132号墓是一座车马坑，该玉觿出土时位于车舆内。

前掌大132号墓玉觿长9.35厘米，宽1.55厘米，厚0.7厘米。乳白色，半透明，玉质极好，表面有零星黄色沁斑。器呈平直厚片状，整体为龙造型，边角圆润光滑，器身装饰减地阳线。柄部呈夔龙形，龙口大张，舌前伸形成刃部，以减地法作凸目方圆眼，龙身较短，饰以方折卷纹，卷尾上翘中有一孔，双面对钻。

柄部与刃部之间有收腰，并有一道血槽。刃部以三道水平弦纹分界，下饰减地阳线刻划出三角重环纹。器物雕刻细腻，通体磨光。这件玉觽纹饰组合具有商代玉器风格。

前掌大墓地仅出土这一件玉觽，与其共存还有玉牛、玉牌饰、铜刀、铜鞭、铜戈、铜牌饰、骨笄帽等，均为驾车人的应用之器。

前掌大132号墓玉觽存于中国社会科学院考古研究所。

虢国墓地玉觽 西周文物。20世纪80年代末，河南省三门峡市虢国墓地出土。三门峡虢国墓地是一处西周晚期至春秋早期虢国大型邦国公墓。20世纪50年代末，就已发现并初次发掘。至20世纪80年代末，由于当地居民新建小区，引起一场大规模盗掘、走私文物事件。事件发生后，考古工作人员迅速介入，开始虢国墓地第二次长时间大规模发掘，这件玉觽就是这次发掘所获遗物。

虢国墓地玉觽长8.7厘米，头宽1.1厘米，尾宽0.3厘米，厚0.3厘米。为白玉制成，玉质上乘，纯净温润，透光性较好，表面有黄色沁染。器体呈弧形，形似獠牙，首端扁平，末端尖圆。器身有浅浮雕龙纹，背部饰重环纹，中部靠近首端侧有一穿孔。扁平一端有两面钻孔。

玉觽最早见于商代晚期，至两周之际玉觽形态相对还保持较为简单弧形，并无其他多余出廓、镂雕部分，这件玉觽即如此。

虢国墓地玉觽藏于三门峡市博物馆。

大葆台2号墓玉觽 西汉文物。1974～1975年，北京市丰台区大葆台2号墓出土。大葆台汉墓东西并列，一号墓在东，墓主人为男性；二号墓在西，墓主人为女性。根据墓中出土文字资料及随葬品形制特征，推断一号墓墓主人为广阳顷王刘建，二号墓是刘建的王后。1974年6月，在基建勘测时发现。1974～1975年发掘。这2件白玉玉觽出土于2号墓中，墓葬盗扰严重，玉觽在墓主西侧。

大葆台2号墓玉觽为1对，长11.8厘米。白玉制成，玉质纯净细腻。器物呈弯曲兽牙形，扁平片状，器身为镂空线刻回首飞凤。凤鸟钩喙，凤眼，头上有后摆羽冠，颈后颈下有绶带，凤身为玉觽主体，饰有镂空或双线阴刻卷云纹，尾尖如锥。两面纹饰相同，通体磨光。出土时残碎，后经修复。

一般玉觽多成对发现，大小一致，纹饰相同。战国至汉代，玉觽制作日益精巧，善用镂空手法作装饰，这对玉觽就是其中精品。

大葆台2号墓玉觽藏于大葆台西汉墓博物馆。

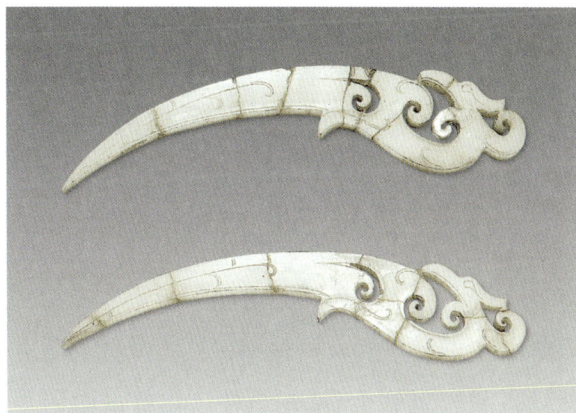

蒋巷村明墓玉觿　明代文物。江西省南昌市安乐乡蒋巷村明墓出土。江西明代墓葬发现数量较多，分布较广，形制丰富，是研究明代墓葬重要材料。

蒋巷村明墓玉觿长10.7厘米，宽1.5厘米，厚0.6厘米。大体呈灰褐色，有褐色沁染痕迹，玉质稍显粗糙。整体呈长条形扁圆状，龙形。张口含珠，上嘴唇长且厚，高鼻，圆眼，长眉，双角，素身，尖尾，口含之珠有一小穿孔。玉器具有明代一般玉器特征，即玉料一般，雕工较粗，光泽感较差。

玉觿起源于新石器时代，周代所见玉觿最多，至汉代减少，东汉时期已基本不见玉觿出土。这件明代玉器称为玉觿形器更为合适。

蒋巷村明墓玉觿藏于江西省博物馆。

那斯台遗址采集勾云形佩　新石器时代红山文化（前4100～前2900年）文物。1980年秋，内蒙古自治区巴林右旗那斯台遗址出土。那斯台遗址位于巴彦汉大青山东麓余脉南侧，西拉木伦河支流查干木伦河西岸高台地上，是内蒙古地区红山文化时期一处重要遗址。1980年秋，考古工作人员调查发现后，多次复查，共征集和采集到玉器100余件，这件玉佩即为其中一件。

那斯台遗址采集勾云形佩长18.2厘米，宽10.58厘米，厚0.64～0.7厘米。乳白色，器体扁薄，约长方形。器身上下两侧各有一对勾角，上下两边各向外伸三个小凸，玉佩整体呈左右对称造型，中心有勾云状镂空。正面器身围绕造型琢磨出相应走向凹凸分明的浅沟槽纹路。器身中部上边缘处有两个小圆钻孔。

根据地层学和类型学研究，勾云形玉器经历从简单到复杂再到抽象发展演变过程，这件勾云形玉器正处于从简单到复杂转变环节。勾云形玉佩是红山文化典型器形，一般认为，用途为祭祀用器，缝缀于巫师服饰之上，充当人与神交流灵媒。

那斯台遗址采集勾云形佩藏于巴林右旗博物馆。

牛河梁第二地点一号冢27号墓勾云形佩　新石器时代红山文化（前4100～前2900年）文物。辽宁省朝阳市牛河梁遗址第二地点一号冢27号墓出土。1981年牛河梁遗址发现，属红山文化晚期。1983年开始发掘，已编号共16个地点。这件勾云形玉器出土于第二地点一号冢27号墓中。

牛河梁第二地点一号冢27号墓勾云形佩长28.6厘米，宽9.5厘米，最厚0.6厘米。勾云形玉器也叫勾云形佩，这件佩呈深绿色，夹杂浅黄色瑕斑，玉质较为斑驳。器体呈圆角长方形，上下两侧长边平直，左右两侧略弧。器物中部靠上可见两个眼睛与眉毛镂空造型，镂空边缘有浅沟槽纹路，中部下方呈梳齿状，共五齿，每齿中间有"V"形缺口，器体两侧有随形浅沟槽纹路。器身中部偏上有三个圆形小孔。

勾云形玉珮是红山文化典型器形，此件玉器是较为复杂阶段代表。另外，这类勾云形佩纹饰线条和沟槽具有中间宽深、两端尖浅、流畅圆滑特征。有学者据此认为，红山文化时期制玉工艺中已出现砣具。有学者认为，利用其他加工工艺也可制成。

牛河梁第二地点一号冢27号墓勾云形佩存于辽宁省文物考古研究所。

那斯台遗址采集玉鸮 新石器时代红山文化（前4100～前2900年）文物。内蒙古自治区巴林右旗那斯台遗址采集。那斯台遗址是东北地区西拉木伦河流域一处十分重要史前遗址，经历兴隆洼文化、赵宝沟文化、红山文化、小河沿文化四个发展阶段，其中红山文化时期内涵和遗存最为丰富。

那斯台遗址采集玉鸮高6.1厘米，宽6厘米，厚1.8厘米。玉质纯净，为黄绿色，整体呈长方形，玉鸮呈展翅飞翔状。头顶有双耳呈圆弧状外凸，耳下浮雕圆眼，双翅展开，尾端平齐，其上均用凸线纹表示羽毛。尾羽处加饰三角形，双爪并列置于其上，可见指爪，呈攀附状，胸腹微鼓。背面平整，有三组交叉洞孔，应为佩挂之用。通体抛光，温润光亮。

动物造型玉器是红山文化最具特色的一类玉器，多属圆雕或半圆雕作品，玉鸮则属半圆雕作品。鸮是中国古代对猫头鹰一类鸟的统称，具有昼伏夜出习性，以鸮为造型的石器、陶器、玉器、青铜器皆有，在中国传统文化中具有重要意义，起源可追溯至红山文化时期。

那斯台遗址采集玉鸮藏于巴林右旗博物馆。

凌家滩29号墓鹰形玉佩 新石器时代凌家滩文化（前3600～前3300年）文物。1998年，安徽省含山县凌家滩遗址29号墓出土。1987年开始，凌家滩遗址经两次大规模发掘，发现有大型墓葬、祭坛及一大批玉器。这件玉鹰为1998年第二次发掘时所获遗物，出土于29号墓中。除这件玉鹰，29号墓还出土大量其他玉器，其中不乏重要器类，如3件玉人、12件玉钺、4件玉璧、5件璜等，是凌家滩墓地中出土玉器最多墓葬之一，其玉器组合显示在墓地中层级较高。

凌家滩29号墓鹰形玉佩长8.4厘米，高3.5厘米，厚0.3厘米。表面受沁，呈乳白色。器形扁平片状，鹰展翅飞翔状，首扭向一侧，其上有两道装饰阴线纹，钩喙，眼睛用一对钻的圆孔表示。两翼展开，每侧形状似一猪头，猪头张口，长鼻，硕耳，半月形眼，两侧眼中与鼻前端各钻一圆孔。腹部规整刻划一圆圈，直径1.8厘米，圆圈内又一圆圈，两者之间阴刻8个三角纹，形似太阳光辉放射状，中有一钻孔。尾部呈扇形，其上阴刻5道竖线纹。圆圈下部雕刻扇形齿纹作为鹰尾部。两面雕刻纹饰相同，雕工精细，构思巧妙，充满神秘感。

凌家滩29号墓鹰形玉佩特别之处在于翅膀上猪首形象和腹部八角星纹。猪在史前社会经常作为财富象征，猪首与鹰两种动物融合在一起，并刻画神秘的八角星纹，对探索凌家滩先民精神信仰有重要意义。

凌家滩29号墓鹰形玉佩存于安徽省文物考古研究所。

反山15号墓鸟形玉饰 新石器时代良渚文化（前3300～前2200年）文物。1986年，浙江省余杭市反山15号墓出土。玉鸟出土时，位于墓主头侧上方，与成组锥形器和冠状器相邻，鸟背朝上。

反山15号墓鸟形玉饰高2.95厘米，两翼宽5.1厘米，厚0.6厘米。因长期埋藏于地下，玉质被沁为鸡骨白色，局部夹褐斑。器形扁平片状，鸟形呈双翼展开振翅飞行状，形如燕子，宽翼，长尾。鸟头与鸟尾微上翘，头部突出一尖角为喙，雕出眼睛轮廓，背部正中凸起一圆形，临鸟头部位切磨痕迹明显，另一面为平面，钻有一对横向对钻隧孔，用以缝缀。一侧鸟翼与鸟尾之间尚留有线切割痕迹。

鸟是良渚文化中重要纹饰题材，不仅见于玉器，还见于陶器和漆器。但这种立体圆雕玉鸟仅见于反山与瑶山两处遗址，瑶山出土1件，反山出土4件，可见其特殊性。除这件玉鸟位于头部外，其他4件均位于墓主腿脚部位，形体娇小，上有穿孔，可能是缝缀在衣着上的玉质饰件。

反山15号墓鸟形玉饰存于浙江省文物考古研究所。

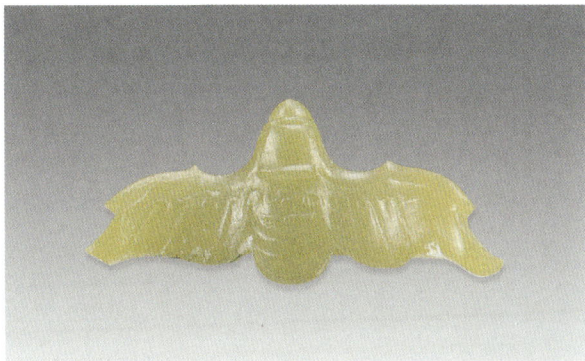

肖家屋脊6号瓮棺鹰形玉饰 新石器时代后石家河文化（前2300～前1800年）文物。1987～1991年，湖北省天门市石家河镇肖家屋脊6号瓮棺出土。

肖家屋脊6号瓮棺鹰形玉饰宽4.2厘米，高1.9厘米，厚0.5厘米。为圆雕作品。黄绿色，局部受沁有白色斑纹。正面浮雕，背面光素。鹰做飞翔状，形象矫健有力。鹰喙下钩，两眼位于头侧，两翅翼展，背宽尾圆。两翅前侧起棱，突出一尖角，展示其孔武有力。翅尾向后斜展，略向上举，每翅上有四道平行带钩羽翎。鹰身上也有因形而制装饰线纹。玉鹰刻画得生动细致，栩栩如生。侧面看，鹰形玉饰呈弧形，两翼向斜后方展开，与身体共同构成一个连续圆弧，应为环形玉镯改制而成。玉鹰上纹饰部分线条为减地起阳琢磨而成，这种工艺前所未见，达到史前制玉最高水平。

以鹰为造型或纹饰玉器在后石家河文化中有新发现。2015年，在谭家岭遗址出土多件以鹰为造型透雕镂空牌饰或圆雕玉鹰。以往为同类品断代争论不休，肖家屋脊6号瓮棺鹰形玉饰提供了新的研究标本。

肖家屋脊6号瓮棺鹰形玉饰藏于荆州博物馆。

罗家柏岭凤形环佩 新石器时代后石家河文化（前2300～前1800年）文物。1955年，湖北省天门县石家河遗址出土。罗家柏岭遗址是石家河遗址群中另一重要地点，位于肖家屋脊遗址北边，并与其相连。1954年，因石龙过江水库渠道工程调查发现。1955年，正式发掘，文化内涵有屈家岭文化遗存、石家河文化遗存和后石家河文化遗存。这件玉凤属后石家河文化遗存。

罗家柏岭凤形环佩直径4.7厘米。造型为环形，玉质受沁呈灰白色。凤作团身环形，圆眼，钩喙，冠向后卷，略展翅，尾分两翎，凤尾处有多处镂空。以减地阳纹作眼、冠及羽翅上纹饰，边缘处有封边。尾部前端有一穿孔，可供佩系。纹饰一面清晰，一面较差。正面纹饰及造型上多回卷流畅、飘逸自然，镂空手法精湛，十分精致。

根据这件玉凤及其他减地阳纹玉器，发掘者认为，罗家柏岭制作玉器加工工具似为砣具。这件玉凤是后石家河文化首次发现的以凤为造型或纹饰玉器。

罗家柏岭凤形环佩藏于中国国家博物馆。

孙家岗14号墓凤形玉佩 新石器时代后石家河文化（前2300～前1800年）文物。1991年，湖南省澧县孙家岗遗址14号墓出土。孙家岗墓群位于湖南省澧县县城以西14千米。1991年，湖南省文物考古研究所会同澧县文物管理处，

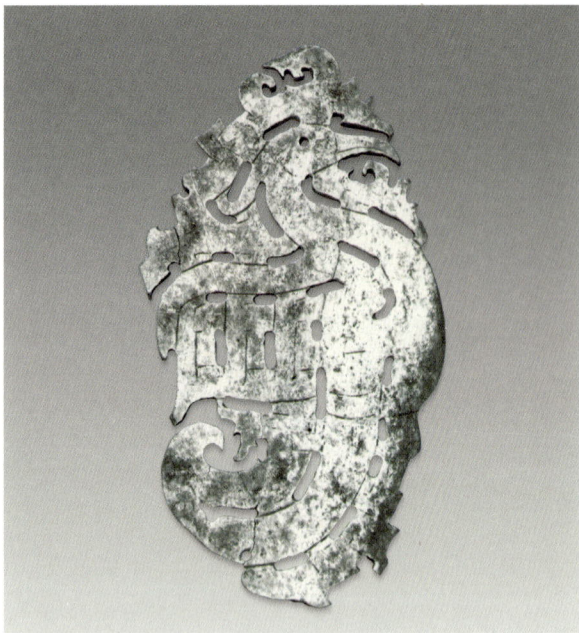

发掘清理32座后石家河文化时期墓葬。

孙家岗14号墓凤形玉佩长11.6厘米，宽6.2厘米，厚0.2厘米。因长期埋藏，玉质受沁后为乳白色，器形为扁平片状。整体采用片状镂空技术制成，凤鸟头顶羽状冠饰，曲颈长喙，展翅卷尾。凤身两面均有细刻阴线勾勒出造型，以一钻孔做圆眼，雕刻线条流畅。

孙家岗14号墓凤形玉佩内部多镂空，外缘多扉棱，造型独特，工艺精湛。

孙家岗14号墓凤形玉佩存于湖南省文物考古研究所。

妇好墓凤形玉佩 新石器时代后石家河文化（前2300～前1800年）文物。1976年，河南省安阳市妇好墓出土。妇好是商代晚期商王武丁王后，其墓葬位于安阳殷墟的中心小屯村西北岗地上。墓葬出土700余件套玉器，是出土玉器最多的商代墓葬。

妇好墓凤形玉佩高13.6厘米，厚0.7厘米。黄白色，局部沁为黄褐色。凤身作侧身回首状，高冠镂空，圆眼钩喙，短翅长尾，尾翎分

开。冠以锯齿状扉棱做装饰，凤身凤尾处俱以镂空为饰。凤身上饰减地勾转阳纹，翎羽侧翼也有回卷装饰。腰间有一突起的圆纽，上有小孔，可佩戴。

妇好墓中仅出土这一件玉凤形佩饰，其他玉器和青铜器上无凤纹。玉凤制作工艺不同于商代晚期特征。此件器物造型精美，生动流畅，虽出土于殷墟妇好墓中，却有明显后石家河文化玉器风格。

妇好墓凤形玉佩存于中国社会科学院考古研究所。

妇好墓鹦鹉形玉佩 商代晚期文物。河南省安阳市妇好墓出土。

妇好墓鹦鹉形玉佩高12.5厘米，厚0.4厘米。青玉制成，原玉质较为匀净，经长期埋藏，局部有褐色沁斑。整体呈宽扁片状，浅浮雕。鸟身作站立状，头上有夔龙形冠，夔龙张口，卷尾，方圆眼，有瓶形角，龙身饰双阴刻线。鹦鹉钩喙，喙部为一圆形钻孔，有双阴线刻三角折线纹，双阴线刻"臣"字眼，鸟身装

饰满卷云纹等装饰纹，均为双阴刻线。侧翼上卷，末尾为一圆形钻孔。尾翼下展，趾爪前踞，做蹲伏状。胸腹处及尾翼两侧有扉棱。两面纹饰相同，线条流畅，雕工精致，典型商代晚期风格。

妇好墓出土单体鹦鹉形玉器21件，其中1件为圆雕，其他都为片状，但共同特点明显，即全都是钩喙有冠，边缘多有镂雕扉棱。这件鹦鹉形佩是众多片状鹦鹉形玉器中尺寸和形体最大一件，制作精美。

妇好墓鹦鹉形玉佩存于中国社会科学院考古研究所。

晋侯墓地63号墓鹰形玉饰　商代晚期文物。1993年，山西省曲沃县晋侯墓地63号墓出土。晋侯墓地63号墓是一座带有两条墓道晋侯夫人墓，鹰形玉饰位于椁室西北角一铜方盒内。西周时期随葬玉器一般放置棺内（饰棺用玉除外）墓主身体四周或上下，这种摆放方式与位置，可见盒内玉器特殊性。

晋侯墓地63号墓鹰形玉饰高10.3厘米，

宽4.3厘米。青绿色，局部有褐色沁斑，玉质温润纯净。圆雕。鹰身作站立展翅状，头上有夔冠，夔龙张口，"臣"字眼，有瓶形角，体躯短小，刻有鳞纹，龙尾上卷，中有一圆形钻孔。玉鹰钩喙，方眼，阔耳，鼓胸作展翅状，尾下垂及地，与前爪呈"三足鼎立"状。颈部饰鳞纹，胸腹饰卷云纹。此器造型独特，做工精湛，通体磨光，油润光亮。

这件鹰形玉饰纹饰线条多为双钩阴线，边缘镂空转折方劲，造型与殷墟妇好墓所见玉鹦鹉造型颇为近似，具有明显商代晚期玉器风格。在武王灭商之时，文献记载周人从殷都掠夺不少宝器，其中就包括玉器。在西周建立后进行分封时，周王将部分玉器分给诸侯。这件鹰形玉饰有可能辗转流落晋侯夫人之手。

晋侯墓地63号墓鹰形玉饰存于山西省考古研究所。

虢国墓地2001号墓盘龙形玉饰　西周文物。河南省三门峡市虢国墓地2001号墓出土。根据铜器铭文推断，是虢国国君虢季墓，这两

件盘龙形玉饰出土于虢季内棺盖上。

虢国墓地2001号墓盘龙形玉饰长3.7厘米，宽3.7，厚0.3厘米。2件玉饰为1对。青玉，颜色呈豆青色，玉质细腻光洁，晶莹润泽，半透明。造型一致，均为扁平片状正方形，一面以双钩线饰龙纹，另一面光素。龙纹形制已简化，均为单线椭圆眼，以两个勾转纹饰象征龙首，长舌下卷至玉饰中心，龙身以双平行线纹装饰，龙尾有勾转纹饰，龙身边缘处有扉牙。左件已断为两截，在断裂处两旁各有三个小孔，应为缀合之用。

玉饰上的纹饰线条婉转流畅，龙眼呈小椭圆形，为西周中晚期玉器典型特征。根据其出土位置，应为内棺上棺饰。

虢国墓地2001号墓盘龙形玉饰藏于河南省博物院。

金胜村赵卿墓龙形玉佩　春秋文物。1987年7月，山西省太原市金胜村赵卿墓出土。太原金胜村赵卿墓墓主为春秋晚期晋国卿大夫赵简子。

金胜村赵卿墓龙形玉佩长9.2厘米，厚0.5厘米。黄白色，边缘有黄褐色沁斑。整体呈回首卷身状，造型突出。器表遍饰云谷相杂纹，有封

边。龙身呈拱形，龙首回望，龙尾回卷，龙爪匍匐，龙身上有多处外卷装饰，应为三角形玉料制作而成。中部靠上有一钻孔，可悬佩。

龙身上云纹和谷纹浮雕感强，摆脱以往阴刻线为主雕琢纹饰风格，玉龙略去细节而突出造型，纹饰在云纹谷纹间，是春秋晚期至战国早期代表器物。

金胜村赵卿墓龙形玉佩存于山西省考古研究所。

西高祭祀遗址495号坑龙形玉佩　东周文物。2001年，山西省侯马市西高祭祀遗址495号坑出土。2001年，侯马工作站在配合高速公路基本建设中，在侯马市西高村西南约500米汾河南岸台地上，发现一处东周时期祭祀遗

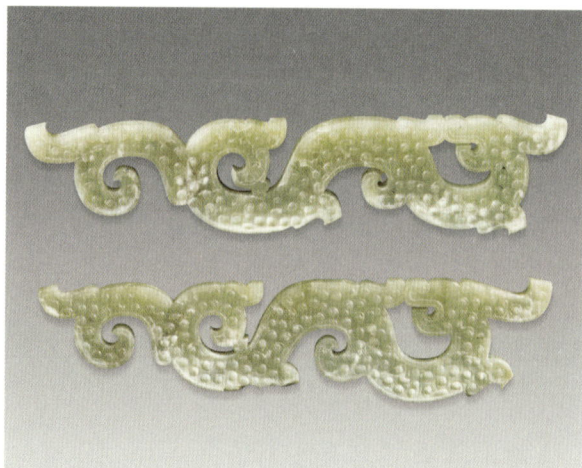

址，清理祭祀坑733座，是周代祭祀遗存最集中一次发现。

西高祭祀遗址495号坑龙形玉佩上件长19厘米，宽3.9厘米，厚0.6厘米；下件长18.2厘米，宽4.3厘米，厚0.6厘米。这对玉龙形佩虽大小稍有差异，但玉质、造型、纹饰基本相同，应为同一块玉料对开而成。玉质较为温润纯净，青中泛黄，有白化痕迹。龙身均细长卷曲，龙首回望，圆眼，张口，上唇上卷，龙角后扬，龙身有多处附加卷云纹装饰，龙尾下卷。均饰单面浮雕谷纹，有封边。其中一件中部有一单向钻孔，另一件无系孔。

西高东周祭祀坑出土256件玉器，其中龙形玉佩数量最多。西高祭祀遗址出土的这批玉器是研究东周时期祭祀用物的难得实物材料。

西高祭祀遗址495号坑龙形玉佩存于山西省考古研究所。

曾侯乙墓龙形玉佩 战国文物。1978年，湖北省随县曾侯乙墓出土。曾侯乙墓是战国早期曾国国君曾侯乙墓葬，也被称为擂鼓墩1号墓。

曾侯乙墓龙形玉佩长12.1厘米，宽4.9厘米，厚0.3厘米。这件龙形玉佩虽颜色不匀，有青、黑灰、黄褐等颜色，但玉质纯净莹润。器形近似长方形，大致呈左右对称。纹饰为两条镂雕卷身龙纹，龙首面向两端，龙身相背，龙尾相连。龙身呈"S"形，有多处附加卷云纹装饰，两龙均圆眼，尖角，张口，上唇上卷，龙身装饰有细密网格纹、细密斜线纹、浮雕"S"形纹，及其他以单阴线刻成装饰线纹，纹饰精密繁复，为战国时楚系玉器特点。两龙下方相连处似有出榫，上方相连处有三重圆环，恰似二龙戏珠造型。

该件龙形玉佩造型别致，纹饰异常精美，用细如发丝阴刻线完美表现出龙身特质，是战国早期同类作品优秀代表。玉龙下方有榫，应为插嵌在某处复合件，对研究战国早期楚系玉器应用是难得的实物标本。

曾侯乙墓龙形玉佩存于湖北省博物馆。

燕下都遗址龙形玉佩 战国文物。1949年后，河北省易县燕下都出土。

燕下都遗址龙形玉佩左件最长处12.3厘米，宽9.9厘米，厚0.3～0.4厘米；右件最长处12.5厘米，宽9.9厘米，厚0.3～0.4厘米。左件用青白玉制成，玉质较为纯净，受沁较多，局部受沁呈褐色或白色，有光泽。右件为滑石质，龙尾小有残断。两件造型一致。龙身

呈细长卷曲造型，龙角上扬，杏眼，闭口，吻部长而上卷，颈后有两道卷云状鬃毛，身上有多处卷云状附加纹饰。龙身上纹饰较少，有封边，另一面光素无纹。

通常两件玉龙若造型和纹饰基本相同，多是通块玉料对开成形。有的是做完造型并雕琢好纹饰后再对开；有的是先对开再各自做造型和雕琢纹饰，但造型和纹饰基本相同。而这两件玉龙造型和纹饰基本相同，质地却有较大差异，显然是同稿不同料，这是很难得的发现。

燕下都遗址龙形玉佩存于河北省文物研究所。

中山王墓1号墓龙形玉佩 战国文物。河北省平山县七汲村中山国墓地1号墓出土。

中山王墓1号墓龙形玉佩直径6.4厘米。原玉质为青色泛黄，发现时表面大部分为黄褐色，为受沁所致，仅少部分保持半透明青黄玉本色。器形扁平近圆，镂雕而成，两面纹饰相同。中央有一环，环面有绞索纹，边缘有封边。环外镂雕三条回首走龙，皆作顺时针方向游走状，颇具动感。龙身皆细长卷曲，龙首回顾，龙角上扬，圆眼，张口，吻部长而上卷，龙身上有鳞纹与云纹装饰，龙爪与龙尾饰以绞

索纹装饰。玉佩造型生动、深浅浮雕相映成趣，极具美感。

中山王墓1号墓龙形玉佩存于河北省文物研究所。

杨公战国墓龙凤纹玉佩 战国文物。安徽省长丰县杨公战国墓出土。考古发掘证实，杨公地区是一处战国晚期楚国贵族墓葬群。

杨公战国墓龙凤纹玉佩长20.9厘米，宽12厘米，厚0.1~0.95厘米。青白玉，尾部受沁较严重，呈黄褐色。器体扁平，镂空透雕，厚薄不均。龙纹为主体纹饰，凤纹为装饰性辅助纹饰。龙身卷曲蜿蜒，龙首回顾，龙角上扬，圆眼，张口，上颚长而上卷，龙身上多处卷云纹附加纹饰。玉龙腹部可见一玉凤依附，尾部与两玉凤相接，尾部两玉凤均长尾后摆，似可看出其前后位置关系，三玉凤均圆眼钩喙，造型灵活。龙身上饰谷纹，有封边。两面纹饰相同。龙身中间上缘有一圆形小穿孔，可供佩系之用。

这种龙形玉佩多为组玉佩中重要构件，与其他玉饰组成华丽的组玉佩，体现出楚人审美情趣。

杨公战国墓龙凤纹玉佩存于安徽省文物考古研究所。

南越王墓玉佩 西汉文物。1983年，广东省广州市象岗南越王墓出土。1983年，发现并发掘南越王墓。玉佩出土时，位于赵昧主棺室内，放在其玉衣头罩左侧。

南越王墓玉佩长14厘米，宽7.4厘米，厚0.4～0.5厘米。因长期埋藏于岭南酸性土质下，玉器白化严重，大部分已失原色和光泽。原件断为两截，两段间用两件金锒相连接。全器扁平，双面透雕。上半截主体为一牌形长方框，框内透雕变形凤鸟纹，凤鸟钩喙圆眼，羽翼丰满流畅。框上透雕一朵云头纹，也作变形凤鸟纹状。方框左侧雕一玉凤，昂首立于玉璧之上，玉璧上饰勾连云纹，凤鸟尾部长垂，末端回卷托璧；右侧为一串璎珞，上有一立鸟，中有一珰，两侧有流苏，下连倒悬花蕾。金锒

下部为一变形玉龙，疑为残断后改制而成，可见卷尾与勾云状装饰，其上饰勾连云纹，尾部为长平行线纹。两面纹饰相同。

玉佩制作工艺集线雕、镂空透雕、浅浮雕、圆雕、双面雕、修补等于一体，是研究玉器制作工艺极佳标本。

南越王墓玉佩藏于广州西汉南越王博物馆。

大葆台2号墓玉佩 西汉文物。北京市丰台区大葆台2号墓出土。大葆台汉墓地处秦代广阳郡，西汉燕国（广阳国）境内，燕王刘旦谋反自杀后，宣帝封刘旦子刘建为广阳王，国传三代。大葆台2号墓为广阳顷王刘建王后墓。玉佩出土时，位于墓室东北侧。

大葆台2号墓玉佩长8.9厘米。白玉制成，玉质温润细腻，局部有淡黄色沁纹。整体为一圆形牌饰，整体运用镂雕和透雕，圆形上部镂雕成花蕾与蔓草，圆形中间镂雕一盘曲螭虎。螭虎双面以阴刻线条琢刻，形象生动简朴，弯曲中蕴藏着遒劲有力。圆形边框刻有两圈弦纹，间以横刻双弧阴线。

玉佩玉质上乘，造型精美，雕工精致，对研究汉代玉器制作工艺是很好的实物资料。

大葆台2号墓玉佩藏于大葆台西汉墓博物馆。

狮子山楚王陵龙形玉佩　西汉文物。1994年12月～1995年3月，江苏省徐州市狮子山楚王陵出土。徐州狮子山西汉楚王陵，是西汉第三代楚王刘戊的陵墓。

狮子山楚王陵龙形玉佩长17.1厘米，宽10.8厘米，厚0.6厘米。青白玉，略有沁斑。龙身呈"S"形，龙首雄健有力，龙尾飘逸流畅，龙身外侧有勾转附加纹饰，因形镂空，流畅生动。龙身饰勾连云纹，规律整齐，上部有一小系孔。

狮子山楚王陵时代处于西汉文景时期，玉器正处于从战国风格向汉代风格过渡阶段，这件玉佩是一个例证。"S"形龙身、卷曲流畅龙尾、整体飘逸流畅造型都是战国时期楚系玉器特点，但其龙身比战国时期楚系同类玉器稍宽，婉转稍显方折，多一分矫健有力、雄浑大气。西汉早期仍是龙形玉佩流行时期，经中期武帝朝发展，汉代玉器风格形成，龙形玉佩逐渐减少并退出时代舞台。龙形玉佩用料、雕工、造型都达到汉代玉器顶峰，是所见西汉玉器中精品。

狮子山楚王陵龙形玉佩藏于徐州博物馆。

狮子山楚王陵双龙玉佩　西汉文物。1994年12月～1995年3月，江苏省徐州市狮子山楚王陵出土。

狮子山楚王陵双龙玉佩长19.2厘米，宽6.2厘米。青白玉，玉质纯净、上乘，为淡青豆色，边缘处略有沁斑。器形近似璜，大致呈左右对称。主体纹饰为共用一身双龙，龙首昂首回望，造型雄健有力，是典型西汉玉龙造型，龙身上饰乳丁纹。玉龙上下各有因形而作勾转云纹作为装饰。造型生动雍容华贵，纹饰琢磨精美无比，龙的造型轮廓线条富于变化，起承转合，特别头部、腿部轮廓转折强劲，充满张力和动感。

这件玉佩具有明显楚玉风格向汉玉风格过渡特点，继承战国晚期传统特色，吸收楚式玉器风格，形成雄浑大气、飞扬灵动艺术风格。

狮子山楚王陵双龙玉佩藏于徐州博物馆。

大葆台2号墓玉舞人　西汉文物。北京市丰台区大葆台2号墓出土。大葆台2号王后墓被盗严重，墓中仅余随葬品约240件，其中玉石器31件，部分为嵌件。多为白玉，个别为青玉。玉质精细，雕工精巧细致，是汉代玉雕中精品。这件玉舞人出土时位于墓主头部。

大葆台2号墓玉舞人高5.2厘米，宽2.6厘米。白玉质，略有沁斑，扁平竖长状，镂雕线刻女舞人像。舞人身着长袖拖地裙，右臂上扬过头下垂，左臂触腰，长袖飘逸身侧，作翩翩起舞状。上、下端各有一孔，可穿系结缀为配饰。

玉舞人最早见于战国时期，但数量较少，洛阳金村大墓中即有出土。至西汉时，玉舞人数量增多。有学者指出，玉舞人是汉代贵族女性喜爱装饰品，是两汉崇尚世俗舞乐的反映，亦是研究汉代舞蹈史的珍贵实物资料。据考古发掘资料看，男性贵族墓中也有玉舞人出土。有研究认为，玉舞人除佩饰功能外，还具有辟邪求福功用。

大葆台2号墓玉舞人藏于大葆台西汉墓博物馆。

南越王墓玉舞人 西汉文物。1983年，广东省广州市象岗南越王墓出土。南越王墓位于广州市象岗山，是南越国第二代国王赵眜陵墓。1983年，基建时发现并发掘。

南越王墓玉舞人高3.5厘米，宽3.5厘米，厚1厘米。因长期在岭南酸性土壤埋藏而白化

严重，大部分已失光泽。圆雕舞女，从头顶至脚底纵贯一穿孔，头右侧绾一螺髻，身着右衽长袖衣裙，下摆与袖口均有卷云纹装饰。舞女扭腰并膝，呈跪姿，轻舒广袖，一手上扬，一手下甩，长袖曳地，作舞蹈状。舞女神情专注，口微张似在歌唱。从其发髻、造型看，可能是越女踏歌形象。

汉代玉舞人造型有圆雕和片雕两种，其中绝大部分为片雕，圆雕极少，已知仅有两件，一件出土于汉宣帝杜陵陵区，另一件就是这件玉舞人。广州地区除这件玉舞人，还发现有片雕玉舞人，可见西汉文化对岭南影响之深。

南越王墓玉舞人藏于广州西汉南越王博物馆。

邓府山3号墓龙凤形玉佩 南朝时期文物。1951年，江苏省南京市邓府山3号墓出土。

邓府山3号墓龙凤形玉佩高5.8厘米，厚0.4厘米。青白玉，原有玉质较为纯净，因长期埋藏，表面大部分有受沁白化现象。器体主体为一螭龙，龙身细长，蜷曲成环形，龙首曲转，可见前后两处足爪，龙身饰弦纹与双弧阴线装饰，尾部稍残。背部站一侧身立凤鸟，昂首钩喙，尾羽拖地。龙与凤鸟脖颈相连，头部

相背，整体达到一个近似对称造型，呈现出"龙凤呈祥"和谐画面，造型非常独特。

魏晋南北朝时期，北方战乱阻断丝路贸易通道，玉料难得，出土玉器数量较少。这一时期，玉器工艺简朴，精品少。这件玉器殊为难得。

邓府山3号墓龙凤形玉佩藏于南京博物院。

大明宫遗址金丝玉佩　唐代文物。1980～1984年，陕西省西安市唐大明宫遗址内的孙家湾村出土。大明宫是唐帝国大朝正殿，唐长安城"三大内"（太极宫、大明宫、兴庆宫）中规模最大、最为辉煌壮丽的建筑群，称为"东内"。地处长安城北部龙首原上，始建于唐太宗贞观八年（634年），原名永安宫。自唐高宗起，先后有17位唐朝皇帝在此处理朝政，历时达200余年。1957～1962年，对遗址进行考古勘察和部分发掘。1980～1984年，又进行重点发掘。

大明宫遗址金丝玉佩底边长4.8厘米，高4.5厘米，厚0.3厘米。白玉，玉质纯净，质地细腻润泽。片状，平面近似桃形，底边平齐，两侧为对称三连弧边，顶部为三角形，正面阴刻出图案化的长茎蔓草纹，蔓草纹成圆圈状，其内嵌以金丝，金丝上有颜料绘以卷云装饰。玉佩顶部钻一圆孔，可供佩系。背面光素无纹。

唐代是玉器重要发展阶段之一，着重向写实、世俗方面发展，摆脱商周至汉代程式化工艺。这件玉佩造型并不复杂，上面雕琢纹饰是唐代常见蔓草纹，独特之处在于用金丝填嵌阴刻凹槽并涂绘卷云，结合得天衣无缝。

大明宫遗址金丝玉佩存于西安市文物保护考古所。

陈国公主墓双鱼玉佩　辽代文物。内蒙古自治区奈曼旗青龙山镇陈国公主墓出土。陈国公主墓位于内蒙古自治区哲里木盟奈曼旗青龙山镇斯布格图村西山南坡上，是与驸马合葬墓。这件双鱼玉佩出土时位于公主腹部。

陈国公主墓双鱼玉佩长10.5厘米。为圆雕作品，由白玉制成，玉质纯净，边缘处略有

沁色。两件玉鱼大小基本相同，均圆眼，以双阴线刻出腮、胸鳍、背鳍、腹鳍、尾鳍等，雕刻简练又不乏细腻，轮廓十分清晰。左件鱼体略弯曲，分尾下垂；右件鱼体较平直，分尾外翻。表面抛光。两鱼口部均有一钻孔，各穿一金链，两条金链共系一金环上。

陈国公主墓出土多组这样玉佩，玉鱼数量更多，其中多数位于公主腰腹部，应是公主随身佩戴配饰，凸显出鱼在契丹文化中独特地位，有学者认为与契丹人渔猎生活和四时捺钵习俗相关。

陈国公主双鱼玉佩存于内蒙古自治区文物考古研究所。

长沟峪金代石椁墓玉佩 金代文物。1974年12月，北京市房山区长沟峪金代石椁墓出土。1974年12月，北京市房山县长沟峪煤矿墓建设施工中，发现石椁墓一组，由五个石椁组成，并不相通，三个为东西方向，两个为南北方向，中间为主墓。双鹤衔灵芝形玉佩就出土于中间主墓，墓主为一老年女性。

长沟峪金代石椁墓玉佩高6厘米，宽8.2厘米，厚0.6厘米。白玉，玉质纯净均匀，温泽莹润。呈片状，镂空透雕，左右对称，主体纹饰为一对仙鹤展翅齐飞，口部、羽翼相接，鹤足交叉，鹤身上以阴刻线纹琢出羽翼细节。双鹤口中各衔一灵芝草，灵芝草交叉蜿蜒、灵动非凡，鹤足旁也有附加仙草。饰件正中顶部有镂空穿孔，背面光素留有琢磨痕。鹤为吉祥飞禽，雕琢生动有力，是金代出土玉器中珍品。

有研究者认为，这件玉佩为缝缀于巾帽之上、单面透雕、图案左右相对玉饰件，根据文献记载其名应为玉逍遥，为辽金时期贵族女性

巾帽上的装饰。

长沟峪金代石椁墓玉佩藏于首都博物馆。

上塔坡元墓凤形玉佩 元代文物。陕西省长安县上塔坡村元墓出土。韦曲镇上塔坡村群众发现两座古墓葬，挖掘出一批彩绘陶俑，施工队和当地群众立即向县文物管理处报告。县文物管理处勘探队得知情况后，赶到现场，冒雨对文物进行抢救清理，出土文物35件，其中1件为玉凤鸟。

上塔坡元墓凤形玉佩长6.5厘米，高4.3厘米，厚1.4厘米。白玉制成，玉质莹润纯净，光泽度较好。器体为一较厚扁平体，镂空透雕回首玉凤造型，玉凤展翅卷尾，浅窝状圆眼，尖嘴，头上雕琢出条状凸起冠。鼓腹，其上有箭头状装饰纹。一翅后折，一翅外展，翅羽内

侧阴刻方格纹，方格纹内又阴刻箭头状装饰纹，外侧阴刻短平行线纹，尾羽外卷成花叶状，有短平行线纹装饰。长尾末端外卷成圆环形，尾部两侧成斜坡。两面造型纹饰相同，表面抛光处理较好。

玉凤鸟玉质温润，雕刻精美，不仅西安地区出土文物中罕见，在元代玉器中也属精品。这件玉佩纹饰显示出的细腻为元代玉器所少见，具有明显宋代遗风。

上塔坡元墓凤形玉佩藏于长安博物馆。

梁庄王墓玉佩 明代文物。2001年，湖北省钟祥市梁庄王墓出土。梁庄王墓是明仁宗朱高炽第九子朱瞻垍与魏妃的合葬墓，该墓先后三次被盗未遂。2001年，为保护文物进行抢救性发掘。墓葬属崖洞砖室墓，共出土随葬品5100余件，是明代考古一项重大发现。

梁庄王墓玉佩直径5.5厘米，厚0.5厘米。白玉制成，玉质温润纯净，为圆形片状，多层镂空透雕。主体纹饰为两只玉兔，一兔回首望月，可见杏眼、长耳、三瓣嘴，身上有绒毛，另一兔身形略小，呈俯卧状看向此兔。小兔身后有一海棠树，硕果累累，草叶繁茂，为双层镂雕。海棠树之上为四朵祥云纹饰托举圆月。大兔身侧也有一祥云图案，为添补纹饰空缺而

做。玉佩整体造型饱满生动，详略得当，层次分明，营造出朦胧气氛。

以往对明代玉器看法多是粗糙、不够精美，而这件玉佩不仅画面构图精巧，且做工也十分精致，为后人认识明代玉器提供新材料。

梁庄王墓玉佩存于湖北省文物考古研究所。

妇好墓玉韘 商代晚期文物。河南省安阳市妇好墓出土。

妇好墓玉韘高2.7～3.8厘米，孔径2.4厘米，壁厚0.4厘米。青玉制成，但颜色稍深，呈绿色，局部因受沁呈褐色。下端较平，上端作前高后低斜面形，中空，可套入成年人拇指。背面下部有一条横向浅槽，槽由窄而宽。正面雕兽纹，兽口向下，可见眼、耳、鼻，双目下各有一圆孔，面部两侧分别雕以身、尾和足，身略上竖，尾下垂，短足前屈，雕出三爪。纹饰采取双阴线，转折方直，是典型商代特征。

韘是套于拇指上用于钩弦护指工具，佩韘是成人标志之一。古韘材质多样，就玉韘而言，其出现可早到晚商，实物例证就是妇好墓这件玉韘。

妇好墓玉韘存于中国社会科学院考古研究所。

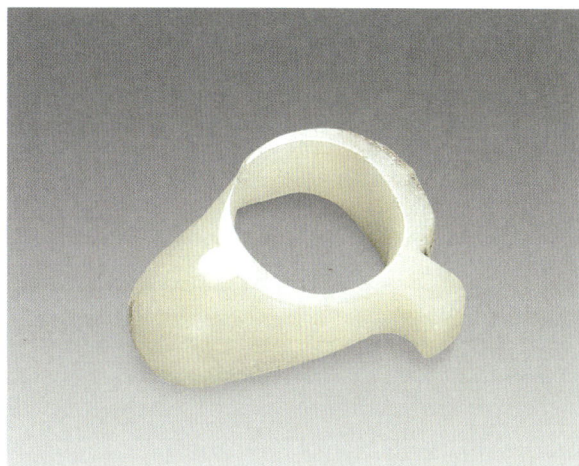

金胜村赵卿墓玉韘　春秋文物。1987年7月，山西省太原市金胜村赵卿墓出土。

金胜村赵卿墓玉韘长4.2厘米，宽2.8厘米，孔径2.1厘米。2件玉韘为1对，形制大致相同。青白玉，玉质较为纯净，有棕褐色沁斑。器体呈马蹄形，大孔用于纳拇指。外侧有一扳突，用于控弦，扳突与主体做出榫卯相接造型。素面无纹。

春秋时期玉韘高度变矮，原先向上斜口变成向外横出舌形，原先钩弦沟槽也没有。这对玉韘为春秋时期同类器物典型代表。

金胜村赵卿墓玉韘存于山西省考古研究所。

曾侯乙墓玉韘　战国文物。湖北省随州市曾侯乙墓出土。曾侯乙墓为战国早期墓葬，是一座竖穴多室木椁墓。该墓保存完整，出土一大批珍贵、精美文物，这件玉韘为其中一件。

曾侯乙墓玉韘长4.3厘米，宽3.4厘米，孔径1.9～2.2厘米，腹厚1厘米。白玉，玉质纯净莹润，局部有褐色沁斑。器体上下两端平齐，平面呈前圆后尖椭圆形，中有一大孔用于纳拇指。后部器壁上有一穿孔。表面经精细打磨，光滑温润，素面无纹。

这件玉韘玉质好，是战国时期玉韘代表。

与春秋晚期赵卿墓出土玉韘相比，舌状更加突出，原来斜口变成平口，形制更趋平面化发展，亦无钩弦凹槽。

曾侯乙墓玉韘藏于湖北省博物馆。

反山16号墓玉带钩　新石器时代良渚文化（前3300～前2200年）文物。浙江省余杭市反山16号墓出土。

反山16号墓玉带钩长6.56厘米，高2.6厘米，宽3.95厘米，孔内径约1厘米。玉带钩出土时，已沁为黄白色，光泽感好。整体呈扁方形。其中因为材质关系，局部有些许崩缺。左端为一管状孔，略有错缝；右端为一弯钩。带钩通体素面。通过观察痕迹可知，其制作程序为，先将玉料切割为长方条块，左端用双面管钻法，右端则先钻一孔，然后用线割法剌去中部而成为钩首，最后在钩面作精细加工，磨光。

带钩是古人用来在衣服上钩系物体之用。一般由钩纽、钩身和钩首构成。据学者考证，一般有四种用法，钩挂束腰带；佩器（武器和工具等）；佩物（挂囊盛物）；佩饰（玛瑙、水晶、玉器等）。以第一种最为常见。其使用方法是横置于腰间，钩纽嵌入腰带一端，钩首

则钩挂在腰带另一端穿孔。应指出，此玉带钩与后世不太一样，钩首过长，且没有钩纽，显示出形制发展初始状态。反山墓地所出1100余件（组）玉器中，玉带钩仅3件，学术意义却非常重大。此前有学者认为，带钩始于赵武灵王"胡服骑射"（前307年）。反山玉带钩的发现，将带钩使用上限提早约2000年。

反山16号墓玉带钩存于浙江省文物考古研究所。

鸿山越国贵族墓玉带钩 战国文物。2003年3月～2005年6月，江苏省无锡市鸿山镇越国贵族墓出土。鸿山越国贵族墓地位于江苏省无锡市锡山区鸿山镇东部，此区域有大小土墩近百座。2003年3月～2005年6月，为配合鸿山开发区建设，考古队进行抢救性发掘。其中发掘7座战国时期越国贵族墓。这件玉带钩出土于特大型墓丘承墩中。

鸿山越国贵族墓玉带钩长5.8厘米，宽3.7厘米，厚0.2～0.5厘米，背面扣纽径1.6～1.4厘米。为青白色，局部杂有黄褐色，出土时大部分已受沁而呈白色。整体呈方形牌状。这件玉带钩为单面雕，主要应用透雕、浅浮雕、阴刻、减地等工艺。左端为钩首，长方形，作蛇首状，饰有上下交替细网格纹。右端为钩

身，方形，主体部分为四条长蛇，穿过中心圆角方形盘；蛇身及周边饰细鳞纹、斜线纹和卷云纹；中间圆角方形盘边上饰索纹，中心有椭圆形凸起，饰细网格纹。玉带钩背面光洁，有一圆扣纽。这件玉带钩钩首、钩身和钩纽已具备，为当时带钩形制已基本确立的体现。

丘承墩共出随葬品1098件，数量之多，器类之齐全，器形之复杂，为江浙一带越国贵族墓之最。从同出器物看，年代应为战国早期。此种玉带钩形制特别，数量也很少。陕西宝鸡益门村2号墓、河南固始侯古堆1号墓和山东曲阜鲁国故城58号墓出有与之形制相似玉带钩。这种方牌形带钩，仅见于东周时代，且多属春秋至战国早期。有学者认为，其是带钩的一种比较原始形态。此玉带钩以蛇为主题纹饰，同出其他玉器中也有好几件用蛇装饰，同出青瓷有不少也是用蛇装饰，可能与当地图腾有关。文献记载，春秋战国之际，蛇为越国象征。丘承墩出土器物上大量出现蛇形装饰，表明墓主人身份为越国贵族。

鸿山越国贵族墓玉带钩藏于南京博物院。

南越王墓玉带钩 西汉文物。1983年8月，广东省广州市象岗南越王墓出土。南越王墓

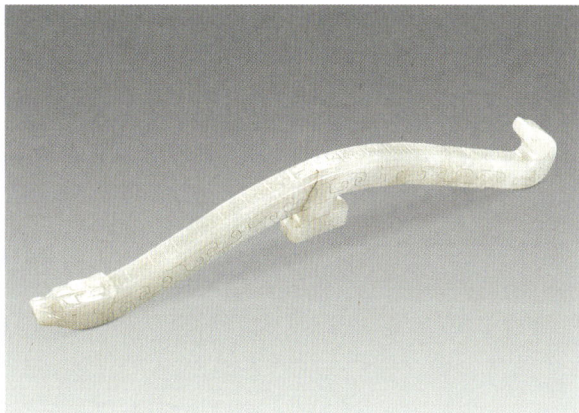

共分7室，这件玉带钩发现于主棺室棺椁头箱中。头箱中共出4件带钩，此为其中1件。朱绢裹缠随葬，出土时尚有残留绢痕。南越王墓主人一般被认为是赵佗之孙赵眜，即第二代南越王。赵佗在位时正当汉武帝时，与中央王朝联系紧密，即位之初，因闽越之乱，向汉武帝请援。之后，又遣太子婴齐为质，宿卫长安。此件玉带钩风格，与同时代汉代玉器一致，当为交流而进入南越国。

南越王墓玉带钩长18.9厘米，宽6.2厘米，厚0.6厘米，环径2.5厘米。为青白色，间杂有褐色斑，光泽度好。单面雕。玉带钩最大特点是"龙虎并体"。整体大致呈倒"S"形。钩首为虎头形，钩尾为龙头形。虎与龙双体并列，中间镂出一缝以示分体。龙仰身昂首，张口咬一环；虎亦伸出一爪以攫环。龙虎躯体及圆环都以勾连云纹为饰。背面平素，中央有一扁圆形纽。

战国时期，带钩基本形制已确定下来。汉代是玉带钩发展鼎盛期，以西汉时期发现最多。这件玉带钩造型奇特，研究者将其归为"异形钩"。

南越王墓玉带钩藏于广州西汉南越王墓博物馆。

刘焉墓玉带钩 东汉文物。1959年3～9月，河北省定县北庄中山简王刘焉墓出土。墓主人中山简王刘焉，为光武帝少子。永元二年（90年）薨。彼时皇子始封薨者，皆赐赗三千万，而刘焉则被赐赗一亿，其制度"余国莫及"。1959年3月，河北省文物局文物工作队派员前往发掘。同年9月，发掘完毕。

刘焉墓玉带钩长21.8厘米。和田白玉。出土时器身残断。整体呈弓形。钩首为龙首，钩尾为虎首，面部均清晰。器身正面和两侧均有阴刻卷云纹。背部近两端有浅刻花叶纹。背部中央为一圆角长方形钩纽。此玉带钩表面琢磨光滑，纹饰线条简洁流利，做工极为精细。

据学者研究，此型玉带钩一般见于两汉，极个别可早到秦代，西汉时期比较流行，东汉时期发现不多。刘焉墓中出土玉带钩，是此型中最长的。有学者认为，这件玉带钩是战国晚期至西汉前期制品流传到东汉，并非制作于东汉。

刘焉墓玉带钩存于河北省文物保护中心。

定陵玉带钩 明代文物。1955～1957年，北京市昌平区十三陵定陵地宫出土。

定陵玉带钩通长14.2厘米，钩长3.6厘米，腹部宽2.5厘米。白玉质。整体为琵琶形。钩首为龙首，细眼，小耳，嘴平齐，阴刻

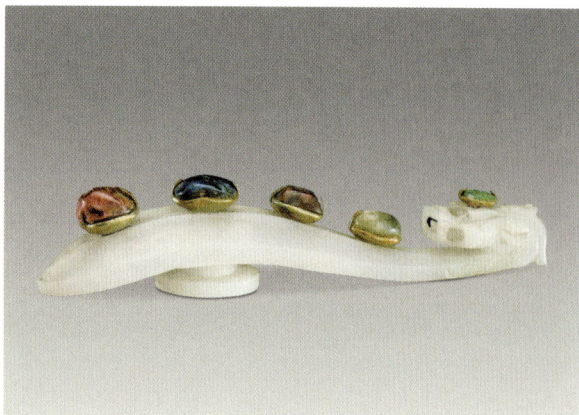

长发，龙额上以金托镶嵌绿宝石1块，龙睛嵌猫眼石（尚存1块）；钩身上面有4个椭圆形金托，内嵌红（2块）、黄（1块）、蓝（1块）宝石。钩纽位于背面，为椭圆形。玉质纯正，又以黄金、宝石作镶嵌，色彩鲜明，富贵华丽，尽显皇家气质。

万历皇帝棺内所出带钩共5件，分别放置在棺内西端南北两侧，此为其中1件。带钩之上，没有任何附着物。棺内同出还有12条革带，其中1条系在万历皇帝身体上，但所有革带均未与带钩相连接。这件玉带钩最大特点是"镶金嵌宝"，所嵌之宝石，有压白玉之势，这也是定陵所出帝王玉特征。

定陵玉带钩藏于定陵博物馆。

若干云墓八环蹀躞玉带　北周文物。1988年，陕西省咸阳市抵张湾北周若干云墓出土。1988年，咸阳国际机场修建过程中，发现一座北周墓。据墓志，墓主人名叫若干云，为北周骠骑大将军。此玉带板即出土于这座墓中。

若干云墓八环蹀躞玉带复原长度1.5米。柿蒂纹方銙长3.5厘米，宽3.4厘米，厚0.6厘米；附环方銙长3.5厘米，宽3.4厘米，厚0.6厘米；偏心孔环直径2.9厘米，厚0.2厘米。白色，以新疆和田上等白玉雕琢。由带扣1件、扣柄1件、柿蒂纹方銙1件、附环方銙8件、偏心孔环9件、铊尾1件，共21件组成。除柿蒂纹

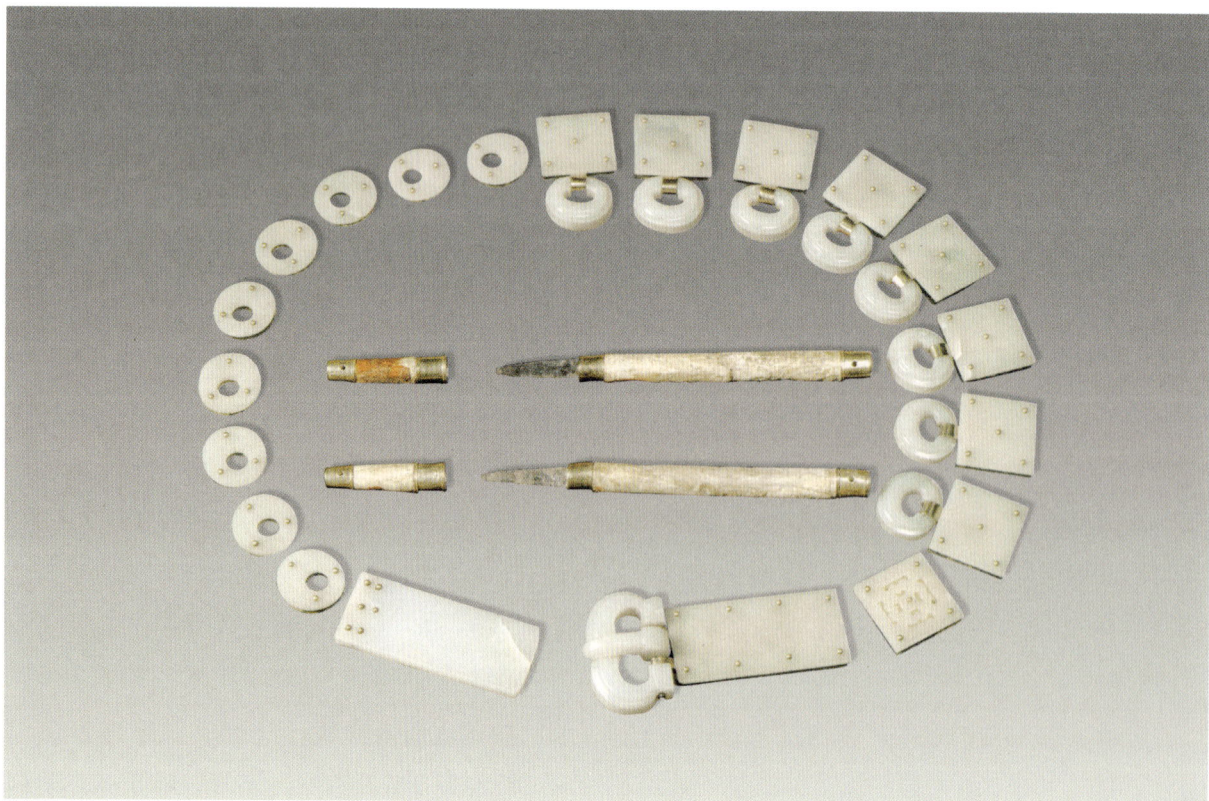

方銙之外，余皆为素面。此外，另有2件悬挂在带环带鞘刺锥，当为"蹀躞"。

这副八环蹀躞玉带是已知发掘出土品中，时代最早者。沈括《梦溪笔谈》："带衣所垂蹀躞，盖欲佩戴弓剑、帉帨、鞶囊、刀砺之类。自后虽去蹀躞，而犹存其环，环所以衔蹀躞，如马之鞦根，即今之带銙也。"此玉带不但有环，而且还保留两个刺锥，说明仍保留实用功能，当为玉带发展之起始阶段。过去一直认为，玉带始于唐。文献记载北朝时就有玉带板，但是苦于没有发现实物。若干云墓蹀躞玉带出土，将玉带出现上限提早两个朝代，并为了解玉带板起源提供非常宝贵的资料。

若干云墓八环蹀躞玉带存于陕西省考古研究院。

何家村玉带 唐代文物。1970年10月，陕西省西安市何家村窖藏出土。这处窖藏共出土玉带板10副，狮纹玉带即其中一副。

何家村玉带方銙背面长3.6厘米，宽3.4厘米，正面长3.4厘米，厚0.7厘米；圆首矩形銙背面长4.8厘米，宽3.4厘米，正面长4.6厘米，宽3.2厘米，厚0.7厘米；圆首矩形铊尾背面长5厘米，宽3.4厘米，面长4.8厘米，宽3.2厘米，厚0.85厘米；带扣扣环长径5.6厘米，短径3.2厘米，环面宽1厘米，厚0.7厘米，扣针长3.1厘米。为白玉，乳白色。由狮纹方銙13件，狮纹圆首矩形銙（扣柄），狮纹圆首矩形铊尾、玉玦（玉带扣）各1件，共16件构成。此副玉带狮纹设计别具匠心，在15块带板上碾琢俯卧、行走姿态各异狮子15只，其中12枚方銙狮纹造型相同、方向相反，应为6对。纹样雕琢方法为，先用较宽砣具砣出狮纹轮廓，再沿带銙边沿向内斜刻，将狮纹轮廓以外空间剔地，使狮纹凸出，然后再用较窄砣具刻

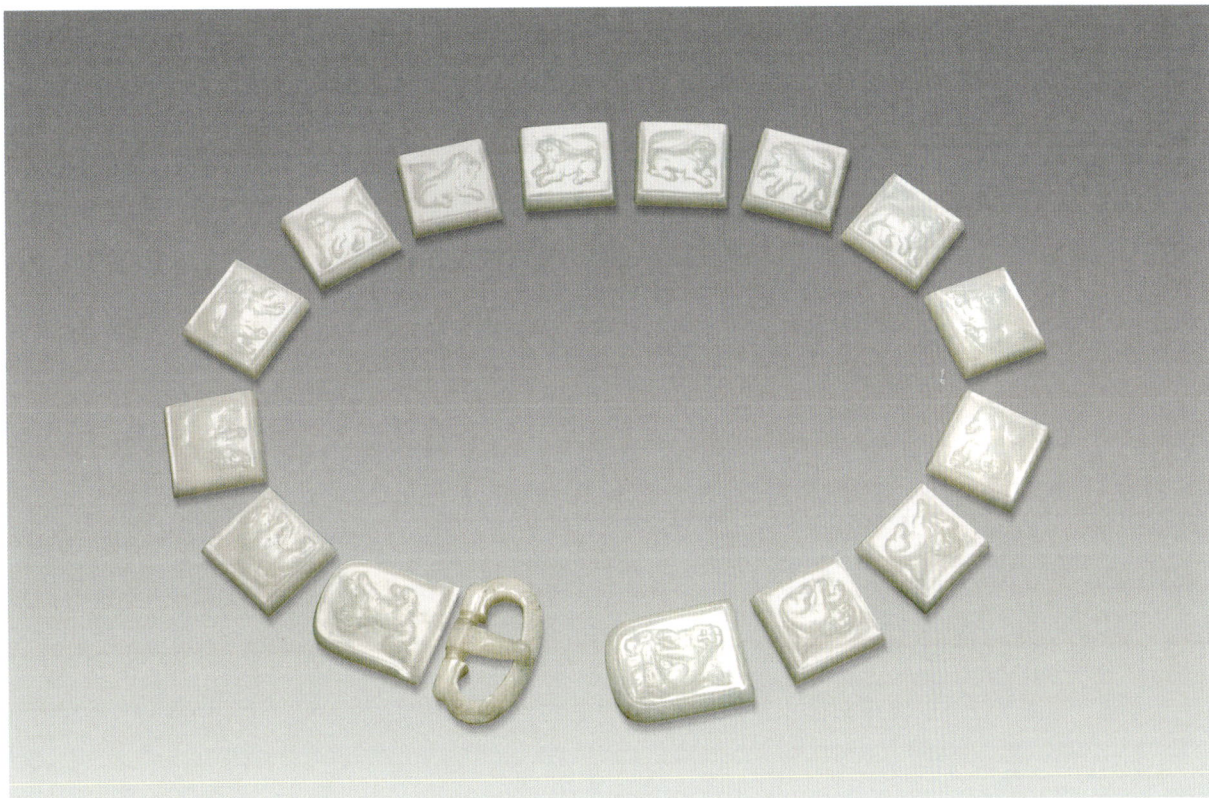

画眼睛、鬃毛等细部。这种在平面上斜刻剔地所表现形象隐起技法为唐代玉雕所独有。

自从何家村窖藏发现后，多位学者对其年代、性质进行研究，歧见纷呈。其年代有"安史之乱"说、唐德宗时期、"泾原兵变"说。其性质有邠王府说、刘震埋藏官府财务说、某一拥有者药院财产说。何家村窖藏所出玉带是已知所见唐代玉带出土最集中、最精美的一批。

何家村玉带藏于陕西省历史博物馆。

窦皦墓蹀躞带　唐代文物。陕西省长安县南里王村唐窦皦墓出土。

窦皦墓蹀躞带复原长度1.5米，圆首矩形带銙长8厘米，宽3.5厘米，厚1.2厘米；圆形宝钿銙直径3厘米，厚1.2厘米；玉梁宝钿蹀躞饰上节长6厘米，宽4.2厘米，厚0.8厘米；下节长8.2厘米，宽6厘米，厚0.8厘米；玉带扣长径4.8厘米，短径3、厚0.6厘米，扣针长3厘米。青白玉，部分泛浅绿。玉带表框皆以青白玉制作，框内为"金筐宝钿真珠装"。由圆首矩形銙四、圆形带銙八、圆形偏心孔环一、忍冬形蹀躞带饰和玉带扣各一所组成（缺一件铊尾）。玉表框在唐代文献中称为"玉梁"，该玉带玉质温润莹秀，制作考究，"金筐宝钿真珠装"豪华富丽，工艺精湛。

玉带在唐代才正式出现于职官冠服制度中，成为朝廷礼仪用带，文献中多有当时朝廷对玉带使用制度规定及其具体使用记载。这副玉带带銙形制和装饰工艺在已发现唐代玉带中，是非常少见的。唐代匠师借用传统金银错技术，将黄金镶嵌在白玉内，这便是著名"金

镶玉"。因其制作工艺难度大，白玉易破损，成品率极低，只有少数皇亲国戚和高级贵族才能享用。

窦曒墓蹀躞带存于陕西省考古研究院。

蛟桥公社明墓玉带板 明代文物。1975年，江西省南昌市蛟桥公社明墓出土。明太祖朱元璋对皇子皇孙实行封藩制度。有明一代，江西境内有三藩：宁王封藩于南昌（太祖第十六子，成祖时改封就藩），淮王封藩于饶州（仁宗第七子，英宗时徙封就藩），益王封藩于建昌（宪宗第六子，孝宗时就藩）。自20世纪50年代以来，江西发现近50座藩王系墓葬。这副玉带板墓主人，便属于宁藩王系家族。

蛟桥公社明墓玉带板长方形銙长5.4～6.7厘米，宽3.6厘米；小长条形銙长3.6厘米，宽

1.7厘米；桃形銙长4厘米，横宽3.6厘米；铊尾长7.6厘米，宽3.5厘米；厚均0.5厘米。青白色。共20块。每一块周围留有窄边框，框内镂空雕刻，分上下两层，下层为底纹，为花卉样式，花纹较为稀疏，线细卷曲；上层为主体纹饰，构图紧凑，图案细密。图案主要有3种，铊尾和长方形銙，中间是一棵松树，树的两侧各有一鹿，再往外，一侧为竹林，一侧为蕉丛；桃形銙，在松树（以松球表现）或竹林之下，只有一鹿；小长条形銙，只有一棵松树。有鹿的銙，鹿姿态不一，或前后相随，或相向而对，或一昂头一平首，或一前行一后瞻。此外，鹿脚下还有起伏山石。后背边框内平坦下挖至近板厚1/2，下凹处尚留有少许金粉。

玉带板起于北朝，至唐代始成制度。明朝

建立后，太祖朱元璋恢复唐代制度，在冠服上，也用玉来标志等级贵贱。明代是玉带板发展顶峰时期，使用之盛，远超前代。古代，玉带板在块数、纹样和质地方面差别，往往体现等级。而明代玉带板，又有自身特点。唐制，銙数从7块至13块不等。天子乃最高级，为13块。到明代，不再以銙数反映等级，统一都是20块。此外，在明代，特别是中晚期，玉带板上各銙形制及位置都已确定。这副玉带板銙数为20枚，排列顺序也与文献相符。这件玉带板出土时衬带仍存，而且保存非常完好。从中便可看出铊尾具体位置和玉銙排列顺序及形式。这副玉带板镂雕复杂，分层透雕，艺术价值很高。

蛟桥公社明墓玉带板藏于江西省博物馆。

第三节　陈设用器

晋侯墓地63号墓玉牛牲　西周文物。1993年下半年，山西省曲沃县北赵晋侯墓地63号墓出土。晋侯墓地是西周时期晋国国君及其夫人合葬墓地，为天马—曲村遗址重要组成部分。1993年下半年，发掘63号墓，根据墓葬位置和组合看，其墓主为西周晚期晋穆侯夫人。这件玉牛出土时，位于椁内西北角一铜盒内，铜盒内盛满各类玉质小件器物，有玉人、玉熊、玉鹰、玉鸮、玉罍、玉龟等。盒内玉器不少为圆雕作品，也有片雕，但都玉质上乘、造型优秀、纹饰精美、磨光精细，是63号墓中出土玉器精品。

晋侯墓地63号墓玉牛牲长7厘米，宽2.2厘米，高4厘米。青玉，颜色较深，墨绿色，玉质较纯。整体为一圆雕作品。牛置于一平板上，牛四肢分别向前后叉开，作半卧姿态，大角尖耳，右角略残，脖套上有绳子与板固定，脖套呈"丫"形；平板下面有两根柱状物，板前端有两个小孔。牛状态为正欲起立，前身前昂，前肢用力，将力表现于牵绳上，动感极强。通体素面抛光。

商周时期祭祀是一项政治和生活中非常重要的内容，牛是祭祀常用牺牲。

晋侯墓地63号墓玉牛牲存于山西省考古研究所。

琉璃河205号墓玉卧马　西周文物。1973年，北京市房山县琉璃河西周燕国墓地出土。1962年，琉璃河遗址是北京文物工作队在房山县进行田野考古调查时发现，并在刘李店和董家林两地进行小规模试掘。1972年秋，北京市文物管理处在刘李店、董家林再次进行发掘，面积约200平方米，发现古代房基、窖穴、灰坑等遗址，及生产和生活工具。1973年，为配合当地平整土地和对遗址作进一步了解，由国家文物事业管理局、北京大学历史系考古专业、北京市文物管理处人员，共同对遗址又进

行一次全面勘察，之后进行较大规模发掘。这件玉卧马出自琉璃河西周燕国墓地205号墓。

琉璃河205号墓玉卧马长2.7厘米，高2厘米。岫岩玉，玉色青灰，质软，不透明，玉质不纯净。卧马为一件圆雕作品，素面无纹饰。以圆雕技法琢刻，体态呈卧状，回首，嘴、眼、耳清晰可辨，无尾。马身底部有一道凹槽，以分出四条腿。

西周时期，圆雕作品不多见，基本见于高等级贵族墓葬中。这件卧马虽体态小巧，但造型和面部皆刻画形象生动，是研究西周时期燕国制玉工艺实物标本。

琉璃河205号墓玉卧马存于北京市文物研究所。

晋侯墓地63号墓玉羊 西周文物。1993年下半年，山西省曲沃县晋侯墓地63号墓出土。晋侯墓地是西周时期晋国国君与夫人合葬墓地，63号墓主为西周晚期晋穆侯第二位夫人，多数学者认为其就是文献中的"齐姜"，这件玉羊出土于其墓葬中。

晋侯墓地63号墓玉羊高2.5厘米，长5厘米。青白玉，玉质纯净莹润。整体造型作回首卧伏状，头两侧大角内卷，圆眼，前后腿屈踞，蹄趾

明显。饰较宽阴线来分界四肢体躯。头部至颈部、背至尾部有隆起棱脊，饰有排列整齐阴线纹。整体造型简练生动，颇具写意风格。

玉羊为圆雕作品。出土时在椁内西北角铜盒中特别存放，可见应是墓主生前喜爱之物。

晋侯墓地63号墓玉羊存于山西省考古研究所。

渭陵玉人骑马 西汉文物。1966年，陕西省咸阳市周陵乡新庄村汉元帝渭陵建筑遗址中发现。1966年，咸阳市渭城区周陵镇新庄村村民，在汉元帝渭陵陵园北区修渠时，发现一块被烧焦红土裹着的东西，清洗后发现是一件白色羽人奔马玉雕，随后又陆续发现蹲踞状玉辟邪、玉熊、玉俑头、玉鹰。

渭陵玉人骑马高7厘米，长8.9厘米。羊脂白玉圆雕而成，色泽纯净无瑕，全器雕琢精巧，造型生动逼真。整体形象是玉仙人骑玉天马。玉马呈奔跑状，肩部和胸侧刻出互相叠压三层羽翅，前蹄踏在球状物上。马背上骑一羽人，一手按在马颈部，另一手握一双灵芝草，羽人肩部和腰部均雕出羽翼。

据史书记载，汉元帝渭陵建筑遗址曾是西汉元帝"孝元庙"和孝元王皇后"长寿宫"

所在地。所以，这组玉器当是西汉元帝"孝元庙"或孝元王皇后"长寿宫"内陈设品，后因宫殿焚毁，被埋在建筑废墟中而得以保存。

渭陵玉人骑马藏于咸阳市博物馆。

史思明墓玉摆件 唐代文物。1981年3～5月，北京市丰台区王佐乡唐史思明墓出土。唐史思明墓位于北京市丰台区王佐乡林家坟西约100米处，地面原有高大的封土堆，故当地称之为"大疙瘩"。农民常年在此取土，封土取尽后露出汉白玉石块和石条。1966年春，发现玉册、马镫、铜牛等文物。1978年，北京市举办出土文物展览，展品中玉册、马镫、铜牛等文物，引起人们关注。1981年3～5月，北京市文物工作队清理此墓，出土有玉、金、石、陶、瓷、铜等器数十件。山形摆件即出土于这次发掘中。

史思明墓玉摆件高9.3厘米，长17.7厘米。为青玉质，略带有石性。山形片状，整器有自然黑白纹理。正面随料材琢为五峰山形，微有起伏，以示沟壑交纵，两边基本对称；背面平，有磨痕。

唐代摆件遗存不多，而这件山形摆件出土背景明确、年代确定，是研究唐代中期玉器标准器之一。

史思明墓玉摆件存于北京市文物研究所。

朱晞颜夫妇合葬墓玉卣 南宋文物。安徽省休宁县城关朱晞颜夫妇合葬墓出土。1952年，安徽省休宁县发现一座南宋长方形砖室墓，墓主为朱晞颜夫妇，墓葬遭毁坏，文物残存金器、银器、玉器和一把铜剑、铜镜等30余件。朱晞颜（1135～1200年），字子渊，休宁人，隆兴元年（1163年）进士，历宋高宗、孝宗、光宗、宁宗四朝，为官40余年，官至工部侍郎兼实录院同修撰，兼知临安府，属于南宋时期士大夫阶层。

朱晞颜夫妇合葬墓玉卣口径3.05～3.7厘米，底径2.5～4厘米，壁厚0.3厘米，宽7.8厘米，高6.85厘米。玉色青白，局部黄色沁和白斑。扁圆体，平沿直口粗颈矮圈足，足微外撇。颈部左右两侧琢耳，饰兽首，中钻孔为口。前后侧出扉棱，两边饰相对龙纹。腹部左右两侧镂雕卧伏回首状小螭龙。前后雕刻兽面纹。通体抛光细致。

这件玉卣就是仿古玉器，有明确出土背景，是研究两宋时期仿古玉器的标准器。

朱晞颜夫妇合葬墓玉卣藏于安徽博物院。

合肥范岗玉匜　宋代文物。安徽省肥西县岗集乡范岗出土。

　　合肥范岗玉匜口径6.7～11厘米，底径3.65～5.55厘米，耳孔1.5～1.9厘米，杯壁厚0.3厘米，长14.8厘米，高5.5厘米。青玉制成，青色，局部有黄灰色沁。仿青铜器匜形，有流，单耳，矮圈足底，底部边缘有一圈凸弦纹。杯身两侧靠近流口处对称浮雕两只凤鸟，凤头凸出口沿，喙下勾，凤冠上卷，凤身隐起呈弯曲宽带状布满杯身。杯耳顶部饰兽面。表面抛光细致。

　　宋代在"好古"风气影响下，常见用陶瓷、玉石、铜等材质仿制三代钟鼎彝器，这件玉匜亦是如此，反映当时文人士大夫摹古情趣。

　　合肥范岗玉匜藏于安徽博物院。

范文虎夫妇合葬墓玉贯耳壶　元代文物。1956年4月，安徽省安庆市棋盘山元代尚书右丞范文虎夫妇合葬墓出土。1956年4月，安徽省安庆市棋盘山安庆糖厂建筑厂房取土时发现一座古墓。安徽省博物馆得到消息派人前去清理时，墓已遭破坏。该墓椁前有圹志一方，刻文2行，中行是宋体字，上半剥蚀约7个字位

置。其字可识为"枢密院事提调诸卫屯田通惠河道漕运事范文虎之圹"22字。范文虎是南宋与蒙元战争后期重要的高级将领，其左右战局变化，掌控南宋存亡，降元之后步步累迁至平章政事、尚书右丞，成为"南人"之中入元官职最高者。这件玉贯耳壶是其墓葬中出土精美玉器之一。

　　范文虎夫妇合葬墓玉贯耳壶通高7.1厘米，口径2.75～3.25厘米，底径2.62～4.45厘米，盖径2.76～3.22厘米，厚3.52厘米，壁厚0.25厘米，贯耳孔0.2～0.25厘米，盖孔0.3～0.6厘米。为白色略闪青的和田软玉质，晶莹温润，器表抛光莹亮，局部灰白沁。壶体扁圆，口平沿，斜直颈，两侧各饰一竖直贯耳，口腹之间饰四道凸弦纹。宽扁圆腹，下设外撇矮小圈足底；壶体内掏腔，壁甚薄。器上带有原配子母口单面弧凸壶盖，盖平面呈椭圆形，大小与壶口相扣，盖面浅浮雕一蟠螭纹，盖面正中等距穿有两孔，反面呈台阶式。玉瓶雕琢精细规整、润亮。

从外形观察，其造型当是仿自商周时期青铜壶。根据玉壶上纹饰特征，有研究者认为玉壶年代在宋末或元初，为当时琢玉高手专为范文虎琢制，保留浓郁文雅复古风，是研究宋元玉作的一件标准器。

范文虎夫妇合葬墓玉贯耳壶藏于安徽博物院。

高楼公社窖藏玉觚 明代文物。安徽省灵璧县高楼公社窖藏出土。

高楼公社窖藏玉觚高11厘米，口径5.6厘米，底径3.6厘米。青玉制成，玉质一般。仿青铜觚形，喇叭口，腹鼓，足外撇。四角各饰扉棱，觚身阴线刻出兽面纹，以扉棱为界，对称分布。觚底另出一矮圈足，内中空。

青铜觚为商周时期重要礼器，以商代晚期最为繁盛。自宋代好古之风兴起，至明清时期，用玉石仿制摹古礼器更甚。觚形器开始以藏品或摆设重新出现，用玉石制作觚形器成为宫室文房珍宝雅器。

高楼公社窖藏玉觚存于灵璧县文物管理所。

何如谨墓玉熏炉 清代文物。广西壮族自治区灌阳县水车乡官庄村何如谨墓出土。何如谨为灌阳书香世家何氏家族中较著名人物，清同治元年（1862年）丁卯科举人，先从军，最后官至同知。1949年后，该墓被发现，这件玉熏炉为其中一件随葬品。

何如谨墓玉熏炉通高16.2厘米，口径11.2厘米。由白玉制成，微泛淡绿色，局部有褐色沁。炉为鼎形，两侧方形立耳，平底，下接三蹄形足。以雷纹为地，腹部琢刻二组浅浮雕蟠螭纹，下部为三角纹。盖为覆碗形，圆雕龙形纽，雷纹地，主纹为变形夔纹。内外抛光，玉质柔润光洁。

明清时期玉熏炉，相当于后来的香熏炉，主要是将香花或香料放置在炉中，散发出香味。

何如谨墓玉熏炉藏于灌阳县博物馆。

乾隆皇子墓玉盖瓶 清代文物。1958年，北京市密云县清代乾隆皇子墓出土。1958年，因修密云水库被全部拆除，出土大量玉器及其他文物。

乾隆皇子墓玉盖瓶通高19厘米，口径4.5厘米。青白玉，夹有黄褐条纹斑，有极好玻璃

光。瓶直口，鼓肩，束腰，活纽。通体镂雕如意云纹，底部有两道阳起弦纹。底平，下有六个微微外撇云头作足。瓶内壁光滑。盖与纽分别碾琢。整器造型优雅，玉质细腻，技艺精湛，为陈设之器。

皇子墓中出土这件玉盖瓶，是研究和判定乾隆时期玉器标准器。

乾隆皇子墓玉盖瓶藏于首都博物馆。

乾隆皇子墓"平安如意"玉摆件 清代文物。1958年，北京市密云县清代乾隆皇子墓出土。这件玉摆件出土于其中一位皇子墓中。

乾隆皇子墓"平安如意"玉摆件高13厘米，通长18.5厘米。碧玉，局部虽泛灰色并夹有褐色瑕斑，但玉质仍较好，细腻莹润，半透

明。造型仿古，立体透雕。工匠巧用一柄灵芝将壶、卣、凤相连。凤高冠，细眼，尖喙，拢翅，长尾后迤，立在灵芝一侧。壶为子母口，活环，盖顶雕灵芝为纽，壶侧为仿古的提梁卣。三件不同造型器物连接组合在一起，寓意平安如意。乾隆时期玉器多有纹饰，纹饰意必吉祥。

这组玉雕构思巧妙，匠心独运，鬼斧神工，体现乾隆时期宫廷玉器高超制作水准。

乾隆皇子墓"平安如意"玉摆件藏于首都博物馆。

黑舍里氏墓玉笔 清代文物。1962年7月，北京市海淀区北京师范大学工地清代黑舍里氏墓出土。1962年7月，北京师范大学准备在德胜门外小西天西南角修建房屋，挖掘过程中，发现5座墓葬，北京市文物工作队立即派专业人员进行发掘清理。1号墓墓志记载，墓主人为黑舍里氏，法名叫众圣保，生于康熙七年（1668年）七月十三日，死于十三年（1674年）十二月二十七日，年仅7岁。其祖父为索

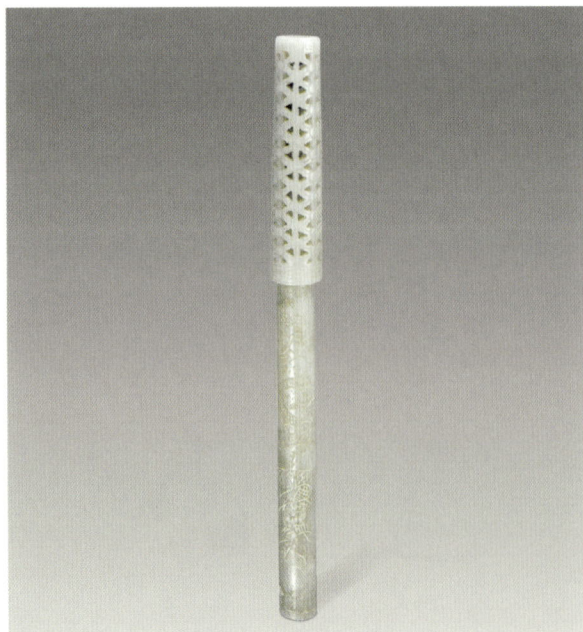

尼，父亲为索额图，家族背景显赫。陪葬品以瓷器、玉器最为丰富精美。出土时，玉笔残存笔头已霉变。

黑舍里氏墓玉笔通长21厘米，笔帽径1.8厘米。青白玉，质地细腻润亮，因埋藏200余年有少许沁斑。笔杆顶端平，通体单阴线刻一条飞龙，龙体有鳞，四爪，张口露齿，阴刻双目，长发后飘，火焰尾。笔帽镂空六角形花纹，两端阴刻细回纹。

黑舍里氏墓年代为康熙早期，这支玉笔是研究清初玉雕技艺珍贵实物资料。

黑舍里氏墓玉笔藏于首都博物馆。

纳兰性德墓玉笔筒 清代文物。20世纪70年代，北京市海淀区上庄乡纳兰性德墓出土。20世纪70年代，纳兰性德墓被发现掘开，宝顶被拆毁，墓葬在20世纪初经盗扰，剩余随葬品经清理交给文物部门。

纳兰性德墓玉笔筒高16厘米，口径14.6～9.3厘米。青白玉，质地纯净莹润，局部有橘黄色玉皮。笔筒大致呈圆柱体，内部掏膛后依玉料雕成椭圆形，外壁浮雕过枝梅花，枝干粗壮，双瓣梅花依枝开放，黄色玉皮俏作花蕾，极具匠心。平底，内壁光滑。

纳兰性德（1655～1685年），字容若，满洲正黄旗人，清朝初年著名词人。笔筒玉质上乘，雕琢精细，抛光极好，是清代玉雕不可多得精品。

纳兰性德墓玉笔筒藏于首都博物馆。

钱裕夫妇合葬墓桃形玉洗 元代文物。1960年4月，江苏省无锡市锡山区钱裕夫妻合葬墓出土。1960年4月，在无锡市南面约17千米龙王和军嶂凉山之间窑窝里，当地南泉、雪浪两个公社联合兴建幸福水库时，在取土工程中发现一座元代墓葬，墓为夫妻合葬墓，墓中出土了大批文物，有金、银、玉、漆、丝织品和纸币等154件。其中有青石墓志一方，上书"大元故处士钱公圹志"。墓志记载，墓主名钱裕，字宽父，无锡人，为吴越王钱镠后裔。

钱裕夫妇合葬墓桃形玉洗长11厘米，宽6厘米，高3.2厘米。青白玉，通体沁泽呈褐色，间有杂斑。形态与众不同，以对剖桃子为器身，以桃枝、桃叶作把，构思巧妙。

钱裕墓出土玉器19件，按用途大致可分为日用器皿、首饰、杂佩饰等，日用器皿仅这件青玉桃形洗。传世桃形洗虽有多件，但均为明、清时期之物。这件玉洗不仅可将桃形洗追溯至元代，也是研究元代玉器不可多得标准器。

钱裕夫妇合葬墓桃形玉洗藏于无锡博物院。

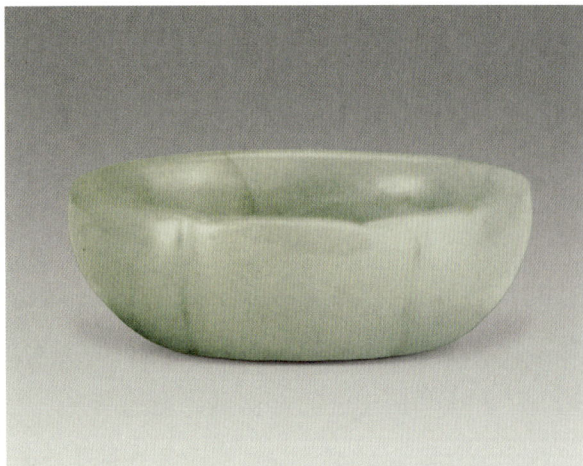

陈国公主墓玉水盂　辽代文物。1985年6月，内蒙古自治区奈曼旗青龙山镇陈国公主墓出土。1985年6月，斯布格图村西北兴建水库，发现2座辽墓。哲里木盟奈曼旗各级文化部门十分重视，立即采取保护措施，并向上级反映。内蒙古自治区文化厅文物处接报告后，派内蒙古自治区文物考古研究所考古人员前往进行调查。在哲里木盟博物馆、奈曼旗王府博物馆配合下，开始发掘，这件玉水盂出自辽陈国公主墓后室中部。

陈国公主墓玉水盂高2.3厘米，口径5.6～6.9厘米，底径3.7～4.4厘米。青白玉，玉质纯净莹润，颜色为浅青绿色。器体呈椭圆形，四曲浅花口，方唇，口微敛，弧鼓腹，曲口下腹壁略有凹沟，平底。内外壁抛光。

陈国公主墓玉水盂存于内蒙古自治区文物考古研究所。

高楼公社窖藏玉水盂　清代文物。1976年，安徽省灵璧县高楼公社窖藏出土。1976年，农民在取土时发现灵璧县高楼公社窖藏，出土从明代至清初多件精美玉器，这件玉水盂即其中之一。

高楼公社窖藏玉水盂高3.1厘米，口径3.9

厘米，腹径5.9厘米。用优质和田玉籽料雕成，形体小，白色润亮，温润透明，局部褐色沁。通体打磨光亮，形制比较简单。水盂直口平沿，鼓腹，下腹内收，圈足。纹饰为减地浮雕游龙戏珠纹，龙身匍匐在口沿一周，细长龙尾有团花纹饰。龙首龙须飘长，龙角后伸，龙目较圆，紧紧追赶前方圆珠形火焰纹饰。

水盂，又称水丞、砚滴，在古代则直呼为"水注"。其主要作用是为砚池添水，最早出现在秦汉。此件玉水盂小巧而雅致，体现文人雅士审美情趣。

高楼公社窖藏玉水盂存于灵璧县文物管理所。

陈国公主墓玉砚　辽代文物。1985年6月，内蒙古自治区奈曼旗青龙山镇陈国公主墓出土。出土时，置于陈国公主墓后室中部。

陈国公主墓玉砚长8.5厘米，宽5.2厘米，高2.1厘米。呈簸箕形，颜色为青绿色，间有灰白色杂斑，玉料不是很精致。器体较轻薄，研磨面为斜坡形，墨池较浅，平底，平端底部有两个圆柱足。器壁内外打磨光滑，素面无纹。

陈国公主墓中出土玉砚2件，形制基本相同，另一件尺寸相对稍大。作为文房用品，出土

玉砚并不多见，体现出公主与驸马身份高贵。

陈国公主墓玉砚存于内蒙古自治区文物考古研究所。

丰台南苑玉暖砚 元代文物。北京市丰台区南苑出土。

丰台南苑玉暖砚长6.2厘米，宽6.2厘米，高14.6厘米。岫岩玉，受土沁侵蚀通体呈黄褐色，杂以白瑕，不透明。砚为正方形，由砚盖、砚、砚底三部分套合组成。砚盖上浮雕四层莲瓣纹，顶端是花蕊，四周镂刻几何纹。砚面凸起，上有长方形砚池及遗留朱砂颜料痕，四周镂刻菊花、牡丹花纹。束腰式方案形砚

底，下有四个蹄形足，正中的方形深凹，可容炭灰或温水，用以暖砚。

受蒙古贵族秘葬习俗影响，蒙元时期陈设用玉实物考古发现较为有限，其中文房用具更是寥寥。元代时，除一般常见制式砚台外，从出土实物看，玉石暖砚在元代首见。除这件玉暖砚外，北京德胜门以东元代遗址中还出土一件元代青石暖砚。玉暖砚开辟玉器中一个新器类。

丰台南苑玉暖砚藏于首都博物馆。

印山越王陵玉镇 春秋文物。1996年9月～1998年4月，浙江省绍兴县印山越王陵出土。印山大墓建于印山之巅，墓上堆筑有高大封土。1996年，文物考古人员在调查中发现大墓遭到不法分子盗掘破坏。经国家文物局批准，绍兴县政府出资，浙江省文物考古研究所主持，浙江省文物考古研究所和绍兴县文物保护管理所共同组成印山大墓考古队，对大墓进行抢救性发掘。

印山越王陵玉镇高6.3厘米，底径8厘米。玉质受沁呈灰白、灰黑色，原色已不可见，受沁后玉质较差，结构较松软。整体似馒头形，表面

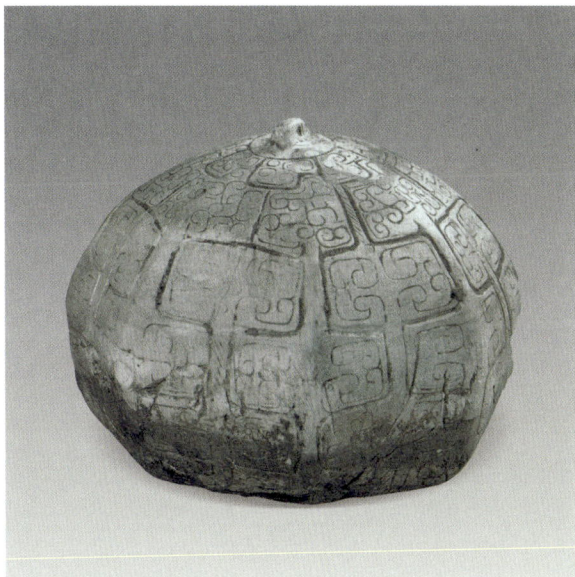

通体抛光,实心。顶面呈弧形隆起,器体呈八棱形,弧顶中心有一个扁圆形小纽,纽上有孔可穿丝线。全部满饰阴刻精细勾连云雷纹。

根据墓中出土器物、墓葬形制及规格,推测墓主人为越王勾践父亲允常。该墓被盗严重,仍然存留31件玉石器,为确定越国玉器提供实物。这件玉镇为镇压席垫之用,反映出越国国王日常精致生活。

印山越王陵玉镇存于绍兴市柯桥区文物保护管理所。

朱檀墓水晶鹿镇纸 明代文物。1970~1971年,山东省邹县明鲁王朱檀墓出土。

朱檀墓水晶鹿镇纸高6.3厘米,长10厘米。镇纸用上好水晶制成,通体无色透明,质地纯净莹澈,玻璃质感强。雕刻成卧鹿形态,鹿昂首伸颈,四肢蜷起,弓背伏卧,半睁细长双眼,双耳紧贴在脑后。

镇纸,又称压尺,文房常备用具之一。水晶器自古就被视为珍宝,这件水晶鹿镇纸质地、造型及雕琢工艺均属上乘。

朱檀墓水晶鹿镇纸藏于山东博物馆。

黑舍里氏墓兽形玉镇 清代文物。1962年7月,北京市海淀区北京师范大学工地清代黑舍里氏墓出土。黑舍里氏墓墓室设计独特,墓室东、西、北三面墙壁有三个壁龛,三个壁龛中藏满物品。

黑舍里氏墓兽形玉镇长5厘米,宽3.4厘米,高2.5厘米。白玉,色温润,有黄色玉皮。圆雕一独角兽,四肢收于腹下,兽凸目圆睁,拱嘴,圆凹形小耳,发毛卷曲,背部脊骨呈联珠形突起,尾毛卷曲。兽镇造型简练,琢刻精细,抛光好,入土后玉皮受沁。

玉镇即玉质镇纸,写字作画时用以压纸物品,是案头把玩欣赏艺术品。

黑舍里氏墓兽形玉镇藏于首都博物馆。

中山穆王刘畅墓玉座屏 东汉文物。1969年11月中旬至12月初,河北省定县北陵头村中山穆王刘畅墓出土。1969年11月中旬至12月初,定县博物馆对43号汉墓进行发掘清理。该墓早年被盗,加之券顶塌陷,器物受到严重破坏,葬制面目全非,在发掘过程中未发现任何文字。从规模宏大的墓室及许多价值昂贵、精致细作的金、银、玉质殉葬品推测,当是东汉中山穆王刘畅之墓。这件玉座屏即出土于墓中。

中山穆王刘畅墓玉座屏通高16.9厘米，长15.6厘米，宽6.5厘米。青玉。座屏由四块镂雕玉片插接而成，两侧以双胜为支架，主体纹饰为透雕青龙、白虎纹。中间两屏玉片略呈半月形，透雕人物、鸟兽纹饰，两端有榫可插入架内。上屏玉片正中为西王母，高发髻，凭几端坐，旁有朱雀、狐狸、三足鸟等；下屏玉片正中为东王公，亦凭几而坐，旁有侍者及熊、玄武等。

这件玉座屏设计精巧，应为墓主生前置于案头摆设用品。

中山穆王刘畅墓玉座屏藏于定州市博物馆。

乾隆皇子墓玉花插 清代文物。1958年，北京市密云县清代乾隆皇子墓出土。皇子墓中出土一大批乾隆时期玉器，均属清朝玉器代表作。

乾隆皇子墓玉花插高20厘米。青玉，灰绿中微夹黄白色绺斑。花插以一片肥大荷叶卷曲成筒状，随形花瓣口下伏着一只蜻蜓似在小憩。器底透雕出荷叶、水草、慈姑，尖尖小荷才出水，一只田螺吸附在一侧，花插底部荷叶上一条小鱼在缓游觅食，体现恬静的田园风光，是清代宫廷造办处玉作中常见题材。花插造型奇巧，精工细琢。

乾隆皇子墓玉花插藏于首都博物馆。

高楼公社窖藏玉观音 清代文物。1976年，安徽省灵璧县高楼公社窖藏出土。1976年，在农民取土时，发现灵璧县高楼公社窖藏，出土从明代至清初多件精美玉器。

高楼公社窖藏玉观音高19厘米，宽7.8厘米，厚4厘米。玉色黄白，似为山料雕琢。整体采用圆雕、高浮雕技法，立体感强。器作仰覆莲花底座，齿状边缘背光，观音长圆脸，神态安详。头戴披巾，身穿长袍，双手捧经书，结跏趺坐于莲花宝座上。背面无纹，弧平。

明清时期，玉质观音多为传世品，这件玉

观音为难得出土文物，是断代标准器。

高楼公社窖藏玉观音存于灵璧县文物管理所。

《会昌九老图》玉山子　清乾隆五十一年（1786年）文物。清宫旧藏。《会昌九老图》玉山子于乾隆五十一年（1786年）制成于扬州，安设于宁寿宫乐寿堂。

《会昌九老图》玉山子高114.5厘米，最宽处90厘米，厚65厘米，重832千克；铜底座高41厘米，重824千克。玉料采自新疆和田，青白色，间有碧黑色，绺纹甚多。呈山形。玉山为环形通景山水图，正、背和两侧面都构图雕刻。玉山采用镂雕、圆雕、凸雕和线刻等技法。玉山之上，桐荫松竹，孤岩绝壁，高山流水，仙鹤云气。以此为背景，刻画九位长者和七个僮仆在山水之间游憩聚会之情景。玉山左下方，飞瀑直下，流水汩汩，两位老翁立于桥

上喁喁细语，其后有一小僮负包相随；山腰往上，有一方亭，中有二老对弈，另一老在旁观局；亭之右下方，有一小僮燃柴烧茶；左侧崖洞之下，一老者手扶童子，作观景之状；右侧，一老挂龙头拐杖，艰难攀山，有一小僮捧圆盒随行；玉山背面的山间平台，有一老抚琴，另一老和童子倾听，神态怡然；平台之下，又有小僮二人，一捧物，一空手，似作交谈状。整个画面清新优雅，引人入胜。玉山正面，方亭左上方有"古稀天子"篆书圆印，印面涂金。最左侧石崖上隶书"会昌九老图"，亭下崖壁间有"乾隆丙午年制"六字款。背面近山顶处，刻有七言诗一首，末署"乾隆丁未新正月用白居易诗韵御题"。下有"古稀天子之宝"和"犹日孜孜"二印。所有铭文，均阴刻填金。

玉山取材于宋代画家李公麟的《会昌九

老图》。该图描绘的是唐武宗会昌五年（845年），白居易与胡杲、吉旼、郑据、刘真、卢真、张浑、李元爽、释如满等九位老人，于洛阳香山欢聚，并举行"尚齿之会"情形。《会昌九老图》玉山子是清代琢玉水平代表，体现中国古代玉工高超制作技艺。

《会昌九老图》玉山子藏于故宫博物院。

《大禹治水图》玉山子 清乾隆五十二年（1787年）文物。清宫旧藏。《大禹治水图》玉山子于清乾隆五十二年（1787年）在扬州制成，并于同年运至北京安设于宁寿宫乐寿堂。据清宫内务府造办处活计清档记载，此玉山以清宫所藏画作《大禹治水图》（时间不晚于宋代，藏于台北故宫博物院）为蓝本，画成前、后、两侧纸稿四张，制作蜡样，经乾隆批准后，发往扬州。后恐蜡样融化，又制成木样后，方始碾琢。玉山制作耗时7年。玉山雕完运抵北京之后，乾隆又命如意馆匠师朱永泰，将御制诗和两方宝玺刻在上面。一直到乾隆五十三年，这件玉山才最终完工。据学者估计，玉山制作所用工时超过15万个工作日，耗费白银1.5万余两。虽在御制诗中言，加上运送材料时间，共花10年，但实际花费时间，恐怕要超过10年。

《大禹治水图》玉山子高224厘米，宽96厘米，错金铜底座高60厘米，重约5330千克。玉料采自叶尔羌西南密勒塔山（亦称之为"密尔岱"）。玉质青白色，绺纹甚多。整体呈似玉圭之山形。玉山之上，云气蔚然，山石峭拔，洞穴深邃，古木苍劲，飞瀑激扬。以此为背景，民夫成群结队，或锤击，或镐刨，或绳拉，或杠撬，或石钉，或索吊，以血肉之躯和

简陋工具，凿石开山，导水就下。而在峰顶，则有雷公模样神人相助，开山爆破，使得玉山又多几分浪漫气息。玉山正面中部山石处，阴刻"五福五代堂古稀天子宝"篆字方印。背面顶端，为"古稀天子"圆印，印之下题双行隶书"密勒塔山玉大禹治水图"，紧接便是乾隆帝御制诗《题密勒塔山玉大禹治水图》。全诗共322言，诗中夹有六处长注文。诗加注共1530字，叙述玉山制作缘起、经过和目的，并告诫子孙，当谨守旅獒之训，不得再制作如此等巨型玉山，以免玩物丧志。诗文之下，是"八徵耄念之宝"篆文方印。玉山正面主要用来构图雕刻，而背面则用来刻铭钤印。匠师随形施艺，以玉料本身繁多绺纹和变化色泽，表现出嶙峋巨石和险峻山势。

《大禹治水图》藏于故宫博物院。

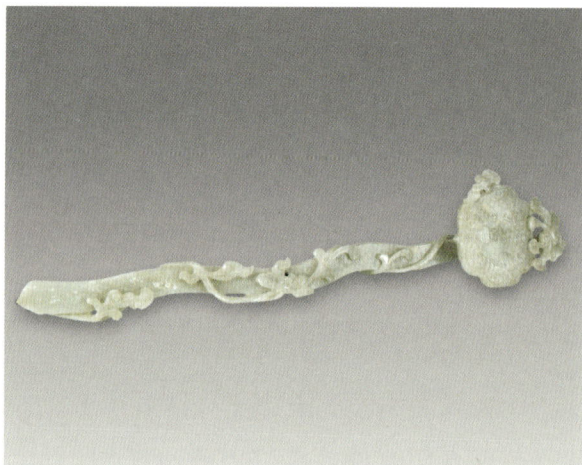

圆明园遗址青玉山子　清代文物。1963年，北京市海淀区圆明园遗址发现。应为皇家陈设所用。

圆明园遗址青玉山子宽31.6厘米，高26厘米。玉质青色，间杂黄色皮绺。整件玉山为籽料所刻。采用远山近景技法。在这尺许大小玉料上，匠师刻绘苍松翠柏，峭壁叠嶂，小桥流水。在此背景之下，一位手持龙头拐杖、身着宽衣大袖长须仙翁行走于山间。前面数步处有一小僮，似作引路状；后有一小僮负筐紧随。

玉山子是清代琢玉杰出成就。除《大禹治水图》这样大型玉山子之外，更多是小型玉山。这件玉山子可作为清代小型玉山代表。

圆明园遗址青玉山子藏于首都博物馆。

乾隆皇子墓玉如意　清代文物。1958年，北京市密云县清代乾隆皇子墓出土。

乾隆皇子墓玉如意长34.5厘米，如意头宽7.2厘米。青色玉质，绿色闪黄，有绺纹。如意由整块玉雕琢而成。此件玉如意头部为云朵形，上方镂雕灵芝花朵，左下高浮雕一只蝙蝠，中间浮雕宝瓶；如意柄部中间略微隆起，透雕过枝灵芝纹。

如意起源，学界有不同说法。清代玉如意成为皇室和显贵相互馈赠贵重礼物，是财富和地位体现。在清代，玉器制作"有图必有意，有意必吉祥"，玉如意更是如此。匠人往往将各种吉祥寓意题材不厌其烦堆砌，使之强化。此玉如意以灵芝为主体纹饰。灵芝被认为是仙草、祥瑞。而如意头部宝瓶、蝙蝠乃是取意"保平（安）"和"福"。这是当时玉如意中很常见的立意。这件玉如意，也体现了明清时期玉器世俗化。

乾隆皇子墓玉如意藏于首都博物馆。

王懿修墓玉如意　清代文物。1964年，安徽省青阳县蓉城镇平山村清礼部尚书王懿修墓出土。王懿修墓位于安徽省青阳县之西平山村石马队。该墓为夫妇合葬墓，糯米浆全封结构。王懿修，安徽青阳人，乾隆三十一年（1766年）进士，嘉庆十年（1805年）擢升为礼部尚书，十八年（1813年）以老致仕，二十一年（1816年）去世，谥文僖。1964年，该墓被掘。棺内衣冠、尸体保存完好。在取出部分随葬品之后，该墓被重新掩埋。所取随葬品存放于青阳县博物馆。此柄如意，正是当时所取随葬品之一。

王懿修墓玉如意长23.1厘米；如意头宽5.38～8.77厘米，厚0.1～0.72厘米；柄长22厘米，宽2.94厘米，厚1.5厘米。为翡翠制作，通体绿色泛灰，尾部为红翡。如意由两块玉琢成，头部和柄部是分开的，由一枚铁钉铆接。如意头部为灵芝形，为一大两小三枚灵芝之浮雕，边缘略卷；柄部扁圆，镂雕大小不同的九枝灵芝。整柄如意以灵芝为主题，寓意吉祥，也是当时所流行题材。

传世清代玉如意有很多，但考古出土者寥寥无几，这件如意为其中之一。

王懿修墓玉如意藏于青阳县博物馆。

庐江县荣树玉如意　清代文物。1974年6月，安徽省庐江县荣树出土。

庐江县荣树玉如意长38.8厘米；如意头10.23～11.55厘米，厚1.13～1.23厘米；柄宽2.93～4.22厘米，厚0.7～1.35厘米。由青白玉制成，器由整块玉料雕琢而成，由于为出土品，表面有土沁。云朵形首，其上浮雕"白盖、金鱼、莲花、宝瓶"，上下左右分布，中间为篆体"寿"字。曲形柄中部隆起，浮雕"法螺、法轮、宝伞、盘长"，柄底端浅浮雕一蝙蝠口含仙草。整体图案寓意"福寿双全，吉祥如意"。柄背面浅挖成凹槽，槽外缘圆棱突起，底部刻一变形蝉纹。柄最底端有一对牛鼻孔，为穿系挂穗之用。通体抛光，晶莹剔透，具有较强玻璃光泽。

庐江县荣树玉如意藏于安徽博物院。

第四节 日用器皿

北山头汉墓玉卮　西汉文物。1997年底，安徽省巢湖市北山头西汉墓出土。1997年底，巢湖市市政工程处为拓延团结路至巢县火车站站前广场道路进行施工。在北山头路段开山挖土时，发现北山头一号墓。该墓出土一批极为珍贵随葬器物，玉器中青白玉卮、白玉环；漆器中金、铜、玉、水晶、料器镶嵌罐、银扣盒；铜器中的两面特大型铜镜及器形独特提梁壶等，均为安徽省汉代文物考古重大发现。

北山头汉墓玉卮高13.1厘米，口径7.91厘米，底径7.4厘米，壁厚0.3厘米，足高1.2厘米。青白色，泛淡黄沁色。卮体呈圆筒形，直口，平底，三矮兽首形足。正面饰高浮雕朱雀踏虎衔活环，凸出卮身，双足直立于虎背，两侧云纹羽翼层层舒卷。螭虎作侧首伏卧状，睁目突珠，张口露齿伸颈。卮身下部两侧饰浮雕变形凤鸟纹。一侧为环形錾手，浮雕一熊，直立侧身盘附其上。卮体遍饰"T"字变形卷云纹和勾连卷云纹，二纹之间由一条宽凹槽为界。卮外底中心饰阴线刻细网格纹和三朵卷云纹，边沿饰三组三角纹和菱形纹。

北山头汉墓玉卮藏于巢湖市博物馆。

狮子山楚王陵玉卮　西汉文物。1994年，江苏省徐州市狮子山楚王陵出土。

狮子山楚王陵玉卮通高11.6厘米，口径6.7厘米，底径6.1厘米。由盖、身两部分组成，一块整玉雕成。青白玉，温润光亮，局部有深褐色斑点、斑纹。圆筒形，器身口沿下饰一周勾连纹带，外周壁通饰勾连云纹。底部出三足，足上部各雕有一兽头。精在器盖，盖面内圈透雕柿蒂纹，外圈饰翻滚浪花，富有想象力。此器具有较高历史、艺术和研究价值。

卮是汉代常用饮器。从考古发掘出土和传世汉代卮看，主要有玉卮、漆卮、铜卮、陶卮

等，大多也保持圈器形制。玉卮一般由盖和卮体组成，三足，有的带鋬手。玉卮主要流行于西汉，西汉以后很少见到玉卮踪迹。楚王陵墓虽遭盗扰，仍出土大量珍贵玉器，种类包含葬玉、礼玉、装饰和生活用玉等，其玉质和雕琢工艺代表中国汉代玉器发展水平。

狮子山楚王陵玉卮藏于徐州博物馆。

刘弘墓玉樽 西晋文物。1991年4月26～27日，湖南省安乡县黄山镇刘弘墓出土。1991年3月，安乡县黄山镇城建办公室在取土时发现一座砖室墓。4月26～27日，安乡县文物管理所对墓葬进行清理，据出土印章可知墓主为西晋镇南将军刘弘。刘弘墓保存完好，随葬品中金印、金带扣、玉印、玉樽、玉卮、错金铜弩机、镂雕玉佩、贴金铁匕首等，均是罕见珍品。

刘弘墓玉樽通高10.5厘米，口径10.5厘米，足高2厘米。玉质受沁呈粉白色。直筒形，器身有三道凹带纹，将纹饰分为上下两部分。上部两侧铺首衔环作器耳，器身浮雕螭虎、龙、熊及乘云仙人，平底下置三熊足。

魏晋时期，用玉随葬之风已大为削弱。刘弘墓玉樽从器形纹饰分析，皆非魏晋时期新作

玉器，为典型汉代玉器。

刘弘墓玉樽存于安乡县文物管理所。

南越王墓铜承盘高足玉杯 西汉文物。1983年8月，广东省广州市象岗南越王墓出土。铜承盘高足玉杯出土于南越王主棺室，置于赵眜棺椁头端，出土时玉杯于承盘之间稍有位移。

南越王墓铜承盘高足玉杯通高17厘米，铜承盘高5厘米，径23.6厘米；杯身高7.8厘米，口径4.2厘米，底径2厘米，壁厚2厘米。整器由铜承盘、玉托架和高足玉杯三部分组成。原有丝绢包裹，出土时托架和承盘上仍有丝绢朽余。高足玉杯由杯身和座足两节组成，接合面两边各钻出小孔，再嵌入竹钉，把身与座贯连。杯为青玉，湖绿色，莹润有光泽，呈长圆筒形，杯身主体纹饰为勾连云纹。杯身下部有一玉质杯托，为花瓣花萼形，中为有突棱圆孔，高足杯即套入孔中。杯托由一个三条金头银身龙形托架举起，平置在铜承盘上。承盘折沿、浅腹、平底，下有三足，出土时盘内尚存一块垫木。玉杯由托架举起后，座足与承盘底间尚有一段距离，以垫木承托。

此类玉杯出土数量不多，在汉代仅见于高等级墓葬之中。有学者认为，玉杯是饮酒器。另

一种观点认为，玉杯是帝王或高级贵族用来承云露并以露和玉屑的饮用器物，如《汉旧仪》记载汉武帝曾在甘泉宫修建通天台，通天台上有承露盘，上有仙人掌擎玉杯，以承云表之露，以求仙道。而南越王墓这件高足玉杯就是置于铜承露盘中，与历史文献记载相符。

南越王墓铜承盘高足玉杯藏于广州西汉南越王博物馆。

南越王墓角形玉杯　西汉文物。1983年8月，广东省广州市象岗南越王墓出土。角形玉杯出土于南越王墓主棺室中棺椁头箱之中。

南越王墓角形玉杯高18.4厘米，口径5.8～6.7厘米，口缘厚0.2厘米。青白玉，温润、致密、纯净，呈半透明状。口部和底有黄褐色斑块，有两绺裂痕。仿犀角形，用一块整玉碾琢而成。口呈椭圆形，往下渐收束，腹中空，杯底端部反折往上加转。内壁磋磨光滑，底里有管钻痕。器身下部，卷索形镂空处亦有管钻痕迹。外壁布满卷云纹，延向杯口。杯口缘下浅浮雕一只夔龙，身体修长，振翼而立。尾羽为勾连卷云纹，缠绕回环，连绵不断，满布杯身。在纹饰隙地琢刻勾连云纹作补白。

这件玉杯造型仿犀角，此种形制前所未见，匠心独运。

南越王墓角形玉杯藏于广州西汉南越王博物馆。

罗泊湾1号墓高足玉杯　西汉文物。1976年6月下旬，广西壮族自治区贵县罗泊湾1号墓出土。罗泊湾1号墓位于西江北岸约1千米处，西距贵县县城5千米，封土高大，当地群众称为大坡岭。1976年6月下旬，贵县化肥厂扩建时，发现墓道和陪葬马车坑，坑中出土一些鎏金铜车马器，随即对此墓进行发掘。罗泊湾1号墓出土随葬器物丰富，很多具有战国晚期和秦代风格。该墓时代属西汉初期。

罗泊湾1号墓高足玉杯高11.3厘米，口径4.5厘米，底径3.3厘米。玉杯由整块玉料雕琢而成，原为青玉，长期埋藏表面满布褐色沁蚀。直口平沿，圆筒形，细把，小底，足底空心。纹饰分四组，上圈为宽带方折云纹；中圈为主体纹饰，为突起的勾连纹；器身下部一周宽带方折云纹；下圈为减地隐起卷云纹。

罗泊湾1号墓所在位置当时隶属南越国，推测该墓墓主人身份尊贵。

罗泊湾1号墓高足玉杯藏于广西壮族自治区博物馆。

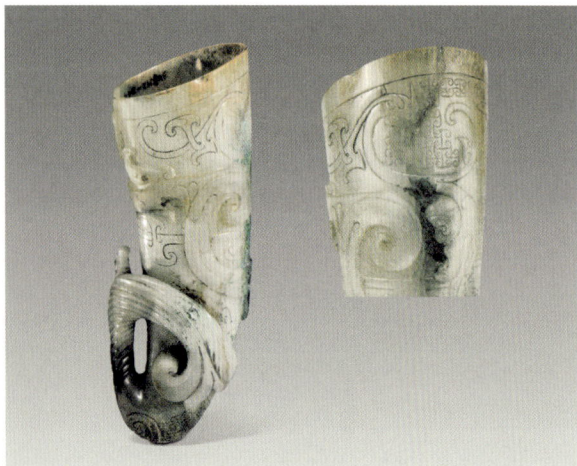

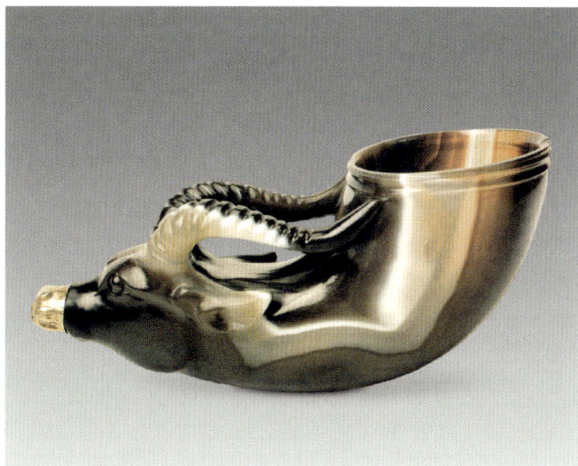

魏正始八年墓玉杯　三国时期魏国文物。1956年7月，河南省洛阳市西区曹魏正始八年墓出土。1956年7月，在洛阳涧西16工区（矿山厂）发掘一座魏正始八年墓（247年），虽被盗，仍残存遗物65件，其中以陶器为主，另还有少量铜器、铁器、玉器。陶器绝大部分出土于南北耳室，仅个别出于后室，铁器、铜器和玉器皆出土于前室。

魏正始八年墓玉杯高11.5厘米，口径5.2厘米。白玉，玉质上乘，纯净润泽。由一整块玉料精雕细琢而成，呈直筒形，平沿直口，圆筒形深腹，杯壁厚薄均匀，柄形高圈足。通体光素无纹，润洁光亮。

魏正始八年墓玉杯藏于洛阳博物馆。

何家村羚羊首玛瑙杯　唐代文物。1970年10月11日，陕西省西安市何家村窖藏出土。1970年10月5日，陕西省西安市南郊何家村一基建工地，工人挖出一高65厘米、腹径60厘米的陶瓮，里面装有大量金银器。10月11日，在第一个陶瓮出土地点北侧不远处，考古人员又发现一个大小类似陶瓮，瓮上盖有一层银渣，其内装有金银器和玉器。考古人员在陶瓮旁边还发现一件高30厘米、腹径25厘米银罐，羚羊首玛瑙杯即装在这件银罐内。

何家村羚羊首玛瑙杯长15.5厘米，杯口径5.9厘米，高6.5厘米。酱红地缠橙黄夹乳白缟带玛瑙制作，造型为弯角形杯。内腔深峻，杯口圆形，口沿下琢出两周凸弦纹，小端雕琢成羚羊头，头上雕出两只弯曲的羚羊角，角尖接在杯口外侧，角上碾出凹槽，羊眼圆睁。眼球外凸，双耳后抿，口鼻端装有龙嘴形金帽，可卸下。内部有流与杯腔相通。通体抛光。

何家村窖藏镶金兽首玛瑙杯这样大件玛瑙制品实属罕有，材料来源应为贡品，造型特征来自西方，希腊人名为"来通"。这是一件研究唐代社会中外交流的珍贵宝物。

何家村羚羊首玛瑙杯藏于陕西省历史博物馆。

定陵金托玉爵　明代文物。1956年，北京市定陵万历皇帝墓出土。位于定陵万历帝棺内西端北侧。

定陵金托玉爵爵高11.5厘米，口径长13.2厘米，宽5.6厘米，腹深5.8厘米，重396克；托高1.5厘米，直径19.7厘米，柱高6.5厘米，重499.5克。白玉制。爵身呈元宝形，深腹，圆底，两柱蘑菇形，顶刻涡纹。三柱足，一侧附

透雕龙形把，龙为攀附状，弓背，两只前爪抓在爵沿部，口与柱根相接，后爪立于爵腹，尾上卷，龙腹与爵壁之间有空隙，恰好容一指插入便于持爵，形象颇为生动。爵流及尾外壁各刻一正面龙纹，龙两只前爪上托一字，流部为"万"字，尾部为"寿"字，两龙之间刻一组四合如意云纹，三柱足根部各刻一如意云纹。整个爵身布满云龙纹，庄严对称，气势非凡，尤以雕刻线条圆滑流利，富于动感。金托外折平沿，沿边内卷，浅弧腹。托中部为一树墩形柱，上有三孔，三孔中部有古钱形横隔，玉爵三足刚好插入其间。树墩形柱的底部以三个铆钉与托底部铆在一起。托盘沿刻勾连云纹，盘内为沙地，由外壁向里锤打出浮雕式纹饰，主纹二龙戏珠，下部为海水江崖，上部为云纹。墩形柱上雕刻出起伏重叠山峰。在盘沿、盘底和墩形柱上分别嵌有红、蓝宝石共26块，盘沿上各嵌6块，盘底各4块，墩形柱上各3块。

这件御用宝物选用最贵重材料白玉、黄金、宝石，玉爵形制仿自三代铜爵，配龙形把和双龙花纹"万寿"款识，金托造型设计，显示皇家奢华。

定陵金托玉爵藏于定陵博物馆。

月牙山3号墓玉耳杯　南北朝时期文物。1951年，安徽省芜湖市月牙山3号墓出土。

月牙山3号墓玉耳杯长径16.95厘米，短径9.8厘米，宽13厘米，高4.8厘米，壁厚0.15厘米。青白玉，受沁严重呈灰白色。仿漆耳杯形制，杯口作长椭圆形，平口，左右各有一月牙形耳，弧圆腹，假圈足，平底。杯内一侧有类似横隔挡痕迹。素面无纹，外壁抛光，亮泽。

耳杯最早出现于战国时期，盛行于秦汉至魏晋、南北朝。这件玉耳杯作为出土文物，是南北朝时期难得见到的玉器精品。

月牙山3号墓玉耳杯藏于安徽博物院。

北山头汉墓玉盒　西汉文物。1997年底，安徽省巢湖市北山头西汉墓出土。1997年底，巢湖市市政工程处道路施工时，在北山头路段发现北山头一号墓。玉盒出自北山头一号墓东头厢。出土时，盒内有白色粉状物和1件角质篦。

北山头汉墓玉盒高4.4厘米，直径11.1厘米，壁厚0.4厘米。青白色，局部褐色沁。盒圆形，由盒盖、盒身两部分组成。上下纹饰基本相同。盒身口沿内镶一圈铜箍，作子口。盖微隆，顶面平，中心饰柿蒂纹，间以四乳钉纹和细网格纹装饰；内圈素面，外圈饰勾连卷云

纹，间以4个变形兽面纹相隔；外沿打磨成斜凹面，阴线均饰12个简化凤纹；盖外壁饰勾连卷云纹。盒身饰"T"形卷云纹间以4个变形兽面纹。

汉代玉盒发现不多，这件玉盒为同类中精品。

北山头汉墓玉盒藏于巢湖市博物馆。

西安宫城遗址玉盒 唐代文物。陕西省西安市宫城遗址内出土。

西安宫城遗址玉盒长4.5厘米，宽3.5厘米，高1.4厘米。青玉，表面呈浅灰褐色。盒

盖盒身均琢成方形委角，有子母口可以扣合，盒内抛光。盒身、盒盖均剔地雕出花卉枝叶，在盒身、盒盖侧面阴刻蔓草纹，盒盖、盒身顶端凸出部分各镂空一对相互嬉戏之鸳鸯，并作为盒之把手。盒身、盒盖下端侧面中部各钻一圆孔，嵌入金纽，以便开启玉盒。

西安地区考古发掘出土唐代玉器300余件，精品均出自宫廷遗址，这件玉盒亦不例外。玉盒形体娇小，上端把手处可穿系丝绳或金银细链佩挂。纹样内容为日常生活中常见禽鸟与蔓草，装饰题材呈现世俗化。

西安宫城遗址玉盒存于西安市文物保护考古所。

静志寺塔基地宫玉盒 唐末至北宋初年文物。1969年7月，河北省定县静志寺塔基地宫出土。静志寺塔基地宫位于定州城内东北隅。1969年5月，定县电力公司施工时发现地宫并报告县文物部门。7月，定县博物馆对其进行清理，出土一批重要文物，这件玉盒即其中一件。地宫内出土金、银、玉、瓷器、丝织品等700余件，战国到北宋铜币2.7万余枚。塔基内这些文物，包含几个时代，有北魏兴安二年（453年）和隋大业二年（606年）的石函，有

唐大中十二年（858年）和龙纪元年（889年）的石棺。这些文物有的经几次迁葬，每次迁葬都又增添不少随葬器物，最后一次迁葬是在北宋太平兴国二年（977年）。

静志寺塔基地宫玉盒长5.2厘米，高1.6厘米。玉色泛黄，玉质温润。盒大致呈椭圆形，分上下两部分。盒盖顶面以阴线刻双鸟衔绶带吉祥图案。盒下部底面微向里凹，并阴刻"千秋万岁"四字，线条古朴有力。

双鸟衔绶带纹饰最早出现于唐代中期，常见于当时金银器或铜镜之上，可见这件玉盒年代上限应该在唐代。根据纹饰雕琢特征看，具有唐末遗风。

静志寺塔基地宫玉盒藏于定州市博物馆。

乾隆皇子墓玉盒　清代文物。1958年，北京市密云县清代乾隆皇子墓出土。

乾隆皇子墓玉盒通长9.5厘米，盒直径7厘米。白玉，润洁细腻，局部有沁蚀后的黄色绺纹。盒为圆形，圜底，盒体本身通体抛光，素面无纹，体现玉质莹润美感。在盒身一侧圆雕一对鸳鸯，口、胸相连，以均匀细阴刻线琢出冠、眼、羽毛。盒为子母口，鸳鸯平剖为二，打开时为两对鸳鸯。

这件鸳鸯玉盒造型独特，构思奇巧，玉质细腻，雕工精湛。

乾隆皇子墓玉盒藏于首都博物馆。

瑶山12号墓玉勺　新石器时代良渚文化（前3300～前2200年）文物。1987～1997年间，浙江省余姚市瑶山12号墓出土。

瑶山12号墓玉勺残长8厘米，把宽3.5～3.9厘米，厚0.4厘米。玉质沁为鸡骨白色，表面有黄色土沁。仅存柄部和勺部边缘，此状态经修补。器扁平，侧视微凹弧。柄部呈倒梯形，上有椭圆形穿孔，上有阴刻神兽纹。图案分为上下两部分，下部围绕穿孔阴刻卷云纹，上部图纹残损，可见一只椭圆形眼，另一眼残，其间为卷云纹组成鼻，鼻梁竖直，鼻翼阔，横扁嘴，嘴内伸出四枚獠牙，其中内侧两枚朝上，外侧两枚朝下，内侧两枚獠牙之间还有一枚冲下尖牙。

良渚文化所见玉器中，玉勺极少，瑶山墓地仅出土此一件。有研究认为，瑶山墓地墓主可能是良渚社会巫师集团，玉勺使用表明当时社会上层精致的生活。

瑶山12号墓玉勺藏于临平中国江南水乡文化博物馆。

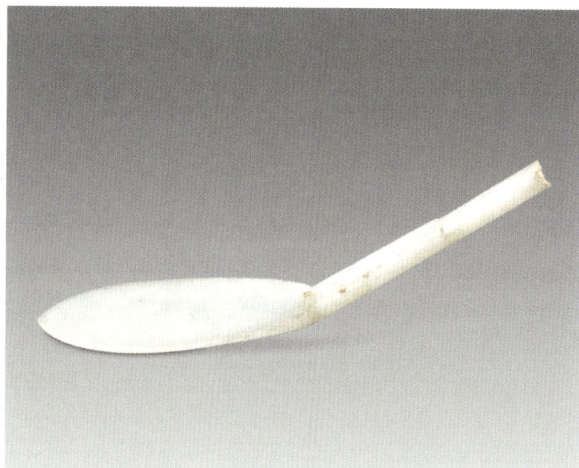

李福墓玉勺 唐代文物（618～907年）。1972年5月，陕西省礼泉县唐昭陵赵王李福墓出土。李福（634～670年），唐太宗李世民第十三子。贞观十三年（639年）进封赵王，后过继给隐太子李建成，累加秦州都督、右卫大将军、梁州都督等职。咸亨元年（670年）去世，赠司空、并州都督，陪葬昭陵。李福墓位于礼泉县烟霞乡岩峪村西北约600米处。

李福墓玉勺匙长6.2厘米，宽3.3厘米，柄残长6.5厘米。白玉，玉色纯净。匙面呈椭圆形，前段略尖，柄部分为两段，前粗后细，并琢出台阶。通体抛磨，光素无纹。柄部形态表明，还套接有有机质木柄或漆柄，因长期埋藏而腐烂。

唐代玉器数量不多，以生活实用器为主，这件玉勺即如此。

李福墓玉勺藏于昭陵博物馆。

商王村1号墓铁柄玉勺 战国文物。1992年，山东省淄博市临淄区商王村1号墓出土。临淄商王村北距齐国故城遗址5.4千米。1992年，水泥厂扩建，考古工作人员对工程用地进行勘查，抢救发掘战国至两汉时期墓100余座。其中1号墓保存完好，出土器物丰富。

商王村1号墓铁柄玉勺通长20.9厘米，首宽2.7厘米，环宽5.1厘米。首、勺为白玉，玉质洁白莹润、纯净。勺部呈鸡心形，尖峰，中间起脊，被镶嵌在相同形状青铜之内，包玉勺的青铜上部有孔，与铁质勺柄套连，铁柄弯曲，腐朽严重。铁柄上端套接青铜鎏金铜螭虎头，虎口衔椭圆形白玉环，在靠近虎口一侧一椭圆形孔，玉环边缘与内孔壁均经打磨。

铁柄玉勺的制作使用白玉、青铜、铁三种材料，首部玉环与末端玉勺制作规整，青铜虎头铸造精妙。多种材质结合制作器物极其少见，铁柄玉勺对研究战国时期手工业制造十分重要。

商王村1号墓铁柄玉勺藏于淄博市博物馆。

妇好墓玉盘 商代晚期文物。河南省安阳市妇好墓出土。妇好墓出土的大量玉器中有少量容器，这件玉盘就是其中之一。

妇好墓玉盘高4.3厘米，口长14.6厘米。用白色大理岩制成。口部呈长方形，圆角，平沿，腹微内收，平底，圈足较高，圈足两侧各

有"十"字形孔三个，两端各有"十"字形孔一个。腹饰两周凹弦纹。

这类玉盘在殷墟发现不多，均出土于商王陵或高等级贵族墓葬中，使用大理石制作。这件盘尺寸不大，实用性不强，可能是作为随葬的明器。

妇好墓玉盘藏于中国国家博物馆。

定陵金盖金托玉碗　明代文物。1956年，北京市定陵万历皇帝墓出土。出自万历帝棺内西端北侧。

定陵金盖金托玉碗高7厘米，直径15.2厘米，圈足径5.9厘米，重337.5克；盖高8.5厘米，口径15.7厘米，重148克；托高1.6厘米，口径20.3厘米，底径16.7厘米，重325克。白玉制成。敞口，弧腹，圈足。玉质细腻、莹润、洁白无瑕。镂空金盖，弧面形，短沿外折，从沿到顶呈阶梯状分作三层，顶部饰一莲花形纽，连云纹圆纽座，纽中心嵌红宝石一块。沿上浅刻连云纹一周，盖面以镂空云纹为地，下层饰三龙赶珠，中层及上层各饰二龙赶珠纹。金托盘，沿边外卷，浅弧腹，平底，底部正中由外壁向内压出一圈足形碗托。盘腹内壁刻八组整齐云纹图案，盘底为沙地，刻二龙

赶珠及云纹，正中碗托内刻云纹，托外饰浮雕式连云纹一周。

整套容器金玉结合，是研究明代后期金玉工艺和宫廷生活的标本。

定陵金盖金托玉碗藏于定陵博物馆。

定陵玉盂　明代文物。1956年，北京市定陵万历皇帝墓出土。1956年，出自万历帝棺内西端北侧漆梳妆盒内。

定陵玉盂高4.2厘米，口径10.8厘米，底径10.4厘米，重461.5克；盂托高2.2厘米，口径11.5厘米，底径11.9厘米；金盒通高11厘米，盒口径14.9厘米，底径10.7厘米，盖口径15.4厘米，重886克。为花丝镂空金盒玉盂，白玉制成。敛口，圆鼓腹，平底。腹部饰变形

凤纹，爪持灵芝。盂底有圆形木托，束腰，平底，上为浅盘状，腰中间有凸弦纹一道。髹黑漆。托内有残纱垫一个，红色，圆形，双层，边缘缝缀在一起。金盒，子母口，弧腹，平底，圈足。口下部一周为累丝花纹带，上嵌花丝二龙戏珠纹饰二组，腹部刻云龙赶珠及海水江崖纹，圈足上刻海水江崖纹。盖覆盆形，全部以累丝镂空制成。纹饰分为三组：盖口一周花纹带与盒口部花纹带纹饰相同。腹部饰龙赶

珠纹，顶部为正面龙及云纹。底外壁刻铭文一周："大明隆庆庚午年银作局八成色金盒一个，碟全重二十八两六钱。"由铭文可知与金盒配套还应有金碟一件（从铭文所记重量与金盒实测重量推算也应有碟）。但出土时仅有金盒，可知随葬时未曾放入。

这套盂有明确年代刻铭，是明代中晚期金器和玉器中标准器。

定陵玉盂藏于定陵博物馆。

第五节　工具

仕阳遗址玉铲　新石器时代大汶口文化晚期（前2800～前2500年）文物。1959年，山东省莒县仕阳遗址出土。1959年，修水库时发现仕阳遗址，总面积约6万平方米，文化层厚约2米，年代为大汶口文化中晚期至龙山文化早期，遗址内涵丰富，出土大量精美器物，这件玉铲即其中之一。

仕阳遗址玉铲高26.7厘米，上宽9.9厘米，下宽10.5厘米，厚0.8厘米，孔径1.6厘米。大体呈浅绿色，细看颜色和玉质斑驳不匀。器扁平，为上窄下宽长方形。器物四边较中间薄，双面刃，刃部为斜弧刃。上部中间有一圆孔，单面钻。通体磨光，光素无纹。器物边缘与刃部有旧磕缺，似为使用痕迹。

这件玉铲形体硕大，为大汶口文化晚期玉石铲中佼佼者。玉铲形制不甚规整，边角尚显圆润，具有明显的大汶口文化晚期至龙山文化早期过渡特征，是研究海岱地区玉铲形制特征演变难得的实物资料。

仕阳遗址玉铲藏于莒县博物馆。

新华祭祀坑玉铲　新石器时代龙山时代（前2500～前2000年）文物。1999年，出土于陕西省神木县新华遗址祭祀坑。神木县位于陕西省北部，新华遗址处于陕西北部典型沙漠草滩区。20世纪80年代，陕西省文物普查中发现该遗址。1987年，为配合神府煤田开发，进行初

步调查，采集有玉器。1996年夏，为配合国家陕京天然气输气管道建设，对该遗址进行发掘。1999年，为配合神延铁路建设进行第二次大规模发掘。该祭祀坑为1999年发掘的成果，为鞋底形。坑内埋藏有36件玉石器，均竖直侧立插入土中，有刃部器物刃部朝下埋入土中，无刃部者其薄面朝下。

新华祭祀坑玉铲长11.4～12.5厘米，宽3.8厘米，厚0.2～0.3厘米。玉铲整体为碧绿色，微透明，玉质不纯净，上夹杂白色瑕斑和黑色杂质。器物为长条状，整体较薄，上端平直，两侧边竖直，下端呈斜直边。下端及一边有薄刃，特别以斜刃最薄。在器物上端中央位置有一两面对钻小圆孔。

这件玉铲有上端平直，两侧边竖直，下端斜直特征，与文献记载中的玉璋形制相同，故发掘者将其称为玉璋。祭祀坑中，与此形制相同玉器还有一件。玉璋起源，学术界分歧较大，这件器物暂称为玉铲。这件玉铲体形较长，但较为瘦薄，尤其刃部几近透明。该祭祀坑中出土片状玉器皆具有平直且薄的特征，表现出较为高超开片和打磨工艺，是研究龙山时期玉器制作工艺一批极为难得的实物标本。

新华祭祀坑玉铲存于陕西省考古研究院。

喇家25号房址玉铲 新石器时代齐家文化（前2300～前1800年）文物。1999年，青海省民和县喇家遗址25号房址出土。

喇家25号房址玉铲长14.1厘米，宽4.78厘米，厚1.17厘米，孔上径0.73厘米，孔下径0.58厘米。白色，有条状杂质，部分位置受沁发白，通体透亮。整器呈长条形，顶端呈拱

形，两侧为圆弧状，双面直刃。器物上部正中钻有一孔。

据考古发掘成果看，喇家遗址发现地震和洪水等多种灾难，是个突然遭受灾难毁灭的史前聚落。这件玉铲出土于房址之中，还保留在原来位置，为了解玉器具体功能提供了信息，从侧面可窥探喇家先民日常生活情景。

喇家25号房址玉铲存于青海省文物考古研究所。

宗日遗址玉铲 新石器时代齐家文化（前2300～前1800年）文物。1982年，青海省同德县巴沟乡宗日遗址调查时采集所得。1982年，青海牧区文物普查试点中发现宗日遗址，定名为兔儿滩遗址，试掘确认属马家窑文化半山类型。1994～1995年，考古队对遗址进行正式发掘，清理墓葬222座，获得一大批极为宝贵实物资料，引起极大反响。经过对出土遗物整

理，认识到该遗址经历马家窑类型、半山类型和齐家文化，延续较长时间。这件玉铲为调查时采集所得。

宗日遗址玉铲长29厘米，宽3.3～4厘米，厚0.9厘米。通体墨绿色，较扁平，为窄长条形。器物表面磨成微凹槽面，柄端单面钻孔。端刃，双面磨刃。素面，通体磨光，没有使用痕迹。

在齐家文化中，这类玉器不止一件，在宁夏台上村、甘肃定西清溪村和东乡县也各出土一件这样长条形带孔玉器，当地考古工作者将其皆称为玉铲。已发掘齐家文化墓葬中尚未见到这类玉器。

宗日遗址玉铲藏于青海省博物馆。

大龙潭遗址石铲　新石器时代末期文物。1979年，广西壮族自治区隆安县乔建镇大龙潭遗址出土。1978年秋，隆安县酒厂在大龙潭进行基建时，发现一些磨光石器，考古队闻讯后迅速调查并试掘，确认为一处范围大、遗物丰富的新石器时代晚期遗址。1979年，对该遗址进行大规模发掘，遗址中出土231件遗物，石铲为最主要遗物。

大龙潭遗址石铲长16.2厘米，肩部宽11.2厘米，厚1厘米。青灰色。柄部较短，柄下为对称双肩，肩部平直。肩下半部分两腰逐渐向内弧形收缩成束腰，弧度明显，至中部又逐渐扩展，再内收成大弧刃。此件石铲是200余件石铲中一件，属器体较小者，器体较小石铲多制作精良，其他较大者往往仍见明显加工制作痕迹。

此种形制石铲为岭南新石器时代末期至青铜时代的早期所独有特色器类，主要分布于广西西南部和粤西地区。大龙潭这批石铲多出土于灰坑、红烧土坑中，有些被放置成一定组合形式，包括直立、斜立、侧放、平直等四种形式，或杂乱堆置。因此，有学者认为，出土石铲坑应为祭祀坑，石铲放置现象应与农业生产有关的祭祀活动相关。有学者认为，大龙潭遗址可能是制作石铲工场，石铲除少数可能作为其他用途外，绝大多数是实用农业生产工具。不论功能为何，这种形制独特、分布区域固定石器，为认识岭南史前社会提供极佳实物资料。

大龙潭遗址石铲藏于广西壮族自治区博物馆。

千斤营子遗址采集玉斧 新石器时代红山文化（前4100~前2900年）文物。内蒙古自治区敖汉旗千斤营子遗址采集。敖汉旗所在的赤峰地区是红山文化分布重要地区，赤峰是红山文化最早发现地，也是红山文化命名地。赤峰地区红山文化遗迹、遗物丰富，其中玉器是重要遗存之一。

千斤营子遗址采集玉斧长25厘米，宽4~8厘米。玉斧为石质，墨绿与黄绿相间。器体为长条形，顶部较窄，平直，刃部较宽，呈外凸弧形，两侧微外弧。通体抛光，素面无纹。

红山文化遗物以玉器最为著称，所用玉材多样，精美者以湖绿色、黄绿色、碧绿色玉石琢磨而成。生产工具类玉器在红山文化玉器中所占比重不高，所用材质多为似玉美石，打磨精致。这件玉斧对研究红山文化器类及所用玉材都是重要实物标本，也是红山文化玉斧中精品。

千斤营子遗址采集玉斧藏于敖汉旗博物馆。

凌家滩遗址玉斧 新石器时代凌家滩文化（前3600~前3300年）文物。1987年，安徽省含山县凌家滩遗址出土。

凌家滩遗址玉斧长17.5厘米，刃宽5.4厘米，顶宽4厘米，厚1.7厘米。白色泛绿色。整器呈长条扁圆形，弧刃，平部微弧，上窄下宽，顶部两面有摩擦痕迹，且有旧磕缺。

凌家滩遗址出土玉斧多件，绝大多数出土于墓葬当中，这件玉斧出土于地层之中，表明是生活实用器。

凌家滩遗址玉斧存于安徽省文物考古研究所。

皇娘娘台遗址玉斧 新石器时代齐家文化（前2300～前1800年）文物。20世纪50年代，甘肃省武威皇娘娘台遗址出土。皇娘娘台是一处内涵丰富的齐家文化遗址。20世纪50年代，经三次发掘，获得重要实物资料。在这些遗物中，玉石器是数量最多一类。

皇娘娘台遗址玉斧长11厘米，宽3.8厘米，厚1.1厘米。青玉质地，受沁呈白黄色，通体磨光。长方形，为扁平状，中间厚而四周薄。顶端部呈弧形且有一圆形钻孔，两边平直，钻孔为单面钻透，孔壁有明显螺旋钻痕。双面弧刃，较宽。

这件玉斧刃部可见明显旧磕缺，在皇娘娘台遗址中所见其他石斧也多见磕缺或崩缺，很可能为使用过程中所致。生产类玉石器在齐家文化中所占比重较大，是齐家文化用玉一个地方特色。

皇娘娘台遗址玉斧藏于甘肃省博物馆。

三星堆二号祭祀坑玉斧 商代晚期文物。1986年7～8月，四川省广汉市三星堆遗址二号祭祀坑出土。1986年7～8月，发掘四川广汉三星堆遗址一号祭祀坑，出土一批珍贵遗物。8月16日下午，砖厂工人在距一号坑东南约30米处取土时又发现二号坑。考古工作人员即刻保护好现场，进行抢救性发掘清理。坑内出土遗物质地有金、铜、玉石、象牙、骨等。二号祭祀坑中，仅出土这一件玉斧。

三星堆二号祭祀坑玉斧长20厘米，宽4.4～5.8厘米，厚0.5～0.8厘米。大体为豆绿色，局部呈薄雾状浅黑色，玉料为透闪石岩，玉质不是很纯净。宽长身，背面平直，另一面弧形凸起，近背部有一圆形穿孔。单面斜刃，刃部为墨黑色，微透明，刃端宽，另一端窄，平面大致呈梯形，刃残。

三星堆二号祭祀坑玉斧藏于三星堆博物馆。

兴隆洼173号房址玉锛 新石器时代兴隆洼文化（前6200～前5400年）文物。1983～1994年，内蒙古自治区敖汉旗兴隆洼遗址173号房址出土。兴隆洼遗址是兴隆洼文化命名地。1982年，文物普查期间发现。1983～1994年，考古工作者进行七次发掘，获得一系列较为重要考古资料。兴隆洼文化距今8000年，这是中国用玉最早的考古学文化之一。兴隆洼遗址遗存中，一个显著特点就是居室葬。因此，一些玉器就出土于房址之中，这件玉锛亦是如此。

兴隆洼173号房址玉锛长7.3厘米，宽5.2厘米，厚1.2厘米。青灰色，夹杂黑色斑点，材质为似玉美石。器体平面近似梯形，顶部略

厚，较窄，呈斜弧状，两侧略弧，刃部相对平直，较宽。玉锛长轴中央有一道锯切割沟槽，沟槽宽度参差不齐，规则性弱。刃部上有明显短而直线状摩擦痕迹，是使用痕迹。

除这件玉锛，兴隆洼文化中还见其他玉锛长轴上有沟槽现象，或在中间，或靠近侧边。这种沟槽很可能是在玉料加工制作过程中的遗留。玉锛是研究和探讨早期玉器制作工艺和使用的重要实物标本。

兴隆洼173号房址玉锛存于中国社会科学院考古研究所。

大汶口墓地玉锛　新石器时代大汶口文化（前4300～前2500年）文物。1959年5月，山东省泰安大汶口墓地出土。大汶口遗址位于泰安市宁阳县大汶口镇。大汶口文化是海岱地区新石器时代中期晚段至晚期早段考古学文化，就是得名于大汶口遗址。1959年5月，宁阳县兴修铁路复线，暴露出一部分遗物，文博工作人员立即前往调查，确定为一处新石器时代遗址，随后进行发掘。

大汶口墓地玉锛长14厘米，宽4.3厘米，厚3.4厘米。为矽质灰岩制成，总体呈灰黑色，上有黑色条纹。为不规则形状，正面长方形，剖面近方形，背面上部有段，方平顶。单

面平直刃，非常锋利。石锛棱角十分规整，通体磨光，制作精良。

大汶口遗址中墓地共出土石锛63件，这件石锛为尺寸最大且是唯一一件有段石锛，制作精良，不见使用痕迹。出土这件石锛墓葬为大汶口文化晚期一座中型墓，但此墓出土多见于大型墓骨雕筒，而且在右腰和右膝旁均放一个龟甲，龟甲随葬表明墓主身份特殊。有段石锛普遍发现在中国南方地区，是南方地区新石器时代具有浓厚地方性特征遗物，在华北东部有少数发现。这件石锛对研究不同区域考古学文化交流有重要意义。

大汶口墓地玉锛藏于山东博物馆。

庙子村采集玉锛　新石器时代红山文化（前4100～前2900年）文物。内蒙古自治区林西县大营子乡庙子村采集。林西县是红山文化重要分布地区。在文物普查或遗址调查中，常会发现或采集到玉器，这件玉锛就是在调查中采集。

庙子村采集玉锛长6.8厘米，宽2.4～3.9厘米，厚1厘米。冷青中泛有灰白色玉制成，杂以黑色条状纹理，表面可见红褐色沁斑。质地细腻光洁，微透明。器体大致为长方形，上稍窄下宽，顶部和两侧比较平直，两面光平，

单面直刃，刃部锋利器体表面顶端和上部可见破裂面，一侧边有台状痕迹，这是玉锛在加工过程中的制作痕迹。通体磨光，光素无纹。

赤峰新石器时代玉斧、玉锛类等工具玉器多选用绿色系玉石制作，从深到浅有墨绿、碧绿、青绿、黄绿等。其制作工艺与本地区兴隆洼文化时期相比，明显进步，器形更加规整、穿孔采用管钻，切割更加平滑。这件玉锛玉质细腻，形制较为规整，磨制精细，是红山文化工具类玉器中精品，其表面存留制作痕迹是研究红山时期制玉工艺的例证。

庙子村采集玉锛藏于林西县博物馆。

石峡遗址玉锛 新石器时代石峡文化（前2500～前2000年）文物。广东省韶关市马坝石峡遗址出土。石峡遗址所处地理位置是从南岭进入岭南的落脚之地，这里一直是古人类生存、生活之地，著名马坝人也发现于此。该遗址内涵丰富，包含新石器时代晚期石峡文化和青铜时代石峡三期文化。

石峡遗址玉锛长6.9厘米，宽8.4厘米，厚0.5厘米。原色已不可见，因受沁呈鸡骨白色。总体呈"凸"字形，柄部较宽，顶部较平，肩部窄且稍有倾斜。平刃。玉锛中央偏下处有一较大圆孔。双面磨光。

这种"凸"字形玉锛也叫有肩玉锛，是岭南乃至东南亚一种极具特色器类。其起源有两种说法，一种是越南红河流域，另一种是珠江三角洲。有肩石器发现年代最早的是广东地区，以珠江三角洲为中心，因此珠江三角洲起源说可能性较大。有肩器物一般石器较多，玉器少见，该件有肩玉锛是这类器物中精品。

石峡遗址玉锛藏于广东省博物馆。

卡若8号房址玉锛 新石器时代卡若文化（约前2000年）文物。1978年、1979年，西藏自治区昌都市卡若遗文物址8号房址出土。卡若遗址位于西藏自治区靠近四川东部地带。1977年，昌都水泥厂工人在施工中发现许多文物，揭开卡若遗址发现与发掘序幕。1978年、1979年，考古工作者连续两次对遗址进行发掘，遗物较为丰富。

卡若8号房址玉锛长7.2厘米，刃宽3.8厘米，厚1.2厘米。系硬玉制成，呈灰黑色，通体磨光。器身呈不规则梯形，扁平状，上端弧凸，两侧边斜直，单面斜刃；一侧边仍保留单向切割石料痕迹。

生产工具是卡若遗址中出土数量最多、种类亦较复杂的一项遗物，主要是石器，包括打制石器、细石器和磨制石器三大类。从卡若遗

址石器构成看，既保留一定原始性，也有一定创新性。这件玉锛属磨制石器，其中磨制石器材质有硬玉、火山岩等，以昌都一带地质情况推测，材质来源均为本地所产。因此，对研究卡若遗址乃至青藏高原东边边缘地区玉石器技术有一定价值。

卡若8号房址玉锛藏于西藏自治区博物馆。

大洋洲商墓玉锛 商代晚期文物。1989年，江西省新干大洋洲商代墓出土。新干县大洋洲商代墓葬为商代晚期墓葬。1989年，被取土修护赣江大堤农民意外发现。之后，迅速进行抢救性发掘，出土文物丰富，反映出江西地区约3000年前已有发达的青铜文明。出土玉器754件，大部分放置于棺内，这件玉锛则被放置在铜礼器群中。

大洋洲商墓玉锛高5厘米，顶部宽4.2厘米，刃宽4.8厘米，厚0.7厘米。透闪石，深绿色，蜡状光泽，微透明，摩氏硬度5.5～6，弱沁蚀。器身呈扁平长方梯形，上顶端平齐较窄，下端两面平刃较宽，为双面刃。器形规整，磨制精细，通体抛光，未见使用痕迹。

锛原为生产工具，但这件玉锛制作精细，未见使用痕迹，且与铜礼器共存，发掘报告中将其列为礼仪用玉。以玉锛为代表的大洋洲商墓玉器，对研究江西地区商时期文明、与中原王朝之联系和互动、手工业技术水平都具有重要意义。

大洋洲商墓玉锛藏于江西省博物馆。

前埠下遗址玉凿 新石器时代后李文化（前6500～前5500年）文物。1997年，山东省潍坊市前埠下出土。1997年，为配合高速公路建设，山东省文物考古研究所对潍坊前埠下遗址进行发掘，这件玉凿出土于该遗址一个灰坑中。

前埠下遗址玉凿长2.4厘米，上部宽1.8厘米，下部宽2.9厘米，厚1.2厘米。呈青色，上有青灰色沁。整体呈梯形，中心较四周微鼓。单面刃，较锋利。顶端有打击而产生凹窝，在凿的一侧内面保留有磨切而形成条状痕。表面大多经精心磨制，似经过抛光。

后李文化为海岱地区史前较早考古学文化，处于新石器时代中期之始，这件玉凿为海岱地区已知所见最早玉器之一，材质为石质，

应就地取材，并非真正的透闪石软玉，是研究海岱地区玉器起源与发展的重要实物标本。玉凿顶部凹窝被认为是取料时所遗留。刃部比较锋利，且又出土于灰坑中，应有实际使用价值。

前埠下遗址玉凿存于山东省文物考古研究所。

仁胜村10号墓玉凿　新石器时代宝墩文化（约前2000年）文物。1997年，四川省广汉市三星堆遗址仁胜村10号墓出土。1997年初，广汉市三星镇仁胜村砖厂在三星堆遗址西面取土时，挖出象牙1根。四川省文物考古研究院三星堆遗址工作站闻讯后，立即会同广汉市文物管理所共同赶赴现场调查处理。从断壁上迹象初步判断，出土象牙处是一座墓葬，象牙是墓内随葬物。之后，对取土范围进行抢救性发掘，清理年代大致相当于二里头文化二期至四期墓葬一批。

仁胜村10号墓玉凿长25.7厘米，宽2.93厘米，厚1.5厘米。蛇纹石化白云岩，摩氏硬度5，器身呈不透明灰白色。器体呈长条形，上端平直稍窄，两侧微直，器身一侧保留明显开

料留下切割痕迹，双面平刃宽于顶部，刃部打磨锋利。器表通体磨光，素面无纹。

这枚玉凿制作精良，没有使用痕迹，可能属礼仪用器。这类制作精细长条形玉器出土地点较为广泛，分布于中原核心文化区外围，如甘青地区、四川盆地、岭南地区等，时代大体相同或稍有先后。不同的发掘者对其命名不同，或称之为玉凿，或玉铲，或玉锛。

仁胜村10号墓玉凿存于四川省文物考古研究院三星堆遗址工作站。

火烧沟墓地玉凿　青铜时代四坝文化文物。1976年，甘肃省玉门市火烧沟墓地出土。1972年春天，玉门的清泉公社修建中学，挖地基时，意外发现火烧沟遗址。1976年，甘肃省博物馆对火烧沟遗址开始进行发掘，清理一批墓葬。

火烧沟墓地玉凿长14厘米，宽3厘米，厚1.8厘米。青玉，侵蚀较为严重，由自然玉块磨制而成。凿身为不规则长方形，较扁平，上厚下薄。近背部居中处有对穿圆孔。双面刃，略呈弧形。器表素面无纹。

该玉凿是甘青地区青铜时代早期玉石器代表。

火烧沟墓地玉凿存于甘肃省文物考古研究所。

金沙遗址玉凿 商代晚期至西周早期文物。2001年，四川省成都市金沙遗址出土。金沙遗址是成都平原一处十分重要的青铜时代遗址。2001年初发现，该遗址出土金、玉、石、漆、骨等珍贵文物5000余件，还有数以万计陶器及大量象牙、野猪獠牙、鹿等。其中出土玉器总量达2000余件，种类繁多，是出土玉器最多遗址之一。

金沙遗址玉凿长16.7厘米，宽0.8～1.2厘米，厚0.8厘米。青玉，半透明，上有极少处淡黄色沁斑。横剖面为近长方形，器顶部磨尖，器身两侧留有切割痕迹，窄弧刃，刃口锐利。玉凿属于金沙遗址出土工具类玉器中主要器类之一。其玉料来源初步判定为四川盆地周边地区，富有鲜明地域特色。

金沙遗址玉器大多经过抛光处理，器表多光滑、细腻。工具类玉器在金沙遗址玉器中占有相当比重，这种现象与甘青地区比较相近。两地同处于文化交流频繁的半月形地带，可能存在密切交流和联系。

金沙遗址玉凿存于成都文物考古研究院。

龙岗寺355号墓玉刀 新石器时代仰韶文化早期（前5000～前3500年）文物。1983年秋季，陕西省南郑县龙岗寺遗址355号墓出土。1959年，调查发现龙岗寺遗址。该遗址是一处包含有多种考古学文化的新石器时代遗址。1983年秋季起，为进一步探明汉水上游地区原始文化面貌及发展脉络，考古人员对遗址进行发掘。从发掘成果看，仰韶文化半坡类型文化遗存最为丰富，这件玉刀亦为该时期墓葬遗物。

龙岗寺355号墓玉刀长17.8厘米，宽7.8厘米，厚1.8厘米。材质为似玉石英片岩。器表颜色为灰白色，上有黑色、青色斑点。器物整体呈不规则梯形，器体较扁薄，中部有一道凸棱脊，其两侧逐渐变薄，双面斜直刃。器物较小一端有单面钻一小孔，中部有一崩豁。器物通体抛光。

龙岗寺遗址出土仰韶文化早期玉器24件。这批玉器质地细腻光润，器类有斧、铲、锛、凿、刀等，主要为生产工具。这件玉刀刃部有崩缺情况，应为日常生活中使用工具。

龙岗寺355号墓玉刀存于陕西省考古研究院。

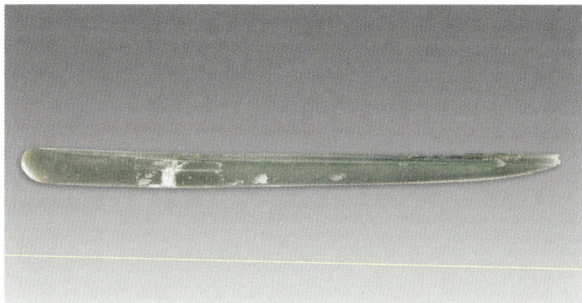

制作精良，不见使用痕迹。

这件玉刀虽无纹饰，造型也相对简单，但是代表了晚商时期一种新形制玉刀的出现。

妇好墓玉刀（乙）藏于河南博物院。

北窑215号墓玉刀　西周文物。1964～1966年，河南省洛阳市北窑西周墓215号墓出土。北窑西周墓地位于洛阳市老城北郊，是一处西周王室贵族公共墓地，遭到严重盗扰。1964～1966年，共清理西周墓葬384座。215号墓为西周早期无墓道大型墓。

北窑215号墓玉刀长11厘米，宽2.1厘米，厚0.7厘米。青玉，通体抛光，器物上有斑点状破损。刀身呈长条形，横截面近椭圆形。刀上下部分略薄，端部为尖状，柄部为卷尾龙形，龙似为张嘴状。

这种形制玉刀在西周时期数量很少，215号墓仅出土一件。与商代玉刀形制相比边角缓和、圆润，不见刚劲之风。对研究西周早期玉器风格是不可多得实物标本。

北窑215号墓玉刀藏于洛阳博物馆。

妇好墓玉刀（甲）　商代晚期文物。河南省安阳市妇好墓出土。妇好墓中出土各种玉刀几十件，种类有仿青铜玉刀、小刀、刮刀、梯形刀及小刻刀等，大部分都雕琢有精细纹饰。其中仿青铜玉刀三把，这件是其中一把。

妇好墓玉刀（甲）通长13.2厘米，宽3厘米，厚0.4厘米。墨绿色，局部有黑色斑点。整器呈扁长条形，凹背曲刃，翘尖短柄，仿铜刀制作。背部较厚，脊部雕出锯齿形扉棱，刃由两面磨成。刀身两面刻有以"～"形为主纹饰，上下游与刀身平行阴刻纹。没有使用痕迹。

商代刀具，尤其青铜刀类别较多，用途也很广，包括兵器、生活用具和工具等。这件玉刀长和常使用工具类刀比较接近，制作精良，无使用痕迹，可能为礼仪活动中的用器。

妇好墓玉刀（甲）藏于中国国家博物馆。

妇好墓玉刀（乙）　商代晚期文物。河南省安阳市妇好墓出土。在妇好墓出土众多的玉刀中，从器形上来说，这件玉刀有其特点。

妇好墓玉刀（乙）通长13.8厘米，宽2.7厘米，柄厚0.5厘米。青玉质地，受沁有土褐色斑。刀为直背，较厚。双面刃，弧形，刀锋尖锐，柄较宽长。在背中部有一小圆孔。器物

邱承墩越国贵族墓削形刀 战国文物。2003年3月～2004年12月，江苏省无锡市鸿山镇越国贵族墓邱承墩出土。邱承墩墓葬位于鸿山越国贵族墓地最西边，是特大型土墩。该墓出土器物1098件，其中玉器大多出土于主室东部。

邱承墩越国贵族墓削形刀长11.4厘米，削宽1.3厘米，柄宽0.6厘米，背厚0.5厘米，刃厚0.1厘米，环径1.2～1.5厘米，环孔径0.4～0.8厘米。青白玉，受沁呈白色，间有绿色花斑，不透明。环首，削与环首阴刻云纹，柄部阴刻直线纹和斜方格纹，两面纹饰相同。

邱承墩越国贵族墓削形刀藏于南京博物院。

前掌大38号墓鱼形刻刀 商代晚期（前1300～前1046年）文物。1995年秋，山东省滕州市前掌大38号墓出土。38号墓位于墓地南区中部，为一座竖穴土坑墓，在墓地中属中型墓。在前掌大墓地中，还出土类似8件刻刀状尾鱼形玉器。

前掌大38号墓鱼形刻刀长4.75厘米，宽0.95厘米，厚0.38厘米。淡褐色玉质，不透明，一面沁蚀严重，通体光滑。吻部宽大突出，斜刃刻刀状尾。双面雕，阴线刻划出头、唇、睛、背鳍一、腹鳍二，圆睛。头部单面钻一圆孔。

与此玉鱼同出的有各种形状的小玉饰，如玉坠、玉璜、片形玉器、玉龙、玉鱼等，位于墓主肩、胸部，当为墓主身上佩饰。这类玉鱼尾部做成刻刀状，功能有待研究。

前掌大38号墓鱼形刻刀存于中国社会科学院考古研究所。

曾侯乙墓玉首削刀 战国文物。湖北省随州市曾侯乙墓出土。这件玉首削刀位于东室墓主内棺骨架腰腹部当中，刀尖斜向左上方。

曾侯乙墓玉首削刀通长22.3厘米，刀身宽1.8厘米，茎宽0.7厘米，茎长7厘米，身长13.5厘米，首长4.2厘米，宽3.4厘米，厚0.3厘米。玉首部分为青玉且带蓝点有光泽，四角原有缺损并夹有酱黄色杂质。整个玉首呈圆角长方环形，四角各接有一透雕龙首装饰，首面阴刻窃曲纹。刀身为青铜两面刃，截面菱形，前锋如剑形。茎部截面呈上宽下薄之三角形。刀身下刃长于上刃，长出2.1厘米。茎与玉首相接处呈龙首形，两面各一，共衔住玉首柄。

刀茎表面有金黄色块斑，茎首交界处龙头颈部残存红漆，刀身黑色闪亮。

这件玉首削刀为玉与青铜结合，华丽精美。

曾侯乙墓玉首削刀藏于湖北省博物馆。

兴隆洼201号房址玉匕形器　新石器时代兴隆洼文化（前6200～前5400年）文物。内蒙古自治区敖汉旗兴隆洼遗址201号房址出土。

兴隆洼201号房址玉匕形器长3.6厘米，宽1.05厘米，厚0.33厘米，孔径0.15～0.35厘米。为黄绿色。器体呈长条状，通体抛光，磨制精细。顶端略凸，两侧竖直，一面光平，另一面微微鼓起，末端为外凸弧形，顶端和末端都较薄，似刃。靠近顶端边缘一侧有一个椭圆形小孔，极容易被拉破。

兴隆洼文化出土有多件玉匕形器。根据对这类玉器观察，有一突出特点是顶端和末端打磨成刃状。根据研究，兴隆洼文化这类玉器穿孔可能是先琢击再扩孔成椭圆形坠孔，这种做法具有一定原始性，可能是借鉴石器加工方法。对探索中国早期玉器制作工艺有重要意义。

兴隆洼201号房址玉匕形器存于中国社会科学院考古研究所。

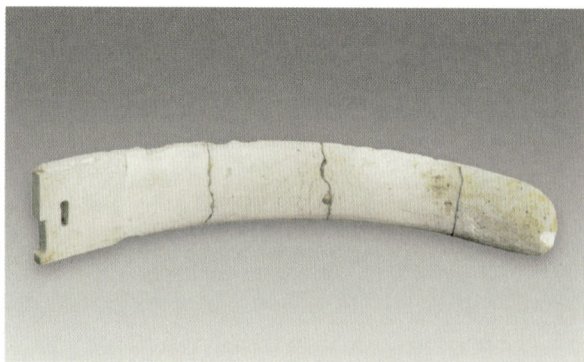

瑶山12号墓玉匕形器　新石器时代良渚文化（前3300～前2200年）文物。浙江省余杭市瑶山12号墓出土。

瑶山12号墓玉匕形器长14.5厘米，宽2.55～3.15厘米，厚0.5～0.63厘米。白玉，表面有黄色土沁。器物断成三截，一端残，部分边缘有破损。整体为扁宽条形，侧视为弯弧状，两侧修薄，似刃。在柄端处有一扁圆形穿孔，可能用作挂系。柄端内凹面刻方框，内阴刻卷云纹。器端一侧琢刻凹缺，似冠状器顶端凹缺之一半。

瑶山墓地中仅出土一件此类玉器，在整个良渚文化中亦为仅见。这件玉匕形器虽形制简单，但加工制作难度较大。制作有弧度的玉器，需要高超的技能。这件玉匕形器丰富了良渚文化玉器种类。

瑶山12号墓玉匕形器藏于临平中国江南水乡文化博物馆。

妇好墓玉匕　商代晚期文物。1976年春，河南省安阳市妇好墓出土。妇好墓中出土玉匕有两件，这件玉匕是精品，另一件为素面。

妇好墓玉匕长14.7厘米，柄端宽2.1厘米，厚0.4厘米。形似骨匕。棕褐色，有黑斑。扁平长条形，顶部近平，两侧稍内凹，下端呈舌形，比较薄。一面柄端为蝉纹，匕面饰

四蝉，头均向下，尖嘴方目，两足外屈，双翼展开，短身尖尾。另一面柄端雕两端纹饰，上段由两个对称倒夔纹构成，其下饰饕餮纹，张口状。匕面饰有花纹三段，上段为兽面纹，口向下，方目细眉；中段似目雷纹；下段则为三角纹。柄端中部有一小圆穿孔。匕面下端圆滑，有长期使用痕迹。

妇好墓中除玉匕外，还出土多件骨匕，多数为素面，少数雕刻有精美纹饰，可作对比研究。

妇好墓玉匕存于中国社会科学院考古研究所。

妇好墓调色器 商代晚期文物。1976年，河南省安阳市妇好墓出土。

妇好墓调色器长11.8厘米，宽6.5厘米，盘深0.4厘米。正面为灰白色，背面为墨绿色。整体呈方形，前端敞口较薄，三侧有高起边框，盘底满染朱砂。盘后雕双鹦鹉，背相对，尾相连，作站立状，钩喙大眼，"臣"字眼，短翅长尾，尾尖内卷，足雕四爪，翅雕翎纹。在两尾相连处，有一高起圆纽，纽上有孔，似为悬挂之用。两面刻纹基本相同。推测为调色之用。

妇好墓中仅出土一件调色盘，也是商代仅见，代表一种全新玉器品类。调色盘雕刻的鹦鹉造型晚商常见。同墓出土一件玉梳，上端雕琢两只鹦鹉，作相对形态，另一件玉佩上雕刻两只鹦鹉，作相背形态。这种对称式造型构图，匠心独运、别致精巧。

妇好墓调色器藏于中国国家博物馆。

北窑14号墓调色器 商代晚期至西周时期文物。1964年，河南省洛阳市北窑西周14号墓出土。为一座西周中期中型竖穴土坑墓。

北窑14号墓调色器长10.1厘米，宽5.2厘米，高3.4厘米，背部圆洞径1.9厘米，深2.3厘

米。灰白色玉，通体抛光，首部有黑色斑纹。圆雕猪作伏卧状，头向前伸，"臣"字眼，双耳贴向头后，屈腿，背部削平，雕琢四个圆孔，孔周有唇作外缘。周身饰精致卷云纹，目、耳及腿部以阴线刻成。出土时，圆洞内残留有朱红色颜料，据此推测该器物为调色盘。

西周早期及中期偏早的玉器雕刻工艺，具有晚商玉器遗风。北窑西周墓葬中有一部分丧葬习俗与殷遗民相似。有学者认为，这些墓葬应是殷遗民之墓。这件牛形调色器可能是殷遗民使用的。

北窑14号墓调色器藏于洛阳博物馆。

第六节　丧葬用器

张家坡157号墓玉覆面　西周文物。1983～1986年，陕西省长安县沣河西岸马王镇张家坡井叔家族墓157号墓出土。根据157号墓出土铜器铭文判断，该墓墓主为西周中期的一代井叔。该墓严重被盗，这组玉覆面散布棺椁内，眉形器、眼形器出于内棺北端，鼻形器出于椁内南端中央，嘴形器和耳形器出于椁内西南角。

张家坡157号墓玉覆面眉形玉片长5.8厘米，宽2.1厘米，厚0.3厘米；眼形玉片长5.8厘米，宽3.6厘米，厚0.6厘米；嘴形玉片长7.3厘米，宽2.4厘米，厚0.3厘米；鼻形玉片长6.3厘米，宽2.2厘米，厚0.4厘米；耳形玉片长5.1厘米，宽3.8厘米，厚0.6厘米。为缝缀在覆盖于死者面部帽目上玉器，形似五官，共6件。眉形，透闪石软玉，豆青色；形似新

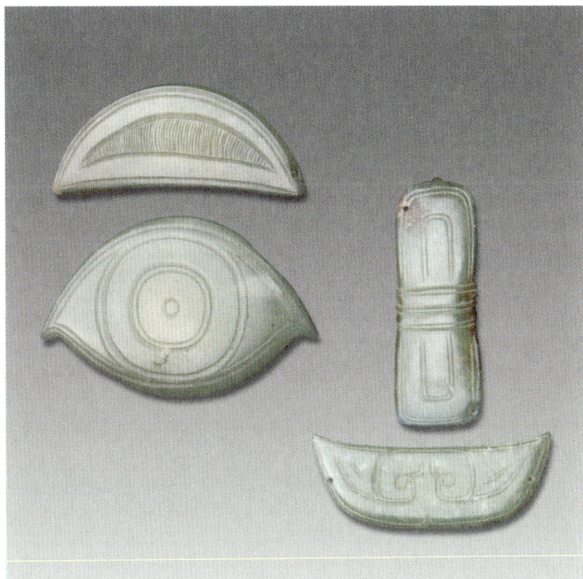

月，周边刻轮廓线，中有月牙形，内刻细密的线纹，以像眉毛，两尖端有从边缘穿向背面针孔，背面无纹。眼形，透闪石软玉，豆青色；形似圆梭，两眼角下垂，周边刻轮廓线，中央刻三圈同心圆纹，背面无纹，两眼角上下都有由边缘穿向背面的针孔。嘴形，透闪石软玉，豆青色；形似月牙，两角向上，作张口咧嘴之状，周边刻轮廓线，中刻卷云纹，背面无纹，但有一条裁玉的沟痕，两嘴角下各有一个明孔。鼻形，透闪石软玉，青绿色；器作弧边长条形，中腰横束三道凸弦纹，上下刻两圈对称的双线纹，背面无纹，上下斜角各有一个明孔。耳形，透闪石软玉，豆青色；形似卷云，外缘中央有尖状凸起，表面刻卷云纹，背面无纹，两侧边缘各有一个通向背面的穿孔，在尖状凸起两侧也有一个相通穿孔。

157号墓年代属西周中期，该组玉覆面是玉覆面的早期代表。

张家坡157号墓玉覆面存于中国社会科学院考古研究所。

张家坡303号墓玉覆面　西周文物。1983～1986年，陕西省长安县沣河西岸马王镇张家坡井叔家族墓303号墓出土。西周时期贵族井叔家族墓地出土遗物有陶器、青铜器、玉器等数千件，其中包括很多珍贵文物。

张家坡303号墓玉覆面角形玉片长6.2厘

米，宽2.4厘米，厚0.4厘米；眉形玉片长3.8厘米，宽1.6厘米，厚0.3厘米；眼形玉片长3.5厘米，宽2.1厘米，厚0.4厘米；鼻梁器长4.3厘米，宽2.2厘米，厚0.4厘米；鼻形器长4.5厘米，宽2.4厘米，厚0.7厘米；齿形玉片长2.4厘米，宽2.3厘米，厚0.4厘米。玉覆面为一套20件。蛇纹石，青色或青白色。正面刻纹，背面无纹，针孔均由侧面向背面穿透。

角形器1对，左右对称，内端为顾首龙纹，龙尾外延伸外角，器身中部透雕，针孔在两端。眉形器1对，左右对称，内端作卷云状，眉尖下垂，针孔在上下两角。眼形器1对，椭圆形，刻同心圆三圈，中为眼珠，针孔在两侧。鼻梁器1件，中腰有三道横束，上下作花瓣状，上下两端各有一针孔。鼻形器1件，上端像鼻梁，下端像鼻翅，刻卷云纹，上下两端有针孔。齿形器7件，三角形，正倒相间像上下齿，上下两端各有一针孔。其他几件形状各异，1件为鳞形，1件为曲线形，1件为长叶形，有纹饰一面朝下，素面向上，扉牙呈黄褐

色，鼻、髭呈青白色，余皆呈黄色。

由于墓葬被盗，这套玉覆面并不完整，是井叔家族墓地保存构件最多的一套玉覆面。

张家坡303号墓玉覆面存于中国社会科学院考古研究所。

晋侯墓地31号墓玉覆面　西周文物。1993年上半年，山西省曲沃县晋侯墓地31号墓出土。31号墓是一座单墓道竖穴土坑墓。

晋侯墓地31号墓玉覆面缀玉最长6.2厘米，宽2.9厘米。玉覆面由79件不同形状、性质各异玉件组成。周边围绕大小间隔三角形片。面部自上而下为眉毛、额头、鼻子、眼睛、耳朵、脸颊、嘴、腮及下颌。每件玉饰上均有对穿孔，位置大多在边缘。眉、额和鼻梁上部、脸颊是利用雕琢过材料改制而成。眉形饰为2件石璜，目形饰为2件抹角长方形石片间各以一鱼形饰和三钩形饰填补，面颊饰为2件抹角方形，耳形饰2件，置于目形饰两侧，菱形额心饰1件。鼻形饰2件，一方形石片在上，缺一角；一长方形石片在下。半月形口形饰

1件，两侧腮形饰各1件，下方领、成饰各1件。在眉目间，鼻翼部位、口、颔饰两侧，耳饰外侧，有钩状饰22件，其安排方式不甚明了，仅根据出土时大体位置复原。覆面玉石片部分有纹饰，其中有些如眉、额心、上鼻梁、面颊等饰件，是利用雕琢过材料改制而成。

31号墓这组完整玉覆面出土时，位于墓主头部，使人们看到其完整形态。因此，对周代脸部葬玉使用有了全面认识。

晋侯墓地31号墓玉覆面存于山西省考古研究所。

晋侯墓地62号墓玉覆面　西周文物。1993年，山西省曲沃县晋侯墓地62号墓出土。62号墓墓主为西周晚期晋穆侯。

晋侯墓地62号墓玉覆面鼻形缀玉长8.5厘米，宽3.3厘米。用48件玉片缝缀在布帛上组成人面形。四周围以24片玉缀，中间用24片玉片组成五官。眉眼以碧玉制作。除玉缀外，其他玉片上均有纹饰。额为简略人龙合体纹，眉为勾连纹，耳、脸颊、腮、嘴饰有式样不一几

何纹。根据对纹饰观察，部分五官构件是利用有纹饰的旧玉改制而成。根据出土现状观察，覆面上、下方各有一组串饰。另外，覆面上还压有一组柄形饰及2件玉块。

从考古材料看，玉覆面出现于西周中期诸侯国君及其夫人墓中。西周晚期，是玉覆面重要发展时期。这组玉覆面是晋侯墓地西周晚期玉覆面典型代表。

晋侯墓地62号墓玉覆面存于山西省考古研究所。

晋侯墓地92号墓玉覆面　西周文物。山西省曲沃县晋侯墓地92号墓出土。92号墓出土两组玉覆面，分为两层覆盖在死者面部。该组玉覆面出土时，紧贴在墓主脸部。

晋侯墓地92号墓玉覆面口部缀玉长4.3厘米，宽1.8厘米。由23块形式不同玉片缀在布帛类织物上组成。9块带扉牙玉器围成一周，中间由眉、眼、额、鼻、嘴等，共14件玉器构成一完整人面形。出土时，有纹样一面朝下，素面向上。扉牙呈黄褐色，鼻、髭呈青白色，

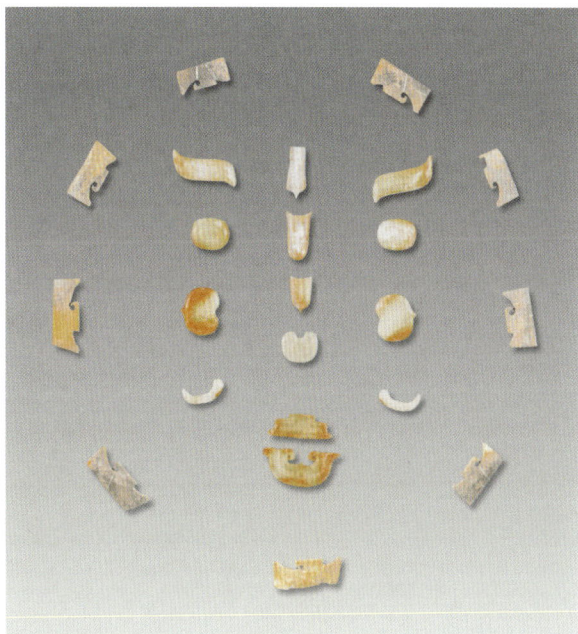

余皆呈黄色。

92号墓墓主为西周晋国第六代国君晋靖侯夫人，除这组玉覆面，还出土另外一幅玉覆面。一座墓出土两组玉覆面，现象十分特殊。

晋侯墓地92号墓玉覆面存于山西省考古研究所。

晋侯墓地93号墓玉覆面 西周文物。山西省曲沃县晋侯墓地93号墓出土。93号墓为一座双墓道的"中"字形竖穴土圹墓，是晋侯墓地唯一一座带双墓道晋侯墓。根据墓中铜器铭文，多数学者认为墓主为西周末至春秋初期晋文侯。晋文侯是晋国第十一代国君，公元前780～前746年在位。缀玉覆面位于墓主脸部，单面刻纹，出土时带纹样一面朝下。

晋侯墓地93号墓玉覆面口部缀玉长4.3厘米，宽1.8厘米。玉覆面由31件形式各异玉、石饰组成，缀合在布帛类织物上形成一完整人面形。四周为15件三角形玉片，玉片原为圆管状玉器，切割后成若干块小三角形片，中间由各种不同形状玉、石饰作额、眉、眼、鼻、颊、口等部位。玉饰上均有穿孔。

五官脸颊构件玉饰为玉璜，个别玉璜纹饰雕刻不完整，对了解当时制玉工艺和纹饰雕刻是十分难得的标本。有些构件为残玉充用、旧玉改制，这种情况在晋侯墓地玉覆面常见。

晋侯墓地93号墓玉覆面存于山西省考古研究所。

虢国墓地2001号墓玉覆面 西周晚期（前841～前771年）文物。1990年，河南省三门峡市上岭村西周虢国墓地2001号墓出土。发现于墓主人头部。

虢国墓地2001号墓玉覆面由142件（颗）组成，系14件仿男人面部的厚玉片，与44件三角形、梯形、三叉形薄玉片及68颗小红色玛瑙珠连缀而成人面部形状。象征人面器官的额、眉、眼、耳、鼻、腮、胡、嘴下颌等9种玉片摆在中部。外侧环绕两周各为22件玉片所组成脸部轮廓，内侧一周以三角形片为主，外侧一周为梯形片或三叉形片。几乎每件玉片下面都有一至三颗小红色玛瑙管形珠，以作打结固定其位之用。这些玉片除象征下颌玉璜之外，绝大多数是用其他玉器改制而成，如眉正背面均

保留原器凤鸟纹。右耳正背面有作鳞纹龙身盘曲之形，内耳处刻细线纹，左胡器表保留有臣字目在内部分原器纹样。

虢国墓地2001号墓玉覆面藏于河南省博物院。

真山大墓玉覆面 春秋文物。1995年，江苏省苏州市浒关真山大墓出土。真山大墓位于苏州浒关镇真山顶峰。1992年11月，由于炸山发现真山墓地。经调查，整个墓地有57座土墩，其中真山大墓编号为9号墩。

真山大墓玉覆面玉虎长15.5厘米，宽8.1厘米，厚0.35厘米。玉瑗外径9.67厘米，好径4.91厘米，厚0.3厘米。眼罩长4.64厘米，宽3.48厘米，高1.75～2.38厘米。鼻罩长5.04厘米，宽3.65厘米，高3.35厘米。玉琀长4.77厘米，宽1.46厘米，厚0.67厘米。玉覆面是用眉、鼻、眼、口等形状玉片组成人脸的玉覆面，一套8件。由虎形玉饰1对（双眉）、拱形饰1对（双眼）、拱形饰1件（鼻）、玉瑗1对（面颊）、长方形束形饰1件（口）组合而成。玉色为火黄或灰白。虎形玉饰2件形制大

小相同。扁平，单面纹，2件可以合为一体。虎作伏卧状，垂首，拱背，卷尾，首尾各一小孔，收足。虎身饰蟠虺纹，足部饰鱼鳞纹，头、脊有扉棱。脊背边缘饰重环纹，尾部及腹部边缘饰绳索纹。玉瑗2件形制大小相同。器薄而规整，有两个对称小穿孔，正面饰9组夔龙纹。肉好均有郭，郭内饰绳索纹。背磨成圆弧素面，好壁呈斜面。拱形玉罩为眼罩和鼻罩，鼻罩略大，器均作拱形瓦状，两端向内成斜面。眼罩拱面向一侧倾斜。皆素面。玉琀为长方形。双面纹，中部束腰。两端饰兽面纹，束腰部边缘饰绳索纹。

真山大墓玉覆面时代特征明显。比较具有代表性的是玉覆面中一对虎形玉饰，其主纹为蟠虺纹，反映出春秋时代特征，耳腿部饰鱼鳞纹，则为地方特点。除此之外，真山大墓玉覆面已由中原出土缀玉覆面的平面型转向立体型，具体表现在代表眼睛、鼻子的拱形饰上，更加生动、形象。

真山大墓玉覆面藏于苏州博物馆。

荆州秦家山玉覆面 战国文物。1997年，湖北省荆州市秦家山2号墓出土。该墓墓主人为女性，其身份为楚国贵族。出土时，玉覆面仍覆盖在墓主人额脸上。与之相应的是，在墓主人头骨两旁，还随葬2件玉璜、2件玉佩和1件玉笄，与玉覆面应该是一套完整组合。

荆州秦家山玉覆面长20厘米，宽13.9厘米，厚0.23厘米。玉覆面呈椭圆形，黑褐色。其制作方法为，先经过锯截，琢磨成人面轮廓，然后进行穿孔、雕饰。眼睛、鼻孔、嘴部镂空，面、眉等皆阴刻，刀法细腻，线条流畅。覆面四周有8个小圆孔，应是缝缀于用丝织品制

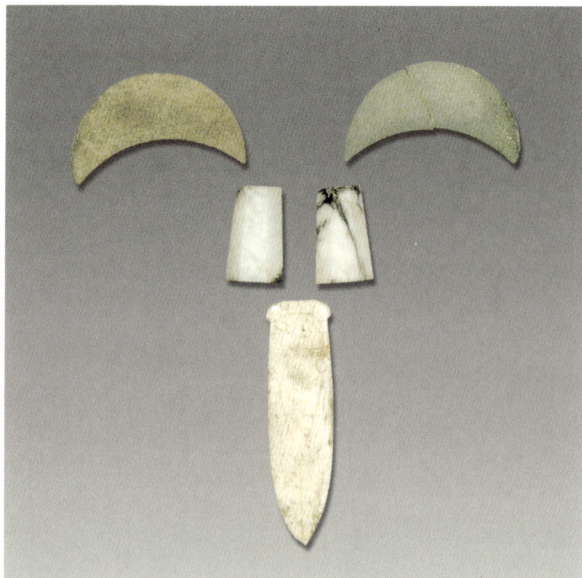

成面罩之上。覆面与普通人面部大小一致。

荆州秦家山玉覆面与西周至汉代其他玉覆面均不同，极为少见。该玉覆面是用一块玉刻出完整面部形象，系仿真人制作。玉覆面脸形、五官和发型等都与包山2号墓出土木俑相似，显然是以当时楚人为蓝本。秦家山2号楚墓出土的玉覆面，提供了先秦时期"玉殓葬"的实物资料，对研究战国时期楚国与中原地区的文化交流具有参考价值。

荆州秦家山玉覆面藏于荆州博物馆。

中山王墓1号墓玉覆面　战国文物。1974年，河北省平山县三汲乡中山王墓地1号墓出土。这套不完整的玉覆面出土于1号墓，墓主为中山王譽。

中山王墓1号墓玉覆面玉眼盖长3.3厘米，中宽1.2厘米，厚0.2厘米；玉鼻塞长1.8厘米，最大径1.1厘米，最小径0.8厘米；玉口琀长4.6厘米，宽1.3厘米，厚0.2厘米。玉覆面包括玉眼盖、玉鼻塞、玉口琀三部分。玉眼盖，黑玉，黑灰色。呈新月形。无纹饰。玉鼻塞，墨玉，黑白色相杂，质细。呈八棱柱状，

两顶面平齐，一端向另一端渐细。玉口琀，白玉质，灰白色。蝉形，体长，前端平齐，后尾渐尖。身上细阴线刻眼，翼等纹。

1号墓椁室曾遭盗扰并经焚毁，墓室遗物散乱不全，这组玉覆面已不完整。

中山王墓1号墓玉覆面存于河北省文物研究所。

济北王陵玉覆面　西汉文物。1996年，山东省长清区双乳山济北王陵出土。

济北王陵玉覆面长22.5厘米，宽24.6厘米。由17块玉片和用一整块玉石雕镂而成。这块玉覆面由18个组件组成，眼睛、嘴巴由相对玉片对应磨出。形状为脸形，非常形象，左右对称，上下协调，部位恰当，浑然一体。各玉片内侧下棱和鼻罩边缘处斜穿细微孔，孔孔对应，以便相互缀联，使之成为一体。覆面底部没有发现丝织品之类缀连附托物，孔中也没有金属丝线之类，直接用丝缕线连接而成。玉料非改制而成，而是经过选择的，所以玉色纯正，均为白色。除鼻罩外，玉片均素面，但都经过抛光，底、面同样，表面滑润。玉覆面鼻罩最为精美，是用一块整玉

镂空雕刻而成，内部琢空，鼻梁中直，两翼外鼓上突，整体丰满盈益。两翼镂刻雷纹，下端透琢两个三角形鼻孔，余部外表线雕云雷纹。纹饰繁缛，布局得体。

这一时期诸侯王使用玉衣随葬成为一种葬制，并已盛行。济北王陵墓主人没有使用玉衣随葬，或与其身份有关。

济北王陵玉覆面藏于济南市长清区博物馆。

子房山3号墓玉覆面 西汉文物。1976～1977年，江苏省徐州市子房山3号汉墓出土。

子房山3号墓玉覆面额部方形玉片高2.5厘米，宽2.4厘米，厚0.35厘米；额部无穿孔圆形玉片直径3厘米，厚0.5厘米；额部穿孔圆形玉片直径分别为4.1厘米，4.3厘米，厚分别为0.6、0.3～0.5厘米；额部两侧长方形玉片高分别为3.5厘米，4.3厘米，宽分别为2.1厘米，1.6厘米，厚均为0.45厘米；额中部长方形玉片宽6.6厘米，高2.6厘米，厚0.5厘米；眼部4片璜形玉片长2～3.8厘米，高1.3厘米，厚0.5厘米；2件耳珰直径分别为4.4厘米，4.1厘米，厚0.2～0.6厘米；鼻部玉片高8厘米，

宽2.4～4厘米，厚0.5厘米；颊部玉片高3.8厘米，宽分别为2.6～4厘米，3～3.8厘米，厚0.2～0.3厘米；竖长方形玉片高分别为6.5厘米，6.4厘米，宽分别为1.6厘米、1.5厘米、厚0.5厘米；口部长方形玉片宽7.2厘米，高2.25厘米，厚0.6厘米；璜形玉片直径7.7厘米，孔径2.6厘米，厚0.5厘米。玉覆面按脸部五官形象雕琢，由22块有孔玉片组成，出土时位于墓主面部，已散乱。原简报称"玉面饰"由22件玉片组成，实际由22件穿孔玉片和1件未穿孔玉片组成人脸部的五官。额部由7件方形、长方形和圆形玉片组成。方形玉片1件，素面；圆形玉片3件。其中无穿孔玉片1件，素面，断面呈半圆状；穿孔圆形玉片2件，形制相同，位于前额两侧，玉片外缘略突，外圈饰谷纹，中部弧凸，饰4组卷云纹。长方形玉片3件，其中素面2件，左右对称竖置。另1件位于额中部，横置，饰谷纹。眼部由4件璜形玉片组成，玉片表面饰涡纹，两端无压线，似为整件玉环截成。耳部璜形玉片2件分置两侧。耳珰由2件素面小玉璧组成，玉璧好部四周有

管痕，但未钻透。鼻部玉片上窄下宽，有鼻梁和鼻翼，正中饰夔龙纹，其余部分饰涡纹。颊部由2组4件玉片组成。紧靠鼻翼两侧各有一梯形玉片，饰涡纹。梯形玉片外侧，各有一竖长方形玉片。左侧玉片素面，中部有凹槽；右侧玉片饰蒲纹。口部由长方形玉片1件和璜形玉片2件组成。长方形玉片饰涡纹，横置。璜形玉片位于口两侧，饰谷纹。其锯切面完全重合，应为同一玉壁对剖而成。22件玉片穿1～4孔不等，孔全部为管钻，孔径较大，一般为0.3～0.35厘米。有5件玉片有孔位偏移，或因近边缘而穿裂或未钻透现象。穿孔部位不在玉片边角，表明应是缝缀在织物上的，与汉以前的面罩缝缀技术相同。但额部正中圆形无孔玉片则应是粘贴在织物上的。面罩玉片基本上是利用其他玉器或残器改制的，但玉质和色泽基本一致。

这种写实风格和直接将玉片缝缀在绵绢上，承袭了汉代以前玉面罩的制作工艺。

子房山3号墓玉覆面藏于徐州博物馆。

石寨山6号墓玉覆面　西汉文物。1955～1960年，云南省晋宁石寨山6号墓出土。1955～1960年，云南省博物馆先后四次清理发掘晋宁石寨山古墓葬群，出土大批珍贵文物，为研究滇文化提供了难得的历史文物。石寨山6号墓是第一次发掘石寨山古墓群时，发掘的一座西汉中期墓葬。

石寨6号墓山玉覆面复原长70厘米，宽50厘米。由166片玉片组成，包括69片规整、有穿孔玉片和97片未穿孔玉片。在69片玉片中，与人眼、鼻、嘴部吻合形状特殊玉片有10片，均为浅绿间白、浅黄绿等色，蜡脂光泽，光洁滑润，其他59个玉片则为长方形、方形、梯形、三角形等状，角或边均穿有细孔，孔径1.5～2毫米，片体很薄。在97片未穿孔玉片中，大多玉片呈灰褐绿、灰乳白色，为玉壁或其他玉器所改制，边角均无穿缀孔洞，且大多断口粗糙、形状略呈长方形、弧边三角形，尺寸比有孔玉片略大一周。

这件玉覆面用166片玉片，构成一件完整的玉幎目（玉覆面）。2001年，云南省博物馆委托昆明冶金研究所、云南省地矿局专家对石寨山6号墓出土玉覆面作检测鉴定。鉴定结果显示，矿物组织结构、矿物成分、密度、硬度、折光率等，均与新疆和田玉近似，为滇文化玉料来源提供新线索。

石寨山6号墓玉覆面藏于云南省博物馆。

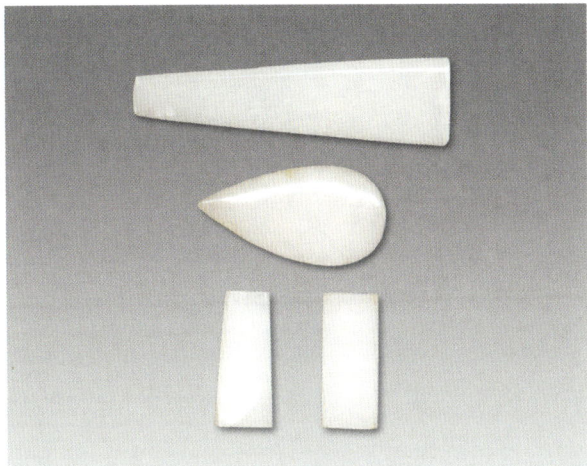

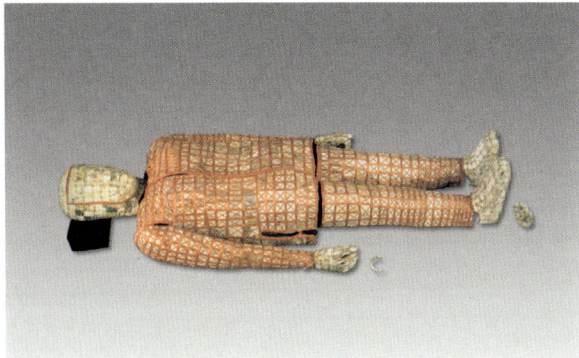

别山汉墓玉覆面　东汉文物。天津市蓟县别山镇别山汉墓群出土。1956年，别山汉墓群被河北省人民委员会公布为天津市文物保护单位。墓群所在地势较高，据县志记载，此地原有"七十二坨子"。坨子直径50米以上，经考古工作者调查和发掘，证实此处是一规模宏大的东汉豪强家族墓地。其中一座汉墓，出土有金、玉、铜、陶、琥珀等各类随葬品150余件，包括仅有眉遮、眼盖、鼻塞的玉覆面。

别山汉墓玉覆面眉遮1个，长梯形，长6.2厘米，最宽1.8厘米，厚1.7厘米；眼盖1个，大水滴形，正面微隆，光滑，长3.8厘米，宽1.9厘米，厚1.6厘米；鼻塞2个，作短柱形，高1.6厘米，径0.6厘米。白玉，纯净温润。

别山汉墓玉覆面的出土，对研究东汉豪强家族丧葬习俗有参考价值。

别山汉墓玉覆面存于天津市文化遗产保护中心。

南越王墓丝缕玉衣　西汉文物。1983年，广东省广州市象岗南越王墓出土。南越王墓是西汉第二代南越王赵眜墓葬。墓主着玉衣，与满城中山王墓非常相似，身上有"文帝行玺"金印，故确定为第二代南越王。

南越王墓丝缕玉衣长173厘米，肩宽44厘米。玉衣系丝缕编缀和粘贴组合而成，共2291块青玉片，外形与人体形状基本一样，分头套、上衣、袖筒、裤筒、手套和鞋六部分。为便于穿着，各部分分别制作。其中头套、手套和鞋玉片四角穿孔，琢磨光洁，以丝线连缀；其他部位玉片磨制稍差，不穿孔，用麻布衬里，粘贴玉片于麻布片上，每块玉片表面用窄丝带作交叉粘贴，然后再用宽丝带沿玉片边缘作纵横粘连，黏合剂呈朱红色。由于整件玉片皆以丝带缀连，故称"丝缕玉衣"。

玉衣是汉代皇帝、帝后、诸侯王，贵人、公主等王室贵族死后的殓服。南越王墓出土玉衣是已知汉代玉衣中年代较早一件，也是研究当时玉衣使用制度的珍贵实物资料。

南越王墓丝缕玉衣藏于广州西汉南越王博物馆。

中山靖王刘胜墓金缕玉衣　西汉文物。1968年，河北省满城县陵山中山靖王刘胜墓出土。该墓出土金缕玉衣等一大批珍贵文物，玉衣出土时，穿在墓主身上。

中山靖王刘胜墓金缕玉衣通长188厘米。玉衣共分头、上衣、裤筒、手套和鞋五部分，并附有九窍塞，玉衣头下还有鎏金镶玉铜枕。

玉衣上衣呈绿色，玉质莹润，下身为灰白和浅黄色。玉衣由大小不同长方形、正方形、三角形、菱形等光素玉片，于其角处穿透3～5孔不等，用纯金丝结扎而成。玉衣共有2498块玉片。玉片最长5厘米，最小边长1厘米，厚约0.2～0.35厘米。其孔眼最大0.2厘米，最小仅0.1厘米。全部缀结玉衣的金丝约重1100克，含金量96%。每玉片大小和形状都经严密设计和细致加工，金丝制作也很精细，表现出高超工艺技术水平。

西汉时期金缕玉衣已出土14套，刘胜墓金缕玉衣是保存最为完好的一件。玉衣各部件边缘是以织物和铁条锁边，加固成形，使之整齐美观。刘胜墓金缕玉衣的出土，使得世人重新看到金缕玉衣完整面貌和结构形制，为研究汉代丧葬制度提供了重要实物资料。

中山靖王刘胜墓金缕玉衣存于河北省文物保护中心。

窦绾墓金缕玉衣　西汉文物。1968年8～9月，河北省满城县陵山中山靖王妻窦绾墓出土。

窦绾墓金缕玉衣通长172厘米。玉衣玉片多数呈纯绿色，夹有灰白、黄褐色，玉衣由头罩、上衣、手套、裤筒和鞋等五部分组成，共用玉片2160片，金丝约700克。玉衣前胸和后背用数块大玉片经包镶、粘贴等工艺制成。附

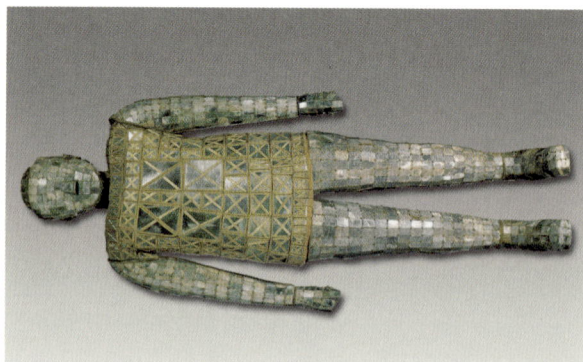

有九窍塞，头下有鎏金镶玉铜枕。玉衣的形制，与一般衣服不同。头部为一头套，脸盖上刻画出眼、鼻和嘴的形象；上衣前胸、后背和两袖都是分离的；裤的两腿也是分开的；手作五指形，足部为鞋靴状。

窦绾玉衣是女式的，与刘胜所穿稍有不同，上衣前胸和后背玉片较大，玉片间是以丝带连接而成，其他部分则用金丝编缀；刘胜玉衣，全部使用金丝编缀。玉衣制作方式，是把玉石琢成长方形、方形、梯形、三角形等小薄片，在玉片角上穿孔，然后用黄金制成丝缕编缀而成。

窦绾墓金缕玉衣存于河北省文物保护中心。

僖山1号汉墓金缕玉衣　西汉文物。1986年春，河南省永城芒砀山僖山1号墓出土。芒砀山共发现大型墓葬8处15座，这些墓葬位于山顶，其上堆有较厚封土，墓室规模较大，墓内出土遗物丰富，均属西汉梁国王陵墓葬。僖山位于河南省永城芒山镇东北约1千米，是芒砀群山最东部一座。1号汉墓位于僖山东冢，墓向朝东，为竖穴石室墓，墓葬平面呈"凸"字形，由墓道和单个墓室组成。1986年春，商丘地区文化局、商丘博物馆对其进行联合发掘。

僖山1号汉墓金缕玉衣长180厘米，宽约125厘米。金缕玉衣用2008片青玉组成，玉片

间用金丝加以编缀。按人体部位分别为头罩、面盖、上衣、袖、手套、裤、脚套等。头部由脸盖和头罩构成，脸上刻制出鼻子轮廓。上衣由前片、后片左右袖筒组成。裤筒、手和鞋各分左右两件。手作握拳状，鞋为方头高腰形，全套玉衣除了青玉片外，还附有玉猪、玉蝉、玉耳塞、玉鼻塞。

玉衣片玉质上乘，制作工艺精湛，代表了西汉时期制玉工艺水平。1991年，金缕玉衣作为中新建交的先行使者赴新加坡参加展出。

僖山1号汉墓金缕玉衣藏于河南博物院。

刘疵墓金缕玉套 西汉文物。1978年5月，山东省临沂县洪家店刘疵墓出土。1978年5月，临沂县城北10千米处的岔河公社洪家店村窑场在烧砖取土时，发现一座塌陷古墓，临沂县文物组杨佃旭、沈毅等考古工作者，闻讯赶到后对该墓进行抢救性发掘。该墓为土坑竖穴单葬墓南北向石椁木棺。棺木已朽，只残剩一层有红色条纹的黑漆皮。尸骨仅存痕迹，但在骨架处发现由金缕玉片缀成头罩、手套和脚套。

刘疵墓金缕玉套头套长29厘米，左右手套均为长15厘米，左脚套长27厘米，右脚套长28厘米。头套由面罩和帽两大部分构成，面部造型，以玉的色彩配搭和形状显示出眼、鼻、嘴的五官形象。手套有左右手之分。脚套为方头、平底、高筒，可区分左右两只。玉衣片均用青玉制成，共1140片，玉片大小形状，是根据人体各部位不同需要而设计磨制。玉片以长方形为主，间有少量三角形状，大多呈青色，部分受侵蚀。玉片很薄，质地晶莹细腻，有的玉片背面尚存有装饰性纹理图案，由此可知该类玉片很可能是用旧玉佩类玉件改制加工而成。大小玉片四角均钻有小孔，用金丝以十字交叉式联结起来，金丝仍然明亮坚牢，很少断折。

该墓墓主为刘疵。刘疵墓出土金缕玉衣只有头罩、手套、脚套，没有上衣和四肢。该玉衣形制与常见金缕玉衣大不相同，全国仅此一件套。

刘疵墓金缕玉套藏于山东省临沂市博物馆。

扬州"妾莫书"墓琉璃衣片 西汉文物。1977年10月，江苏扬州市邗江县"妾莫书"木椁墓出土。1977年10月，在邗江县甘泉公社老山大队发现一座大型木椁墓。墓内出土"妾莫书"银印，因名"妾莫书"木椁墓。该墓曾被盗，尚存遗物200余件。在出土器物中，以玉器和漆器最为突出。在棺室和椁室内有少数衣片发现，推测是盗墓者将尸体从棺内拖出所致。衣片数量不多，可能是盖在头部或身上的服饰。由于长时间变化，琉璃片已酥松，表层

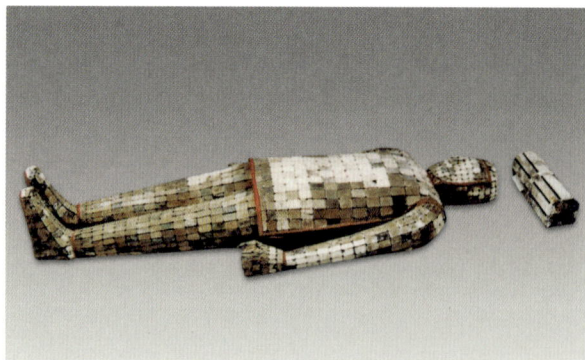

变成灰白色，部分芯子半透明，有小气泡，纹饰是模印的。

扬州"妾莫书"墓琉璃衣片长方形片长6.2厘米，宽4厘米，最小的梯形片长6.2厘米，上宽1.1厘米，下宽0.8厘米，厚度均为0.4厘米。墓中清理出琉璃近600片。大小不等，有长方形、梯形、三角形、圆形等14种，长方形琉璃片数量最多。多数素面，在圆形和少数长方形片面模印蟠螭纹饰。长方形片纹饰中心有四瓣形花一朵，少数花蕊上还保留一点金箔。圆形片上穿三孔，余均四角穿孔。只一片孔内残存一小截金属物，经扬州师范学院化学系化验，内含铜较多。墓内出土琉璃衣片，多数散布在棺内底部，在衣片上还粘有人的骨渣。

琉璃衣片的出土，前所未见，为研究不同质地的衣片提供了新实物资料。

扬州"妾莫书"墓琉璃衣片藏于扬州博物馆。

亳州董园1号墓银缕玉衣　东汉文物。1973年，安徽省亳州市城南董园1号墓出土。1973年，亳州考古工作者在亳州城南郊、董园村东头发掘董园1号东汉墓。墓内为砖室结构，

门朝东，墙上有彩绘壁画，券上为天象图，墓内遭到破坏，骨架与遗留文物混杂于碎砖淤土中。由于该墓多次被盗，发掘时银缕玉衣玉片大都分散在墓室中石棺台周围，银缕抽空，部分玉片被毁。此外，还有铜缕玉衣一件，但其玉片大都散在后室一带，不少混入盗洞填土中，铜缕玉衣玉片缺损较多，故未复原。

亳州董园1号墓银缕玉衣长188厘米，肩宽59厘米，厚25厘米。出土时，玉衣面部、脚底部尚完整，用银丝十字花编缀，另有数百块玉片，玉衣青色有沁斑。经复原，共用大小不等、形状不同玉片2464块。玉片四角有孔，供系银线之用。玉片均经磨制，做工细腻。

这座汉墓应为曹操父曹嵩之墓，因曹嵩居大司农、大鸿胪、太尉等官职，位高权重，故着银缕玉衣。1号墓玉衣，是出土的第一件"银缕玉衣"。

亳州董园1号墓银缕玉衣藏于安徽省亳州市博物馆。

刘胜墓镶玉鎏金铜枕　西汉文物。1968年6～8月，河北省满城县陵山中山靖王刘胜墓出土。镶玉鎏金铜枕位于刘胜墓玉衣头部之下。

刘胜墓镶玉鎏金铜枕通长44.1厘米，宽8.1厘米，通高17.6厘米。为长方体，中空，鎏金镶玉，并以浅浮雕式图案和雕玉为饰。枕

两端龙首高昂，龙身齐平形成枕面，镶嵌各式透雕玉片，枕两端龙身出土时，枕上残存丝绵枕套。下有两对龙爪形矮足。枕上平面镶嵌玉片，浅浮雕图案式云纹，前后侧面为透雕怪兽纹。枕面两侧棱上各饰浅浮雕式双兽，双兽相背，细修身躯长尾巴，兽间添饰一兽面。下部边缘饰浅浮雕式流云纹。枕底另行制成，安装在枕下，枕底粗糙，有4个长方形孔，孔上嵌玉4块，玉质较差。此枕造型精致，装饰华丽。枕内填充花椒，经中国科学院植物研究所鉴定，其品种为芸香科花椒属。

该铜枕鎏金镶玉，精工细琢，华丽夺目。

刘胜墓镶玉鎏金铜枕存于河北省文物保护中心。

后楼山汉墓鎏金铜架玉枕　西汉文物。1991年1月，江苏省徐州市后楼山西汉墓出土。后楼山位于江苏省徐州市区北10千米的京杭大运河北岸，属铜山县茅村乡洞山村。1991年1月，村民在该山采石时，发现1座西汉竖穴墓。闻讯后，徐州博物馆立即会同铜山县文化局派人进行发掘，发掘历时10天。出土文物较为丰富，有陶、铜、铁、玉、骨器等，共139件（组）。

后楼山汉墓鎏金铜架玉枕通长37厘米，宽16.5厘米，高11.3厘米。枕中间为长方形木

芯，抹角，木芯外包一层绢或布（发现有布、绢痕迹），木芯已腐，仅存痕迹。玉片及铜构件则贴扣在木芯周围。木枕芯外镶贴玉板，并以销钉固定在枕架上，枕面玉板上刻有2条"S"形龙，枕架四角附饰4条行龙。这件器物使用木芯、玉片、鎏金铜构件和金箔等组成，结构比较复杂。顶面主要由2块虎形玉片组成，空缺部分加补6块小玉片。玉皆青色，部分有褐黄色或灰白色斑痕。虎形玉片形状大小相同，为大头，长颈，短吻，阔嘴锐齿。两端面结构、大小相同。由玉片及铜铺首衔环组成。玉片3块，一大二小，大玉片形近璧，只是其下部截去一截，顶部裁去少许。中有一径3.5厘米的孔，孔中嵌入鎏金铜铺首衔环。玉片正面皆雕刻涡纹，铺首背面有铆钉及垫片，作固定用。内侧面由8块玉片组成。色青灰，多褐灰色斑痕。中间一块较大，可能由玉璜改制而成，有残缺。形状似虎，无首，多透雕，表面饰阴线。虎身饰谷纹，中间顶部有一直径0.4厘米小孔。其余玉片较小，呈长方形或不规则形，厚薄不均，皆素面，一面抛光。外侧面由玉片及铜构件组成。中间为一长方形铜框，框表鎏金。框内放置4块长方形玉片，玉片略呈盝顶形，玉片以金箔镶块连缀。左右2块上部有一铜铺首衔环，铺首背后有铆钉固定

于木芯上，铜框外两侧各有2块长方形玉片，皆素面，正面抛光。底面由四龙形铜器足及底座组成。龙形器足分置玉枕四角，形状相同，通体鎏金，高10.2厘米。龙昂首，双角粗壮，末端向上钩卷。

这件玉枕是汉代徐州地区玉枕的代表。

后楼山汉墓鎏金铜架玉枕藏于徐州博物馆。

济北王陵玉枕　西汉文物。1995年10月～1996年7月，山东省济南市长清区济北王陵出土。玉枕位于墓主人颈下。

济北王陵玉枕复原规格为长29.6厘米，宽7.66厘米，玉板厚1.1厘米。玉枕由9件玉片、3件玉板、2件玉虎头饰和竹板分3层组合而成。玉枕足为青绿玉，一端呈鸡骨白，另一端有油渍状污染。向下的一面有线刻装饰，中间为弧边菱形网格纹，两侧为卷云纹；玉枕面板为几何形薄玉片，沁蚀严重，沁色多为黄土沁，间有灰白、红褐色和灰褐色斑，断面皆为灰白色；侧边板沁蚀严重，均为灰白色；正面饰阴线勾连云纹，背面无纹，均作长方形条状。

济北王陵玉枕，结构巧妙，造型新颖，具有较高工艺水平。

济北王陵玉枕藏于济南市长清区博物馆。

刘焉墓玉枕　东汉文物。1959年3～9月，河北省定县北庄中山简王刘焉墓出土。

刘焉墓玉枕长35厘米，宽11.7厘米，高13厘米。玉枕用整块青玉雕琢而成，灰绿色。表面琢制光润。平剖面均呈长方形，重13.8千克。枕面两端略弧起，中部稍下凹。枕面及两侧浅刻变形云纹。除底部及左右两侧光素无纹外，其余部分均以细而浅游丝阴刻线琢饰出婉转流畅、相互勾连变化云纹。磨制光滑，线条清晰。

刘焉墓玉枕存于河北省文物保护中心。

应国墓地231号墓玉珩　西周文物。1993年，河南省平顶山市新华区薛庄乡西滍村应国墓地231号墓出土。20世纪70年代末，西滍村村民在滍阳岭上陆续发现青铜器，经专家考证为西周时期应国青铜器，确认该土岭为西周时

期诸侯国——应国贵族墓地。1989年开始，由河南省文物考古研究所与平顶山市文物管理局（平顶山市文物管理委员会办公室）组成考古队对该墓地进行考古发掘。1993年，发掘231号墓，墓东壁北半部被盗洞破坏，大部分随葬器物尚存。

应国墓地231号墓玉琀由25件组成，经拼合后可复原为6件玉鱼形佩，有4件是两两成对，玉质、玉色、形制纹样相同。1对是长条细瘦形玉鱼，1对是弓背形玉鱼。另有2件玉鱼，大小不一，形制基本相同，属短胖形玉鱼。

用碎玉作为口琀现象，在应国墓地比较普遍。应国墓地玉琀比较特殊，除用已有碎玉或边角料充作玉琀外，还出现将完整器物砸碎后使用现象。砸碎玉器有玉鱼、柄形器、小玉戈、玉觿等，有的是将几组玉鱼砸碎并充当玉琀。

应国墓地231号墓玉琀存于河南省文物考古研究院。

虢国墓地2011号墓玉琀 西周晚期（前841～前771年）文物。20世纪50和90年代，虢国墓地2011号墓出土。2011号墓为虢国太子墓，在墓主口内发现2件口琀玉，皆管形。

虢国墓地2011号墓玉琀左侧口琀高1.9厘米，径0.8～1.2厘米；右侧口琀高2.1厘米，直径1.2厘米，孔径0.1厘米。左侧口琀玉为扁圆管形，单向钻孔，饰阴线"S"形纹；右侧口琀玉为青玉，呈冰青色。口琀玉大部受沁呈灰白色，中心对钻孔，饰阴线云纹。二者皆为殓葬时所用之物。

关于玉琀，《说文》云："琀，送死口中玉也。"即指死者口中所含玉制品。在新石器时代，人们就有在死者口中放置玉制品习俗。《周礼》中，已将玉琀作为丧葬制度规定下来。虢国墓地中，口琀有玉、贝、珠等材质，由文献与出土玉器知，玉琀用途一是供墓主死后用，作为食品，不使死者空口；二是保护尸体不腐。

虢国墓地2011号墓玉琀存于河南省文物考古研究院。

虢国墓地2012号墓玉琀 西周晚期文物。20世纪50年代和90年代，虢国墓地2012号墓出土。2012号墓为梁姬墓，位于墓地北区西北部，与2011号墓相距22.5米，单椁重棺，竖穴土坑。

虢国墓地2012号墓玉琀左侧玉蚕长2.4厘米，厚0.5厘米；右侧玉蚕长3.5厘米，厚0.4

厘米。左侧玉蚕为青玉制成，原色为冰青色，玉质微透明，表面大部分受沁呈灰白色；右侧玉蚕亦为青玉，原色为深豆青色，玉质微透明，表面大部分沁成黄灰色。两件玉蚕皆呈弯腰状，左侧玉蚕体肥短，张口，有足，体分为七节；右侧玉蚕体瘦长，张口，下有小足，体分为九节。两件玉蚕皆为圆雕，头部有浮雕圆目，嘴下有一斜穿。

虢国墓地2012号墓玉琀出土时，位于梁姬墓内棺墓主左肩部，发掘者认为，应为口琀。西周墓葬中所见玉琀器形不固定，有玉鱼、玉璜、玉蚕、玉管等，以玉蚕充当口琀不多见。这两件玉蚕圆润可爱，细部雕刻精致，是研究西周玉器制作工艺水平的标本。

虢国墓地2012号墓玉琀存于河南省文物考古研究院。

曾侯乙墓玉琀 战国文物。1978年3～6月，湖北省随县曾侯乙墓出土。此墓葬出土葬玉器类有琀、口塞、握、片、半琮、残器、璞料等64件。其中21件玉琀，形制完整，出自墓主口腔和颅腔内。玉琀中，有玉牛6件、玉羊4件、玉猪3件、玉狗2件、玉鸭3件、玉鱼3件。

曾侯乙墓玉琀长、高不足2厘米。玉色青白，略带黄色，通体抛光，光泽较亮。牛、

羊、猪、狗、鸭、鱼等器形，有的器小如豆，圆雕而成，素面无纹。

此墓的玉琀，作六种动物形，具有一定寓意，反映出独特的用玉观念。

曾侯乙墓玉琀藏于湖北省博物馆。

中山王墓1号墓蛙形玉琀 战国文物。河北省平山县三汲乡中山王墓1号墓出土。1号墓出土蛙形玉器17件，由于椁室惨遭两次盗扰，曾被盗墓者烧毁，玉器散落墓中。

中山王墓1号墓蛙形玉琀长1.9～2.1厘米，宽1.3～1.6厘米，高1.1～1.2厘米。青玉，颜色深浅不一，玉质优良，有玻璃光。身似蛙形，鼻宽，目细长，耳似兔，额间有一半圆形饰，昂首蹲伏。头部扁，尾上曲。依形状不同可分两种，一种玉色较为匀净，雕琢较精细，体形较瘦，四肢着地。另一种色黑白相杂，体形肥胖，足与腹部成一平面。这批蛙形玉器通体圆雕而成，尺寸虽小，但工艺精湛。器身抛光精细，光亮莹润，无穿孔。

这批蛙形玉器推测为中山王口琀之物。战国时期，诸侯王墓中以玉雕小动物充当口琀现象，反映当时独特的用玉观念。

中山王墓1号墓蛙形玉琀存于河北省文物研究所。

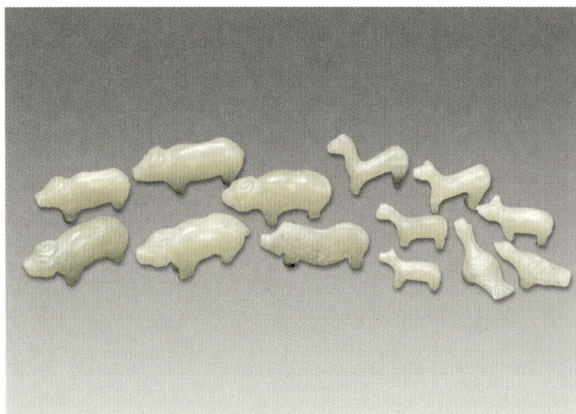

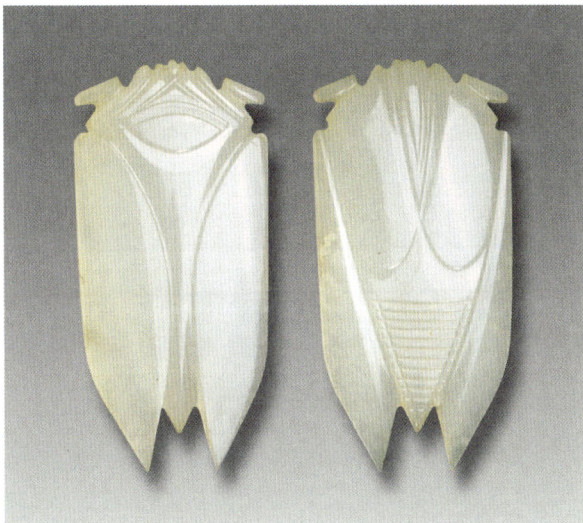

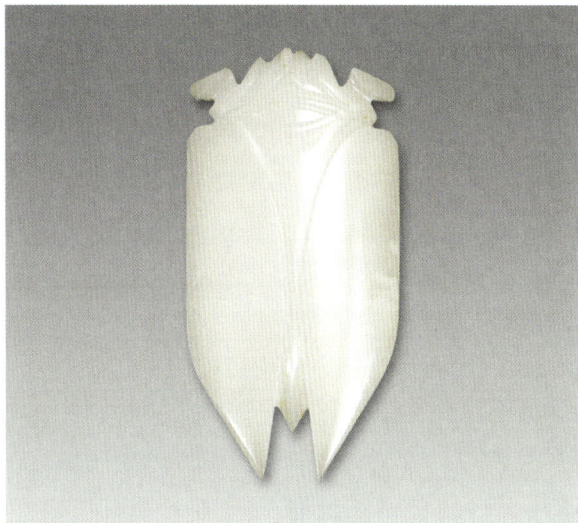

姚庄102号墓玉蝉 西汉文物。1988年8月23日～9月13日,江苏省扬州市邗江区甘泉姚庄102号墓出土。1984年春,扬州博物馆在邗江县甘泉乡姚庄村水利基建工地发现3座汉代木椁墓。其中1座遭到人为毁坏,另2座保存较好,分别编号为101号墓和102号墓。1985年2月,清理101号墓。1988年8月23日～9月13日,扬州博物馆组织人员对102号墓进行抢救性发掘。该墓为土坑竖穴木椁墓,系夫妇合葬墓。出土玉蝉发现于棺内。

姚庄102号墓玉蝉长5.7厘米,宽2.9厘米。和田白玉,纯洁无瑕,透明莹润。玉蝉以典型"汉八刀"工艺琢就,蝉翼紧迫,蝉腹伸缩,双目外突,棱锋毕显,线条挺拔,为西汉晚期玉蝉代表作。

蝉在古人心目中地位很高,向来被视为纯洁、清高、通灵的象征,其造型很早就被中国人选用为佩饰。自汉代以来,皆以蝉的羽化比喻人能重生。将玉蝉放于死者口中称作琀蝉,寓指精神不死,再生复活。玉琀蝉,汉代普遍流行。

姚庄102号墓玉蝉藏于扬州博物馆。

东阳4号墓玉蝉 西汉文物。1974年,江苏省盱眙县东阳4号墓出土。盱眙县位于江苏省西部,县城濒临淮河。东阳在县城以东35千米处,介于洪泽湖与高宝湖之间,与安徽省天长县毗邻。东阳背依云山,面向广阔平原,秦汉时期的东阳城址即坐落于此,尚能见到土筑城垣。近几年来,当地群众在古城外修渠整田,经常发现汉代墓葬,尤其是在东南部发现最多。1974年8月,当地出土一批汉代木刻画,内容较为丰富,南京博物院会同县文化部门一起,对出土木刻画的那座墓葬做进一步了解,并收集部分文物。又在其附近清理7座已暴露墓葬,其中包括东阳4号墓。墓中出土有玉琀。

东阳4号墓玉蝉长4.7厘米,质料属羊脂玉,滑润光亮。两面阴刻蝉形线条,玉琀头、尾沁泽较重,器体扁薄,头部圆弧,双目外突,双翼紧迫,形态优美,线条流畅。以汉八刀手法在正面磋出双翼,背面琢出腹部,线条流畅、简练,做工细致精巧,为汉玉雕蝉珍品。

东阳4号墓玉蝉藏于南京博物院。

刘焉墓玉蝉 东汉文物。1959年3～9月,河北省定县北庄中山简王刘焉墓出土。

刘焉墓玉蝉长6.4厘米，宽3.3厘米。和田羊脂白玉琢制，抛光细腻光润，洁白无瑕。形体扁平，中心稍厚，断面呈扁圆形，头部双目外凸，翼端和蝉尾呈三角尖峰状。用斜磨阴刻线条，分别琢出蝉的头、胸、腹、背及双翼。造型生动，线条干净利落，纹饰明快简洁。

刘焉墓玉蝉存于河北省文物保护中心。

虢国墓地2001号墓玉握 西周晚期（前841～前771年）文物。20世纪50和90年代，三门峡上村岭虢国墓地2001号墓虢季墓出土。2001号墓是一座长方形竖穴土坑墓，墓室结构完整，有三重木质棺椁，棺内葬一人，即为墓主。墓内随葬大量玉器，这两件玉握分别置于墓主左右手内，皆作二段内束圆管喇叭形状。

虢国墓地2001号墓玉握左侧玉握两段通长8.9厘米，较长的一段5.6厘米，较短的一段长3.3厘米，最大外径2.2厘米，孔径1.3厘米；右侧玉握两段通长8.9厘米，较长的一段6.3厘米，较短的一段长2.6厘米，最大外径2.6厘米，孔径0.8～1厘米。右手握玉，青玉，大部呈灰白色与黄白色。玉质较粗，半透明，出土时为二段，但可合为一个整体，较短的一段素面，较长的一段表面饰一组由龙纹组成作斜向平行的条带状纹样。龙张口吐舌，"臣"字

眼。龙身饰重环纹。左手握玉，形状大体同右手握玉，稍有区别的是纹样中只有龙纹。

这对玉握纹饰精美，是两周之际玉握的代表。

虢国墓地2001号墓玉握藏于河南博物院。

永凝堡5号墓玉握 西周文物。1980年6～10月，山西省洪洞县永凝堡西周墓地5号墓出土。1980年6～10月，山西省文物工作委员会考古队两次派员到洪洞县永凝堡（也称永凝东堡）村进行考古调查、钻探、发掘。钻探面积约1.3万平方米，共发现灰坑20个，墓葬56座，大部为西周墓，个别较晚。发掘清理22座墓，多为西周时期墓葬，大部分被盗。其中5号墓为西周晚期墓，出土物包括1件玉握。

永凝堡5号墓玉握高9厘米，顶面直径2.7厘米，底面直径2.3厘米。玉握为青白色、略泛黄，觚形，两端粗，中间细，两端平，柱端面中间有喇叭形孔上下贯通。龙纹自上向下缠绕，线条圆润流畅。采用西周内细外粗雕刻手法。

玉握为死者手中握着的器物，玉葬器之一。古人认为，死时不能空手而去，要握着财富和权力。这件玉握为西周时期玉握中典型的一类，玉质精良，是玉握中精品。

永凝堡5号墓玉握存于山西省考古研究所。

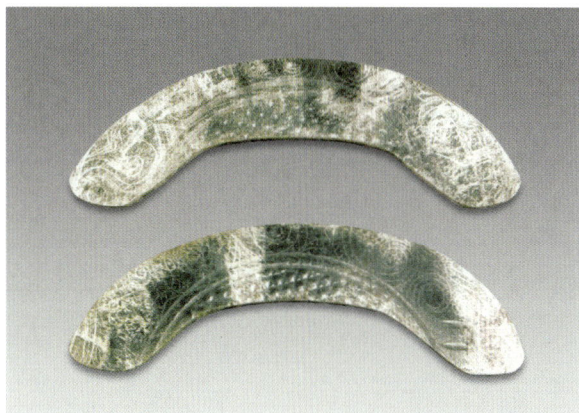

曾侯乙墓玉握　战国文物。1978年3月，湖北省随县曾侯乙墓出土。随县曾侯乙墓，位于县城西北约3千米擂鼓墩，原编为擂鼓墩1号墓。墓中出土2件完整玉握，分别位于墓主的左、右手处。

曾侯乙墓玉握上端直径1.8厘米，下端直径2.1厘米，高4.8厘米。玉握为灰白色，通体抛光，局部带糖色。圆柱形，两端平齐，上端略小于下端。纹饰分作上下两段，以斜线纹为界，分别饰三周阴线云纹。

这对玉握玉质精良，是战国时期玉握的优秀代表。

曾侯乙墓玉握藏于湖北省博物馆。

中山靖王刘胜墓玉握　西汉文物。1968年，河北省满城县陵山中山靖王刘胜墓出土。分别出土于刘胜金缕玉衣左、右手套内，应为下葬时，墓主左右手握持之物，即葬玉"手握"。

中山靖王刘胜墓玉握长22.6厘米，宽4.2厘米，厚0.8厘米。质地为青玉，表面受沁，局部呈鸡骨白色，器略呈月牙形，形制模仿玉璜，但不甚规整，也并未在两端穿孔，器面残留有夔龙、蒲纹。

这两件璜形玉握形体长，尺寸较大，与一般玉璜尺寸不相符合。根据其表面残留纹饰及其组合看，系用玉璧改制而成。这对玉握为研究西汉中期葬玉制度、制玉工艺，提供了实物标本。

中山靖王刘胜墓玉握存于河北省文物保护中心。

刘焉墓玉握　东汉文物。1959年3～9月，河北省定县北庄中山简王刘焉墓出土。刘焉墓出土玉器包括玉枕、带钩、璧、豚、蝉、塞、眼盖和"玉匣"饰片等，其中有玉握1件。

刘焉墓玉握长10.3厘米，宽2.3厘米，高2.7厘米。以和田玉琢制，抛光细腻光润，通体作伏卧猪形，背部滚圆，身躯肥胖。用勾撤技法琢出几道宽阴线，刻划出双耳、四肢等各部位轮廓，头和尾部各有一圆形穿孔，细小规整。琢磨细腻、传神。

刘焉墓玉握存于河北省文物保护中心。

仙鹤山6号墓玉猪握 东晋文物。1998年，江苏省南京市仙鹤门外仙鹤山6号墓出土。仙鹤山位于南京东郊仙鹤门外，有东、西二峰。1998年6月17日，因南京师范大学在此建设仙林新校区发现一处墓地，南京市博物馆同年进行考古发掘。共发掘墓葬三座，分前、后二排，均坐南朝北，南排二座，为1号、2号墓；北排一座，为6号墓，墓葬均为砖砌单室墓。从2号墓出土砖质墓志看，墓主为东晋名臣高崧及夫人谢氏。根据六朝家族墓葬一般排葬规律，推测北排6号墓可能为高崧之父高悝之墓。墓内出土玉猪1只。

仙鹤山6号墓玉猪长10.4厘米，宽2.6厘米，高2.9厘米。青白玉，温润光洁，保存完好。圆柱状，身躯浑圆，四肢屈伏，头尾两端平整，以"汉八刀"技艺琢磨猪的细部，具有东汉玉猪遗韵。下颌及尾部均对穿小孔，便于垂挂。

该墓未曾遭遇盗掘，出土随葬品400余件，其中有相当数量玉质、金质葬品，因而深受瞩目。特别是成组玉礼器、玉组佩、玉剑具、葬玉出土，不仅填补该器类在这一时期的空白，对研究六朝舆服制度及手工业制作而言，亦是珍贵的实物资料。

仙鹤山6号墓玉猪藏于南京市博物馆。

昭陵2号陪葬墓玉握 唐代文物。陕西省礼泉县唐昭陵2号陪葬墓出土。昭陵是唐太宗李世民陵墓，位于陕西省礼泉县九嵕山，这一处茔地是李世民生前亲自选定的，其不仅在生前对功臣、勋旧和各种人才作适当安排和使用，而且三次下令允许这些人死后陪葬，以表示"死生不忘"意思。这件竹节形玉握即出土于昭陵2号陪葬墓中。

昭陵2号陪葬墓玉握直径1.3厘米，长9厘米。为青黄色，表面有受沁的沁色。器体呈扁竹节形，通体抛磨光滑，素面无纹。

作为唐太宗昭陵的陪葬墓，陪葬者的身份主要是"功臣、密戚"。此墓年代为武周至开元初年，墓主身份可能是功臣或密戚的后裔。竹节形玉握为此墓仅见。

昭陵2号陪葬墓玉握藏于礼泉县昭陵博物馆。

张九皋墓玉猪握 唐代文物。1961年10月，广东省韶关市罗源洞张九皋墓出土。罗源洞古称武陵源，相传张九龄及家族墓地坐落于此。1961年10月，广东省文物管理委员会与广州哲学社会科学研究所合作，在韶关市博物馆协助下，对相传为张九龄之弟、殿中监张九皋墓进行发掘。张九皋墓砖室墓，平面呈"古"字形，由墓道、封门、通道、耳室和主室五部分组成。此墓多次被盗，破坏严重，出土文物146件，主要分布于主室。墓内出土玉猪1件。

张九皋墓玉猪长5厘米。质地为青玉，以

简练刀法刻出卧猪形态。

玉猪亦称玉豚，是一种较常见随葬玉器，既有用于手握，也有用于佩挂。

张九皋墓玉猪藏于广东省博物馆。

三角圩"桓平"墓玉窍塞 西汉文物。1991年冬季，天长县三角圩"桓平"墓出土。1991年冬季，安徽天长市东郊三角圩水利工地施工时，发现一古墓群，安徽省文物考古研究所、天长文物管理所组织考古队，对该墓群进行清理发掘。"桓平"墓出土玉器90件，包括8件窍玉，位于墓主人头部。

三角圩"桓平"墓玉窍塞耳塞高2.1厘米，口径0.4厘米，底径0.95厘米；鼻塞高2.1厘米，口径0.85厘米，底径0.95厘米；玉蝉长5厘米，宽2.4厘米；眼罩厚0.5厘米，径3.7～3.51厘米。分别为眼罩、耳塞、鼻塞各1对，琀蝉1只，还有1粒圆形紫红色玛瑙珠，也置于死者口中。

眼罩呈圆形，素面，器表微鼓，抛光，底部平素，磨光。鼻塞、耳塞形制相同，皆为素面，通体抛光呈上小底大的柱状体。口琀为玉蝉和玛瑙珠，蝉为白玉质，造型简单，通体抛光，头部有砣具刻划阴线，扁形体，中厚外薄，无孔，以"汉八刀"法阴刻出蝉形，简练刚劲。玛瑙珠通体抛光，黑、朱双色，中有一穿孔。

三角圩"桓平"墓年代明确，随葬玉器是研究汉代玉器的制作、使用的珍贵实物材料。据墓葬出土遗物考证，"桓平"身份是汉广陵王中宫谒者，该墓对研究汉广陵王历史具有参考价值。

三角圩"桓平"墓玉窍塞藏于安徽省天长市博物馆。

济北王陵玉窍塞 西汉文物。1995年10月下旬至1996年7月上旬，山东省济南市长清区济北王陵出土。济北王陵墓主人为刘胡之子刘宽，墓主人葬制为二椁三棺殓葬，《汉书·济北王传》载刘宽"悖人伦，又祠祭祝诅上"，由此导致王陵里陪葬玉器从王一级降到侯一级。墓内出土玉器50余件，其中包括耳塞、鼻塞和玉琀。

济北王陵玉窍塞耳塞小端直径0.78～0.79厘米，大端直径0.87～0.96厘米，高1.63～1.73厘米；鼻塞小端直径0.8～0.9厘米，大端直径

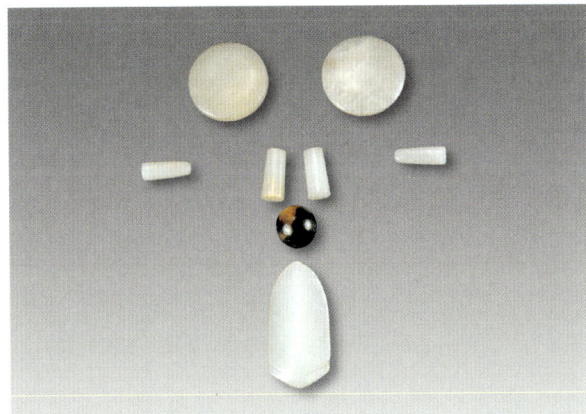

1～1.07厘米，高1.55～1.57厘米；口琀长3.8厘米，宽1.75厘米，厚0.95厘米。耳塞1对，略作圆台形，圆顶，为鸡骨白色；鼻塞1对，圆台形，平顶，小端边棱呈圆抹状，鸡骨白色；口琀呈蝉形，鸡骨白色，雕工为"汉八刀"工艺。

这些耳塞、鼻塞和口琀与墓内出土其他玉覆面、玉枕、玉璧、手握、肛塞等，共同组成一套完备葬玉，对研究汉代及其前后丧葬制度，具有重要意义。

济北王陵玉窍塞藏于济南市长清区博物馆。

姚庄102号墓玉窍塞 东汉文物。1988年8月23日～9月13日，江苏省扬州市邗江区甘泉姚庄102号墓出土。102号墓为土坑竖穴木椁墓，系夫妇合葬。墓内出土有3件玉窍塞。

姚庄102号墓玉窍塞玉肛塞长6.7厘米，直径1.1～1.4厘米；玉鼻塞长2厘米，直径0.7厘米。玉肛塞1件，白玉，呈八角棱形柱状，一端粗，一端细；玉鼻塞2件，青玉，八角棱形柱状。

完整的玉窍塞应包括九窍玉，即堵塞或遮盖在死者身上九窍的9件玉器，分别为眼塞2件、鼻塞2件、耳塞2件、口塞1件、肛门塞1件、生殖器塞1件，属于丧葬用玉，使用玉窍塞源于《抱朴子》中所提到的这样一种信念："金玉在九空与，则死人为之不朽。"这同玉衣能使尸体不朽的说法是一致的。

姚庄102号墓玉窍塞藏于扬州博物馆。

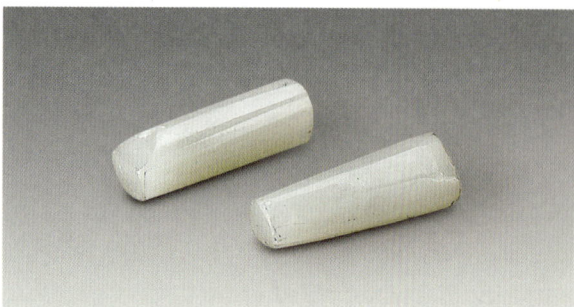

中山王墓玉指甲盖 战国文物。1974年11月～1993年6月，河北省平山县三汲乡中山王墓出土。在王墓中发现8件玉手指盖。

中山王墓玉指甲盖长2.2～3.35厘米，宽1～2.3厘米，厚0.2厘米。指盖作长指甲形，上端圆头，下部齐头，颜色不一，白色、灰白色、青灰色均有，质细者有玻璃光。指甲盖由拇指到小指依次缩小。按两手十指计算，玉指盖缺少一对两件，为食指盖。

玉指盖的发明，应是玉手套出现的前奏。

中山王墓玉指甲盖存于河北省文物研究所。

张家坡170号墓玉鱼 西周文物。1998年春，张家坡170号墓出土。墓中随葬品大多被盗，残存若干精品，出土玉鱼60余件。玉鱼位于棺木边缘四周，根据出土位置推断应为棺饰。

张家坡170号墓玉鱼大小不一。大都为长条形，并刻出目、鳃、鳍、尾，嘴部均有一小穿孔。玉鱼为青玉，受沁后表面颜色不匀。器形呈弯体，用阴刻线雕出圆眼、背鳍、腹鳍、鱼鳃，尾部分叉但不十分明显。头部均有可穿系的小圆孔。

周人有完善饰棺制度，而最主要棺饰是荒帷。荒帷又称为墙柳，布帛质地的荒帷在墓葬中，难以保存下来。在很多西周墓葬棺椁之间，常能见到玉石鱼、玉石贝及玉石串珠等

物，应是荒帷上的饰物。

张家坡170号墓玉鱼存于中国社会科学院考古研究所。

刘胜墓镶玉鎏金铜铺首 西汉文物。1968年，河北省满城县陵山中山靖王刘胜墓出土。刘胜墓后室棺椁南侧出土1件铜铺首，旁边还有6个铜合页。发掘报告将其归类至"漆器"部分，推测铺首与这6个铜合页组合为1件漆器，漆器腐朽后，只剩下散落构件。

刘胜墓镶玉鎏金铜铺首通长12.4厘米，铺首宽9.4厘米，环外径6.8厘米。为兽面衔环，通体鎏金，中部镶嵌白玉，雕琢对称卷云纹，组成象征性兽面，兽面呈长方形，两侧有二龙攀附，鎏金铜龙有斑驳，和镶嵌玉结合部，有沁色。在兽面中下局部，还线刻有栉

齿纹，两侧额、眉、须处有细如毫发纹饰，琢工细腻。

铺首含有驱邪意义，是门扉上环形饰物。这件鎏金铜镶玉铺首，体现了先秦"贵玉"的遗风。

刘胜墓镶玉鎏金铜铺首存于河北省文物保护中心。

神居山2号墓玉璧 西汉文物。江苏省高邮市神居山2号墓出土。神居山汉墓在江苏高邮市湖西天山乡境内。1979年，开山采石时发现，南京博物院随即开始发掘，已出土4座西汉石坑木椁墓。根据发掘资料初步考证，神居山2号墓墓主人为广陵王刘胥王后。

神居山2号墓玉璧直径22.2厘米，孔径2.9厘米。青绿玉质，晶莹透亮，表面略带沁斑。两面饰有井然有序乳丁纹，纹样饱满。在放大镜下可见，乳丁纹是六角形，实际上是立体蒲纹。璧孔扣鎏金铜泡钉，以三股绢带高悬玉璧于内棺外前端中央，用以辟邪。

此墓曾被盗，仍出土大量玉器、银器、铜器、铁器、漆器、陶器、木俑、戏俑、丝绸、车等，反映出当时经济、建筑、工艺和生活

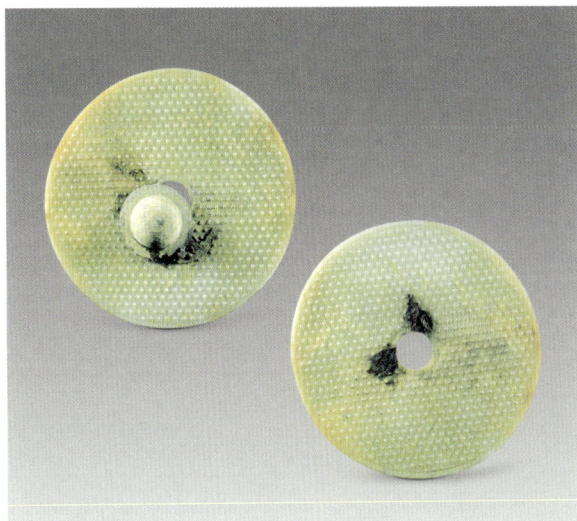

水平。

神居山2号墓玉璧藏于南京博物院。

黄泥岗1号墓"宜子孙日益昌"玉璧 东汉文物。1990年6月，广西壮族自治区合浦县环城乡黄泥岗1号墓出土。黄泥岗1号墓位于合浦县廉州镇黄泥岗。1990年6月，合浦县砖厂推土时发现，由合浦县博物馆组织发掘。黄泥岗1号墓有斜坡形墓道砖室木椁墓，墓室呈长方形，分前后二室，前室长1.9米，宽3.7米；后室长5.3米，宽3米。外椁用青砖砌筑，尚未倒塌；内椁是木质，已朽。此墓未被盗扰，随葬品保存完好，出土大量铜器、陶器、玉石器。玉器包括廓玉璧、母子带钩、蝉形琀、蟠螭纹佩。

黄泥岗1号墓"宜子孙日益昌"玉璧连外廓透雕通高27厘米，外径18.3厘米，孔径3.2厘米，厚0.6厘米。廓玉璧除内外廓素面外，整个璧面布满蒲纹。玉璧为鸡骨白色，边缘有斜向突棱，孔缘为平突棱。廓外上部透雕龙纹和文字，中轴线对称二龙，龙身有云纹缭绕，回首立足于吉祥语之上。吉语为"宜子孙日益昌"六个篆字。

在岭南地区，砖室墓一般出现于东汉时期，这座墓的年代定在东汉初年。墓内随葬品相当华贵，又有"徐闻令印"官印和"陈褒"私印随葬，墓主应是徐闻县令陈褒。

黄泥岗1号墓"宜子孙日益昌"玉璧藏于合浦县博物馆。

刘胜墓玉人 西汉文物。1968年6月27日～8月2日，河北省满城县陵山中山靖王刘胜墓出土。1968年5月，中国人民解放军某部指战员在满城县陵山上施工，发现中山靖王刘胜墓。中国社会科学院考古研究所与河北省文物工作队，共同发掘西汉诸侯王墓。该墓发现玉人1个，出土位置在墓内棺椁之间。

刘胜墓玉人高5.4厘米。玉质洁白晶莹，采用圆雕技法，脸形瘦削，长眉短须束发于脑后，头戴小冠，冠带扎于额下。玉人身穿右衽长衣，宽袖，腰间系方格纹带，凭几而坐，双手置于几上。底座下面还阴刻铭文五行十字："维古玉人王公延十九年。"

此玉人随葬于墓中，推测其具有辟邪压胜意义。

刘胜墓玉人存于河北省文物保护中心。

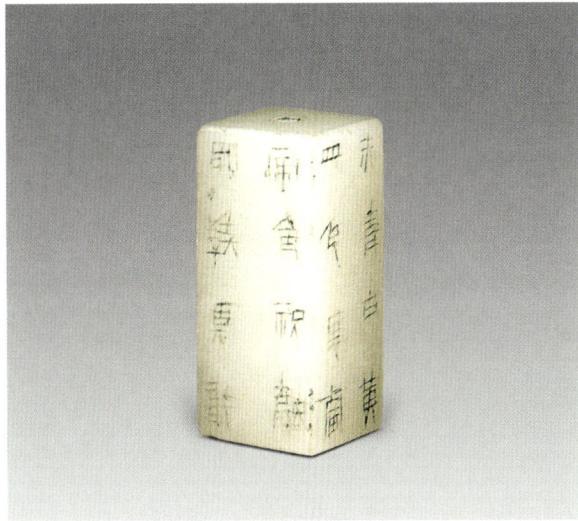

渭陵玉辟邪 西汉文物。1966年，陕西省咸阳市周陵乡新庄村汉元帝渭陵建筑遗址出土。1966年，咸阳市渭城区周陵镇新庄村村民，在汉元帝渭陵陵园北区修渠时，发现1块被烧焦红土裹着的东西，清洗后发现是1件白色羽人奔马玉雕。随后，又陆续发现蹲踞状玉辟邪、玉熊、玉俑头、玉鹰。这批玉器雕刻之精，体裁之广，是汉代玉雕中少见的。

渭陵玉辟邪高5.4厘米，长7厘米，宽4.5厘米。重154克。玉辟邪是带翼玉神兽。白玉制成，有少量红璞，圆雕技法。玉辟邪呈狮形，突胸呈卧姿，胸肌上浮雕"人"字形长髯，昂首前视，张口露齿，头生双角而后伏，双耳后耸，颊后披毛，肩生双翼，尾部回卷成"人"字形，臀部与尾巴上琢有三个圆形凸起，四足掌部均琢出肉垫。

渭陵玉辟邪，是已知所见最早的辟邪。据史书记载，汉元帝渭陵建筑遗址曾是西汉元帝"孝元庙"和孝元王皇后的"长寿宫"所在地。推测这组玉器是"长寿宫"内的陈设品，后因宫殿焚毁，埋在建筑废墟中得以保存。

渭陵玉辟邪藏于咸阳市博物馆。

后村东汉墓玉刚卯 东汉文物。河北省景县广川乡后村东汉墓出土。

后村东汉墓玉刚卯长2.3厘米，宽1厘米，高1厘米。白玉质，呈长方柱体，中贯圆孔，可以穿绳佩带。四面刻字，每面双行，共34字，刻文为："正月刚卯既央，灵殳四方，赤青白黄，四色是当，帝令祝融，以教夔龙，赤殳刚瘅，莫我敢当。"

中国古代有刚卯、翁仲和司南三种厌胜佩玉。刚卯源流始于西汉晚期，兴盛于东汉，此后便逐渐消亡，是汉代人佩戴在身上用以驱逐疫鬼之物。其名最早见于《汉书·礼仪志》和《汉书·王莽传》。形体呈长方形，中空穿竖孔，四面契驱邪祛疾的四句谶语，字体多为小篆或隶书。刚卯一物始见于西汉晚期，最初只是民间辟邪之物，对佩戴者身份并无限制。但到王莽执政之时，却因汉皇室姓刘，拆"刘"字为"卯金刀"，曾一度被禁用。到东汉，由于统治者提倡谶纬神学，刚卯才又重新受到重视，并由民间用品提升为国家定制，凡着朝服，必须佩戴，并有等级制度。

后村东汉墓玉刚卯存于河北省文物研究所。

凤凰台1号墓玉司南佩　东汉文物。安徽省亳州市凤凰台1号墓出土。

凤凰台1号墓玉司南佩高2.4厘米。白玉，玉质温润细腻。呈"亞"字形，中间为圆柱形，顶端作勺形，上有一圆穿孔。两侧各琢出一对长方体形。碗形底。

司南佩，最早见之东汉，是一种玉坠饰。具厌胜避邪或指向、指导之意。人们对司南佩的用途，包括其名称的约定，都集中在器顶的小勺上，因形似司南称其司南佩，用途也引申自司南的指向、指导意义上。有学者认为它是玉琮的衍变形状，而司南与琮的组合，恰恰表述了上下天地、通天通地的重要巫术内容。东汉的达官贵人、文人雅士将其佩挂在身上，甚至死后葬入墓中，反映了他们渴望得到天地之助以求飞黄腾达的心态。

凤凰台1号墓玉司南佩藏于亳州市博物馆。

李贞夫妇墓玉灵牌　明代文物。1969年2月，安徽省嘉山县板桥陇西明代恭献王李贞夫妇墓出土。恭献王墓是朱元璋的姐姐（曹国长公主）和姐夫李贞（恩亲侯驸马都尉）夫妇合葬墓，墓葬位于明光市东南郊大李村曹姑坟。此墓封土堆较高大，神道上有石

人、石兽等。1969年2月，安徽省文物部门对此墓进行清理发掘。李贞夫妇墓是前、后室砖筑拱形顶结构，设一个前室，并列两个后室。东后室有残存棺木两块，在棺北端出土有玉器、金器、金钱及玉灵牌等28件器物。其中玉器共有8件，7件为装饰用玉，1件为青白玉灵牌。

李贞夫妇墓玉灵牌通高20.6厘米，碑宽6厘米，碑厚1.4厘米，底座高4.6厘米。由碑身和碑座两个部分组成。玉色青白，局部灰白色沁。碑身为长方形，圆弧顶。一面琢阴文楷体"吴孝亲公主朱氏之柩"九字，另一面素平；碑座近似梯形，上端中部雕琢一弧形凹槽，与碑身插榫正好吻合，表面抛光。

该玉牌出土，可判断东后室是李贞之妻朱氏墓室。

李贞夫妇墓玉灵牌藏于安徽博物院。

第四章

金银器

除遗留下来的明清宫廷用品外，大量的中国古代金银器主要来自考古发掘。这些精美的器物不仅丰富着对中国古代艺术、工艺的认识，也为古代金银器的研究提供了丰富的资料。按照功能和用途的不同，金银器可分为装饰用器、饮食器具、日用杂具、宗教用器、丧葬用器及其他六类。

装饰用器是出现最早、延续时间最长、种类最为丰富的器类，涵盖了佩戴在人身上的装饰品。这类器物的制作凝聚了高超的技艺，装饰功能极强，直接反映了人和社会的精神面貌。中国遗存最早的金银制品是距今4000多年的甘肃玉门火烧沟出土的金耳环、金鼻环等饰品。春秋时期以前，金银制品主要是缺少纹饰的小件饰品或附着于其他器物上的装饰附件。春秋战国时期，金银饰品逐渐增多，分布区域也明显扩大。尽管秦汉金银饰品比先秦更加精美，但技艺未见突出的成就。由于丝绸之路的开通，中国金银工艺受到了西方的影响，出现了炸珠、掐丝、累丝等新工艺。汉代至魏晋南北朝，各类金饰主要有簪、钗、步摇、耳珰等，器物相对简单，形制变化时代性强。金银饰品繁盛于唐代，从唐代壁画、塑像众多仕女形象上可见一斑，亦与出土文物相印证。宋代商品经济迅速发展，金银饰品大众化，并一改唐代富丽华美之风，以清秀典雅取胜。明代金银饰品的式样丰富，制作精美，普遍运用金累丝和宝石镶嵌工艺，整体趋于浓艳华丽，宫廷气息浓厚。清代金银饰品以传世品为多，在继承明代传统技法的基础上又有了新发展，出现了点翠工艺。

饮食器具包括杯、盏、盘、碗、壶、瓶等，金银的特性决定了其是制作这些贵重饮食器具的最好材料。金银器皿出现较晚，已知最早的是陕西凤翔出土的春秋末期小金盆。战国时期的曾侯乙墓出土了大量的金质器皿，是战国时期金银器发展的重要标志。汉代金银饮食器具较少；至魏晋时期，随着中西交流的繁盛，西方金银器皿大量进入中国，东罗马酒神纹鎏金银盘、鎏金狩猎纹银盘等皆属其中的精品。西方的金银制作工艺和纹饰也随之传入，极大地促进了中国金银器的发展。唐代工匠们融会贯通，汲取外来文化的长处，创造了具有本民族特色的器物。陕西西安何家村窖藏、陕西扶风法门寺地宫、江苏镇江丁卯桥窖藏出土了大量金银器物，其中的饮食器具种类丰富，制作精美，深具皇家和贵族的气派。宋代，随着商品经济的发展，金银饮食器具逐渐普遍，器形和纹样更加本土化和世俗化，四川彭州金银器窖藏集中展现了宋代金银器的整体风貌。同时，辽、金、西夏也出土了大量金银饮食器具，这些器物带有其各自民族的特点，但整体风格更多的是受到了宋代金银器的影响。宋代金银器的风格还影响到元，并为明清所继承。明代金银器皿的发现以皇室贵戚墓葬出土为大宗，制作规整、造型端重，宫廷作品更是以镶玉嵌宝装点豪华，缺少了宋代的世俗生活气息。金银器在清代宫廷生活中极为重要，涵盖了衣食住行等方方面面，其中以酒具、餐具数量最多。为了体现皇家的尊贵，清宫从用量、材料质地等方面都有严格的规章制度。

日用杂具指在日常生活中经常使用，但基本不用作饮食器的器物，如盒、函、香薰、唾盂等。有些器物比较特殊，如战国时期的银匜，一般与盘配合用作盥洗器，但也可以用作饮器，故列入饮食器具。金银日用器主要自汉代始，汉代诸侯王陵出土的众多银盆、银铫等盥洗用具，非普通人使用。实际上，受金银开采、制造技术和当时社会状况的影响，一直到南北朝时期，金银制作的日用杂具还比较少。唐代金银器以崭新的面貌登上历史舞台，出现了许多特殊的器类，如陕西西安何家村窖藏中有关炼服丹药的器具、陕西扶风法门寺地宫中与饮茶有关的器具，大大丰富了金银器物的种类。宋元时期，还出现银胆瓶、霞帔坠、银镜架、银奁等器物，金银器物在日常生活中更加普遍。明清时期则发现较少，大部分属于宫廷用品。

宗教用器主要是佛教用器。随着佛教在中国的传播与发展，在金银器物上也逐渐出现佛教形象和图像，如江西南昌出土的东晋佛像纹金戒指、江苏镇江出土东晋金佛像牌等。金银佛像在唐、宋、辽、金、元等各朝代均有出土，不仅在中原汉地，渤海、南诏、西夏等佛教盛行的边疆地区也屡有发现。佛像大多采用鎏金的方式，纯金银的佛像一般体型较小。明清时期，纯金银佛像在宫廷中比较流行，这与藏传佛教的影响密不可分。除了佛造像外，与佛教有关的金银器物有金银佛塔、金银棺椁、舍利瓶、锡杖、法轮等。道教、伊斯兰教、景教等其他宗教中也会用金银等奢华的材料表达信仰的虔诚，河南登封发现的武则天除罪金简，还有浙江地区发现大量五代至宋时期的投龙简，都与道教投龙致祭仪式有关。中国古代的景教文物亦有发现，如内蒙古锡林郭勒盟发现的"十"字形金饰件，是当时社会景教信仰的具体实物。

丧葬用器主要是专门为了丧葬而用金银制作的各种器物。棺椁上装饰金箔片是商周时期较为普遍的做法，如甘肃礼县大堡子山出土的金箔饰片。另外还有为随葬制作的金银器物，如河北定州中山穆王刘畅墓出土金天禄、辟邪，内蒙古赤峰阿鲁科尔沁旗出土的人形金饰件等，反映了某种特殊的丧葬观念。最主要、数量也最多的是辽代墓葬发现的金面具、银丝网络、银靴等随身的丧葬用器，是辽代吸收多种文化因素形成的特色葬具习俗。

有些金银器或不能单独成类，或遗留太少，如兵器、乐器、医药用具、车马器等，故列入其他。金银玺印、钱币等分别在其他章节介绍，此处不再赘述。这些器物数量虽少，但同样代表了当时的工艺和审美，极大丰富了对中国古代金银器的认识。另外，中国古代有许多鎏金、嵌金银器物，前者意在获得类似金器的效果，后者镶嵌在铜、漆、木等器物上，可作为中国金银器研究的延伸讨论，因篇幅关系，亦不列入。

第一节　装饰用器

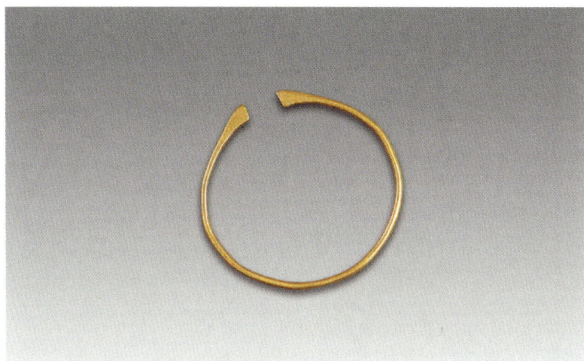

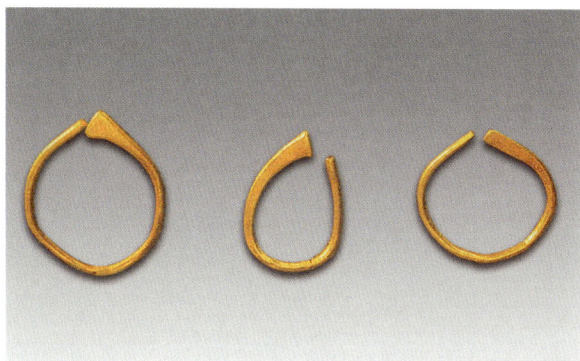

金鼻环　青铜时代四坝文化文物。1976年，甘肃省玉门市火烧沟遗址出土，年代为公元前1600～前1400年。火烧沟遗址发现金、银鼻环各1件，是考古发现早期的人为制成金银器之一。两者均呈齐头合缝式，出土时位于人骨鼻下，因此定名为鼻环。但有学者认为，此推测值得商榷，具体使用方式尚待考证。

金鼻环形制与同墓出土金耳环一致，仅比金耳环略小，直径在5厘米左右，制作金鼻环的金丝直径0.28～0.35厘米，重9.3克。制作银鼻环的银丝直径0.39～0.41厘米，重4.85克。

鼻环在中国有悠久历史。陕西省宝鸡北首岭仰韶文化遗址出土1件人头塑像，鼻梁有二孔，当是佩鼻环所用，该文化年代为公元前3500年左右。山东尹家城岳石文化遗址曾出土小铜环，有专家认为是鼻环。岳石文化为东夷遗迹，年代与夏代相近。故有学者据此推测，佩鼻环风俗产生在中原，后传入西北地区。

金鼻环存于甘肃省文物考古研究所。

金耳环　青铜时代四坝文化文物。1976年，甘肃省玉门市火烧沟遗址出土，共3件。与同出土的金银鼻环，被认为是考古发现早期的人为制成金银器之一。

金耳环分别重3.8克、3.9克和5克。耳环呈圆形，一端渐细，截面呈圆形，另一端扁平。

金、银是人类较早认识并利用的金属。中国早期黄金制品大体出现于夏家店下层文化和四坝文化，数量不多。内蒙古自治区赤峰市敖汉旗大甸子村和北京市昌平区雪山村相当于夏家店下层文化墓葬中，均出土有金耳环。大甸子墓地出土的金耳环，用金丝围成椭圆形，一端扁平，一端呈圆钝的尖状，缀于成年男性左耳。铜耳环的形制也在其他地方有发现，如河北省迁安县小山东庄和卢龙县东阐各庄两地。可见，耳环是中国早期金银制品中主要种类之一。

金耳环存于甘肃省文物考古研究所。

金耳饰　商代文物。1959年8月，山西省吕梁石楼县桃花庄王月亮在耕地时，发现铜甗等

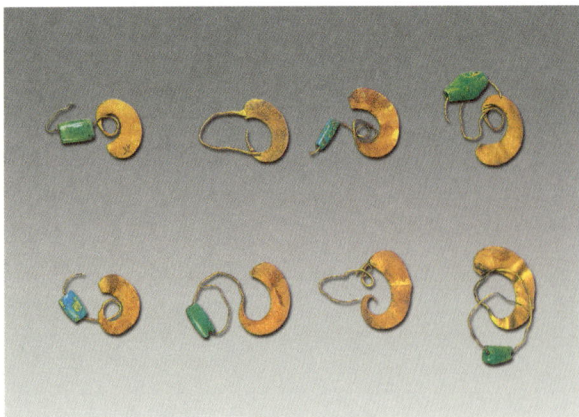

器物，后经文物工作者勘查清理，出土大批文物。在尸骨腿部发现金片5节，上有穿孔。在头部发现金弓形饰，同出土还有8片金耳饰。

金耳饰宽2.7～3.9厘米，呈珥形，珥首粗圆，至珥尾渐细，尾端作细丝状，细丝处穿有长形绿松石。

20世纪50年代末以来，在山西西部、陕西北部的商代墓葬中，陆续出土有穿有绿松石，形状卷曲如云、蟠曲似蛇的黄金片饰。除山西省石楼县桃花庄以外，还有石楼县后兰家沟3件、永和县下辛角2件，陕西省淳化县黑豆嘴6件、清涧县寺嫣村4件。晋西与陕北在商代是具有鲜明地方特征的文化圈，有学者推测在殷代属于"鬼方文化圈"，金耳饰便是鬼方人的典型装饰品。20世纪80年代，此类文物在陕西省淳化黑豆嘴商末周初墓中也曾出土，故其流行时期下限可达西周，使用者还应包括陕西一带的戎族。

黄金片饰名称不尽一致，有称为珥形金器、珥饰，有称为金耳环。由于多出土于墓主头部附近，且数量不一。所以，被认为是耳饰或冠帽周围垂饰。从形制、大小和重量分析，暂定为耳饰。

金耳饰藏于山西博物院。

金耳坠　战国文物。1992年底至1993年初，山东省淄博市商王村1号墓出土。为女性墓主人生前所佩戴首饰，出土时置于椁室的漆盒之中。

金耳坠为一对，通长7.3厘米，形制大小及制造工艺均同，由金丝、金叶、金珠、绿松石坠、珍珠和骨串饰等饰物组成。上部由8条金丝编织成网状锥形体，锥体上端有横穿可佩戴，四周镶嵌4颗圆形绿松石片。锥体下悬挂一金环，金环之下为一颗较大三瓣金叶，三者以金线相连，金线中穿珍珠2颗，出土时已破碎脱离金线。金叶中包一颗较大绿松石坠，每瓣金叶各嵌一绿松石片。在锥体周围和金环两侧，有以金线和骨环组成串饰，串饰下端也有较小三瓣金叶，金叶中各包1颗绿松石坠。在锥体、金叶和金环上都饰有金珠。

焊珠工艺是将细小金珠通过加热焊缀于装饰部位。这对金耳坠，是较早采用焊珠工艺的金银器，年代在公元前3世纪末叶。但在同时期的中原地区，未发现其他使用这一工艺的金银器，说明焊珠工艺直到战国晚期才传入中原。镶嵌绿松石和缀有三角形摇叶饰片形式和北方草原地区金耳坠颇有相似之处，但形制纤细精巧，且镶有珍珠，说明金耳坠可能受北方文化一定影响，又注入汉族特有的审美观念。

金耳坠藏于山东省淄博市博物馆。

金耳饰 西汉文物。1956年，辽宁省西丰县西岔沟墓地出土。西岔沟墓地共出土、征集遗物1万余件，其中金耳饰4件，还有武器、车马具、工具、陶器、服饰、串饰、铜镜、铜钱等。

金耳饰长6.8～8厘米，由1根金丝配以管状玉石编织而成。其中1件金耳坠制作方法，是在经锤打成形的金丝上先穿入一管状玉石，将金丝下端锤打成水滴形薄片，在距金片3/4处，用金丝处逆时针编出第一个金圈后，在耳坠顶端穿一颗珠子，再逆时针方向编第二个金圈，金丝在两金圈间编织缠绕，至平行于第一个金圈处编织第三个金圈，再穿入管状玉石，将金丝继续缠绕金片。金耳坠编织制作中，充分利用金的良好延展性，仅用4根金丝就编织出两种不同形状耳坠。

西岔沟墓地的发现，为研究汉代东北少

数民族迁徙、交流提供弥足珍贵的材料。类似金属拧丝耳饰在吉林省榆树县老河深汉墓亦有出土。这种金耳饰主要是男性佩戴，且只佩一枚，是一种富有特征的文化遗物。

金耳饰藏于辽宁省博物馆。

金耳坠 北魏文物。2004年，山西省大同市北魏墓出土。

金耳坠全长10厘米，由琥珀、银环、金环、花丝柱、镂空金珠、麦穗花等部分组成。耳坠最上方是一颗水滴形琥珀，与其相连的是活圈银环和金环，金环下饰由3根两股花丝柱组成耳坠主身，与其衔接的是一镂空金球，金球实体部位焊接有小金珠，下半部3根花丝上，分别系有麦穗花丝。编织丝为金、银合金，直径最细0.29毫米，最粗1.32毫米。耳坠制作中，以多种不同粗细金花丝编织为主，并配有焊接、锤打、拔丝技术。

北魏时期耳坠特点，是由多部分组成，制作工艺以编织、剪坯为主。此金耳坠与1964年河北省定县华塔出土北魏金耳坠，无论在形制，还是制作工艺上，都如出一辙。华塔为北魏孝文帝与文明太皇太后冯氏于太和五年（481年）发愿修建，塔基石函内出土金、银、琉璃等珍贵器物。北魏墓出土的金耳坠，

年代也应为同一时期，是一件珍贵的金饰品。

金耳坠藏于山西省大同市博物馆。

镂空嵌宝石球形金耳坠　唐代文物。1983年，江苏省扬州市三元路窖藏出土。共5件，除最为精美的这对镂空嵌宝石球形金耳坠外，尚有金耳坠1件和球形金耳坠2件。由于窖藏未发现首饰主人资料，主人身份不明。从造型看，并非汉族妇女饰品。

镂空嵌宝石球形金耳坠通高8.2厘米，球径1.6厘米，每件重21.5克。耳坠由挂环、镂空金球和坠饰组成。上部挂环断面呈圆形，环中横饰金丝簧，环下穿2颗珍珠对称而置；中部镂空金球用花丝和单丝编成七瓣宝装莲瓣式花纹，上下半球花纹对置。球顶焊空心小圆柱和横环，上部挂环穿横环相连。金球腰部焊对称相间嵌宝孔和小金圈各6个，部分嵌宝孔内还保留红宝石和琉璃珠等。下部有7根相同坠饰，6根系在金球腰部小金圈上，1根挂在金球下端中心金圈上。每根坠饰上段均做成弹簧状，中段穿一花丝金圈、珍珠和琉璃珠，其下坠一颗红宝石。

镂空嵌宝石球形金耳坠制作精细，装饰华丽，是唐代金首饰中之珍品。唐代汉族不尚穿耳，描绘穿耳图像主要以少数民族为主，出土

耳饰文物墓葬也以少数民族族属墓葬为主。唐代耳饰出土文物极为有限，在东北渤海墓葬中曾出土过一些金耳环，陕西省咸阳市贺若氏墓出土一对金嵌宝耳饰。

镂空嵌宝石球形金耳坠藏于扬州博物馆。

荔枝形金耳环　宋代文物。1994年，湖南省常德市桃源县万家嘴宋墓出土。

荔枝形金耳环通长8厘米，花长2.5厘米，重3克。其制作工艺颇具特色，采用锤揲、錾刻、模压、焊接、切削等工艺，组装方式构思巧妙。制作时，取一枚金片，于中心錾刻一孔，然后把四角錾凿打造为花叶，继而将四角花叶向下折，做成一花叶盖。再取两枚金片，均于一端錾孔，一端錾凿打造为相叠累垂的荔枝，然后把有荔枝图案一端呈90°角折过来。另取一枚长方形小金片，中间部分做成细腰形，两端则打造为与纹饰相同一颗荔枝，继而对折，使之合拢为相抱的一颗。再用金片做一朵中央有细孔的小花。最后，取一根金丝，把预先做好的一朵小花、一枚花叶下覆的盖子、两枚折好荔枝果及相抱的一小颗，依次穿入，串好最后一颗缀果后，用金丝末端挽出一个旋，金丝顶端便可弯折成耳环足，再把花叶盖和上方小花焊接起来，一面使金丝固定，一面

正好掩住穿系金丝孔。

宋代女子戴耳环为普遍风气，耳环装饰纹样以蜂蝶花果为多，且颇为小巧。虽也伴有少量动物和人物纹饰，但明显不占主流。宋代民间市井生活繁荣，耳饰纹样亦趋向通俗、吉祥、充满生活气息。荔枝与"立子"音类似，且因荔枝不受虫害，多年老树仍能结果，被民间认为是吉祥多产之果。荔枝形金耳环玲珑别透，秀美典雅，充满生活气息，正体现吉祥的寓意。

荔枝形金耳环存于湖南省常德市桃源县博物馆。

莲花化生纹金耳环 西夏文物。1966年，内蒙古自治区巴彦淖尔市临河区五星乡高油坊古城遗址出土。遗址位于河套平原中部偏北，地处西夏国北部，先后与辽、金接壤，是西夏时期南北交通要道上的一军事重镇。1959年、1966年，曾先后发现两批金银器。金银器装饰风格更多受宋代金银器影响。

莲花化生纹金耳环长4.2厘米，宽1.5厘米，重85克。金耳环镶嵌焊接成形，嵌物已失。正中一组奏乐人物，一人坐姿吹箫，两旁各立一人。花朵置于上下两端，上端三朵为一组，下端五朵一组，花蕊内中空部分原镶嵌有珠宝，已全部脱失。

化生和仙人是宋元金银耳环中最为常见的两类人物形象。化生即莲花化生，是一种佛教特有的艺术形式，其形象在中土出现很早，不过并不十分拘泥于经义，而常作为一种意象，灵活布置在各种形式艺术品中。两宋时，化生定型为持花或攀枝童子，且多已脱离释典中特定意义，而成为一种普遍运用的装饰艺术。北宋《营造法式》中所绘化生，即莲花上的舞蹈童子。山西金墓里仿真建筑雕作装饰中，多表现为持花或攀枝的小儿。金耳环上纹样即属于莲花化生纹。类似的金耳环在浙江省龙游县高仙塘南宋墓和山东省济南市宋金窖藏也有发现。龙游县的金莲花化生耳环是一个站在三重莲座上伎乐童子，一手持花枝，一手持排箫，张口吹奏状。腰间一朵大花，花蕊处原嵌珠宝已失。高油坊这一件，是最为富丽的一例。

莲花化生纹金耳环藏于内蒙古博物院。

镶宝石金耳坠 明代文物。1958年，甘肃省兰州市上西园明墓出土。

镶宝石金耳坠长6厘米，重17.7克。耳坠为一对，挂钩呈"C"形，由细金线将一颗菱角形绿松石固定在圆形金托上，金线一端缠绕在挂钩下端，另一端在绿松石下方盘绕呈不规则四

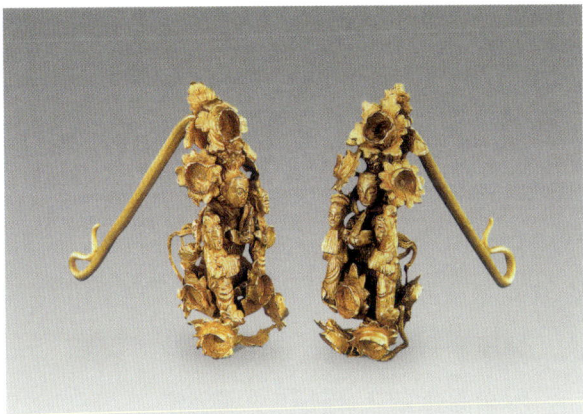

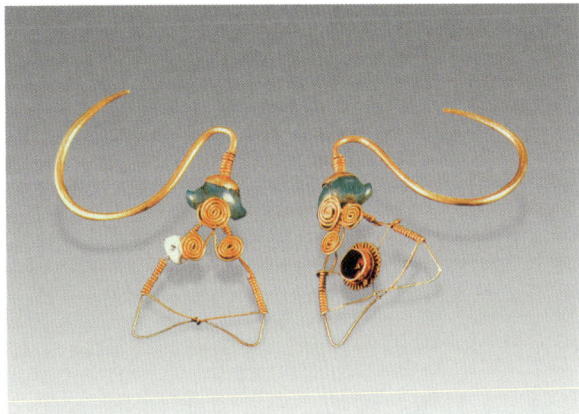

边形，紧靠绿松石一角，有金丝盘成3个实心圆呈"品"字形分布。其中一支耳坠在绿松石右下方穿一粒珍珠，另一支耳坠在四边形中央用3根金线固定一葵花形金托，所镶宝石已脱落。

在中国汉族聚居区，耳饰在观念上普遍被人们接受始于宋，而真正在使用上达到普及则要晚至明代，这种盛况一直延续到清代。明清两代，无论身份贵贱，耳饰可以说是女子必备之物。明代耳饰大致分耳环、耳坠和丁香三大类，其中以耳环最为正式。典型的明式耳环，环脚很长，耳坠则否。耳环所缀饰物是不可摇晃的，耳坠是在耳环基础上演变而来，上半部分多为一贯耳圆环，环下再悬挂可摇曳的坠饰。丁香，又名"耳塞"，是一种小型金属耳钉，取名丁香应是取其形似。丁香不似耳环华贵，也不似耳坠可随风晃动，固定在耳垂之上，故比较小巧轻便，又简约随意，非常适合居家佩戴。在明代，这种构图为三角形框架、造型奇巧的镶宝石耳环出土较多。其中以南京地区最为流行，形制也极为相似。有学者据《天水冰山录》"耳环耳坠"之部所列"金镶宝石琵琶耳环"为之命名。

镶宝石金耳坠藏于甘肃省博物馆。

神兽金饰　战国文物。1957年，陕西省神木县纳林高兔村出土。同出土，还有银虎、金虎、银鹿、错金银剑柄等贵重物品。

神兽金饰高11.5厘米，长11厘米，重160克。其用厚约0.12厘米金片锤揲制成，体内中空，角、尾、托座是单独锤揲焊接而成，工艺精湛。造型为一神兽站立于四瓣花形托座上，托座花瓣上有固定穿孔。神兽圆雕，钩喙，双耳竖立、环眼、蹄足，头上饰带耳钩喙鸟首，

与神兽头部类似，尾端也装饰有一个带耳钩喙鸟首。神兽身及四肢上部饰云纹。钩喙蹄足神兽是战国晚期中国北方地区常见的装饰纹样，圆雕钩喙蹄足神兽仅发现这一例，另有发现作为装饰纹样浅浮雕于相关器物表面的，且后肢常朝上翻转。

鹿身鹰嘴大角怪兽在中亚地区草原游牧文化中受到特别重视。在公元前6世纪前半叶，斯基泰—塞族人金牌上已有出现，既有多枝涡卷角鹿，也有鹰喙怪兽。在西沟畔、阿鲁柴登匈奴墓出土的鹿形大角兽纹金饰片和大角兽，不仅头顶有多枝节形火焰状角，每个枝角及尾部末梢还有鹰头。这一奇特设计在这件神兽金饰上表现得淋漓尽致。枝角部分很大，超过动物躯体，鹿头、鹰喙的头部，与西沟畔出土鹿形大角兽纹金饰片相同。兽头还略微简化出现在枝角末梢及尾部，也与阿鲁柴登大角兽纹金饰片上大角兽枝角相同。有学者认为，这件神兽金饰既有中国北方草原文化造型特征，又融合欧亚草原斯基泰艺术装饰风格，呈现出复杂文化背景和传承关系。

神兽金饰藏于陕西历史博物馆。

鹰形顶金冠 战国文物。1972年冬，内蒙古自治区伊克昭盟杭锦旗农民在阿鲁柴登以南3千米沙窝子中，发现一批极其珍贵金银器，还有石串珠等装饰品。共发现金器218件，重4000余克。其中以鹰形顶金冠最为精美。

金冠模铸錾刻而成。由冠顶和额圈组成。冠顶高7.3厘米，重192克。下部为厚金片锤打成半球面体，连弧边，表面浮雕有四组狼与羊咬斗图案，上面站立一只展翅雄鹰，鹰体中空，用绿松石与金饰串联构成鹰头和颈。头部用金丝从鼻孔插入，通过颈部与腹下相连。尾部另作，以金丝连接体内。冠饰构成雄鹰俯视狼咬羊生动画面，稍一摇动，雄鹰摆动头尾，栩栩如生。额圈由3条铸成半圆形金条插铆而成，每件长30厘米，共重1202克。带端分别浮雕成虎、盘角羊、卧马形状，其他主体部分饰绳索纹。

这批金银器被认为属于匈奴遗物，而鹰形顶金冠也被认为是中国国内出土唯一完整匈奴王王冠。但有学者指出，当时生活在阿鲁柴登人群应是胡人，如娄烦、白羊等，由秦国经营和管理，当地牧人已与迁居至此的中原人相融合，昔日草原部族首领则转变为只保留身份地位、没有部众追随的贵族。鹰形顶金冠或许就是这种背景下的产物。

鹰形顶金冠藏于内蒙古博物院。

凤鸟形金冠饰 东汉文物。1978年，在内蒙古自治区科左后旗毛力吐发现一处鲜卑墓葬群，墓中出土众多珍贵文物，但随即散失和损坏。1979年，哲里木盟博物馆人员在调查征集文物中，辗转征集到1件凤鸟金冠饰和2件陶壶。

凤鸟形金冠饰通高5.3厘米，通长5厘米，重18克。冠饰虽体量不大，但造型精细，工艺精湛，用金片冲铆而成。凤鸟呈站立姿态，昂首挺胸，翅膀大张，凤尾舒展。凤鸟脚下圆弧形金片上冲出连点形纹饰，大致以鸟足为中心呈放射状。凤鸟头、身分开制作，再铆合在一起。鸟身并无纹饰，但鸟身上冲有14个小孔，头上有两孔作为鸟眼睛，很有特色。凤鸟头部、颈部、腹部和尾部形成一"S"形。翅膀以金片直接裁成，插入凤鸟腹部，装饰有自下向上冲出连点纹。凤鸟双腿直立呈扁长条状，腿一端和翅膀根部相接，另一端铆合在圆弧形金片上。凤鸟尾部较大，呈三角形，羽毛作展开状，同样装饰有冲出连点纹，连点纹在三角形尾部形成外围一圈，内部分两排，由连点

纹组成三角形形状，其中靠腹部一排有2个，另一排3个。在凤尾和翅膀周围又分别冲出部分小孔，小孔直径约为0.1厘米，孔中穿有金丝，上面连挂直径约0.8厘米圆形金片。尾部和翅膀上各有5片，应共15片，仅存11片。足下圆形金片上，又冲出4个小孔，小孔呈对称排列，用以固定。

与凤鸟冠饰同时征集到2件陶壶，时代大致为东汉早期到中期。因为金凤鸟可能是步摇冠上的装饰，而这种以金凤鸟为冠上装饰的人物身份，应为鲜卑贵族或部落首领，表明这处鲜卑墓葬群规格较高。

凤鸟形金冠饰藏于内蒙古科尔沁博物馆。

马头鹿角形金步摇　北朝时期文物。1981年，内蒙古自治区达尔罕茂明安旗西河子出土。共出土2套4件，其中一套基座为马头形，另一套为牛头形。这2套金步摇应为4世纪鲜卑人遗物。鲜卑是起源于大兴安岭地区的游牧民族。游牧生活居无定所，与人形影不离的首饰、服饰及马具，就显得尤为重要，金银也多

用在这些方面。

马头鹿角形金步摇基座上分出呈鹿角形枝杈，每根枝杈梢头卷成小环，环上悬1片金叶。马头和鹿角形枝杈上镶嵌珠饰。高16.2厘米，重约70克。

步摇装饰是中国古代妇女重要头饰之一，多用金玉等材料制作，呈树枝形状，制作考究的则在树枝上缀有花鸟禽兽等装饰物。佩戴者行走时，饰物随身不停摇曳，故得名步摇。步摇最早出现于战国时期文献中，《续汉书·舆服志》说东汉皇后盛装谒庙时首饰有"假结、步摇、簪、珥"。汉代遗物中，虽未发现过步摇，但此物在魏晋时仍相当流行。金步摇在草原民族更被珍重，不仅可增添女性的婀娜柔美，也是身份与地位的象征，佩戴者一般也只是贵族女子。具有浓烈草原特色的马头鹿角形金步摇，就是鲜卑族的独特创造。

马头鹿角形金步摇藏中国国家博物馆。

蝉纹金珰　东晋文物。1998年，江苏省南京市栖霞区仙鹤观6号墓出土。已发现的蝉纹金珰有甘肃敦煌前凉汜心容墓出土1件，辽宁北票冯素弗墓出土1件，北京市顺义区临河村北朝墓出土1件，江苏南京大学北园东晋墓出土1件，江苏南京郭家山东晋温氏家族墓出土1件，山东临沂洗砚池晋墓出土4件。此外，在山东青州出土的石造像中，有一尊东魏至北齐菩萨立像，其冠题为耸肩式山形，边框中间是一只伏蝉，双目圆突，长身垂翅，是中原蝉珰样式。

蝉纹金珰高5.5厘米，上宽5.2厘米，底宽4.5厘米。金珰近方形，顶部起尖，圆肩，呈莲瓣状。纹饰镂空，中间饰蝉纹，边饰锯齿

纹。纹饰上缀细金珠。蝉眼内原饰的镶嵌物已脱落，北部边缘有一周锯齿形卡扣。

王国维曰："珰者，当也，当冠之前，尤瓦当之当瓦之前矣。"而附蝉金珰是秦汉以来皇帝高级侍臣侍中所用冠饰，蔡邕《独断》记载："侍中、中常侍加黄金附貂蝉之饰。秦灭。太傅胡公说曰，赵武灵王效胡服，始施貂蝉、鼠尾饰之，赵以其君冠赐侍中。"《晋书·舆服志》中记载尤为详细，"侍中、常侍则加金珰，附蝉为饰，插以貂毛，黄金为竿。侍中插左，常侍插右"。由此可知，金珰附蝉应是一种冠饰，来源于赵武灵王仿效胡服。其与貂尾一起连用，形成"貂蝉之饰"，亦简称为"貂蝉"。秦朝时期，皇帝将饰有貂蝉之饰帽子赐给高官侍中。汉代除侍中外，还有中常侍亦使用饰有貂蝉之饰帽子，传为战国时赵惠文王始制武官冠还称之为赵惠文冠。晋代，侍中、常侍等不同官职，所配"貂蝉之饰"还以左右来加以区分。六朝时期，社会动荡，原在秦汉只供侍中等高官使用"金珰附蝉"，这一时期呈现出供女性使用、滥发粗制、任意赏赐的情况。六朝墓葬中，时常发现蝉纹金珰，正是对文献中所载上述现象的有力证明。

蝉纹金珰藏于南京市博物总馆。

佛像纹金珰 十六国时期北燕文物。1965年，辽宁省北票县西官营子冯素弗墓出土。金珰是一种冠帽装饰，两晋十六国墓葬中屡有出土。

佛像纹金珰高6.8厘米，宽8.4厘米。金珰为片状耸肩山形，表面锤揲一佛二胁侍菩萨。佛跪坐在方坛式台座上，作禅定印，背后有火焰状背光，左右立胁侍菩萨。周边锤揲锯齿纹饰。锤揲图案后，又在金片上扎9行小孔，以金丝穿缀圆形小金片，使正面布满摇叶。冯素弗墓还出土有附蝉纹金珰、步摇金冠顶、金刀柄等大量金质器物。金饰纯度分别为80%～85%与90%～95%。

按以往认识，步摇与金珰使用者性别不同，前者为高等级官员妻属、公主至皇后使用，后者一般多集中在侍中、中常侍一类男性高官使用。考古发现，金珰使用者可以为男性，也可以为女性，有些金珰还为女性步摇之构件。佛像纹金珰形制应是一件冠题，即冠额正中徽饰。佛教自东汉时期传入中国后，到两晋南北朝时有一个大的发展。至于北燕，则有深厚的佛教信仰基础，冯氏崇佛之风甚至延续到国亡后。这枚金珰以佛像为内容，反映当时慕容鲜卑及北燕冯氏崇尚佛教的历史情况。

佛像纹金珰藏于辽宁省博物馆。

蝴蝶形金簪　元代文物。1982年，山西省灵丘县曲回寺村村民在村北山坡取土时，从一崖缝中挖出一装满金银器的陶罐。

蝴蝶形金簪属花丝制品，通长4.92厘米，宽4.39厘米，共重22.6克。蝴蝶的头部是由3个花丝石碗焊接的三角形组成，胸部是1个素石碗，腹部由6个花丝小石碗组成，石碗中宝石均已脱落。蝴蝶触角及前、中、后三足用0.11毫米的四股花丝编织在一起后再焊接在头部和腹部上。主翅脉由2个随形石碗和唐草纹、缠枝纹组成。在外沿花丝处，焊有小金珠连成的鱼子纹，金珠直径为0.54～0.6毫米。头、腹、身镶10颗松石，翅镶2颗松石，整件器物周边饰满联珠纹。

蝴蝶形金簪造型优美，精细生动，2件结构略同，全身以金箔衬底，素面。展开后呈相向双蝶，全身以掐丝盘结多种花纹。这批金银器当为曲回寺藏品，曾被认为属于唐代文物，后经专家鉴定为元代器物。

蝴蝶形金簪藏于山西省大同市博物馆。

金冠饰　元代文物。1980年，内蒙古自治区赤峰市敖汉旗敖音勿苏乡朝阳沟墓葬出土。

这套金冠饰由金佛像、龙纹叶状饰、金宝杵花形饰、长条花形饰等20件组成，以金佛像为中心布局。金佛像趺坐，头戴花蔓宝冠，身着通肩披肩，双手做虚心莲花合掌，周围4条金龙盘绕。杵状饰整体似花瓣，中间饰宝相花，周围饰以花瓣纹。长条花形饰中间有四瓣花形，周边点缀叶脉纹和花莲。整套冠饰采用掐丝工艺，异常精美。

金冠饰是一套元代蒙古贵族佩戴精美冠饰。有学者认为，金冠主人和兀良哈蒙古有关系。兀良哈是一蒙古部落，14世纪中叶活动在蒙古东部地区。朝阳沟墓葬所在地，在元代属兀良哈部的地望所在地。元朝皇帝崇佛，也带动民间佛风兴盛。金冠造型花纹具有浓厚佛教色彩，也从一侧面反映出这一现象。

金冠饰藏于赤峰市敖汉旗博物馆。

楼阁人物金钗　明代文物。1957年，重庆市渝北区大石乡五云村明墓出土。该钗曾被认为出自明永乐年间吏部尚书蹇义之子蹇芳墓。据《巴县志》记载：蹇芳早卒，永乐四年（1406年）赐以早殁公主，封为驸马，实行冥婚，葬于江北凤居沱。但卒于永乐年间的蹇芳显然不能用打造于宣德三年（1428年）的金钗随葬。由此推测，这座大型明墓墓主人可能是蹇氏女眷。

楼阁人物金钗连钗股长16.4厘米，云头长

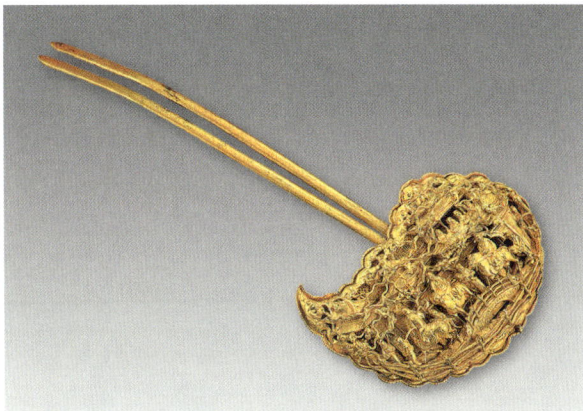

6.5厘米，重52克。用金片锤鍱成云头纹形衬底，金片和细丝制作出一群楼阁，右上方楼阁中有4人端坐正中，下层小桥流水，路上骑马官人3位，仆人6位，构成一幅精美的出行图。

楼阁人物金钗应为"掩鬓"，明顾起元《客座赘语》记："掩鬓或作云形，或作团花形，插于两鬓。"明范濂《云间据目钞》中则称作"捧鬓"。江西省南城县明益端王妃彭氏、益宣王妃孙氏墓中出土的掩鬓皆为两件一组，云头的曳脚向外，自下而上相对插戴，故又名倒插鬓。钗背面刻有"三学士诗"，诗曰："冠世文章绝等伦，瀛洲学士盛时人。玉堂金马声名旧，明月清风气象新。阆苑朝回春满袖，宫壶醉后笔如神。平生自是承恩重，每赐金莲出禁宸。"又《七绝》一首云："福如东海长流水，寿比南山不老松。长生不老年年

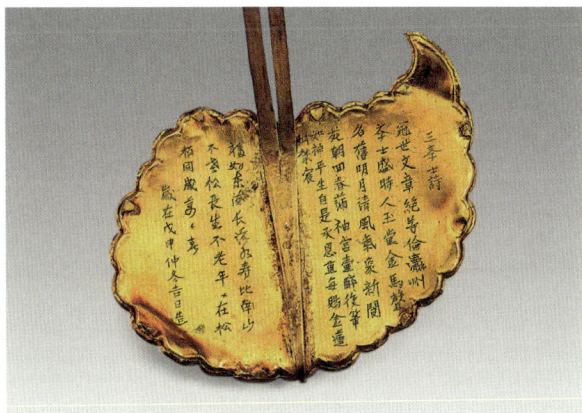

在，松石同岁万万春。""岁在戊申（1428年）仲冬吉日造"。可知金钗或是一份寿礼，或是曾用于寿诞之辰插戴。

楼阁人物金钗藏于重庆中国三峡博物馆。

金分心头饰　明代文物。1977年，湖北省蕲春县博物馆征集。这类头饰出土时，尚保持原位置者都插在鬏髻背面。《金瓶梅》第二回有戴头发鬏髻者，"排草梳儿后押"，可见插后分心的做法，与妇女在髻后插梳的古老习俗有关。但《云间据目钞》列举头髻周围饰件时称："后用满冠倒插。"则此物又名"满冠"，概因背面插分心后，冠上饰件遂已基本布满之故。就装饰题材而言，明代中期开始流行以王母、观音等仙佛作为主题纹样，此前则以牡丹凤凰等花鸟题材为多。

金分心头饰高7厘米，宽14.5厘米，重35.4克。头饰为"山"字形，片状，浮雕纹饰。上方一排城门楼阙，宫门紧闭。门楼左右城墙上各立一守卫士兵向城下探望。门前站立一位官员作双手合拢作揖状。下方两路人马迎面相会，一侧为两武将身披盔甲、执兵器骑马走来，前方有一人执旌，旌上写"马投"二字，后方一名士兵跟随；另一侧为两文官骑马走来，前方有一人执旌，后方一名士兵跟随。

此类饰物，发掘简报称"钿""冠饰""如意簪""月牙形饰件""花瓣形弯弧状饰件"诸种，应属鬏髻分心构件。"分心"一词可能与"挑心"有连带关系，但命名由来尚不清楚。其造型通常为十几厘米长一道弯弧，正面上缘若群峰并峙之山峦，当中一峰最高，两侧对称，正视之犹如笔架。背面或从垂直方向接一扁平簪脚，或做出几个扁管，用以贯穿两端系

带子银条。

金分心头饰藏于湖北省蕲春县博物馆。

三学士金分心头饰　明代文物。1997年5月，上海市卢湾区李惠利中学明墓出土。墓中，出土金银首饰、折扇、铜镜等百余件。其中1件银丝发罩上，插满分心、钿和各式花卉、动物首金银簪插近20件，光彩照人，华丽无比。

三学士金分心头饰高2.5厘米，宽11.2厘米。分心头饰簪脚已脱落，由整张金片模压而成，顶端山峰错落有致，底端连弧形，四周边框随形，上錾刻短阴线，内为3个骑马官人和3个随行侍从。中间者人高马大，头戴官帽，身着刻有补子官服，锦衣绣鞍，侧身正视，神采飞扬。前后两位骑者个头略小，或策马前驱，或扭头平视。3匹坐骑姿态各异，领头的回望，中间的徐行，后部的扬蹄紧随。每位官人前各有一侍从，或持物，或挑担。中间官人头顶一簇松针。主仆6人构成一幅完整的三学士出行图。

重庆中国三峡博物馆还收藏有1件三学士出行图图样的金掩鬓，上面刻绘亭台楼阁、小桥流水，主体纹饰则同为一队前行人马。掩鬓背面刻一首"三学士诗"，点明此类图样含

义。"三学士"语出欧阳修"金堂玉马三学士，清风明月两闲人"诗句，是指欧阳修、赵槩和吕公著，三位都是北宋重臣，极受皇帝恩宠。图样有祝愿夫君前程似锦含义，自然也暗含夫贵妻荣意味。

三学士金分心头饰藏于上海博物馆。

鎏金嵌珠宝银顶簪　明代文物。1977年10月，北京市海淀区八里庄明代武清侯李伟夫妇合葬墓出土。武清侯李伟，明史无传，仅在《明史·外戚恩泽侯表》"武清侯"条有其谱系。后其女以良家女入裕王（朱载垕，嘉靖之子）府，嘉靖四十二年（1563年）生朱翊钧（万历帝）。可知，李伟之女系万历帝生母慈圣李太后，李伟是朱翊钧的外祖父。

鎏金嵌珠宝银顶簪通长23.8厘米，簪顶花长8.1厘米，宽4.5厘米，高3厘米。顶花以白

玉作花瓣，大红宝石做花心，旁有金蝶，蝶须嵌珍珠两颗，花四周饰红、蓝宝石。簪柄弯处托以"古钱"。制作采用累丝、锤打、錾刻、铆钉、焊接、镶嵌、抛光、鎏金多种工艺精制而成。

鎏金嵌珠宝银顶簪的结构与明定陵孝靖皇后随葬品中的嵌宝石花蝶顶簪相近。李伟妻王氏墓中曾出御用监所造带"慈宁宫"铭记的银洗和银盆。李伟曾于万历三年（1575）三月"请价自造生茔"。故此，顶簪可能也是内府制品。

鎏金银嵌珠宝顶簪藏于首都博物馆。

金蝉玉叶银簪 明代文物。1954年，江苏省苏州市五峰山明代弘治年间进士张安晚家族墓地14号墓出土。银簪出土时位于墓主人头部，并伴有1根4.7厘米长银柄，柄顶端有一银托，托中有0.1厘米小孔，使金蝉、玉叶、银托连成一体。一同出土的还有银笄2件，金银嵌宝玉插花4件，说明出土物品是贵族女子头上发簪。

金蝉身长2厘米，宽0.8厘米，重4.65克，含金量达95%。金蝉侧身翘足，双翼略张，嘴巴微开，形神毕肖，栖憩在玉叶上。蝉左右各两翼，外翼长1.7厘米，宽约0.8厘米，厚

仅0.2毫米，表现出蝉翼轻而薄的特点，蝉足简化为3对，前4足弯曲，后2足屈伸。蝉肚有1根用金片卷成的金丝，通过玉叶片插入下托银梗。玉叶长5.2厘米、宽约3.2厘米，仅厚约0.2厘米，系用新疆和田所产羊脂白玉精工琢磨而成，晶莹润泽。叶片打磨细薄，分为八瓣。有主脉1根，两边各有支脉4根，叶片正面叶脉琢成弧曲凹槽，背面叶脉相应磋成凸棱，叶片极具真实感。

蝉又称知了，"知"谐音"枝"，"金蝉玉叶"也就是"金枝玉叶"，是中国古代对女子赞美之语。金蝉玉叶制作技术十分复杂，采用压模铸范、薄叶延展、錾刻、焊接等工艺。玉叶汲取传统阳线、阴线、平凸等琢玉工艺，抛光细腻，琢工精致。画面构思奇巧，动静结合，妙趣横生，具有极高鉴赏价值，是15世纪下半叶明代中期的杰作。

金蝉玉叶银簪藏于南京博物院。

鎏金银冠 辽代文物。2001年征集，传内蒙古自治区赤峰市翁牛特旗桥头镇出土。

鎏金银冠高39.5厘米，径19.2厘米，重419.5克。银片镂空錾刻，弯卷银丝缀合而成。冠体用4片镂空网状花瓣形银片卷成圆筒形，上覆穹庐形帽顶，内里原衬有丝织品，残朽殆尽。银片边缘细窄条上为联珠纹间缠枝纹，其余部分镂空成鱼鳞状网纹，亦似海水。冠正面正中刻有摩尼宝珠，两旁为展翅凤鸟，灵芝状云朵。冠侧银片上錾刻折枝菊花、莲荷、如意云头纹等。帽顶仰莲中心立1只圆体大鹏金翅鸟，双翼侧举，长尾上翘，冠羽高耸，展翅欲飞。

金冠和鎏金银冠，为契丹皇家和上层贵族

所戴。考古发掘中出土有大量辽代冠饰，按造型和功能可分为卷云冠、高翅冠、莲叶冠、额冠等。莲叶冠是指半球形冠筒插拼莲叶形金属片组成冠，冠筒上缀冠耳，有的冠顶有立饰。这件鎏金银冠就属莲叶冠饰。香港梦蝶轩收藏鎏金银冠与其极为相似，唯凤鸟立饰造型有差异。另外，还有一种两侧为垂耳的莲叶银冠，如内蒙古博物院收藏的2件辽代鎏金铜冠和辽宁省凌源市小喇嘛沟出土的鎏金银冠。辽代冠饰代表不同身份地位，金冠是辽代皇帝所戴，鎏金银冠是贵胄所戴，而鎏金铜冠则是臣僚所戴。这些器物并非为死者专门制作，而是由朝廷所赐。在墓葬中，常与金属面具、网络等组合在一起。这件鎏金银冠工艺繁缛，纹饰华丽，是辽代银冠中精品。

鎏金银冠藏于甘肃省博物馆。

金翼善冠 明万历年间（1573～1620年）文物。1958年，北京市昌平区十三陵定陵地宫出土。定陵是明神宗朱翊钧的陵墓，其地下宫殿出土各类器物3000余件，其中有金器、银器、玉器、珠宝、金冠、凤冠、衮服、冕旒、百子衣等。

金翼善冠出土时装在一个圆形木盒内，通高24厘米，后山高22厘米，冠口径20.5厘米，重826克。全冠用细如游丝的金丝编织而成，由前屋、后山、角组成。先做出木模，然后用922根、0.2毫米金丝编出"灯龙空儿"花纹，编织纹路细密均匀，编出帽片薄如轻纱，再用粗金丝连缀在一起，外面用双股金丝编织成辫子形条带压缝。两折角单独编成，下部插入长方形管内。冠上二龙戏珠中的龙头、爪、火球、背鳍錾雕成半浮雕形。龙头各部位层次清晰均匀，线条流畅。龙身外侧以粗金丝为骨，龙身、龙腿采用传统掐丝、累丝、码丝方法进行焊接，形成镂孔鳞状，呈高浮雕式。二龙身带填丝制成火焰，昂首相对嬉戏火球，双龙尾上翘贴在两折角中部。二龙两只后脚蹬在角根部。围绕后山下沿饰卷草花边纹一周，后山下部嵌一累丝制成冠形帽饰，冠口略呈椭圆形，嵌有金口圈。

定陵地下宫殿出土文物，为明宫廷服饰史研究提供重要实物资料。此件金翼善冠设计精巧，匠心独运，充分体现帝王用器的庄严华贵，堪称明代金银细工高超技艺杰作，是中国考古发掘获得唯一一件古代皇帝金冠。

金翼善冠藏于定陵博物馆。

镶宝石金冠 明代文物。1963年，云南省昆明市呈贡区王家营沐崧夫妇合葬墓出土。镶宝石金冠为沐崧妻徐氏所有。沐崧为明代著名将领沐英之后裔，独镇一方，屡建奇功，使明朝一直"无西南之忧"。沐英去世后，在明朝期间，承袭黔国公。沐氏子弟就是云南最高统治者，终明一代，共十二代16王（公），长达260余年。沐英子孙只有世袭黔国公才归葬南京将军山，而云南呈贡王家营龙山墓地为沐氏另一支裔。

金冠高15.5厘米，底径11厘米，重318克。金冠呈半球形，用薄金片从外四层围成，通体形如意云片，冠面镶嵌红、蓝宝石。冠顶插一如意嵌宝石簪，沿冠两侧各插一对红、蓝宝石笄，用来固定发髻。冠饰中层叠的如意形片上锤鍱云纹、旋纹。其上镶嵌红、蓝、绿、白各色宝石50余颗，富丽堂皇，展示了明代制

作工艺成就。

据检测，金冠上镶嵌红色宝石大多属红色尖晶石，红宝石为数极少。与云南相邻的缅甸、泰国及斯里兰卡等地都是尖晶石产地，金冠上尖晶石很可能来自上述地方。

镶宝石金冠藏于云南省博物馆。

金束发冠 明代文物。1960年，江苏省南京市中华门外郎家山宋朝用墓出土。

金束发冠高4厘米，长7.8厘米。梁冠状，作五梁，两侧有穿孔，可贯簪将冠固定于发髻上。

束发冠是闲居之服，始于五代，流行于宋代，也是固定在髻上的发罩，曾被称为矮冠或小冠。明代男子束发冠便是承宋而来，有金、银、玉、玛瑙、琥珀、木诸种。与女子戴鬏髻相比，金银束发冠尺寸要小一些，大多在"二寸"上下。束发冠上罩巾，又或加额子，以不露发为常。冠顶部有5道梁状凸线以为装饰，但无朝服梁冠上梁所具有的代表等级用意。如江西南城株良乡万历二十一年（1593年），某代益王墓中出土金束发冠，只压出4道梁，与郡王身份不符。又如南京江宁将军山天启五年（1625年）沐昌柞墓出土金束发冠，冠顶压出6道梁。沐昌柞袭封黔国公，而"公冠八梁"，

可见其束发冠之形制亦与朝服中梁冠无涉。此件金束发冠是国内所见金束发冠最早一例。

金束发冠藏于南京市博物总馆。

金编丝发冠 明代文物。1973年，江苏省无锡市明墓出土。该冠与江苏省南京市栖霞山2号墓出土金编丝发冠极为相似。栖霞山金编丝发冠以五股粗金丝作冠架，正面用金丝盘绕出一朵牡丹花，两侧扭出旋转漩涡纹。下端有四孔，成十字相对。或即所谓"时样扭心鬏髻"。起初鬏髻指的是挽成某种式样发髻。但在戴冠和包髻影响下，鬏髻上又裹以织物。《明史·舆服志》："洪武三年定制，凡宫中供奉女乐、奉銮等官妻，本色鬏髻。"此时明甫开国，说明这种做法承自元代。于是，鬏髻就由指发髻本身，变成指罩在发髻外的包裹物。明代中叶，随着经济发展和风俗侈靡，又兴起以金银丝编结鬏髻之不寻常时尚，且认为只有这样制品才算是够规格的鬏髻。

金编丝发冠通高8.5厘米，底径8.2厘米，重86克。通体用极其细密金丝编织而成，下部做成圆形宽带状，上部正前方呈圆弧状外突，正中用粗金丝做出二梁，左右两侧做出对称向上卷曲涡形图案。造型端庄秀美，编织匀称细密。

这件金发冠制作工艺比较复杂，先以粗金丝为框，连接处用细金丝缠扎，外蒙细金丝编绞成网状发冠。除底沿外，其余部分均在背面框架对应处，用粗金丝做成相同的梁和圆涡形饰物，并分别间隔一定距离，用细金丝将粗金丝与网状束发冠固定。两侧双线圆涡纹另用细金丝编织，底端留有插簪用圆孔，发冠后面正中近底处，也有一插用圆孔。

金编丝发冠藏于无锡博物院。

金饰凤冠 明代文物。1958年，湖北省蕲春县刘娘井明墓出土。墓主人为荆端王次妃刘氏，荆恭王本生祖母、追封荆庄王之本生母。刘氏在荆端王死后六年即嘉靖三十八年（1559年）奉敕封为次妃，次年即嘉靖三十九年（1560年）八月离世，享年65岁。

金饰凤冠通高6.9厘米，直径9.9厘米，重184.8克。用粗金丝做成上小下大攒尖式圆框，框架中心饰1只金累丝镶宝大凤，其下口沿饰5只金镶宝小凤在前，一溜金镶宝钿花在后，又以大小不等的金钿花自第二行起依次推向上方，层层叠饰，以一簇宝钿花结成一朵而关顶。在花蕊和鸟翼上镶嵌有大小不同红宝石30颗，蓝宝石31颗。金冠尺寸不大，刚好可以扣于高髻之

端。与冠同出土的尚有一对累丝金凤簪。

金饰凤冠应属明代礼书中说到的特髻，是皇妃常服之属，而为皇妃以下至品官命妇礼服。特髻之名最早见于宋代，但宋代特髻在存世文物中尚难辨识。至明代，由于品官命妇和内命妇均戴特髻，皇后着常服时冠制亦如特髻，所以易于辨认。刘氏墓所出土这件宝石特髻，就是很突出的一例。

金饰凤冠藏于湖北省博物馆。

金链 北朝时期文物。1981年，内蒙古自治区乌兰察布盟达茂旗西河子农民何风生在修整场面挖土时，从距地表50厘米处，挖出金牛头鹿角饰2件，金马头鹿角饰2件，还有1件金链，总重量为531克。

金链长128厘米，重214克，由金丝编结而成，两端龙头以金片卷制，龙的耳、目、口、鼻等处，都用一道金丝加一道联珠纹勾出轮廓，有些部位原镶嵌小块彩色玻璃，多已脱失。龙头前部附金环，以便两端相互衔接。链上缀有1枚钺、2枚戟、2枚盾和2枚小梳子共7件模型，造型准确。金链采用累丝工艺制作，用金丝编缀而成。累丝，是金器制作工艺的一种，即将黄金拉成金丝，然后将其编成辫股或各种网状组织，再焊接在器物上。龙身作绞索式管状空腔，环环相套，外观似细鳞片片相叠，盘曲自如。龙身开端用一根金丝作7次屈曲，围合焊接封闭，构成一具有弹性的环，固着在龙颈内串钉上，作为第一节。第二节环的做法相同，每一屈曲顺序套连在第一环两屈曲之间，两端结合后焊接封闭，两环互相勾连。整个龙身由270环连缀而成。因每一环自成一个封闭圈，与前后两环套连，使其可任意环

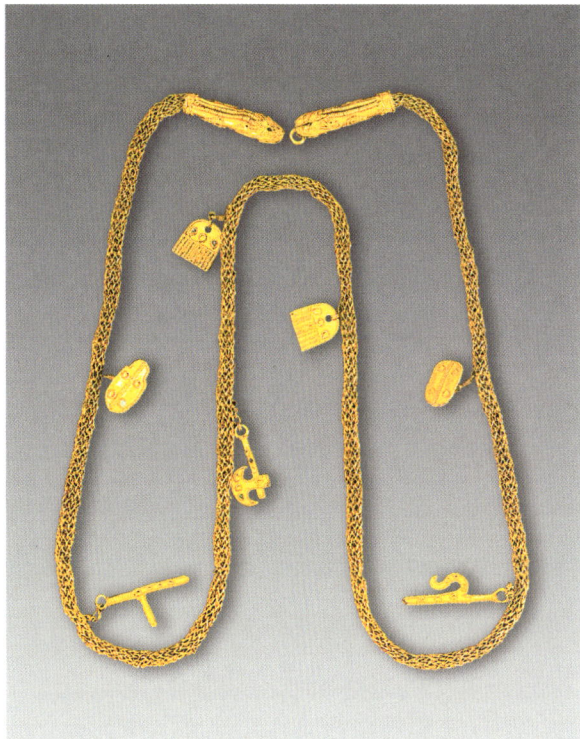

绕，伸缩自如。

西河子出土金链定名与其时代归属，有学者称其"金龙饰"，并据其两端龙首造型及同出金步摇的情状，推论西河子出土之数件金器皆为北朝时期鲜卑族遗物，埋藏于北魏六镇起事之时（524年）。有学者认为，这类金链首饰大约就是文献中所言的"五兵佩"，并从文献记"五兵佩"流行时间、西河子金链之各种坠饰形制和金链两端龙首造型，推论金链年代为西晋时期前段，且其制作年代大约不出3世纪。内蒙古博物院则将其年代定为北朝，并称其"金龙项饰"，属于鲜卑佩戴饰物。乌兰察布博物馆同样见有银质龙首链，虽链身缀有坠饰，但可能为后来添加，年代有唐和宋、元之间等不同观点。在陕西省咸阳窑店也有发现类似银链，两端龙首则以银包铜、表面鎏金，整体不见有缀饰，将其年代定为唐。由西河子金链和佛教造像中兽首链饰、中国境内出土相同

母题饰品，及中西亚地区兽首相对饰品梳理，可知西河子金链是中西交流背景下产物，可能产于中西亚地区，并通过交流进入中国。从埋藏地点和伴出的金步摇，推知西河子金链拥有者，应为鲜卑民族中具一定身份地位的人物，可能是拥有者在避乱慌忙间所埋藏，时代或许可推至北魏都盛乐年间（386～398年）。

金链藏于内蒙古自治区乌兰察布博物馆。

金项链　隋代文物。1957年，陕西省西安市李静训墓出土。墓主李静训，9岁，是北周、隋代显赫的李氏家族千金，又是北周宣帝与皇后杨丽华外孙女，也是隋文帝杨坚与独孤皇后曾外孙女，是地道的金枝玉叶、帝胄王孙。不仅丧葬规格极高，还随葬不少具有异域色彩的物品。

金项链周径43厘米，重91.25克。由28个金质球形链珠组成，每个球形链珠均由12个小金环焊接而成，其上再各嵌珍珠10颗，珠光闪闪，璀璨夺目。项链上端正中为圆形，内嵌凹

刻一花角鹿的深蓝色垂珠。项链下端居中为一个大圆金饰，上镶嵌一块晶莹红宝石，红宝石四周嵌有24颗珍珠。外侧各有一圆形金饰，上镶嵌蓝色珠饰，周缘亦各镶嵌珍珠一周。最下挂一心形金饰，上面镶嵌一块长达3.1厘米青金石。

有学者从金项链多面金链珠及焊接工艺、蓝珠饰上的凹雕工艺、青金石和宝珠垂饰等方面进行研究，认为其原产于巴基斯坦或阿富汗地区。整条项链鲜红红宝石与宝蓝青金石交相辉映，再配以洁白的珍珠，在纯金烘托下，显得鲜艳夺目，雍容华贵，堪称艺术精品。

金项链藏于中国国家博物馆。

金弓形饰　战国文物。1966年，河北省阳原县高墙乡九沟村出土。

金弓形饰长24厘米，宽7.2厘米，重160.2克。金弓形饰作弧形，两端各有一孔，曾被称作"弧形器""弓形器""半月形器""璜形饰"等。在中国北方已出土多件弓形饰，均形制简单，整体呈弧形，分为两端有圆孔或卷钩两类，以前者居多。两端有对称圆孔弓形饰最早出现在夏商时期，为铜质。两周之际，金质弓形饰出现。春秋晚期至战国早期，金质较多，也有少量铜质的。到战国中晚期，出现银

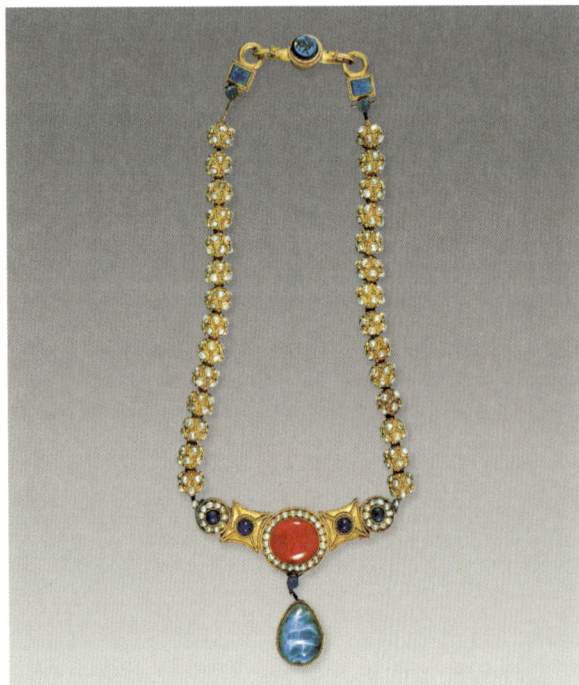

质弓形饰，金质减少，而铜质已不见。

这类弓形饰源于齐家文化，不同质地产品均在西北地区首先出现，至东周时期沿北方长城地带向东传播。饰件端部小孔便于穿绳或系挂，考古资料证明，有明确出土位置者均在死者颈下或胸部，当作项饰之用。有学者认为，弓形饰是死者某种权力象征或是贵族标志，及游牧部落首领或贵族军士一种身份标识物。也有学者认为，弓形饰自西向东流布的同时，其背后象征意义也不断发生变化，最初可能只是特定人群标识，当被不断传递到其他人群时，其价值被强化甚至被异化，成为社会上最高等级人群专有标识。

金弓形饰藏于河北博物院。

金项圈 汉代文物。1996年，新疆维吾尔自治区吐鲁番交河沟西墓地1号墓出土。

金项圈由4条半环形中空扁管重叠组合而成，后部两侧不相连接，上下两端锤打成片状，并在其上各饰虎噬动物图案。全器弧长27厘米，直径14厘米，宽1.9～4.1厘米，重77.7克。

此金饰也被称为冠饰。在内蒙古自治区准格尔旗西沟畔2号墓和伊克昭盟瓦尔吐沟春秋战国墓中也出土2件项圈，皆由柱状金银条弯曲环绕而成，其中瓦尔吐沟出土的1件两端也

被雕刻成虎头形，与这件金饰形制相似。在哈萨克斯坦伊塞克古墓，克里米亚半岛辛夫埃罗保勒的塔拉耶夫古墓、埃里特尼村古墓、霍夫拉赤古墓中也均有类似器物出土。其中伊塞克古墓是一座保存完好墓葬，所有随葬品均保持下葬时位置，金饰就在头骨下环绕颈椎部位，由此认定是一件项圈。因此，交河沟西古墓出土金饰定为项圈较为合适。

金项圈存于新疆维吾尔自治区文物考古研究所。

金项牌 宋代文物。1975年，四川省阆中县双龙食品站工地出土。

金项牌长21.7厘米，宽16厘米，重38克。由3片依次递减弯月状金片组成，上弧平滑，下弧弯曲呈葵形，由上至下渐小，每片间两尖部钻孔，上两片每尖有两孔，用细金丝曲成两圈相扣以链连。最上一片两尖部呈细条形，尖头呈花蕾形，片上饰牡丹花、葵花、芙蓉花，中间一层饰牡丹花、莲花、荷叶，下层饰牡丹

花、芙蓉花。花间缠枝，叶片细长卷曲，下衬小碎点纹地。整器锤揲成形，纹饰高凸，呈半浮雕形。

该饰曾被定名为金披风饰，实为金项牌。项牌通常以"一副"为称，因其上下一般要系坠成串珠子、珊瑚之类，即所谓璎珞，或俗称为络索儿。元刘庭信《端正好·金钱问卜》："穿一套藕丝衣云锦仙裳，带一付珠珞索玉项牌。"

金项牌存于四川省阆中市博物馆。

金臂钏 商代文物。1977年，北京市平谷县刘家河商代墓葬出土。除出土这对金臂钏外，还出土1件金耳环、1件金笄和金箔残片等金制品。

金臂钏其中1件周长39厘米，外径12.4厘米，重93.7克；另1件周长38.1厘米，外径12.4厘米，重79.8克。两件臂钏均用直径0.4厘米金条相对弯成环形，两端锤扁成扇形，整体光素。经测定，含金量85%，其余为少量银及微量铜。

古代称臂环为钏，俗称手镯。《正字通·金部》中有"古男女同用，今惟女饰有之"之说，《南史·王玄象传》中也讲"女臂有玉钏"，可见臂钏在早期是男女都佩戴的饰物，后成为

女性特有装饰品。类似金臂钏在辽宁省喀左县和尚沟墓地、河北省卢龙县东阚各庄1号墓、河北省丰润县高丽铺遗址及河北省迁安县小山东庄均有出土。另外，辽宁省宁城南山根101号墓、汐子北山嘴7501号墓也出土有两端接头处作扇面形金臂钏各1件。这两件金臂钏与河北省丰润县高丽铺遗址出土之物形制都较小，环径在5厘米左右，其余臂钏环径皆在10厘米左右。从形制演变和时代关系上，可看出两端扇面形金臂钏从燕山南麓向燕山以北、长城以外发展趋势。有学者认为，刘家河黄金制品为夏家店下层文化典型遗物，并属中国早期黄金制品上限之一。

金臂钏藏于首都博物馆。

金臂钏 战国晚期文物。2008～2009年，甘肃省张家川马家塬墓地16号墓出土。16号墓在马家塬墓地中属中型墓，为9级阶梯式竖穴偏洞室墓，墓主为40岁左右男性，随葬有车4辆。金臂钏出土时，位于墓主右臂肘部外侧。除金臂钏外，还随葬有1件银臂钏及丰富的金银物品，表明死者生前拥有较高社会地位。

金臂钏长9.5厘米，直径4.8～6.6厘米，重159克。金臂钏由长方形金片锤揲出5道凸起

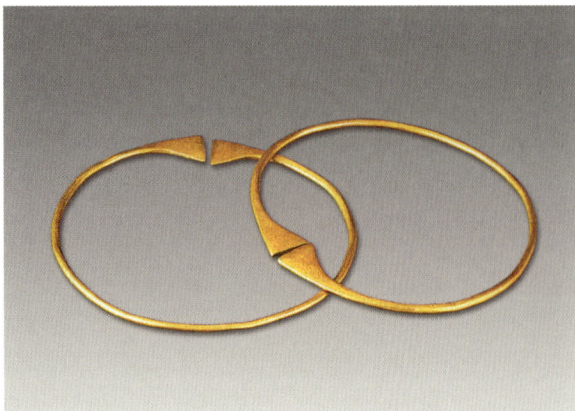

瓦楞纹后卷成扁圆筒形。瓦楞纹两侧焊接有金丝编织而成麦穗纹，两组麦穗纹间焊饰11朵金丝圆蕊花瓣纹，花瓣面嵌饰肉红石髓，花瓣间嵌饰绿松石。臂钏对接边缘，各为2道竖向麦穗纹间6朵金丝圆蕊花瓣纹。出土时，大部分肉红石髓及绿松石脱落。

在马家塬20号墓墓主人左臂戴银臂钏，臂钏分为两片，瓦状，合成筒形，锤揲出带状凸棱3道。与马家塬战国墓同出一族的甘肃秦安王洼战国墓亦出土类似银臂钏，圆筒形，饰3周凸棱。在这一地区其他战国墓中，未曾发现此类臂钏，推断应是西戎族特有的一种装饰品。

金臂钏存于甘肃省文物考古研究所。

梭形串珠金手链 西汉文物。1978年，广西壮族自治区合浦县环城乡插江1号墓出土。金珠饰品在中国南海沿岸汉墓中常有出土，而以合浦汉墓中出土最多。合浦出土的金花球都是串饰组成部分，造型基本相同，为圆球形，空心，直径在0.5～1.7厘米。典型的金花球是用圆形小金条焊接12个小圈，以供连缀。12个小圈上下各一，中分两层，每层5个；然后在这些小圈交会的三角地带，用高温吹凝堆珠加以固定。堆珠有的只有1颗，有的是下面3颗上面叠垒1颗。堆珠间及堆珠与小圆圈间，都用焊接工艺加以连缀，整体稳定牢固。

梭形串珠金手链由13颗手链串珠和7颗花球组成。13颗手链串珠有12颗梭形和1颗圆体梭形，中轴均有细小穿孔。5个金镂空球珠，在每个经纬交叉点上饰以细小圆珠；另有葫芦形、扁圆球形等二颗金珠。每颗长1～1.2厘米，共重27.7克。

手链上镂空球珠是一种有异域风格饰品，亦称金花球或多面金珠，是由若干个小型金环焊接成多面球形，每面金环上又对称焊接小金珠而制成。多面金珠从西汉晚期开始出现，在中国南北方多处都有出土，在江苏邗江甘泉2号墓、湖南长沙五里牌9号墓、广东广州4013号汉墓均有这种金珠考古发现，是南方地区特有的金饰类型。学术界一般认为，用粟粒金珠堆垒装饰形制、工艺可能是由海路传入中国，但不排除在合浦当地制作的可能。

梭形串珠金手链藏于广西壮族自治区合浦县博物馆。

银条脱 南朝时期文物。1965年，贵州省博物馆考古组在贵州省平坝县马场附近，发掘34座东晋南朝时期墓葬。出土物中有铜条脱1件和银条脱2件。

银条脱其中1件，为三环，开口处扭丝缠

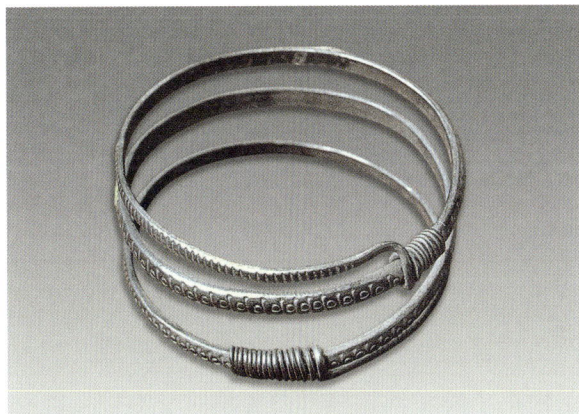

绕，面纹分段饰圆点纹和竖道纹。直径6.3厘米，重49.6克。另1件银条脱，用细银条缠绕5环而成。

条脱，或称跳脱，是臂钏的一种，弹簧形，用金银压成条状，盘拢成数圈，两端用金银丝编成套环，用于调节松紧，螺旋绕套于手臂，也可戴于手腕部。条脱最早见于东汉繁钦《定情》中："何以致契阔？绕腕双跳脱。""绕"者，缠绕也，表明条脱形状。唐人施肩吾《定情乐》："感郎双条脱，新破八幅绡。不惜榆荚钱，买人金步摇。"说明此物是男子赠送女子的定情之礼。《北梦琐言》载："（唐）宣宗尝赋诗，上句有'金步摇'，未能对，遣未第进士对之。庭云（温庭筠）乃以'玉条脱'续也。宣宗赏焉。"这里条脱乃钏类，与钗类步摇皆为饰物之属。计有功还在《唐诗纪事》卷二中提到："（文宗）一日问宰臣：'古诗云，轻衫衬跳脱。跳脱是何物？'宰臣未对。上曰：'即今腕钏也。'"说明唐代人盛行以"条脱"为手臂装饰物。

银条脱藏于贵州省博物馆。

金腕钏 唐代文物。1970年，陕西省西安市何家村窖藏出土。同出土"大粒光明砂银盒"内壁第五列墨书中，记有"钗钏十二枚共七两一分"内容，经专家核实"钗钏十二枚，其中钗九枚，钏三枚，共七两一分，重约294.175克"。据此可知，金钏应为其中之一。

金腕钏钏长18厘米，宽0.45～1.68厘米，厚0.04厘米，重33克。有豁口，光素无纹，仅钏正中有一条不甚明显的纵向凸棱，两端窄，两头捻搓细丝分别折回，各缠14圈做成开口，可根据手腕粗细调节开口大小。金腕钏系纯金

制成，握之有弹性，内径为6.9厘米，豁口自然间距为3.7厘米，从其尺寸和形制判断，当属典型的金腕钏。

唐代的钏有金、银、玉、琉璃多种质地，制作也非常精致。形制有环状闭合式和开豁口式两大类，每类细部又各有变化。前者以玉、石、琉璃、琥珀材质为多。开豁口的钏多用金、银、铜等有韧性的金属制成，使用时可根据需要开合。这种类型金钏后成为两宋通行的金银腕钏之一，学者考证其时称为钳镯。样式做成中间宽，而向开口处两端收窄乃至收细一枚扁片，近端处或细丝缠绕或外翻打卷以为收束。这一样式手镯，展开来便形若一枚柳叶，存置时常是如此状态，有时会被误认作"发簪"。

金腕钏藏于陕西历史博物馆。

鎏金三钴杵纹银臂钏 唐代文物。1987年，陕西省扶风县法门寺地宫后室出土。共出土4枚臂钏，不带钏面，叠压在一起，旁边另有2枚带钏面银臂钏。6支臂钏放置在后室正中鎏金五足朵带银熏炉上。据地宫后室发掘现场情况分析，在舍利入藏地宫时曾举行密宗舍利供养仪式，所有供养物均严格按照密教仪轨放置，构成奉藏舍利密宗曼荼罗坛场。6枚臂钏无疑为密宗法器之一。但地宫出土《物账碑》

上并无臂钏记载，只有唐僖宗所赐金银器中有"随求六枚"。经考证，随求即为臂钏，是唐代对密教特有器物称谓。

鎏金三钴杵纹银臂钏外径11厘米，内径9.2厘米，环宽2.07厘米，重149克。钏面鼓隆，内壁平直，系钣金焊接成形，再施以鎏金。做法是先将2块银块分别锤揲成宽约2厘米和3厘米银板，把2厘米宽银板钣成镯形圆环，上下带沟槽；再把3厘米银板钣成圆棱形圆环，截面呈半圆弧形。然后将两块圆环对焊，焊缝非常紧密，使整个钏体浑然天成。并在弧形钏面上錾刻出六组三钴杵，也叫羯摩金刚杵，间以蔓草花纹，衬以鱼子纹地。

臂钏最早为"西国之俗风"，到唐代，妇女普遍戴钏。唐代密宗流行信仰六臂如意轮观音，法门寺地宫出土第四重宝函正面主尊，即为思维相六臂如意轮观世音菩萨。这6枚臂钏是献给六臂观世音菩萨供奉物。

鎏金三钴杵纹银臂钏藏于陕西省扶风县法门寺博物馆。

金镯　北宋文物。1972年，安徽省滁州市来安县相官公社宋墓出土。

金镯2件，形制相同，长径7.8厘米，短径6.7～7.1厘米。打制而成，环以圆球相连，端首扁平，上錾刻龙首纹。

南宋吴自牧《梦粱录》曾记载，当时南宋富贵人家，嫁娶时所备聘礼，必有金钏、金镯、金帔坠，俗称"三金"。金钏大致可包括单环手镯、多环连续的"缠臂金"两种，即南宋本《碎金》服饰篇"钗钏"一项列出的"钳镯""缠钏"。"钳镯"为开口式，即做成中间宽，并向开口处两端收窄乃至收细的一枚扁片，是唐代即已定型的传统样式，流行于两宋。宋元时期还流行一种样式，即"联珠镯"，镯面由大小相等珠状装饰连接而成，开口处两端作长方形。此金镯即为联珠镯。考古发现可知，联珠镯分空心和实心两种，前者打造成形，是省料的一种；后者模铸成形，分量较足。不论哪一种，两端均装饰一对龙头，有二龙戏珠之意。二龙戏珠联珠镯在明代仍尚流行。

金镯藏于安徽博物院。

佛像纹金戒指　东晋文物。1997年9月，江西省南昌市火车站站前广场北侧进行地下停车场施工时，相继发现6座古墓葬。共出土金戒指、金指环、金手镯、银手镯、银发钗、银顶针、银耳挖、银火拔等24件金银器，其中佛像纹金戒指4枚。这件佛像纹金戒指即其一。此外，1996年南昌市绳金塔街晋墓中出土1枚

以佛像为戒面装饰金戒指。5枚戒指形状大体相似，均为环形，戒面向上伸出，形成"山"字形。戒面上有佛像，其身体主要部位系采用模压和錾刻方法制成，形成凸起立体感。佛像四周有放射状弦纹，似为背光，其下为曲线纹，曲线纹上亦有放射状细小弦纹，似为莲花座；戒面两侧戒指环上亦刻有上下交叉状弦纹。纹饰细浅，均采用錾刻工艺制成。

佛像纹金戒指直径1.9厘米，戒面高1.6厘米，重2克。

南昌市出土这批佛像纹金戒指，是佛像首次在金首饰上出现的实物例证。早期佛教图像，常与神仙道教形象混置在一起，并没有把佛本身当作独立供奉对象。东晋墓葬中，以佛像作为装饰器物发现不多，其载体主要还是用以随葬的谷仓罐。这些器物上，佛像出现在神仙或神兽等图像之中，还未脱出作为中国本土神仙思想和早期道教附庸状态而出现。自东晋后，以佛造像为器物装饰图纹的习俗随之改观。这几枚金戒指上的佛像，虽只是延续装饰意味，但在整个器物中的地位更加独立和突出，形象和意义更为明确。而把佛像装饰在金戒指这种日常器物上，说明佛教已渗透到人们日常生活中，体现这一时期佛教艺术的世俗化。

佛像纹金戒指藏于江西省南昌市博物馆。

嵌松石立羊形金戒指　北魏文物。1955年，内蒙古自治区呼和浩特市赛罕区美岱村出土。1961年，在美岱村又发掘1座北魏墓葬，出土1枚残缺金戒指，镶嵌绿松石。发现器物风格一致，是具有草原风格鲜卑金银器。

嵌松石立羊形金戒指高3.2厘米，宽2.48厘米，指环径1.94厘米。为扁条形戒圈，戒面上饰一圆雕伫立盘角羊，羊的五官及身体部位由联珠组成圆形表示。戒面两侧亦为联珠组成兽面图形，并镶嵌有绿松石。

鲜卑金银器中的戒指，东汉时期用金丝、金片制作，素面。魏晋时期，出现动物造型，采用铸造、锤揲、錾刻、焊珠、镶嵌等工艺，造型装饰更为华美。戒指边缘饰联珠纹，具有中亚金银器特点。内蒙古博物院还藏有1件呼和浩特市郊区讨速养乡出土的嵌松石卧羊形金戒指，截面上饰一圆雕形卧式盘角羊。

嵌松石立羊形金戒指藏于内蒙古博物院。

嵌宝石金戒指　北周文物。1983年，宁夏回族自治区固原市南郊乡深沟村李贤夫妇合葬墓出土。据出土情况可知，戒指为李贤夫人吴辉所有。

嵌宝石金戒指最大外径2.4厘米，内径1.75厘米，重10.5克。戒指环状，戒面为一枚圆形青金石，直径0.8厘米，表面上凹雕一位

女神。

　　古代东方文明中使用的青金石产于阿富汗地区。青金石硬度不高，易于进行加工，最常见方式就是抛光和雕刻。在宝石抛光平面进行凹雕技术，源自两河流域和伊朗高原，且延续数千年。这枚戒指上凹雕女神，应为琐罗亚斯德教掌管江河和生产的女神阿纳希塔。琐罗亚斯德教经典《阿维斯陀》将阿纳希塔描述为细腰紧束、婀娜多姿的形象。存世萨珊时期文物中保留图像中，阿纳希塔或赤身裸体，或身着华服，常手持植物处于拱门之下，拱门有时变化为女神手持类似花环之物，花环两端下部还连接着两条绶带。嵌宝石金戒指戒面雕刻的就是赤身手持花环状物的阿纳希塔，这与美国加州大学伯克利分校收藏的1枚萨珊印章上的阿纳希塔形象极为相似。克利夫兰艺术博物馆所藏1件萨珊银盘上也有类似形象。从雕刻技术和图像主题看，这枚戒指可能原产于萨珊王朝时期波斯地区。

　　嵌宝石金戒指藏于宁夏固原博物馆。

　　虎豕咬斗纹金牌饰　战国文物。1979年，内蒙古自治区鄂尔多斯市准格尔旗布尔陶亥乡西沟畔墓葬出土。

　　虎豕咬斗纹金牌饰一副2件，整体略呈长方形，长13厘米，宽10厘米。牌饰正面周边錾刻绳索纹框，框内为凸起猛虎与野猪争斗撕咬图案。背面有半圆形纽2个，上有粗麻布印痕。2件牌饰图案相同，背面边缘处均有刻划文字。有孔的1件，背面左、右两端边缘处，竖向直行"一斤二两廿朱少半""故寺豕虎三"，其实际重量291.4克。"豕虎"显然是表示金牌饰图案内容，"故寺"可能与制作器物的官府有关，"三"是器物编号，"一斤二两廿朱少半"是记重。另1件饰牌背面紧靠左端边缘处，竖向直行"一斤五两四朱少半"，实际重量330克。牌饰上衡制单位和刻字作风，皆受秦国影响，无疑与秦有密切关系。

　　这类金牌很可能是班固《与窦将军笺》所称"犀毗金头带"之"金头"，也通称为"带头"。两块牌饰分别固定在腰带两端，调整好长度后再进行系结。正常情况，两块牌饰图案应是对称的，但这两块牌饰固定在腰带两端，图案却是相向的，原因还待考证。

虎豕咬斗纹金牌饰藏于鄂尔多斯青铜器博物馆。

虎纹金牌饰 战国文物。1977年，新疆维吾尔自治区乌鲁木齐市南山阿拉沟30号墓出土。阿拉沟墓地30号墓为竖穴木椁墓，地表用石块封堆，四周用卵石围砌成长方形石垣。据墓葬中出土物判断，墓主为当地草原民族上层人士。虎形金牌饰具有明显的欧亚草原文化风格，显示当时新疆地区与欧亚草原间的文化联系。

虎纹金牌饰直径5.2厘米，厚约0.1厘米，重15.72克。金牌饰为圆形，上随形锤揲出一只后肢朝上翻转老虎，老虎肩部和臀部装饰螺旋纹，属典型的欧亚草原风格纹样。

考古出土材料显示，后肢翻转动物纹样是早期铁器时代欧亚草原上广泛流行的特色纹样。而欧亚草原动物身上装饰螺旋纹做法，大约出现于公元前5～前4世纪，在图瓦乌尤克文化的艾梅尔雷格墓地和萨格利·巴支墓地、阿尔泰地区巴沙达尔2号墓、南乌拉尔地区伏尔加河南岸菲利波夫卡、哈萨克斯坦伊塞克等都有出土，表明萨彦—阿尔泰地区可能是在动物

纹样身上装饰螺旋纹做法的发源地。这些金牌饰上的虎纹装饰应源于此。

虎纹金牌饰藏于新疆维吾尔自治区博物馆。

金腰饰牌与穿针 西汉早期文物。1994～1995年，江苏省徐州市狮子山楚王陵出土。

金腰饰牌与穿针通长97厘米，带鞓痕迹尚存，其上缀贝壳3排，中间夹金花4朵。饰牌长13.3厘米，宽6厘米，分别重273.2克、277克；穿针长3.3厘米，宽0.5厘米，重5.8克。两腰饰牌通过带穿针细丝带系结。金腰饰牌模铸成形，背面有麻布印痕，上有两个固定用纽，正面纹饰采用浅浮雕，主体为两只猛兽噬咬有角蹄足神兽场景。两只猛兽分别咬住蹄足神兽肩部和后肢。蹄足神兽头生大角，角上装饰5个钩喙猛禽头像，前肢跪卧，后肢朝上翻转，尾巴下端装饰有3个钩喙猛禽头，脖颈、肩部和臀部装饰有螺旋纹。其中一块腰饰牌侧面錾刻"一斤一两十八铢"，另一块侧面錾刻"一斤一两十四铢"。

狮子山楚王陵出土饰贝腰带当是文献记载中的"黄金饰贝带"，腰带丝质，区别于草原民族惯用皮带，腰饰牌上没有草原文化带扣上常见凸起扣舌，模铸，上刻汉字，表明其是中原内地制品。但腰饰牌上装饰的动物纹样，具有浓郁草原文化特色，尤其是有角蹄足神兽造型明显是继承战国晚期中国北方地区流行的有角蹄足神兽形象，表明是汉朝工匠吸收借鉴草原文化因素的创新作品。长方形腰饰牌大约于公元前2世纪晚期西传到欧亚草原，南乌拉尔山区博克罗夫卡墓地17号墓出土1件与狮子山楚王陵出土的腰饰牌造型纹样基本一致的腰饰牌，该墓年代为公元前2世纪晚期至公元前1世

纪，晚于中国境内出土同类腰饰牌墓葬，表明人类文化间交流是双向的。

金腰饰牌与穿针藏于江苏省徐州博物馆。

盘角卧羊纹包金带具 西汉文物。1979年，在内蒙古自治区准噶尔旗布尔亥公社西沟畔发现9座墓葬，被认为是汉代匈奴墓地，其中4号墓出土一套盘角卧羊纹包金带具，共4件。

盘角卧羊纹包金带具铁芯包金，带饰呈横长方形，采用高浮雕与圆雕相结合技术，用金片锤揲成盘角卧羊形图案，周围有卷云纹图案。铁质后背平整，曾有钩纽，已残。带环作长方形环状，用金片锤揲成卷云纹图案。一般将1件带饰和1件侧置的带环视为一套。其中鄂尔多斯博物馆所藏一套带饰长11.7厘米，宽

7厘米，高6厘米；带钩宽5.3厘米，高9厘米，总重217克。

内蒙古乌兰察布盟和林格尔县另皮窑村出土猪纹铁芯包金带具和呼和浩特市土默特左旗讨合气村出土神兽纹带具中，各有2件带扣，既无穿孔，也无明确的扣舌，仍应看作带头。两地各有2件接近椭圆形带环。另外，讨合气还出土4件长条形带鐍。因此，西沟畔出土4件带具应为一套，两个盘角卧羊纹带饰应为无穿孔带头，分别装在腰带两端，束腰时两端在腰前会合对齐，再用窄带系结。带环则横向固定在腰带上，以作垂物之用。

盘角卧羊纹包金带具分别藏于内蒙古博物院和鄂尔多斯博物馆。

"猗㐌金"四兽纹金牌饰 西晋文物。1956年，内蒙古自治区乌兰察布市凉城县小坝子滩村出土。从铭文推断，金饰为西晋时拓跋鲜卑力微之子猗㐌部遗物。"猗㐌"即"猗拖"，《魏书·序记》载，拓跋禄官时，拓跋鲜卑分为三部，"以文帝之长子桓皇帝讳猗拖统一部居代郡之参合陂北"。参合陂即后世的凉城县岱海，小坝子滩村沙虎子沟位于岱海北蛮汉山中，出土文物地点与史籍记载相合。即

猗㐌率部住在岱海北部一带，可能在战乱中将珍宝深藏于山中，直至被发现。

"猗㐌金"四兽纹金牌饰长9.9厘米，宽7厘米。模铸镂空，四神兽两两相背，上下排列，兽头及身体似马非马，兼有食肉动物特征，虎爪，犬尾。背面錾刻有"猗㐌金"三字。

大约在汉代时，鲜卑人金属工艺品以青铜为主要原料。西晋至北朝，黄金制品显著增多，这不仅与墓主人社会地位有关，也与鲜卑人冶炼技术有关。这种变化，标志鲜卑冶炼技术从汉代至北朝进步速度是很快的。这批锤揲兽形金牌饰，显示当时拓跋鲜卑和匈奴文化的联系，但牌饰以狼、狐和马纹为主要题材，又显示出鲜卑自己的民族艺术特色。这批精美异常的金银器，代表西晋拓跋鲜卑工艺发展水平。

"猗㐌金"四兽纹金牌饰藏于内蒙古博物院。

荔枝纹金牌饰　西夏文物。1975年，宁夏回族自治区银川市西夏王陵6号墓出土。

荔枝纹金牌饰通体呈长方形，长5厘米，宽2.1厘米，厚0.4厘米，重11.7克。纯金锤揲而成，四周压出凸棱边框。正面凸出三组荔枝果及枝叶纹，底为圆点纹，背面左右两端各有一横穿。金牌饰采用台、采工艺，即在器物反面台錾时不仅把荔枝整体轮廓台出，且对荔枝细部纹饰进行逐个台錾。在正面采錾中，除将荔枝纹样边缘采、落下去外，在凸出纹饰周围用套珠錾出麻底，使金牌上纹饰层次格外分明，表现高超金属加工工艺。

金牌饰为带具上的饰件，曾有学者主张其为西夏文思院所作，是西夏时期高超金属加工工艺实物佐证。但荔枝带最早出现在北宋，为宋太宗创制，与其他饰带共同构成宋代官服带制重要等级标志。北宋郭知章墓和宋末元初吕师孟墓均出土赏赐三品官员荔枝纹金带具。有学者考证，该墓为西夏太宗德明之嘉陵。德明经营夏州20余年，主动臣宋，被封授定难节度使、平西王。德明死于1032年，可能将标志其节度使身份的荔枝纹金带具随葬。荔枝纹金牌饰制作年代当在此之前，代表北宋早期金银工艺水平。

荔枝纹金牌饰藏于宁夏回族自治区博物馆。

金带饰　西周文物。1992年，山西省曲沃县曲村镇北赵村晋侯墓地8号墓出土，出土时位于墓主腰间。

金带饰一组15件，其中垂叶形饰1件，为三角形，正面凸起，中央为半浮雕的兽首，四周为突出三角几何纹，背面有横梁三道，高6.9

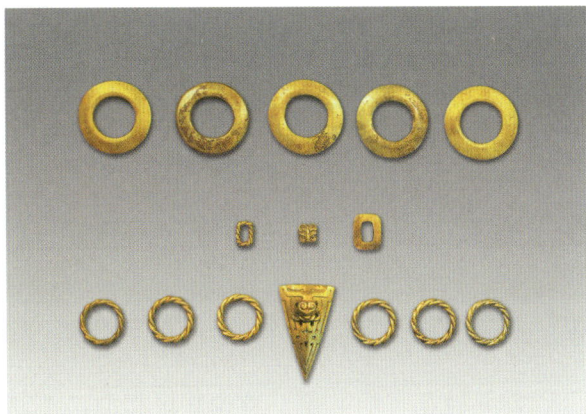

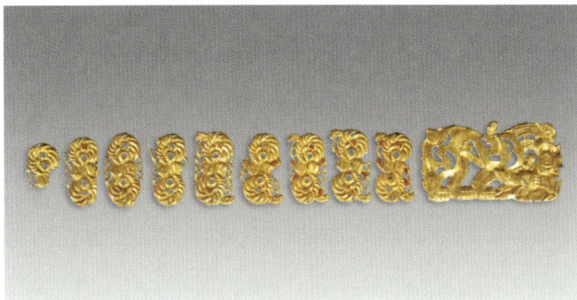

厘米，宽4.1厘米，重60.4克；兽首形饰1件，正面造型与垂叶形饰上小虎头相似，背面正中有横向穿带鼻梁1道，高1.5厘米，宽1.5厘米，重7.6克；弧面扁环5件，位于死者腰际两侧，右二左三，形如小璧，其一外径5.4厘米，内径2.9厘米，重44克；绞丝环6件，形如金丝扭成，实为铸造，其一外径3.3厘米，内径2.4厘米，重4.8克；弧面扁框1件，平面呈扁弧面的圆角长方形，外廓高2.7厘米，宽2.1厘米，重10.6克；绞丝框1件，形如金丝扭曲而成的圆角长方形，外廓高1.8厘米，宽1.3厘米，重7.7克。金饰均铸造而成，总重459.3克。

带是古代服饰中重要附件，这些金饰是装饰在革带上饰品。相似器物在河南省三门峡市西周时期虢国墓地1号墓、陕西省韩城市梁带村遗址27号墓等西周诸侯墓中也有发现。墓主用弥足珍贵的黄金作为带饰，是其贵族身份在服饰上的体现。

金带饰藏于山西博物院。

金带饰 战国晚期文物。2008年，甘肃省马家塬墓地14号墓出土。墓地共出土6组带饰，其中5组为金质，1组为银质。金带饰出土时位于墓主人腰间。

金带饰一组17件，由2件不规则形状腰饰牌和15件对鸟形饰片组成，金带牌长9.7厘米、宽6.1厘米，总重18.6克；饰片长6.3厘米、宽4.2厘米，总重40.2克。均由锤揲而成的双"S"形饰片和浮雕由动物纹牌饰组成，饰片上也多浮雕动物纹腰饰牌为透雕神兽噬鹿图案，神兽咬着一只鹿的胸部，鹿四肢蜷屈，作惊恐挣扎状，神兽右前爪下踩着一只四肢蜷屈幼鹿。神兽头上有一尾端带钩喙猛禽头大角，尾巴上翘贴在背上，其末端带有钩喙猛禽头。前端上、下各有1孔。对鸟形饰大小及形制相同，中心为圆珠纹，鸟大喙圆目，双翼展开，上压印有曲线形羽纹，有圆形和月牙形凹槽，月牙形凹槽内嵌肉红石髓。四角各有1小孔。饰片使用薄金片锤揲而成，通过模压、錾刻、抛光、钻孔、镶嵌等工艺制作。

马家塬墓地是一个西戎部落首领及贵族墓地，由于处于东西、南北交流的交通要道，又与北方草原地带接壤，因此墓地出土物中既包含秦文化因素，又包含大量北方青铜文化和欧亚草原中西部文化因素。这种造型的神兽纹样源于欧亚草原，而腰带式样是中国北方地区早期铁器时代所常见，但其黄金质地则比较少见。

金腰带藏于甘肃省张家川回族自治县博物馆。

金带銙 金代文物。1963年，黑龙江省哈尔滨市阿城区半拉城子出土。

金带銙通长66厘米，宽6.5厘米，厚1厘米，重363.6克，含金量85％。由15件组成，包括10枚带銙、3枚带扣、2枚铊尾，为双带扣双铊尾蹀躞带。带銙大体上有圆形、长方形、橘瓣形，以圆形和长方形居多，纹饰多作如意盘长纹。铊尾由两块金箔铆接而成，正面锤揲团花纹饰，背面錾刻折枝莲花和牡丹纹饰。

阿城位于黑龙江省哈尔滨市东南约25千米，是金代早期都城金上京所在地。又因与金带銙同时出土的金凤与陕西省临潼发现金代窖藏中的首饰风格十分相似，故其被定为金代文物。此组带銙为金代高级官吏腰间饰物，风格上沿用唐宋以来的传统技法和纹饰。带銙以金片模压而成，在圆形銙下饰有扁环，是国内发现的金代带銙中最完整的一组，制作极其精致，在一定程度上反映出当时高超的工艺水平。

金带銙藏于黑龙江省博物馆。

缠枝花果纹金带銙　元代文物。1959年，江苏省吴县吕师孟墓出土。吕师孟虽卒于元大德八年（1304年），但为官20余年都在南宋一朝，此套金带应为宋代遗物。已知成套宋代缠枝花卉纹金带另外还有两套，一套是1952年安徽省休宁县朱晞颜夫妇墓出土金带銙，另一套是1972年江西省遂川县北宋郭知章墓出土金带銙。几套金带銙造型、制作工艺及带銙

上所饰缠枝花卉纹数量、结构都很相似，不同的是郭墓出土銙上所饰为一颗颗造型饱满的荔枝果，而吕墓和朱墓仅最上一层花瓣改成荔枝果网格纹。宋代不同品级官员在带銙质地、纹饰、佩饰上都有严格规定。北宋早期，赏赐三品官员的是荔枝纹金带。宋神宗元丰年间（1078～1085年），带制稍有变动。《宋史·舆服志》载："元丰五年（1082年）诏：三师、三公、宰相、执政官、开府仪同三司、节度使尝任宰相者、观文殿大学士已上，金毬文方团带，佩鱼。观文殿学士至宝文阁直学士、节度使、御史大夫、中丞、六曹尚书、侍郎、散骑常侍，御仙花带……"元丰五年后至宋末，带制基本没有改变，赏赐三品官员金带由北宋早期荔枝纹金带，改为御仙花金带。郭知章、朱晞颜、吕师孟皆为宋代三品官员，郭知章于英宗治平二年（1065年）中进士，卒于政和四年（1114年），做官时间很可能在元丰改制前，出土金带纹饰为非常形象的荔枝果，应是文献中荔枝金带。而朱晞颜和吕师孟做官年代在元丰改制后，带銙应为御仙金花带。

缠枝花果纹金带銙总长79.3厘米，最宽8.3厘米，高2.2厘米，总重920克，含金量95％。由1块不规则长方形、7块正方形、1块葵瓣形共9块组成，均为金片锤揲而成，四周

饰宽带边框。先锤揲出高浮状花果图像，花果上錾镂刻纹饰。花果间缠枝相连，茎、叶、花、果脉络清晰，互相纵横穿插，盘根错节，茎高低深浅有序，具有较强立体感。

荔枝纹金带与御仙花金带极易混淆。欧阳修《归田录》载"今俗谓毬路为笏头，御仙花为荔枝皆失其本号也"，说明荔枝和御仙花是有区别的。南宋吴曾《能改斋漫录》载："元丰官制……又著令侍郎直学士以上服御仙花带，人或误指为荔枝。近年赐带者多，匠者务为新巧，遂以御仙花枝叶稍繁，改钑荔枝，而叶极省。"吕师孟墓出土的缠枝花果纹金带銙，可能是工匠将御仙花与荔枝相结合改动过的样式。

缠枝花果纹金带銙藏于南京博物院。

金带銙 明代文物。1956年，浙江省临海县张家渡石塘山王士琦墓出土。

金带銙一副20件，其中长方形金带板8块，长7.3～7.8厘米，宽5.3～5.7厘米，含金量为92%；长条形金带板4块，长5.4厘米，宽2.6～2.7厘米，含金量为92%；桃形金带板6块，长5.5～5.7厘米，宽5.1～5.3厘米，含金量为77%；金铊尾2块，长12.9厘米，宽5.3～5.5厘米。总重665.98克，含金量为

80%。除长条形带板上饰灵芝草纹外，其余均装饰獬豸纹。纹饰均采用锤揲技法，呈浅浮雕状，细部用錾刻法处理。每块带板都有边框，框边缀以联珠纹一周。獬豸作侧身昂首蹲踞状，独角，尾似蕉叶，身体两侧绕以火焰形云纹，张口瞪目，形神威武。

獬豸是中国古代神话中神兽，能别曲直，故成为御史衙门象征和标志，用于官员补子和带銙，被当作专用标志性图案。由于金带板大小不同而獬豸形状各异，铊尾獬豸较大，长方形板次之，桃形板最小。明代臣僚带銙18枚，连同铊尾共20枚。明方以智《通雅》卷三七"鞶带"条记："今时革带，前合口曰三台，左右各排三圆桃。排方左右曰鱼尾，有辅弼二小方。后七枚，前大小十三枚。"由明入清的叶梦珠在其《阅世编》卷八"冠服"条亦载明朝革带之制："腰带用革为质，外裹青绫，上缀犀玉、花青、金银不等，正面方片一两，傍有小辅二条，左右又各列三圆片，此带之前面也。向后各有插尾，见于袖后，后面连缀七方片以足之，带宽而圆，束不著腰，圆领两胁，各有细钮贯带于巾而悬之，取其严重整饬而已。"出土的明代整套带具亦多为此制。但装上18枚銙后，带子已相当长，往往松垮地拖在腰间。这副金带銙形制与王士琦正三品右副都御史职位相符。

金带銙藏于浙江省博物馆。

鸭首形金带钩 春秋时期文物。1992年，陕西省宝鸡市益门2号墓出土。

鸭首形金带钩通高1.5厘米，长2.3厘米，胸宽1.7厘米，尾部宽2厘米，重25.7克。鸭作回首状以为钩。体扁平，尾部稍大，末端开

口。腹中空，有一小柱立于底部方孔中间。扁长喙有一脊棱，左、右有相对阴线"S"纹。双目及脑后饰突起的勾云纹棱线，顶及两侧均有圆形棱线，当为冠、耳，其内均曾嵌有绿松石等，现大多已脱落。目间以斜线纹、脑后以细珠纹衬地。短颈。背部饰双蟠螭相交，螭首分别在尾部两端，螭目曾以宝石镶嵌，身部亦多有对称的镶嵌圆珠，均已无存。蟠身由细珠纹构成，中有脊线分隔，螭角等由斜线盘卷而成。

金钩形制与陕西凤翔雍城秦公大墓及凤翔高庄秦墓所出同类器物极为相似。其中凤翔高庄秦墓出土的金钩出土于死者右肩胛骨下方，并与玉泡、玉璜和串珠共存，应为佩饰钩，是拴系在丝带上使用的，而不是直接固定在革带上的另一种原始型带钩。因此，学者将此类体量小，且出土时多发现于死者颈部和肩部的带钩，统称为襟钩或衣钩。

鸭首形金带钩藏于宝鸡青铜器博物院。

金带钩 战国晚期文物。2008年，甘肃省马家塬墓地14号墓出土。出土时，短带钩握于墓主左手，长带钩握于墓主右手，为墓主手握之物。

金带钩均为铸造成形。1件长6.3厘米，宽3.47厘米，厚1厘米，重37.5克；1件长9厘米，宽3.25厘米，厚1厘米，重33.3克。短带钩为长颈龙首，凸目、隆鼻、牛吻、卷须、弯角，钩身方形，正面高浮雕兽面，四角勾起尾部饰羽纹，背面残存锡块，钩、身连接处开裂，身面局部微残。长带钩为长颈兽首，造型似熊首，钩身椭圆形，正面高浮雕雌雄双龙缠绕图案，双龙身躯缠绕，饰云雷纹、联排珠纹、凹窝纹、卷云纹等，背面残存大量锡块，颈部包裹条形弯钩铁胎，锈蚀膨胀后致使钩首金面开裂。

带钩是中原文化特有腰带组件，马家塬墓地出土带钩，体现中国北方地区草原文化与以秦文化为代表的中原文化间的交流与融合。

金带钩存于甘肃省文物考古研究所。

鎏金猿形银带钩 战国文物。1978年，山东省曲阜县鲁国故城遗址3号墓出土。春秋中后期及战国时期，带钩大量使用，出土实物也较多。在山东临淄郎家庄一春秋晚期大墓及陪葬坑中，出土带钩66件，其中有2件金带钩。在战国中期的鲁国故城遗址中，出土近10件带钩，质地有银、铜、玉、铁等，制作工艺有鎏金、错金银、贴金和嵌宝石等，每件都堪称佳品。鎏金猿形银带钩即其中之一。

鎏金猿形银带钩长16.6厘米，宽7厘米，重200克。造型为一猿攀枝作回首状，猿双目嵌蓝料珠，身体微作拱形，十分乖巧。猿背上有一圆纽，即钩纽，而上肢两爪弯曲作钩状，即钩首。猿身使用贴金工艺。贴金工艺，是将锤揲出金片、金箔，根据需要裁剪出各种形状，贴于器物上的装饰性工艺。

此带钩造型特异，属于异型类带钩，且有两个钩首，很可能是将带钩系带和佩物两项功能集中在一件带钩上。异型带钩除猿形外，还有虎形、牛形、人形等。战国、秦汉是带钩发展鼎盛时期，这与该时期服饰变化有关。为方便需要，齐膝长衣和长裤日渐流行，人们便通行束带，带钩也因此大行其时。《淮南子·说林》中说"满堂之坐，视钩各异"，由此可见一斑。到魏晋时期，带钩为更方便和实用的带扣所代替。

鎏金猿形银带钩藏于山东省曲阜市孔子博物馆。

鎏金嵌玉镶琉璃银带钩 战国文物。1951年，河南省辉县固围村5号墓出土。

鎏金嵌玉镶琉璃银带钩长18.4厘米，宽4.9厘米。银质鎏金，钩两端铸成浮雕式兽首，钩两侧为长尾鸟。钩身正面嵌饰3块白玉玦，两端玉玦中心各嵌一粒半球形蜻蜓眼琉璃珠，中间玉玦之琉璃珠已脱落。钩头用白玉琢成雁首形。无纽。带钩采用鎏金、镶嵌、凿刻、漆绘等手法，用錾花中镂空工艺，刻划出带钩一端兽首、钩身两侧盘绕的夔龙及两只对称凤鸟纹饰。铸造前，用玉玦确定镶口位置大小，铸造时预留出来。后将玉玦放入预先调好镶口内，用包边镶嵌方式进行固定。

带钩是古人一种束带用具，一般由钩首、钩体和钩纽组成，也有个别异形钩无钩或无纽，多为青铜铸造，也有金、银、玉、铁等材料制作。錾花中镂空工艺将不同质地、不同色泽材料，巧妙配合使用，使不同色彩对比非常和谐，产生绚丽多彩的装饰效果。式样有水禽形、兽面形、琵琶形、异形钩等，因佩戴位置比较醒目，所以带钩一开始就比较注重表面装饰效果。

鎏金嵌玉镶琉璃银带钩藏于中国国家博物馆。

交龙金带钩 战国文物。1965年，江苏省涟水县三里墩西汉墓出土。与交龙金带钩出土的还有壶、鼎、尊、镜、镜架等战国时期青铜器，是古代某贵族世家所收藏，自战国至西汉世代相传，后又作为随葬品下葬。于是，在西汉墓中遂有战国时期器物被发现。

交龙金带钩长7厘米，重56克，含金量约80％。造型为战国时所流行的琵琶式样，并采用分层叠加装饰手法，在钩身上铸出浮雕式兽面纹，层次分明，立体感强。兽面纹以鼻梁作中轴线，两侧双眼凸出，眼球浑圆透空，原镶有黑色小玻璃珠。鼻翼隆起，两腮旁有外向卷曲虬髯，形似羽翅。额上正中有一桃形透空小孔，原亦镶有玻璃珠小件饰品。孔后兽体很短，上錾刻重叠式鳞纹，鳞纹两侧有交龙相对。交龙眼和鼻翼均凸出，龙身向内弧曲，前肢趾爪皆曲张。钩身颈部内收，两侧錾刻首尾均向内方折卷曲回顾的双凤，凤首张喙，首后垂一逶迤长冠。为减少凤鸟首尾间画面空白，附加有一近似羽状图案，使凤鸟花纹显得更加生动。钩端铸一曲颈兽首作钩。纹饰及其构图手法，具有春秋战国之际鲜明的时代特征。

带钩除采用浮雕装饰手法和镶嵌工艺外，还采用錾花工艺。盛行于战国的錾花工艺，为中国古老金工传统工艺，是在金属表面用各种大小和不同纹理錾子，用小锤熟练打击錾具，在金属表面留下錾痕，形成各种肌理，达到装饰目的。

交龙金带钩藏于南京博物院。

鎏金银带钩　明代文物。1982年，四川省成都市和平公社洞子口明墓出土。

鎏金银带钩长14.3厘米，重49克。钩呈长条形，弯钩处为一龙头，面镂空，上嵌3大7小红松石，龙头上嵌2颗绿松石，部分已遗失。一银片曲成四边，中部为细银丝焊成镂空形，嵌石处有一较高的托，托下饰银丝编成的空花形，表面鎏金。

带钩在西晋时已不多见，南北朝、唐、宋和明虽然也有个别带钩出土，但已不像魏晋之前那样为人们所广泛使用，金、银带钩更为罕见。北京南苑明万通墓出土1件嵌宝石龙首金带钩，钩部为龙首，钩身呈扁条形，由纤细的金丝盘结成网状，上嵌红、蓝宝石。北京房山大韩继村多宝佛塔内采集1件鎏金龙首银带钩，钩为龙首形，钩身为古琴状。这些带钩更多具有发怀古之幽情的意味。在金、玉带日益制度化的过程中，带钩逐渐退出日常生活，成为官服的一部分。而官员燕居时，则系绦带。系绦或可以将两端直接缚结，或可以装上钩勾括起来。绦带上带钩被称为绦钩，其环称绦环，其流行肇始于宋。明代绦钩质地以金为一等，中国国家博物馆藏《宪宗调禽图》可见出宪宗腰部系绦环和金镶玉龙首绦钩，以龙首为

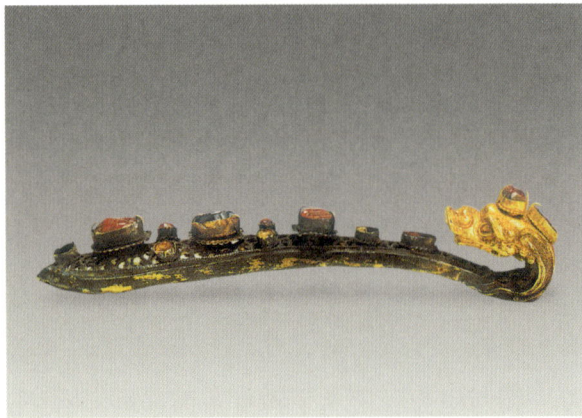

钩，钩身为扁条形，上嵌宝石，与洞子口墓和万通墓出土的带钩极为相似。

鎏金银带钩藏于成都博物馆。

马形金带扣 汉代文物。1971年，陕西省横山县出土。

马形金带扣均纯金铸造成形，马作回首俯卧状，眼、鼻、蹄等处作透空状。其中1件的尾部铸有1个金环，脖颈中部有向前伸出的扣舌，残长5.1厘米，重38克；另1件尾部金环上还套有一个金环，脖颈部的扣舌已残，残长6.1厘米，重46克。

这2件带扣一般称为马形金饰件，实际为半环式带扣。半环式是一种形式比较特别的带扣，扣体一般是一个全形动物的造型，动物为回首屈肢跪立式，动物颈部是稍大的扣舌。扣体的尾部有系带的圆环，也有在下方再套圆环者。这种类型的带扣考古发现较少，但在造型上和结构上基本一致。带环没有封闭不仅不会影响带扣的使用，而且可能使用更为便利，因为在束带时不须再将带首穿过环内，而是直接将革带由带环的缺口处挂入即可。调整好长度后将带孔扣入扣舌，然后将多余的带扣回折扎入腰带中。

马形金带扣藏于陕西历史博物馆。

嵌绿松石螭龙纹金带扣 西晋文物。1991年，湖南省安乡县黄山镇出土。

嵌绿松石螭龙纹金带扣长9厘米、首宽6厘米、尾宽5.5厘米，厚0.3厘米，重50克。带扣为圆首长方形，外沿饰绳索纹，扣身焊满金珠，镶嵌有菱形绿松石36颗、圆形绿松石8颗，大部分已脱落。中部饰一飞腾的螭龙，角分歧阔嘴，头部排列由小到大的金珠，身中部嵌一直径0.9厘米的绿松石，尾分两叉，四爪弯曲有力。首部有长条形扣环，有扣舌。首端还饰有青龙、白虎。金带扣内包有皮带板。这件金带扣既有着草原文化特色的形制，但龙纹装饰又是中原文化特色的纹样，是中原文化与草原文化相融合的产物，上面镶嵌的绿松石则是外来物品，可谓是丝绸之路文化交流的证物。根据同墓出土的1件双面玉印可知，墓主为西晋镇南将军刘弘。刘弘，沛国相（安徽濉溪县）人，生于三国魏青龙四年（236年），为西晋名将。他一直率军和北方氐、鲜卑、匈奴等外族作战，战功显赫，被晋武帝封为一等爵宣成公。晚年历任镇南将军、荆州刺史、车骑大将军等职。西晋光熙元年（306年）病逝于湖北襄阳军中，享年70岁。

带有活动扣舌的马蹄形带扣在匈奴文化中

比较常见，并被鲜卑、突厥等后来的草原民族所继承。中原制作的这种带扣出现于汉代，当是与北邻匈奴文化交流的结果。相似的器物有新疆焉耆博格达沁古城和朝鲜平壤石岩里9号乐浪墓出土的龙纹金带扣，均长10厘米左右，作群龙戏水图案。至西晋，承继了东汉以来盛行的掐丝和焊缀金珠等工艺，且与镶嵌结合，工艺趋于华丽。刘弘墓出土的这件金带扣就是典型的代表。

嵌绿松石螭龙纹金带扣藏于湖南省博物馆。

错金夔龙纹银泡饰 战国文物。1978年，河北省平山县中山王䁓墓出土。

错金夔龙纹银泡饰直径5.3厘米，重86克。泡饰整体为圆形，表面凸出，上面装饰两只缠绕扭结的夔龙，中心镶铸一朵柿蒂形金花。金花的花瓣上装饰有针刺细脉和点状纹饰。背面为四个短柱体承托一方形环，铸有铭文一周，为"十三祀（年），厶（私）库，啬夫煮正，工孟鲜"12字。"私库"是中山国职司冶铸的官手工业机构。"啬夫"，作为官名使用的历史可追溯到战国甚至更早的时期，在

中山国，是制器部门的最高长官，一个部门在同一时期内只有一位啬夫，之下一般有工4～7人。表明该器制作于王䁓十三年（前315年），监工、工匠分别为煮正和孟鲜，系中山国官营手工作坊的产品。

考古发现表明，春秋战国时期的中山之地流行以铜泡饰作为衣服或器物装饰品。中山王䁓墓共出土各类泡饰24件，有银质镶金、铜质包金、铜质包金镶银、铜质素面，有的出土时背面尚存朽革，可能原饰于皮甲上。而泡饰作为装饰品，在整个北方地区墓葬中也比较常见，多数为圆形，也有少数为半圆形和方形。有素面的，也有在凸起圆泡上压印纹饰或图案的，背面有纽。多数系用金片模压制成的，也有少数是铸造而成的。表面大多雕刻有动物纹饰，与草原游牧民族的纹饰构图风格十分相似。

错金夔龙纹银泡饰存于河北省文物研究所。

桃叶形金饰片 西汉文物。2010年，江苏省盱眙县大云山江都王刘非墓出土。

桃叶形金饰片长4.4厘米，宽4.1厘米。平面呈桃形，底部近平，边缘饰两道绞丝金线，

两道金线之间的金珠饰和椭圆形金线交叉排列。正面中心锤揲出羊角纹。

此类金饰片出土极少，除大云山汉墓外，仅在河北满城中山王墓、广东广州南越王墓、江苏扬州刘毋智墓中出土。刘毋智为西汉吴国王室成员，余者皆为诸侯王，故其使用者的身份主要局限于诸侯王级别。大云山部分桃叶形金饰片出土时背面尚残留大量红色漆纱残片，结合金饰边缘穿孔分布情况，可推知该类金饰当为缝缀在某种漆纱器物之上的装饰物。研究者通常根据桃形金饰片在南越王墓的出土位置与相邻关系将其认定为丝质"覆面"外表的金片装饰。一般认为羊角纹在内的动物纹题材是草原游牧民族的传统纹样，战国时期传入中原，西汉对其不断吸收和创新，这类金饰件便是这一背景下的产物。金饰片的制作采用了锤揲、掐丝、金珠焊接等工艺。加工时将预先刻好纹样的底模置于金片之下，锤揲出纹样与器形，然后将细金丝和金珠焊接于金饰片上。考虑到这类金饰片制作工艺极为复杂，使用者身份等级高，其极可能由中央工官统一加工制作，然后由朝廷分别赏赐予各地诸侯王使用。

桃叶形金饰片藏于南京博物院。

卷草纹银帔坠 南宋文物。1975，福建省福州市浮苍山黄昇墓出土。出土时，置于死者胸口，尚存丝线痕迹。

卷草纹银帔坠长7.2厘米，宽5.5厘米，重38.9克。帔坠为心形，上下两面有子母口扣合，可开启。盒面中央以同样心形开光，将纹饰分为内外两区，并均以细密银线焊成透空缠枝莲花和六瓣花卉纹样，心形尖端穿孔。

唐代妇女在裙衫之外着帔。帔也称帔帛

或帔子，质地轻薄柔曼，从颈肩上搭下，萦绕披拂，颇富美感。及至宋代，妇女日常已不着帔，但在礼服中以霞帔的名称出现，成为隆重的装饰品。为使霞帔平展下垂，遂于底部系以帔坠。虽然北宋时已有帔坠实例，如已知最早的江苏南京幕府山北宋墓出土的金帔坠，但至南宋时此物才比较常见。而南宋，霞帔坠子还未形成严格制度，其纹饰式样纷繁，民间也广泛使用。宋吴自牧《梦粱录》卷二〇也说，此时杭州嫁娶时所送聘礼，"富贵之家当备三金送之。则金钏、金镯、金帔坠者是也"。考古出土物中，披坠以心形最为常见，常将帔坠称为香囊、银熏、佩饰，或将心形帔坠尖端向下倒置。但此物应为系在霞帔上的帔坠，黄昇墓出土金帔坠出土时尚缝在褐色绣花霞帔底端，德安周氏墓银帔坠出土时也缝在素罗霞帔底端。再如《历代帝后像》中，宋宣祖后像也在所配霞帔底端系有坠子。墓主黄昇结婚一年即逝，此件帔坠或为结婚时所佩戴之物。

卷草纹银帔坠藏于福建博物院。

第二节 饮食器具

鎏金银盘 战国文物。1978年，山东省淄博市临淄区西汉齐王墓随葬坑出土。据推测，墓主是西汉初期第二代齐王刘襄（前188～前179年在位）。同出土的还有两件银盘，略小，形制和纹饰与该银盘相似。

鎏金银盘高5.5厘米，口径37厘米，重1705克。直口，平沿，折腹，底微内凹。口沿及内、外腹阴刻6组龙凤纹，内底阴刻3条变体盘龙。龙头尾或蜷曲呈环状，或呈盘状，其间有勾连纹相接。纹样鎏金。盘口沿底部刻有6条铭文，分别为"三十三年左工疾名吉七重六斤十二两廿一朱""奇千三百廿二铈中府""六斤十三两二斗名东""二斗重六斤十三两""容二斗"和"御羞"。

鎏金银盘虽出土于西汉齐王墓随葬坑，但造型、纹饰都有战国时代特点，与临淄商王村战国墓出土银盘及洛阳金村战国墓所出银器非常相似。银盘上铭文经三次錾刻，其字体分别属战国周人系统、秦人系统和西汉初年样式。有学者曾对银盘的流传经过进行专门研究，认为秦式文字中有"左工""卅三年"等字样，应是三类铭文中最早铭刻，为秦昭王三十三年（前274年）由秦国工官"左工"制造。而后来不知是何原因，周人得到此盘并将其价格刻于盘上，藏于"中府"即周王所藏财货之地。秦灭东周后，是否将其又带回秦国，在铭文上很难看出。但可以肯定，在汉王朝建立后，鎏金银盘回到汉宫中，并在长乐宫中使用。齐国分封后，赐给齐王，后被埋在齐哀王刘襄墓中。

鎏金银盘藏于中国国家博物馆。

东罗马酒神纹鎏金银盘 4～6世纪文物。1988年，甘肃省靖远县出土。

东罗马酒神纹鎏金银盘高4.9厘米，口径31厘米，底径10.9厘米，重3190克。银盘以铸造、锤揲、镶嵌等工艺结合制成。圆形，卷唇边，斜弧壁，圈足。鎏金大部分已脱落。盘内满饰浮雕纹饰，分内外3圈置列。外圈饰16组相互勾连葡萄卷草纹，其间栖有禽鸟等小动物。中圈外缘饰1圈联珠纹，内周环列12人头像，每个头像和其对应的一只动物头像相间而列。中心部分有一直径约9.5厘米微微凸起圆域，似用银片磨压成高浮雕纹样后镶嵌于盘心，图案为一裸身披长巾、倚坐狮豹、手执权杖青年男子。

盘心所饰持杖倚兽青年男子，中外学者大都判断为希腊神话中的狄奥尼索斯。中圈所列12人头像，有人认为是希腊神话中奥林匹斯山包括太阳神、月亮神在内的十二神；有人认为是狄奥尼索斯神眷族。在古代希腊宗教故事中，狄奥尼索斯象征丰收与植物自然神，尤以酒神著称。在公元前4世纪初的希腊佩拉遗址，发现过一用马赛克拼成的狄奥尼索斯神像，为一全裸青年男子，手持两端有松果状饰物的权杖，倚坐在一头花豹上，与银盘上的形象非常相似。在圈足内底部有一行点状錾刻文字，应属大夏文，系大夏贵霜时代即已采用希腊字母草写本。此类文字在山西大同市南郊所出土大夏八曲银盘上也曾见到。对铭文的解读，研究者们也见解不一。按习惯，铭文内容一般为金银器自重或收藏者、拥有者的姓名。西姆·威廉姆斯解读为1000+20，即银盘自重为1020德拉克马，此与银盘实测重量接近，较有说服力；马尔沙克解读为SYK，即器物所有者的名字缩写；林梅村认为，此铭文是说明

银盘价格，可解释为"价值四百九十金币"。此盘出土于丝绸之路甘肃段黄河渡口一带，其产地和时代的认识在学术界分歧较大。齐东方认为，是6世纪带有罗马风格萨珊银器；石渡美江认为，原产自东方或西亚，3～4世纪后流入巴克特里亚被錾刻上大夏文；林梅村则认为银盘即为5～6世纪大夏制品。无论产自何时何处，此器物都为丝绸之路东西方文化交流的重要实物资料。

东罗马酒神纹鎏金银盘藏于甘肃省博物馆。

鎏金狩猎纹银盘 北魏时期文物。1983年，山西省大同市小站村北魏封和突墓出土。封和突墓年代为北魏正始元年（504年），银盘年代应在此之前，大约在5世纪后半叶。

鎏金狩猎纹银盘高4.1厘米，口径18厘米，圈足高1.4厘米，足径4.5厘米。银盘敞口，浅腹，小圈足，边缘部分残缺。盘中锤揲一幅狩猎图，图中为一波斯贵族形象，络腮胡须，颈饰联珠项链，头后饰打折的飘带，着紧身短裤。单腿站立，持长枪刺向身侧一头野猪，右脚踏另一头野猪。

狩猎题材是波斯银盘最常见内容，表现

波斯贵族勇敢精神，已知的波斯萨珊银盘有30余件，饰狩猎图有10余件，风格与封和突墓银盘同属一类，故此盘为传入中国的波斯萨珊制品。金银器是国际贸易中的贵重商品，山西大同北魏遗址及墓葬中出土多件西亚金银器制品，证明北魏时大同是北中国经济中心，中西交流频繁。

鎏金狩猎纹银盘藏于山西博物院。

七鸵纹银盘 南北朝时期文物。1989年，新疆维吾尔自治区焉耆县老城村出土。

七鸵纹银盘高4.5厘米，口径21厘米，重394.5克。银盘圜底，似浅腹碗。盘内饰7只鸵鸟，底心1只，周围6只，鸵鸟蓬松下垂的尾羽和分二趾并带有肉垫的足部，刻画很细致，头部造型也很逼真，身姿既有变化又有重复，皆单线平錾，阴纹内涂金。

此类圜底器在粟特地区常被用作饮器，塔吉克斯坦片治肯特壁画中，就有人用其饮酒。鸵鸟原产西亚和非洲，汉代时输入中国，被视为珍物。鸵鸟形象在西亚古物上常见，但鸵鸟纹金银器比较少见。使用金银器皿不是此前中国固有习俗，5世纪后由于受外来文化影响，在上层社会日益流行。七鸵纹银盘很可能是经丝绸之路贸易，到达新疆地区的。有学者认

为，该盘为粟特制品，年代不晚于6世纪。

七鸵纹银盘藏于新疆维吾尔自治区巴音郭楞蒙古自治州博物馆。

鎏金狮子纹三足银盘 唐代文物。1956年，陕西省西安市八府庄出土。

鎏金狮子纹三足银盘高6.7厘米，口径40厘米，重586.5克。银盘作葵瓣形，下面附浇铸卷叶形三足，盘中饰一回头嘶吼狮子，宽边沿，周边没有辅助纹样，盘缘饰松散的忍冬纹，是盛唐时期金花银盘所具有特征。鎏金也称涂金，是把成色很高的黄金锤击成薄片，然后剪成细丝，放入干净锅内加热烧红，再倒入7倍于金丝重量的水银里，搅拌均匀成泥状，之后在放有冷却后的金泥里加入硝酸，用刀先蘸上硝酸，再切剁金泥并反复涂抹在刻好的纹饰上，涂抹均匀后，用温水冲洗掉硝酸，然后加以烘烤，最后把银盘表面抛光。

唐代银盘发现甚多，带足者有10件之多，多数是三足，少数为四足，保存完好的都是卷

曲式足。如河北省宽城出土的鹿纹菱花形银盘，日本正仓院藏鹿纹葵花形银盘、折枝花菱花形银盘，内蒙古自治区赤峰出土的摩羯纹葵花形银盘等。唐墓壁画中也有大量金银器物形象，房陵大长公主墓前室壁画中，就描绘两个卷足盘，一个为五足圆盘，一个是四足多曲盘，样式无疑取材于当时社会流行器物。中国本土不产狮子，狮子主要产于非洲和西亚。狮子的艺术形象，在唐代前一直不确切。隋唐时期，由于丝绸之路的畅达，西域国家向唐代皇家进贡更多狮子。中国古代文献中，也常有西域国家向中国敬献狮子的记载。唐代工匠们融会贯通，汲取外来文化长处，将外来纹样与传统纹样融为一体，纹饰逐渐丰富，并创造出具有本民族特色的器物，使金银器装饰纹样、器形及制作工艺在唐代达到前所未有的高度。

鎏金狮子纹三足银盘藏于中国国家博物馆。

鎏金飞廉纹六曲银盘 唐代文物。1970年，陕西省西安市何家村窖藏出土。何家村出土文物中，还有鎏金熊纹六曲银盘、鎏金凤鸟纹六曲银盘、鎏金双狐纹双桃形银盘和鎏金龟纹桃形银盘。5件银盘都以植物花或果实形状作器形，动物形象做纹饰。这种类型银盘在唐代很常见，而鎏金飞廉纹六曲银盘最具代表性。

鎏金飞廉纹六曲银盘高1.4厘米，宽15.3厘米，重211克。银盘为六曲葵花形，窄平折沿，浅腹平底，锤打成形。盘心饰隐起飞廉纹，细部阴錾。飞廉纹作鼓翼扬尾、偶蹄双足、牛首独角、鸟身凤尾的动物形象。银盘制作相当考究，先将银料锤揲成形，再加以细部锤击出整齐口沿。用模具在盘底向盘心内模冲出凸起纹饰。再用工具剔刻出纹饰细部。

鎏金飞廉纹六曲银盘纹饰上的神兽，因形为牛首鸟身，并双翼展翅，有学者曾定名为翼牛。后又有学者称其为异兽、飞廉。飞廉是中国古代神话传说中的风神，"前望舒使先驱兮，后飞廉使奔属"，"飞廉，风伯也"。《文选》卷八《上林赋》中有"椎飞廉"，李善注引郭璞曰："飞廉，龙雀也，鸟身，鹿头。"何家村窖藏还出土1件飞廉纹银盒，其上线刻飞廉为马首驴耳，头顶有一独角，鸟身偶蹄，豹纹蛇腹，双翼展开，凤尾上卷。可看出飞廉纹形象在当时是多样的，有牛首鸟身、马首鸟身、鹿首鸟身等。波斯萨珊银器中，有一种前半身像狗，后半身像鸟的神兽纹饰，称为塞穆鲁。在粟特银器中，塞穆鲁由本地与之相似的有翼骆驼取代，这种有翼骆驼是粟特神话传说中的胜利之神。唐朝工匠又以中国神兽飞廉取代有翼骆驼。这种飞廉纹银盘的出现，是唐代工匠汲取外来器物单独装饰动物做法，又加入本土飞廉形象制作出来的。

鎏金飞廉纹六曲银盘藏于陕西历史博物馆。

鎏金芝角鹿纹菱花形银盘 唐代文物。1984年，河北省宽城县峪耳崖镇大野鸡峪村窖

藏出土。

鎏金芝角鹿纹菱花形银盘通高10厘米，直径50厘米，重2400克。敞口，宽折沿，呈六瓣菱花形，每瓣均锤揲有相同花卉纹样。盘心用同样工艺锤揲出一只梅花鹿，鹿头顶肉芝，身錾斑纹，四足前后错落，形态逼真。盘底焊有银质镂空卷叶三足。

中国出土多例与宽城银盘造型较为相似的三足银盘，如内蒙古自治区赤峰市喀喇沁旗出土六曲葵花形卧鹿团花银盘，在葵花形宽边沿上各錾一组花卉图案，在盘子中心部位，锤揲出一只肉芝状单角梅花卧鹿，鹿肩部有小翼。盘底还残留三个圆形凸痕，表明盘原先焊接有三足。日本正仓院也藏一件鎏金鹿纹三足银盘，也是用锤揲而成，盘面呈六曲葵花形，宽边沿上模冲有一周忍冬纹，盘中心锤揲一只梅花鹿，作回首后顾状，鹿角呈肉芝状单角，该鹿下颌处还长有一撮胡须。盘下有三个卷叶形足。在日本正仓院收藏的红、绿牙拨镂尺上、辽宁昭盟喀喇沁旗银罐上、陕西西安唐代大明宫三清殿遗址出土的方砖上、美国国家美术博物馆收藏的银碗上、西安何家村出土的银盒

上，及内蒙古自治区赤峰市发现的镀金鸡冠壶上，都可看到"肉芝顶"鹿。鹿作为器物装饰纹样，中国和西方地区均有，但形象特征却有区别。一般认为，波斯和粟特艺术中鹿的形象为花角鹿，更多见于粟特遗物中。中国装饰纹样中鹿的形象均为平顶，呈灵芝状，有时被称为"肉芝顶"鹿。鎏金芝角鹿纹菱花形银盘是中国唐代金银工匠吸收、模仿古代西方分叉单角鹿，而创造出来的一种别具风格的中国化鹿纹图案。

鎏金芝角鹿纹菱花形银盘藏于河北博物院。

树叶形银托盘 南宋文物。1993年，四川省彭州市西大街窖藏出土。共2件，形制、工艺相同。

树叶形银托盘通高1.4厘米，长径26.3厘米，重166克。托为椭圆饼形，面内凹，托盘呈菱形，饰为相互叠压的四叶。叶边缘呈对称多曲形，高于叶面。面上用细线饰叶脉纹，采用散点式布局满饰小碎点纹组，每组由三点组成，呈"品"字形排列。托面錾铭"董"字。整器锤揲成形，甚为雅致。

宋代饮酒器除台盏外，还有一种盘盏。四川广元古墓湾宋石板墓内浮雕中，和带注碗的酒注配套酒盏放在浅盘里。这种浅盘和酒台形制显然不同。宋人曾慥《高斋漫录》："欧公作王文正墓碑，其子仲议谏议送金酒盘盏十副，注子二把。"《东京梦华录》卷四"会仙酒楼"条说："止两人对坐饮酒，亦须用注碗一副，盘盏两副。"以浅盘盛盏之酒器当即所谓盘盏。盘盏和台盏一样，也在图像中和长瓶共存，并有以高足盏和浅盘组成盘盏之实例。如河南郑州南关外宋墓墓室西壁用砖雕出一桌

二椅，桌上有带注碗的酒注、盘盏、小柜，桌下有长瓶。福建邵武窖藏出土宋代银器中有菊花杯、菊花盘，梅花杯、梅花盘，还有鎏金八角盘、鎏金夹层八角杯，杯、盘大小相宜，风格相似，似为3套盘盏。与同出土的圆形、葵形盏托不同，树叶形银托盘的托较小，可能是盘盏托盘。

树叶形银托盘藏于四川省彭州市博物馆。

錾花寿桃纹金托盘 金代文物。北京市西城区月坛南街出土。除出土錾花寿桃纹金盏外，还有缠枝牡丹花葵瓣金盘、素面金盘、錾花高足金杯等。其工艺和錾花风格受唐宋风格影响很深，是海陵王为代表的女真贵族迁都燕京后的生活反映。

錾花寿桃纹金托盘高1.4厘米，口径22.5厘米，重313克。酒杯与盘的组合，为一副杯盘，其中盘可称为托盘或承盘，以作承托酒杯之用。该托盘为折沿，弧壁浅腹，平底。托盘内底中部凸起一圆形杯座。托盘口沿上錾刻连枝寿桃纹，盘内底以鱼子纹为地，上饰寿桃纹。采用模压、锤揲、錾刻工艺，制作规整，纹饰精美，图案布局合理，是一件难得的金代金器。

海陵王完颜亮（1122～1161年），本名迪古乃，系金太祖庶长子完颜宗二儿子。金皇统九年（1149年），时任丞相的完颜亮杀死金熙宗夺取帝位后，鉴于上京城偏于东北一隅，将金国政治、军事、经济中心从东北地区移向燕京，开辟北京作为都城的新纪元，就是金代史上的"海陵南迁"。

錾花寿桃纹金托盘藏于首都博物馆。

"闻宣造"款缠枝莲纹金盘 元代文物。1959年，江苏省吴县吕师孟墓出土。墓主人吕师孟，生于南宋端平元年（1234年），卒于元大德八年（1304年）。其妻卒于元皇庆二年（1313年），延祐二年（1315年）入葬。吕师孟系襄阳守将吕文焕之侄，吕文焕降元，引元军南下，德祐元年（1275年）十二月吕师孟以兵部尚书之职使元求和，文天祥《指南录后序》痛斥之"吕师孟构恶于前"，即指其事。吕师孟墓随葬金银器不仅数量多，且颇有制作精好之器，缘自家资殷实。

"闻宣造"款缠枝莲纹金盘高1.2厘米，宽17.2厘米，厚约0.1厘米，重236.4克，含金量达95%。采用锤揲、模压和錾刻相结合工艺

制作而成。呈扁方形，由内外大小两组各四朵如意纹组成盘面，外一组大如意纹相叠绕成沿，四角相对，沿缘微翘呈曲线，内一组小如意纹相叠突出组成盘心，与外如意相对称。盘面上饰满阴线錾刻缠枝花卉纹，有牡丹、月季、石榴、莲花、菊花等。底一侧有阴文竖行"闻宣造"款。此盘应是一具承盘，与同墓出土的另一件造型与纹样均相一致而体量更小的金盘合为一副，即盘盏一副，是酒器中一种固定组合。

吕师孟墓随葬金银器有数十件，其中相当多数有戳印铭记，有"闻宣造""花银造""沈二郎造""徐铺""仲顶□记""丁吉文记""□京天铺"等戳记，说明这些金银器是民间金银作坊制作，戳印铭记是当时作坊、店铺或著名工匠铭记。金碗口沿上"元关足色金"和金条上"十分金"印记，标明金器、金条成色，以说明其经济价值。

"闻宣造"款缠枝莲纹金盘藏于南京博物院。

人物楼阁图八方金盘　明代文物。1957年，北京市右安门外彭庄万贵夫妇合葬墓出土。万贵，《明史》有传，生于洪武壬申年（1392年），卒于成化乙未年（1475年），其长女为明宪宗贵妃。据《明史·后妃传》记载，万贵妃"机警，善迎帝意""帝每游幸，妃戎服前驱"。因为戚族关系，其父万贵及兄弟辈都封官加爵。至万贵死，"锱贰万缗斋粮布为丧葬资，命礼部谕祭，工部营坟域"，地位可谓荣显。万贵墓中出土金器、银器、珠宝、玉器等，其中金器有执壶、"海水江崖"金盏托、"太白醉酒"金盏、荷叶金洗、金嵌宝石头花等；银器有壶、盘、盒、银锭等。金银器物总重量达2500余克。还有双螭耳白玉杯等玉器精品，大都是"慈宁宫"宫廷制品。

人物楼阁图八方金盘高0.9厘米，边长6.6厘米，径16.2厘米，重272克。盘为八方形，先以范铸成形，而后錾刻图案。盘沿錾刻连续几何图案。盘心錾刻出重檐楼阁，小桥流水，垂柳松枝翠竹，高高的旗杆上招幌随风飘动。盘上共刻画人物21人，有驾云仙人，有骑马、携琴、交谈、对饮的达官贵人，更有僮仆在前引路，一派太平盛世美景。画面布局严谨，纹饰精美，线条流畅，是中国传统绘画以錾刻手法在金器中的再现，也是明代宫廷金制品中佳作。

与金银首饰发现情况相同，明代金银器皿的发现也以皇族贵戚为大宗。因此，与考古发现中多出自民间制作的宋元金银器形成强烈反差。宋元金银器皿造型与纹饰设计构思多来自绘画小品，有清新活泼的意趣。明代与宋元多有继承，却因制作规整使得造型趋以端重，装饰纹样则几乎全部演变为花卉禽鸟和人物故事等吉祥题材。出自宫禁的作品，更是以镶玉嵌宝装点豪华，以此把金银器皿制作推向又一高峰。

人物楼阁图八方金盘藏于首都博物馆。

山水人物纹银托盘 明末清初文物。1982年，湖南省怀化市通道侗族自治县江口公社出土。这批窖藏银器共28件，其中11件有铭文。铭文表明银器是送给"党公""党翁老大人"的生日寿礼。据考证，"党公"即党哲，字弗翁，四川广元人，明末靖州知州，死于顺治四年（1647年）十一月。银器既属于党哲，那么同窖藏出土的蟠桃杯上铭文"丙戌仲夏""丙戌夏日"，应是指南明隆武二年即清顺治三年（1646年）五月，爵上"丁亥仲夏"应是下一年即南明永历元年、清顺治四年（1647年）五

月。党哲生日是农历五月某日，这些银器正是丙戌、丁亥二年为党哲捧场的人，在其生日时所送礼品。发现时银器被零乱地埋藏在一坑中，离党哲为官的靖州城约30千米。其时，南方朱氏诸王纷纷自立，其中势力最大、时间最长的是桂王朱由榔。顺治三年（1646年）十月，朱由榔自立于肇庆，第二年改元永历。清军攻克广州后，朱由榔走梧州，后避靖州，又走柳州。靖州失陷后，不愿归附清军的南明军民，向广西方向逃奔。从靖州沿渠水而上，过通道，是去广西的主要道路，而江口恰好在这条路线上。由此推断，清军破靖州，党哲死后，家属携带这批银器南逃，行至江口时，在仓皇中就地掩埋。历史上，短命的南明一共有4年时间，桂王也只艰难维持15年，因此，这个时期的有铭金银器就殊少而难得。

山水人物纹银托盘高1.3厘米，口径16.6厘米，底径13.4厘米，重90克。银盘呈莲瓣形，腹部六曲，平底内凹，宽沿饰花草纹一周，内底中央凸起六叶状图案，上部以绳纹衬地，间饰红日、卷云、怪石、古树、房舍。下部也以绳纹衬地，饰卷云和古树纹样。一女仆扶一官人模样者立于门前，阶下一人跪地，身后有三人服侍，一人抱礼品在前，两人举灯随后。左右署有"周开新俞汝台杨附凤陈新民贾开相丁世仁张大捷马弘基梁弘图杨秀实胡太交丁国瑞龙应元刘登榜杨超鹗毛顺萃冯学时萧葵芳王尚卿陈文胄刘应蛟沈达科胡大德萧世芬石友瑞李天育彭宗汤李茂春陈新极沈世添杨秀銮陈方焕胡应奎张士瑜王尚俊舒大惠李果珍陈正谕沈良臣"等人名。

山水人物纹银托盘藏于湖南省怀化博物馆。

金盏及金勺 战国早期文物。1978年，湖北省随县曾侯乙墓出土。该墓还出土金杯1件、金器盖2件，另有金带钩4件、金箔940片和金弹簧462段。曾侯乙墓黄金使用总量达8430克，且制作精美，显示出较高工艺水平和艺术效果。出土的金盏、金杯、金漏匕、金器盖，均为仿照青铜器范铸而成，制模、铸造都比较精细。

金盏及金勺盏高11厘米，口径15.1厘米，重2156克；勺通长13厘米，宽3.4厘米，厚0.1～0.3厘米，重56.45克。金盏方唇直口，浅腹平底。腹上部有两个环耳，三矮足向外弯曲作倒置凤首状。盖略大于器口，中心有一圆形捉手，边沿有三个等距外卡。盖面至捉手向外沿依次饰一周蟠螭纹和两周勾连云纹，口沿下饰一周蟠螭纹，是已知先秦金器中最大最重的一件。器内置镂孔金匕1支，匕身圆形，镂孔作变异龙纹，方柄，素面。经武汉大学分析测试中心扫描电镜检测，勺含金量87.45%，含银12.55%。铸造工艺采用分铸法，先将捉手、盖、身、足几部分分开铸造，再将铸好附

件通过合范浇铸，不能合范部分采用焊接工艺，最后成器。不论金盏、金杯、金盖、金带钩，都与同时代铜器同一风格。

学界一直认为，曾侯乙墓金器是中国出土较早的金质器皿。但2001年在陕西凤翔上郭店村一墓中出土1件小金盆，直口，平沿外折，弧腹，小平底，墓葬年代被定为春秋晚期，如墓葬年代无误的话，那么更早使用金质器皿的年代可提早到春秋晚期。

金盏及金勺藏于湖北省博物馆。

葵花式金盏 南宋文物。1952年，安徽省休宁县南宋工部侍郎朱晞颜夫妇合葬墓出土。朱晞颜（1135～1200年），字子渊，休宁人，隆兴元年（1163年）进士，历宋高宗、孝宗、光宗、宁宗四朝，为官40余年，官至工部侍郎兼实录院同修撰，兼知临安府。

葵花式金盏高5厘米，口径10.6厘米，足径4.4厘米，重153.43克。金盏整器采取锤揲工艺，盏身与盏足分别制作，焊接成一体。整器呈六曲葵花形，每片花瓣边缘錾刻连续的葵花纹。盏心一朵花中花，中心花蕊突出，花叶相依，浑然一体。圈足底缘錾刻一周钱纹。

葵花式金盏与四川彭州市南宋窖藏、江苏金坛出土的金银葵花盏相似。宋元时代所谓

"葵花",为锦葵科的蜀葵、黄蜀葵类。黄蜀葵花开鹅黄色,花心晕作紫红,即古人所艳称"檀心",雄蕊花丝结合若管状。宋时,葵花常见于绘画与诗词,也是流行金银酒具造型之一。葵花盏也曾发现于黑龙江哈尔滨新香坊金代墓地。在元代依然是流行样式,湖南澧县珍珠村、临澧新合、石门等元代金银器窖藏中均有银葵花盏。

葵花式金盏藏于安徽博物院。

瓜形金盏 南宋文物。1993年,四川省彭州市金银器窖藏出土。

瓜形金盏由2件组合成组,其中1件高3.6厘米,口径6.8~10厘米,重101克;另1件高3.5厘米,口径6.8~9.9厘米,重100克。金盏为方唇,直口,斜腹,圆底。整体呈长条五棱瓜形。瓜柄扭成一圈;瓜蒂处饰五片叶子,每片饰细密叶脉纹;瓜棱内用小鱼子纹饰成卷草纹,近瓜脐处饰双卷叶折枝花纹,内以小碎点纹衬地;瓜脐外鼓,上饰小碎点纹。整器采用锤揲工艺,柄为拉丝成形,后与盏体相焊接。纹饰采用刻划与凿印相结合的技法。瓜脐边錾铭"齐"字,可能指器物拥有者。金盏在形制上仿多棱长条瓜形,在器壁上采用多种手法将瓜蒂、瓜脐装饰得栩栩如生,与器形有机结合起来。

瓜形器是金银器常见造型,如瓜棱瓶、瓜棱壶等,但瓜形盏属首次发现。宋代曾出现过许多仿生形金银盏,如江苏南京南宋张同之夫妇墓出土的蕉叶式银盏、四川平武宋代窖藏出土的五同梅花银盏、江苏溧阳宋代窖藏出土的蟠桃鎏金银盏等。这类器物造型匠心独运,自然清新,与瓜形盏体现出同样时代风尚与审美趣味。福州许峻墓、四川平武窖藏都曾出土宋代金银瓜形发冠,与这件器物较为相似。研究者推测,瓜形盏可能不具有实用性,只是一种装饰性器皿。

瓜形金盏藏于四川省彭州市博物馆。

鎏金银盏托 南宋文物。1990年,福建省福州市茶园山许峻墓出土。

鎏金银盏托通高5.8厘米,盘径14厘米,底径6.2厘米,杯径7.3厘米。托口高起如敛口杯,杯身高,杯内底心刻一道圈线。托盘作六出莲瓣形,瓣尖瓣缘随形起伏,轮廓明显,边缘收以圆棱。杯口、盘口及圈足底部鎏金一周。

这种盏托是作为茶托使用,在唐代金银器中亦见。到宋代,这种器形在金银器众多托类中较常见,四川彭州、绵阳、德阳宋代窖藏中均有出土。此外,在当时辽地亦有这种器物出土,如河北易县净觉寺舍利塔地宫出土的茶

托与这款器形亦相同。茶托主要功用是避免烫手，唐李匡义《资暇录》载："始建中，蜀相崔宁之女以茶托无衬，病其熨指，取楪子承之，既啜而杯倾，乃以蜡环楪子之央，其杯遂定。"是后"传者更环其底，愈新其制，以至百状焉"。四川德阳宋代窖藏出土的这类茶托与杯为成套器具，杯放于托上，杯腹部位于托口部，这样才能使用。这类图像在众多墓葬壁画或墓内石刻中多可见到。真正的茶托晋代就已出现，到宋代，几乎成为茶盏之固定附件。许峻夫妇墓中另出一件斗笠状银茶盏，作鎏金梅月纹，与此托为成套作品。

鎏金银盏托藏于福建博物院。

双兽首耳乳钉纹鎏金银盏　宋代文物。1981年，江苏省溧阳市小平桥村窖藏出土。共出土盏、碟、盘、盆、瓶、盒等27件银器。

双兽首耳乳钉纹鎏金银盏高7.1厘米，口径8.7厘米，底径5厘米，重173.04克。盏为侈口，直颈，双螭龙耳，圆鼓腹，喇叭形高圈足。盏内外壁间为空心夹层，底部夹层最厚处达1.3厘米。颈部饰两周雷纹，腹部为雷纹地斜方格乳钉纹。兽首耳正面为雷纹地乳钉纹，圈足下部为一周雷纹。纹饰处皆鎏金。

宋代金银器总体风尚中，仿古器物或复古器物的出现，是一个重要现象。宋代仿古作品通常模仿先秦时期青铜礼器，溧阳窖藏乳钉纹鎏金银盏，造型似商周时期青铜簋。四川省绵阳市黄家巷出土银鼎，有明显仿古风格。四川省彭州市金银器窖藏很多器物上云纹、雷纹、回纹、夔纹等原本是先秦青铜礼器纹样，秦汉后消失，宋代又重新出现。虽然，这些古式纹样都有一些不同程度改造、变形，但仍不失古意。另外，在湖南省澧县城关镇珍珠村元代窖藏出土1件乳钉纹簋式夹层杯，可能属南宋作品，与本件乳钉纹鎏金银盏造型极为相似。宋代仿古作品不仅出现在金银器上，瓷器、铜器中也很流行，这和社会上复古思潮有关。宋代对古代青铜器的收藏和研究，是审美情趣的需要，还寄托士大夫阶层"回向三代"政治理想。古器物学在上层与礼制改革相结合，改变士大夫对"古"的认识，导致徽宗和高宗两朝大规模复古运动，最终使古器物形制，成为国家祀典用器标准。古器物学成果也向民间扩散，并与民间固有工艺传统相结合，创造出一批独特的仿古器物。

双兽首耳乳钉纹鎏金银盏藏于江苏省镇江市博物馆。

葵口银台盏　宋代文物。1986年，浙江省义乌市柳青乡游览亭村宋代窖藏出土。共出土银器40余件。其中葵口台盏共7件，造型一致。据窖藏银器铭文可知，银器主人姓陈。有推测认为，这批银器可能是陈家人为躲避兵燹而埋藏起来。另外，窖藏中银片四周有火烧痕迹，或推测陈宅遭受火灾之难，这批银器可能是从大火中抢救出来的财物。

葵口银台盏承盘高5.5厘米，底径17.5厘米；盏高3.8厘米，口径11.6厘米。均为葵口，圆唇内卷，喇叭形圈足，圈足外侧铭曰"陈官人宅用"。盘口内錾刻一周约0.65厘米宽的缠枝卷草纹，纹饰鎏金。7件酒盏盏心各錾一幅人物图，但7幅图案各不相同。第一幅，一人披衣坦腹，背依酒坛，旁边一具酒樽，樽中横一柄酒勺。其侧有一平底花口果盘，盘中鹅梨两枚。第二幅，一人依瓮吹箫，瓮中有勺，旁置酒注、酒盏，上有飞鹤、流云。第三幅，一人赤膊坦腹，斜倚于长颈瓜棱式酒瓮之侧，旁有酒樽和勺。第四幅，一人单衫半褪，倚酒瓮而坐，酒瓮上有荷叶盖。前方有一只八卦纹酒盏，一具酒樽，樽中有勺。第五幅，一人手搭酒瓮而醉眠，酒盏倾翻在一侧。第六幅，一人赤膊坦腹，倚一大酒瓮，酒樽与盏俱翻倒。第七幅，一人背倚酒瓮，凭几席坐，几旁一个长颈瓶，里面插一大捧荷花。酒人衣着与神态显然以竹林七贤为模范，唯将主题易作饮酒，似可昭示当时审美趋向。

这套器皿即台盏。台盏是酒盏与酒台子的合称，是酒器中一种固定组合。酒台子便是承托酒盏之盘，不过盘心凸起如一倒扣小盏以为承台，因此得名。水邱氏墓出土的白瓷把杯，承以金扣白瓷托盘，盘心突起一小圆台，与《倭汉三才图会》卷三一中画出"酒台子"相同，是一套酒具。顾闳中《韩熙载夜宴图》中，饮酒人用的盏则和陕西耀县发现的唐"宣徽酒坊"圈足刻花银盏，形制相近；托盘盘心也突起小圆台，酒盏放在圆台上，与水邱氏墓所出酒台造型相同。台盏之为饮酒器还可从和其配套的酒注多带注碗一事得到证明。文献中，台盏亦为酒器，《辽史·礼志》载："冬至贺朝仪"中亲王"摺笏，执台盏进酒"。"皇后生辰仪"中大臣"执台盏进酒，皇帝、皇后受盏"等。元代饮酒仍用此器。

葵口银台盏藏于浙江省义乌市博物馆。

莲花形金盏托 西夏文物。1959年，内蒙古自治区巴彦淖尔临河区五星乡高油房古城遗址出土。1959年4月，在城址内东北角出土金银器约27千克。1966年5月，又在其附近发现一影青小瓷罐，内藏金器约250克。内蒙古文物考古部门从银行和群众手中征集未熔部分金器。这批金器约20件，有金佛像、嵌宝石人物纹金耳坠、双鱼纹金指剔、莲花形金盏托、双凤花草纹金碗、缠枝花纹花腹金碗、嵌宝石桃

形金饰件、金环等。

莲花形金盏托通高9厘米，口径5.2厘米，足径7.1厘米，重350克。由托盏、托盘和高圈足组成。为金片锤揲焊接成形。托盏，直口平齐，直腹；托盘折边，浅弧腹；圈足足根外展，盏底、盘心及足串通，通体宛如一朵盛开的莲花。口缘、盘沿及足缘平錾缠枝花草纹。

高油房古城遗址位于河套平原中部偏北，地处西夏国北部，先后与辽、金接壤，是西夏时期南北交通要道上一军事重镇。据文献记载和考证，此城为西夏黑山威福军故城。高油房古城遗址出土金器工艺精湛，造型美观。纹饰风格和装饰布局更多是受宋代金银器影响。也反映出浓厚的佛教色彩，说明西夏时期佛教文化盛行。西夏时期金银器发现不多，这批金器为研究西夏金银器提供非常重要的资料。

莲花形金盏托藏于内蒙古博物院。

金盏　元代文物。1982年，重庆市明玉珍墓出土。该墓在重庆织布厂扩建施工中被发现，墓葬已遭破坏，随葬金盏、银锭、丝织品等亦被取出。后在继续施工中发现"玄宫之碑"，证明此墓为明玉珍墓，号叡陵。明玉珍，原名瑞，字玉珍，因崇奉明教而改姓明

氏。明玉珍是元末红巾军农民起义重要将领之一。1363年，明玉珍以重庆为都，建立"大夏"政权，统治四川及其邻近地区。1366年，明玉珍逝世，其子明升继位。1371年，"大夏"为朱元璋统一。

金盏口径8厘米，底径5.5厘米，高2.4厘米，重56克。敛口，弧腹，小平底，素面。底刻有"连盘四两七钱半，元"字样，"元"可能为工匠姓氏。元代盘、盏为一套酒器，但出土时未见有盘。

明玉珍墓是中国罕见的农民起义领袖墓葬，出土文物具有重要历史、学术价值。但棺椁中未见尸骨，有学者怀疑此墓为衣冠冢。

金盏藏于重庆中国三峡博物馆。

梅花形银盘盂　南宋文物。1971年，江苏省南京市浦口区黄悦岭张同之夫妇墓出土。墓主张同之系唐代诗人张籍之后，南宋词人张孝祥之子。与其同穴者为继室章氏，乃宋代词人叶梦得的外孙女。张同之死于南宋庆元元年（1195年），随葬文房用具如歙砚、端砚，铜制笔格、镇尺、方水滴子并各式茶具、酒具等，俱为精雅之属，可见南宋文人雅士好尚。而章氏死于庆元五年（1199年），祔葬于张同

之墓右。墓中出土银瓶、银盒、银盆等大量银器，俱为章氏随葬之物。

盂高3.7厘米，口径9.7厘米；盘高1.7厘米，口径15.2厘米，底径12.5厘米。此副盘盂是宋元时期流行的象生花式造型，即盘和盂均以梅花为式。盂口沿镶金扣，呈五瓣梅花形。盂心压印一朵梅花，五曲内壁分别錾刻折枝梅花。盘呈五曲形，盘底在水波纹地上打造水边横斜一树新枝，梅枝之外留白，唯一轻云新月点缀其间。

湖南省澧县珍珠村元代窖藏出土的一副盘盏与该副盘盂所采用纹样为同一类型。纹样名称有月影梅花、梅花照水、梅月纹等说，有学者定名梅梢月，为宋元时期十分流行装饰题材。盂壁5个花瓣内各錾刻折枝花是宋金时代常用装饰方法，江苏溧阳平桥南宋银器窖藏中几件鎏金银象生花式盏也是如此，在瓷器中就更为普遍。梅梢月纹之外，牡丹、菊花、蜀葵、芙蓉，则是象生花式盘盏最常用造型。

梅花形银盘盂藏于南京市博物总馆。

鎏金"踏莎行"人物故事银盘盏 南宋文物。1980年，福建省邵武市故县窖藏出土。

鎏金"踏莎行"人物故事银盘盏一组二件，盏高5.4厘米，口长9.5厘米，宽7.5厘米，重75克；盘长17.4厘米，宽13.2厘米，高1厘米。盘盏都作八边形而左右较宽。盘窄折沿，盘面为人物楼阁图景。中央以栏杆围起荷塘有鱼跃起，龙腾其上。左方有一亭，右有二层楼阁，有凤自左方云端下飞翔。下方芭蕉树石丛中，有香炉焚香；两位男子相对揖让，旁立携琴童子。全部场景有鱼龙变化、独占鳌头、龙凤呈祥之意。盏身与足均做八角形，内

层另雕錾而成后扣接于外沿上，形成夹层。其内层盏心刻一首"踏莎行"词："足蹑云梯，手攀仙桂，姓名高挂登科记。马前喝到（道）状元来，金鞍玉勒成行缀。宴罢琼林，醉游花市，此时方显平生至（志）。修书速报凤楼人，这回好个风流婿。踏莎行。"外壁8个分割空间依次描述词牌里场景，包括登云梯、攀桂枝、榜单、通报消息者、骑马游街、写信、妇人在凤楼大宅前等候等图景。整幅盘盏图意，展现南宋人对经由科举考试进入仕途的强烈期望。

"踏莎行"词牌文字虽未正式录于宋词书中，但见于明洪楩编宋人小说《清平山堂话本》中的《简帖和尚》，其入话部分讲咸阳宇文绶与娘子王氏"错封书"故事，曰宇文绶做

支曲儿，唤作《踏莎行》，即这一阕，唯字句稍有不同。江西新建亦出土一刻有同样文字银盘，且锤揲出状元游街、佳人探身楼头图景，显然当时这首词在民间很流行。

鎏金"踏莎行"人物故事银盘盏藏于福建省邵武市博物馆。

六角形金盘盏　南宋文物。1952年，安徽省休宁县朱晞颜夫妇合葬墓出土。墓中出土众多金银器、玉器等。

盏高5.5厘米，口径9.1厘米，足径4厘米，重98.89克。盘高1.6厘米，口径17.6厘米，底径13厘米。盏和盘均作六棱，锤揲而成。盏圆唇，直口，中腹微鼓，下部内收，平底。底与足相接，足略外撇。内底饰三朵菱花穿环图案，纹饰较淡雅柔和。口沿和足沿均饰两方连续雷纹带。盘正六边形，折沿，弧腹，平底。盘口錾刻一条精细的二方连续带形雷纹，盘底外周饰菱花二方连续纹，盘心錾刻六组双线编穿如意纹，寓"六合如意"。

宋代盘类器物主要有盏盘和承盘之分，前者用来承托盏杯，后者用来盛食物或者其他器物。盏盘按形制样式可分为圆口盏盘、花口盏盘、角口盏盘和花叶形片状盏盘四类。角口盏盘主要有

六角形盏盘和八角形盏盘。成套使用的盏杯与托盘往往在器形或纹饰上有一定相似性。

六角形金盘盏藏于安徽博物院。

"陈铺造"款芙蓉花形银盘盏　元代文物。1960年，江苏省无锡市嶂山钱裕墓出土。墓主钱裕，生于南宋淳祐七年（1247年），卒于元延祐七年（1320年），次年（1321年）下葬于当地钱氏祖坟。墓中出土有金、银、玉、漆器和丝织品及纸币等，共154件。

银盘直径18厘米，盏直径9.1厘米，通高5.3厘米。此器用银片锤成芙蓉花瓣形，盘12瓣，盏8瓣，花瓣之上腹阴刻折枝花纹，通体鎏金，盏外沿下模印"陈铺造"款。金杯、簪、箍形饰压印有"邓万四郎……金"，金带饰和银瓶、银盒、银匜、银唾盂、银筷、银匙、银匕压印有"蔟桥东陈铺造"或"陈铺造"字样。这些金银器以素面为主，形制多样，是元代民间日常生活用品。

芙蓉花式盘盏在宋元十分流行。芙蓉花本是荷花别名之一，这里是指锦葵科芙蓉，与水芙蓉相对，也被称作木芙蓉，又苏颂《本草图经》称作"地芙蓉"，范成大《桂海虞衡志》称作"添色芙蓉花"。因金秋开放，故又名

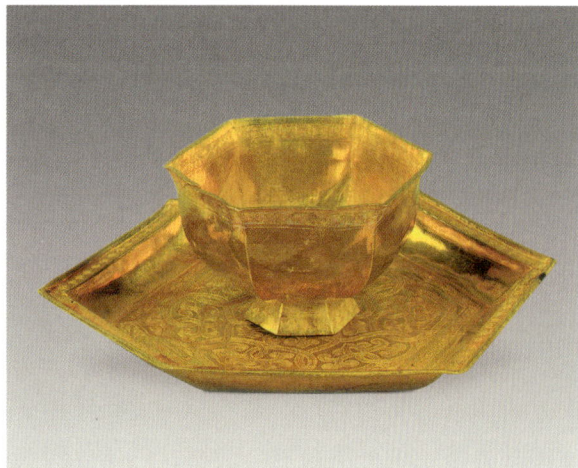

"据霜花"。宋人对芙蓉花多有赞誉，故金银器也模仿其形，欧阳修"劝客芙蓉杯，欲搴芙蓉叶"，所咏即酒器中芙蓉花式盘盏。

"陈铺造"款芙蓉花形银盘盏藏于无锡博物院。

鎏金花卉童子银盘盏 元代文物。1981年，安徽省六安县嵩寮岩乡花石咀2号墓出土。

盘盏由盏和托盘组成。盏高5.3厘米，口径8.5厘米，足径3.6厘米，重135克。盘高1.5厘米，口径18.3厘米，足径14.2厘米，重197克。盏为夹层，大口、方唇、圈足。内口沿装饰卷草纹，中心錾花朵，其上焊一盘坐的童子，双手玩弄一花球。腹壁打作四季花卉，有牡丹、栀子、菊花等。腹两侧焊接女童形象双耳，站在錾刻莲花座上，手扶盏沿，探望盏内童子。盏通体厚重，浮雕花卉清晰透彻，有极强立体感，展示出高超的制作工艺。盘也为夹层，敞口，平折卷沿，斜腹，平底。盘沿饰忍冬纹，底中心为一圆形凸起，錾刻一朵牡丹，与盏底吻合。四周浮雕两对童男童女。

盏中童子应为磨喝乐。磨喝乐是宋代七夕供奉的重要节物，其音当来自佛教中大黑天摩诃歌罗，其祈子宜男之意，源于佛教中鬼子母

信仰，艺术表现形式受佛教中化生童子影响，是佛、儒和世俗文化相互融合的产物。元代银盏题材具有浓厚的中华文化与佛教文化结合趣味。此类设计意匠也为明代金银器制作所沿用，但多已演变为祝寿题材。

鎏金花卉童子银盏盘藏于安徽省皖西博物馆。

教子升天银盘盏 元代文物。1996年，湖南省临澧县柏枝乡发现。

盘盏由盘和盏组成。盏高7.8厘米，口径9.2厘米，足径4.2厘米，重130克；盘高1厘米，口径为16.9厘米，重127克。盏为双层结构，外腹部錾刻回旋翻涌海浪，其间打制一对尾端相接环绕盏身的螭龙，龙头腾身跃起成为盏耳（一耳缺）。内口沿錾刻一周水波纹，盏心錾刻牡丹纹。盘心用于承盏的浅圆台与盏心对应，錾刻反向而开的一对折枝牡丹。盘心外缘錾刻纤细水波与卷云为地，其上錾刻两首尾相向而舞的双螭。盘盏所采用造型与纹饰，是宋代开始流行的"教子升天"，即以两螭龙作为主体纹饰。作为装饰纹样，最初大约是用于玉杯。清姜绍书《韵石斋笔谈》卷上有一则"宣和玉盉记"："宋宣和御府所藏玉盉三，其一内外莹洁，绝无

纤瑕，杯口耸出螭头，小螭乘云而起，夭矫如生，名教子升天，真神物也。"

自唐代以来，湖南地区银矿即为历代政权所重视。唐宋之际全国有两大银场，湖南桂阳监即为其中之一，北宋时期规模乃一时之最。元代，湖南依然是作为产金银之地而有岁课，其金银器制作也很发达。元代金银器以湖南发现为最多，不仅同类器物出土在数量上形成一定规模，且品类比较丰富，以器形与纹饰多样性而囊括这一时代金银器主要类型。

教子升天银盘盏藏于湖南省博物馆。

银船盘盏 元代文物。1994年，湖南省澧县澧南乡征集。

银船盘盏整体分为两部分，托盘通高5.8厘米，长20.2厘米，宽13.7厘米，重111.8克，盘内饰翻卷海浪和波折纹。浪尖上托起一叶轻巧莲舟，舟内细刻叶脉纹，舟中端坐一仙翁。莲舟长14厘米，宽8.1厘米，重70克。这套银器应是酒具，杯名作酒船。银酒船与承盘的组合，应是银船盘盏。

北周庾信《北园新斋成应赵王教诗》有"玉节调笙管，金船代酒卮"之句，所指金船是容量较大的酒杯。金银酒船早期样式，有出自湖南麻阳旧县银器窖藏中的1件银荷叶纹酒

船，时代约当晚唐五代。器为船形，器内錾刻纤细虚线做成荷叶脉理及水风吹卷效果。酒船的造型和纹饰与唐代酒船一脉相承，不过大大简化。到了元代，酒船设计与制作已近似于玩赏重于实用的工艺品，并因此更适宜用作劝酒之器。故宫博物院藏1件南宋《莲舟仙渡图》册页，图绘一叶莲舟中手持书卷仙人，草叶上衣与下裳，坦腹赤足，浮荡于渺渺波涛之间。这件银船盘盏独具特色，学者考证其造型可能以宋人画作为图样，莲舟为盏，承盘意为波涛，饮酒与赏玩相兼。

银船盘盏存于湖南省津市市博物馆。

银耳杯 北魏文物。1994年，山西省大同县安留庄出土。

银耳杯通高5.5厘米，口长13.5厘米、宽10.07厘米，下底长5厘米、宽3.5厘米。杯身用银片锤打制成，作椭圆形，两头稍高中部略低，下有圈足。两耳稍小，焊小银珠，内饰隐起的卷草纹。

还有2件北魏时期的银耳杯。一件1982年出土于山西省大同市小站村封和突墓，形如元宝，两端上翘。杯底有椭圆形圈足，足边有联珠纹。左右两耳边有双排联珠纹。另一件出土于宁夏回族自治区固原市北魏墓，大小、形制

与前两件基本相同，略残。耳杯是汉代以来中国特有器物，但这些耳杯上的双耳饰联珠纹，固原出土的银耳杯上还有西方风格浓厚的忍冬纹，说明这些耳杯是在汉耳杯基础上的创新之作。

银耳杯藏于山西博物院。

八曲银杯 北魏文物。1970年，山西省大同市城南北魏遗址出土。

八曲银杯高4.5厘米，口长径23.8厘米、短径14.5厘米，足长径7厘米、短径4.5厘米。杯口呈八曲海棠花形，圈足、杯心镶嵌锤撲两只海兽形象。口沿下刻有一行大夏铭文。铜质圈足为喇叭状，呈花瓣形，应是后来配置的。

多曲长杯流行于3～8世纪伊朗高原，在中国出现不晚于十六国时期。北魏前期之都平城（山西大同），为北魏政治、经济和文化中心，也是与西方诸国进行交往中心，故八曲银杯传入中国时间应不超过6世纪初。曾有学者推测，此杯为萨珊器，产地为伊朗东部呼罗珊地区。但其形制和纹样与萨珊常见同类器略有不同。也有学者认为，该杯有浓厚的中亚艺术风格，中国境内出土多曲长杯的渊源不只来自萨珊，中亚粟特等地影响也不容忽视。不过，多曲长杯祖形在伊朗，是伊朗人在萨珊时期创造定型的器物，以后才逐步向外传播，或被仿制。故其他地区发现这类器物可被称为萨珊式多曲长杯。八曲银杯是一件制作于中亚的萨珊式器物。

八曲银杯藏于山西省大同市博物馆。

鎏金蔓草鸳鸯纹银羽觞 唐代文物。1970年，陕西省西安市何家村窖藏出土。

鎏金蔓草鸳鸯纹银羽觞高3.2厘米，长10.6厘米，宽7.5厘米，口径10.6～7.7厘米，壁厚0.2厘米，重146克。何家村窖藏出土2件造型、大小、纹饰基本一致的羽觞。均为椭圆形，长方形双耳，平底。这件羽觞器内底錾刻团花状蔷薇花一朵，内壁饰折枝花四株，枝叶宽厚肥大，花叶间饰流云纹。外壁两侧双耳下各饰一只鸿雁和鸳鸯站立在莲瓣上，两端各有一莲座，分别为相对而立鸳鸯和一对回首鸿雁。双耳上錾刻小团花，四角点缀纹饰。纹饰皆鎏金，空白处均饰鱼子纹。器物采用锤撲技术制成，纹样錾刻，双耳与器体焊接。

羽觞是战国时创造的器形，在考古发掘中椭圆形带耳杯子出土很多，有漆、铜、金、银、陶等材质。因为有耳，故亦称其为"耳杯"，也有引用古语称作"羽觞"，其名来源于《楚辞·招魂》："琼浆蜜勺，实羽

觞些。"《汉书·外戚传》："酌羽觞兮消忧。"西汉时羽觞双耳微上翘，东汉时，羽觞双耳大多与杯口平，但杯口两端上翘。汉代以后，出土渐少，最终消失。唐代鎏金蔓草鸳鸯纹银羽觞与传统羽觞形制完全吻合，应是唐代对传统器物的模仿。

鎏金蔓草鸳鸯纹银羽觞藏于陕西历史博物馆。

银长杯 唐代文物。1975年，内蒙古自治区赤峰市敖汉旗荷叶勿苏李家营子1号墓出土。同出的还有银执壶、鎏金银盘、小执壶和银勺。附近2号墓也出土大量金银饰件。有学者认为，李家营子出土5件金银器是一组餐饮用具，可能是旅行者因遇不测而匆匆埋葬的器物。原产地应在粟特或萨珊王朝东北部，而以粟特地区可能性更大。其时代为7世纪后半叶至8世纪中叶。

银长杯高3.2厘米，口长18.6厘米，口宽6.4厘米。椭圆形，直口，弧腹。锤揲成形，通体光素无纹。发掘时圈足已残。

中国除发现玉长杯和玛瑙长杯外，尚未发现同此器类似金银质长杯。已知的唐代金银器中，有两种椭圆形长杯，一种是八曲形，典型的萨珊样式；另一种以何家村银耳杯为代表，是汉代以来耳杯形制，银杯既不分瓣，也不带耳，形制特别。这种银长杯在西方发现较多，且历史悠久，日本许多私人藏品中，类似此种长杯形器物有金银制品、青铜和白铜制品。伊朗苏萨地区也曾发掘一件残器。这些长杯多被认为是萨珊遗物，其实也有许多为粟特遗物。粟特地区十分流行长杯，塔吉克斯坦片吉肯特的粟特壁画中，有许多人物手持这种长杯进行宴饮画面；与粟特壁画艺术接近的巴拉雷克反映哌哒王族宴饮场面壁画中，也有持长杯人物。

银长杯藏于内蒙古博物院。

金杯 战国早期文物。1978年，湖北省随县曾侯乙墓出土。包括金杯、金盏、金漏匕和金器盖在内5件金器，还出土金带钩、金质弹簧形器、金缕玉璜、金箔等多件装饰品，总量达8430克。

金杯高10.65厘米，口径8.1厘米，底径6.3厘米，盖径8.2厘米，重789.9克。侈口，方唇，深腹，束腰，平底。腹部上方有一对环耳，盖圆拱形，略大于杯口，盖边有三个等距衔扣正好卡在杯内。通体素面无纹，打磨光润。

曾侯乙墓出土装饰品制作精美，显示出较高工艺水平和艺术效果。金盏、金杯、金盖、

金带钩造型，都与同时代铜器风格相同。

金杯藏于湖北省博物馆。

镶红玛瑙虎柄金杯 南北朝时期文物。1997年，新疆维吾尔自治区伊犁哈萨克自治州昭苏县出土。除镶红玛瑙虎柄金杯外，还出土镶红宝石黄金面具、镶红宝石带盖金罐、镶红玛瑙虎柄金杯、镶红宝石金剑鞘、红宝石金戒指、错金银瓶及镶红宝石金杯等，大多都镶嵌红宝石，且以金器为主。制作工艺技术以焊接、锤揲、模压、抛光、镶嵌等为主，做工精巧，风格独特。

镶红玛瑙虎柄金杯高16厘米，口径8.8厘米，腹径10.5厘米，底径7厘米，重725克。金杯因受挤压而变形，敛口，外卷沿，鼓腹，平底，虎形柄。器身内外通体模压出菱格，每格内焊接宝石座，内镶嵌椭圆形红色玛瑙。玛瑙弧面，磨光，部分已脱落遗失。口沿外卷后与器身焊接，其下点焊一周金珠点饰。虎形柄焊接在口沿下至中腹部，虎头宽而圆，四肢雄健，通体錾刻虎斑纹，形象生动。器底为凸起同心圆纹，中心锤出八瓣花纹。

在器物上镶嵌红宝石是典型草原民族工艺，在前伊斯兰时代，镶嵌红宝石刀剑、器具和饰物流行于欧亚大陆游牧民族活动地区。虎柄金杯同南西伯利亚亚图瓦地区突厥石人雕像上杯子近似，很可能是一件酒器。金杯虎柄形式也见于1982年南俄罗斯出土的1～2世纪银器上，且在一些陶器上也有这类柄饰。有学者认为，金杯上虎柄可能是仿造拜占庭器物上虎豹手柄而制作。

镶红玛瑙虎柄金杯藏于新疆维吾尔自治区伊犁州博物馆。

狩猎纹高足银杯 唐代文物。1963年，陕西省西安市沙坡村窖藏出土。

狩猎纹高足银杯高7.4厘米，口径6.3厘米。银杯锤击成形，圆唇侈口，直壁深腹，杯腹下部略收，下承外撇高足。纹样采用錾刻工艺，外壁通饰鱼子地纹，杯腹上部饰一道凸弦纹，下部阴刻一道弦纹，高足中部有"算盘珠"式节。口沿下刻一周缠枝花，两道弦纹之间饰有骑马狩猎图四幅，猎者均策马飞驰，姿态各异，或张弓待射，或箭方离弦，被追逐的獐、鹿、豕、狐等动物则四散逃窜，整个狩猎景象布局巧妙，情节紧张生动。

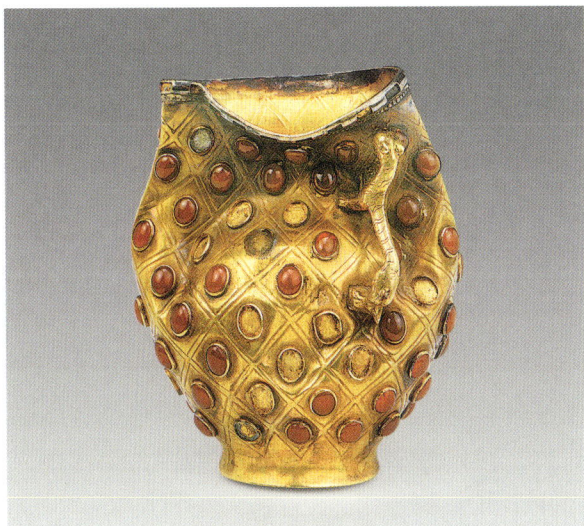

中国古代狩猎历来被视为重大事件，狩猎题材也曾在战国铜器、汉代壁画和画像石、魏晋砖画中出现。古代狩猎图的意义不仅是单纯表现猎获动物，而是主要用于反映帝王贵族生活，带有练兵习武、军事检阅性质。尽管唐代前也出现过狩猎图像，但场面小、内容简单，构图和人物形象处理也不同。唐代银器上的狩猎纹与前代狩猎图像区别甚大，其渊源不仅限于中国传统狩猎题材。狩猎纹高足银杯狩猎图像中，最重要细节是画面中心顶天立地的大树，在中国传统狩猎图中不见，很容易令人想起西亚、中亚艺术中的"生命树"。而且画面中以大树间隔的构图方式和骑马狩猎姿态，不能排除受西方风格影响的可能。高足杯并非中国传统器物，其大约渊源于地中海地区罗马，然后通过西亚、中亚对中国产生影响。这件银杯造型属西方式样，而猎手所着幞头、窄袖袍却为唐服，装饰风格也具中国特色，是中西文化融合的产物。与此杯形制相同的狩猎纹银杯，还有陕西西安何家村出土狩猎纹高足银杯、北京大学藏狩猎纹高足银杯、凯波博物馆藏狩猎纹高足银杯，纹样及装饰风格都极为相似，说明此种题材在当时颇为流行。

狩猎纹高足银杯藏于中国国家博物馆。

鎏金伎乐纹八棱银杯　唐代文物。1970年，陕西省西安市何家村窖藏出土。

鎏金伎乐纹八棱银杯高6.7厘米，口径6.9～7.4厘米，足径4.4厘米，重285克。杯体为八棱状，浇铸成形。侈口，其壁稍内弧为圆底。下部由横向内折处内收，下接喇叭形圈足。圆形柄上部有指垫，下部为指鋬。指垫上装饰背靠背的两个胡人形象。柄外侧有兽头，

柄下里端出钩尾与柄身焊接。地纹及人物细部仍采用平錾手法加工。杯身每面錾出联珠为栏，栏内有执排箫、小铙、洞箫、曲颈琵琶乐伎，另有抱壶、执杯及2名作舞者。人物均为胡人，背景衬以忍冬卷草、山石、飞鸟、蝴蝶、鱼子纹地。杯底錾石榴状忍冬花结8朵。圈足錾云曲纹，足底为一周联珠。

八棱形杯体、环形联珠柄及指垫、足底一周联珠具有明显西方风格。人物采用浮雕式做法也是西方银器装饰特点，也是时代较早的做法。此杯可能是一件外国输入器物或外国工匠在中国制造，年代在7世纪后半叶或8世纪初。

鎏金伎乐纹八棱银杯藏于陕西历史博物馆。

鎏金仕女狩猎纹八瓣银杯　唐代文物。1970年，陕西省西安市何家村窖藏出土。

鎏金仕女狩猎纹八瓣银杯高5.4厘米，口径9.2厘米，重209克。杯体呈八曲葵口，口沿錾刻一周联珠，杯腹上部以柳条为界分为八瓣，下腹锤揲八瓣仰莲以承托杯身，每瓣内饰一朵忍冬花，近圈足处饰一周荷花。杯底焊接着饰有莲瓣纹的八棱形圈足，足边錾刻一周联珠纹。在口沿下一侧焊接有多曲三角形指垫，指垫上凸起圆片上刻1只鹿。指垫下焊接着外

侧饰有联珠环柄，环柄下端有钩尾，环柄与钩尾是一次成形，钩尾另一端焊接在器壁上。银杯内底处，以水波纹为底衬，中间錾刻出1个摩羯头和3条长尾鱼。凹陷的八瓣内相间刻出4组山岳角隅纹样。银杯主体纹饰分布于外壁八瓣内，四幅男子狩猎图与四幅仕女游乐图相间排列。男子狩猎图依次为，第一幅狩猎人身着袍衫，长发披于身后，正张弓搭箭射向前方逃窜鹿和野兔。第二幅狩猎人架鹰追逐前方两只野兔。第三幅狩猎人骑马飞驰，回身拉弓射虎。第四幅狩猎人手执马杖追逐逃窜狐狸。四幅仕女游乐图依次为，第一幅两位丰腴仕女一前一后漫步在花园中，后者正欲将长巾披到身上，其后跟随一梳髻侍女。第二幅一仕女坐在凳子上悠闲地看一孩童在捉蝴蝶，其身后站立一位侍女。第三幅一位仕女怀抱装在囊里琵琶，扭头与另一位手执团扇仕女交谈，旁边有一正向前走的侍女回眸相望。第四幅两个侍女相对坐在荃蹄上，一人弹奏四弦曲颈琵琶，一人吹笙。八幅图通过各种不同神态和活动场面，如屏风画似一幅幅相间展现出来，勾勒出唐代社会生活场景。所錾刻纹饰均鎏金，但四幅仕女游乐图鱼子纹地未鎏金，又似涂了一层

墨，但四幅狩猎图鱼子纹地鎏金，使整个器物形成鲜明对比，更显得人物突出，画面生动。

这件银杯造型奇特瑰丽，采用唐代典型八曲葵口和圆底碗形，指垫上鹿与指环具有粟特银器特点，内底摩羯纹受印度文化影响，狩猎图中猎人是突厥人形象，仕女游乐又是盛唐时期典型题材，体现东西方文化交融一体的特点。1980年，在陕西西安火车站也出土1件八瓣单柄人物纹银杯，与何家村鎏金仕女八瓣形银杯造型、尺寸基本相同，仅外壁四幅仕女图以仕女游乐、戏婴、梳妆、乐舞为纹饰外，其他纹饰完全相同，藏于西安博物院。

鎏金仕女狩猎纹八瓣银杯藏于陕西历史博物馆。

金杯坯 唐代文物。1965年，陕西省西安市南郊白庙村出土。白庙村位于唐长安城延康坊内。同出的还有1件带柄金杯坯、4根有明显切割痕迹金条。金条和金杯坯一同出土，显然不是偶然的，金条只能看作是制作金杯原料。据推断，此地应是一处唐代金银器制造作坊。

金杯坯高6.5厘米，口径7厘米，重170克。整体浇铸成形。敞口，斜腹斜收向下，圆底，高足，足上部有一圆承盘与杯底相连，足

中部有凸棱一周，足底为一圆盘。杯身中上部有弦纹一周，似为焊接而成。杯底与高足圆承盘之间无焊接痕迹，应为一次铸造而成。口沿不平、器壁厚薄不均，且有多处塌陷。

唐代金银器制作作坊，学术界根据有关文献记载及考古出土实物，将其分为中央官府作坊、地方官府作坊和民间私人作坊。中央官府作坊包括少府属下掌冶署、中尚署下金银作坊院和文思院。文思院属中晚唐时期专门为皇室制造金银器的机构。文思院成立前，皇室和中央官府所需金银器制造，主要由金银作坊院负责。但未见与金银作坊院有关器物出土。唐长安城延康坊所处位置，不属于金银作坊院或官府作坊，而应是居住在延康坊内的王公贵族私人作坊，这为了解唐代金银器制造业提供了新线索。

金杯坯藏于陕西历史博物馆。

柳斗形银杯 南宋文物。1974年，江西省星子县陆家山出土。

柳斗形银杯高5.5厘米，口径8.3厘米，重105克。银杯口沿外折，束颈有四道粗旋纹似粗硬竹条，上錾刻竖条阴线呈捆扎状，釜口显得硬实而牢固。腹部扁圆，锤压成细密柳条编

织状。柳斗形银杯制作中，运用打胎和錾花工艺，制作时先用锤子在银片上打制成胎形。杯口錾刻纹饰，器物腹部柳条纹采用戗錾手法，从腹部中心部位分别向两边剔錾，纹理清晰，线条流畅。尤其是底部柳条纹刻意模仿成使用磨压后的扁平状，足见宋人仿真匠心所在。

以陶、瓷、银等材料制作仿柳斗、柳罐之物，在出土物中已屡被发现，也被称为笆斗形盏、蒲篮。银制品自唐至宋皆有发现，瓷柳斗杯也出土较多，传世还有宋代玉雕柳斗杯，大多制作精美，上端有箍，主体呈编织柳条形凸纹。仿柳条制作器物一般都呈半球形，表面有纵向柳条编织纹，近颈部有两处对称接合编织纹，口沿饰有带状箍。以柳斗为杯，是以柳斗普通用器之形简朴，可得清闲之雅誉，与中国古代文人提倡的返璞归真观念有关。自古以来，柳是辟邪之物，以柳为器，有江西地区社会民俗学含义。

柳斗形银杯藏于江西省博物馆。

龙纹夹层银杯 南宋文物。1993年，四川省彭州市金银器窖藏出土。

龙纹夹层银杯通高6.8厘米，口径8.5厘米，足径4.2厘米，足高1.2厘米，重117克。杯身由内外两层构成，中空。口部饰两个一组雷纹一周。腹中部满饰整齐卷云纹八层，由上至下逐渐变小，腹下部饰双层叠压形团云纹一周，云头上满饰碎线纹。高圈足直口上，以小碎点连成线錾刻卷草纹一周。杯口雷纹与腹下部团云纹，采用锤揲成微凸浅浮雕技法，杯腹中部云纹与足上卷草纹錾刻而成。杯腹上附有横趴双龙，其中一条龙两前爪攀于杯沿，可活动的龙头伸于杯口内。双龙锤揲成形，龙头与

龙身分制，加工成形后以立雕技法焊接于杯体上。其中一龙因材料局限而采用身、尾分制。整件银杯采用锤揲技法成形，足与身分制，杯唇部留有清楚的内层外翻接痕。外底中心有两个小圆点，似为下料点。这件银杯上无商家铭款，或带"官"字款铭记，很可能是皇家或中央官府作坊产品。

夹层技法是宋代金银器代表性新工艺。江西乐安银器窖藏、江苏溧阳平桥宋代银器窖藏、浙江衢州南宋墓、福建邵武故城等，都出土有此类夹层器物。夹层器物双层器壁间是空的，并未粘在一起，可清楚观察到器物内壁加了夹层后，在口沿向外翻折的技法。以此技法制成器物不仅有隔热功用，还会使精美器物的制作变得简明容易。如器壁较厚，则难以锤揲出复杂的浮雕类纹样，而如果先用较薄胎体使形态和纹样成形，再用一层衬托，不仅增加器物牢固而不易变形，又使内壁光滑易于使用，加工也比较容易，器物又有端庄沉稳的审美效果。

龙纹夹层银杯藏于四川省彭州市博物馆。

金杯 宋代文物。1987年，浙江省兰溪市灵洞乡费垄口村宋代夫妻合葬墓出土，墓主为宋代朝奉大夫封德清。

金杯高5厘米，口径7.9厘米，底径3.6厘米，重125克。金杯系用套接法制作而成的夹层杯，即以一个口沿处装饰弦纹，下有圈足外杯套，焊在内杯腹部，一侧柄上连内杯，下接外杯，柄的压指板做成圭形。柄与杯壁连接处有焊接烙印，素面无纹饰。

有学者考证，此杯应是宋元时代屈卮，也称曲卮或卮。卮是一侧有环柄酒杯，后世也常以此作为酒杯通称。宋吴自牧《梦粱录》卷三"四月·皇帝初九月圣节"记载度宗生日盛况，云"御宴酒盏皆屈卮，如菜碗样，有把手，殿上纯金、殿下纯银"。依此记载，兰溪宋墓出土金杯应即金屈卮。湖南省澧县珍珠村元代窖藏出土一银屈卮。安徽省合肥市小南门原孔庙旧址元代窖藏出土"章仲英造"金屈卮，分为圆口和四出花口两式，但底部均无圈足，也是卮杯之属。

金杯藏于浙江省兰溪市博物馆。

鎏金七棱银杯 辽代文物。1992年，内蒙古自治区赤峰市阿鲁科尔沁旗耶律羽之墓出土。共2件，形制相同。

鎏金七棱银杯高6.4厘米，口径7.3厘米，底径3.9厘米，重224.5克。模铸，花纹平錾，鎏金。侈口，弧腹内收，圜底，七角喇叭形圈

足。口沿一侧有花形平錾，錾下有指垫。杯作7面，口沿、圈足、器腹均以凸起的联珠纹作边框，口沿下外侧錾饰一周对鸟衔花纹，器腹7面錾饰7个闲逸高士，均头戴花冠，身着宽袖长袍，有抚琴、看书、书写、举杯、闲坐等，形态各异。人物背饰柳枝，鱼子纹地。腹底刻一周草叶纹，圈足刻山形纹。

带柄杯与粟特银杯器形非常接近，是唐代金银器中常见器形。辽代金银器中，相似者有内蒙古自治区通辽市科尔沁左翼后旗吐尔基山辽墓出土的人物纹八棱金杯、赤峰市巴林右旗洪格尔哈鲁辽墓出土的乐舞纹八棱金杯等。这些金杯所饰纹饰不是粟特杯常见题材，可能是辽代工匠对粟特器形模仿制品。鎏金七棱银杯特殊之处在于七棱杯体和柄缺失，有异于粟特常见的八棱杯体和完整环柄。杯体七面体内各錾一位高士，如果确为中国传统竹林七贤题材，那这种器形局部改良是为安排七位高士特意而为，是契丹工匠对粟特器形的创新产品。

鎏金七棱银杯存于内蒙古文物考古研究所。

"朱碧山造"款银槎杯　元至正五年（1345年）文物。1972年，江苏省苏州市吴县藏书公社社光大队出土。朱碧山，字华玉，室名长春堂。生卒年不详，有学者推断其大约生

于大德初年即1300年。生于浙江嘉兴渭塘镇，一直生活在苏州木渎镇。朱碧山原先习画，后到苏州从事银器制作，以雕制银器取胜，以善制槎杯闻名。史载，朱碧山一生名作很多，所制酒器最为精妙。明本《嘉兴府志》："碧山所制的酒器极精妙，如虾杯、蟹杯之类，不施药焊，注酒能自流走，至今人称之。"朱碧山在元代负有声望，是当时的名士诗人，受到人们尊重，如虞集、揭傒斯都曾托朱碧山作过槎杯，作为互相祝寿用礼品。后世名士如陶南村、陈眉公、孙承泽、朱竹垞、王渔洋、施闰章、高江村等人，都极其称赞朱碧山技艺及作品。朱碧山造款银槎杯富有传统绘画与雕塑特点，体现朱碧山的艺术修养，也标志元代铸银工艺技术水平。

"朱碧山造"款银槎杯高11.4厘米，宽7.5厘米，斜长22厘米。匠师成功运用镂刻、焊接多种技法。槎及人体都铸成后镂刻的，头、云履等部分是铸成后焊接而成。结合圆雕、浮雕表现人与舟、舟与云气、人与槎树间的层次。接焊处浑然无迹，几不能辨。银槎杯是一件实用酒具，以仙人乘槎凌空飞越到银河的神话故事为题材，将银酒杯巧制成书槎形一叶扁舟。槎上一老人端坐，仰首束发，颌下长

须髯髯，身着宽袖长袍，腰束飘带，背靠槎尾，神态安详，双目注视远方，作乘舟凌空行游状。老人悠然放达的情态，童颜长须的容貌，透出一股道骨仙风。槎舟四周镂刻出缠绕云气纹。槎背面尾刻"至正乙酉朱碧山造"八字阴文款铭，说明它是元代木渎银匠朱碧山所制。

传世的银槎杯共存5件，分别藏（存）于故宫博物院、江苏苏州吴中博物馆、台北故宫博物院、美国克利夫兰博物馆和英国大英博物馆。

"朱碧山造"款银槎杯存于江苏省苏州市吴中博物馆。

龙柄银杯 元代文物。1987年，内蒙古自治区赤峰市敖汉旗新丘元代窖藏出土。同式共2件。

龙柄银杯口径7.7厘米，底径4.6厘米，高2.9厘米。四出花口，内底心錾一株折枝茶花，外口沿錾刻卷云纹，一侧为龙首衔环柄，龙角虬曲，一长一短相叠而披垂，其中长角一只搭在银杯口沿。

此类杯在山西省灵丘县曲回寺元代窖藏、湖南省涟源市桥头河镇石洞村元代窖藏也有出土。俄罗斯艾尔米塔什博物馆也藏有1件蒙元

时期金腰挂龙形柄勺，与此杯极为相似。有专家称，此类元代金银器物为"魁"，亦有考证为马杓（"杓"同"勺"），是宋元时代与马盂使用情况略有相似，即挹饮相兼的一种酒器。马杓的早期式样，大约只是一种长柄大勺。内蒙古包头征集的一组4件像元代铜人，其腰间挂一长柄勺，说明此类器物携带方式。龙柄上有环，是为携行方便。

龙柄银杯藏于内蒙古自治区赤峰市敖汉史前文化博物馆。

荷花纹高足金杯 元代文物。1978年，内蒙古自治区包头市达茂旗大苏计乡明水墓出土。

荷花纹高足金杯高14.5厘米，口径11.4厘米，底径7.2厘米，重191克。金杯锤揲焊接成形。口沿外卷成圆唇，口微侈，深腹，圜底，高足呈倒置喇叭状。口缘外錾刻一周卷草纹，腹壁分布三组海棠形开光，内饰牡丹花卉、莲花，足缘饰一周花叶纹图案，采用平錾线刻手法。

高足杯不见于中国传统造型中，是4～5世纪流行于罗马的器物，后传入中亚，类似容器6～7世纪从匈牙利到乌克兰草原地带都有发

现。中国境内，金高足杯最早见于隋代李静训墓，唐代金银器窖藏也偶有银高足杯出土，直到两宋始终没有成为流行式样。元代高足金杯，器形仍是萨珊式，但纹样均为中国式忍冬纹、卷草纹、莲花纹、牡丹纹等。高足杯延续到清代，质地有银、瓷、漆器等。高足金杯是蒙古汗国时期和元代贵族通常使用饮酒器具，在内蒙古地区共出土9件。南方地区也有出土，相比北方体量稍小。金元时期，属于北方样式金银高足杯很少用打造工艺安排纹样，多以在杯身三个开光里錾刻花卉图案办法作为装饰。也有造型取其式，形制、纹样却别作设计的例子。如湖南临澧新合元代金银器窖藏中一件银仿古纹高足杯。杯为夹层，外杯下腹及圈足打作蝉纹，腹身为仿古式云雷纹和波曲纹，即宋人所谓"圆篆"。

荷花纹高足金杯藏于内蒙古博物院。

缠枝牡丹纹錾耳金杯　元代文物。1976年，内蒙古自治区乌兰察布市兴和县五股泉元代墓葬出土。

缠枝牡丹纹錾耳金杯高4.9厘米，通耳长14.4厘米，口径12.1厘米，重188.9克。敞口，弧腹，呈六出花瓣形，平底，口沿外附月牙形耳，耳下连一指环。耳及口沿外平錾缠枝

卷草纹，内底心平錾三朵缠枝牡丹团花。杯身锤揲成形，耳与杯身铆接。

金杯流行于蒙元时期草原地区，突出特征是杯沿外接月牙形或多曲耳，耳下连指环。金杯应是一种酒器。《马可波罗行记》载："以此大杓连同带柄之金盏二置于二人间，使各人得用盏于杓中取酒。"所谓"带柄之金盏"，即指这种錾耳金杯。类似金杯内蒙古博物院还藏有2件，分别是20世纪80年代在乌兰察布市征集的卷草纹錾耳金杯，1979年在锡林郭勒盟正蓝旗汉克乡征集的双龙戏珠纹錾耳金杯。此外，1978年宁夏回族自治区固原市彭堡乡出土1件錾耳金碗，器腹为圆形。在俄罗斯托波尔省额尔齐斯河畔也出土1件蒙元时期鎏金银杯，也与此杯类似。

缠枝牡丹纹錾耳金杯藏于内蒙古博物院。

高足金杯　明代文物。1990年，浙江省龙游县石佛乡石佛村出土。共4件。

高足金杯其中2件为荷花瓣造型，另外2件为菊花瓣造型。荷花瓣金杯高10厘米，口径7.5厘米，足底径4.5厘米。菊花瓣金杯高9.8厘米，口径7.4厘米，足底径4.4厘米。每件重85克左右。金杯器壁极薄，口沿卷边成方唇，足中空，足与杯身用锡焊接。为使金杯装盛液体后不致上重下轻，制作者在足内加铁配重。经中国人民银行杭州市分行测定，金杯上部含金量达73%，足柄含金量为60%。2件荷花瓣金杯大小形状相同，口作七瓣莲花形，腹及足相对应呈瓜棱状。口沿和足部分别针刻花蕊纹一周。足底均镌"天启六年（1626年）季春月余荣四六置吉旦"，内底分别錾刻"元"和"亨"字。《左传》襄公九年载：穆姜释随卦

卦辞，读"元、亨、利、贞"，以元为仁，亨为礼，利为义，贞为正，称为"四德"，赋予道德规范的含义。另2件菊花瓣金杯大小形同，口为圆形，杯身及足作菊花瓣形。口沿和足部分别针刻花蕊纹一周。足底均镌"崇祯十三年（1640年）仲春月余荣四六置吉旦"，内底分别錾刻"文"和"行"字。《论语·述而》："子以四教，文、行、忠、信。"孔子

以文、行、忠、信四字来教导弟子：文是知识，行是品行，忠是忠义，信是信用。两套金杯相隔14年制作，主人"余荣"在金杯内底所刻文字上不仅赋予"元亨利贞"和"文行忠信"道德思想和理念，也为我们考证制作金杯数量提供依据。

高足杯作为酒具，原本是古代西方常见器形。4～5世纪传入中国，唐代金银器皿中有不

少实例，但唐代中期后又逐渐消失，明代重新出现，似乎不是日常生活普及器物。明代高档金器主要出于帝王公侯之墓，民间制作精美金器出土极少。高足金杯在中国是首次发现，有纪年款识，更加难得的是两朝器物一起出土，弥足珍贵。

高足金杯藏于浙江省龙游县博物馆。

花卉纹金杯 明代文物。1982年，河南省新蔡县城北门外明墓出土。

花卉纹金杯口径6.7厘米，底径2.6厘米，高3.2厘米，重145.9克。杯深腹、平底、圈足。杯身饰玉兰和栀子，一侧焊接枝梗为杯柄，腹下一周弦纹。采用铸錾、焊接等工艺，造型新颖别致，巧妙利用花枝自然缠绕，表现出器物与纹饰和谐统一。

各种花式杯在宋元时代已很流行，作为席间劝杯，是在祝寿风气下发展起来的流行样式，用于上寿酒，亦即寿筵上敬酒。江苏省溧阳县平桥乡宋代金银器窖藏出土1件鎏金桃形银杯，带枝叶半桃形，枝叶形态逼真，既作装饰又可作为把手。底部模压篆书"寿比蟠桃"，可知其用途。明代金银器继承前代，又发展出新样式和风格。此杯不同于宋元明代样式，至于用法，则大致相同。明《梼机闲评》第三十七回："拿一只大梅花金卮杯斟满送来……"所谓"大梅花金卮杯"，应与此杯相近。

花卉纹金杯藏于河南博物院。

"金瓯永固"杯 清乾隆年间（1736～1795年）文物。故宫博物院旧藏。据档案等文献记载，乾隆年间制作4件"金瓯永固"杯，分别是乾隆四年（1739年）1件、乾隆五年（1740年）2件、乾隆六十二年（1797年）亦即嘉庆二年1件。存世"金瓯永固"亦有4件，伦敦华莱士博物馆金杯、鎏金铜杯各1件，故宫博物院和台北故宫博物院各1件。4件"金瓯永固"尺寸相近，均为三足鼎形、夔龙耳、以象头为足、杯身点翠。华莱士金杯和台北故宫金杯为乾隆五年所制2件金杯。而华莱士金杯镶嵌宝石种类及布列方式最接近原状，且除左上方缺1颗蓝宝石外，其余宝石皆完整镶嵌。故宫博物院金杯为乾隆六十二年所作，在艺术风格、镶嵌位置及数量上与华莱士金杯接近，后因陈列补粘而造成部分宝石错配或错位。

金瓯永固杯通高12.5厘米，口径8厘米，足高5厘米。此杯造型别致，杯以立夔龙为耳，夔龙头各置珍珠一颗；三卷鼻象首为杯足，金丝象牙环抱象鼻两边；杯身錾宝相花及缠枝莲花叶，用珍珠11颗、红宝石9颗、蓝宝石12颗、碧玺4颗嵌做蕊，点翠地。口边刻回纹。杯前正中镌篆文"金瓯永固"四字，后面镌"乾隆年制"款。

"金瓯"，寓意国家永固。此杯是清代皇帝每年元旦举办开笔仪式时专用酒杯。每当元旦凌晨子时，清帝在养心殿，将"金瓯永固"杯放在紫檀长案上，注入屠苏酒，亲燃"玉烛长调"烛台蜡烛，用管身镌刻"万年枝"、管端镌刻"万年青"玉管笔，"书吉语数字，以祈一岁之政和事理"。始于雍正元旦开笔仪式，沿袭至咸丰朝，所以该杯被清代皇帝视为珍贵祖传法物。"金瓯永固"杯制作，在清"内务府活计档"中记载较详："乾隆四年十一月镀金作，二十八日七品首领萨木哈、催总白世秀来说，太监胡世杰交白玉梅瓣托，配做一蜡扦，上安珐琅稳瓶，其名'玉烛长调'，再配一金杯，其名'金瓯永固'，先画样呈览。钦此。"乾隆皇帝对"金瓯永固"杯制作十分重视，不仅要领用内库黄金、珍珠、宝石等珍贵材料，且制作前都要先画图样呈览，经乾隆过目批准后才能承做。制作中，又再三修改，直至皇帝十分满意方可，而且不只做一件。

"金瓯永固"杯曾是清代重要礼器之一，伴随清室飘摇而被忽略。20世纪20年代，清室物品点查委员会登记造册清宫旧物时，"金瓯永固"杯一度被遗漏，50年代始补号登记在册。因其特殊礼制含义、明确的文献记载及精美工艺表现，"金瓯永固"杯一直藏于故宫博物院，陈列在珍宝馆。

鎏金刻花银碗 约5～6世纪文物。1970年，山西省大同市轴承厂内北魏遗址出土。与鎏金刻花银碗一同出土的还有1件多曲长杯和3件鎏金高足铜杯。发掘者曾指出银碗"底部有置圈足痕迹"，与同出土1件鎏金高足铜杯比较，除人物不是高浮雕及杯形不是高足外，二者器形几乎完全相同。所以，鎏金刻花银碗原来很可能是高足杯。

鎏金刻花银碗高5厘米，口径8.5厘米。银碗敞口，颈微凹，圆鼓腹，圜底，周身布满装饰花纹。口沿下及腹上部饰联珠纹两周，颈部为绳纹，腹壁主图案浮雕4个环形，其内为一男子正胸侧面像，与希腊阿堪萨斯叶纹相间，共有四组。人像头为侧面，大眼，高鼻，卷发，头戴圆形帽，颈部悬挂联珠项链。底部有同心圆凸线两道。器物制作工艺精湛，在造型及装饰风格上具有浓厚地域特色，为研究北魏时期中外经济与文化交流提供实物资料。

与鎏金刻花银碗相似器物，还有1988年大同南郊107号北魏墓出土的鎏金刻花银碗，

1988年大同南郊109号墓出土的鎏金錾花高足银杯，2010年内蒙古锡林郭勒盟正镶白旗伊和淖尔1号墓出土的錾花人物银碗。这几件器物器形相似，且制作风格接近，应有相同或相近产地和来源。专家学者就其风格、产地等问题进行讨论，观点不尽相同。有学者认为，来自波斯东部呼罗珊地区。也有学者认为，碗上出现头戴圆形帽人物在嚈哒货币上常见到。故银碗产地应在中亚，并可能是嚈哒人遗物。由于出土在大同北魏城址和墓葬中，其传入中国时代下限不晚于6世纪初。

鎏金刻花银碗藏于山西省大同市博物馆。

十二曲银碗 南朝时期文物。1984年，广东省遂溪县附城区边湾村发现。还一同发现铜鎏金器、波斯银币、金碗、十二曲银碗、金花、银镯、金环、银环、银盒、银簪等，共104件，重3500余克。

十二曲银碗高7.2厘米，口径18.5厘米，底径7厘米。口沿呈花环状，厚唇微外侈，斜圈足，碗底上突。口沿外周刻有波斯文及一小花饰。银碗题铭与伊朗北部银碗所题阿拉美文吻合。阿拉美文字是东伊兰粟特地区文字，仅流行于5世纪前，与中国南朝年代相符。

十二曲银碗发现地遂溪地处粤西沿海，与汉代南海贸易港徐闻、合浦皆相距不远。遂溪县边湾村出土波斯金银器证明岭南与波斯通商历史，早过文献记录的波斯使节入贡中国年代，是海上丝绸之路的实物例证。

十二曲银碗藏于广东省遂溪县博物馆。

波斯铭文银碗 南北朝时期文物。1989年，新疆维吾尔自治区焉耆县锡格沁乡老城村出土。出土6件银器中，2件带有铭文，除波斯铭文银碗，还有1件是粟特铭文银碗。银器发现地老城村位于丝绸之路经行焉耆干道上，是当年粟特商人经行此地的实证。

波斯铭文银碗高7.4厘米，口径20.5厘米，底径9.5厘米，重813.2克。银碗通过旋车进行加工修整，敞口，平沿，小方唇，自唇下至圈足外壁有60道凸起直棱，圈足焊接，高2厘米。

碗底及圈足外壁各刻有一行中古波斯数字，读法尚不确定。英国语言学家西姆斯·威廉姆斯释读为"d1002020102"，意为"152德拉克麦"，如果补充上碗底数字"20"，银器上铭文意为"器重172德拉克麦"。另一可能，这行铭文是指银器价值152或172德拉克麦。

波斯铭文银碗藏于新疆维吾尔自治区巴音郭楞蒙古自治州博物馆。

莲瓣纹银碗 唐代文物。1980年，甘肃省武威市南营乡青嘴湾武氏墓出土。据同出墓志记载，墓主武氏祖父武承嗣，是武则天侄子，在武则天执政时期为中书令，魏王；其父武延寿，皇朝卫尉卿，系武承嗣第四子。武氏丈夫为唐朝朔方节度副使，紫金光禄大夫，行光禄卿、上柱国，五原公燕王，即唐代吐谷浑王子慕容曦皓（光）。唐王朝为笼络边疆民族，巩固边境，采取"和亲政策"，武氏即其中之一。武氏19岁嫁到吐谷浑，并生活13年，于开元二十三年（735年）十月二日，死于京兆长安延福里，终年33岁。一年后，迁葬于凉州城南神鸟县阳浑谷西原，即武威市南营乡青嘴湾。

莲瓣纹银碗高5厘米，口径11厘米，底径5.5厘米。银碗侈口，外口沿内束，口沿鎏金。弧腹，喇叭形圈足与碗体焊接，足缘饰一

周联珠纹。腹部饰八瓣莲花，莲瓣间隙饰花草纹，内外壁花纹相同，碗内底饰联珠纹一圈，圈内饰水波纹，中心饰四瓣水草花和鱼纹，鱼首尾相接，逆时针方向围绕草花游弋嬉戏。

莲瓣纹银碗形制与陕西西安何家村窖藏出土唐代莲瓣金碗极为相似，可能是武氏出嫁时的嫁妆，为生前所喜爱用品，死后将其随葬。

莲瓣纹银碗藏于甘肃省武威市博物馆。

鹿纹银碗 唐代文物。1963年，陕西省西安市沙坡村窖藏出土。共出土15件银器，均为8世纪中叶前流行纹样和器形。因此，沙坡村窖藏年代下限，不晚于8世纪中叶。鹿纹银碗制作年代应在此之前。

鹿纹银碗高4厘米，口径14.7厘米，足径4.5厘米。碗壁上锤揲出12个凸凹起伏瓣状装饰，口沿以下内束，然后折成略有弧状斜壁、圈足。内底中心，饰一花角立鹿。口沿下刻铭文一行。制作技法和造型风格在古代中亚、西亚乃至地中海沿岸十分流行，具有西方传统器

皿特征。

以鹿作为器物装饰纹样，中国和西方地区均有，但形象特征却有区别。波斯和粟特艺术中鹿形象为花角鹿，更多是见于粟特遗物中。中国装饰纹样中鹿的形象均为平顶，呈灵芝状，有时被称为"肉芝顶"鹿。沙坡村鹿纹银碗中鹿角左右展开，每面四个支角，整体呈火焰状，正是"花角鹿"形象。据林梅村考证，银碗碗心鹿纹图案，和马尔夏克刊布OS136号粟特银碗基本相同，后者打制一粟特王族族徽符号，类似符号亦见于粟特王发行钱币上。此银碗口沿下铭文属于粟特文，读作"祖尔万神之奴仆"。祖尔万神，波斯语作Zurvan。这位神灵本是古代波斯万神庙中崇祀主神之一，后成为琐罗亚斯德教崇祀重要神祇。马尔夏克将这种银碗流行年代定在7～8世纪。器物特征及时代证明，产地还是最接近中亚粟特地区。

沙坡村窖藏出土的15件银器，分藏（存）于中国国家博物馆8件、故宫博物院3件、西安市文物保护考古研究院4件。其中，鹿纹银碗藏于中国国家博物馆。

"宣徽酒坊"银碗　唐代文物。1958年，陕西省耀县柳林背阴村窖藏出土。

"宣徽酒坊"银碗通高5.1厘米，口径14.7厘米，足径7.7厘米，重312克。碗侈口，腹壁较斜，平底，圈足较高，锤揲成形，花纹錾刻并鎏金。器壁锤出凸凹起伏的三层莲花瓣，上大下小，间错排列。碗内底錾一朵荷叶，中心装饰一只飞鸿，外绕一周大联珠纹。碗外足心刻有"宣徽酒坊宇字号"7字。

1979年，西安市西郊鱼化寨南二府庄也出土1件"宣徽酒坊"银酒注，外底錾刻铭文7行

61字："宣徽酒坊，咸通十三年六月廿日，别敕造七升地字号酒注壹枚重壹百两正，匠臣杨存实等造，监造蕃头品臣冯金泰，都知高品臣张景谦，使高品臣宋师贞。"据《文献通考》卷五十八《职官考》记载，唐代设有宣徽院，置宣徽南北院使，以宦者任之，总领内诸司及三班内侍之籍、郊祀、朝会、宴飨、供帐之事。"宣徽酒坊"应为宣徽院所属酒坊，带有"宣徽酒坊"铭文器物当为宣徽院或宫廷宴飨时使用器物。"宇"字号和"地"字号应为在整套器物中编号。"宣徽酒坊"银碗在中国传统器物中并无相应造型，但6～7世纪粟特银器中，碗类器物多分曲或做花瓣形，并以锤揲技法使之凸凹起伏。此银碗虽属于晚唐制品，仍可看出受粟特银器影响。

"宣徽酒坊"银碗藏于陕西历史博物馆。

菊花金碗　南宋文物。1993年，四川省彭州市金银器窖藏出土。

菊花金碗通高4.6厘米，口径10.4厘米，底径4厘米，重124克。金碗圆唇微外侈，口呈多曲形，共三十二曲。弧腹，呈凸起菊花瓣形状。高圈足，呈十六瓣菊花形状。碗心以凸圆点纹饰一圆形花蕊，花蕊四周饰15个花瓣，花瓣上刻划叶脉纹；近口沿处饰一周凹弦纹。碗

足外壁錾铭"绍熙改元舜字号"7字。绍熙为南宋光宗赵惇年号，绍熙元年为1190年，是金碗制造时间，"舜字号"可能是制造商家铭款。

菊花碗是宋代金银器中常见器形之一，但不见于其他质地宋代器物，是一件精美仿生器，以器底作花蕊，以器壁作花瓣，将器物纹饰与器形有机结合起来，使碗体似一朵盛开的菊花。元代菊花碗继续沿用此样式，湖南省常德市临澧新合窖藏中"廖卿"款菊花金盏与彭州金盏同型，而盏壁菊瓣为双层，尺寸略小，材质也轻薄。从唐至宋，金银器制作水准与日俱增，以锤揲工艺为代表的各种技法日渐成熟。用锤揲技术制作器皿，充分利用金、银板片质地比较柔软、延展性强特点，连续锤击使板片材料按设计延展，做成需要的形制和花纹。如菊花金碗，首先锤制出器物基本形态，然后锤制出菊花瓣纹轮廓，再用錾刻工艺进行细部加工。

菊花金碗藏于四川省彭州市博物馆。

刻花缠枝牡丹纹金碗 西夏文物。1987年9月，甘肃省武威市东大街出土一批西夏窖藏文物。除散失的外，共出土银锭22件、金碗2件、金钵1件、金钏1件及数量不等的金链、宋代钱币、瓷片、铁器等。西夏文献关于金器记载很少，20世纪80年代以来，在西夏故地先后

发现多处西夏窖藏，出土十数件西夏金银器。

刻花缠枝牡丹纹金碗高9.5厘米，口径9.2厘米，底径5.2厘米，重150克。金碗表面不施花纹，造型素雅大方；胎体均匀细薄，做工精致，且器心和器壁花卉图案也十分优美。内底面饰以对称两朵盛开牡丹花卉，花叶茂盛，竞相开放，周围饰有两道凸弦圆圈纹，形成一组牡丹团花纹；内口沿一周饰以缠枝花叶纹图案，花卉纹饰精细优美，线条自然流畅。尽管碗底仅有两枝牡丹花卉，但纹饰结构严谨，线条流畅，纹样细腻，画面呈现出一种繁花似锦的效果。

西夏金器制作工艺是中国古代金银器艺术一个重要组成部分，集中体现党项贵族奢华生活，也反映出西夏本土文化与中原文化、西域文化之间的交融。西夏金银器制作在继承唐代工艺传统工艺基础上，又受到宋、辽、金及回鹘文化影响而富有特色。该窖藏是中国在西夏考古史上一次重大发现。特别是金碗、金钵等5件金器，纹饰造型素雅精美、生动自然。

刻花缠枝牡丹纹金碗藏于甘肃省武威市博物馆。

八骏纹银碗 明代文物。1991年，重庆市长寿县火神庙街窖藏出土。据考证，金银器

主人为陈新甲，重庆长寿人，崇祯年间官至兵部尚书，因泄露与清军议和机密，被崇祯帝所杀。《长寿县志》载"陈新甲尚书坊在火神街"，与这批金银器出土地点相符。又据《长寿县志》知，陈新甲之弟陈新第于崇祯年间，在定番州任知州。定番州即贵州惠水县，东与湖南靖州接壤，在当时，湖南靖州金银制品被销售到贵州南部定番州，不足为奇。推测这批金银器是陈新第任定番州知州时，为居住在长寿县家人做寿辰时特意购买的。明代末年，张献忠领导大西军分水陆两军进攻重庆，居于长寿县内陈氏家属，因惧怕战争埋藏这批金银器，才得以保存。

八骏纹银碗高3.3厘米，口径7.2厘米，足径3.1厘米，重171克。银碗直口，方唇，唇面上有一道凹槽，弧腹，圈足。器内底饰水波纹地摩羯纹，外壁有八骏图。圈足底部有阴刻楷书"崇祯年制"4字。银碗范铸成形，旋轮加工。纹饰也采用范铸，水波纹地细部用錾刻线条表现。

长寿县出土窖藏金银器年代应是明代晚期。除八骏纹银碗底部有阴刻楷书铭文"崇祯年制"外，同出的蟠桃形鎏金银杯、圆柱形足银鼎等器，与湖南通道出土南明窖藏金银器中

同类器物完全相同。两地出土金银器在器形、制法、纹饰、内容题材方面，都具有共同特点。湖南通道在明代属湘西南靖州辖地，而靖州为该地区银器制造业中心，长寿县出土明代窖藏金银器也应产于靖州。

八骏纹银碗藏于重庆中国三峡博物馆。

莲盖折肩银执壶和六曲葵口银温碗　南宋文物。1993年，四川省彭州市金银器窖藏出土。折肩执壶和六曲葵口温碗造型，早在北宋时期墓葬中出土瓷器中就有发现。四川江油两处宋代窖藏、四川彭山南宋窖藏中也有这类铜质折肩执壶出土。银器仅四川德阳宋代窖藏有类似出土。彭州金银器窖藏出土9件执壶和9件温碗，通过铭文内容证实多为配套使用，且一套器物由某一家商家制作，9套器物为不同商家制成，可见当时金银器具有较高商品化程度。

莲盖折肩银执壶和六曲葵口银温碗执壶通高34.1厘米，口径5.2厘米，底径9.1厘米，重

760克。器身直口，折平肩微斜，下腹略鼓，下收成平饼足。曲柄中空，流细长较弯，接于折肩之上。双层莲花形盖纽，上层为四重球形仰莲，下层为四重覆莲，莲瓣错位叠压。覆莲下为直筒形，外壁錾铭"董"字。器身素面，口外壁錾铭"董"，底部錾铭"广平李宅"。温碗通高16.7厘米，口径17.8厘米，底径12.9厘米，重424克。器身呈六瓣棱形，方唇，口微敞。腹较直，高圈足外撇，下部亦制成六菱形。器口有一墨书"宅"字。器底浅刻划一"亮"字。整器锤揲成形，素面无纹，通体磨光。

执壶又称注子，始用于晚唐，在宋代变化不大。一般认为，是宋时茶具。宋代饮茶是末茶而非散茶，其壶的用途是注水。宋徽宗赵佶《十八学士图卷》聚饮围坐的大方桌上置执壶，则知宋时执壶也是注酒器。执壶、温酒碗，二者配套，使用时，碗内盛热水承壶温酒。五代顾闳中《韩熙载夜宴图》，就有该器形象。宋孟元老《东京梦华录》卷四"会仙酒楼"条载："凡酒店中不问何人，止两人对坐饮酒，亦须用注碗一副。"宋徽宗赵佶《文会图》中宴饮场面，与河南登封黑山沟宋绍宗四年（1097年）壁画墓宴饮图中，均有二者配套使用画面。

莲盖折肩银执壶和六曲葵口银温碗藏于四川省彭州市博物馆。

凤鸟纹银执壶和温碗 南宋文物。1993年，四川省彭州市金银器窖藏出土。

凤鸟纹银执壶和温碗中，执壶高31厘米，口径3.2厘米，底径7.1厘米，重673克。直口，束颈，肩处起一折棱，鼓腹，平底内凹，成假圈足。片形柄，流已残。盖上部呈凤鸟头

形，钩喙如鹰，冠毛长飘，栩栩如生。壶身通体錾刻凤鸟纹、折枝牡丹和缠枝花纹，纹饰鎏金，凤鸟纹与壶盖凤头非常相似，双翅高展，凤尾细长，弯曲上飘，整个图案构思巧妙，线条流畅。温碗高13.5厘米，口径16.2厘米，底径10.8厘米，重369克。方唇，口微侈，直腹微鼓，喇叭口形圈足。锤揲成形，通体磨光。通身饰双凤纹、缠枝花纹，缠枝花由莲花、葵花、菊花等多种花卉组成，纹饰鎏金，装饰风格与执壶一致。执壶与温碗套合，秀雅端庄。凤头下接圆筒，其下部压印对称排列铭文两组，一组錾铭"王家十分"，另一组压铭"官□□"，后一字似一押记。器口弦纹上空白处有铭文四组，一组压铭"官□"，其余分别錾铭"楠溪""裙银"和"王家十分"。碗底外壁亦有一圈压印纹，但字迹模糊。

凤首执壶造型在宋代金银器中为首次发现，这种形制明显不是宋代作风，可能与唐代流行外来器胡瓶有一定联系。辽代壁画墓中，亦有较多这类凤首壶形象。而与凤鸟纹温碗形制相同的温碗，在福州茶园山南宋许峻墓亦有

发现。器物加工分别采用钣金、抛光、焊接、錾刻、锤揲、镂雕、鎏金等传统工艺。纹饰布局多从器物造型特点出发，因器施画，并采用浮雕形隐花工艺和镂雕为主的装饰技法，将器形与纹饰结合成完美和谐整体，使器物具有立体感和真实感。

凤鸟纹银执壶和温碗藏于四川省彭州市博物馆。

鎏金摩羯式银酒船　北宋文物。1992年，广西壮族自治区南丹县小场乡附城村虎形山北宋银器窖藏出土。一同出土多件淳化年间（990～994年）银器，包括缠枝莲花高足银碗、凤纹葵口高足银碗、花鸟摩羯纹高足银碗、宝相花高足银碗、莲蓬纹高足银碗、海水摩羯纹银匜、摩羯纹高足花口银盘及摩羯纹银碗，与鎏金摩羯式酒船，并为酒器一组。

鎏金摩羯式银酒船高14.8厘米，长34厘米。造型取象于船做成摩羯式，船舱、船尾、船篷，借形借势，俱见巧思。各部件打造成形，然后铆接成一体。

酒船，原是酒杯，既可饮酒，又可行酒，宋代直呼之为"劝杯"。有时为使罚酒成为酒筵中娱乐，劝杯形制也变得不同寻常。摩羯式酒船容量近于1升或1升以上酒海，体量既大又饮用困难，体现劝杯特性。摩羯式酒船不仅为银器所独有，五代及辽代瓷器中亦有相似之物。印尼爪哇井里汶沉船就发现有摩羯式青瓷酒船。中国可与之对照的例子有，内蒙古哲里木盟库伦旗辽墓中出土1件白釉鱼龙形水盂。白釉鱼龙形水盂是从唐代受西方影响的来通式杯发展而来。有学者认为，摩羯式酒船造型是来通之形与摩羯之纹结合，而与船的意象融合为一。

鎏金摩羯式银酒船存于广西壮族自治区南丹县文物管理所。

联珠蝉纹银钵　五代时期文物。1988年，云南省西双版纳州政协文物室移交。

联珠蝉纹银钵高8.9厘米，口径12.8厘米，底径7厘米，重228.5克。口沿为银片卷成，平底斜腹，腹部为锤击出两道联珠纹，其间为圆珠纹。联珠纹下分别有两周三角纹和蝉纹。在银钵底部刻有傣文铭文，意为"傣历270年5月15日银重600怀"。傣历270年，即五代十国时期后梁开平二年（908年）。器物造型优美，工艺精湛，堪称傣族银制品中的艺术珍品，也是西双版纳地区有傣文年代记载最早的一件生活用具。

傣族历法和傣文完善发展，与小乘佛教传

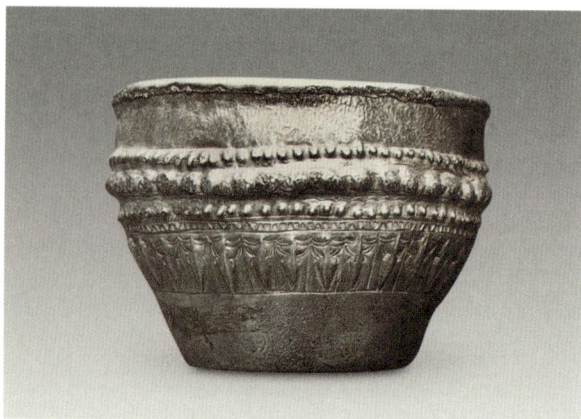

入西双版纳地区有直接关系。傣族历法有干支纪年法、纪元纪时法。干支纪年法，是汉代时由汉族地区传入傣族地区的历法，这种历法至今还沿用，是现代傣历中重要组成部分。据语言学家考证，傣语中干支称谓大多数是古代汉语借词或变音而来。自小乘佛教传入傣族地区后，受印度古历法影响而创立纪元纪时法，傣语称作"祖腊萨哈"，意为"小历"，是一种阴阳合历。纪元纪时法建元时间是唐贞观十二年（638年），随小乘佛教传播并沿用下来，证明小乘佛教传入时间应在此之前。

联珠蝉纹银钵藏于云南省西双版纳民族博物馆。

玉耳金铷 战国文物。1982年，浙江省绍兴市坡塘306号墓出土。1981年11月初，绍兴市坡塘公社知青砖瓦厂在狮子山西麓取土时，发现6件青铜器。1982年，浙江省文管会进行发掘清理。该墓为浙江省内首次发现的较大型先秦墓葬，年代为战国初期。随葬器物包括铜器、金器、玉器等，共1244件。在南部壁龛一件略呈长方形的漆盒内，清理出玉耳金铷一件，金铷内还放置一小陶盉。

玉耳金铷高6厘米，口径11.2～14.2厘米，重285克。铷身金质，椭圆形，敛口，卷

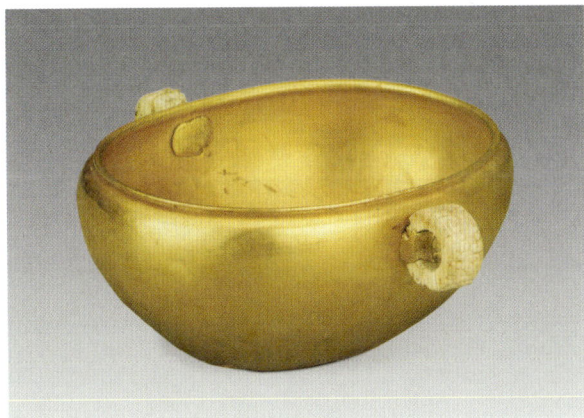

沿，腹微鼓，下腹收束，平底。器身浇铸成形，再经锤打处理，器表略显凹凸，光素无纹。窄口部位对称铆接一对环形玉耳，断面方正，琢刻精细卷云纹，因沁蚀，色呈鸡骨白。

绍兴306号墓位于古越城近郊，却出土徐国铭文铜器。墓葬归属，一直有越墓和徐墓的争论。经全面分析，暂认为该墓为越墓。铷为中国古代酒器或量器，而先秦时期铷多为青铜质地，金质仅玉耳金铷一件，弥足珍贵。玉耳金铷代表先秦时期越地金器制作工艺水平，为研究中国早期黄金冶炼技术与工艺提供珍贵实物资料。

玉耳金铷藏于浙江省博物馆。

鎏金银胡瓶 北周文物。1983年，宁夏回族自治区固原市南郊乡深沟村李贤夫妇合葬墓出土。

鎏金银胡瓶高37.5厘米，腹径12.8厘米，足座高8厘米，流长9厘米，重1500克。银瓶长颈，鸭嘴状流，上腹细长，下腹圆鼓，单柄，高圈足座。壶柄两端铸两个兽头与壶身连接。柄上方铸一深目高鼻戴盔帽人头像，面向壶口。颈、腹、底座边缘相连处各饰联珠纹一周。壶腹浮雕人物图像，共有6人分为3组，每组各有一对男女。从壶柄左侧起，第一组左侧男子发束带，身着短袖衣和短裤，足穿靴。右手拿盾牌，左手持短矛；右侧女子发束带，身着衣裙，披斗篷，转身回顾男子，左手上举持一物，右手抬起，食指指向自己。第二组右侧男子身着短衣和短裤，披斗篷，足穿靴，左手持一物至胸间，右手持一物举至女子面前；女子发束带，披斗篷，身着衣裙，右手在腹前持

一物，左手抬起，食指指向自己。第三组右侧男子头戴帽，肩披斗篷，赤身裸体，左手握住女子右腕，右手伸出二指托女子下颌；女子发束带，身着衣裙，似披斗篷，左手放在抬起右膝上。三组人物构成连续的希腊神话——"金苹果之争"故事中，帕里斯的评判、诱拐海伦及海伦回归场景。人物头发、衣纹用细线刻划，线条简洁流畅。壶腹下部用细线雕刻一周水波纹，水波纹中有两只怪兽相向追逐一条鱼，鱼尾甩出水面。

北朝时期，往来于东西方奢侈品贸易量增加，产自中西亚玻璃器、金银器和宝石是最令人瞩目的商品，屡见于汉文记载。《洛阳伽蓝记》卷四载，河间王元琛任秦州（甘肃天水）刺史时，"常会宗室，陈诸宝器，金瓶银瓮百余口，瓯檠盘盒称是。自余酒器，有水晶钵、玛瑙杯、琉璃碗、赤玉厄数十枚。作工奇妙，

中土所无，皆从西域而来"。作为长期控制敦煌一带丝路要塞的北周大将军李贤，可能从丝路贸易中获得鎏金银胡瓶、玻璃碗、宝石戒指等珍贵物品。胡瓶形制沿用萨珊王朝金银器风格，但瓶柄上人头形象及人物形象又不同于波斯人形象，带有巴克特里亚人特征。胡瓶是波斯王朝酒具，萨珊时代在中亚巴克特里亚地区制造，是萨珊工匠模拟希腊图像产物。这件鎏金银胡瓶融合波斯萨珊风格、希腊风格和巴克特里亚因素，反映丝绸之路上不同文化的交流与融合。

鎏金银胡瓶藏于宁夏固原博物馆。

金箸瓶 南宋文物。2014年，贵州省遵义市新浦新区杨价墓出土。共发掘播州杨氏土司墓葬3座，有播州杨氏第14世杨价墓（南宋末）、第21世杨铿墓（明初）和第29世杨烈墓（明末）三代，是贵州土司考古重要发现。尤

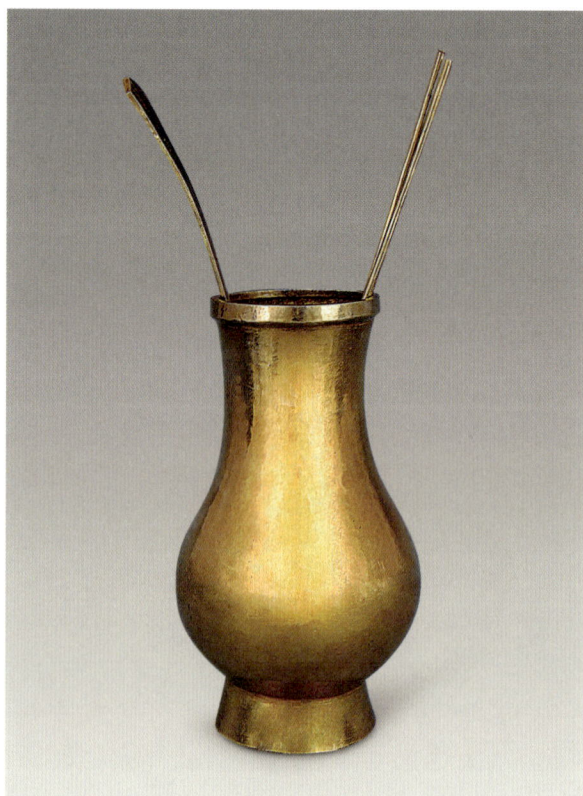

其是杨价墓内出土有大量造型精美金银器及相关随葬品，在女室头箱出土7件金银器，包括狮纽银执壶、银烛台、金杯、金盘和金箸瓶等；男室头箱出土32件金银器，包括盏托、碗、执壶、钵、盒等。金箸瓶出自男室杨价棺椁内。

金箸瓶箸瓶为胆瓶造型，直口，平唇，束颈，鼓腹，高圈足。高13.7厘米，口径5.5厘米，腹径7.8厘米，重250克。瓶内插匙一柄、箸一双。金箸长21.75～21.8厘米，截面直径0.45厘米，重50克；金匙长21.5厘米，宽2.3厘米，重30克。

南宋仕宦大族筵席上常置箸瓶，出土匙、箸、瓶一套者有浙江东阳金交椅山宋墓、兰溪费垄口村宋墓、湖州菁山宋墓，福建福州茶园山许峻墓、邵武黄涣墓等。杨价夫妇墓出土金银器南宋风格浓郁，与著名四川彭州窖藏金银器极为相似，暗示产地相同。除四川多处金银器窖藏外，杨氏墓金银器的发现，是四川为宋代又一处新型金银器制造地的佐证，透露出相对封闭的土司政权，也与外界存在某些方面联系。

金箸瓶存于贵州省文物考古研究所。

云鹤纹银梅瓶 南宋文物。1993年，四川省彭州市金银器窖藏出土。

云鹤纹银梅瓶通高21.3厘米，口径3.8厘米，底径5.5厘米，重365克。其上带有平顶盖，在考古发现中甚少见。盖口下敞，呈大喇叭形，素面。瓶小口，翻唇，直颈，小平底内凹。瓶身颈部以下饰鸟纹和云气纹。纹饰以散点装饰法满布器身，共四层，每层有三鸟。鸟尖喙，曲颈，鸟身用细线纹饰出绒毛，双翅饰

以大片羽毛，长翎状尾，展翅欲飞，灵巧而生动。云纹饰以小碎点纹，每三点为一组。整件梅瓶通体磨光，系锤揲加工而成，颈与底分别制作，然后与器身焊接在一起。器底錾铭"周家十分""君谟置"。"周家十分"标明制造商家，可确定梅瓶是私人作坊产品，铭文中"十分"可能代表制作器物所用银子是最纯的，但也可能是打造者宣传自己产品的一种方式，不一定代表所用银子真正成色。

许之衡《饮流斋说瓷·说瓶罐》载："梅瓶，口细而项短，肩极宽博，至胫稍狭，折于足则微丰，口径之小仅与梅之瘦骨相称，故名梅瓶也，宋瓶雅好作此式。"通常把小口、短颈、丰肩、收腹、长颈之瓶称作梅瓶。此种器形始现于唐代，盛行于宋代瓷器中，也是金银器中常见器形，通常为素面。四川德阳宋代窖藏、江苏溧阳平桥宋代银器窖藏、江苏江浦黄

悦岭南宋张同之夫妇墓、浙江衢州南宋史绳祖墓、河南洛阳邙山北宋墓等都出土有梅瓶，形制与该梅瓶相同。梅瓶图像在宋代墓葬壁画中也很常见，北宋王用墓壁画"家居宴饮图"中绘有带盖和无盖梅瓶，或置于桌上，或被侍者手持。河南白沙宋墓中赵大翁墓西壁壁画中有一侍者双手持黑色梅瓶，其蓝色头巾巾结上有墨书"画上崔大郎酒"，表明其持梅瓶是盛酒器。白沙宋墓过道西壁下部壁画中还画有带座梅瓶，瓶座应当就是《侯鲭录》中所提"酒置"。梅瓶造型决定其装满酒后会头重脚轻，须放在带有插孔酒置上。

云鹤纹银梅瓶藏于四川省彭州市博物馆。

鎏金狮纽刻花银瓶 元代文物。1985年，江西省德兴市银城东郊虎头岭山麓窖藏出土。银器共8件，藏于一直径约70厘米青釉色陶缸

中，包括2件鎏金狮纽刻花银瓶。

鎏金狮纽刻花银瓶1件通高51.5厘米，腹径23厘米，口径9.6厘米，底径10.6厘米；另1件失盖，通高44厘米。高浮雕坐狮纽盖，喇叭口，卷唇，细长瓶颈，胆状腹，圈足稍外撇。锤打成形，平錾纹饰。镂雕狮纽盖和多组花纹图案均涂金，华丽庄重。瓶整体用錾出弦纹划为上下九层，宽窄不同装饰带。口沿下錾忍冬纹一周和折枝花卉四束，颈部饰四片宽边蕉叶纹，叶内又刻长串莲花纹。其下回纹一周。颈肩部刻宽条绶带花纹。瓶肩部锤出如意云头纹，一大一小相间分布。腹部满饰茎蔓缠绕牡丹纹，中间4个菱形开光饰以"携琴话友图"等历史人物故事图案。底部錾出双层仰莲纹，圈足刻饰忍冬草纹。

德兴，古号银城，素有"金银铜冶之饶"，是"流金溢银遍地铜"宝地。唐上元二年（675年）置官府银场，名邓公场，隶江西盐铁都院，岁出银十万余两。宋熊本《安静阁记》碑说德兴"故邑虽小而多富室"。窖藏出土于虎头岭下吴园，相传汉长沙王吴芮曾在此隐居淬剑，宋时又系炼铜世家张潜、宋名臣张根世居之地。窖藏银器或是居住在这里的官僚富户在战乱中掩埋的。

鎏金狮纽刻花银瓶藏于江西省德兴市博物馆。

鎏金银双鱼榼 唐代文物。1976年4月21日，内蒙古自治区赤峰市喀喇沁旗锦山镇哈达沟门出土。共6件鎏金银器，分别为鎏金摩羯戏珠纹银盘2件、鎏金狮纹银盘1件、鎏金卧鹿纹银盘1件、银圆罐1件和鎏金银双鱼榼1件。其中鎏金卧鹿纹银盘外底錾刻55字铭文，"朝

议大夫使持节宣州诸军事守宣州刺史兼御史中丞充宣歙池等州都团练观察处置采石军等使彭城县开国男赐紫金鱼袋臣刘赞进"，证明银器制作于8世纪后期。金银器形体硕大，花纹繁缛，工艺精湛，可能是唐朝回赐给奚王的。据器物被发现时，先压折后入埋现象，推测是由于突发原因，而仓促掩埋。

鎏金银双鱼榼高28.5厘米，口径5厘米，腹径20.4厘米，底径15厘米，重1092克。该器造型优美，直立形双鱼合抱呈扁圆形壶体，双鱼嘴相结合为壶嘴，鱼尾展开成壶底。鱼头、鳍、尾处鎏金。

鱼在中国古代是装饰的主要题材之一，榼是唐代常见一种盛酒之器。以往认为，双鱼形榼始于唐代，但2009年陕西省蓝田县华胥镇支家沟西汉大墓出土过1件双鱼罐，分体为2件，清晰地刻划出鱼鳞和鱼尾纹饰，造型应是双鱼形榼滥觞。双鱼形榼在诸多考古出土的唐代陶瓷中常见，应是在汉代鱼形陶扁壶基础上，不断发展与完善，并借鉴吸收其他质地双鱼形器物特点，进而产生一种盛酒器。鎏金银双鱼榼即唐代酒榼样式。清代郎廷极《胜饮编》卷

一二："乐天诗：'何如家酝双鱼榼。'筹山外史诗：'双鱼榼饮同心酒，百子盆栽并蒂花。'"可见，双鱼榼具有同心同德之意。

鎏金银双鱼榼存于内蒙古自治区赤峰市喀喇沁旗文物管理局。

忍冬纹银壶 东汉文物。1975年，青海省大通县后子河乡上孙家寨乙区3号墓出土。

忍冬纹银壶通高16厘米，口径7厘米，腹径12厘米，底径5.4厘米。壶直口，长颈，垂腹，平底，腹侧置单耳。器身系由整块银片切割、锤揲而成。口、腹、底部各有3条错金纹带。口饰钩纹。腹部锤一周酷似忍冬纹的花瓣图案，图案由6组不同形状花朵组成。底饰连续三角纹。

3号墓出土器物形制和其他随葬品与中原汉墓并无太大差异，唯独忍冬纹银壶风格奇特，在中国境内考古遗物中鲜有可类比者。俞伟超指出，这件银壶不是汉人之器，应当是安息波斯制品，并认为墓主极有可能是匈奴人。有学者认为，忍冬纹银壶是3世纪时期叙利亚一带罗马制品。也有学者认为，是在新疆制作的。马尔夏克指出，忍冬纹银壶是在游牧民族

地区制作的希腊化风格器物，并认为银壶环形耳是后来附加上的，因为环形耳破坏了已打制完好的镀金卷草纹带。有研究显示，银壶更有可能是黑海草原和蒙古高原之间某处的仿制品。两汉时期河湟地区是多民族杂居区，大通银壶最后主人应属于匈奴别部卢水胡，因居于张掖以南源出祁连山的卢水一带而得名，与河湟地区羌人来往密切，1世纪中期曾攻击烧何羌，后又联合羌人反抗东汉统治，可能有一部分迁入湟水谷地，并随其他湟中诸胡逐渐融入汉文化中。银壶在东汉晚期随葬于上孙家寨墓地时，这一匈奴别部在文化上已很难与中原汉人区分开。

忍冬纹银壶藏于中国国家博物馆。

带柄银壶 7世纪后半叶到8世纪中叶文物。1975年，内蒙古自治区敖汉旗荷叶勿苏公社李家营子出土。同地出土还有带把杯、长杯、盘、勺，恰好是一套餐饮用具，简单实用，便于携带。墓主人可能是一位旅行者，因遇不测突然死亡，遗体连同随身物品一起草草埋葬。

带柄银壶高28厘米，底径11.3厘米。银壶锤揲成形。器身平面呈扁圆形。口部略似鸟头形，有扁状流口。短束颈，鼓腹，喇叭形圈足，圈足底沿有一周联珠纹。柄上端起自口部，下端止于中腹，呈弧形。柄上端和口缘相接处有一鎏金胡人头像。

中国唐代陶瓷器、塑像、壁画多有柄把壶。这类器物常见于中亚、西亚，一般认为是波斯萨珊遗物。但其起源早，分布广，从古罗马到伊斯兰时代都有发现。传至中国和日本后，被称为胡瓶。唐玄宗曾"赐禄山金鈒花大

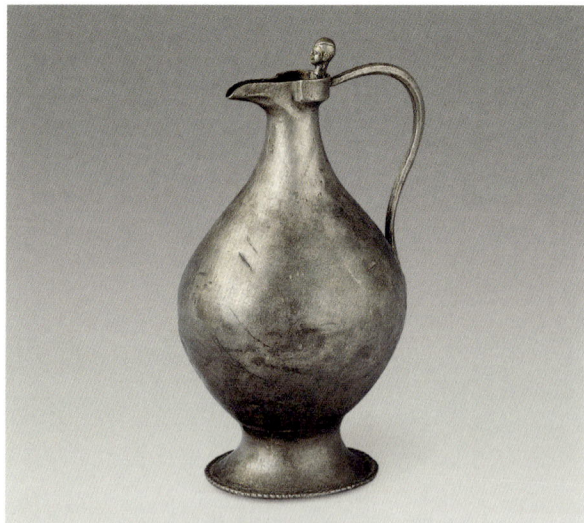

银胡饼（瓶）"，安禄山也献过"金宝细胡瓶"。日本奈良正仓院保存1件银平脱漆瓶，在《东大寺献物帐》称为"漆胡瓶一口"。中国和日本古代文献中"胡瓶"即指李家营子出土这类带柄壶。带柄银壶原产地以粟特地区可能性最大。

带柄银壶藏于内蒙古博物院。

刻花带盖金执壶 唐代文物。1969年，陕西省咸阳市西北医疗器械厂建筑遗址出土。

刻花带盖金执壶高21.5厘米，口径6.7厘米，重796克。金壶为直口，长颈，圆肩，深腹，圈足。器身呈椭圆形，一侧有短小的流。

另一侧有如意状曲柄，柄上卧一小龟，口衔金丝链，链另一端与壶盖宝珠状纽相接。金壶盖纽饰八瓣花朵，其下为双层仰莲瓣。纽周围又是两周莲瓣，其下为四朵花瓣，以鱼子、蔓草填空。壶身花纹由上至下分为以四朵莲花为中心的抱合式蔓草纹样；对鸳鸯，间以蔓草纹；饰二方连续卷云式蔓草纹；饰三层仰莲瓣纹，仰莲瓣层层凸起等四个单元。金壶采用锤揲技法制成，曲柄两端各由3个铆钉固定在壶身上，柄上小乌龟用小铆钉固定，既严密又转动自如。流口和壶口齐平，非常适合倾注。壶盖边缘高起，唇部下卷，与壶体口部形成双层扣合，起到良好密封作用。

金壶整体造型具有堆塑般浮雕感，在唐代极为罕见，这种造型金壶更是仅此一件，是实为难得的珍品。

刻花带盖金执壶藏于陕西省咸阳博物馆。

鎏金舞马衔杯纹银壶 唐代文物。1970年，陕西省西安市何家村窖藏出土。

鎏金舞马衔杯纹银壶通高14.8厘米，口径2.3厘米，壁厚0.12厘米，重549克。造型模仿北方游牧民族使用皮囊壶而造，壶身扁圆，上方一端开有竖筒状小口，壶盖帽为锤揲成形覆莲瓣，顶中心铆有一个银环，环内套接一条长14厘米银链与提梁相连。制作工艺比较独特，壶身是将一块银板锤打出圈足和壶大致形状，再以模压方法在壶腹两面锤击出凸于器表的两匹奋首鼓尾、衔杯匐拜舞马形象，然后将两端粘压焊接，再经打磨。壶两侧舞马錾刻手法略有差异，一侧舞马肌肉匀称，錾刻线条清晰流畅，另一侧舞马略显臃肿，马面部有重复痕迹。

唐代马不仅广泛地用于战争、交通、驿传，也大量用于宫廷贵族社交和娱乐活动，其中最著名的是唐玄宗时期舞马。《明皇杂录》记载："玄宗尝命教舞马，四百蹄各为左右，分为部目，为某家宠、某家娇。时塞外亦有善马来贡者，上俾之教习，无不曲尽其妙。因命衣以文绣，络以金银，饰其鬃鬣，间杂珠玉。其曲谓之《倾杯乐》者，数十回奋首鼓尾，纵横应节。又施三层板床，乘马而上，旋转如飞。或命壮士举一榻，马舞于榻上，乐工数人立左右前后，皆衣淡黄衫，文玉带，必求少年而姿貌美秀者。每千秋节，命舞于勤政楼下。"唐代多有关于舞马的诗词，宰相张说

《舞马千秋万岁乐府词》写道："圣皇至德与天齐，天马来仪自海西。腕足徐行拜两膝，繁骄不进踏千蹄。鬐鬃奋鬣时蹲踏，鼓怒骧身忽上跻。更有衔杯终宴曲，垂头掉尾醉如泥。"壶上舞马正是在"衔杯终宴曲"之时，做"徐行拜两膝"姿态。安史之乱后，安禄山掳掠数十匹舞马带回范阳。安禄山败亡后，舞马转归其大将田承嗣所有，在军中宴乐时，舞马应节跳跃起舞，士兵视为妖孽，田承嗣命军士鞭挞而死。从此，舞马衔杯祝寿这一独特宫廷娱乐形式，便在中国历史舞台上销声匿迹。皮囊形壶是契丹族贵族墓葬或窖藏中常见器物，这件银壶显然是为适应皇家贵族外出游猎活动，巧妙借鉴游牧族皮囊壶而制作，是唐代中原汉族与北方游牧民族文化交流物证。

鎏金舞马衔杯纹银壶藏于陕西历史博物馆。

镶绿松石金壶　唐代文物。1979年，甘肃省肃南裕固族自治县大长岭墓出土。大长岭墓所在地位于丝路甘州城南，共出土各类器物143件，包括金器、银器、锡器、铁器和木器。其中金器有镶绿松石金壶、如意形金饰、金质马鞍、马具金饰件、马靴金扣环、金套

环、金质方形带饰等；银器有银匜、银勺等。8世纪中叶此处被吐蕃占据长达百余年，直到咸通四年（863年），唐朝复置凉州节度使后，河西走廊才又畅通无阻。这批吐蕃文物正是吐蕃占据河西走廊时期遗存。

镶绿松石金壶高17.5厘米，口径6.5厘米，底径6.5厘米，重709克。锤揲而成，高颈，侈口卷沿，溜肩鼓腹，假高圈足，平底。半球形壶盖，盖顶中央有联珠座束腰莲纹捉纽，纽顶镶珠已佚，直边下包壶口。盖与壶沿用活页形卯榫相连，一为子母扣，壶肩部施凸弦纹一周，腹部铆接一环形柄，柄上有花形指垫，垫上中央镶一圆形绿松石，具有鲜明粟特文化特征与艺术风格。制作者运用切削加工、抛光、焊接、铆固、鎏金、镶嵌等，工艺娴熟，制作精细，说明当时金属器物制作技术和生产工艺已相当发达。

镶绿松石金壶藏于甘肃省肃南县民族博物馆。

银壶　唐代文物。此银壶在藏文中多有记载，松赞干布使用过，五世达赖也使用过，曾在灭佛运动中作为伏藏被隐藏起来，后来才供奉于大昭寺松赞干布修行殿，成为大昭寺镇寺之宝。

银壶高约70厘米，最大腹径约为40厘米。其上端开圆口，口缘饰八曲，其下饰一空心立体羊首，首后侧竖两耳，首前端上下唇间衔圆管形小流，羊首下接上敛下侈喇叭状细颈，颈上端饰弦纹、四瓣毯纹各一周，颈下部接球形瓶身。口外壁饰山岳状花瓣一周，颈身相接处饰联珠纹、叶纹、四瓣毯纹和弦纹组成纹带一周，纹带之下为3组大型垂饰，垂饰外绕卷

云，中心似作宝珠，垂饰下接由竖叶、联珠、垂叶组成的纹带一周。其下为该壶主要图像单人弹琵琶和成组人像各2组，相间布置。弹琵琶者，其一琵琶置于背上，弹者较明确作出背手反弹姿态；可见一组人像内容为一系有囊壮胡，持革带似在扶持一长须醉者；另一着高靴幼胡屈蹲于上述壮胡胯下，并抱持其右足。主要图像下方，间饰花簇一列。以上各种形象、纹饰皆是锤揲錾刻后贴上去的，原并鎏饰金色。壶身下部有一焊接之流管，系后世所加。

这件银壶是流传于世较大型吐蕃银器。对这件著名银壶，中外学者都曾发表过研究意见。英国人黎吉生认为，这件银壶"体现出中亚一带萨珊波斯的影响"。瑞士学者冯·施罗德认为，这件银壶是在中亚塔吉克斯坦制作，年代为8世纪。瑞士藏学家阿米·海勒认为，这件银瓶确实为吐蕃制品，制作于吐蕃王朝时期。宿白则认为，此器"约是7～9世纪阿姆河流域南迄呼罗珊以西地区所制作。其传入拉萨，或经今新疆、青海区域；或由克什米尔、阿里一线"。各种意见说明，这件银壶反映出多种文化因素发生融合现象，而并非是单一文化因素产物。

银壶存于西藏自治区拉萨市大昭寺。

鎏金人物故事纹提梁银壶 辽代文物。2003年，内蒙古自治区通辽市科尔沁左翼后旗毛道苏木吐尔基山辽墓出土。该墓是采石场在炸石作业时发现，墓主人应是一辽代皇室御用萨满。还出土1件錾花鎏金银壶，藏于通辽市科尔沁博物馆。银壶上亦有4个人在下棋图案，其上有"四浩先生"4字。说明纹样设计者对中原地区传统题材十分熟悉。

鎏金人物故事纹提梁银壶通高27.5厘米，口径5.9厘米，重1331克，含银量95％左右。提梁壶直口，长颈，扁圆形腹，宝珠形盖。盖饰有莲瓣、花鸟纹。壶身颈部饰折枝花，肩部饰狮子戏珠纹。腹部两侧各饰一组人物图案，上题有"弘牙先生""四浩先生"。腹部饰仰莲纹，足部饰莲叶纹。纹饰鎏金。"弘牙先生"之幅，开光内鱼子地上草丛簇簇，山石三五，其间一行五人。策鞭缓辔骑驴者一，前后从者四，分别持羽扇，负琴，背酒葫芦，肩扇。"弘牙先生"，实为洪崖先生，即唐玄宗时候张氲。以洪崖先生为题画作，唐代已出现，银壶取材应来自唐以来绘画及口传故事。"四浩"应为四皓，四皓故事很早就进入装饰领域，如江西省南昌市火车站东晋墓出土的彩绘人物故事图漆盘、河南省邓县学庄村南朝墓出土彩绘模印砖，彩绘砖榜题曰"南山四皓"。东晋漆盘中尚出现往商山礼请四皓为辅佐惠太子，但在装饰领域图像传递过程中，逐渐略去故事中政治背景，演变成为神仙故事。

在辽、宋南北政权长期对峙情况下，仅就

金银器来说，辽代金银器皿装饰纹样中汉风是贯穿始终的，这件鎏金人物故事纹提梁银壶便是很好证明。

鎏金人物故事纹提梁银壶存于内蒙古文物考古研究所。

鎏金鹿纹银鸡冠壶 辽代文物。1979年，内蒙古自治区赤峰市郊城子公社出土。除鎏金鹿纹银鸡冠壶外，还出土2件鎏金鱼龙提梁银壶。

鎏金鹿纹银鸡冠壶高26.3厘米，口径5.5厘米，底长21.2厘米。壶提梁作鸡冠状，中有一孔，壶盖与壶身以银链相连，盖面鏨刻四瓣花纹，口缘鏨刻8个四瓣花纹。壶颈较高，环刻缠枝纹。壶身起鼓，两面鏨刻图案相同，两个相套菱形图案，边框由花瓣和联珠组成。外层菱形图案之外四角各鏨刻一组缠枝花草，内层菱形图案以鱼子纹为地，正中鏨刻1只卧鹿，神态安详自若。鹿前后上下各鏨刻山石、水波，犹如仙境。壶身正面呈三角形，3条边仿皮绳纹，鱼子纹地，上鏨有上下交错四瓣花纹，左右对称，共24簇。

1976年赤峰市喀喇沁旗锦山镇也曾发现一批唐代鎏金银质器皿，有4件银盘、1件双鱼壶和1件圆罐，其中鹿纹银盘铭文说明该银盘是唐宣州刺史刘赞向朝廷进献贡品。对比两批鎏金银器可发现，城子公社出土鱼龙提梁银壶，在鱼龙布局、纹饰及鏨刻工艺等方面都和锦山出土双鱼壶十分接近。而鹿纹银鸡冠壶腹部鹿纹，在鹿形象、姿态等表现手法上，与锦山出土鹿纹银盘几乎一致，说明辽代早期金银器制作工艺受唐代金银器影响很大，并在此基础上又融入本民族风格。鎏金鹿纹鸡冠壶形如马镫，更具契丹民族自身特色。

鎏金鹿纹银鸡冠壶藏于中国国家博物馆。

金执壶 明代文物。2001年，湖北省钟祥市长滩镇大洪村明代梁庄王朱瞻垍及其王妃魏氏墓出土。共出土文物500余件，其中金、银、玉器数量及精美程度，在明亲王墓中罕见。

金执壶通高26.4厘米，口径6.4厘米，腹长径14.3厘米、短径11.7厘米，足长径9.2厘米、短径8厘米，壁厚0.1厘米，重868.4克。壶作扁身玉壶春形，有盖，直圈足。盖面为三级递拱形，盖顶有一桃形纽。腹中锤隐起桃形饰，前有细长曲流，后有耳形把，以金链将把与盖相连。头与流之内施菱形骨朵及横梁以加

固流，不致移位和损伤。除菱形横梁施纹外，均光素无纹。底外壁中间刻一纵行蝇头小楷铭文"银作局洪熙元年正月内成造捌成五色金贰拾叁两盖嘴攀索全外焊壹分"，共30字。铭文表明，金执壶是洪熙元年（1425年）由"银作局"制造，这一年是朱瞻坷被册封为梁庄王第二年，才15岁，此壶应是其父皇所赠。

金银酒器中的斟酒之器，元代以玉壶春瓶为主，明代则以杏叶执壶为最。"杏叶"之名应是得自壶腹开光好似杏叶，明定陵出土锡明器中有自名"锡杏叶茶壶"者，其腹部贴饰一枚杏叶，以示开光之意。样式相近金素杏叶执壶也见于湖北省蕲春县荆恭王墓、北京右安门外万通墓和北京定陵。

金执壶藏于湖北省博物馆。

云龙纹葫芦式金执壶 清代文物。清宫旧藏。

云龙纹葫芦式金执壶通高28.8厘米，口径5.3厘米，足径10.1厘米，含金量为70%，成色较好。壶身作葫芦形，中间连接细而高的束腰，整个器形具有富于变化的动态美感。壶的一侧有吞兽式流，流与壶之间有横梁相接；另一侧有细龙形曲柄，与流形成均衡对称，极

富韵律之美感，柄与壶盖之间有金链相连。金执壶采用浮雕装饰手法，壶身满饰祥云纹和游龙纹，化纹凸出富有堆塑浮雕感，纹饰密布壶面，构成十分华丽装饰效果。为进一步美化器表，又采用镶嵌加以装饰，在金执壶壶盖及壶身四隅及横梁上，分别镶嵌珍珠及红宝石、绿松石、珊瑚石、青金石等各色宝石，呈现出五彩缤纷、光彩夺目效果。

清代皇家尊贵气度特别表现在日常生活所使用器具上。金银器在清代宫廷生活中极为重要，应用面广量大，涵盖宫廷生活各方面，其中以酒具、餐具数量最多，如金执壶、杯、碗、盘、箸、叉、餐刀及成套金餐具等。金银器使用为体现皇家尊贵，清宫从用量、材料质地等方面，都有严格规章制度。

云龙纹葫芦式金执壶藏于故宫博物院。

鎏金鹦鹉纹提梁银罐 唐代文物。1970年，陕西省西安市何家村窖藏出土。

鎏金鹦鹉纹提梁银罐通高24.1厘米，口径12厘米，底径14.4厘米，壁厚0.15厘米，重1879克。银罐侈口，有盖，短颈，溜肩，鼓腹，喇叭形圈足。盖呈覆扣侈口碗，盖心为宝

相花一朵，满饰葡萄、石榴和忍冬蔓草纹；提梁为菱形图案；颈部饰双瓣和四瓣相间海棠花；肩部有对称葫芦形竖耳，上辖半圆形提梁，可自由活动；腹部以鹦鹉为中心，四周饰以折枝花，形成圆形图案，分别饰于罐腹正背面；以鸳鸯为中心，四周饰以折枝花形成的圆形图案，饰于另外两面。余白填单株折枝；足部纹饰与颈部相同，饰类似海棠的四出花瓣；鱼子纹地。纹饰皆鎏金。器体锤揲，底部圈足和盖底圈足为制好后焊接而成。鹦鹉展翅欲飞，较为写实。鸳鸯则有很强艺术性，头部写实，嘴衔折枝花，胸、腹、尾分别由三片折枝阔叶相连而成，下有鸟足，两翅也由折枝叶表示，展翅欲飞，体现唐代工匠丰富想象力和创造力。

纹饰整体布局采取分单元方式，留出较多空白，所饰折枝花草纹阔叶大花，肥厚繁茂，这都是8世纪中叶后流行做法。鹦鹉作为纹饰也主要流行于唐代中晚期。这件器物年代可能在8世纪中叶。盖内有墨书"紫英五十两""白英十二两"，紫石英和白石英都是制作"五石散"或"三石更生散"主要原料，因此该罐应为储存药物之用。此器与唐李寿墓石椁线刻《侍女图》中，第28人所持提梁罐极相似，差异之处在于后者颈部不明显且圈足稍高。

鎏金鹦鹉纹提梁银罐藏于陕西历史博物馆。

鎏金折肩银罐　辽代文物。1992年，内蒙古自治区赤峰市阿鲁科尔沁旗耶律羽之墓出土。已知考古出土及博物馆收藏陶瓷折肩罐有12件之多，出土地点相对集中在辽宁西部和内蒙古赤峰一带，亦即辽国核心地区。

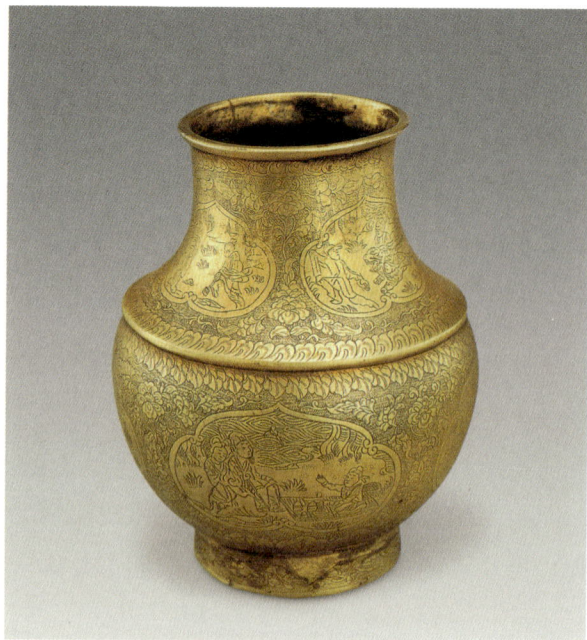

鎏金折肩银罐高14.8厘米，口径7.6厘米，腹径12.2厘米，底径7.1厘米，重364克。银罐锤揲成形，圆唇外卷，长颈，肩部出棱，圆腹，假圈足。通体錾刻花纹，主题花纹是8幅孝子故事图，颈部4幅，有搤虎救父、闻雷泣墓、刻木事亲、为母埋儿；腹部4幅，分别为拾葚供亲、扇枕温衾、卧冰求鱼、劝父尽孝。主题花纹周围间饰折枝花卉，腹底饰仰莲纹，圈足饰缠枝花卉。口沿下和肩部凸棱上部各刻一周宝相莲瓣纹，肩部凸棱下部刻一周花叶纹。

折肩罐是一种饮器，由于使用普遍，还影响瓷器制作。折肩罐造型原是仿自突厥器皿，在南西伯利亚和内蒙古东部均有出土，在辽墓中亦不罕见，辽代对这种突厥器皿的模仿，主要在造型上，其装饰纹样早已被汉风影响，并融入自身金银器文化系统中。

鎏金折肩银罐存于内蒙古文物考古研究所。

"赵陵夫人"铭银匜　战国晚期文物。1992年，山东省淄博市商王村齐国1号墓出土。临淄商王村发掘两座土坑竖穴墓，推测是夫妇并穴合葬墓。墓葬年代为战国晚期，大约在齐王建时期（前264～前221年）。两墓共出土盘、匜、耳杯、勺、匕等9件银器，其中2件银耳杯和2件银匜有铭文。经研究，2件银耳杯为公元前267年和公元前266年咸阳左、右工室所造。从银器成色和制造工艺看，与耳杯十分相似，推测这9件器物应为同一时代、同一作坊所制。在"赵陵夫人"铭银匜流下外腹部，竖刻"赵陵夫人"铭。"赵陵夫人"4字铭也常出现在墓中其他铜器上，且字体一致，均利用金属工具刻写而成。铭文可能是墓主人生前所刻，表明其对器物所有权。

"赵陵夫人"铭银匜高4.5厘米，口长径12厘米、短径11.3厘米，底长径6.6厘米、短径3.6厘米，重157.42克。银匜作椭圆形，口沿一侧有流，另一侧腹壁内弧，腹下部内折，平底，口沿和腹下部饰弦纹。

匜是西周至春秋战国时期青铜器中常见器皿，《左传·僖公二十五年》中有"奉匜沃盥"记载，即贵族生活中捧匜注水洗手。也有用以注酒者，见《礼记·内则》郑玄注："匜，酒浆器。"1932年，山东曲阜孔林旁林前村出土1件春秋时期鲁大司徒元匜，铭文中自名曰"饮盂"，亦可为证。青铜匜早期一般为长体椭圆形，前端有槽状宽流，后端置环形鋬，下部有四足或圈足，使用时一手捧器底，一手提匜，由流口从上往下注水，下多以盘承水。战国时期出现宽体盆形无足匜，流也变窄，形似水瓢，与这件"赵陵夫人"铭银匜在形制上比较接近。

"赵陵夫人"铭银匜藏于山东省淄博市博物馆。

鎏金鸳鸯鸿雁纹银匜 唐代文物。1970年，陕西省西安市何家村窖藏出土。共出土2件银匜，除此件银匜外，另1件是鎏金鸿雁衔绶纹银匜。

鎏金鸳鸯鸿雁纹银匜高8.4厘米，口径20.2厘米，足径11.9厘米，重806克。整体为深腹碗形，侈口，曲腹，底部较平坦，外底焊接圈足。一侧口沿下有半圆形开口，焊接槽状短流，接口处细致紧密。器壁外分别为鸳鸯、鸿雁和雀鸟三组对鸟图案，对鸟图案与阔叶折枝花相间分布，纹饰涂金。纹饰用平刀削剔方法做出花纹浮雕立体感，使花纹隐起错落，轮廓和细部用錾刻技法，鸟腹下细毛疏密有致。银匜内底残存墨书"□两"，磨损字似为"廿"。银匜器壁光滑平整，抛光极佳，纹饰

洗练精美，已摆脱早期烦琐细密满装风格，花纹手法富于写实。

唐代银匜出土很少，仅见何家村2例、浙江临安水邱氏1例。何家村另1件银匜图案是两只鸿雁衔绶带与2组折枝花相错排列，内底部墨书"廿一两"，与本件形制、制作工艺相同，可断定为同一批工匠作品。有学者推测，银匜与何家村窖藏同出素面银盆，应是唐代吉礼举行祭祀行"奉匜沃盥"之礼时使用礼器，使用完毕后称重标注后入藏皇宫。

鎏金鸳鸯鸿雁纹银匜藏于陕西历史博物馆。

银匜 元代文物。1955年，安徽省合肥市小南门孔庙旧基元代窖藏出土。合肥市小南门原孔庙大成殿西庑西边原有一棵大槐树，当年施工时将大树拔除，在树根底部发现一用铜盘覆盖的大陶瓮，瓮中贮藏11种102件金银器。最下层为银果盒；中间是颠倒相错9个银壶，银壶之间空隙用金碟、金杯、银碟、银杯、银匜、银碗、银勺等，体积较小器物紧密填塞；最后以银果盒格层内装50双银筷子放在最上层。据金银器上所刻"至顺癸酉""庐州丁铺""章仲英造"等字样，推测器物是元文宗至顺四年（1333年）庐州丁铺章仲英制作。

银匜高5.5厘米，口径18.2厘米，底径11.9厘米，重312.5克。该银匜敛口卷唇，圆

形鼓腹，平底，长流下置云形支托，底部刻有一"杨"字。

元代的匜，式样有所变化，把手变作环耳，并位于流下方，以为小巧手柄，也使造型趋于浑圆。小南门孔庙旧基元代窖藏共出银匜6件，形制相同，分大小两种，大的2件，小的4件，为元代匜典型式样。匜一般是看作"奉匜沃盥"器具。而作为古称"匜"，元代乃称作"马盂"。从墓葬及窖藏出土匜的共存关系看，匜在元代是作为酒器使用。匜的用途应与玉壶春瓶类小口酒器有密切关系，很有可能是往小口盛储类酒器中注酒所用。

银匜藏于安徽博物院。

裂瓣纹银盒 西汉早期文物。1997年，安徽省巢湖市北山头1号墓出土。

裂瓣纹银盒通高11.4厘米，口径11.2厘米，腹径12.3厘米。盒盖重192克，盒身重328克。盖器相合略呈扁球形。盖面微弧，顶部有一道凹弦纹和一周连弧纹。盖弧面上有相对交错的凸起裂瓣纹，下缘内收，刻划一周平行斜线纹。器作子母直口，外口沿亦刻有平行斜线纹，与盖边缘线纹组成叶脉状纹带。器腹自肩以下亦有一组同样裂瓣纹。裂瓣纹是模压锤揲而成，均外凸内凹。银盒圜底，喇叭形铁圈足已脱落，可看到盒外底部留有密密麻麻锥刺痕和焊接时斑块点。盒顶与盒底均刻有铭文。盒顶刻"十三两十二朱"，盒底部环圈足刻有铭文"□□两十二朱二□十两□朱杲"。

类似裂瓣纹银盒器物多出于西汉墓，如广东广州南越王墓、山东淄博齐王墓和江苏盱眙大云山江都王陵，但2004年在山东青州西辛战国墓出土2件同样裂瓣纹银盒，底部錾刻战

国铭文，说明在战国晚期就已出现这类器物。裂瓣纹银盒多出自诸侯王陵，是高等级身份象征。用银片锤揲出器形和凸起裂瓣纹技术不见于中原文化，却与波斯铜器、金银器完全相同。上述器物出土地点，从南到北，全是靠海或离海较近地方。因此，西汉墓葬中出土装饰凸起裂瓣纹样银器应当是输入品，很可能是从安息输入。也有学者认为，是本地铸造，完全是中国作品，但这种看法不占主流。考古出土资料表明，裂瓣纹银盒输入进来后，汉朝工匠对其进行加工改造，通常会给银盒增加非银质圈足，又在盒顶部增加有纽，以适合汉朝人审美和使用习惯。

裂瓣纹银盒藏于安徽省巢湖市汉墓博物馆。

鎏金鹦鹉纹银圆盒 唐代文物。1982年，江苏省丹徒县丁卯桥窖藏出土。共出土银器950余件，银铤20件。遗物中同类器物很多，有许多残次品和未成品。其中，银盒多达28件，除4件鎏金鹦鹉纹圆盒外，还有鎏金凤纹大盒2件、鎏金四出鹦鹉纹盒1件、素面圆盒15件、鎏金蝴蝶形小盒2件、鎏金四鱼纹小盒1件、涂金残盒3件。15件素面圆盒尺寸和重量

都与4件鎏金鹦鹉纹圆盒相近，器物底外或圈足也都刻"力士"二字。这15件素面圆盒可能尚在制作中。表明丁卯桥窖藏出土器物应是作坊产品。

鎏金鹦鹉纹银圆盒高8.5厘米，口径11厘米，足径9.2厘米，重234克。银盒盖与身以子母口相扣，矮圈足，盖面锤打隐起展翅飞翔1对衔草鹦鹉，周饰变体莲瓣纹，圈外饰飞雁10只，间以缠枝莲花，外壁錾刻菱形和三角图案。圈足饰变体莲瓣带。通体饰鱼子纹地。丁卯桥窖藏共出鎏金鹦鹉纹银圆盒4件，外底背均錾刻"力士"铭，其中1件还浅刻"＝"符号。

出土器皿上多刻有"力士"2字。"力士"刻铭器皿曾被认为与饮酒有关。或认为"力士"为银器主人名字，且可能是唐玄宗时著名宦官高力士。由于这批银器时代在9世纪后半叶，明显是唐玄宗时期之后作品，不可能与高力士有关。故也有"力士"属于工匠之名说法。

鎏金鹦鹉纹银圆盒藏于南京博物院。

银卮 西汉文物。1983年，广东省广州市南越王赵眜墓出土。有银盒、银匜、银卮、金

银带钩、金印、金羊、金花、金银泡、金钩玉龙、金襻等多件金银器物。银卮出土于墓葬西耳室，出土时置于漆卮内。南越王墓同出土还有铜框镶玉卮、金扣象牙卮和金扣漆卮，可知卮在当时是一种流行饮器。

银卮通高9.8厘米，筒径6.2厘米，重216.7克。铸造成形，圆筒形，平底，直口合盖。附2个对称鎏金铺首衔环。盖径6.4厘米，盖唇较深，面隆圆，錾一周弦纹，将盖面分成内、外二区，内鼓起，鎏金。外区为一周平斜的外圈，分立3个"S"形鎏金立纽，纽高2厘米。盖在装纽位置处先铸出小孔，再用银焊将立纽接上，焊后再加打磨。外底部刻"一升十二"四字，字划浅细。经检测，银含量为97.78%，金含量为2.21%，铜0.01%。

卮主要流行于战国至西汉时期，原是用木片卷曲而成。《礼记·玉藻》郑玄注："圈，屈木所为，谓卮、匜之属。"卮的质料有银、铜、漆、玉、石、陶等，大多数都保持着圈器形制。这件银卮考古罕见，质地精纯，器形规整，是西汉银器中精品。

银卮藏于广州西汉南越王博物馆。

第三节 日用杂具

鎏金"裴肃进"双凤纹银盘　唐代文物。1962年，陕西省西安市北郊坑底村出土。坑底村在唐大明宫遗址内，出土银盘应属皇家用物，且完好无损，制作规整，纹饰精细，是研究唐代金银器及唐代历史的珍贵资料。

鎏金"裴肃进"双凤纹银盘高3.5厘米，直径55厘米，重2850克。银盘呈六曲葵花形，盘内中心饰飞舞于折枝花组成圆形规范中的双凤，周饰三株向心式、三株辐射式间隔排列小簇花，盘沿饰六组双鸟衔花与六组扁团花相向排列图案一周，盘外底錾"浙东道都团练观察处置使大中大夫越州刺史兼御史大夫上柱国赐紫金鱼袋臣裴肃进"36字、"点过讫"3字及重量。

据铭文可知，银盘是裴肃向皇帝所进供奉物。进奉是朝廷官员或地方高官向皇帝所行额外贡献，主要供皇帝私人使用，其中金银器占很大比例。进奉金银器，往往刻上进奉者地区、官衔、姓名、进奉数量等文字。考古所见，最早金银供奉物是玄宗天宝年间杨国忠等人进奉银铤。安史之乱后，进奉之风愈演愈烈，唐德宗时达到顶峰，官员进奉多少，直接影响其政治命运。裴肃在《新唐书》《旧唐书》中均无传，但其子裴休却有传。据《新唐书·裴休传》《旧唐书·德宗本纪》可知，裴肃为孟州济源人，贞元十四年（798年）九月至十八年（802年）正月期间，由常州刺史迁任浙东观察使，裴肃进奉银盘当在此期间。实际上，裴肃早在任常州刺史期间，就向唐德宗进奉过金银器，并因此升迁为浙东观察使。《旧唐书·食货志》载："天下刺史进奉，自肃始。"可见其进奉行为在当时影响巨大。

鎏金"裴肃进"双凤纹银盘藏于陕西历史博物馆。

折腹银盆　西汉文物。1991年，河北省鹿泉区高庄村西汉墓出土。高庄汉墓，当地人称灵台，是西汉常山国宪王刘舜墓葬，刘舜是西汉孝景帝幼子，中元五年（前145年）封为常山王，死于元鼎三年（前114年）。铭文"五官"是汉代后宫女官名称。汉文帝始置时规定，女

官从昭仪起分十四等，五官位于十二等，禄秩相当于三百石官。刻有"五官"的银盆当是常山国王室用具，为盥洗盛水之器。出土的3件造型相同折腹银盆，但大小、轻重不同。

折腹银盆高6.5厘米，口径26厘米，底径13厘米，重850克。扁圆形体，敞口，宽平沿，下腹折收至底部收成小平足。通体光素无华，色自如新，腹部錾横款"五官"2字。

出土的3件银盆器壁较薄，棱角分明，可能采用先铸造成形再锤揲精作工艺。其内外圆滑平整，似乎又采用抛光技术。纯净自然银容易抛光，但抛光后常遗留痕迹，折腹银盆表明当时抛光技术达到很高水平，为考察研究汉代金银器制作技术，提供宝贵实物资料。

折腹银盆存于河北省石家庄市鹿泉区文物保护管理所。

鎏金鸳鸯团花纹银盆 唐代文物。1987年，陕西省扶风县法门寺塔基地宫出土。

鎏金鸳鸯团花纹银盆高14.5厘米，口径46厘米，足径28.5厘米，重6265克。银盆浇铸成形，纹饰模冲、平錾鎏金。为葵瓣形，侈口，圆唇，斜腹下收，矮圈足。盆口錾一周莲瓣纹，盆壁分为四瓣，每瓣錾两个阔叶石榴团花。团花中有一只鼓翼鸳鸯立于仰莲座之上，两两相对，余白衬以流云和三角阔叶纹。盆腹

内外花纹雷同，犹如渗透一样。盆底类似浅浮雕，錾一对嬉戏鸳鸯为中心阔叶石榴大团花。盆外两侧铆接两个前额刻"王"字纹样的天龙铺首，口衔有海棠花圆环，环上套接弓形提手。圈足微外撇，外饰24朵莲花。盆底錾刻"浙西"2字。《法门寺物账》记为"银金花盆"，为唐代银器中最大件之一。

浙西虽不产金银原料，却是著名金银器制作之地，聚集大批能工巧匠。《旧唐书·李德裕传》载，宝历元年（825年）"七月诏浙西造银盝子妆具二十事进内"。鎏金鸳鸯团花纹银盆可能是李德裕奉命制作器物之一。该银盆虽发现于法门寺地宫，但既不可能是做佛事法器，也不可能是僧侣生活用物，因为银盆主题装饰是表示男女爱情的鸳鸯嬉戏题材，应是皇室转赠施舍物。

鎏金鸳鸯团花纹银盆藏于陕西省扶风县法门寺博物馆。

银铜 西汉文物。1994～1995年，江苏省徐州市狮子山楚王墓出土。出土时，银铜内盛有搓澡用圆形搓石数个、漆木奁盒1件、漆笥1件。漆木奁已残朽，内放有化妆用品。漆笥内装有植物茎叶，还叠放1件浴巾。植物茎叶应是药浴所用保健药材。还一同出土1件银盆，造型与铜相近。腹上有一周折线，折线下侧阴

刻"容六斗十升重十二斤十四两十九朱"15字。此外，该墓还出土1件银鉴，在腹身折线下有阴刻篆书"宦眷尚浴银沐鉴容二石一斗五升重一钧十八斤十两第一御"25字。《说文》曰"鉴，大盆也"。银铏、银盘和银鉴用途相同，都是楚王及内眷沐浴用器。

银铏高19.5厘米，直径45.7厘米。锻造成形，平沿，敞口，短颈，有肩，收腹，平底，肩部有对称环形小耳，薄胎、素面无纹，遍体留锤揲痕迹。腹上阴刻"宦眷尚浴沐铏容一石一斗八升重廿一斤十两朱第一御"，铭文自名"铏"。《说文》载"铏，小盆也，广孕曰铜铫"，"铫，温器也"。由此可知，铏是盥洗、沐浴时温水器具。

河北满城窦绾墓出土1件铜铏，刻有铭文33字："中山内府铜铏一容三斗重七斤五两第卅五卅四年四月朗中定市河东贾八百卅。"表明该铜铏是中山国官史郎中定从河东买来，价格是八百四十钱。窦绾墓出土铜铏与中山靖王刘胜墓出土带有铭文"常浴"铜盆形制基本相同，二者都是沐浴用具。因此，有学者认为"铏与盆类似，铏以形圆而得名"。西汉早期铏与战国晚期鉴较接近，特征是折沿，短直颈，铭文内容多包括所有者、容量、重量、编号，时间有年无号，个别记有购买地点。西汉中晚期铏沿部变深，铭文内容除所有者、容量、重量、编号外，时间为西汉年号，一般无买卖或诸侯造作记载。东汉时期铏沿部更深，铭文内容与西汉时期截然不同，多为"富贵昌，宜王侯"之类吉语。

银铏藏于江苏省徐州博物馆。

金铫 唐代文物。1970年，陕西省西安市何家村窖藏出土。共出土一整套药具，除钵（碗）外，还有铛4件、釜（锅）5件、铫1件，与《备急千金要方》中组合相符。

金铫高5厘米，口径14.5～14.9厘米，流长2.9厘米，重683克。直壁，平底，口沿一侧有流，与流垂直相邻一侧有柄。金铫使用厚0.1～0.2厘米金片锤打而成，流、柄与器身浑然一体。口沿圆度不规整，切面有清晰切痕。柄由金质短柄和银质活页长柄组成，金质短柄保留完整，银质长柄在金质短柄外沿处齐口断掉。推测，金柄和银柄衔接插合后，形成可旋转活柄，其结构应与另外1件完整素面长柄三足银铛活柄相同。金铫内壁有残留痕迹，曾被长期使用。金铫内底有3行墨书题记"旧泾用，十七两，暖药"，蕴含丰富信息，说明金铫使用者是"泾"；金铫重量为17两，约为每

两40.18克；金铫是用来温药或煎药。有学者分析，这个"泾"可能为唐肃宗第七子李侹，其在至德二年（757年）十二月被封为泾王，兴元元年（784年）薨，李侹为泾王近30年，这件器物可能是泾王府用物，泾王死后被收归皇家内库。

铫是有柄有流的小型烧器，《正字通》云："铫……温器。今釜之小而有柄、有流者亦曰铫。"铫出现于汉代，唐代时广泛使用，孙思邈《备急千金要方》卷一所列各种药具中并列有钵、铛、釜及"大小铜铫"。有学者认为，何家村窖藏是一处与道教有关遗存，窖藏中出土文物与炼丹和服用有关，而铫与铛、锅、盆等器物属于炼丹器具。

金铫藏于陕西历史博物馆。

春秋人物纹三足银罐　唐代文物。1958年，陕西省耀县柳林背阴村出土。

春秋人物纹三足银罐高6.1厘米，口径3.3厘米，底径3.6厘米，重70克。银罐小口，口沿外卷，直颈，饰以流云纹。腹圆鼓，分为三曲。腹部纹饰分为上下两层，下层为忍冬纹，

上层錾刻人物故事纹，衬以流云萱草，并有"子路""论语注灵工问政""少正卯"等榜题。腹底焊接三足，足作花瓣形。

据錾刻榜题可知，腹部錾刻故事取材于儒家经典，主要为春秋时期儒家人物。与大量出现植物纹、动物纹相比，唐代金银器上有关人物故事、社会生活图案较少。其中狩猎、乐伎、仕女等内容大都为8世纪中叶前，人物故事、游乐等内容多属于8世纪中叶。银罐錾刻儒家经典中人物故事，并附以榜题极为少见的，既反映晚唐时期儒家思想对金银器影响，也反映对儒家思想及其代表人物的尊崇。类似器物并不少见，如丁卯桥童子纹三足银罐、"水邱氏"人物纹四足银罐、何家村素面三足银罐等，瓷质如洛阳出土白釉瓜棱带盖瓷罐等，也有称之为"壶""瓶"等。还有一些大小类似银罐下承圈足，或属同一类器物。这类器物均口部不大，形体较小，其用途未有定论。江苏省南京市东晋高悝墓出土1件鎏金带盖银鼎，高2.7厘米，口径2.3厘米，鼎内残存少量细碎云母片，且附近1件残漆盒内发现有丹丸，可能是用来盛放仙药服食用具。唐代这种小银罐或许也是用来盛放药物。

春秋人物纹三足银罐藏于陕西历史博物馆。

银石榴罐　唐代文物。1970年，陕西省西安市何家村窖藏出土。共出土银石榴罐4件，形制基本相同，但仅此件有孔塞。同出土的一些器物中，盛有大量丹砂，银石榴罐底部还发现有火烧痕迹，应是用来蒸馏水银的。

银石榴罐名称可能因器形似石榴而来，被认为是古代炼丹蒸馏器。在《金华卫碧丹经要旨》所载鼎图中，有石榴罐图样，并画出使

用时之倒扑状态。罐高9.3厘米，外径3.05厘米，重845克。小口，长颈，长颈由银片打制成环状，焊接在罐口之上。颈部有一圈外凸棱带，颈与腹部相接处仅留直径约为0.5厘米小孔，孔内有孔塞。器壁厚重，圜底。腹部有一周明显焊接痕迹，应为两半浇铸，焊接成形，外壁留有同心圆加工痕迹。孔塞长3.6厘米，分3段，纽为花蕾状，与小孔结合较好。

中国古代炼丹一直盛行不衰。唐代道教盛行，为延年益寿、长生不老，竞相服食丹药。唐代上自太宗下迄僖宗，几乎每位皇帝都与炼丹家有关系。何家村出土银石榴罐和大量丹砂，正反映唐代炼丹盛行的情况。

银石榴罐藏于陕西历史博物馆。

荷叶银盖罐　元代文物。1980年，湖南省临澧县新合乡龙岗村窖藏出土。

荷叶银盖罐通高2.5厘米，口径1.6厘米，重64克。罐呈圆形，直口，短颈，圆肩，鼓腹近底渐收，腹壁錾刻点状云纹，肩部饰对称双环耳。罐盖锤饰成荷叶，叶脉显露，盖顶部隆起，有小圆纽。

荷叶盖罐是宋元瓷器中一种造型较为特殊

器物，因荷叶形器盖而得名，北宋开始出现，元代流行，龙泉窑、磁州窑、钧窑和景德镇窑都有烧造。一般尺寸较大，高者近50厘米，通常在20厘米左右。这类大罐多为酒具，兼具储器和盛器功能。同时期银荷叶盖罐也有多例，如湖南株洲丫江桥元代金银器窖藏、浙江湖州三天门南宋墓、安徽六安花石咀宋墓、苏州张士诚母曹氏墓等出土银荷叶盖罐。与瓷荷叶盖罐相比，银荷叶盖罐都比较小，高5～8厘米。三天门南宋墓、花石咀宋墓和苏州曹氏墓盖子下边还连着一柄小勺。《碎金》"妆奁"下列举的物品中，有"油缸"一项。梳妆用油可分为面油和头油，面油是膏油，无须用勺舀取，故油缸所盛应是头油，这类银荷叶盖罐便是油缸之属。福州茶园山南宋端平二年（1235年）墓出土银荷叶盖罐里有白色粉块，可能盛放饰鬓水。可知罐内所盛之物并不固定，不过其用途是作为妆具。

荷叶银盖罐藏于湖南省常德博物馆。

鎏金团花银唾盂　唐代文物。1977年，陕西省西安市灞桥区新筑乡枣园村出土。

鎏金团花银唾盂通高9.8厘米，口径14.6

厘米。银唾盂上部盘口，以细颈与腹部相连，平底，矮圈足。器体均分四瓣。盘口上錾三重纹饰，口饰八瓣莲花，四株扁圆形并蒂花，一周变相仰莲瓣。腹外壁有四组折枝花，其间还有三角折枝花。錾花部位均鎏金。

唾盂也称唾壶、渣斗，一般敞口、束颈、鼓腹或扁圆腹造型，是汉代以来常见器形之一，亦是唐宋普遍使用一种生活用具，质地多是陶器，亦有漆器、玻璃器，银器亦有较多发现。金唾壶至少在曹魏时期已有制作，曹操《上杂物疏》中云："御杂物用，有纯金唾壶一枚，贵人有纯银参带唾壶三十枚。"《旧唐书·郑朗传》载："初，太和末风俗稍奢……张元昌便用金唾壶。"唾壶在唐代墓葬出土陶瓷器中常见，唐代银唾盂发现3件，其器形斗盘较平、无折肩、颈部不明显且较细、腹部下坠、腹部分瓣等特点。但考古中尚未有金唾盂出土。

鎏金团花银唾盂藏于西安博物院。

银唾盂 南宋文物。1993年，四川省彭州市金银器窖藏出土。

银唾盂通高11.2厘米，口径21.3厘米，底径5.4厘米，重量221克。圆盘形托盘，方唇，口微敛，斜腹微弧。束直颈较高，平折肩，直腹，下收成平底，底微内凹。素面。盘唇面下

錾刻"□□三郎"，右半不清。整器锤揲成形，上部托盘与下部器身分制而成，托盘内套进颈内锤揲成一体。

唾盂用于盛装唾吐物。如置于餐桌，专用于盛载肉骨鱼刺等食物渣滓，小型者亦用于盛载茶渣，故也列于茶具之中。元孔齐《至正直记·止筋》载"宋季大族设席，几案间必用筋瓶、渣斗"，即指此物。宋代许多窑场都烧制唾盂，明、清时景德镇窑也有制作，有多种色釉和彩绘装饰，金银质地较少见。在福建福州茶园山南宋许峻墓、江苏江浦黄跃岭南宋张同之夫妇墓、湖北武昌卓刀泉南宋墓、浙江兰溪南宋墓、安徽六安花石咀等宋墓中出土的银唾盂，与此银唾盂在形式上相同。《宋史·韦贤妃传》载，妃生性节俭，"有司进金唾盂，易令用金涂"，可见宋代亦还有金唾盂使用，但考古中尚未发现。唾盂在使用时多置于手上，在唐宋时期墓葬壁画或石刻画像中常能见到。宋欧阳修《归田录》中，曾载宋仁宗提倡节俭，病时仅使用"素漆唾壶盂子，素磁盏进药"，可见宋时还有以之作为药器使用。

银唾盂藏于四川省彭州市博物馆。

鎏金团花银瓶 南宋文物。1996年10月，浙江省湖州市菁山乡利民村宋墓出土。

鎏金团花银瓶高14.8厘米，口径4.7厘

米，底径5.3厘米。银瓶直口，平唇，束颈，溜肩，圆腹，圈足外撇。瓶身以鎏金团窠双鸟纹为饰，口沿和圈足錾刻回纹并鎏金。造型精致小巧，纹饰细腻华丽。器底錾刻双钩楷书款"澹轩"2字。"澹轩"极有可能是某宅第之书斋雅号，主人应为饱读诗书鸿儒之士。"澹轩"也有可能为某人名号。

此瓶或属于插花胆瓶，其造型与同时代瓷瓶、铜瓶大体相同。类似银瓶在宋元之际墓葬或遗址中多有发现，尺寸都不大，均高15～16厘米，因体现着雅趣，花瓶是随桌、案的流行，以陈设需要而兴盛起来，为与书案上文房清玩相协调，一般以小为宜。上锐下圆、形若垂胆花瓶，最早见于南北朝艺术中的瓶花图案，直到宋代，胆瓶之称才开始通行，特为文人雅士所爱赏。

鎏金团花银瓶藏于浙江省湖州市博物馆。

银累丝花瓶 清代文物。清宫旧藏。

银累丝花瓶高17.1厘米，腹宽13.5厘米，口径10.5厘米，底径9.8厘米。敞口，束颈，颈以下渐广，鼓腹，最宽处位于中线下部，腹呈蒜头形，至近底处内收，高圈足微外撇。用三种粗细不等银丝累成，以较粗银方丝焊接为胎；用较粗银圆丝累卷草图案；用细圆丝在轮廓外累卷须。银累丝花瓶通身累丝灵透，饶有异趣，累丝卷草纹也与清皇家工艺品常用卷草迥然有别，系回部工匠所制。代表清代中期新疆银累丝工艺水平及地方风格。

银丝工艺是中国独特传统工艺，把白银拉成不同粗、细银丝，采用炭丝、穿丝、搓丝、累丝、掐丝、填丝、熔焊等工艺，制作成各种样式实用器皿、装饰品或工艺品。然而，一般花丝工艺品是由搓丝、掐丝、填丝构成，具有空透装饰特色，而银累丝花瓶透空隙间非常细密，可以说是透而不空，具有银丝织锦质感。为便于制作，自银花瓶口部至底部，竖向划分成十二瓣，然后分瓣制作，再逐件焊接组装成形，每瓣两侧均有内折器壁，两壁相接呈锐角接触，呈三角沟状，这样才能在内面进行焊接。这种工艺可使器壁增添厚度，使器物好似一束展开又半卷的彩锦。

银累丝花瓶藏于故宫博物院。

"大粒光明砂"银盒　唐代文物。1970年，陕西省西安市何家村窖藏出土。共出土金、银盒28个，其中素面大银盒7个，"大粒光明砂"银盒即为其一。

"大粒光明砂"银盒高6.5厘米，盒径17.9厘米，盖壁厚0.13厘米，底壁厚0.22厘米，重660克。呈圆形，由盒盖、盒底组成，以子母口扣合，通体光素无纹饰。盒内所装物品及数量分别以墨书写在盒盖内外壁上。外壁共有4列23字"大粒光明砂一大斤白马脑铰具一十五事失玦真黄钱卅"；内壁共有5列48字"大粒光明砂一大斤白马脑铰具一十五事失玦真黄钱卅黄小合子一六两一分内有麸三两强钗钏十二枚共七两一分"。经核对，大粒光明砂一大斤实重746克；白玛瑙铰具15块，分别为长方形2块，正方形4块，半圆形9块；"真黄钱"即金"开元通宝"30枚；纯金"小盒子"六两一分实重259克；麸金装于小盒子之内，"三两强"实重126克；钗9枚、钏3枚，12枚共重七两一分，实重294.18克。丹砂、麸金都是炼制丹药的原材料，也是重要的医用药品。盒内所装"大粒光明砂"民间也称"朱砂"，即炼丹术中被视为至尊之物的"丹砂"。其余墨书题

记的素面银盒所盛物品，都是单一药物，只有此件将药品、饰品及金"开元通宝"等不同种类物品装在一起。

"大粒光明砂"银盒藏于陕西历史博物馆。

鎏金都管七国人物纹银盒　唐代文物。1979年，陕西省西安交通大学出土。

鎏金都管七国人物纹银盒为3件套，外层为六瓣银盒，高5厘米，口径7.5厘米，重121克。中层为海棠形鹦鹉纹圈足银盒，高3.4厘米，最大口径6.4厘米，重38.2克。内层是龟背纹银盒，高2.3厘米，最大直径4.7厘米，重30克。内装水晶珠两颗，褐色橄榄形玛瑙珠一颗。六瓣银盒，盖面高隆，子母口，盒面中部划分六角形，每边围一卵形规范。底部平坦。有喇叭形六瓣高圈足。器物锤揲成形，花纹模冲，细部平錾加工，纹饰鎏金，鱼子纹底。正中六角形内，錾有一骑象人，其前有顶物膜拜者，后有执伞者。象身备有鞍鞯，其右站立1人，左侧随行1人，还有1人随地而坐，膜拜者前方有"都管七个国"榜题，正中有"昆仑王国"榜题，下方有"将来"2字。从昆仑王国右侧起，顺时针排列如下诸国及地区，婆罗门国，一身着袈裟、手执禅杖僧人站立左侧，右侧两

人作讯问状，中间置1小口方瓶于地，瓶口有火花状放射物，左侧为国名榜题，右侧有"口赐"两字；土（吐）蕃国，有2人驱赶1牛，牛体肥壮，四蹄奔腾，榜题在偏左上方；疏勒国，右侧2人执刀，左侧1人恭立，1人持弓，榜题在正中；高丽国，尊者居左盘坐，4人站立于尊者左右，冠上皆插两鸟羽，长衣宽袖，着苇履，正中榜题"高丽"；白拓□国，左侧1老者坐于蒲团上，右侧1童子献物，榜题在正中；乌蛮国，左侧2位尊者迈步朝前，右侧3人作迎客状，皆身穿长裙宽衽，首有囊角，榜题在右侧。盒口上下以缠枝纹为背景，錾刻十二生肖，且有榜题"子时半夜、丑时鸡鸣、寅时平□、卯时日出、辰时食时、巳时禺中、午时正中、未时日卷、申时脯时、酉时日入、戌时黄昏、亥时人定"。榜题中所提到七国中，除"昆仑王国"和"白拓□国"外，其余五国在《唐书》中均有传，说明此七国并非虚构。有学者认为"昆仑王国"和"白拓□国"可能是某些国家异称。

鎏金都管七国人物纹银盒造型优美，錾刻精细，装饰纹样从花鸟到人物都具有独特风采，是唐代银器精品。有专家考证，制作者可能系南诏王室，特别是南诏第十一代国王世隆制作，时代为唐宣宗大中到唐懿宗咸通年间（847～874年）。也有人认为，银盒并非南诏贡品，相反可能是大唐朝廷制作佛教用品，用于赏赐南诏使者。

鎏金都管七国人物纹银盒藏于西安博物院。

鎏金银龟盒 唐代文物。1987年，陕西省扶风县法门寺地宫后室出土。

鎏金银龟盒长28.3厘米，宽15厘米，高13厘

米，重820.5克。造型仿龟状，龟首昂起，尾向下弯曲，深腹，平底，左足前掌履地，似向前行走。盒由上下两部分组成，龟甲为盖、龟腹为盒。龟盖内侧焊有椭圆形接口，构成子口架，使龟盖与腹扣合紧密。龟腹、四足中空系用一银片钣金压模成形。另用银片压模出管状龟颈，插入龟内，并和龟体焊接。更为巧妙的是，以镂空手法表现出龟的鼻孔与豆粒状眼睛，既逼真又有透气实用性。装饰采用鎏金和錾刻工艺。龟盖背面边缘为卧莲瓣纹一周，瓣边錾刻平行细线，其上鎏金；盖顶中部为数组鎏金三层六边形几何纹龟甲；腿足鎏金，錾刻菱形方格纹；腹颈部錾刻梅花状小点粒或散点。龟头上拱，梅花状散点分布于菱形方格中。錾刻精致细密，手法简练写实，栩栩如生。

山西省繁峙县金山铺乡上浪涧村唐代银器窖藏出土一批金银器，与法门寺塔地宫出土金银器属同一时期产品。其中包括1件龟形银盒，存于山西省忻州市文物管理处。银龟盒用途，一般认为为贮茶器，也有学者考证为香具，定名唐鎏金银龟香炉。

鎏金银龟盒藏于陕西省扶风县法门寺博物馆。

鎏金凤鸟折枝花纹三足银盒　唐代文物。2000年，河南省洛阳市唐高秀峰夫妇合葬墓出土。该墓随葬器物丰富，大部分是墓主人生前生活用具及装饰品，鎏金凤鸟折枝花纹三足银盒即其中之一。

鎏金凤鸟折枝花纹三足银盒通高2.8厘米，直径5.2厘米。呈圆形，子母口，圜底，三蹄形足。盒面纹饰为二重结构，以鱼子纹为地。盖提手内饰八叶和五瓣花朵，盖周錾刻凤鸟，漫步于折枝花组成花丛中。腹部錾刻凤鸟飞翔于折枝花组成花丛中。底部中心有以3株草花构成"人"字形团花，间錾刻3组凤鸟飞舞于折枝花组成花丛中。足上部錾刻叶纹。纹饰鎏金。

唐代，妇女用于敷面的铅粉、胭脂，涂唇的口脂等多呈粉状或油状，有的可压制成脂粉团块存放，需要时取用即可。在西安和郑州地区的唐墓中均发现过饼状或桃形脂粉块。但粉状结构多易松散，尤其是油膏类物质更不易单独存放，因此往往置于小型奁盒或壶罐内，其材质有瓷质、玉石、金银等，尤以金银质地造型和纹饰最为丰富。该银盒手可盈握，出土时盒内还残存胭脂类遗物，应是作脂粉盒之用。类似盒在西安市何家村唐代窖藏中也有发现。除三足外，平底较为常见，有圆形、近方形、

葵花形、多曲花瓣形等，在隋唐两京地区多有出土。

鎏金凤鸟折枝花纹三足银盒藏于河南省洛阳博物馆。

蛤形银盒　唐代文物。1989年，陕西省西安市东郊西北国棉五厂住宅小区韦美美墓出土。

蛤形银盒直径3.2～3.9厘米。银盒外表通体鎏金，内部光洁。两面纹样主题基本相同，为一对鸳鸯衔绶带，再配以折枝花草和飞鸟，均以珍珠地为衬。

盒是金银器皿中数量最多的器类之一，沿用时间也最长。唐代被泛称为盒的器物，其大小、形制差异很大，用途也不同。据出土时情况可知，盒用于盛装食品、药材、化妆品等物品，有的还兼作陈设之用。蛤形、贝形银盒是形制特殊的一种，器体和器盖相同，仿蛤壳上下两扇，与水中贝类生物一样。由于用银制作，上下两片扣合处有与贝相同齿合形式，并以环轴连接，可开合。蛤壳壁薄体轻，质地坚硬，可用作制造器物的原料，河南偃师杏园唐郑绍方墓和上蔡县贾庄唐墓均出土用自然蛤壳制作容器。唐代仿生形器物深受人们喜爱，虽多见于陶瓷器中，用银仿制亦所在多有。遗存蛤形银盒主要藏于海外博物馆，但近年仍有考

古发现出土，如河南偃师杏园李景由墓（738年）和郑洵墓、陕西西安市东郊西北国棉五厂的65号墓和韦美美墓。李景由墓蛤形银盒与木梳、金钗、鎏金菱花镜等物，置于银平脱漆方盒中。韦美美墓蛤形银盒也与盛化妆品金、银、铜小器皿，同置一圆漆盒内，表明蛤形盒为盛化妆品之器。

蛤形银盒藏于西安博物院。

孔雀纹银方盒　唐代文物。1970年，陕西省西安市何家村窖藏出土。孔雀纹银方盒内壁有一些斑痕，外壁前面及后面垫片附近发黑，似乎是火烧痕迹。由此推测，应是作为日常生活器皿使用。

孔雀纹银方盒通高10厘米，边长12厘米，壁厚0.15厘米，重1500克。方盒分为盖、身两部分，制作极其复杂精细。盒盖为盝顶形，高3.1厘米，四角接缝处焊接，从残留铜锈看为铜焊。四边弯折处内壁均有直线划痕，是用银片打制盒盖时留下设计稿线。盒盖正面正中有桃形锁鼻，锁鼻底部下弯成圆孔，下伸至盒身处。盒身部分使用宽7厘米、长48厘米银片打成方框，再用银片焊接为盒底。盒身口沿用4块银条铆接在盒口内壁。铆钉均为银质，从盒外壁向内壁铆，表面砸平。盒身正面正中有2

个锁环，下有2个六瓣形垫片。锁环与盒盖锁鼻下部圆环齐平，以供插锁。盒背面有2个活页钩环，将盒盖与盒身连接。方盒除底面光素无纹外，其余各面均有繁复细密纹饰，正面、左面、右面纹饰以中轴左右对称布局，上面、背面纹饰从中心点向外布局。盒身正面雕刻一对振翅扬尾孔雀，立于莲花座之上，口衔下垂莲蓬状物，余白填以山峰、花鸟、流云、萱草等。右侧刻双童戏犬，间以花鸟、流云。左侧为一对展翅而立凤鸟，亦衬有花鸟、流云。背面正中是一折枝莲蓬，余白衬以鸿雁、飞鸟、花草、流云。盖顶为忍冬四出花，外绕忍冬八出花结，四角有三出花结角隅纹样，余白衬以流云、飞鸟纹。盖顶及盖沿均为忍冬卷草纹。锤击而成，平錾花纹，鱼子纹地。

也有将孔雀纹银方盒定名为宝函的，认为是佛教盛放舍利器具。考古发现金银盝顶方盒，大多出土于佛教地宫，如陕西扶风法门寺唐代地宫出土多重宝函。孔雀纹银方盒出土于唐代居住遗址，在唐房陵公主墓壁画《捧盒仕女图》中，宫廷仕女手中捧的也是这种造型方盒。

孔雀纹银方盒藏于陕西历史博物馆。

鎏金双凤纹葵瓣银盒　南宋文物。1990年，福建省福州市鼓楼区杨桥西路茶园山许峻墓出土。墓主许峻，出身名门望族，曾祖至父辈均为朝廷命官，母为唐国夫人。许峻则是一位天资聪颖、富有学识而又经常舞文弄墨的官员。因此，随葬品中有大量日常用具，包括文房四宝和金银茶具。出土遗物中，银器众多，包括鎏金银碗、鎏金菱花形银托杯、鎏金银发冠、鎏金双鱼形银饰、银小盖罐、银钵、银执壶、银盆、银洗、银盏、银碟、银渣斗、银

壶、银筷子、银汤匙、银粉盒、心形银香熏、蝶形银饰、银条脱等。

鎏金双凤纹葵瓣银盒高5.9厘米,直径14厘米。银盒子母口盖身相合。盖面上锤揲双凤对舞的浮雕图案,界以一圈联珠纹,边饰一周五瓣形小花,小花外圈又饰有联珠纹一圈。盖、底口沿边錾刻卷草纹各一圈。其纹饰疏朗明快,雅致宜人。盖面图案凸起有浮雕效果,花纹表面均鎏金。其内有一同形夹层,出土时盒内放置一面同形六瓣葵花式铜镜。

制作精美的青铜镜,为古人珍视日常用品之一。为保护镜面持久明亮莹泽,除适时打磨以外,也需要仔细存贮,专为存贮铜镜镜盒、镜奁等物也应运而生。宋代镜盒不仅式样多,材质也各异,有瓷镜盒、漆镜盒和银镜盒等。鎏金双凤纹葵瓣银镜盒铸造工艺精湛,融合模压、锤揲、錾刻、鎏金等多种工艺,造型玲珑奇巧,新颖雅致,又不失端庄稳重,使银器造型艺术更加完美,显示出宋代银作工艺高超水平。值得注意的是,这批出土南宋银器中,许多器物形制和纹样雷同,有的还刻印店铺名号和工匠姓名,应是批量生产后作为商品出售的。

鎏金双凤纹葵瓣银盒藏于福建博物院。

"万岁台"金花银砚盒 辽代文物。1992年,内蒙古自治区赤峰市阿鲁科尔沁旗耶律羽之墓出土。盒内为箕形石砚,内装毛笔两支,毛笔上饰银箍,亦錾有图案,应为耶律羽之生前使用物品。史载耶律羽之曾任契丹东丹国左相,并长期主政东丹国,在征战之余,喜读书,好方术之学,具有深厚汉文化功底。

"万岁台"金花银砚盒长18.4厘米,宽11～13.6厘米,通高7.6厘米,重441.5克。平面略呈梯形,子母口相合,盒身内套一层素面银片,盒底有13个花式足。盒盖盝顶,正中锤刻一凸起的腾龙,龙下錾刻水波纹,水面上伸出3枝莲枝向上穿绕于龙身,其中一枝衔于龙嘴,花蕊之上竖刻"万岁台"3字,上端平錾远山浮云及正在升起的太阳。盒盖四个斜面錾刻环形花朵,四个侧面錾刻牡丹花,鱼子纹地。盒身侧边饰折枝花叶,鱼子纹地。砚盒造型优美,装饰华丽,采用鎏金錾花工艺而成。

砚盒錾刻"万岁"二字,本不应出现在臣属使用物品款识之列,但根据耶律羽之生平推测,此砚为辽太宗耶律德光所赐可能性很大。

"万岁台"金花银砚盒存于内蒙古文物考古研究所。

鎏金摩羯鱼三足架银盐台 唐咸通九年（868年）文物。1987年，陕西省扶风县法门寺塔基地宫出土。鎏金摩羯鱼三足架银盐台是唐咸通九年（868年）供佛真身整套茶具中的一件，系盛放佐料容器。由铭文可知，其由文思院制造。

鎏金摩羯鱼三足架银盐台通高27.9厘米，台面直径16.1厘米，重564克。由盖、台盘和足架组成。盖分作盖体和盖纽两部分，盖体呈倒置卷荷叶状，饰满地装叶脉底纹，盖心团花1朵，团花周围錾饰摩羯鱼4尾。团花中心有莲蕾形纽，以盘旋弯曲银筋和盖心焊接，纽中空，分上下两半，以铰链相连接，可上下扣合。台盘呈莲瓣形，浅腹平底，外部装饰错列莲瓣纹。足架用银丝缠结而成，上与台盘焊接，下以三足弯曲呈弓形，向外成莲蕾状；足架中间结合处，以弯旋状银筋斜出4支，支端各饰摩羯鱼和莲捧宝珠，宝珠周围绕以火焰纹。支架上錾刻"咸通九年文思院造银金涂盐台一只，

并盖重一十二两四钱。判官臣吴弘悫、使臣能顺"，另有"四字号""小药锅"等字样。整个器形造型优美，上部蕾纽用来贮存胡椒，下台盛食盐，一器多用，极为精巧。

8世纪中叶前，唐代金银器制作基本由中央官府和皇室垄断，十分明确的制作机构是掌冶署和金银作坊院。9世纪，唐皇室作坊文思院兴盛，集中各地有熟练技术金银工匠，工艺精湛，技术先进，足以代表当时金银器制作水平。盐台的制作，反映出唐代饮茶风俗，使人们对"吃茶"一词有新的认识。唐代陆羽《茶经》、宋代蔡襄《茶录》记载，"吃茶"之法，是将茶叶焙干、碾碎后，细罗成沫放入茶釜内滚水中，再用滚水烹煮，茶筅击沸后加盐、椒和姜等佐料，调成糊状一并吃下。鎏金摩羯鱼三足架银盐台是一件极为难得的融造型、装饰艺术和实用功能为一体的作品。

鎏金摩羯鱼三足架银盐台藏于陕西省扶风县法门寺博物馆。

鎏金鸿雁纹银茶槽子 唐咸通十年（869年）文物。1987年，陕西省扶风县法门寺塔基地宫出土。

鎏金鸿雁纹银茶槽子通长27.4厘米，宽4.4厘米，槽深3.4厘米，辖板长20.7厘米，高7.1厘米，重1168克。茶槽子锤揲錾刻成形，纹饰鎏金。通体为长方形，由碾槽、辖板、槽身、槽座组成。槽呈半月弧形，口沿外折，与槽座铆接，为碢轴滚槽。辖板呈长方形，插置槽口，两端呈如意云头状，中间焊接1宝珠形小捉手，可抽动开合。捉手两边各錾1只鸿雁，衬以流云纹。槽身顶面两端为如意云头状，两壁镂空形成壶门。壶门间，錾饰两匹相

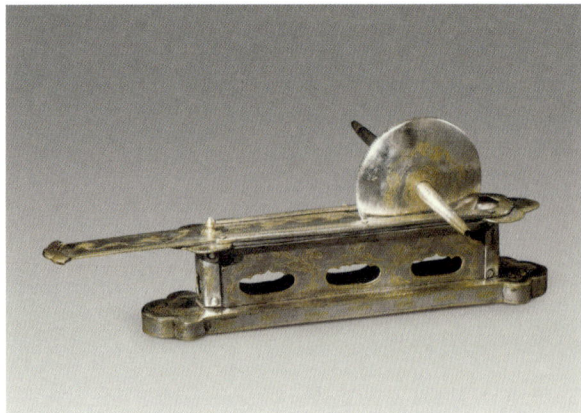

向天马，间以流云纹。槽座上承槽身，两端亦作如意云头状，周边饰20朵扁平团花。底座錾刻"咸通十年文思院造银金花茶碾子一枚并盖，共重廿九两。匠臣邵元、审作官臣李师存、判官高品臣吴弘愨、使臣能顺"。辖板等处有刻文"五哥""十六字号"等字样。

随鎏金鸿雁纹银茶槽子出土，还有1件鎏金团花碢轴，轴长21.6厘米，轮径8.9厘米，重524克。碢轴形似铁饼，轴边有平行齿槽，用于在茶槽子中粉碎团茶。轴轮两侧以轴眼为中心饰团花，团花外绕以流云纹。轴面錾文"碢重一十三两""十七字号"，并刻有"五哥"字样。轴杆为中间粗两端细，一段较另一端稍长，两端各錾鎏金草叶纹，一段錾刻"十七字号"及"五哥"字样。鎏金鸿雁纹银茶槽子、鎏金团花碢轴组成一套碾茶器。

唐时盛行饼茶，在饮茶前要先烤，再碾，后煮。碾末用具有茶臼、茶碾和茶磨。唐陆羽《茶经》介绍碾具："以桔木为之，次以梨、桑、桐、柘为之。内圆而外方。内圆，备于运行也；外方，制其倾危也。内容堕而外无余木。堕，形如车轮，不辐而轴焉。长九寸，阔一寸七分。堕径三寸八分，中厚一寸，边厚半寸。轴中方而执圆。"所谓"堕"，即碾轮。

1983年，河北省晋州市北张里村一座唐墓出土1件汉白玉石碾，由平面呈长方形的碾槽、推拉式碾盖、扁圆形碾轮组成。此石碾和法门寺银碾构造很相似，碾槽上均有一带纽辖板可抽动开合。此外，1975河北省易县唐孙少矩墓曾出土1件石碾，1985年陕西省西安市唐西明寺遗址出土石茶碾，1993年河南省洛阳市白居易宅邸遗迹中也出土瓷茶碾，说明茶碾是当时普遍的饮茶用具。

鎏金鸿雁纹银茶槽子藏于陕西省扶风县法门寺博物馆。

鎏金飞鸿毬路纹银笼子　唐代文物。陕西省扶风县法门寺塔基地宫共出土2件银笼子，1件为金银丝结条笼子，另1件就是鎏金飞鸿毬路纹银笼子。

鎏金飞鸿毬路纹银笼子通高17.8厘米，盖径16.1厘米，腹深10.2厘米，重654克。由笼盖、笼体、提梁组成。模冲成形，通体镂空作毬路纹，纹饰平錾鎏金。笼体直口，深腹，平底，四足，有提梁。盖为穹顶，口沿下折与笼体扣合。盖面模冲出5只飞鸿，内圈飞鸿引颈向内，外圈飞鸿两两相对。口沿上缘饰一周莲瓣纹，下缘饰一周波式团花，鱼子纹底。笼体腹壁錾三周飞鸿，共24只，均相对翱翔。两侧口沿下铆有环耳，耳座为四瓣小团花，环耳上套置提梁，其上套有银链，另一端与盖顶相连。足呈"品"字形组合花瓣，与笼体边缘铆接。笼底有"桂管臣李杆进"6字錾文。

鎏金飞鸿毬路纹银笼子属于茶具。中国饮茶法的演变可分为三个阶段，西汉至六朝的粥茶法阶段；唐至元代前期的末茶法阶段；元代后期以来的散茶法阶段。在粥茶阶段，煮茶和

煮菜粥差不多。唐以后，较原始饮法渐为世人不取，饮茶法进而变得十分讲究；贵用茶笋、茶芽，春间采下，蒸炙捣揉，和以香料，压成茶饼。茶饼平时要悬挂高处，凉爽通风，保持干燥。取用时还要焙烤，将笼子置于炭火上方，不停翻动茶饼，均匀地焙去茶叶中水汽，以保持其色、香、味，然后将茶饼碾碎成末进行煎煮，茶笼便应运而生。最初使用的是竹篾编成笼子，但贵族皇室所用茶笼，则是由银或铜制成。

鎏金飞鸿毬路纹银笼子藏于陕西省扶风县法门寺博物馆。

鎏金卧龟莲花纹五足朵带银熏炉及炉台

唐咸通十年（869年）文物。1987年，陕西省扶风县法门寺塔基地宫出土。鎏金卧龟莲花纹五足朵带银熏炉及炉台是唐懿宗专为供奉佛骨所造，熏炉可置于炉台之上组合使用。出土时，炉内不仅置香匙，还残留有涂香等物。《法门寺物账》记有"香炉一副并台盖朵带共重三百八十五两"，两相对照，分量基本相符，其名称可确认无疑。

鎏金卧龟莲花纹五足朵带银熏炉通高29.5

厘米，盖径25.9厘米，内径24.8厘米，腹深7厘米，重6408克。炉台通高21厘米，直径43厘米，重8970克。熏炉锤揲成形，附件浇铸，纹饰鎏金。炉盖宽沿下折，与炉身扣合，盖面隆起，底缘沿饰一周莲瓣纹，面上有5朵莲花，每朵莲花上卧有1只口衔瑞草、回首而望的乌龟。盖纽为宝珠形，以仰莲相托，下层莲瓣镂空，便于香气散溢。炉身腹壁饰流云纹，并铆接5只独角天龙兽足，两足间以销钉套接绶带盘结朵带。炉底有同心圆旋痕并錾刻"咸通十年文思院造八寸银金花香炉一具并盘及朵带子全共重三百八十两匠臣陈景夫判官高品臣吴弘悫使臣能顺"，外底錾文"三字号"，盖内沿錾文"一字号"。炉台呈五瓣葵口形，侈口，浅腹，平底，有五足及朵带。内底錾饰双凤衔瑞草纹，内边口沿饰勾连云雷纹一周。外底錾刻"四字号"。香炉制作采用錾刻、钣金、鎏金、铆接等工艺技法，形制高大，制作精美。

用熏炉焚烧香料，抑菌除秽，醒脑怡神，是唐代社会文明的一个重要内容。但熏炉与佛教供养也有极为密切的关系，佛教讲究以香礼佛，佛教大殿供桌上，一般都放置熏炉作香供。《朝野金载》中讲，安乐公主在洛州照成寺，造百宝香炉，高三尺，其间花草禽兽、诸天伎乐，麒麟鸾凤，无奇不有。珍珠玛瑙、琉璃琥珀、玻璃珊瑚，无奇不用。可见，唐代佛寺使用熏炉，也是很讲究的。《佛学大辞典》谓"金制者谓之金香炉，土制者谓之土香炉，造二层形者谓之火舍香炉，皆供于佛前"，这组香炉可能就是火舍香炉。

鎏金卧龟莲花纹五足朵带银熏炉及炉台藏于陕西省扶风县法门寺博物馆。

高圈足银熏炉　南宋文物。1993年，四川省彭州市金银器窖藏出土。

高圈足银熏炉由炉盖、承盘和圈足组成。炉盖高29.4厘米，直径25.2厘米，重478克；承盘高3.1厘米，直径48.6厘米，重866克；圈足高18.2厘米，直径381厘米，重1060克。炉盖上有莲花形纽，莲中起七棱柱形蕊，莲和蕊上均有镂孔。盖呈圆帽形，上部分饰阔叶和卷草纹各一周。肩部覆莲双层，而器腹分为10个方形瓣，每瓣内饰莲花、喇叭花、葵花等3朵，口部则饰雷纹一周。每瓣中心饰相同镂孔

5个。口内壁有压印铭记1组，约3～4字。另有墨书，约5～6字。内容已无法辨识。承盘呈菱形，大宽折沿，折沿中部呈一台阶形，外层平面纹饰为莲花、荷叶纹，各不相同。圈足纹饰可分四层。最上层为6只仙鹤，每两只之间均有一朵卷云纹。第二层为两周辫索纹。第三层分为10方形瓣，每瓣内饰各不相同折枝花4枝。最下面为方形宽凸边莲瓣，共40瓣，每瓣内均饰一折枝花。腹上附两兽头耳。口外壁錾铭"董"。足唇处压铭"□官□□"，口内壁墨书"董宅□"。整器均锤揲加工成形。此熏炉造型别致，纹饰精美生动，是南宋金银器上乘之作。

浙江宁波天封塔地宫出土1件南宋银熏炉，形制与高圈足银熏炉基本一致。这种熏炉唐代已开始出现，江苏镇江丁卯桥窖藏和陕西扶风法门寺地宫均有出土，至宋代，其器形基本没有大变化，应与佛教用器有较多关联。高圈足银熏炉布局合理，制作精细，尤其是以莲花为主体纹饰，体现佛教深刻影响。同样莲花也是民间吉祥图案，反映人们对幸福和美好意愿的祈求。熏炉上布满刀法细腻、线条流畅的纹饰图案，每一种花纹都可独立表现，又相互连接、相互映衬，构成有机整体，这种严谨纹饰布局与动、静结合的艺术风格，使器物既显凝重肃穆，又富有浓郁生活气息。

高圈足银熏炉藏于四川省彭州市博物馆。

莲花鹊尾银香炉　辽代文物。1993年，内蒙古自治区赤峰市宁城县头道营子乡埋王沟辽墓出土。

莲花鹊尾银香炉通长36.5厘米，挎宽11.5厘米，仰莲口径分别为6.6厘米、4.7厘米，荷

叶直径8.5厘米，重295克。炉身和炉座锤揲成形，炉柄锻打成形，焊接铆合而成。外形似一束莲花，莲茎为手柄，柄末为鹊尾形，莲花中空呈小杯状，子母扣，原置活动小盖，已脱落。前面一朵盛开莲花为炉身，柄上部莲花为香宝子。莲叶为炉座，边缘留有6个铆钉孔，用作固定。花纹锤揲，细部錾刻。

鹊尾炉是中国古代佛教行香法器之一，因手柄末端形似喜鹊尾而得名，始见于南北朝。考古发现，佛教行香法器始见于公元前1世纪前后的中亚犍陀罗地区，中国鹊尾炉则是从犍陀罗佛寺流行的长柄香炉演变而来。这类香炉早期比较朴素，炉体一般作宽平沿杯状，后侧装一长柄。陕西扶风法门寺塔基地宫即出土1件这类香炉实例，炉上錾有铭文"咸通十三年文思院造银白成手炉一枚"，白成者，素面也。辽代则见莲花鹊尾香炉，河北省张家口市宣化区下八里辽代张恭诱墓，其墓室东南壁有1幅壁画，前方一侧置一红色木桌，桌上摆放着1只花瓶、1个经箱和1个莲花形香炉，表现的是为墓主人诵经礼佛准备场面。香炉以一片荷叶作底，亭亭秀出一茎莲花作炉，又有一枝

待放花蕾，三枝结为一束，做成香炉长柄，与赤峰市出土莲花鹊尾银香炉极为相似。美国纳尔逊美术馆也收藏1件类似银香炉。

莲花鹊尾银香炉存于内蒙古文物考古研究所。

鎏金双蜂团花纹镂空银香囊 唐代文物。1987年，陕西省扶风县法门寺塔基地宫出土。

鎏金双蜂团花纹镂空银香囊直径12.8厘米，链长24.5厘米，重547克。香囊由两个半球组成，以合页铰链相连，由钩状司前控制开合。上半球有带弯钩链条，既方便佩戴身上，也可悬挂室内帐中。下半球内装有两个同心圆

机环和一个盛放香料香盂。大机环与外层球壁连接，小机环分别与大机环和香盂相连。使用时，由于香盂本身重力作用和两个同心圆机环机械平衡，无论香球如何滚动，里面香盂都可保持水平状态，香灰不会倾洒。香囊通体为镂空阔叶纹样，上下球体均饰五朵双蜂纹团花，冠饰四蜂纹团花，球底饰折枝团花，香气是通过镂空袅袅散发出来。

《旧唐书·杨贵妃传》载，安史之乱后，唐玄宗自蜀地重返京都，思念旧情，秘密派人改葬贵妃，但挖开旧冢时发现："初瘗时以紫褥裹之，肌肤已坏，而香囊仍在。内官以献，上皇视之凄惋。"在唐代壁画、石刻人物形象中，腰间悬挂香袋或香包似为丝织品制成，然而，丝织品易于朽坏。杨贵妃埋葬后，"肌肤已坏，而香囊仍在"的香囊，可能就是这类金属香囊。法门寺地宫是重要唐代金银器窖藏遗迹之一，共出土珍贵金银器131件。除鎏金双蜂团花纹镂空银香囊外，地宫还出土1件鎏金雀鸟纹银香囊。此外，在陕西西安沙坡村，何家村、三兆村均有银香囊出土，日本正仓院、美国弗利尔美术馆、大都会艺术博物馆、瑞典卡尔·凯波博物馆也有收藏，但鎏金双蜂团花纹镂空银香囊为已知唐代香囊存世品中最大1件。在记载地宫藏品的《法门寺物账》上，记述银器时提到"香囊二枚重十五两三分"，与出土器物吻合。名称和用途，《一切经音义》香囊条载："考声云：香袋也。案香囊者，烧香圆器也。巧智机关，转而不倾，令内常平。"又载："考声云：斜口香袋也。案香囊者，烧香器物也。以铜、铁、金、银玲珑圆作，内有香囊，机关巧智，虽外纵横圆转，而

内常平，能使不倾。妃后贵人之所用之也。"对香囊样式、用途和质地记载十分详尽。

鎏金双蜂团花纹镂空银香囊藏于陕西省扶风县法门寺博物馆。

鎏金人物画银香宝子 唐代文物。1987年，陕西省扶风县法门寺塔基地宫后室出土。

鎏金人物画银香宝子通高24.7厘米，口径13.2厘米，腹深11.4厘米，圈足径12.6厘米，重883.5克。整器钣金成形，由盖、体、足组成。盖为四瓣竖凸棱形结构，每瓣内饰一狮子，衬以缠枝花草，鱼子纹地；凹棱饰有二方连续"S"形花纹。盖纽为宝珠形。器腹分为4个规范的壶门，壶门内分别錾刻仙人对饮、萧史吹箫、金蛇吐珠、伯牙抚琴等人物画。下为喇叭形圈足，上部外凸圆鼓，饰四壶门，内錾凤凰、鸿雁、鸳鸯、鹦鹉图案，下部饰四片翻卷的荷叶，荷叶外有露出的鱼头和尾。花纹平錾模冲，纹饰鎏金。

《法门寺物账》在记录金银器时，两次提到有"香宝子二枚"，共有4件，鎏金人物画银香宝子2件和鎏金伎乐纹银香宝子2件。另有

1件鎏金人物画银香宝子腹壁壸门内，分别錾刻郭巨埋儿、王祥卧冰、仙人对弈、颜回问路等人物画。有人认为，此类器物属唐懿宗、唐僖宗为迎送佛真身而供奉配套茶具中贮藏器。发掘报告称"该器用途不明，但从器物中还残存未燃尽的剩余物分析，可能是熏香与医疗有关的器物"。实际上，《法门寺物账》是将香炉与香宝子一起登录，说明可能是一套，鎏金人物纹银香宝子即为其中的盛香之器具。

鎏金人物画银香宝子藏于陕西省扶风县法门寺博物馆。

金梳背 唐代文物。1970年，陕西省西安市何家村窖藏出土。

金梳背长7.9厘米，高1.5厘米，厚0.34厘米，重3.2克。梳背呈半月形，由两层金片裁剪合并而成。梳背上沿装饰弧线，将梳背分为顶端及梳背两个装饰区间。顶端用细如棉线的金丝，掐编成抱合式卷草纹样焊接其上，顶端下沿又以金珠焊接出14个连弧形边饰，将梳背顶端划分为规则花朵纹样。弧线以下装饰，以中心花结为轴线呈对称分布，均以掐丝焊接出卷草纹作为底衬，左、右叶片状花结中，填以细密鱼子般大金珠。梳背下沿中空，内可插梳齿，下沿边饰以金丝掐编，并附以细密金珠焊缀。梳背工艺精湛，纹饰密而不乱，此梳背应为装饰而非梳理

用品。

考古资料证明，早在新石器时代晚期，人们就有插梳习惯，如山西襄汾陶寺遗址中出土的石梳背和玉梳，其位置正好在头部位置。魏晋后，妇女插梳现象逐渐增多，至唐代成为时尚。唐代妇女喜欢在发髻上插几把小梳作为装饰，元稹《恨妆成》中就有"满头行小梳，当面施圆靥"诗句，当时一般多在髻前横插一把发梳，也有将两把上下相对或将多把小梳排列有序插于发间。插梳时，外露梳背，在选料上十分考究，考古发现有玉、玻璃、水晶、骨角、金银等材质，不仅奢华，制作也极尽功力。金梳背精致的梳背可以说是唐代金银细工杰作，其掐丝工艺和金珠焊缀工艺娴熟运用，反映出高超的工艺水平。

金梳背藏于陕西历史博物馆。

金錾花背玳瑁梳 元代文物。1985年，湖南省沅陵县元代黄氏墓出土。

金錾花背玳瑁梳通长6.2厘米，宽2.3厘米，錾金边宽0.8厘米，重3.9克，金饰含金量80%。由錾金花背和玳瑁梳齿组成。花边中间为一朵盛开牡丹，左右有蜜蜂、飞鸟及缠枝花叶等纹饰，金边上下沿用联珠纹装饰。梳齿用玳瑁制成，保存48齿，另有6齿已残，间隔均匀。采用正面包嵌办法，其拱形两端先做成两个三角，把图案上缘联珠纹折过去扣合在玳瑁

梳背面，再把拱形之端两个三角反折过去，金梳背与玳瑁梳便扣合无间。

　　唐宋，是中国古代妇女插梳之风十分盛行时期。宋元时代，常用骨、角、玳瑁、木或玉质地插梳，纯用金银打制插梳不是很多，更多是用金银饰片包裹梳背。唐代，插梳一般为梯形，形似簸箕，梳背作半月形，宋元插梳一般为半月形，梳背则作拱形，形似一座彩虹桥。这种改变在节约原材料的基础上，增大梳齿面积，更有利于梳理头发，也使其插戴于发髻时更加牢固，不易脱落。此后，宋代虹桥式梳背也被元明清所继承。宋元梳背或两面包镶，或包镶正面一半，或只是包镶梳子背脊。插戴可是一把，也可是一对，梳齿插在头发内，金银梳背便隆起在外，成为耀眼的装饰。

　　金錾花背玳瑁梳藏于湖南省沅陵县博物馆。

　　银奁　元代文物。1964年，江苏省苏州市张士诚父母合葬墓出土。元末明初，群雄四起。张士诚自至正十三年（1353年）起兵，几年便成为实力雄厚的一方割据势力。1356～1367年，在苏州建立政权达12年之久。其母卒于"至正二十五年（1365年）年乙巳岁次五月戊午朔十七日甲戌"，其父由泰州迁来合葬。墓中出土大量丝织品和金银器，大多保存完好。出土时，银奁旁放置1件折叠式银镜架。银奁和银镜架堪称是元代妆奁巅峰之作，也是当时苏州手工业高度发达的真实写照。

　　银奁通高24.3厘米，口径16厘米。平盖弧肩起棱，带圈足，通体为六瓣葵花形，上下共分3层，以子母口结合。奁内盛全套梳妆用具共24件，上层放置银镜、剪刀、薄片刮削器及大小刷各1件；中层放置银圆盒4只，小银罐和大

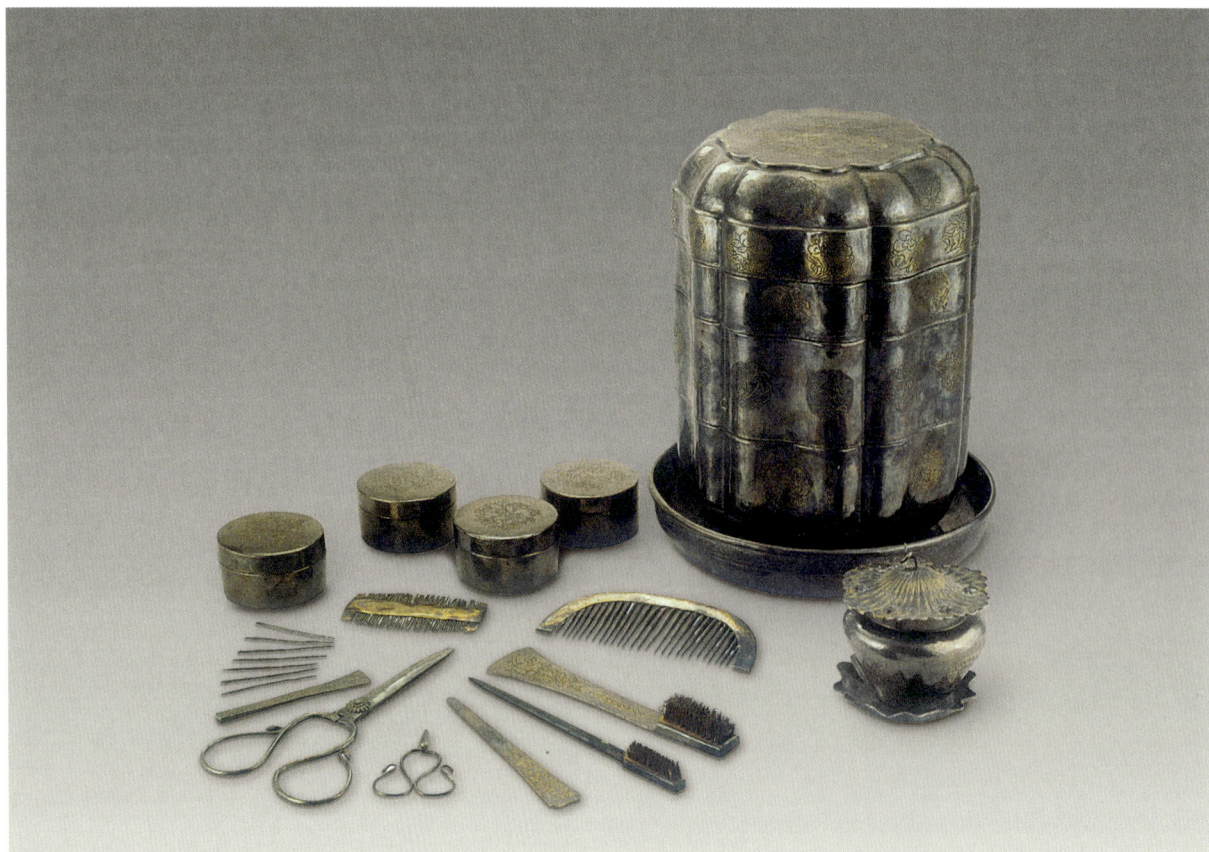

小银碟各1件，其中一盒中还残留粉迹，一盒留有红胭脂，一盒放黄绸做的粉扑，小银罐盖下连着1把小勺；下层盛放银梳、银篦、水盂各1件，银脚刀、银小剪刀和银针6枚。盖面和器身四周刻牡丹、迎春、日葵等花草纹，上施鎏金。奁下有银托盘，口径22厘米。盘圆腹平底，口饰缠枝花一周，盘心线划海棠花纹饰。

奁是盛物器的一种，用以杂置香料，盛放梳镜，收藏珍物。后逐渐用来专指盛放梳妆用品器具，因而有镜奁、镜匣、镜箱、套奁、妆盒、梳妆台、梳头络等诸多称谓。其内部盛装物主要包括，用于照容梳妆的镜子和梳理用具，及古代妇女敷粉修眉所使用的化妆用具。妆奁最迟在战国时期就已产生，一直延续到明清时期。妆奁因与女性生活息息相关，后逐渐衍生出许多与女性有关的词，如"嫁奁"指嫁妆，"奁币"指遣嫁之器物与财物，"奁安"用于给妇女写信时放在信尾的问候语。类似精美的银质套奁，在安徽六安寮岩乡花石咀元墓亦曾出土。

银奁藏于苏州博物馆。

银镜架　元代文物。1964年，江苏省苏州市张士诚父母合葬墓出土，应为张士诚母亲曹太妃随葬器物。

银镜架纯银制作，折合式，由3个框架构成，框架横杆均出挑如意头。主框架为长方形，架身通高32.8厘米，宽17.8厘米。二根主杆，横列三档，略可分为上、中、下三部分。上部作如意式样框栏，栏内雕镂"凤穿牡丹"图案，顶端联结有流云纹衬托葵花。中部竖向划分作3组，中心一组，上段犹如枋式，凿作卷草纹样连续图案；下段锤揲一幅凸起游龙；左

右二组仿佛窗式，装饰各自对称，上下开雕柿蒂形状框栏，中段镂作折枝牡丹。副框架呈方形，边长14.5厘米。正副框架用铆梢相连，可转动。上部横杆安置一幅装饰月亮、玉兔、灵芝、瑞草图案活络面板，一端双扣系联上档，一端出伸双钩，使用时双钩钩入主支架中部中心左右圈眼，遂为斜面，放置镜子。两框架下方，横杆用1块瑞雀双飞图案银板相连，一端双扣系联底档，一端出伸双钩，与主支架勾连固定。镜架采用仿木制框架结构，在整体支架上镶色3片经雕接银皮，设计新奇，制作精美。雕作工艺主体是"收挑"技艺，辅助以"凿子"技艺。在主支架上部和中部，分成大小形状异同9个块面，似是以竖杆、横档间隔，其实由1块银皮制成，间隔半弧形挺直杆、档，亦是锤打而成。纹饰上龙须、凤翼、雀羽、兔毫、花蕊、叶脉，纤细如发，丝缕清晰。

镜架属梳妆用具，将铜镜放在专门镜架、镜台上，使用时直接对镜照面整容。银镜架银皮雕作工艺，显示出元末江苏一带银工高超技艺，是极为罕见的元代金银器珍品。

银镜架藏于苏州博物馆。

第四节　宗教用器

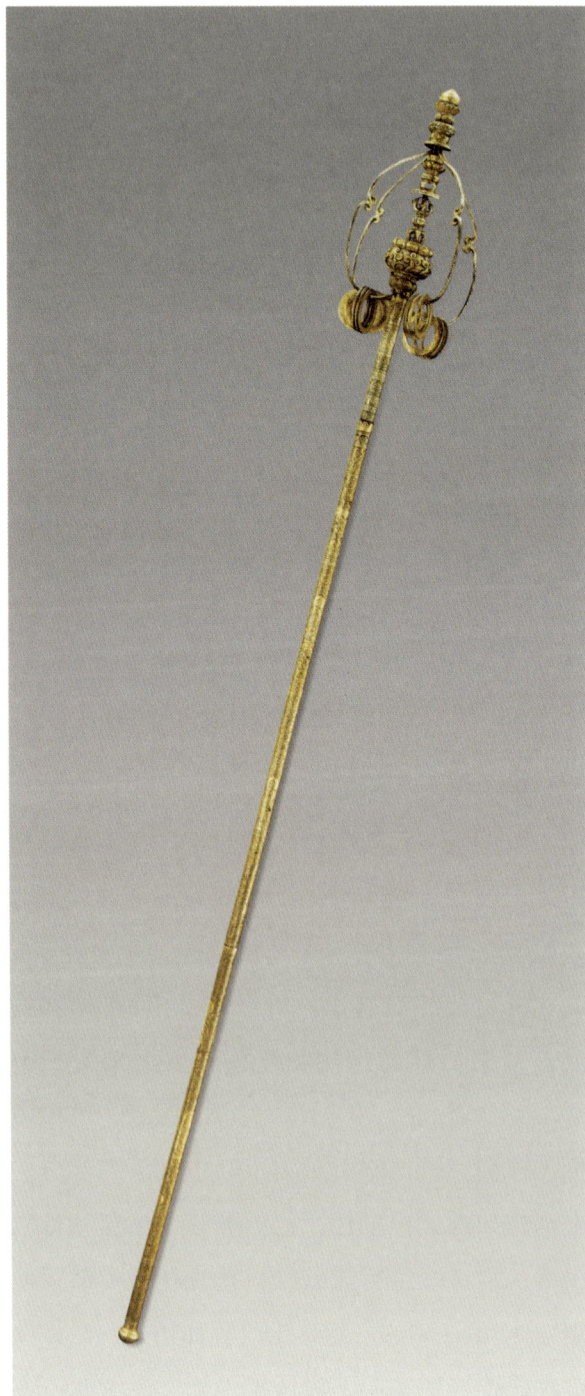

"迎真身"银金花十二环锡杖　唐咸通十四年（873年）文物。1987年，陕西省扶风县法门寺塔基地宫出土。地宫出土锡杖有四钴十二环银锡杖、二钴十二环纯金锡杖、二钴六环银锡杖各一副。

"迎真身"银金花十二环锡杖杖高196厘米，轮宽25.5厘米，环直径6.8厘米，重2390克。杖杆圆形、中空，通体錾刻纹饰。杖杆顶端有两重仰莲座，莲座间以五钴金刚杵相接。杖首有垂直相交两桃形外轮，轮顶为仰莲束腰座，上托智慧珠一颗。双轮每钴以银条盘曲而成，每钴各套雕花鎏金银环3枚，共12枚。杖杆主题纹饰分为三段，上、下段为蜀葵、山岳、团花、海棠等，中段錾刻十四圆觉僧。锡杖双轮上錾刻："文思院准咸通十四年三月廿三日敕令，造迎真身银金花十二环锡杖一枚，并金共重六十两，内金重二两，五十八两银。打造匠臣安淑郧，判官赐紫金鱼袋臣王全护，副使小供奉官臣虔诣，使左监门卫将军臣弘悫。"

锡杖，梵语称吃弃罗，是鸣声之义。古人译为锡杖者，音取锡作声。锡杖初做僧侣修行、游方时乞食、挂行和驱虫之用，后因诸佛皆行执之故，又有"功德本故，圣人表帜，贤士明记"之意，密宗则视锡杖为佛、菩萨的三昧耶形，是佛、菩萨内证本誓标识物。锡杖与禅杖不同，禅杖是用竹苇做成，以物包于一头，坐禅昏睡时，以软头突撞便清醒。依《锡杖经》锡杖制法，迦叶佛为二钴十二环，释迦佛为四钴十二环。四钴十二环，表示四谛与十二因缘，二钴十二环，表示真谛和俗谛与十二因缘。六环表示六度。"迎真身"银金花十二环锡杖是世界上发现年代最早、体形最大、等级最高、制作最精良的佛教法器，故被誉为世界锡杖之王。2002年，被国家文物局列为首批禁止出国（境）展览文物之一。

"迎真身"银金花十二环锡杖藏于陕西省扶风县法门寺博物馆。

鎏金摩羯三钴杵纹银阏伽瓶 唐代文物。1987年，陕西省扶风县法门寺唐塔地宫后室出土。

鎏金摩羯三钴杵纹银阏伽瓶通高19.8厘米，流长7厘米，口径7.6厘米，腹径13.2厘米，底径10.9厘米，重643.5克。钣金成形，纹饰鎏金。盘口，细颈，圆腹，圈足，颈底缘饰一周如意云头纹，肩部焊接一长7厘米的管状流。腹壁錾饰4个简化莲瓣纹圈成的圆形图案，其内錾"十"字形三钴金刚杵纹，圆圈之

间以二重弦纹连接。腹下部錾刻一周八瓣仰莲，莲瓣之间饰三钴金刚杵。圈足呈喇叭形，与腹底焊接。圈足上部凸出一周半圆形棱，棱上饰柿蒂状双环纹，棱下为一周覆莲瓣，莲瓣间倒竖三钴金刚杵。底缘外翻，饰一周水波纹。瓶底墨书"西"字。阏伽瓶共出土4件，底部分别墨书"东""南""西""北"各1字，表明其分别放置地宫东北、东南、西南、西北四角位置。

有学者认为，法门寺塔基地宫构成一完整曼荼罗。但法门寺塔地宫发现大批唐代文物，其中相当一部分文物与佛教密宗有关。地宫后室是以八重宝函第一枚舍利为至尊中心，各种供具按一定仪轨依序放置。阏伽瓶是密教灌顶用法器，瓶上三钴金刚杵纹是按密教严格的仪轨所造，具有特殊宗教意义，象征法力无边，可摧毁一切邪恶。地宫中，许多密宗法器及图案、形象等，与装藏地宫主事人智慧轮有很大关系。作为大兴善寺密宗高僧，"智慧轮是晚唐密宗的代表人物，秉承三部大法，灌顶传法，影响颇著"。据《法门寺物账》记载："金函一重廿八两，银函重五十两，银阏伽瓶四只，水椀一对共重十一两，银香炉共重廿四两，□□□壹三只共重六两，已上遍觉大师智慧轮施。"大兴善寺是唐代密教本庭，大兴善寺及其高僧对咸通十四年（873年）佛舍利瘗埋起重要作用。此外，在单轮十二环铜锡杖刻名中，有密教高僧海云、义真。可见，许多唐代密教高僧亲身参与并策划组织僖宗咸通年启迎和瘗埋舍利活动。

鎏金摩羯三钴杵纹银阏伽瓶藏于陕西省扶风县法门寺博物馆。

金棺银椁五重舍利函　唐代文物。1964年，甘肃省泾川县大云寺遗址出土一套舍利容器，共5件。泾川县唐时为泾州，属关内道，为畿辅之地，是自长安北上丝绸之路的第一大站。泾州大云寺原名大兴国寺，武则天登基后敕令两京和诸州建大云寺，因此更名。石函中舍利为武周时出土于大云寺西侧一座隋朝建造舍利塔土基中。徐苹芳认为，泾川大云寺舍利石函表明舍利地宫正式出现。然石函铭文记载"爰从大周延载元年（694年）岁次甲午七月癸未朔十五日己亥迁于佛殿之下"。故该处地宫可能建在佛殿下，并不能表明佛塔地宫制度完善。这套舍利函是从考古发掘中获得纪年最早的棺椁舍利容器实物之一。

金棺银椁五重舍利函最外层石函为方形覆斗顶，顶上正中刻有阳文隶书"大周泾州大云寺舍利之函总一十四粒"，四周饰以缠枝西番莲图案。函身四面镌有孟诜撰写"泾州大云寺舍利石函铭并序"。函内为铜匣，通体鎏金，上錾忍冬纹图案。匣内放置银椁，椁内为金棺，内置一玻璃瓶，中有舍利14粒。银椁高9.3厘米，长10.7厘米，宽8.4厘米。覆瓦式盖，通体錾刻缠枝忍冬，两侧各安两圆环，底座呈长方形，四周有勾栏平座一周，中间镶嵌菱形花纹。金棺形同银椁，高6厘米，长7.5厘米，宽5.4厘米，棺盖及棺身用金片、珍珠、绿松石镶嵌成大莲花，周围又饰以金片组成小莲花，莲蒂、莲叶均对称。

在古印度佛教传统中，舍利应放在坛、瓶类容器中，置于塔身中部特建的覆钵形空间内。瘗埋舍利葬具最初用函瓶、钵、罐及函棺、函塔等器具。舍利流入东土后，葬具发生变化，在唐代发展成为独具中国特色的"金棺银椁"。随同舍利随葬供养品主要是金、银、琉璃、水晶、玛瑙、珍珠、琥珀"七宝"，金棺银椁及其他供养品一起瘗葬在佛塔中供养舍利。中国已发现"金棺银椁"主要是唐宋两代制作。除泾川大云寺外，唐代还有陕西临潼庆山寺、江苏镇江甘露寺、陕西扶风法门寺塔出土金棺银椁，皆为中国佛教舍利瘗埋制度研究重要材料。

金棺银椁五重舍利函藏于甘肃省博物馆。

迦陵频伽飞天纹银椁 唐代文物。1960年,江苏省镇江市甘露寺铁塔塔基地宫出土。甘露寺铁塔位于北固山后峰东部甘露寺长廊入口处。原塔在明代因海啸倾塌,仅遗存有最下三层。1960年,镇江市文物管理委员会在修复甘露寺铁塔时,在塔基下发现地宫。地宫内放一长方形大石函,函盖上复"润州甘露寺重瘞舍利塔记"石刻。大石函内还有两个小石函,其中一个是瘞禅众寺舍利的,内有银椁和金棺。另一个是瘞长干寺舍利的,内有银椁、金棺和小金棺。唐长庆、大和年间(821~835年)李德裕任润州刺史时,将南京长干寺阿育王塔舍利中11粒,及禅众寺旧塔基下156颗高僧舍利,移置新建的镇江北固山甘露寺,以金棺银椁裹以锦绣九重瘞埋,并建石塔供奉,为唐穆宗祈造冥福。石塔大约在北宋乾符年间倒塌。宋熙宁二年(1069年)在石塔旧址发现佛舍利后,改建铁塔一座,将佛舍利集中于一起,安奉供养。长庆四年(824年)李德裕《奏银妆具状》载"讫今差人于淮南收买,旋到旋造,星夜不辍",与李德裕施金棺银椁重瘞长干寺舍利正是同年。铁塔塔基出土的这批金银器,原料可能来自扬州或淮南。

迦陵频伽飞天纹银椁是长干寺舍利银椁。

盖长11.5厘米,底头宽4.3厘米,头高4.9厘米,底长9.6厘米,尾高3.9厘米,重223.9克。椁头下部中间刻门扉,上面为栅栏,其上双线界内刻卷草,在中间会合上托慧日(智珠)一颗。椁尾刻如意十朵。两侧各刻双首迦陵频伽像,高髻,四翅,手持花盘,身侧衬以缠枝花纹;椁顶刻一对飞天,上身裸露,披帛飞举,前者仰身,一手托盘,一手张开,后者侧身,双手持果盘,飞行于流云花丛中。

唐代舍利容器的形制与质地多种多样,分布范围东起山东、江苏,西至陕西、甘肃,出土地域明显集中于北方,南面则不过南北分限临界线江苏镇江。研究者认为,舍利容器集中分布于北方的现象与唐代南方盛行"不立文字""不著经相"的南派禅宗直接相关。因此,在远离京畿、位于江南地区的镇江甘露寺发现金棺银椁,证明当时镇江与中原朝廷之间关系密切,也反映出以金棺银椁为主要容器的舍利瘞埋制度已相当成熟。

迦陵频伽飞天纹银椁藏于镇江博物馆。

鎏金錾花银塔 隋代文物。1969年,河北省定州市静志寺塔地宫出土。静志寺塔地宫属唐宋时期北方地区流行的横穴可开启式佛塔地宫。唐武宗会昌六年(846年),静志寺毁废,隋代佛塔被除。唐宣宗复法后,在静志寺重建新塔。宋太祖开宝九年(976年)三月僧俗开启唐代地宫,宋太宗太平兴国二年(977年)五月二十二日重瘞舍利时沿用。静志寺塔地宫内出土北魏兴安二年(453年),隋大业二年(606年),唐大中十一年(857年)、十二年(858年)、龙纪元年(889年),北宋乾德三年(965年)、太平兴国二年(977年)

四朝递藏舍利石函、鎏金铜函、银塔、铜盒、涂金石盒、银瓶、玻璃瓶、石棺、金棺、银棺、鎏金铜棺、铁塔、木塔等舍利容器，佛、菩萨、弟子、天王、力士等造像，及供养舍利的众多金银、铜铁、陶瓷、玉石、漆木、玻璃器及丝绸珍品，是研究中国古代佛塔地宫和舍利瘗埋制度重要实例。

鎏金錾花银塔高16.2厘米，底径6.6厘米。银塔薄胎，表面鎏金，采用焊接、錾凿技法，单层六面亭阁式，由四部分组成。珠形宝刹，坡面饰瓦纹，出檐，角饰花式风叶。塔身正面两扇门，门钉三排，门环上挂一锁，配有钥匙。门上、下均錾刻花纹，门侧以毯路纹为地錾飞天。束腰仰莲状塔座以承托塔身。

《唐定州静志寺重葬真身记》记，大中三年（849年）"十月因徙弥勒大像为正面，发旧基得石函二，一大一小，大函内有四珉像，金银钗钏诸多供具，内金函，函中有七宝缭绕，银塔内有琉璃瓶二，小白大碧，两瓶相盛，水色凝结"，鎏金铜函中"银塔"当为此物，为已知时代最早舍利银塔。定州自古以来，是中原与北方交往之重镇。宿白曾指出："北魏至盛唐约三百年间，正处在中国佛教形象逐渐完成东方化过程，定州工师在这个创新过程中，无疑做出重要贡献。"隋代定州工匠，依托当地繁荣佛教文化、发达金工技术，开风气之先，制造出最早塔形舍利容器。

鎏金錾花银塔藏于河北省定州博物馆。

鎏金银阿育王塔　五代十国时期吴越文物。2001年，浙江省杭州市雷峰塔地宫出土。

鎏金银阿育王塔通高35.6厘米，基座边长12.5厘米，重1272克。纯银锤揲成形，整体铆焊套接。塔为方形，由基座、塔身、塔顶构成。基座下用方形银板封护，塔座每侧以菩提树、禅定小佛像4尊相间作装饰。塔身四面圆拱形龛内镂刻摩诃萨埵太子舍身饲虎、月光王施宝首、尸毗王割肉贸鸽、快目王舍眼等佛本生故事，人物外表鎏金，四角各有一护法金翅鸟。塔身最上层，用忍冬纹及兽面纹作装饰。塔身四角山花蕉叶，正面锤揲反映佛祖一生事迹的佛传故事画面，共16幅，背面锤揲佛坐禅、说法等形象。塔刹由刹竿、五重相轮和顶部摩尼宝珠等构成，塔刹底座装饰12朵覆莲，五重相轮上饰忍冬、联珠纹、底轮最大，往上渐收。

五代吴越国佛教独盛一时，号为"东南佛国"。吴越诸王皆笃信佛法，末代国王钱俶（原名弘俶）最甚。钱俶在其统治期间（948～978年），创建净慈寺，扩建灵隐寺，造保俶塔、六和塔、雷峰塔，开凿天龙寺造像，大量印施佛教经像，礼遇高僧法师，遣使往高丽、日本等国寻求佛教诸宗典籍，而最著名的就是效仿印度阿育王造八万四千塔颁于境内的故事。这样大规模政府造塔活动，不啻为佛教史壮举。吴越国时期阿育王塔在历史上铸造最多，声名最显。南宋释志磐《佛祖统纪》卷四十三记载："吴越王钱俶，天性敬佛，慕阿育王造塔之事，用金铜精钢造八万四千塔，中藏《宝箧印心咒经》，布散部内，凡十年而讫功。"钱俶造塔均言"八万四千"，"八万四千"是佛家成数，并非指实际数量，但也足见当时造塔之多。阿育王塔实物，历代有传世，并见于诸多文献著录。据对中国境内塔基地宫及塔身等遗迹出土资料所作统计可知，已发现有钱俶造阿育王塔35座，其中铜塔20座、铁塔12座、银

塔2座、漆塔1座。雷峰塔、万佛塔、慧光塔、崇福寺塔，及嵊州长乐出土阿育王塔收藏在浙江省博物馆，由此该馆也成为收藏吴越阿育王塔最多机构。此件鎏金银阿育王塔完整无缺，塔身镂刻佛教故事在所发现阿育王塔中最为清晰全面，而居于重要地位。

鎏金银阿育王塔藏于浙江省博物馆。

鎏金舍利瓶银龛 北宋景祐二年（1035年）文物。1966年，浙江省瑞安县慧光塔塔基出土。慧光塔在瑞安县东20千米仙岩寺南面，中有虎溪相隔，宋代称仙岩寺塔，元代延祐间（1314～1320年）始改名慧光塔。塔作6面7层，每层3面有门。外部原有木檐，后被毁。1966年底至1967年初，发现一批珍贵文物，共69件，除3件为清康熙年间修塔时增入外，其余都是北宋庆历三年（1043年）前的，还有500余枚唐代至北宋钱币。据当地人反映，塔基地宫和塔身里原藏有很多东西，大部分在1949年前被国民党军队所劫掠，留存的是幸存在砖墙内一小部分。

鎏金舍利瓶银龛通高10.3厘米，重68.2克。舍利瓶与束腰须弥座连接，与龛分制。须

弥座底部为三级六角形台阶，下有六如意形足；束腰部分作六瓣瓜棱球状，每瓣中部透雕桃形花蕊；上部三级圆形座面，面沿刻"弟子胡用□，勾当僧庆恩、可观。景祐二年（1035年）乙亥岁十二月日造"24字。座面近边沿处作子口，中央置一舍利瓶，瓶腹正面刻"冲汉舍瓶，道清舍金"8字。座面上覆盖一椭圆形龛，正面有一壶门，背面与左右两侧锤揲3个开光，开光中央各饰一长尾鸟，四周配以卷草，开光之间布满花卉。顶端作一盛开牡丹。整体造型小巧玲珑，通体鎏金，显得精致而富丽。

鎏金舍利瓶银龛藏于浙江省博物馆。

鎏金錾花云龙纹银塔 北宋文物。1969年，河北省定县市净众院塔基地宫出土。定州净众院创建于宋端拱元年（988年），地宫建于至道元年（995年）。在净众院塔基地宫中，共清理出石函、石棺、石塔、银棺、银塔、银瓶等舍利容器及定窑陶瓷器等器物共106件（组）。金银器共出土7件，有鎏金錾花云龙纹银塔、鎏金银棺、鎏金錾花银舍利瓶、

荷叶盖银舍利瓶等。

鎏金錾花云龙纹银塔高35.5厘米，底径13.2厘米，重510克。银塔为二层六角楼阁式，由基座、塔身、塔顶组成。基为须弥座，六角形底边錾刻莲瓣纹，束腰外侧有蛟龙两条。塔身有两层，一层四周有回廊栏杆，正面设殿门，其余各面錾刻僧人像，檐边挂风铃；二层平台回廊下腰接檐一周，正面开拱门，内置坐式佛像一尊。两侧各附一龙，盘绕守护门口。塔顶为六脊攒尖式，坡面饰瓦文，角脊檐端置鎏金宝珠。顶为葫芦形宝珠。塔身有"善心寺""舍利塔"刻铭。

地宫中舍入舍利以隋代鎏金錾花云龙纹银塔为最早，至宋代已相当普遍。静志寺地宫宋代太平兴国二年（977年）石函中也出土2件鎏金錾花银舍利塔，均为单层六面亭阁式。但净众院云龙纹银塔遍体附贴龙云和莲瓣银片装饰，较静志寺银塔更为繁缛。金银器上附贴工艺的发展，正是由晚唐五代为北宋金银器皿所开创的新装饰技法。

鎏金錾花云龙纹银塔藏于河北省定州博物馆。

舍利银塔 北宋文物。1968年，山东省莘县宋塔第10层出土。据塔内文物与方志记载，该塔始建于宋治平元年（1064年），落成于金天眷二年（1139年），明嘉靖二十七年（1548年）重修。塔为八角十三层楼阁式砖塔，高约66.67米，因素有燕子在塔上飞舞与栖息景观，故又习称"燕塔"。舍利银塔为莘县宋塔缩影。1965年，河北邢台地震曾波及莘县，古塔顶层之西北角被震塌落，殃及附近建筑物。后于1968年拆除。塔内除舍利银塔外，还藏有5部

北宋刻本《妙法莲华经》、1部写本《陀罗尼经》和1具石函。石函铭文镌刻着石匠的姓名与治平元年（1064年）二月十五日镌刻时间。

舍利银塔通高69.7厘米，底座宽14.6厘米。塔座六边形，立墙饰壶门一对。塔身四方形，共13层，往上逐层减小。每层四周有镂空花栏，四角均悬龙头衔风铎。底层甚高，四周有"卍"字连续勾栏，前后有壶门，门内有释迦佛。塔身两侧分别为普贤骑象、文殊骑狮。门楣有飞天一对，其上有一周力士斗拱，承托单层檐。第二、三层内均置释迦像，坐于莲座上，均有背光。第四层内放舍利盒，内盛舍利

子。顶呈宝珠式。塔座呈六边形，立墙饰壶门一对。

舍利银塔藏于山东博物馆。

鎏金七宝阿育王塔 北宋文物。2008年，江苏省南京市大报恩寺塔基地宫出土。大报恩寺遗址位于南京市主城正南门（明代为聚宝门，后称中华门）外古长干里地区。大报恩寺前身为长干寺、天禧寺，在东吴至晚清1600余年间，屡毁屡建，绝而复续，对中国佛教文化传承与发展意义非凡。2007年2月至2010年底，为配合"大报恩寺遗址公园"建设，南京市考古研究所经国家文物局批准，对遗址北区

进行全面、系统考古发掘。从地宫中发掘出"佛顶真骨"舍利等大量北宋时期珍贵佛教文物。金银器除这件鎏金七宝阿育王塔外，还有鎏金银椁、金棺、大银函、鎏金小银函、鎏金小银盒、小银盒等。

鎏金七宝阿育王塔通高117厘米，最大边长45厘米，重约50千克。塔内部以檀香木制作骨架，表面为银皮，通体鎏金，塔体上凿有452个圆孔，镶嵌有水晶、玻璃、玛瑙、青金石等。塔座内部中空，盛放供养物品。塔盖顶部中心处立塔刹，刹柱根部套有两圆环，从下向上设五层相轮，逐层内收，顶部为火焰珠和葫芦形宝瓶。塔盖顶部四角设四座山花蕉叶，横剖面为三角形，内部中空，同样放置供养物品。山花蕉叶与塔刹之间以链条相连，链下悬挂风铃。塔体表面锤揲佛教纹饰与图案，相轮上饰忍冬和联珠纹；塔刹根部圆环上饰金刚杵和天王像；山花蕉叶四个内侧面上，两面各饰一立佛、两供养菩萨，另两面各饰一坐佛、两护法天王；山花蕉叶八个外侧面上共有19幅画面，分别为梦感白象、胁下降生、步步生莲、双龙灌顶、比武掷象、断发出家、仙人献草、连河洗污、牧女献糜、法轮初转、示寂涅槃等佛传故事；塔盖和塔座底部四周皆饰佛像；塔座腹部四角饰大鹏金翅鸟，四面分别浮雕"萨埵太子饲虎""大光明王施首""尸毗王救鸽命""须大拏王"4幅大型本生变相。塔身上下还发现20条、300余字铭文，塔盖底部四面分别锤揲"皇帝万岁""重臣千秋""天下民安""风调雨顺"四字吉语；塔刹根部、山花蕉叶内侧、塔盖底部四周、塔座变相下部等处皆有錾刻铭文，主要为施主姓名、捐资数目，打造内容等。其中，位于塔盖顶面两个椭圆形开光之中铭文最长、内容最为丰富，介绍集资打造七宝阿育王塔详细情况。鎏金七宝阿育王塔是已知中国境内出土体积较大、工艺较复杂、制作较精美的鎏金阿育王塔，素有塔王之称。

鎏金七宝阿育王塔藏于南京市博物总馆。

浑银地宫殿模型　南宋绍兴十四年（1144年）文物。1982年，浙江省宁波市文管会对位于海曙区天封塔进行勘探时，在塔第一层中心部位，发现地宫建筑，出土一批珍贵文物，有银塔，银香炉，银佛龛，铜、玉、石质各种佛像，及银饰和瓷器等，共54种，140余件。地宫出土众多文物，当时就摆放在浑银地宫殿模型内。

浑银地宫殿模型通高49.6厘米，深24.7厘米，面阔34厘米。纯银打制，通体鎏金。为一座面阔三间，进深两间的单檐歇山顶建筑，有墙、壸门、隔扇、幔幕及台基四周设置栏杆。屋面为九脊顶，宽52.2厘米，深45.6厘米。有

四个翼角，坡面作筒瓦骑缝。正脊两端饰对称鱼形鸱吻，正中作火焰宝珠。垂脊端部置垂兽，部分置盾牌形鬼面瓦。戗脊分为两段，中间以鬼瓦式戗兽相间，左右两面饰三条线纹，脊上分别置三个鱼兽。博风板呈梯形，圆钉形饰。博风头作卷瓣，并镂有卷云纹。悬鱼由卷云、对称荷莲和含苞欲放的荷花组成。仔角梁头装饰一套兽，套兽肚下悬一风铎。梁架采用抬梁式与穿斗式混合构架，在檐柱和角柱上承托屋面重量。殿前后有檐柱（含角柱）八根、山柱两根，柱头包银片，饰云龙和荷莲。柱础为覆莲式。在柱头枋与栏额之间凿出斗拱，为一斗三升。补间铺作两朵，边为半朵，次间一朵。拱眼壁绘有花纹，额枋上刻有七朱八白彩绘。幔幕布置于宫殿当心间，幕上细刻小圈地纹，杂以缠枝牡丹花为主体纹样图案。檐下匾额书"天封塔地宫殿"。殿中下部饰莲花，中间镌刻铭文，末端署"太岁甲子，绍兴十四"等字样。殿中设有活动槅扇门二道、固定欢门三道。四周置栏杆。台基内为木心，外包银片，外观为束腰须弥座，中间饰双狮戏球及花草纹突起图案。造型端庄雄伟，做工精致，纹饰细腻逼真。

据檐下匾额书"天封塔地宫殿"及石函盖铭文中有"制造浑银地宫"之句，可知此模型应该名为"浑银地宫殿模型"。按当时佛殿形式，模型内原布置一整套佛像、法器和有关装饰物。东、西向后半部有银片构成墙，高29.2厘米，宽12厘米，墙面雕幡幢，上覆荷叶，下以莲花、莲子承托，中间镌刻楷书铭文。东壁铭文7行，共187字，其文如下："至圣垂慈，证真常之生灭，昭王设化彩影，留布四明，像

法当兴。力举福田之济。信士赵允。与合家等，重兴塔相，禀造地宫，功不可量，利益宏深，聊成一铭，谨书于后：佛出于世，劫行尘沙，妙相如如，具谈千轴，真体虽灭，宝渚尚留，化影建佛，五百余载，何期法末，虏奴重侵，荡寂数年，问无所举。甲子新春，华公洹力，四众咸依，共成舍塔。允睹兹事，妻子同心，续佛寿命，举代明昌，功归有利，善益微深，国泰咸安，民农福寿，华会席中，俱闻慈旨，一力举扬，天龙共听，俯露虔诚，具成谨厚。蓬莱仙子撰。"西壁铭文7行，共140字，其文如下："明州鄞县东渡门里生姜桥西，居住弟子赵允并妻李氏四娘、二男京、宗、长次媳妇包五六娘、叶六乙娘、男孙功保、次孙真保、女孙五四、五七、五九、六十、六二与阖家等. 特施家财，命工打造浑银地宫、三圣佛像. 共成一般，舍入天封，续佛慧命。建就伽蓝，功响三途，福助天威。所生长幼，德惠口成，阿叱薄梵，共明斯愿。太岁甲子绍兴十四（年）二月十五。干僧德华，银匠陈资。"由铭文可知，该宫殿模型是在南宋绍兴十四年（1144年），由居住在鄞县佛教信徒赵允并全家，大舍钱财，特命工匠打造，然后施入天封塔地宫。地宫殿建筑模型与《营造法式》规定制度相符合，在一定程度上反映出南宋绍兴年间江浙一带建筑制度、式样及特点。

浑银地宫殿模型藏于宁波博物馆。

鎏金银塔模 宋代文物。1978年，云南省大理白族自治州城西北崇圣寺主塔千寻塔中出土。崇圣寺三塔位于大理城西北，点苍山麓，小岑峰下，原崇圣寺前。1976年，经国家文物事业管理局批准，云南省文物工作队对崇圣寺

三塔进行加固维修，并实测和清理塔顶、塔基文物。在清理千寻塔中，共出土塔模8件，其中3件为鎏金银塔模，皆藏于塔刹基座内木质经幢中。主塔为四方形十六级密檐砖塔，又名千寻塔，残高59.6米。南北两塔相峙于主塔之西，为八角形十级密檐砖塔，与主塔相距各为70米，三塔鼎立，极为壮观。

鎏金银塔模通高12.7厘米，重135克，为七级密檐式方塔造型，塔座及四门所铸佛像为铜鎏金。塔刹由宝珠宝盖、相轮组成，塔身中空，底为铜质莲花须弥座。造型与三塔大体相同，是一件难得的佛塔模作品。

塔模，即塔的模型，用金、银、铜、木等质地材料制成塔的式样。塔模是伴随佛塔出现而产生的。据资料载，大理境内古塔有100余座，遗存有40余座。大理地区出土众多塔模，几乎都来自佛塔内，在佛塔内安放小塔，是古代祭塔的一种仪式。铸造塔模是为祈求佛祖保佑。据《新纂云南通志》卷八八载："民国十四年乙丑二月二十二日大理地震，崇圣寺塔顶震落，内有铜制塔模高一尺二寸，重六斤四两，七级，顶亭阁式，四面造佛三十躯，下层则四天王托塔，翠色斑斓，精气夺目，当为

滇中第一重器，今存昆明李氏。"抗日战争时期，李根源埋藏所存文物于苏州小王山，后被人偷盗一空，塔模下落不明。出土鎏金银塔模虽不及1925年地震掉落铜质塔模高大，但极为精致、完整。

鎏金银塔模藏于云南省博物馆。

金银经塔　辽代文物。1988年，辽宁省朝阳市北塔天宫出土。朝阳北塔始建于北魏孝文帝太和年间（485年前后），隋文帝仁寿年间（601～604年）诏命在其台基上重建成密檐式砖塔，称为宝安寺塔。唐天宝年间（742～756年）曾修饰一新。辽初和辽重熙十三年（1044年）两度维修，更名为延昌寺塔。

金银经塔通高39厘米，以金、银、铜、珍珠制成，由火炉、莲座、塔身、顶盖组成。炉盆作浅钵形，平底，铜质，上有豆座形连弧边银盖，盆内残存绵绢类物灰烬。炉盖上接仰莲座，座内置一朵单层八瓣金莲叶。塔身系四重圆筒形套，内装经卷。顶盖为金片锤揲而成，八角帽顶形，上面凸起作八瓣半敷莲花，顶尖安一颗大珍珠，边缘和下面饰以银丝穿串珍珠。塔身四重套从外至内，一重套为金片，外刻坐佛一尊和八大灵塔及塔名；二重套为银片，刻三尊菩萨；三重套为金片，刻大日如来佛与八大菩萨，还有3行题记"重熙十二年四月八日午时葬像法只八年提点上京僧录宣演大师赐紫沙门蕴怢记"；四重套为银质，素面。经卷由7块银片连接后卷成筒形，展开后全长362.2厘米，宽11.3厘米，刻写"波罗蜜多心经"和陀罗尼、真言密语，有汉字音译、意译及梵文3种。

在佛教中经塔有两种，将经文书写成塔

状作品，别称经曼荼罗；置经之塔，又因塔中所收经文、偈颂、陀罗尼等属法舍利，故亦称法身舍利塔、法舍利塔。据《经轮利益十万功德》中"阿难勿忧恼，我于未来时。转作文字形，而利益汝等。于后五百岁，我住文字体"可知，是试图把经写在塔上以期达到消除众生罪业目的。南北朝时，始建经塔，至唐代渐趋盛行。其形式初为以木、砖或石所造大型塔，常见华严经塔即属此类。尔后亦有用石、香泥、金属制成小型塔，因制作省事，数量多，有利于法音传布，故而得到大量推广。辽代历史上，圣宗、兴宗、道宗三朝（983～1100年）是辽代佛教臻于极盛时期。史载辽兴宗继位之后便皈依受戒，铸造银佛像，编刻大藏经，并常召名僧到宫廷说法，甚至位以高官，对佛教发展起到极大作用。金银经塔制作精

美，见证辽代佛教兴盛，也填补佛教文物研究空白。

金银经塔藏于辽宁省朝阳市北塔博物馆。

金发塔　清乾隆年间（1736～1795年）文物。故宫博物院旧藏。孝圣宪皇太后，钮祜禄氏，满洲镶黄旗人。13岁时入侍雍亲王府邸，为雍王胤禛藩邸格格。康熙五十年（1711年）生弘历，即乾隆皇帝。雍正元年封为熹妃，雍正八年封为熹贵妃。雍正十三年其子弘历（乾隆皇帝）即位，尊为皇太后。乾隆四十二年（1777年）薨于圆明园长春仙馆，享年86岁，葬泰东陵。金发塔是用来供奉孝圣宪皇太后生前脱落头发的。乾隆皇帝为表孝忱，在其母去世不到一个月即下诏铸造发塔，由清宫造办处特制的，并派遣大臣福隆安、和珅等督办。为按期保质督造，乾隆帝于政务烦冗之余，先后

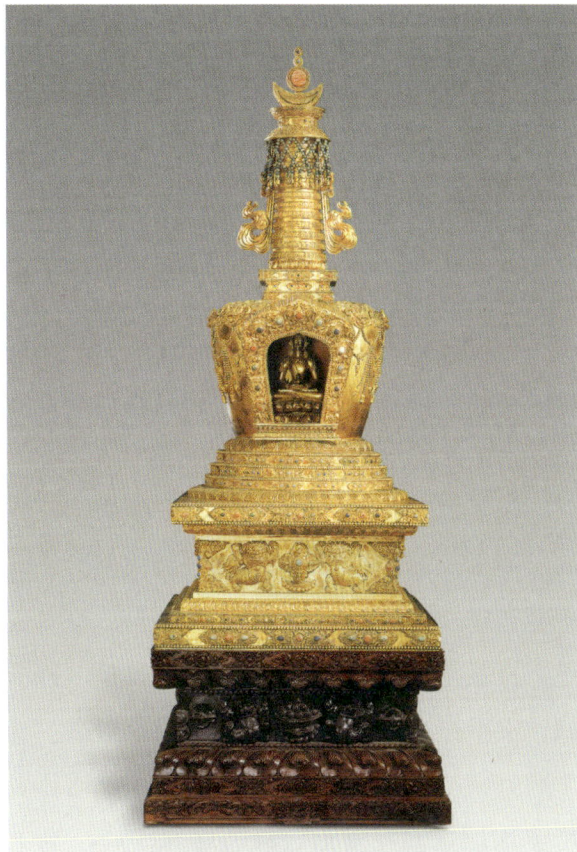

发下20道谕旨，对筹措黄金、拟定塔样、派员建造、添造银器对熔等，一一亲授旨意。金发塔设计式样经乾隆帝钦定后，经三个多月紧张赶制而成，而后安放在太后生前居住过的寿康宫东佛堂内。广储司所存黄金不敷用，临时熔化宫中及圆明园等处金盆、金匙、金箸、金珐琅鼻烟壶等一些金器，共耗金3000余两。

金发塔通高147厘米，底座边长70厘米，重107.5千克。须弥座，束腰錾刻对舞的狮子。满刻花纹三层圆形坛城，镶嵌各种宝石。塔身肩部錾刻兽面，口衔璎珞。正面开佛龛，供奉金质无量寿佛1尊，其后置盛发金匣，金匣正面饰六字真言、匣墙有八吉祥纹饰，下配白檀香木座，皇太后头发亦储放其中。龛门四周錾刻花纹，镶嵌红宝石、蓝宝石和绿松石。塔刹13层，满刻梵文。华盖周缘下垂由珍珠、红宝石、蓝宝石、绿松石连缀而成璎珞。塔下配紫檀须弥座。金发塔以盘纹焊接和锤胎錾花工艺制作，纹样端庄、造型稳重，制作精细，技艺高超，反映出清乾隆朝金属工艺水平，是遗存金塔中最高、最重、做工最精细的一件。

金发塔藏于故宫博物院。

鎏金银捧真身菩萨像　唐咸通十二年（871年）文物。1987年，陕西省扶风县法门寺塔基地宫出土。是专为供奉佛指舍利而制。

鎏金银捧真身菩萨像通高38.5厘米，菩萨高21厘米，重1929克。锤揲、浇铸成形。纹饰平錾、镂空、鎏金、涂彩。菩萨高髻，涂深蓝色，头戴花蔓冠。上身袒露，斜披帛巾，臂饰钏，双手捧上置发愿文金匾鎏金银荷形盘。着羊肠大裙，双腿左屈右跪于莲花台上，通体装饰珍珠璎珞。花蔓冠边缘饰珍珠一周，冠中

有坐佛。金匾呈长方形，有匾栏，长11.2厘米，宽8.4厘米。栏上贴饰16朵宝相花，衬以蔓草，内饰联珠纹一周。匾上錾文11行65字："奉为睿文英武明德至仁大圣广孝皇帝，敬造捧真身菩萨永为供养。伏愿圣寿万春，圣枝万叶，八荒来服，四海无波。咸通十二年辛卯岁十一月十四日皇帝延庆日记。"金匾两侧以销钉套环与鎏金银护板相连。边沿一周几何纹样草叶，内外缘各饰联珠一周。护板有镂空三钴金刚杵，四周衬以缠枝蔓草。莲座上部呈钵形，顶面八曲，边饰联珠，仰莲瓣座顶面錾刻梵文一周，梵文3组，一组5字，共15字，当为密宗"三身真言"。仰莲座底面中央有錾刻金刚界五佛种子字，依东、西、南、北、中顺序排列。腹壁由上至下饰四层仰莲瓣，每层8瓣共32瓣。上两层16瓣内各有一尊有首光或背

光，手执各类法器、莲花、结跏趺坐的菩萨或声闻伎乐，两侧衬以缠枝蔓草。下两层16瓣较小，未錾刻佛像。32瓣莲花表示密宗金刚界成身会曼陀罗中的定门十六尊和慧门十六尊者。束腰鼓形。束腰一周分别錾执剑、执斧、捧塔、挂剑四天王，余白錾三钴金刚杵。莲座下部呈覆钵形，饰双层莲瓣，上层8瓣中各錾1种子字，这8个梵文种子字表示密宗胎藏界的中央八叶院。下层八瓣中各錾一尊明王像。座下有立沿。覆钵内底錾双龙纹，双龙相向，中间錾十字金刚杵，图案表示佛教天龙八部。

鎏金银捧真身菩萨像藏于陕西省扶风县法门寺博物馆。

金佛 唐代文物。1988年7月，黑龙江省宁安县渤海镇西地村出土。历年在各渤海国遗址出土不少佛像，有铜铁陶和铜胎鎏金像，并出土有舍利函，风格均与唐代的相似。在渤海上京城遗址西约2千米的大朱屯，曾出土1件铜菩萨像，通高7.86厘米，如本件金佛一样，莲台下部中心有一铤，均系安装之用。

金佛高5厘米，宽1.3厘米，插座高2厘米，重49.3克。为立式，头顶发髻，双耳垂肩。面相方颐安详，鼓眼高鼻，合目闭嘴。上身袒胸，内衬僧祇支，左披偏衫式袈裟，左手提长穗净水瓶。右肩着披帛，右手作游檀式超肩扬起，腋腕下垂带帛。下身穿竖褶裤。偏衫裹身呈阶梯状凸棱式斜纹。脑后和双腿后留有背光注钉。双脚站在莲花托上，下为莲花竿式插签。

据金佛面相、姿势、发型、服式和持物特点，当为观世音菩萨像，其造型与南北朝晚期和隋唐早期佛造像接近。《渤海国志长编·食

货考》"金银佛像条"记载："朱雀二年使臣高礼进献金银佛像各一于唐。渤海产金银，故以此铸制佛像。"因此，渤海国上京出土金佛，虽在造型设计和冶炼技术上受中原影响，但不一定就是由中原传入，似为渤海国所铸。金佛是渤海国上京龙泉府遗址内所发现唯一一尊纯金佛像，对研究渤海文化、佛教艺术，及渤海国与唐王朝关系具有重要价值。

金佛藏于黑龙江省博物馆。

银背光金阿嵯耶观音立像 宋代文物。1978年，云南省大理白族自治州崇圣寺千寻塔塔顶发现。

银背光金阿嵯耶观音立像通高29.5厘米，总重1135克。观音面容微笑，戴化佛冠，发梳高髻，髻上绕丝束。胸佩璎珞、臂腕环钏、镯，身材纤细，下着长裙，腰饰花结，手结妙

音天印，赤足。身后饰舟形镂空背光。

阿嵯耶观音是南诏、大理国时期"滇密"阿咤力教崇拜的主要圣像，是云南特有观音造像。"阿嵯耶"来自梵语Acarya，意为规范师、正行。印度僧侣在云南传法时多以之自称。在佛教与民间巫教斗争、融合中，阿嵯耶观音逐渐演变成云南密宗最重要神祇，广受崇拜。《南诏图传》及《宋时大理国描工张胜温画梵像》中，亦绘有此观音，称为"真身观世音菩萨"。已知阿嵯耶观音像已逾20尊，式样相近。美国圣地亚哥艺术馆藏有1件原供奉在千寻塔的阿嵯耶观音像，背部有"皇帝骠信段政兴资为太子段易长生、段易长兴等造记……"等铭文，证明这批阿嵯耶观音是12世纪左右作品。1925年，大理地震时从千寻塔掉落1件地藏菩萨立像，背部刻有"追为坦绰杨和丰追称宣德大王"13字。从两尊像背部铭文可知，大理国铸佛供奉盛行一时。千寻塔出土银背光金阿嵯耶观音像，很可能就是大理国王室供奉的，是已知云南发现的最大一尊金身阿嵯耶观音像。

银背光金阿嵯耶观音立像藏于云南省博物馆。

嵌宝石无量寿金佛 清乾隆年间（1736～1795年）文物。1976年，北京市西城区阜成门内白塔寺出土。北京妙应寺原名大圣寿万安寺，始建于元代，也称白塔寺。元朝至元八年（1271年），元世祖忽必烈亲自勘查选址后敕令建造白塔寺，落成于至元十六年（1279年）。寺中白塔是八思巴推荐尼泊尔著名工艺家阿尼哥设计建造，是中国遗存最早最大藏传佛教窣堵坡式佛塔之一，也是元大都保留的完整建筑标

志。1368年，一场天降雷火烧毁大圣寿万安寺，所幸白塔尚存。明天顺元年（1457年），宛平县郭福请命朝廷，后明英宗敕令重建寺院，改称"妙应寺"。而民间百姓习惯称为"白塔寺"。

嵌宝石无量寿金佛高5.4厘米，重118.2克。金佛头戴五佛冠，肩披披帛，下着长裙，胸前饰璎珞，结跏趺坐于双层莲瓣上。双手捧宝瓶于腹前作结定印。金身镶嵌44颗红宝石，底座下有十字金刚杵纹，亦称摩羯杵。无量寿佛相貌端庄慈祥，置于一个满刻《尊胜咒》经文铜鎏金小龛内。采用浇铸、錾刻、镶嵌、铆接、焊接技法，做工严谨精致，工艺技巧娴熟，为清代宫廷佛造像中精品。

进入清代，作为北京最古老的藏传佛教寺院，白塔寺也自然受到信奉藏传佛教统治者高度重视，进入再度辉煌时期。清乾隆十八年（1753年），乾隆皇帝大修白塔，在塔刹敬装一大批佛教镇寺之宝，包括嵌宝石无量寿金佛，7000余卷《大藏经》，缀有上千颗珍珠、珊瑚、宝石五佛冠，袈裟等。1976年，受唐山大地震影响，塔刹倾斜，文物工作者在修复之中，意外发现这批无价之宝。

嵌宝石无量寿金佛藏于首都博物馆。

金镶珠弥勒佛立像 清代文物。故宫博物院旧藏。金镶珠弥勒佛立像是为藏传弥勒像。故宫博物院收藏文物逾百万件，其中与西藏有关的唐卡1000余幅，藏传佛教造像2万余尊，法器5000余件，是西藏文物保存最好、最丰富宝库之一。

金镶珠弥勒佛立像通高54厘米，重19030克。立佛金质，头戴佛冠，顶置佛塔，两侧饰耳

佩。面部丰满圆润，双目平和，眉间镶嵌红宝石一颗。身上披天衣，下着重裙，间饰珍珠璎珞纹。双臂戴镯，左手下垂，右手两指相按，掌心向外，两旁莲枝缠绕攀升，右为莲花上端立法轮，左为莲花上端置宝瓶，双脚戴箍立于圆形莲瓣座之上。此立佛为藏式弥勒佛，通体金光闪烁，间嵌大小珍珠183粒。其造型优雅，做工精致细腻，为清宫养心殿造办处制造。

清王朝对藏传佛教的支持，是整个统治政策组成部分。随西藏与中央关系不断加强，藏传佛教也逐渐成为皇室宗教信仰。紫禁城内藏传佛堂分布于内廷各区，有中正殿、香云亭、宝华殿、梵宗楼、雨花阁、梵华楼等独立佛堂35处。有养心殿西暖阁、养性殿西暖阁、宁寿宫东暖阁等暖阁佛堂10处。无论是帝后日常起居寝宫内，还是消闲游乐花园中都有供佛之

所，组成紫禁城中一个神秘的藏传佛教世界。每座佛堂供奉主神不同，均有宗教崇拜不同功用，其内陈设布局依据格鲁派（黄教）教义，模拟西藏寺庙神殿，几乎囊括西藏神殿中各类神像、神器。金镶珠弥勒佛像面部丰润饱满，神态安详平和，造型优雅，做工精致，是清代金佛像代表之作。

金镶珠弥勒佛立像藏于故宫博物院。

金立佛像 清代文物。清代宫廷造办处制造藏传佛教造像。据档案记载，由于乾隆皇帝对藏传佛教的浓厚兴趣，在皇室内外广建寺院、佛室，大造佛像。当时，清宫佛像制作先由中正殿画佛喇嘛按皇帝旨意画纸样、拨蜡

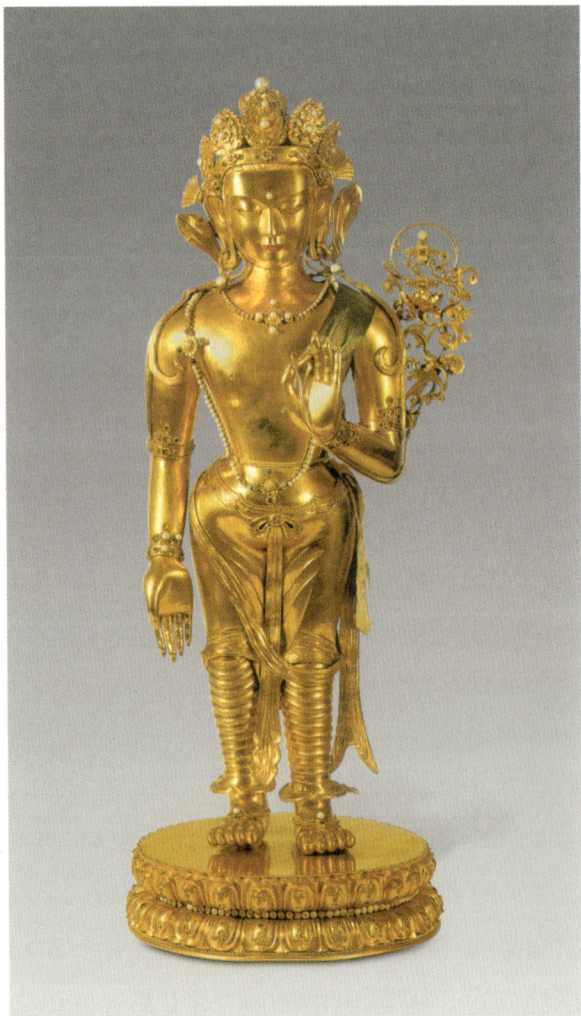

样，经皇帝审看同意后，交造办处工匠铸造，乾隆皇帝监督造像全过程。从选材拨蜡样直至完成，画佛喇嘛、工匠需多次呈览，奉旨而行。乾隆时期，大量藏佛精品由西藏进贡宫廷，宫廷造像也回返西藏，内地与西藏造像艺术密切交流，相互影响，使清代宫廷造像工艺水平达到18世纪藏佛艺术高峰。金立佛像是20世纪30年代故宫文物南迁时，几经曲折来到南京并留存下来的。为防侵华日军劫掠，故宫博物院约1.3万箱文物精品自1933年2月起迁存于上海、南京。1937年11月后，又疏散于西南大后方，至1947年6月全部东归南京。期间，地迤万里，辗转颠沛，备尝苦辛，这批中华文明瑰宝才得以基本完整保存。后来，这批文物部分被运往台湾，部分运回紫禁城，仍有2000余箱、1万件文物，暂存当年所修南京朝天宫库房。

金立佛像通高88厘米，底径34厘米，重21350克，含金量为84％～91％。佛像直立，盘发束髻，戴五叶冠，两眉之间有白毫，冠后僧带向两侧下垂。肩披一条从左到右银质仁兽，上身袒露，颈佩项饰。双臂有钏、手镯，右手作与愿印，左手弯曲两指捏着臂旁的莲花梗。腰背后系五方佛，并束"唵嘛呢叭咪吽"绸金飘带，下着褶感较强的裙裤，赤足站立在中空仰覆圆形莲座上，莲瓣上嵌玻璃珠、珍珠。

金立佛像藏于南京博物院。

宗喀巴金像 清乾隆年间（1736～1795年）文物。宗喀巴（1357～1419年）本名"罗桑扎巴"，生于青海省湟中，因藏语称湟中一带为"宗喀"，故被称为宗喀巴。宗喀巴不仅是西藏格鲁派（黄教）创立者，也是藏传佛教界最为重要的宗教改革者，被藏族人民誉为"第

二佛"。造像来源极为奇特。其背光后板上刻有四体字记录其缘起。汉文云："乾隆四十五年（1780年）七月二十日，班禅额尔德尼瞻仰天颜，恭进十二上乐王座，藏释迦牟尼舍利，大利益宗喀巴像。"藏文称班禅额尔德尼当日所进为"上乐金刚与十二空行母、有释迦牟尼佛舍利的大利益宗喀巴佛像一尊"。所以，金宗喀巴像主题是宗喀巴，配合上乐金刚及12尊空行母曼陀罗成员，其座内还装有释迦牟尼佛舍利。是年，为乾隆帝七十岁天寿，六世班禅亲自来京祝福，这件礼物是其第一次正式送给乾隆帝的大礼。根据档案和汉藏文献记载，此像并不是七月二十日送给乾隆帝的，由于天降大雨，班禅推迟两天才到达承德。后来，造办处工匠在背板上刻年款时自然采用这个错误日期。清宫档案记载，当年八月初一，此像奉旨送到内务府造办处收拾。除将肩花和枝叶上小像排列加固外，另将其中6颗假珍珠换成真珍珠，增添小挑杆一对，在菩提树背光后加添铜鎏金背板一块，上面刻四体字题记。此后，金宗喀巴像一直在宁寿宫花园佛日楼安供。

宗喀巴金像通高58厘米，底座长28厘米，宽19厘米。身体、肩部和华盖均为金质，面容丰满，笑意盎然。披袈裟，双手施转法轮印。身侧两枝莲花上分别供智慧剑和梵箧。下承鎏金银仰莲座，座下为红铜鎏金八狮方台。垂帘正面嵌大颗松石，周围嵌珊瑚、松石、珍珠。台前供两盏嵌珠宝金宫灯。背光和枝叶均为红铜鎏金，上缀嵌珊瑚珠和珍珠各36颗。宗喀巴头顶莲台上为其密教本尊神之一面二臂双身上乐金刚像，最上面竖立华盖，两边树枝上各立紫金空行母24尊。

宗喀巴像配置上乐金刚曼陀罗尊神，可能与三世章嘉若必多杰为乾隆帝施过上乐金刚灌顶有关。此次进京，六世班禅还多次进献同一题材唐卡，都是赞扬乾隆帝对密法修行成就。此后，乾隆帝反复下旨内务府造办处用各种金属复制此像，供奉于宫廷禁苑大小佛堂中。经检索仅存3尊，2件为紫金铜像，藏故宫博物院，另1件为金质，藏于台北故宫博物院。

宗喀巴金像藏于故宫博物院。

六世达赖喇嘛银像　清代文物。布达拉宫上师殿中央主供一尊银质宗喀巴像，左边为银质六世达赖喇嘛像，右边为泥质七世达赖喇嘛像，前面自西至东依次为八世、九世、十世达赖喇嘛像，殿北自东至西依次供奉白度母铜鎏金嵌珠宝像一尊，十一世、十二世达赖喇嘛像。

六世达赖喇嘛银像高1.12米，宽0.9米，耗银600余两，左手结说法印，拈托有佛经、智慧之剑的莲花茎，右手施修法印，结跏趺坐于法台宝座，头戴通人冠，身披格鲁派高僧装，为少身像，即8岁时面相。

六世达赖喇嘛仓央嘉措，1683年出生于西藏门隅一户农民家庭。后被当时西藏摄政王第司·桑杰嘉措，认定为"转世灵童"。1697年"灵童"自藏南门隅迎请至拉萨，途经朗卡孜宗时，事先约定五世班禅洛桑益西在此会面，拜班禅为师，取法名罗桑仁增仓央嘉错。同年10月25日，仓央嘉措迎至布达拉宫，举行坐床典礼，正式成为第六世达赖喇嘛。在宫中其博览群书，终日苦学，时常化妆出游民间，并写下大量脍炙人口的诗歌，其中最为经典的是拉萨文木刻版《仓央嘉措情诗》，虽经300余年，仍然传诵不止。1705年，第司·桑杰嘉措被拉藏汗杀害，六世达赖喇嘛被拉藏汗指为非

真正达赖喇嘛"转世灵童"，并解送内地。有的说，仓央嘉措行至青海附近时病故，还有的说，被软禁于山西五台山，又有的说，行至青海湖附近，出游印度、尼泊尔、康、藏、甘、青、蒙古等处，弘法利生。由于圆寂不详，故布达拉宫内没有六世达赖喇嘛灵塔。

六世达赖喇嘛银像存于西藏自治区布达拉宫管理处。

累丝嵌松石金坛城　清代文物。故宫博物院旧藏。

累丝嵌松石金坛城通高35厘米，城高20厘米，座直径17厘米。为金胎，以掐累、錾刻、镶嵌等工艺制成，置于紫檀木雕卷草纹座上。坛城圆形城与城基外侧雕錾缠枝莲花，并嵌以绿松石。边沿外圈为掐丝人、畜、树、云、火等像，及累丝八大尸林，中圈为火焰，内圈为护法杵。

坛中置城，城台方形，每面累丝金刚杵台阶。台上为正方形经殿，四面有门，殿内坐大威德及众贤，殿顶为多层塔状，塔周伞幢林立。坛城以金累丝工艺，将外围火焰墙、金刚墙到中心经阁，均严格依照藏传佛教仪轨中规定一一表现出来，反映出宫廷工匠高超工艺水平。

坛城，梵文音译曼荼罗或曼陀罗。用立体或平面的方圆几何图形绘塑神像、法器，表现诸神的坛场和宫殿。坛城是密教修习和供奉重要法物。清朝贵族崇尚藏传佛教，宫中多供养密宗法器。《国朝宫史》载，乾隆二十六年（1761年）皇太后七十大寿，于年例恭进外，每日恭进寿礼九九，第三日恭进寿礼中有一项九供器，为8件银镀金八宝及"毗耶净域银镀金坛城一座"组成。由此可见，在清宫坛城可作为祝寿恭进礼品。清宫遗留坛城颇多，但金质坛城存世数量极少。累丝嵌松石金坛城由清宫造办处仿照藏传佛教坛城制造，反映出藏传佛教在宫廷影响。

累丝嵌松石金坛城藏于故宫博物院。

金须弥山 清乾隆年间（1736～1795年）文物。沈阳故宫所藏清初时期重要历史文物，有一些是来自沈阳地区清初寺庙之中。女真是一个多神教崇拜民族，从后金定都盛京（沈阳）至清朝建国以后，清太祖努尔哈赤和清太宗曾在盛京城内外保留或新建许多寺庙道观，用于满、蒙、汉、藏各族民众进行礼拜祭祀活动。1949年后，由于沈阳周围一些寺庙道观毁坏严重，沈阳市政府为保护历史遗物，便将一些重要物品如清帝御用兵器及清初宗教仪轨法器等，转入沈阳故宫保管。此后，寺庙旧藏便陆续成为沈阳故宫重要馆藏品。金须弥山属皇

寺供奉法器，是清帝安抚蒙古族所御赐佛教法器之一。

金须弥山通高14.6厘米，宽8.6厘米，横12.6厘米，底径5.7厘米，重300克。为佛教宇宙造像模型，是按佛教之宇宙观制造，呈四个小山头环绕一座大山之形。山石为层层片状，石面上刻有细致云纹、石纹，前后两山头石稍短，左右两山头石略宽，左右外侧双耳上各安有一颗珍珠。中部代表山峦与平原，即人类生存之地。顶部是一座别致小坛城，其上有富丽堂皇宫殿。东西南北四个方向各有一排宫殿，代表四大部洲。五座山上的宫殿均为镂空带廊方形阁屋，屋顶安有圆形顶，屋脊为金累丝制成，最中间高山之屋窗棂为镂空式。山石之下为圆形六级台式底座，各台级表面满铸海水江崖图案。

金须弥山藏于沈阳故宫博物院。

银经匣 清乾隆年间（1736～1795年）文物。故宫博物院旧藏。准噶尔末年的社会政

治生活中，阿穆尔萨那起到极为重要作用，他是辉特部台吉，在与达瓦齐斗争中失败后，率众投附清朝，并在乾隆年间平定准噶尔中起到重要作用，但不久后又反叛清朝。达尔党阿系满洲镶黄旗人，乾隆二十年（1755年）十一月任参赞大臣专驻西路军营，率军进剿阿穆尔萨那。然而战事并不顺利，十二月二十日追赶阿穆尔萨那残部时缴获此银经匣，并呈进内廷以卸贻误战机之责。由此可知，银经匣系准噶尔辉特部阿穆尔萨那生前所用之物，出自厄鲁特蒙古族工匠之手，既是重要历史见证，也是研究厄鲁特蒙古錾银工艺重要资料。

银经匣长30厘米，宽11厘米，高13厘米。经锤揲、镌刻、焊接而成。匣为弧形长方形，顶面中间有盖，可启合。在内弧面中间部位，上下排列着大、中、小三个银钉帽，中银钉帽是开启银经匣盖暗纽，另2个起装饰作用。两侧各按活动扁环，其目的是为取放经匣方便；也是为适应草原生活和宗教信仰需要，可用绸缎穿在环里，骑乘携带。经匣底面光素，另五面錾刻纹饰，以鱼子纹为地，外弧面镌刻卷草八宝图案；内弧面镌錾菩萨、六珠、法轮、武士、马、象、菩萨等七珍图案，以大卷草纹填

充其中。盖饰兽面、卷草，两边镌龙、云。盖里贴一方形黄纸签，签上墨书满汉两种文字，其内容相同。汉文书曰："乾隆二十年十二月二十日达尔党阿奏进追赶阿穆尔萨那所获银经匣一个。"

16世纪后期，在三世达赖喇嘛索南嘉措和阿勒坦汗推动下，藏传佛教在蒙古各部得到广泛传播。银经匣图案形象有浓郁西藏佛教风格，但錾刻精美细腻，线条舒展流畅，与常见清宫金银器装饰风格并无二致，可见清代高度完善金银器制作工艺，乃至装饰技艺对周边地区的巨大影响。

银经匣藏于故宫博物院。

金贲巴瓶 清乾隆五十七年（1792年）文物。藏传佛教格鲁派活佛是通过"转世"制度相传承，转世灵童确定，形式上必须经过一定宗教仪规，但往往受到人为影响。达赖喇嘛转世体系形成后，达赖活佛转世灵童确定难免为藏、蒙贵族所左右，特别是乾隆十六年（1751）颁行《酌定西藏善后章程》，规定西藏地方政务由噶厦管理，噶厦受达赖喇嘛和驻藏大臣领导，达赖实际上成为西藏地方政治、宗教首领。为改变大活佛转世"以亲族姻娅递相传承，近数十年总出一家"，为藏、蒙贵族所操作积弊，清廷于乾隆五十七年（1792年）八月颁发金瓶一对，分别贮存于北京雍和宫、拉萨大昭寺。规定确定转世灵童程序："（凡）遇达赖喇嘛、班禅额尔德尼示寂后，令吹忠四人认真作法降神，寻觅实有根基之呼毕勒罕（转世灵童之藏语音译），指出若干，将其姓名、生年月日，各写一签，贮于钦颁金贲巴瓶内，拣选熟习经典喇嘛，虔诚诵经七

日，传知各呼图克图（大活佛）喇嘛等，齐集佛前，驻藏大臣亲往监视。凡达赖喇嘛、班禅额尔德尼之呼毕勒罕，即仿互为师弟之义，令其互相拈定。如吹忠四人所指皆同，只有一呼毕勒罕出世者，拟写名签一支，另加空签一支入于瓶内，如法颂经，若对众掣出空签，则名签之呼毕勒罕并非确实，是以不为佛佑，即别寻呼毕勒罕，另行掣签，以杜吹忠等串通妄指之弊。签上须兼写清、汉、唐古拉三样字，使大众一望而知，不致为所蒙混。至前后藏各大呼图克图之呼毕勒罕，亦令驻藏大臣监同达赖喇嘛照例掣签，方可定准。"以后成为定制，沿用后世。此项制度称为"金瓶掣签"。

金贲巴瓶高33.9厘米，口径5.8厘米，腹径19.8厘米，足径14.4厘米，重2850克。"贲巴"是藏语的音译，意为"瓶"，金贲巴即金瓶。该瓶有盖，盖上、瓶沿、肩部及圈足均刻有如意纹装饰，口沿、盖和纽用宝石镶嵌，腹部四周刻"十相自在"（由七个梵文字母和三个图案组成，象征藏传佛教时轮宗的最高教义），有吉祥、保佑意思。瓶中有如意头象牙签5支，签长16.1厘米。此瓶是乾隆时朝廷所颁发，为确定西藏地区达赖、班禅及各大活佛转世灵童掣签所用。

金贲巴瓶一般在西藏博物馆展出。每次举行金瓶掣签仪式时，把金瓶从西藏博物馆护送到大昭寺，以供举行仪式之用。

金贲巴瓶藏于西藏博物馆。

鎏金银法轮 清代文物。

鎏金银法轮通高47.5厘米。法轮是藏传佛教中最常见法器之一。佛教中将法轮比喻为佛法如转轮圣王"轮宝"一样转动不息。供奉法轮意在祈祷佛法转世、法轮常转。常见法轮分为八辐轮和千辐轮两种，此件法轮是一件鎏金银千辐法轮。通体錾刻花纹，并镶嵌珠宝，外圈火焰形背光，中间十三个同心圆鎏金。轮座雕饰双覆莲，上刻藏文发愿文题记。

鎏金银法轮为十三世达赖喇嘛土登嘉措

（1876～1933年）进呈贡物。十三世达赖执政期间，时值英国势力染指西藏多事之秋。1904年英军攻入拉萨，十三世达赖被迫出走，一直徘徊于青海、蒙古、五台山等地。其间他曾将"助其返西藏"的希望寄托于俄国，但当这种幻想成为泡影时，又转回头来寄希望于清政府，并提出进京陛见。自十三世达赖喇嘛亲政以来，在抗英态度和驻藏大臣在藏权力等问题上同清政府的矛盾日趋尖锐。此时，达赖喇嘛主动提出进京陛见，说明他仍然承认清政府的对藏主权，并有意消除前嫌，清政府可以在消除双方隔阂，改善彼此关系方面掌握主动权。1908年十三世达赖喇嘛入京朝觐了慈禧太后与光绪皇帝，这是自顺治年间五世达赖喇嘛罗桑嘉措觐见200余年后又一次达赖喇嘛来朝，受到清廷热情接待。达赖向清廷呈进大量贡品，此件银法轮为其中之一。

鎏金银法轮藏于西藏博物馆。

太阳神鸟金箔饰　商代文物。2001年，四川省成都市金沙遗址出土。金沙遗址位于成都市西郊苏坡乡金沙村，是一处商周时代遗址。遗址中出土数千件精美文物，包括金器、铜器、玉器、石器、象牙器等，太阳神鸟金箔饰是其中最具吸引力的一件。金箔饰出土时已被揉成一团，经药水浸泡，然后才用镊子展开。

太阳神鸟金箔饰外径12.5厘米，内径5.29厘米，厚0.02厘米，重20克，含金量达94.2%。整体呈圆形，器身极薄。图案分内外两层，都采用镂空表现方式。内层为一镂空圆圈，周围等距分布有12条按顺时针方向旋转弧形齿状芒饰；外层图案围绕在内层图案周围，

由等距分布4只相同的神鸟组成。4只神鸟身体较小，翅膀较短，喙微下钩，短尾下垂，爪有三趾，均作引颈伸腿、展翅飞翔状，前后首足相接，按逆时针方向飞行，与内层图案旋转方向相反。整个图案似一幅均匀对称的剪纸作品，纹饰整体和局部制作都一丝不苟，线条简练流畅，极富韵律，充满强烈动感，富有极强象征意义。

对太阳神鸟金箔饰纹饰，有的认为，中间旋转火球代表太阳，4只神鸟代表一年四季，12道光芒代表12个月，说明古蜀人已基本掌握岁、时、月概念及其规律和成因。可与同样是金沙遗址出土的青铜立人像相印证，青铜立人像冠帽上13道象牙形旋转状弧形冠饰，与太阳神鸟金箔饰内层旋涡图案异曲同工，有类似的象征意义。不少学者认为，其不同之处正好说明这个弧形冠饰表示的是一年有13个月，即这一年是闰年，加上闰月。另一种解读，是根据古籍中有关太阳神帝俊记载，认为该图案展示"金乌负日"这一中国古代神话传说。在太阳神鸟金箔饰中，旋转的芒饰圆圈是太阳，四只鸟是托负太阳在天上运动的神鸟，周而复始，

循环往复，生生不息，与三星堆文化中"崇鸟崇日"习俗是一脉相承的，传达古蜀人对太阳神和太阳神鸟的强烈崇拜。此外，《山海经》卷十四《大荒东经》载："有蒍国，黍食，使四鸟：虎、豹、熊、罴""帝俊生中容，中容人食兽、木实，使四鸟：虎、豹、熊、罴""帝俊生晏龙……食黍，食兽，是使四鸟""帝俊生帝鸿，帝鸿生白民，白民销姓，黍食，使四鸟：虎、豹、熊、罴"。说明帝俊后裔，的确有这种役使四鸟与四兽的能力。因此，除崇鸟崇日观念，还反映出一种驱使和驾驭太阳神鸟的想象。古代蜀人是世界上最早开采使用黄金的部族之一，四川盆地西、北周缘的大江大河及其支流的河谷地带，往往都是砂金富集的地方。因此，古蜀人制作金器的原料，极有可能为就地取材。三星堆遗址和金沙遗址出土大量金器，对这些金器研究发现，其制作是先热锻成形，然后采用锤揲和镂刻工艺制成较薄金箔或金片，有选择地对个别金器表面进行抛光处理，最后用铆接和粘贴等方法，固定在其他器物表面。两遗址出土金器，在造型和风格上是完全一致的，具有浓厚地域性特征。这些金器绝大都不能独立作为一件器物使用，应当是其他器物上的附件，也绝不是一般装饰品，而是地位尊贵的标志，其造型和图案有强烈象征意义，是古蜀人丰富哲学思想、宗教思想，非凡艺术创造力与想象力，及精湛工艺水平的完美结合，是古蜀国黄金工艺辉煌成就的代表之作，2005年被国家文物局公布为中国文化遗产标志。

太阳神鸟金箔饰藏于四川省成都市金沙遗址博物馆。

金杖　商代文物。1986年，四川省广汉三星堆遗址1号祭祀坑出土。三星堆遗址两个祭祀坑出土金杖、金面罩、金虎等100余件金器，是中国一次性出土商代金器数量最多的一例。金杖是已出土中国同时期金器中体量最大的一件。出土时，木杖已炭化，金皮内还残留有炭化木渣。距杖头端约20厘米处，出土一穿孔铜龙头饰件，由此推测此杖可能原为一柄金皮木芯铜龙头杖。

金杖长142厘米，口径2.3厘米，重463克，用金条锤打成宽7.2厘米金箔后，包裹在

木杖之上而制成。杖上端有46厘米长纹饰图案，图案共分三组，靠近端头一组，合拢看为两个前后对称，头戴五齿巫冠，耳饰三角形耳坠人头像，笑容可掬。另两组图案相同，其上下方分别是两背相对鸟与鱼，鸟颈部和鱼头部叠压一支箭状物。

金杖有"王杖说""法杖说""祭杖说"及祈求部族或王国兴盛"法器"等说法。多数学者倾向于，金杖是古蜀国政教合一体制下"王者之器"，象征王权与神权。据古文献记载，中国夏、商、周三代王朝均以九鼎作为国家最高权力象征，而三星堆以杖象征权力，反映出古蜀与中原王朝间文化内涵差异，显示出浓厚神权色彩和地域特色。金杖上图案表现的内容，尚无定论。学界有观点认为，这些图案表现以鱼和鸟为祖神标志的两个部族联盟，而形成鱼凫王朝；图案中"鱼""鸟"就是鱼凫王朝徽号、标志。另一种说法，金杖上鱼鸟图象征上天入地功能，是蜀王借以通神法器。

金杖藏于三星堆博物馆。

金走龙 唐代文物。1970年，陕西省西安市何家村窖藏出土。共出土12件金龙，金走龙为其中2件，均用纯金制成，身上均无安插装配结构，每件都是独立使用的。

金走龙1件高2.1厘米，长4.1厘米，重4

克；另1件高2.7厘米，长4.2厘米，重4克。体形虽小但神态毕肖，呈四足直立状，或凝视，或奔走，头上两角自然弯曲，并以极细阴线錾刻出眉、目及颈部毛发，通体錾细密鳞纹。

有学者推断，金龙可能是道教投龙仪式中所用法器。投龙致祭是道教最重要科仪之一，源于道教天、地、水三官信仰，刘宋时期便初步形成投龙祭祀仪式。一种方式，是将写有愿望的文简和玉璧、金龙、金纽用青丝捆扎，举行醮仪后，投入名川大山、岳渎水府，作为升度之信，以奏告三元。文简都是丹书玉扎，再配金龙1件，金纽9枚，用青丝捆扎。在该仪式中，金龙担负信使角色，因此便有"金龙驿"说法。

金走龙藏于陕西历史博物馆。

武则天金简 唐代文物。1982年5月21日，河南省登封县唐庄乡农民屈西怀在嵩山太室山主峰峻极峰一带牧羊，于《武后升中述志碑》北侧一块大石头下捡得。

武则天金简呈片状，长方形，长36.2厘米，宽8厘米，厚约0.1厘米，重223.5克，含金量在96％以上。正面镌刻双钩楷书铭文，从右至左共3行63字，每字直径约1厘米。文曰："上言：'大周囼主武瞾，好乐真道，长生神仙，谨诣中岳嵩高山门，投金简一通，乞三官九府，除武瞾罪名。'太岁庚子七囝甲申朔七〇甲寅，小使思胡超稽首再拜谨奏。"记述武则天信奉道教，企慕长生，在久视元年（700年）七月七日遣使臣胡超向诸神投简，以求除罪消灾。金简铭文中有5个异体字，都是武则天所造字，分别是囼（国）、瞾（照）、囝（月）、〇（日）、思（臣）。武则天所造新

字数目，历来众说纷纭，文献记载有8字、12字、14字、16字、18字、19字之说。经与唐代遗留之石刻印证，确实者有18字。"曌"字虽各文献所载相同，但石刻中迄未看到。此金简中明确出现，堪为佐证。"三官九府"是道家用语。三官指三官大帝，是早期道教尊奉的三位天神，即天官、地官和水官，九府指各地九个神仙洞府中居住着各路神仙。金简铭文中记载的日期为太岁庚子，是一种古代太岁纪年方法，出现在春秋时期，东汉后逐渐被干支纪年所取代。而铭文中"太岁庚子"仍属太岁纪年或日与干支合用。故考"庚子"，可知其为700年即武则天久视元年。七月甲申朔七日甲寅，经推算应为久视元年七月七日。在古人看来，七月七日是一个非常特别的日子，即人神可在此日交会，于此日求神则会非常灵验。另

外，王子晋是周灵王太子，曾选择在七月七日显灵看望家人，而武则天晚年又倍加推崇道教神仙王子晋。因此，选择此日既有武则天对道教虔诚信仰的原因，也有将王子晋与武氏祖先及武周王朝相联系，借以歌颂武周统治的政治目的。"小使臣胡超"，一些学者认为其是武则天身边一位太监；也有学者提出，胡超应是一位道士，即史书上记载的道士胡超。据《通鉴》卷二〇六记载，久视元年五月，"太后使洪州僧胡超合长生药，三年而成，所费巨万。太后服之，疾小瘳。癸丑，赦天下，改元久视"。武则天非常宠信为其治好病的道士胡超，派胡超来投掷这样一个具有隐私性质的金简，是完全有可能的，且派一名道士去投掷一个和道教有关金简也是合情合理的。

很多学者认为，武则天金简的作用，是一种"投龙"。投龙，又称为投龙简、投龙璧，是古代封建帝王在举行黄箓大斋、金箓大斋之后，为酬谢天地水三官神灵而举行的斋醮仪式中的一个环节。是把写有祈请者消罪愿望的文简和玉璧、金龙、金纽用青丝捆扎起来，分成三简，取名为山简、土简、水简。山简封投于灵山之诸天洞府绝崖之中，奏告天官上元；土简埋于地下以告地官中元；水简投于潭洞水府以告水官下元。道教投龙仪式源于天、地、水三官信仰，刘宋时已初步形成投龙祭祀仪式。到唐代，投龙仪式已成为国家斋醮祭祀大典，以祈求天、地、水神灵保护社稷平安。武则天统治时期斋醮投龙仪式非常频繁，这些活动或被刻石题铭，或被文献记载，但并没有记载具体投龙简内容。已知投龙简实物有浙江省博物馆收藏的唐玄宗告水府银简、杭州发现的五

代吴越王钱弘俶告水府银简等，这些投龙简与武则天金简形状、规格、书写格式及内容均相似，因此将武则天金简归为投龙简一类更为合适。武则天金简是中国发现的唯一金简，更是世所罕见与武则天本人直接相关的历史遗物之一。

武则天金简藏于河南博物院。

银投简 五代十国时期吴越文物。1975年，浙江省绍兴市禹陵乡望仙桥村出土。共出土2件银投简，一大一小，因氧化侵蚀而呈黑色。

银投简大者作圆首圭形，顶端呈弧状，长38.2厘米，宽8.5厘米；小银投简呈长方形，长31.9厘米，宽6.8厘米。大银投简是吴越王钱镠62岁时所投银简，正面阴刻正书，正文5行，每行40～50字不等，系吴越王钱镠向水府祈求保境安民的告文，刻文为"大道弟子、启圣匡运同德功臣、淮南镇海镇东等军节度使、淮南浙江东西等道观察处置营田安抚兼盐铁制置发运等使、开府仪同三司、尚父、守尚书令、食邑一万七千户、食实封一千五百户、吴越王、臣钱镠，六二岁，二月十六日生，本命壬申。自统领三藩，封崇两国，廓清吴越，获泰黎元，皆荷玄恩，敢忘灵祐。昨者，当使所发，应援湖湘兵士及讨伐犯境凶徒，遂沥恳情，仰告名山洞府，果蒙潜加警卫，继殄豺狼。已于中元之辰，普陈斋醮，今则散投龙简，上诣诸洞仙籍、水府真宫，备馨丹诚，用酬灵贶。兼以方兴戈甲，克殄淮夷，敢希广借阴功，共资平荡，早清逆窟，以泰江南。其次，愿两府封疆，永无灾难，年和俗阜，军庶康宁。兼镠履历年庚，不逢衰厄，至于家眷，并乞平安。永托真源，常蒙道荫。谨诣水府，

金龙驿传"。款1行，记纪年及祈告地，"太岁癸酉八月庚午朔二十日己丑，于越州会稽县五云乡石帆里射的潭水府告文"。小银投简正面阴刻正书，正文亦5行，每行30～80字不等，款亦1行，也是钱镠于宝正三年（928年）向水府祈祷文告，字数比前简要少。此类银简是向水府投送水简，与道书载录道教投龙使用银简记述也相吻合。

道教投龙活动基本形成于东晋南北朝时期，流行于民间。唐代帝王崇道，投龙活动始走入宫廷，成为一项法定国家大典。史籍、碑刻多有唐代帝王投龙记载，以武则天、唐玄宗为最。已知实物中，最早帝王投简就是唐武则天投于中岳嵩山金简，是为求长生、削罪名。其后是唐玄宗投于南岳衡山铜简，亦为求长

生之法。五代沿袭唐制，吴越国钱氏诸王为盛，其所投银简为历代帝王投简之大宗。吴越（国）王钱镠、钱元瓘、钱弘佐、钱（弘）俶，先后在杭州、越州、苏州等地水府山洞中，投送大量金、银简，简文多是祈求风雨顺时、寿筭延长、国家兴隆、子孙繁盛等。银简遗存9件，在吴越国都所在地杭州西湖发现最多，除绍兴2件外，浙江省博物馆藏有7件。宋帝信奉道教，热衷修建宫观、章醮投龙，还命人编辑道藏。宋代金龙玉简制度也为后世所仿效，明代建文元年湘王朱柏玉简告文即与北宋告文内容大同小异。

银投简存于浙江省绍兴市文物管理局。

"十"字形金饰件 元代文物。2001年，内蒙古自治区锡林郭勒盟苏尼特左旗恩格尔河墓葬出土。墓葬遭破坏，所幸追缴回大部分随葬文物，按质地分类有金器、银器、玻璃器、丝织品等。其中多为金银器，主要有龙凤纹镂雕金马鞍饰、花卉纹马具饰、"十"字形金饰件、金带箍、高足金杯等100余件。出土随葬文物多为马具、生活用具和装饰具，这是一处典型蒙元时期贵族妇女墓葬。"十"字形金饰件即为出土随葬文物。希腊式"十"字架是景教墓顶石特征。而苏尼特左旗处于元代崇信景教汪古部管辖范围内，这些信息可推测墓主人是景教徒。

"十"字形金饰件高39.6厘米，宽20.5

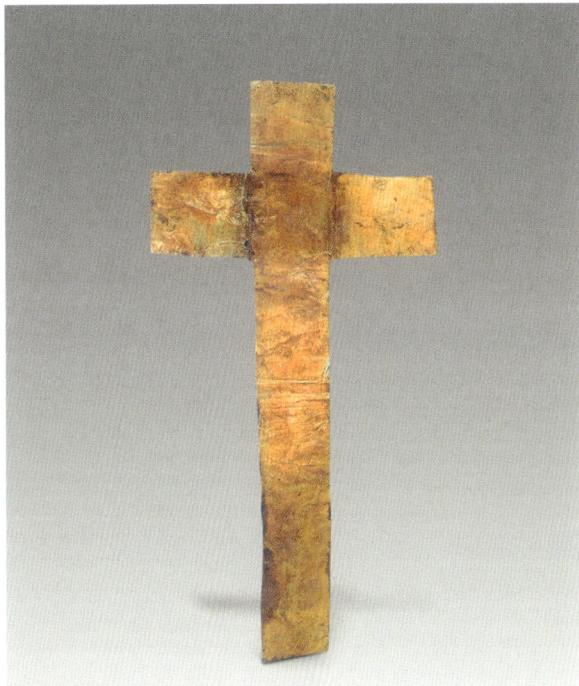

厘米，重82.65克。为素面，采用锤揲方法，将短金片交合于较长金片上端1/3处，个体较大，是典型希腊式十字架。

景教是基督教在东方的一个流派，也称也里可温教，很早以前广泛流传于中亚地区，唐代传入中国。蒙古建国前，景教在汪古部、克烈部、乃蛮部等诸部中广为流传。蒙古建国后，在蒙古黄金家族及贵族中不乏景教徒。入元以后，景教在全国大行。在内蒙古地区，尤其是汪古部领地，发现较多带有十字架形象文物，有"十"字架纹墓顶石、"十"字架青铜牌饰及罟罟冠上铜"十"字架饰等，为了解景教在元代流传提供珍贵实物资料。

"十"字形金饰件存于内蒙古博物院。

第五节 丧葬用器

银鞋底 战国文物。2008年，甘肃省张家川马家塬墓地第16号墓出土。经初步鉴定，墓主为年龄约40岁男性。其头部周围撒有金花，头顶有圆形金饰件，戴金耳环，佩金银半环形项饰，右臂有金臂钏，腰部有饰金带饰腰带3条和金带钩，足底有银质鞋底1双，腿部有大量铜"十"字形管饰和铜铃，身体周围发现大量排列有规律汉紫和汉蓝珠饰。在左臂外侧放置银马等。

银鞋底长21.5厘米，宽8厘米，重9.9克。鞋底以薄银片制成，有38个有规律小孔。

内蒙古伊金霍洛旗石灰沟古墓出土2件类似银靴底饰片，上面镂刻出呈螺旋式圆圈及三角形纹饰，鞋底布满有规律小孔，这种银鞋底应是缝挂在墓主鞋底的装饰品。

银鞋底存于甘肃省文物考古研究所。

镶嵌红宝石金面具 南北朝时期文物。1997年，新疆维吾尔自治区伊犁哈萨克自治州昭苏县波马墓出土。该墓出土一批显示墓主显赫身份的精美华贵金银器，与之并排还有2座同型大墓。

镶嵌红宝石金面具高17厘米，宽16.5厘米，重245.5克。面具整体光泽、威严，由中线分为两半，经锤揲成形、抛光焊接后用小铆钉铆合而成。眉毛和八字胡系用金镶嵌多块红宝石后铆合，宝石已缺失。左眉脱落遗失，仅存4个铆合孔。眼眶内分别镶嵌并铆接圆形大红宝石。络腮胡须用宽约1厘米长形金饰条焊铆而成，金饰条上焊接有39个心形边框，均心尖向下，边框上焊接一周金珠点饰，框内嵌红宝石。以鼻准中线为界，右边嵌宝石20颗，左边嵌19颗。在眉心、左右眉梢及下颌部各焊有小挂钩，应为固定面具使用。

昭苏县波马古墓是座大型土墩墓。有学者认为，这一带曾是西突厥重要居住地和政治

中心，墓主有可能是西突厥上层贵族。俄罗斯学者对波马古墓为突厥遗存说法提出不同看法，认为这些文物年代应该在3～4世纪。对墓葬出土遗物造型、风格比较研究，许多学者认为波马古墓及遗物应属乌孙较晚阶段遗存。在吉尔吉斯斯坦伏龙芝地区曾出土过1件4～5世纪金面具，金箔锤揲打压而成，双目嵌红宝石，工艺技术特征上与镶嵌红宝石金面具有相似之处。

镶嵌红宝石金面具藏于新疆维吾尔自治区伊犁哈萨克自治州博物馆。

金覆面 唐代文物。1982年，宁夏回族自治区固原市王涝坝村唐仪凤三年（678年）史道德墓出土。发掘时，发现墓主口含外国金币1枚，头部原盖有丝织覆面，仅存金覆面。

金覆面共由11件饰件组成。金护额饰1件，圆形，直径1.9厘米，半圆形直径3厘米。上部为半月形，半月形间托一圆形，下端残缺。金护鬓饰2件，长5.1～4.8厘米，均宽3.8厘米。下有一个条形扁片，其上焊接一长方形片饰，上锤揲凸起叶纹。金护鼻饰1件，残长6.3厘米，最宽处2.5厘米，高1.5厘米。形似鼻状，上端稍残，有一圆孔。金护唇2件，长4～4.4厘米，均宽1厘米。合起后形似上下嘴

唇表面稍鼓，背凹，两端稍尖，端有两孔。护颌饰1件，长17.3厘米，宽1.4厘米。两边为长条形，上端呈圆形，有一穿孔。每侧由三节铆接而成，上两节有四叶状铆片，四叶间各有一铆钉，下端由两铆钉直接铆制，中部形似枣核。其余有鎏金铜护眉饰2件、护眼饰2件。覆面上多有穿孔，作用是与丝织物缀合。

覆面习俗，是指古人死后在面部遮盖特殊布或玉、金属面具的一种丧葬习俗，这一习俗的传播与波斯安息帝国有非常密切关系。考古发现，除中亚以外，新疆地区是汉晋至隋唐时期在墓葬中使用覆面最多的地区，而在中原地区则变得罕见。20世纪80年代以来，在宁夏回族自治区固原市南郊乡连续发掘8座史氏家族墓。固原史氏为粟特人后裔，其祖先原居住于中亚索格底亚那（Sogdiana）地区的史国。史氏家族始终维持粟特人聚族而居习俗。金覆面额饰为半月形托一圆球或太阳，可能与粟特人琐罗亚斯德教信仰有关。

金覆面藏于宁夏固原博物馆。

"罗双双"银鞋 南宋文物。1974年11月26日，浙江省衢州市王家公社瓜园大队农民吴天才在菜园挖土时，挖到一座双穴砖室墓，将出土金银器带到衢县工商银行，请银

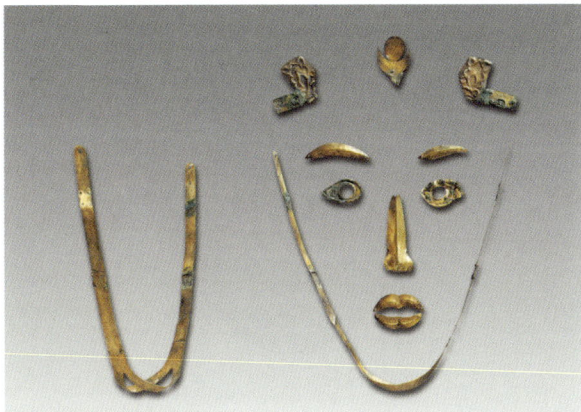

行负责检验金银的程能生检测真伪。程能生看后，意识到这是出土文物，遂与文管会崔成实联系。在崔成实动员下，吴天才将出土瓷器6件、玉器7件、金银器11件、铜器6件、其他8件文物，上交给文管会。此墓系史绳祖与继配杨氏合葬墓，但墓中出土刻有"罗双双"铭文银鞋。有推测"罗双双"应是史绳祖墓志所谓"元妃罗氏"，是墓主原配。银鞋似与罗氏有关，不知为何出现在罗氏去世后30余年的史绳祖与杨氏合葬墓中，或许是以前妻之物入葬以表示合冢。

"罗双双"银鞋一双两只，长14厘米，宽4.5厘米，高6.7厘米。仿锦面布鞋形式制作。每只鞋由鞋底一片、鞋面二片焊接而成。鞋头上翘，两侧前段向内出尖处有小穿孔，应可系鞋带用。鞋面沿边錾卷草纹一周。遍身錾刻小团花纹。鞋底錾刻有如布鞋纳底缝隙，并双钩"罗双双"字样。

宋人常以"弓鞋""金莲"来形容女鞋，这双银鞋鞋头翘起样式和长度与福建福州黄昇墓出土绣花鞋相似，应是一种弓鞋，或疑其为明器或缠足风气下的小鞋。宋代缠足之风普遍程度尚待考证，《宋史》记理宗朝宫妃"束足纤直，名快上马"。而福建福州瑞平二年（1235年）墓女墓主如生的尸身，可清楚看到缠足笋状纤直脚形，足尖微翘，说明仕宦之家有缠足者。

"罗双双"银鞋藏于浙江省衢州市博物馆。

银丝头网金面具　辽代文物。1986年，内蒙古自治区通辽市奈曼旗青龙山镇辽陈国公主与驸马合葬墓出土。墓主人陈国公主耶律氏为辽景宗孙女、秦晋国圣宗皇太弟耶律隆庆之女。驸马萧绍矩为圣宗齐天皇后之兄，历任泰宁军节度使、检校太师。陈国公主与驸马合葬陵，就其等级，仅次于皇陵。此墓共出土随葬品40余组3000余件，多以贵重材料制成，包括金、银、玉石、玛瑙、琥珀及珍珠等。其中金器31件。金面具共出土2套，出土时均覆盖在死者面部。银丝头网金面具出土时，分别覆盖和套于驸马面部和头上。出土金银器制作精巧，工艺精湛，主要采用打制和錾刻工艺制成，造型极为美观。金器纹样主要有龙和鸳鸯、仙鹤、花草及水波纹等。银器47件，制作工艺多为打制和焊接，银器以素面为主，少数几件錾刻纹饰，纹样有龙、凤、牡丹、莲花、缠枝忍冬纹。

银丝头网金面具上额高19厘米，直径19.6厘米；金面具长21.7厘米，宽18.8厘米，厚0.06厘米。由薄金片锤打而成，共重293.5克。面具为依照死者真容用薄金片锤击成形，眉、眼及上额局部錾刻，整体呈半浮雕形。双

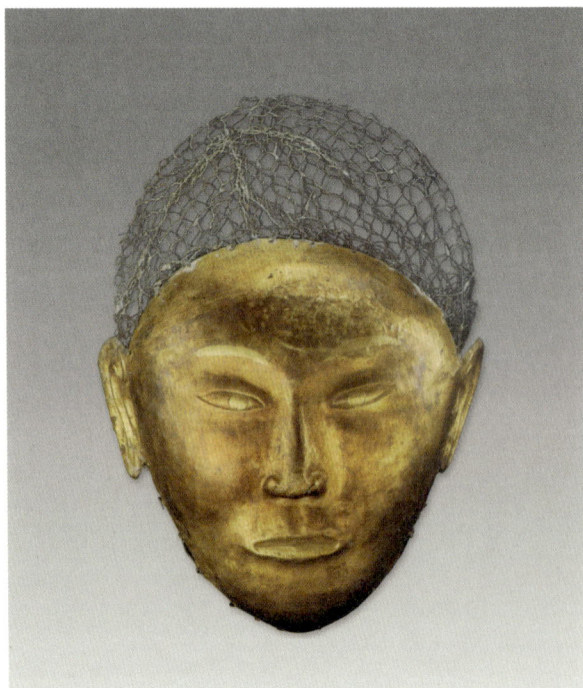

耳另制，用3个金铆钉将双耳钉于面具两侧边缘。面具整体呈金黄色，瞳孔、双眉及上额处一窄长条呈浅黄色。边缘有穿孔，用细银丝与银丝头网连缀。银丝头网用0.05厘米细银丝编制，网片孔略小，以银丝相连缀而成，编织方法为起编、加丝和收边三个步骤。整体略呈头盔形，网片皆为扇面形状，前额2片，后脑2片，没有脸面部分。

金面具的使用，在文献中亦有记载，厉鹗《辽史拾遗》引文惟简《虏廷事实》曰："契丹富贵之家，人有亡者……用金银为面具，铜丝络其手足。耶律德光之死，盖用此法。时人目为帝耙，信有之也。"在以往辽墓中，也曾发现类似面具，但材质多有不同。面具制作过程应为先依照死者脸形制作一模具，然后以整块薄金片覆在模具上锤揲而成。部分细部如眉、眼等制作精细，面具周边有穿孔，应为入殓时先穿银丝网络葬衣，再以金面具覆盖在死者头部银丝网络脸面部位，又以银丝将面具和头网通过穿孔连缀起来。

银丝头网金面具存于内蒙古文物考古研究所。

银丝网络葬衣 辽代文物。1986年，内蒙古自治区通辽市奈曼旗青龙山镇陈国公主与驸马合葬墓出土。一同出土两套特制葬衣，穿着在公主和驸马尸体外面。

银丝网络全长168厘米，是用直径0.05厘米细银丝编织特制葬衣。葬衣根据人体各部位分编，有头网、臂网、手网、胸背网、腹网、腿网、足网7部分，然后穿套于死者内衣之外，用细银丝衔接成一整体。网络之外再穿外衣，束腰带，戴面具，套银靴，佩戴首饰等。

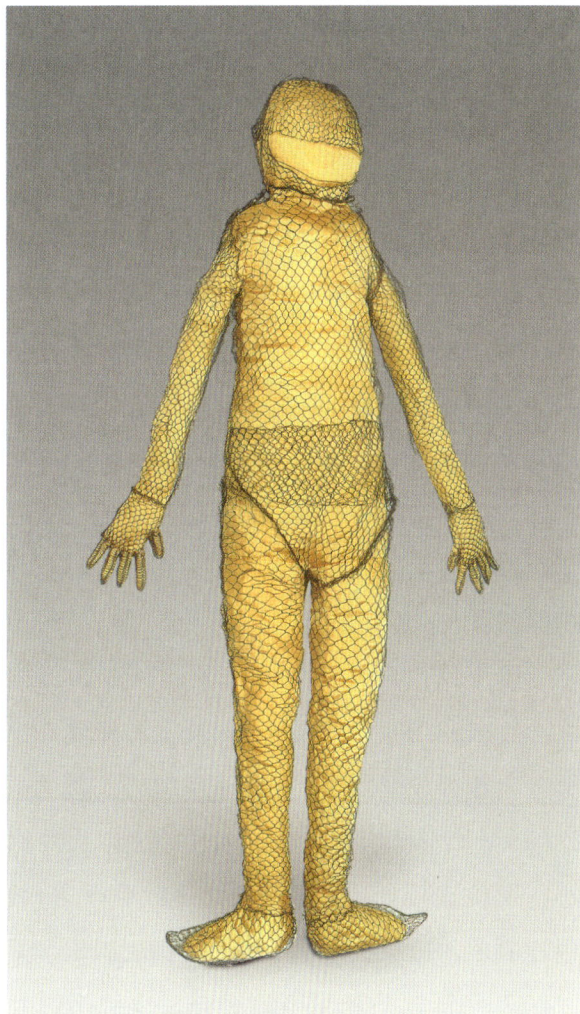

辽代契丹贵族墓内常见有金属葬衣，包括金、银、铜面具，银、铜丝编缀网络笼罩除面部以外的全身，银靴或铜靴底，及银、铜腰带和枕等。尤其是金面具、网络葬衣是契丹特有丧葬习俗，被时人称为"特有异"的"北人丧葬之礼"。据考古发现可知，辽墓出土银丝网络和铜丝网络约有十几件。有人曾推测，金属网络的用途，可能是用来保护死者灵魂安宁。有的则认为，"契丹人以金属为面具可能与宗教信仰如萨满教有关。以金属丝网络其遗体，也许是有意于防止尸骨散乱而用的"。还有的将金属面具、铜丝网衣和"看（智）炬如来必（心）破地狱真言"胸牌联系在一起，认为是一副葬具。总之，这种风俗与契丹人意识中的祖灵崇拜和灵魂观念相联系，是契丹人“形不散而神不离”观念的反映。

银丝网络葬衣存于内蒙古文物考古研究所。

鎏金凤纹银靴 辽代文物。1986年，内蒙古自治区通辽市奈曼旗青龙山镇陈国公主与驸马合葬墓出土。共出2双银靴，出土时分别穿于公主和驸马银丝足网之外，均略有变形，靴底和靴面缝合处银丝残断。2双银靴形制基本相同，但纹饰略有不同，各自银靴上的云凤纹与所戴银冠上的纹样相一致，说明公主和驸马的穿戴各自成套，各具特点。

鎏金凤纹银靴高37.5厘米，口宽10.2厘米，底长29.2厘米。由靴靿、靴面和靴底三部分各自锤揲成形，然后用细银丝缀合。靴靿由2件略呈梯形薄银片组成，前片略大，后片略小，两侧连接处用双股银丝缝缀。靴面用1块银片制成，后跟合缝是焊接的。靴底细长，呈“凹”字形，与靴面下口套合，周边用银丝连缀。靴靿两侧各錾刻2只飞凤，凤首有翠毛纹，四周饰变云纹。靴面左右两侧各錾刻1只长尾凤，周围饰卷云纹，花纹鎏金。此靴是专为随葬用明器。

契丹民族传统将靴底直接缝在丝织的靴面和靿靴上，葬服中有金属制作的靴底。在内蒙古多地辽代墓葬中都出土了银、铜制作的靴底形器，有的与面具、网络一同出土，有的仅与面具一起出土，这是辽代葬服的一个组成部分。该墓出土的这双鎏金凤纹银靴，是辽代墓葬中出土最完整的靿靴。

鎏金凤纹银靴存于内蒙古文物考古研究所。

鎏金银凤纹高翅冠 辽代文物。2015年，内蒙古自治区多伦县辽圣宗贵妃萧氏墓出土。墓中还出土鎏金银凤纹高翅冠、金花银凤纹高靿靴、金镶玉龙纹玉捍腰、银丝链玉组佩、银片对碟团窠纹髹漆墓枕、定窑白釉“官”字款瓷器、越窑青釉瓷器、景德镇青白釉瓷器、伊斯兰玻璃器等珍贵文物，为辽代历史，特别是辽代后族萧氏家族及辽代奚族研究提供了资料。

鎏金银凤纹高翅冠通高36厘米，冠身直径15厘米、高28.5厘米，翅宽16～21.5厘米、厚0.25～5厘米。高翅冠先用薄银片锤揲各部件，然后镶嵌组合，再用细银丝缝缀。冠身筒式，弧顶较平，两侧附对称立翅，高于冠顶。冠口处用一块长条形银片，对折双层后卷曲成圆环状箍，两端连接处用银丝缀合。冠体用4块薄银片围合成圆筒状，用银丝缀合，下口嵌入冠箍夹层中。两侧立翅呈圆首长方形，各由

3块薄银片用银丝组合而成，其中2块银片大小及纹饰相同，中间夹入银片楔条，楔条往上渐宽，与两边银片用银丝缀合形成复翅，下面插入长条形银箍夹层中，焊接贴合于冠体上。银冠通体鎏金，满布镂花装饰，冠正面饰向上飞翔双凤纹，凤头为灵芝状冠，錾刻细部，周边满饰镂花变形云纹。两侧高翅亦錾刻双凤纹，辅以变形云纹。

贵金属制作冠、靴，属辽代中期大型贵族墓葬重要殓具组合。辽代贵族墓葬曾出土多个类似高翅冠。另外，在香港梦蝶轩和法国国立吉美亚洲艺术博物馆，也收藏有类似鎏金铜冠。说明高翅冠是辽代契丹贵族妇女长期流行冠式。

鎏金银凤纹高翅冠存于内蒙古文物考古研究所。

鎏金莲花纹银捍腰 辽代文物。1993年，辽宁省凌源市八里堡村小喇嘛沟辽墓出土。

鎏金莲花纹银捍腰长63厘米，宽18.5厘米。中间饰对称式缠枝莲纹，平錾水波纹为底纹，莲叶、莲花边缘起联珠纹立棱。腰饰周边以联珠纹为界，饰如意云纹，衬鱼子纹底，四角有铆钉，背后残余织物痕迹，上下沿均散布26对针眼穿孔。腰饰两端连有弧形鎏金铜环，环局部暴露部分饰水波纹，上面残余大面积织物痕迹。

捍腰也称搊腰，是一种旨在御寒和保护腰部戎装，唐宋都有。《宋史》卷一四八中有"执白干棒人，加银褐捍腰"记载。《辽史·仪卫志二》所记"田猎服"中有："皇帝幅巾，擐甲戎装，以貂鼠或鹅项、鸭头为搊腰。"《辽史国语解》称："捍腰，即挂腰，

以鹅项、鸭头为之。"金质或鎏金铜质其实很不实用，常用作袍带背饰，使用时自腰后绕于腰上，在腰前打结，重在装饰。有学者认为，金银捍腰变成一种殡葬服饰而随葬，反映契丹皇家贵族狩猎生活。

鎏金莲花纹银捍腰藏于辽宁省凌源市博物馆。

鸷鸟形金饰片 春秋文物。1992～1993年，甘肃省礼县大堡子山秦公大墓遭群体性盗掘，出土包括"秦公"字样铭文的鼎、簋、壶、钟等大型铜礼乐器，及金饰片等珍贵文物，可惜多已流失海外。韩伟曾整理发表法国收藏家克里斯蒂安·戴迪安收藏金饰片，包括鸷鸟形、口唇纹鳞形、云纹圭形、兽面纹盾形、目云纹窃曲形金饰片和金虎等40余件。这批金饰片部分后来捐赠给法国国立吉美亚洲艺术博物馆。2011年，郭炎将出自大堡子山遗址2件鸷鸟形金饰片、1组铠甲片捐赠给国家，后入藏中国国家博物馆。

鸷鸟形金饰片高45.8厘米，宽26.1厘米，重860克。以金箔剪切成鸥鸷形，通身锤揲出象征翎毛变形窃曲纹，在喙、首、背、尾、腹、爪等部位分布有9对钉孔。

2005年，国家文物局启动"中国海外流

失文物调查项目"，针对大堡子山流失文物进行专题研究，完成《甘肃礼县大堡子山遗址被盗流失文物调查报告》。在后来对大堡子山考古发掘中，又发现类似金饰片。这批金饰片形制多样、纹饰清晰，在其他文化遗址中还未发现，是研究秦国早期文化的宝贵实物资料。北京科技大学冶金与材料史研究所对其中两件进行分析鉴定，结果表明饰片为金银合金，含金量分别为90.6％和92.1％。这批金饰片形制较大，且相对完整，可组成兽面纹图案，被认为与棺具装饰有关。但陕西长安张家坡西周墓地196号墓、198号墓出土有类似尺寸的铜马胄饰，有学者认为鸷鸟形金饰片是马胄上饰物。为推动流失文物回归，国家文物局与法国有关方面协商，寻求文物返还恰当途径。2014年，法国政府决定将收藏在吉美博物馆的金饰品退还给捐赠人，由捐赠人弗朗索瓦·皮诺和克里斯蒂安·戴迪安将文物无偿返还中国。2015年4～5月，中国驻法大使和国家文物局先后在巴黎和北京接受皮诺和戴迪安所捐4件鸷鸟形金饰片和28件各形金饰片。经中法两国政府和有关方共同努力，阔别家乡20余年的珍贵文物回归中国。根据中法两国流失文物返还原属地原

则共识，国家文物局研究决定将其划拨甘肃省博物馆收藏。2015年7月20日，大堡子山流失文物移交仪式暨"秦韵——大堡子山流失文物回归特展"在甘肃省博物馆开幕。

鸷鸟形金饰片是捐赠回国的32件金饰片之一，藏于甘肃省博物馆。

金炉灶 西汉文物。1966年，陕西省西安市未央区卢家口村出土。

金炉灶高1.2厘米，宽1.7厘米，长3厘米，重5.29克。平面呈椭圆形。灶门呈长方形，周围饰以金丝和金珠，下带长舌形承灰盘。灶面上放一釜，釜内盛满金珠，粒粒可见。灶台四周饰以掐丝工艺制成盘绕状带纹和弧形纹，炉膛中空，灶台右上角有一烟囱。灶门正上方和釜四角嵌桃形红、紫、绿诸色宝石。灶底篆书"日利"2字铭文。

山东莒县双合村汉墓也出土1件金灶，平面呈长方形，灶尾圆弧。灶门长方形，四周用金珠镶嵌。灶上中央置一釜，釜内盛满金珠。灶台前端有一条用金丝、金珠制成的鱼，灶台后端有一直立烟囱。灶面两侧用金丝嵌有勾连纹，灶台四周用金珠和金丝制成桃形和勾连纹图案，桃心内嵌有绿松石。灶台两侧各有一穿孔。灶底部有篆书"宜子孙"铭文。陕西西安卢家口村和山东莒县双合村出土金灶器形虽小，但均使用打制、掐丝、累丝、焊缀金珠和镶嵌等工艺程序，制作工艺精巧繁复，且器身嵌以红、绿、紫色宝石装饰，实为精美工艺品。

灶为饮食烹饪必备器具，灶神为饮食之神，故人们多祭祀。随儒家神权化、谶纬学说流行及长生升仙道家思想风行，灶及灶神逐渐世俗化、人性化，并被赋予更多寓意。渴望长

生不老、人丁兴旺、生活平安富贵一直是古人追求的梦想。由于灶神与人们生活联系密切，人们便不自觉地把自己这种需求，增加到灶神信仰上，金灶也成为人们寄托理想的一个载体，反映出汉人对幸福生活的向往与追求。

金炉灶藏于西安博物院。

掐丝金辟邪与掐丝金天禄　东汉文物。1969年，河北省定县北陵头村43号汉墓出土。43号汉墓被推测为东汉中山穆王刘畅墓。墓中共清理出金器、银器、铜器、铁器、玉器、陶器、骨器等共1100余件，其中金器80件，银器25件。尤其是掐丝金辟邪、掐丝金天禄、掐丝金龙、掐丝金羊群和掐丝龙形金饰片等，展示出汉代掐丝工艺的成熟水平。汉末曹魏两晋不少墓葬中，在女性墓主头部附近经常出现一些金饰片，如天鹿、辟邪、羊、龟、圆壶形饰，桃形、花形、方胜形金片等。《续汉书·舆服志下》所载，皇后谒庙时所戴步摇装饰中，有天鹿、辟邪等物。有学者认为，这些金质器物形小质轻，可能为刘畅夫人金步摇构件。

金辟邪高3.3厘米，长3.7厘米，重9.7克，作昂首迈步状，前额隆起，双角向头后垂卷，圆形兽耳，镶红色宝石为睛。张口露齿，长尾曳地。金天禄与金辟邪形似，高3.1厘米，长

3.9厘米，重8.4克，单角向后垂卷，内镶绿松石为睛。2件器物采用焊接、叠掐、缠绕和镶嵌技法制成。先用一长5厘米、宽2厘米、錾有流云纹金片衬底，上面用金片制成挺立躯体，躯体上用金丝布成羽翅及花纹，周身用金珠、绿松石和红宝石加以装饰，双目嵌以绿松石或红宝石来表现，角、尾用细金丝缠绕在另一较粗金丝上制成。

汉代辟邪的本义是偏邪不正，后来引申为避除邪祟。古人认为，狮虎凶猛，可除凶祟，所以用这种神兽来看守阙门和神道以辟御妖邪。天禄本指上天赐予的禄位，与"似鹿"神兽"天鹿"谐音，因鹿与禄同音，取"禄位"之吉意，"天鹿"也就称为"天禄"。历代多将之雕刻成形似辟邪，谓能被除不祥，永绥百禄。汉人常将雕刻精美而巨大的天禄、辟邪对置墓前，以驱邪避害，既有祈护祠墓、冥宅永安之意，亦作为升仙之坐骑，并成为权贵与地位象征。

掐丝金辟邪与掐丝金天禄藏于河北省定州博物馆。

"品"字形金饰　东汉文物。1980年5月，江苏省邗江县甘泉镇2号汉墓出土。共2件，形制基本相同。该墓为东汉初年广陵王刘荆墓，

还出土"王冠"形金圈、嵌水晶泡金圈、金印、金泡形饰、金亚形饰、金盾形饰、金挂锁形饰、空心金球、龙形金片饰等，器物均小巧而精致。其中多件器物采用相似掐丝与焊珠工艺，大小相近，器物两端都有贯孔或小环，以供穿系，推测这些精巧小饰件应是佩戴于身上或是缝缀在衣帽上的装饰品。甘泉2号墓出土金珠饰品，很多是中国文化特有，应是中国本土所制，其工艺是自西汉时期延续而来。

"品"字形金饰高2.1厘米，宽1.5厘米，厚0.6厘米，分别重4.2克、4.9克。金饰由3个胜形饰连接成"品"字形，每个胜形饰表面满饰掐丝和金珠，正、反面相同，从里到外焊连成5层重环纹，内圈圆心原镶嵌玻璃珠，已佚失，整体小巧精美。

焊金珠是古代珠宝上一种常见装饰技法，工艺来自西方，最初由两河流域经欧亚草原，在战国晚期经由阿尔泰地区传入中国。西汉时期，焊珠工艺又有进一步发展，开始出现形制独特金珠，这些金珠由若干个小型金环焊接成多面球形，每一面金环上又对称焊接小金珠，中国学者将其称为"多面金珠"，这一时期在中国南方出现的金珠工艺，可能是通过海上传入中国境内。这些金珠虽小，却排列均匀整齐，几乎观察不到

焊接工艺，工艺极其精湛，可能是用在炭粉中加热方法，借助金珠表面形成碳化物薄膜还原作用，将金珠固定在金器表面。

"品"字形金饰藏于南京博物院。

"宜子孙"金饰　汉代文物。1955年，安徽省合肥市西郊乌龟墩汉墓出土。

"宜子孙"金饰长2.3厘米，宽1.71厘米，厚0.55厘米，重1.8克。盔形，先以金片成形后，再以金炸珠焊于周边，两侧焊金丝作勾连云纹，边焊金炸珠，嵌四个水滴形镶嵌物，已脱落，正中亦用金丝掐"宜子孙"篆文铭。盾形金饰一面有"宜子"二字，另一面是灶台形象。上端有一穿纽以供系缀，更可验证这类饰品应是作为坠饰佩戴使用。

山东莒县双合村汉墓也出土类似金灶台，灶台前端有用金丝和金珠焊成鱼，灶台四周饰鸡心形和勾连纹，灶底有用金丝和金珠焊接成"宜子孙"铭文。此外，相似金炉灶也出土于陕西省西安市未央区卢家口村，唯灶底篆书铭文"日利"2字。由此推测，"宜子孙"金饰与邗江甘泉2号墓出土金饰一样。

盾当是类似装饰品或就是金灶上脱落下来残件。"宜子孙"是秦汉社会人们普遍愿望，秦汉物质遗存中也多存在此类文字。如西汉砖

文中"长乐未央子孙益昌千秋万世""宜子孙饮百口寿久长""宜子孙长大吉利"等。汉代墓券中,有"世世富贵,永宜子孙"等铭文。汉代铜器中如熨斗、铃、镫等,都有"宜子孙"等铭文。汉代石刻中也有"大吉宜子孙传世老寿"等铭。尤其是汉镜铭文频繁出现"宜子孙"字样。以上均说明"宜子孙"成为汉代社会普遍意识。这件"宜子孙"金饰正是当时社会意识的反映。

"宜子孙"金饰藏于安徽博物院。

契丹人金像 辽代文物。1988年8月,阿鲁科尔沁旗牧民朋斯格在扎嘎斯台苏木花根塔拉嘎查西北哈日少冷沙沱子里,发现拣回一批文物,后来将这批文物送交旗文物管理所。后经清理,发现文物出土地点是一处结构遭到严重破坏的辽代早期砖室墓。经发掘,共出土文物330余件,包括大量金银饰品。其中有2件契丹人金像。在出土金器中,还有1件海东青金牌,制作极其精美,表明这一猛禽深受墓主人喜爱。因而推断,该墓主人应属契丹族。发掘者认为,这批金银器深受唐代金银器影响,不排除游移到辽地汉族工匠制造的可能。这2件契丹人金像同墓主人有一定联系。

契丹人金像均高9.1厘米,最宽处3.6厘米,厚0.5、0.7毫米,重28、29克。用薄金片錾刻而成,男、女均呈站立式,圆形脸庞,耳平伸,留有齐眉发,鼻子隆起,脸颊微鼓,双手自然下垂,双脚外撇。头戴冠饰,冠体饰鱼鳞状纹,冠顶竖三个尖顶,上身穿直领左衽窄袖袍,上饰有毛边。腹部系带,下身着裤,两足踏高靿靴,錾刻忍冬图案。人像在脖颈下有一孔,在袖口、脚踝处各钻两孔。两臂和腰身交接处有一长条状镂空。男性上唇两侧有八字须。上衣錾刻松叶,四瓣团花图案。女性人像上衣錾刻忍冬图案。

大量文献资料和考古发现表明,契丹习俗"髡发左衽",这两件金质人像虽头戴冠饰,但男子额前留齐眉短发,唇上有八字短须,同壁画中出现的"契丹男子额前蓄留一长条发的髡发款式相近似"。而男、女人像所穿服饰直领、左衽、窄袖、腰中系蹀躞带、高靿靴也完全符合契丹族服饰特点。

契丹人金像藏于内蒙古自治区赤峰市阿鲁科尔沁旗博物馆。

金下颌托 唐代文物。1955年,陕西省西安市韩森寨唐墓出土。

金下颌托通高18厘米，托长6厘米、宽4厘米，重71.2克。金带由下颌经两耳至头顶连接在一起，两端分叉。下颌托属外来丧葬用品，环绕头部及下颌后绾结于颅顶处，用以固定死者面部以防变形。

中国境内出土下颌托有100余件，时代从春秋一直延续到宋元时期。广泛分布在新疆、山西、河南、陕西、湖北、湖南及广州等地。质地有布帛、铜、铅、金、银等，银、铜质较多，金质仅有4例，铅质非常少。中国境内发现金属"下颌托"结构大体可分为两类，一类由扁平状铜条连接而成，上有环状头箍，固定在头颅，两鬓处与颊带组合在一起，颊带下端呈勺状扣在下颌处。另一类则不见头箍，结构与新疆地区发现棉毛织物类下颌托类似，系用扁平状金属条环绕于下颌后绾结于颅顶处。本件下颌托即属后者。有学者认为，下颌托源于祆教文化，是由祆教祭司金属口罩转化来的特殊遗物，其在中国出现与粟特人入华定居和迁徙有关。也有学者认为，下颌托与祆教无关，使用下颌托的习俗，可能承袭自西伯利亚旧石器时代晚期形成的萨满教传统，为大月氏吸收后，传入中原地区。

金下颌托藏于中国国家博物馆。

"太尉开府仪同三省事齐国王"银铭牌　金代文物。1988年，黑龙江省哈尔滨市阿城区巨源乡城子村金代齐国王完颜晏夫妇合葬墓出土。完颜晏，女真名斡伦，是金太祖完颜

阿骨打的堂弟，生前拜太尉、齐国王，《金史》有传。该银铭牌共有59处钉痕，出土时放置在墓主人棺盖上，是墓主人身份的标识。在棺内男主人枕下有一块木牌，正面墨书"太尉仪同三司事齐国王"，背面墨书"房一坐"，具有买地券性质。因墓志和买地券是金代墓葬常见纪年材料，银铭牌可能充当墓志之用。

"太尉开府仪同三省事齐国王"银铭牌高48.5厘米，顶宽35.5厘米，牌身宽17厘米，重320克。银铭牌呈近似扁平幢形，由三部分组成，顶部呈荷叶形，两端翘起，叶中央连一朵盛开仰莲花。中部为长方形牌身，自上而下压印有"太尉开府仪同三省事齐国王"12字阳文。底部为一仰莲形银托，上饰莲蓬。

"太尉开府仪同三省事齐国王"银铭牌藏于黑龙江阿城区金上京历史博物馆。

第六节　其他

金剑鞘　春秋文物。2005年，陕西省韩城市梁带村芮国27号墓出土。与金剑鞘同出土还有1柄玉剑，出土时位于墓主人腰部左侧。金剑鞘和玉剑为一套2件，在考古发现中尚属首次，实乃罕见高等级礼仪用器，是探索春秋时期礼制重要文物。

金剑鞘长18.7厘米，宽4厘米，厚1.5厘米。含金量95％，色泽略显暗沉，表面附有朱砂和其他物质。剑鞘纹饰以中轴对称的构图形式进行设计，自上而下依次排列镂空纹样，纹样一组为相对两只侧面吐舌龙纹，另一组侧面

吐舌龙纹则有后伸龙角，最后一组为两只口吐分叉蛇信俯视长蛇。三组纹样依次轮番出现，相类纹饰特征在西周晚期即已出现。玉与金属兵器结合，早在商代即已出现。商周时期以玉制作锋刃，镶嵌到铜质戈内或矛骹上，这些兵器外形模仿青铜兵器，但不能实用，可能具有礼仪、宗教等性质。西周晚期，中原地区贵族墓葬棺内随葬品，主要是与身份、礼制相关的玉佩饰。

进入公元前8世纪后半期即春秋时期，贵族墓棺内才出现剑，芮国27号墓出土金鞘玉短剑揭开这一变化序幕。此墓出土玉剑不仅与用玉来模仿兵器传统相关，且其配备黄金剑鞘还使人联想到西周早、中期柳叶形剑镂空青铜鞘。此发现表明，春秋时期社会、思想急剧变革，剑逐渐发展成为重要兵器类型，并被赋予各种文化意蕴，士人佩剑成为风尚，制作精良、装饰华美的宝剑成为身份的象征。在已发现兽面格剑中，此剑并非唯一有金质构件者，但无论用金量还是奢华程度上，都堪称极致。

金剑鞘藏于陕西省韩城市梁带村芮国遗址博物馆。

金柄铁剑　春秋文物。1992年5月，陕西省宝鸡市益门村2号墓出土。该墓出土大批金器、玉器、铁器、铜器等珍贵文物。其中金器104件（组），有带钩、带扣、泡、环、络

饰、串珠、金柄铁剑、金环首铁刀、金方首铁刀、金环首料背铁刃刀、金环首铜刀等。金柄铁剑3件，形制基本相同。出土时，金柄铁剑外有织物包裹印痕，并有小金泡7枚，整齐列为一行，当为剑鞘。

金柄铁剑通长37.2厘米，身长24.5厘米，柄长12.7厘米，肩宽4厘米，重343.6克。金质剑柄和铁质剑身分制铆合而成。整体镂空金柄，形为浮雕状蟠螭纹，纤小螭身相互交缠，回转自如。螭头和羽翼时隐时现，并以绿松石镶嵌其间。而布满全身细珠纹，不仅更突出形体，也使螭身更具立体感。螭身上所镶"乙"字钩形绿松石，两两一组，繁而不乱。格、首均为前后两重，蟠螭纹相连又相对，格部双螭相背而成兽面纹，兽目以绿松石镶嵌。剑颈蟠螭纹向左右两侧展开，形成五处突齿，基本两两相对，略有错落。金柄镂空，玲珑剔透。表

面柱状物均为中空管状。

剑是古代贵族和士兵随身佩带的、用以自卫防身和进行短兵相接的白刃战之兵器。西周时期，铜剑已颇为流行，东周时期则有了长足的发展，但一般为铜剑，铜柄铁剑极少见到，更不用说是金柄铁剑了。河南辉县琉璃阁曾出土过1件金柄的铜剑，河南陕县后川出土1件金剑首，山东沂水刘家店出土1件金剑柄，但都难以与这件纹饰精致工细、华丽繁密，并嵌以绿松石的金柄铁剑相提并论。益门村2号墓出土金剑柄，其纹饰与春秋时期青铜器纹饰相似，勾连交错、一首双身的动物母题，至少可追溯到西周晚期。但形制、纹饰均与相应玉剑具类型相似。玉与金属兵器的结合，早在商代即已出现。而在西周晚期，则开始出现与玉剑具类型相似的黄金剑具。

金柄铁剑藏于宝鸡青铜器博物院。

金镦 战国文物。1978年，河北省平山县中山王譻墓出土。该墓出土形制相同金镦、铜戈两套。

金镦每件通长21.2厘米，长径4.4厘米，短径3.1厘米，重900克。金镦器表有相对的龙2条。龙眼由银和蓝琉璃镶嵌而成，周身纹饰细如毛发。外侧向下的龙，用银镶成一对枝状龙角，身上刻划羽翼纹，面和腹部为鳞纹，耳部为毛纹，背部为斜方格纹。向上的龙用银镶双翼，刻划双角纹，额、耳部为毛纹，身上为鳞纹。在中部和近口处有银箍饰。

战国时期，中山国是个极富传奇色彩的国家，先后与晋、魏、齐、燕、赵等大国连年征战，几次亡国，却一次次奇迹般复兴。中山国能在群雄间纵横捭阖，与这个国家强大的军备

有密切关系，从中山国遗址中出土的众多兵器装备上可见一斑。戈是中国古代用以钩杀敌人的一种长柄格斗兵器，盛行于商至战国时期。为便于使戈在不用时置插在地上，不致斜，所以在柄尾端加上一个铜制镈。中山国王族墓出土多件铜戈，其中王譻墓出土铜戈装饰最为华美，不仅有错银铜镈，还有这件金镈。

金镈存于河北省文物研究所。

牛头纹金剑鞘饰 西汉文物。1956年，云南省昆明市晋宁区石寨山6号墓出土。此墓还出土1枚举世闻名金质蛇纽"滇王之印"。这件金剑鞘应是滇王随身之物。石寨山10号墓出土1件贮贝器上，器盖中铸有一鎏金骑士。据装束可断定，此骑士身份相当显赫，其腰佩剑同牛头纹金剑鞘饰相同。

牛头纹金剑鞘饰长50.5厘米，宽6.4厘米，

重172克，牛头纹部分含金量高达94.6%。金鞘呈长条形，上宽下窄，锻制为五段三部分，属铜柄铁剑之剑鞘饰。上部为牛头纹和麦穗纹，中部为三节凸起锯齿纹，下部为组合圆圈纹，边饰麦穗。纹饰制作采用台、采工艺。

石寨山出土金剑鞘饰有动物纹金剑鞘饰、人物纹金剑鞘饰和几何纹金剑鞘饰。在动物纹金剑鞘饰中，最常见的是牛头纹金剑鞘饰，云南省博物馆收藏达15件／套之多。此外，1996年在石寨山71号墓中又出土3件牛头纹金剑鞘。这些牛头纹金剑鞘饰有两段、三段、四段、五段组成者。每段均有压花图案纹饰，上段近柄处均有一牛头纹。上下两段较大，中间由一段、两段或三段凸起折线纹组成，组合很规律。下段为组合五瓣梅花纹、圆圈纹、连续回旋纹。上下两段边缘都有凸起点纹装饰，颇似麦穗。牛头纹之外，滇人在装饰金剑鞘时还常采用蛇纹、龙纹、鱼纹及对兽（马）纹。蛇纹与牛纹都是滇青铜文化固有题材，只是在金器中出现较少，而龙纹则是从中原传来。鱼纹在青铜器中多见，而金器上很少，属于特例。

牛头纹金剑鞘饰藏于云南省博物馆。

金虎符 战国时期秦国文物。1979年，陕西省宝鸡市凤翔县出土。

金虎符长4.8厘米，高2.3厘米，重35.6

克。虎符作卧虎状，巨目大耳，龇牙咧嘴，四腿屈卧，长尾上卷，通体纹饰为凸雕及阴刻，器背面有扣槽，体形小，但制作精美，雕刻生动，造型雄奇，达到很高艺术水平。

虎符，也称兵符，起源于春秋战国时期，历朝都有使用，只是名称有差异，唐用鱼符，宋有虎豹符，明为金牌。虎符是中国古代皇帝授予臣属调兵遣将时所用凭证，多以青铜或金铸造，也有用玉、竹、木制造。符中剖为两半，双方各执一半，一般右半部由中央保存，左半部发给统领军队将军，使用时两半互相验证后，表示命令真实可信。1975年，陕西省西安市南郊杜城村出土秦国杜虎符，铜质，符内有错金篆书40字："兵甲之符，右在君，左在杜，凡兴士披甲，用兵五十人以上，必会君符，乃敢行之。燔燧之事，虽毋会符，行殹。"从而可知虎符的性质、作用和各种符的职权范围，另外还发现秦新虎符、秦阳陵虎符，均有铭文。从铭文中可知上述3件铜铸虎符时间及国属。此件金虎符上没有铭文，其出

土地点是凤翔县虢镇，原是秦所辖区域，另从造型特征看，属春秋战国时期，因此推断此虎符为早期形状。

金虎符藏于西安博物院。

铜车马金银项圈 秦代文物。1980年，陕西省临潼县秦始皇陵封土西侧大型陪葬坑出土。陪葬坑的一过洞内，发掘出土两乘大型彩绘铜车马，分别编为一号和二号。一号车共有零部件3462件，其中铜构件1742件、金制配件737件、银制配件983件，总重量1241千克，其中金3033克、银4342克。通体彩绘，马头装饰有金银络头、金银缰索和金银项圈，代表秦代青铜和金银制作水平。

铜车马金银项圈周长75厘米，管径0.7厘米，重113.4克。金银项圈见于4匹骖马，装饰在骖马颈部。项圈形体呈鸭梨形椭圆状，主体由42根金管节与42根银管节相间排列组成。金项圈下半圆里有长37.5厘米，宽0.3厘米，厚0.1厘米扁平银条，平行套接在项圈上，与主体部分组成形体十分完美的装饰品。这种形式仅见于秦始皇陵铜车马，在古代车马装饰记载中，也未及见此装饰。

金银项圈有独特而出色的加工工艺。组成项圈的84节金银管规格完全相同，长度为9毫米，壁厚仅1毫米，管与管之间为刚性连接，

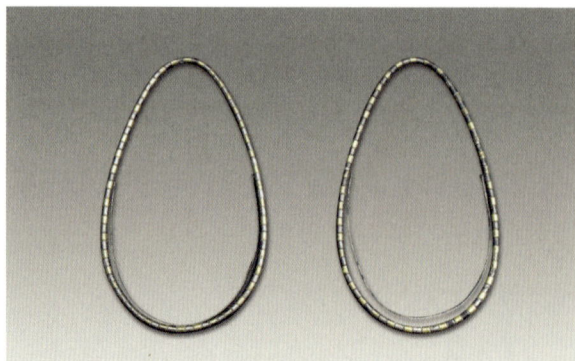

接缝非常严密。X射线探视照片揭示其中秘密，首先管节内部没有芯骨。其次，金银管节是对接的，连接得十分牢固，未观察到任何可供判断连接方式的痕迹。

铜车马金银项圈藏于秦始皇帝陵博物院。

鎏金银鞍桥饰 辽代文物。1954年，内蒙古自治区赤峰辽驸马墓出土。

鎏金银鞍桥饰最大者高35厘米，宽22厘米，厚0.1厘米，是马鞍外包镶饰件，一组6件，计有鞍桥前、后部饰件各1件，压印双凤戏珠纹，间以流云纹，花纹和周边均为鎏金；刀形、半月形饰各2件，左右对称，压印花草纹和流云纹。

早期契丹社会，游牧和渔猎是主要经济活动，马是契丹人日常生活不可或缺的一部分，马是契丹人"转徙随时，车马为家"，契丹男子自幼便练习骑马射箭，是赖以生存的必要技能，也是保护自己部族的军事手段。在考古发掘辽代墓葬中，出土大量马具，如马鞍、马镫、马铃等，辽墓壁画中，也大量出现契丹人与马共同生活场景。契丹民族骑马、爱马，所以很重视对马具的制作和装饰，在已出土辽墓

陪葬品中，鞍马具及其装饰是其中重要一类，如内蒙古赤峰市大营子辽驸马墓出土鎏金鹿衔草纹银马饰具、鎏金龙纹银马饰具、鎏金龙戏珠纹银鞍饰、素面银鞍饰，还有通辽市奈曼旗陈国公主墓出土鎏金群鸟纹银马鞍，兴安盟科尔沁右翼中旗代钦塔拉辽墓出土鎏金缠枝莲纹银马鞍等，纹饰繁缛、工艺精湛。宋太平老人在《袖中锦》中曾记载，契丹鞍与夏国剑、端砚、蜀锦、定瓷等"皆为天下第一，他处虽效之，终不及"。考古出土精美辽代鞍具又印证了这一说法。

鎏金银鞍桥饰藏于内蒙古博物院。

卧鹿缠枝牡丹纹金马鞍饰 元代文物。1988年，内蒙古自治区锡林郭勒盟镶黄旗乌兰沟墓葬出土。除出土卧鹿缠枝牡丹纹金马鞍饰外，还出土有鎏金银鞍残件。

卧鹿缠枝牡丹纹金马鞍饰为纯金模压锤鍱而成，一组6件，由前后鞍桥、前后鞍翅组成。前桥高21.8厘米，宽22.5厘米；后桥高11.2厘米，宽16厘米；后翅长33厘米，重130克。前桥图案均为浮雕式，中心为四曲海棠形开光，1只鹿卧于花草丛中，外围衬以鱼子纹

地，上饰牡丹花卉，前伸部分饰忍冬纹，周边相间排饰栉节纹、联珠纹、花叶纹。后桥中心饰忍冬纹，周饰栉节纹、联珠纹、花叶纹。纹饰布局采用满地装，且层次分明。

一般马鞍用木做鞍体，以牛皮加边，再镶嵌美丽图案，既美观又实用。这套金饰件继承中国北方草原民族传统工艺，制作及工艺显示出墓主人爱马的情感及显赫贵族身份。另外，2001年在内蒙古锡林郭勒盟苏尼特左旗恩格尔河墓葬出土1套元代龙凤纹金鞍饰，包括前桥饰和后桥饰，薄金片打制，镂刻龙凤纹和花卉纹，包饰于马鞍之上。从中可看出蒙古族人民酷爱马和装饰马具的传统习惯。

卧鹿缠枝牡丹纹金马鞍饰藏于内蒙古博物院。

银铃 西晋文物。1965年7月，北京市石景山区八宝山西晋华芳墓出土。墓主华芳，字敬华，系西晋王浚之妻，年37岁薨，葬于永嘉元年（307年）。银铃是北京地区晋代墓葬出土唯一一件神兽衔乐人献艺银铃。

银铃通高4厘米，重36克。银铃上钩活链，下连一辟邪，兽足下球形大银铃直径2.6厘米，其上有8个乐人正在吹奏乐器。乐人脚下连接"S"形银环下悬小铃，小铃上原嵌有红、蓝宝石，已脱落。银铃采用拉丝、錾刻、焊接、镶嵌工艺制成，构思新奇，做工精巧，为研究西晋贵重金属制造技术提供宝贵实物。

铃，作为随葬品，经历由陶铃、铜铃向金铃、银铃发展过程。金铃和银铃多出现在魏晋时期墓葬中，如在山东临沂洗砚池西晋墓出土多个金铃、银铃。在辽宁北票一个晋墓中也出土21件大小不一金铃。银铃上8个乐人可分为4组，2人吹笛、2人捧排箫、2人击鼓、2人吹喇叭。但近来有研究指出，银铃上乐人所奏为横吹诸曲，2个吹喇叭乐人应是吹角或笳。

银铃藏于首都博物馆。

银璧 西汉文物。2009年9月～2011年12月，江苏省盱眙县大云山1号汉墓出土。大云山1号汉墓墓主人为西汉第一代江都王刘非，墓内出土一套铜编钟和一套琉璃编磬。这是西汉礼乐大规模改革前，汉代高级别同宗诸侯所享有礼制的实物呈现。位于梁架顶端鎏金镂空云龙插饰，并不单是繁复装饰，其龙首与龙尾上留有插孔内，原本可能插有名为"翠"的丝

帛和羽毛装饰物，与镶嵌银璧形成完整"璧翣"组合。《礼记·明堂位》载"殷之崇牙，周之璧翣"，郑玄注为"周又画缯为翣，戴以璧，垂五采羽于其下，树于簨之角上"。正与此套编钟、编磬上梁装饰布局吻合。银璧为同墓出土编钟梁架正中部上镶嵌物，同出还有5件，此件最为精美。

银璧外径14.2厘米，内径4.7厘米，厚0.35厘米。为圆形，银质纯度极高，表面经抛光处理，光耀照人。银璧外周和穿孔边沿刻有边栏线，栏内两面都饰有类似编钟梁上鎏金镂空云龙插饰云气为地纹。其正面表现出流云翻腾场景，其间饰有方形突出云角与神态各异兽形动物，反面饰有一个与流云纹合体云龙形象。

银璧藏于南京博物院。

金编钟 清代文物。1924年，溥仪岳父荣源及内务府绍英、耆龄经手与北京盐业银行经理岳乾斋签订一份抵押合同。抵押金编钟、金册、金宝和其他金器，抵押款数80万元。金编钟便被典卖出故宫。此后这套金编钟几经坎坷，抗日战争期间还险被毁掉，经天津盐业银行经理兼天津银行会长陈亦侯和天津四行储蓄会经理胡仲文等人历经艰辛保护下来，直到中华人民共和国成立后才又返回故宫博物院。1954年，金编钟在故宫博物院珍宝馆向公众展出。

金编钟一套16枚，每枚外表大小一致，均通高16.2厘米，纽高6厘米，厚1.2～2.1厘米，上径13.6厘米，中径20.6厘米，下径16.2厘米。每枚编钟以两条躬身蟠龙为纽，钟身上两条蟠龙跃然其间，波涛云海环绕，最下面还有8个平头音乳。钟身中央一面刻钟的名字，另一面刻"乾隆五十五年造"字样。与铜编钟

以大小不一来定音不同，这16枚金编钟依其厚薄不同来定音。从低音到高音，依次是倍夷则、倍南吕、倍无射、倍应钟、黄钟、大吕、大簇、夹钟、姑洗、仲吕、蕤宾、林钟、夷则、南吕、无射、应钟。整套编钟重423243克，其中"倍夷则"壁薄音最低，重约4703克，而"应钟"壁厚音最高，重约14317克。

清乾隆五十五年（1790年），乾隆帝效仿康熙帝在60岁生日时铸造金编钟，下令再打造一套更大金编钟作为祝寿之礼。编钟由工部、户部和内务府造办处共同铸造，由画工画出编钟图样，呈现给乾隆皇帝审阅；审阅后再制模，模子做好，再呈皇帝审阅后方铸造成样，并呈皇帝审阅才开炉铸造；铸造好后再经工匠锉磨雕刻，直到皇帝满意为止。在乾隆帝万寿大典中，这套金编钟被放置在太和殿上作为主乐器演奏，以烘托典礼肃穆庄严气氛。1922年，金编钟在溥仪大婚典礼上演奏，为最后一次在宫中盛典上敲响。早期编钟多为青铜质地，完整的金编钟遗存仅此一套。

金编钟藏于故宫博物院。

衔玉金扣环 战国文物。1972年5月，陕西省宝鸡市千河镇魏家崖村出土。6件牛首扣环出土于主人胸腹之间，可能是衣饰配件之一。

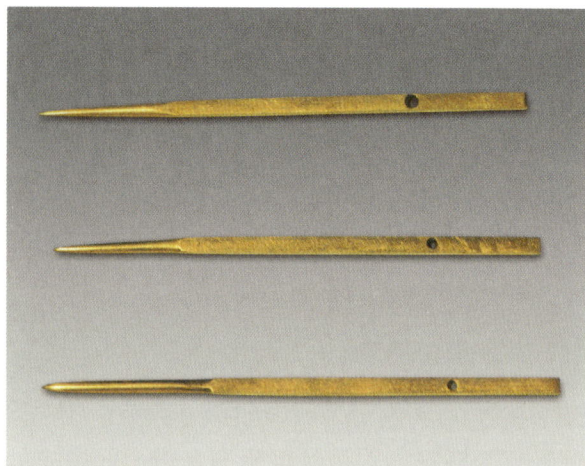

衔玉金扣环长2.8厘米，厚1.5厘米，玉环直径1.5厘米，总重10克。金扣为兽面，兽鼻衔玉环，玉环色泽淡雅，玉质光滑。金扣环为范铸而成，兽鼻和玉环上看不到锻接痕迹，且玉环与兽鼻也毫无连接之处，暂无法断定用什么方法将玉环完整嵌入兽鼻之中。

一般称这件金扣环为金铺首，但其器形较小，应不是作为铺首使用。在陕西省韩城市梁带村芮国27号春秋墓曾出土6件牛首金扣环，大小与这件衔玉金扣环相似。牛首金扣环为纯金质地，整体造型为农耕社会常见的安装鼻环的水牛。鉴于牛首鼻环是作为垂吊其他饰物扣环，故推测本件衔玉金扣环，亦为垂吊其他饰物之用。

衔玉金扣环藏于宝鸡青铜器博物院。

金医针 西汉文物。1968年，河北省满城县中山靖王刘胜墓出土。共出土4枚完整金医针和5枚残断银医针，合为"九针"，被认为是古代九针部分实物。除医针外，还出土"医工"铜盆、手术刀、砭石、药量、药勺、药锅、滤药器、灌药器等成组医疗器具。

金医针长6.5～6.9厘米，直径0.12～0.18厘米。上端做成方柱形柄，宽0.2厘米，比针

身略粗，柄上有一小孔，针尖有锐、有钝，有圆卵形、三棱形，据研究与《黄帝内经》所载锋针、毫针、锓针、圆针等相仿。4枚金针中，2枚毫针、1枚锓针、1枚锋针。说明当时医家已针对不同病症需要，应用不同针具进行治疗。

针刺疗法是中医重要的外治法之一，《灵枢·九针论》将当时所用金属针具按形制和功能总结为"九针"，并对每种针的尺寸、形状和功能进行概括。金属针具发展到"九针"阶段，已是一套成熟针具。广西壮族自治区贵县罗泊湾1号墓也出土3枚银针，通长8.6～9.3厘米。针柄均为绞索状，针身同是直径0.2厘米圆锥体状，针尖锐利，顶端均铸有一小圆孔。从外形观察，与刘胜墓的金银医针雷同，也属"九针"范畴。是研究中国古代医学史的珍贵资料。

金医针藏于河北博物院。

玉柄银锥、鎏金银鞘 辽代文物。1985年，内蒙古自治区通辽市奈曼旗青龙山镇陈国公主和驸马合葬墓出土。

玉柄银锥、鎏金银鞘锥长17.8厘米，锥鞘长14.8厘米，链长23厘米。银锥锻制，锥柄

玉质。锥鞘银质鎏金。鞘上系有银链，可随身佩带。应是契丹贵族四时出行佩带野外行猎工具，即春季捺钵时专用刺鹅锥。

辽代皇帝四时出行，其行帐名捺钵。在捺钵地点除夏季避暑外，另外三季各有一专门游猎活动，春季捕鹅雁，名春水；秋季射鹿，名秋山；冬季则破河冰钓鱼。《辽史·营卫志中》记叙春季捺钵时情况，春捺钵曰："鸭子河泺：皇帝每至，侍御皆服墨绿色衣，各备连鎚一柄，鹰食一器，刺鹅锥一枚，于泺周围相去各五七步排立。皇帝冠巾，衣时服，系玉束带，于上风望之。有鹅之处举旗，探旗驰报，远泊鸣鼓。鹅惊腾起，左右围骑皆举帜麾之。五坊擎进海东青鹘，拜授皇帝放之。鹘擒鹅坠，势力不加。排立近者举锥刺鹅，取脑以饲鹘。救鹘人例赏银、绢。皇帝得头鹅，荐庙，群臣各献酒果，举乐，更相酬酢，致贺语。"由于海东青个头远比天鹅小，当天鹅拼死挣扎时，海东青在体力上不占优势，所以要用鹅锥刺鹅助鹘。《契丹国志》卷二三记："宋真宗时，晁迥往（辽）贺生辰。还，言始至长泊，泊多野鹅鸭。国主射猎，领帐下骑击扁鼓绕泊，惊鹅鸭飞起，乃纵海东青击之，或亲射焉。国主皆佩金、玉锥，号杀鹅杀鸭锥。"可

见皇帝也佩带刺鹅锥。获鹅，特别获头鹅是一件大事，赏赐很丰厚。《辽史》卷二四载大康五年（1079年）："三月辛未，以宰相（张）仁杰获头鹅，加侍中。"宋人姜夔《白石诗集·契丹歌》中也有"一鹅先得金百两，天使走送贤王庐"之句。由于在场亲贵都会跃跃欲试，自然也都应佩戴刺鹅锥。萧驸马佩带是玉柄银锥，而察哈尔右翼前旗豪欠营辽墓出土玉柄铜锥，相比之下其佩带者身份就要低一等。

玉柄银锥、鎏金银鞘存于内蒙古文物考古研究所。

仕女金饰件 明代文物。1956年，浙江省临海县王士琦墓出土。王士琦，字圭叔，浙江临海人，万历十一年（1583年）进士，官至右副都御史、巡抚大同。万历四十六年（1618年）奉调巡抚江南，途中感疾，卒于浑源。《临海县志》载其"没之日，帑无长物，旅榇萧然"，"讣闻，赐祭。遣官营其葬事"。其墓前有石坊、华表、翁仲及御碑亭，是明天启五年（1625年）赐葬。1956年4月14日，张家渡农业社社员借建筑猪圈为名，搬移墓前石板，发现许多金银器物，后临海文物管理小组将出土文物收回。随葬器物共107件。其中金丝发罩1件，金带板20件，金饰33件，杂金饰

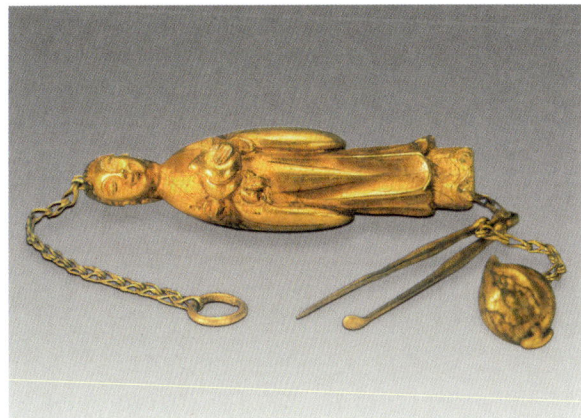

连同宝石、玉、银29件、银饰20件，青花小方瓷盒1件（内贮小玉饰数件），银花1件玛瑙虬龙佩1件，唐海马葡萄铜镜1件。

仕女金饰件通高22.2厘米，人高6.9厘米，宽1.7厘米，重33.28克。外部设计成仕女状，人形比例恰当，面相秀丽，身着右衽长衫，下着裙子。盘髻插簪，手捧莲叶寿桃。中空，内有一长4.8厘米牙签和4.5厘米耳挖。耳挖及牙签以一金链相系，链子贯穿仕女体内，不用时拉动金链上小圆环，耳挖、牙签即可藏入人体。底部与一寿桃形塞子相连，子母口塞于仕女裙摆下。整器构思巧妙，是一件集欣赏、实用于一体的精美艺术品。

仕女金饰件藏于浙江省博物馆。

錾花金事件 明代文物。1957年，北京市右安门外万贵墓出土。共出土2副相同錾花金事件。

錾花金事件通长52厘米，重294.5克。以拉丝、累丝、锤揲、錾刻、焊接多种工艺制成。由荷叶形牌饰与下坠7个物件组成，荷叶形牌饰上部为相对两只鸳鸯立于荷叶上，荷叶下有7环，连缀7条金链，每链下各缀一精巧小什件，分别是觽、瓶、盒、罐、剑、囊、剪。其中罐、瓶、囊、盒通体錾刻精美纹饰，剑、剪还可打开，显示出设计者匠心独运和明代早期宫廷金器制造工艺高水平。

几件小工具与若干小玩意儿以银链为系合为一副，上由一枚"事件压口"总束。所谓"事件"，是一种佩饰。此在唐代即已出现，如陕西扶风法门寺地宫出土1副铜事件。辽金以降此风不衰，一直流行到元明。"事"的说法在明代以前就有。如元代《居家必用事类

全集》列有"玉五事"；元末明初《老乞大》中就有"五事儿十副"；明代《天水冰山录》中也记载"金凤牡丹七事""金素七事""金厢宝四事"等。所谓"三事""五事""七事"也只是泛称，可多亦可少。所谓"三事"，一般由镊子、牙签、耳挖3件用具组成，这种家常用小用具，在明代多拴在汗巾角上，随身携带，既是用具，也兼做装饰之用。"三事"之外，还有"七事"，即所谓"玎珰七事"。明代顾起元在《客座赘语》卷四"女饰"中记："以金珠玉杂治为百物形，上有山云题、若花题，下长索贯诸器，系而垂之，或在胸曰'坠领'，或系于裙之要曰'七事'，又以玉作，系之行步声璆然，曰'禁步'。"《说文通训定声》："裾，衣之前襟也"，可见"玎珰七事"是坠系于衣服前襟之上，作为装饰之用。

錾花金事件藏于首都博物馆。

鎏金银锁 唐代文物。1970年，陕西省西安市何家村窖藏出土。共出土鎏金银锁17把，银锁6把。

鎏金银锁通长18.4厘米，钥匙长7.8厘米，重85克。由锁管、锁芯和钥匙组成。锁管

为中空八棱形，从空腔一端焊接一个"U"形插杆，与锁芯上套环构成一个锁闭结构。锁芯外露部分加工成精美花蒂形，上面錾刻忍冬卷草纹；锁芯内插在锁管中部分为两重簧片，起到锁合作用，用钥匙把簧片压下就可打开。锁体表面錾刻各种形式菱格纹。浇铸成形，部分结构采用焊接工艺，花纹平錾，纹饰鎏金。

锁是关闭门户、柜橱、箱匣等用钥匙才能开启的金属器具。在5000余年前仰韶遗址中，就发现有用木材制造锁。汉代时，制锁工艺进步，采用金属簧片结构，并镂有虎、豹、麒麟、龟、蝴蝶等图案。到唐代，已普遍采用金、银、铜、铁制作。从法门寺出土银宝函大多带有银锁看，这几件银锁也当为锁闭宝函之用，出土时尚可开锁自如。

鎏金银锁藏于陕西历史博物馆。

鎏金银龟负"论语玉烛"酒令具 唐代文物。1982年，江苏省镇江市丹徒区丁卯桥出土。

鎏金银龟负"论语玉烛"酒令具通高33.4厘米，龟长24.6厘米，筒深22厘米，重1170克。酒筹筒通体银质，花纹鎏金。龟座刻画逼真，银龟昂首曲尾，作匍匐之态，四足着地以支撑整件器物。银龟背部隆起，阴刻有龟裂纹，龟背之上有双层莲花座，上承圆柱形筹筒。整体宛如龟背上竖立一支金色蜡烛。筒盖卷边荷叶形，上有葫芦形纽，盖面刻鸿雁及卷草等花纹。盖与筒身以子母口相接。筒身刻有龙凤图案，在筒身下部四个腰形圈内各

饰一对飞鸟。筒身正面錾一开窗式双线长方框，方框内刻"论语玉烛"四字。《论语》为儒家经典，"玉烛"二字始见于《尔雅·释天》"四气和谓之玉烛"，清郝懿行《尔雅义疏》谓："玉烛者，释文引李巡云：'人君德美如玉，而明若烛。'"所谓"论语玉烛"即帝王用《论语》治理国家，使《论语》光照天下，此器因此而得名。玉烛座是银龟，龟是四灵之一，古人视龟为祥瑞之物。以龟负玉烛为造型，符合古人思想意识和社会习俗。筒内有鎏金酒令银筹50枚，形制大小相同，均为长方形，切角边，下端收拢为细柄状。长20.4厘米，宽1.4厘米，厚0.05厘米。每枚酒令筹正面刻有行酒令令辞，令辞上半段采自《论语》语句，文句除个别与今本《论语》小有出入外，多数与通行本《论语》一致，其选择文句标准，与饮酒现场情景和饮酒数量有关。

每个酒筹最后一句，是规定行令饮酒内

容，可概括为饮、劝、处、放四类。"饮"有自饮、自酌、请人伴、许请两人伴等；"劝"是劝酒，有任劝、任劝两人、劝主人、劝大户（海量者）等；"处"是罚酒，有官上离处、来迟处、少年处、多语处、衣服鲜好处等，"放"是放过。在酒筹中有"玉烛录事"和"献录事"等名，应是主持酒令的人。其中有一枚为"刑罚不中则民无所措手足。麟录事五分"，民字缺笔，系避唐太宗李世民讳。行酒令方法，归纳起来大体可分为四大类，即古令、雅令、通令、筹令。在古令中就有鼓盘起舞、加倍令、藏钩、藏田、射覆、急口令、招手令、手势令、般子令、鞍马令、旗幡令、抛打令等80余种。雅令每以"四书"及小说中人物故事为题材制成酒令。通令一般用骰子作为工具。筹令就是以酒筹作为行酒令工具。唐代流行用筹行令，如白居易诗中即有"醉折花枝当酒筹"之句。鎏金银龟负"论语玉烛"酒令具底部刻有"力士"二字，有人认为是当时地方官吏准备送给大太监高力士而定做。也有人认为，丹徒区丁卯桥是唐代诗人许浑家居所在，许浑于文宗六年（832年）登太和进士，大中年间（847～859年）为监察御史，官至睦、郢二州刺史，诗集名《丁卯集》。其祖先有许力士者，其人见于《旧唐书·许绍传》及《新唐书·宰相世系表》。从出土地点看，这套酒令具应是许力士之物。

鎏金银龟负"论语玉烛"酒令具藏于镇江博物馆。

金嵌珠宝天球仪钟　清代文物。1992年，故宫博物院珍宝馆扩充新馆，将一批展品进行整修，其中包括1件陈列多年金嵌珠宝天球

仪。工作人员从支架地平圈上取下天球后，发现下端极轴周围有3个活动小圆盖，盖下是3个圆孔，确认内部必有机械装置，还触摸到里面的轴杆。当即试配钥匙，试旋转时又发现里面有发条。再拆开天球，发现这件长期在珍宝馆展出的珍宝陈设，竟是一件天球仪造型钟。

金嵌珠宝天球仪钟通高83厘米，分金天球和支架两部分。金天球外壳直径30.7厘米，从中腰分为上下两个半球，总重5201克。天球两端中心为南北极，两极贯以钢轴，轴端固定在球外子午圈上。安装镂雕子、丑、寅……十二时辰圈，以北极轴端为中心，亦固定在子午圈上。天球北极安装一短时针，与天球为一体。围绕南极有3个上弦圆孔，每天需要钥匙

上弦。天球中腰为赤道，赤道与黄道以30°角相交，相交点分春分、秋分，与其余二十二节气依次阴刻于球体上。球外直立子午圈，直径36.7厘米，一面刻度360°。架上平放金地平圈，既卡于地平圈，又落在支架中心凹槽之中，极轴与地平圈相交角度，是京师北极高度39°55′倾斜度。球体上按乾隆九年（1744年）《仪象考成》所载布列星辰，有紫薇垣、太微垣、天师垣"三垣"和二十八宿、三百六十八星座，名称皆阴刻于球体上。只是星座中星较少，用珍珠镶嵌大小星星只有1330颗，而不是3240颗。钟的机芯置于金天球壳内，壳内有十字铜条球形架，套着机芯。铜架也分两个半球，天球壳就固定在铜架上。机芯的主要构造在上下圆夹板之间，上半球的底边与机芯上夹板相接，上夹板边沿之上有一轮齿向球心铜圈，周围240个齿。上下夹板间按顺时针方向看，由走时、奏乐、报时3组发条盒，及塔轮、链条组成动源。3个发条盒上弦轴透过下夹板几乎延至球南极，贴近南极3个圆孔。3组动源各自带动齿轮系传动，又在齿轮系不同部位相互联系。金天球仪支架高60.5厘米，上端金地平圈，直径38厘米，宽2.6厘米，重970克，錾云纹，没有刻度。圈下是四权束腰支架，铁质，包镶厚0.1厘米金板云龙。金龙9条，眼镶蓝宝石，姿态蜿蜒，十分生动。支架束腰处有承托子午圈凹槽，支架下有铜胎蓝地花卉纹掐丝珐琅托盘，盘径42.8厘米。托盘上金质波涛，波涛中心则是指南针，其珐琅边沿有东、南、西、北4字。托盘有束腰，下层盘边周围有凹槽，槽用于盛水以测水平。盘下有兽头形四足，各有调节高低螺丝，以便天球水平摆放。

金嵌珠宝天球仪钟气势磅礴，制作上采用多种技艺，装饰华丽。九龙出水托举天球的设计匠心独运，在造型上取得奇拔俊俏美感，錾雕技艺精妙绝伦，还综合运用金工、镶嵌、珐琅等多种工艺，呈现富贵典雅艺术效果，反映出皇家工艺美术特点。是较为罕见的传世金嵌珠宝天球仪钟，从其用料、造型、工艺风格、机芯构造等方面，可鉴定为清乾隆中期（1770年前后）清宫造办处作品。这一发现，证明18世纪中国已有天球钟。

金嵌珠宝天球仪钟藏于故宫博物院。

兽形金饰 春秋时期秦国文物。1982年，陕西省凤翔县马家庄秦宗庙遗址出土。

兽形金饰高2.6厘米，长3.5厘米，宽2.4厘米，重28克。金兽铸造而成，造型奇特，整体似虎，但长着羊角、四蹄，身上还有双翼，卷尾。背面有两根1.3厘米长铆钉，应是木制车辕上装饰。

春秋战国时期，随铁工具使用，生产力有很大提高，黄金白银产量有明显增长，黄金在上层社会中使用已比较普遍。无论数量还是造型、工艺水平，秦国金制品在春秋战国时期诸侯国中，都表现最突出。在陕西凤翔秦都雍城马家庄宗庙遗址、秦公1号大墓和凤翔西村战

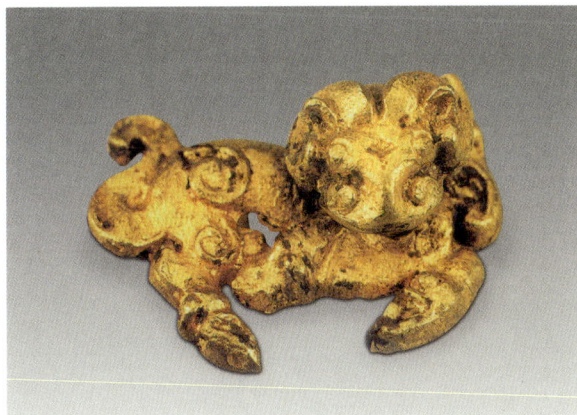

国墓中已发现秦国黄金制品100余件，主要有金带钩、金节约、金方策、金虎、金串珠、金泡、金戴胜等。除秦公1号大墓出土1件金箔系锻打之外，其他金器均为铸造成形，明显受到当时青铜工艺影响。根据凤翔和宝鸡等地所出金器规范程度和统一造型风格推断，上述金器应是秦国官府作坊统一制造。

兽形金饰藏于陕西历史博物馆。

"少府"银饰件　秦代文物。1977年，秦俑考古队在陕西省秦始皇陵东城外发掘8座墓葬。墓葬皆一棺一椁，随葬品丰富，等级较高。墓主5男2女，却全部身首异处。死因为同时期被肢解或射杀，并被一同埋葬。发掘者推测，这批墓葬主人或为秦始皇帝时秦宗室或大臣，是秦末宫廷斗争物证。但根据葬制和相关器物，有学者推断为宦者和宫女。此器出土于第15号墓，墓主为一位男性，器形与陕西西安北郊明珠新花园54号汉墓出土性器套箍类似，实际上应为性器附件。套箍内中空部分即套接性器男根，后有尾环。此器物的发现也符合墓主为宦者身份。

"少府"银饰件造型为蟾蜍蹲踞状，长9.5厘米，张口鼓目，口呈椭圆形，长径3.4厘米，体腔中空，口腔内侧刻有"少府"二字。

《汉书·百官公卿表》云："少府，秦官，掌山海池泽之税，以给供养。"应劭曰："名曰禁钱，以给私养，自别为藏。"师古曰："大司农供军国之用，少府以养天子也。"秦代墓葬亦出土刻有"少府"铭兵器，可见，少府为秦宫廷管理和工官机构。这件器物应是由"少府"制作或提供，有珍贵研究价值。

"少府"银饰件藏于陕西历史博物馆。

金兽　西汉文物。1982年春节后，江苏省盱眙县南窑庄农民集体挖修一条水沟，农民万以全挖出1件铜壶，铜壶上盖着1件金兽，壶内有11件郢爰金版和为数较多马蹄金、麟趾金、金饼等。

金兽长17.8厘米，通高10.2厘米，重9000克，含金量高达99％。金兽空腹、厚壁，浇铸成形，呈匍匐状，似虎更类豹，看上去古拙憨朴，但细节刻画生动。除眼部和颈部项圈外，全身布满斑纹。斑纹是整体铸成之后，特意用工具锤打上去的，斑纹大小相当，呈不规则圆形，体现豹子特点，这种技法在当时是绝无仅有的，是青铜铸造工艺与金器锤击工艺相结合产物。金兽内壁刻有小篆"黄六"二字，"黄"指黄金，"六"为序数。学者推测其为国库镇库兽，具镇恶祛邪之义。

窖藏时间，有学者定为西汉前期。但也有考证认为，盱眙曾为楚怀王之都，秦、楚、

汉纷争之际，实为重地，窖藏或与此时战争有关。这批重要文物年代当定为战国至汉初，为研究秦汉金铜手工业和货币制度，提供重要实物资料。

金兽藏于南京博物院。

鎏金立凤植物纹银饰 唐代文物。1982～1985年，青海省文物考古研究所组织清理发掘海西州都兰县热水吐蕃1号大墓地面陪葬遗迹时，从1号殉马坑内清理出1件周边镶有鎏金银片饰的木质容器，出土时已被压碎，经对容器复原，整理出若干件成形鎏金银质片饰。这些银质片饰较薄，表面鎏金，镂空并锤揲出各种纹样，且工艺精湛、图案大气、富丽堂皇，其背部残留绢织物、木片，显然是木容器镶嵌饰片。

鎏金立凤植物纹银饰一组3件，略残，主件长16.5厘米，宽15厘米；附件各长16.8厘米，宽2.2厘米。边框饰一周绳索纹，框内整个画面镂空锤揲出一立凤形象，其周围布满环状忍冬唐草花纹。凤凰昂首翘尾，展翅欲飞，头顶有花冠，头后有羽状饰，嘴衔忍冬花枝，颈部系有象征飘带忍冬花叶，翅膀各饰一排竖向联珠纹，身和尾均做成忍冬花形，尾部上扬。条形银片饰素面边框，内锤揲出镂空纵列

式二方连续环状忍冬纹唐草图案。

一般认为，都兰墓葬属于吐蕃统治下吐谷浑邦国遗存，而吐谷浑邦国政治中心应在都兰县。由于吐谷浑所处特殊地理位置，穿越吐谷浑领地青海古道与丝路贸易有着重要关联。鎏金立凤植物纹银饰工艺风格、纹样布局具有浓郁的中亚粟特金银器特色，且吸收唐代流行忍冬纹、凤凰纹等吉祥图案，反映出丝绸之路上中西文化融合发展。

鎏金立凤植物纹银饰存于青海省文物考古研究所。

鎏金镶宝石梅花形银扣 明代文物。1958年，江西省南城洪门水库益庄王朱厚烨墓出土。共2套。

鎏金镶宝石梅花形银扣银质鎏金，一边呈朵梅状，花蕊处留空为襻，一边锤打镶包蓝宝石1颗为扣，襻、扣脚两边分别锤打成1只蝴蝶，相向而对，2只蝴蝶身上分别镶嵌1颗红宝石，扣、襻相合后呈蝶恋花状。长8厘米，宽4厘米，2套连宝石共重83克。

女子上衣使用金或金镶宝纽扣，这一习俗的盛行始于明代，因明时女子穿对襟袄子上边有竖领，竖领前面便是一对纽扣。但其并非

一般意义上的"纽扣",大部分都是成对出现,由别致的动植物造型单体通过子母套结式结构扣合而成。既能承载服饰门襟闭合功能,又能作为精致雅丽首饰,是明代女子服饰上一种特殊时尚装饰。这种纽扣广泛出土于各地明代墓葬中,据不完全统计,仅子母套结式纽扣墓葬出土约288副,材质主要有金、银、玉、铜,其中镶嵌红蓝宝石的金、银纽扣数量超过45副。其中最早出土于南京邓府山福清公主(1370~1417年)家族墓,是1副蜂赶菊金对扣。最多就是益庄王朱厚烨墓,除前述2套鎏金镶宝石梅花形银扣外,还有鎏金银蝴蝶菊花形银扣、如意纹金扣等100余套。这种纽扣由中心部分与两翼组成,中心部分又由扣和襻组成,扣插入襻中,扣合牢固。中心部分襻多为菊花、菱花或葵花造型,偶见福、寿等文字。有时襻变为方形,但不是主流。两翼图案为蜜蜂、蝴蝶、童子、鱼、鸡、元宝、如意云头、万字纹等。将中心部分与两翼进行搭配,再加上红蓝宝石镶嵌,则形成丰富多彩的纽扣形式。

鎏金镶宝石梅花形银扣藏于江西省博物馆。

契丹文"敕宜速"金牌 辽代文物。1972年,河北省承德市深水河老阳坡出土,是当地猎人在山上打猎时无意中发现,作为贵重金属交给银行,后入藏河北博物院。金、银牌大小、形状相同,为圆角长条形,带圆形穿孔。

契丹文"敕宜速"金牌长21厘米,宽6.2厘米,厚0.3厘米,重475克,含金量98%。正面双钩阴线刻契丹文"敕宜速"三字,前一字是单文,后两字是由三个单文组合而成的复文。背为素面。同类器物已发现多件,其形状

与文字内容基本相同。如吉林省博物院收藏契丹文"敕宜速"银牌,黑龙江省博物馆收藏契丹文"敕宜速"金牌等。

辽在契丹时期并无符牌,随国力强盛,改原来以箭为号旧制,而以刻木为契。辽太祖时开始,沿袭唐代符牌制度,有用于调发军马金鱼符,也有传达使命、换乘驿马银牌。《辽史·仪卫志》说银牌"长尺,刻以国字,文曰'宜速',又曰'敕走马牌'。国有重事,皇帝亲授使者,手札给驿马若干。驿马阙,取它马代"。宋张舜民《使辽录》记载辽代银牌"形如方响,刻番书'宜速'二字。使者执牌,驰马行数百里,牌所至如国主亲至,需索更易,无敢违者"。辽代银牌与唐代相似,《宋史·舆服志》记载:"唐有银牌,发驿遣使,则门下省给之。其制,阔一寸半,长五寸,面刻隶字曰:敕走马银牌,凡五字,首有窍,贯以革带,其后罢之。"银牌在辽代是皇权象征,没有皇帝手札和符牌,驿马是不能随意动用的。但银牌使者不仅可动用驿马,驿马不足还可用其马代替。银牌使

者所到之处如"天子亲临,需索更易,无敢违者",称为"银牌天使"。

契丹文"敕宜速"金牌藏于河北博物院。

"黔宁王遗记"金牌 明代文物。1974年,江苏省南京市江宁区将军山沐叡墓出土。"黔宁王"即沐英。沐英是明太祖朱元璋养子,生前爵位是西平侯,洪武二十五年(1392年)去世后,追封为黔宁王。沐英在世时,深得朱元璋信任,洪武十四年(1381年)和永昌侯蓝玉一起被任命为副将军,随傅友德出征云南。两年后,朱元璋令傅友德及蓝玉班师回朝,独命沐英留镇云南。自此,沐氏家族一直镇守云南边陲地带,直至明亡。自1949年以来,南京地区已发掘沐英、沐晟、沐叡、沐瓒、沐斌、沐昂、沐崑、沐朝弼等多座沐氏家族墓葬,出土文物数量众多,品种丰富。"黔宁王遗记"金牌上记载沐英生前对后世子孙嘱托,无异于家训,亦可见沐英对朱氏政权忠心与谨慎。沐叡是沐英第十一世孙,执掌云南时,已是明神宗万历二十三年(1595年),此时沐氏家族与中央王朝和云南当地官员关系已不如之前那么稳定,权位时稳时险。万历三十五(1607年)年,云南武定府土酋阿克发动叛乱,攻入城中,将府印掠走。次年八月,神宗治云南失事诸臣罪,沐叡被逮入狱,不久死于狱中。沐叡是沐氏家族历史上唯一一位被明朝皇室囚死狱中成员。在沐叡死后第18年,也就是明朝天启七年(1627年),沐叡父亲沐昌祚才将儿子尸首从云南迁回至南京,而这块金牌出土于沐叡墓葬中,更显得意味深长。

"黔宁王遗记"金牌高13厘米,宽10.9厘米,重108.4克。金牌圆形,上方出郭。正

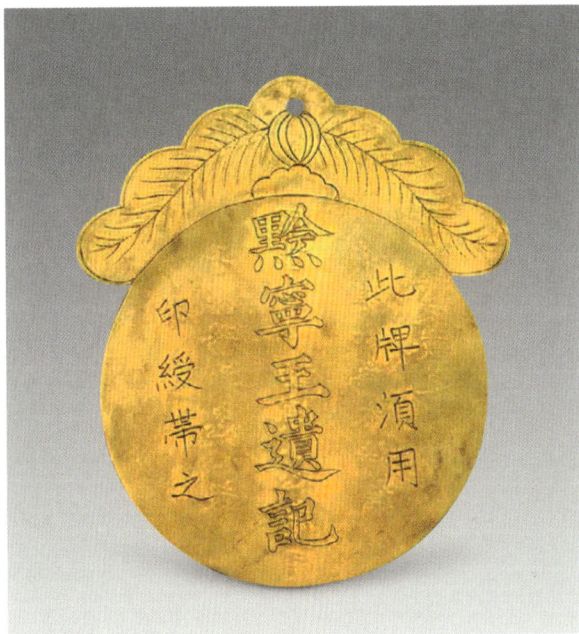

面中间由上至下刻"黔宁王遗记"5字,空心楷体;右边刻"此牌须用",左边刻"印绶带之"各4字,表明是可用来随身佩带的。牌身背面刻字五列,为"凡我子孙,务要忠心报国,事上必勤慎小心,处同僚谦和为本,特谕,慎之戒之",仍用楷体。由于金硬度较低,錾刻铭文时在另一面留下反书痕迹依稀可见。上方出郭部分,正反两面都刻出一左一右两条叶脉纹路,上方居中位置有一圆形小孔,用来系绳。边缘作向外凸连弧状,左右大体对称。是明代考古发掘中唯一一块刻有显赫家族祖训的金牌,弥足珍贵。

古时官员佩用腰牌,一般用作军事调遣凭证、出入宫廷禁区通行证、等级和身份凭证。到明代,针对品级和官衔,又对腰牌形制、质地和纹饰做具体规定。据《明史·舆服志》记载,腰牌形制有云花圆牌和鸟形长牌之异,质地有象牙、金、银、铜等之分,纹饰有龙、虎、獬豸、狮等之别,分别对应不同官职。但据沐叡墓出土"黔宁王遗记"金牌上的铭文内

容，这不是一件用在正式场合"官用"腰牌，而是用来提醒沐氏族人事君处世之道家传腰牌，故其形制、质地、纹饰等，都不是按照官方标准制作的。

"黔宁王遗记"金牌藏于南京市博物馆。

金册 清光绪二十年（1894年）文物。庆亲王奕劻，爱新觉罗氏，爵位亲王，为清代宗室爵位最高等级和为数不多几个铁帽子亲王之一，也是清王朝册封最后一个享有"世袭罔替"隆遇者。其祖父庆亲王永璘为高宗弘历第十七子、仁宗颙琰之母弟，父绵性乃永璘第六子。奕劻为绵性第一子，按理可能承袭最高爵号只能是振国将军，但事情出于偶然。道光二十九年（1849年）原祀永璘的绵悌（奕劻五伯父）辞世后，诏命奕劻为嗣子续奉永璘之祀，袭辅国将军。其后，奕劻官阶爵位便历年有加，并渐为朝廷倚重。慈禧当权时，奕劻更是宗室中为朝廷办理外交、军务得力大员。至光绪二十年，越九级直达亲王爵。

金册银质鎏金，4片，每片长22.5厘米，宽10厘米，以小环连缀成册。正面汉文，背面满文，光绪二十年正月初一颁发，记录奕劻协助光绪治理政务、训练军队、办理外交之勋劳卓著，以此册由郡王晋封为亲王。

西汉以后，历代王朝在赏功、推恩分封活动中，皆有颁册赐宝之举，清代亦然。清代皇帝授藩属、诸侯、宗族、嫔妃与功臣等以封爵，皆举行一定仪式，对受封者宣读授给封爵名号诏书，这种诏书叫"册文"，简称"册"。宣读后，将册文连同印玺授给被封人，称册封。立皇后与封皇贵妃、贵妃、亲王、亲王世子皆金册、金宝。天津博物馆还藏有奕劻亲王世袭及其长子载振袭爵受封册页，其中载振袭爵册页乃中华民国政府所颁发。以上3件金册，自成一组，是研究清代分封亲王赐册制度、册页规制，乃至民国政府对待逊清皇室政策的可靠资料。

金册藏于天津博物馆。

第五章 书法绘画

古代艺术品，是理解古人艺术思想的直接对象。书法、绘画、壁画、版画，作为中国古代艺术重要门类，是带有古人审美意识的精神文化创造。

书法是书写汉字的艺术。在书法的文化中，书家是书法创作的主体，书迹是遗存的珍贵实物，而相关的鉴藏活动，可谓穿插在历史中的重要线索。

中国历史上出现了众多书家，如秦李斯，东汉蔡邕，东晋王羲之、王献之父子，唐虞世南、欧阳询、颜真卿、柳公权、孙过庭、释怀素，宋蔡襄、苏轼、黄庭坚、米芾，元赵孟頫，明董其昌，清王文治等，他们对于书法艺术的发展有着不同程度的贡献，他们的理念与作品，都是理解书法的必由之路。

历朝历代均重视对前人真迹的收集整理，并有意识地收藏名家的书法作品。历史上由于种种原因，书法作品在各种公私收藏活动中几经聚散，而毁佚流失者也不在少数，所以能传世的书法作品，更显珍重。

鉴藏者是书法收藏活动的主体，书法作品的文化价值，在收藏活动中逐渐强化。收藏活动催生了作品的著录，其中可分为自藏著录和经眼著录两类，前者以北宋《宣和书谱》、清安岐《墨缘汇观》为代表，是官方或个人对自己藏品的综合记录；后者以北宋米芾《宝章待访录》、南宋岳珂《宝真斋法书赞》、清顾复《平生壮观》为代表，是鉴赏家对经眼书法作品的记录。

近代以来，清宫藏品的散佚，私人藏品的交易，使古代书法作品再次遭受重重劫难。中华人民共和国成立以来，国家十分重视书画文物的回归工作。全国博物馆、文物商店，为重新充实文物收藏，付出了巨大的努力，一些重要的古代书法珍品得以被国内博物馆收藏。

在悠久的中华文明发展过程中，我们民族也形成了独具特色的绘画体系，产生了大量优秀的作品，是人类古代艺术中重要的文化遗产。

在唐代之前，中国绘画将人物画放在主要地位。据考古发现，早在先秦时期，中国已经出现人物画，以湖南长沙陈家大山和子弹库两座楚墓中的帛画为代表。至魏晋时期，以顾恺之为代表的一批画家的出现，标志了人物画的技巧和艺术性已经达到一定高度。到唐代吴道子、韩滉、张萱、周昉等人时，人物画水平又得到了进一步发展。同时，在这一时期，中国画中最具特色的山水画，已经从人物画的装饰中脱离开来，成为独立的画科。经过五代到北宋的巨变，中国绘画进入了它的成熟时代，出现了"荆关董巨"、范宽、郭熙、王希孟等伟大画家。至元代钱选与"元四家"，山水画又出现了一个重视主观抒发与风格创造的新高峰，也完成了山水画中诗书画的统一，画史也迎来了文人画的时代。明末董其昌、"八大山人"，清初石涛，再次把传统山水画的艺术性发挥到了新的高度。花鸟画，是中国画的另一画科，徐熙、黄荃、赵昌、扬无咎、崔白、赵佶、李迪、王冕、徐渭、"八大山人"等都是花鸟画中的代表画家。

与书法作品类似，古代绘画得以传世，得益于持续的鉴定与收藏活动。魏晋以来，皇家就开始搜集前朝收藏，并加以鉴定、修复、装裱、分类管理。唐《贞观公私画录》《历代名画记》、宋《宣和画谱》、清《石渠宝笈》等文献，就记载了官方的收藏情况。同时，不少珍贵作品流入私人手中，增加了古画收藏的复杂性。唐钟绍京、徐浩、窦蒙，宋铜山苏氏、米芾、贾似道，元赵孟頫、乔篑成、柯九思，明华夏、项元汴、文徵明、韩世能，清梁清标、安岐等，都是重要的古画收藏家。他们的鉴藏活动，无形中研究并保护了古代绘画。

清末内忧外患的动荡时局，让中国的绘画作品再次面临危机。八国联军的掠夺与毁坏，末代皇帝溥仪的"转移"，以及无法统计的偷盗与走私等，给公私收藏之古画带来剧烈冲击，深刻改变了绘画文物的收藏格局。中国的绘画，进入日本、欧美等公私收藏机构。之后又有一大批珍贵绘画，被运至台湾。中华人民共和国成立后，政府在财政紧张的局面下，为抢救古画做出了巨大的努力。一方面国家特派专员在香港征集古画，另一方面社会上的大收藏家，也开始向国家捐赠藏品，为充实国内公立收藏做出巨大贡献。

壁画在中国历史悠久，内容丰富。旧石器时代的内蒙古阴山岩画、新石器时代的云南沧源岩画，是中国早期壁画的萌芽。大汶口文化、红山文化、河姆渡文化和仰韶文化等时期，有地画或壁画残块发现，性质与古代社会的祭祀、礼俗、信仰相关。随着建筑技术的发展，壁画的背景从洞窟摩崖转向建筑中。商周时期，陕西、河南、湖北的个别墓葬，乃至宫殿、祠庙、明堂遗址中曾发现壁画的残存。

中国秦汉时期的壁画已相当成熟，宫殿壁画和墓室壁画继续发展。西汉时期河南洛阳的卜千秋墓壁画、洛阳烧沟61号墓、金谷园新莽墓壁画，东汉时期的山西平陆枣园汉墓壁画《山水图》、河北望都1号墓壁画以及在内蒙古和林格尔发现的壁画墓等，是这一时期的代表。描绘内容涉及阴阳五行、神仙鸟兽、车马仪仗、建筑及墓主人的肖像等，大多是表现墓主人生前的生活以及对其死后升天的美好祝愿。墓室壁画经过魏晋，在唐代形成了高峰期，集中体现在陕西境内的高级墓葬中，懿德太子、章怀太子和永泰公主三座墓葬可视为代表。元代由于佛教和道教盛行，佛寺、道观壁画颇为盛行。山西稷山县兴化寺、青龙寺佛教壁画，山西芮城县永乐宫道教壁画为元代壁画代表作。清代寺庙壁画与宫廷壁画中，最引人注目的是有关现实重大题材的描绘以及民间小说与文学名著的表现。

所见遗存最早的中国版画，是晚唐时印制佛经中的佛教画像，但在此之前，从模制的汉画像砖到碑文传拓等等行为，都包含了一些版画的要素。唐朝时，雕版印刷术成熟并大量印刷佛经，木刻版画随之产生，其绘画工艺、雕刻手法、印刷技术都达到了相当高的水准。唐五代时期的版画大多俊秀古朴，用刀有神，内容题材以反映佛教题材为主，是版画艺术的源头。遗存的唐代佛教版画有《梵文陀罗经咒图》《金刚般若波罗蜜经卷首阁》《圣观自在菩萨千转陀罗尼轮》《无量寿陀罗尼轮》等。其中《金刚般若波罗蜜经卷首阁》扉页刻有一幅木刻插画，这就是存世最早的木刻版画《祇树给孤独园》。宋元时期的版画相对于前代在品类、数量、艺术风格上都有了极大的进步。宋代版画已经脱离了对宗教的依赖，和人们的文化需求紧密结合起来。随着活字印刷术的发明，中国的雕版版画进入一个全面发展的时期。宋代版画刻本章法完善，体韵遒劲。同时，在经卷中也开始出现山水景物图形。其他题材的版画，如科技知识与文艺门类的书籍、图册等也有大量的雕印作品。由于实用的要求，在宋代还出现了铜版印刷，主要用于印制纸币和广告。辽代套色漏印彩色版《南无释迦牟尼佛像》是中国发现最早的彩色套印版画，在世界文化史上有极其重要的地位。元代的"平话"刻本是中国连环版画的前身。

明、清两朝是中国古代版画的高峰时期，在文人、书商、刻工的共同努力下，版刻业出现了各种流派，创作出大量优秀作品，呈现出欣欣向荣的局面。宗教版画在明清时期达到顶点，画谱、小说、戏曲、传记、诗词等题材的版画大量出现。各个流派百花齐放，尤其是徽派版画兴起，使中国版画进入一个新的阶段。徽派版画以刻制闻名于时，高手如林，尤其以歙县黄氏、汪氏两个家族最为突出，代表作品有《养正图解》《古列女传》等。版画创作在质量与艺术水平上都大有提高，套印技术也在此时迅速发展。这一时期，版画的作用突破了书籍插图的功能，开始出现画家传授画法的"画谱"、文人雅士的"笺纸"、制墨名家的"墨谱"，以及民间娱乐用的"酒牌"等，代表作有明代杭州双桂堂所刊的《顾氏画谱》、万历年间刊行的《程氏墨苑》《水浒叶子》《博古叶子》以及影响深远的《十竹斋画谱》《十竹斋笺谱》。明清时期，版画还出现了西方天主教中圣母、教子等形象，代表作有天主教"圣母领报"故事版画，体现了当时中外文化的交流。

清朝末年至民国时期，中国引进了西方印刷术，中国传统的版画艺术濒临灭绝。五四运动前后，在郑振铎和鲁迅的努力下，中国传统版画得以再发现和复生，促成了创作版画的迅速发展，延续了传统版画的艺术生命。

第一节 书法

草书《平复帖》卷 西晋文物。西晋陆机的草书作品。陆机（261～303年），字士衡，三国吴吴郡（江苏苏州）人，西晋文学家、书法家，孙吴丞相陆逊之孙、大司马陆抗第四子。吴灭亡后，陆机归附西晋，曾任平原内史，世称"陆平原"，后为司马颖所杀。陆机尤擅长属文，有文论名著《文赋》传世。《宣和书谱》记"虽能章草，以才长见掩耳"。《平复帖》是陆机写给病中友人的一封问候信。内容涉及陆机三位友人：彦先、子杨、夏伯荣，前两位人物的身份尚无定论，较公认的观点是贺循与吴子杨。《平复帖》在唐末被收集合装，北宋时经王溥祖孙、李玮等收藏，后以单帖形式入宣和内府，明时经韩世能、韩逢禧、董其昌、张丑收藏，清时由葛君常、王际之、冯铨、梁清标等收藏，乾隆十一年（1746年）归入清廷内府，贮寿康宫。乾隆四十二年（1777年），《平复帖》被赐予成亲王永瑆，命名"诒晋斋"，后又到其曾孙载治之处，光绪年间恭亲王奕䜣代管，并由其孙辈溥伟、溥儒继承。1937年，溥儒为酬母亲治丧费用，将《平复帖》以4万元售予张伯驹。1956年1月，张伯驹将《平复帖》等一批重要法书捐献国家。中央人民政府将《平复帖》拨交故宫博物院收藏。宋《晋贤十四帖》《宣和书谱》，明张丑《清河书画舫》《真迹日录》，清吴其贞《书画记》、顾复《平生壮观》、安岐《墨缘汇观》《石渠宝笈续编》等书均有著录，刻入清《秋碧堂帖》《三希堂法帖》。

《平复帖》为麻纸本，纵23.8厘米，横

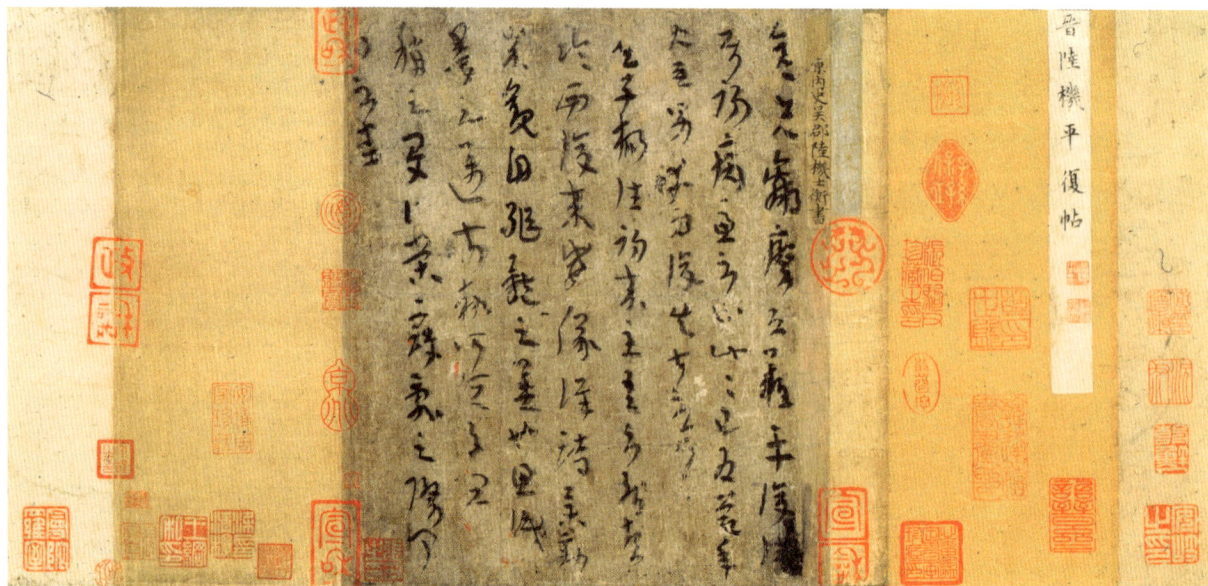

20.6厘米，共有9行86字。卷前黄绢隔水嵌瘦金书月白绢签"晋陆机平复帖"、白绢小正书签"晋平原内史吴郡陆机士衡书"，以及明董其昌"晋陆机平复帖手迹神品"三处题签。

《平复帖》书法古拙，在用笔上已不见章草中的波磔，是草书由章草向今草过渡期的作品。启功最早将《平复帖》文字完整释出，刊于《雍睦堂法书》中。《平复帖》是存世年代最早并真实可信的西晋名家法帖，在中国书法史上占有重要地位，对研究文字和书法变迁有参考价值。

《平复帖》藏于故宫博物院。2003年，在"铭心绝品——两晋隋唐法书名迹特展"中公开展示。

楷书《度尚曹娥诔辞》卷　东晋文物。《度尚曹娥诔辞》又名《曹娥碑》，是《曹娥碑》文本的最早记录，作于东晋升平二年（358年）。《后汉书》记载，曹娥是东汉会稽上虞人，父亲曹盱因为巫祝溺亡江中，数日不见尸体。曹娥痛哭7日也投入江中，5日后抱出父亲尸体，就此传为神话。元嘉元年（151年），县长度尚主持为曹娥立碑，以此来纪念她的孝行。碑石已不存。《度尚曹娥诔辞》南朝梁时为内府藏品，隋唐间屡经官员、书家览题。南宋初入高宗内府，后出至韩侂胄、贾似道等人处，并由此产生越州石氏、《群玉堂帖》拓本两种。元初由郭天锡购得，递由乔篑成、虞集、柯九思等人，入奎章阁。明时韩世能、王锡爵、王时敏收藏，清康熙时入内府，存于养心殿。清末溥仪将《度尚曹娥诔辞》带至长春。1945年东北民主联军查获《度尚曹娥诔辞》，1952年交由东北博物馆收藏。北宋黄伯思《东观余论》、清《石渠宝笈初编》等书著录。

《度尚曹娥诔辞》为绢本，纵32.3厘米，横54.3厘米，存27行318字。帖文四周带有大量萧梁押署、唐人题名与观款，如梁满骞、唐怀充、徐僧权，唐冯审、韦琼、韩愈、孟简、柳宗直、怀素等。帖后有宋高宗赵构，元虞集、赵孟頫、郭天锡、乔篑成、黄石翁、康里

嶙嶙、宋本，明蒋惠，清康熙帝、沈荃、高士奇等人跋文，以及宋高宗"损斋书印""御书"、贾似道"丘壑珍玩""悦生"等鉴藏印50余枚。

《度尚曹娥诔辞》书体为小楷，长横突出，体势平和疏敞，字形上已呈现较成熟的楷书本质特征，是进一步了解东晋时期楷书风格的珍贵材料。关于《度尚曹娥诔辞》的作者，自宋以来一直有东晋书法家王羲之与佚名所书两种观点。专家认为是后世临本。

《度尚曹娥诔辞》藏于辽宁省博物馆。

行草书《雨后帖》页 东晋文物。王羲之（303～361年），字逸少，琅琊（山东临沂）人，东晋书法家，对中国书法有着多面且巨大的贡献，被后世美誉为"书圣"。王羲之的代表作品有楷书《十七帖》中的《青李、来禽帖》《黄庭经》《乐毅论》、行书《兰亭序》、行草书《丧乱帖》《平安、如何、奉橘》三帖、草书《十七帖》以及北宋刻帖中的大量尺牍刻帖。王羲之的作品已无真迹存世，而是以临摹本、刻帖或文字记录的形式传世。《雨后帖》传为王羲之撰写的一封书信。《雨后帖》清时入藏康熙朝内府，与谢安《中郎帖》合装为《王谢合册》，收藏于养

心殿。《雨后帖》最早见于明吴其贞所著《书画记》，清安岐《墨缘汇观》、顾复《平生壮观》、吴升《大观录》《石渠宝笈初编》等书著录。

《雨后帖》为竹纸本，纵25.7厘米，横14.9厘米，共有5行42字。帖中有一处草押不能识别，"禹民"二字题名一处。帖后有元邓文原，明董其昌、邹之麟题跋共四段。鉴藏印有"世南""贞观"，以及"四代相印""志东奇玩""绍兴"、清乾隆帝"三希堂精鉴玺""宜子孙""石渠宝笈""养心殿鉴藏宝"以及嘉庆、宣统诸印。

《雨后帖》中的一些字不够规范，个别字难以辨认，笔画粗厚，墨色浓淡有变化，用笔有顿挫痕迹。有专家认为是北宋至南宋绍兴年间的临本。

《雨后帖》藏于故宫博物院。

草书《上虞帖》卷 东晋文物。《上虞帖》又名《夜来腹痛帖》，是王羲之致友人的一封回信，大约作于东晋永和十二年（356年）。内容为王羲之因病未能得见朋友一面，并提及"修龄""重熙""安"三人的近况。"修龄"是王胡之，王导从弟王廙二子，王羲之从兄；"重熙"是郗鉴幼子郗昙，王羲之的妻弟；"安"是谢安。《上虞帖》在明代藏于晋王府，旋归韩逢禧，清初为保和殿大学士梁清标所藏，清嘉庆时为翰林商载所收，后又归大兴程定夷。中华人民共和国成立后，藏于上海。1975年，经万育仁、谢稚柳等鉴定为珍贵的王羲之书法唐摹本，《上虞帖》正式入藏上海博物馆。《上虞帖》以"《得书帖》三"之名著录于《宣和书谱》王羲之书目。明詹景凤著录《东图玄览》，并推许为

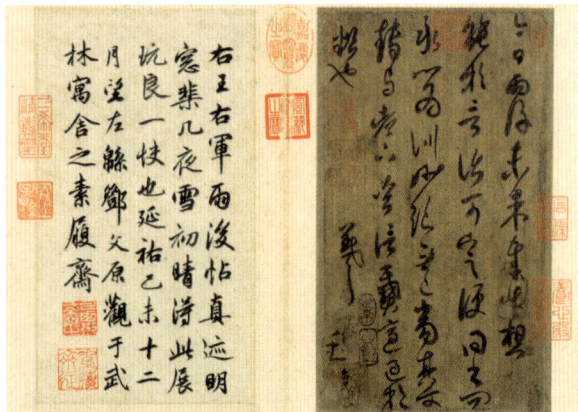

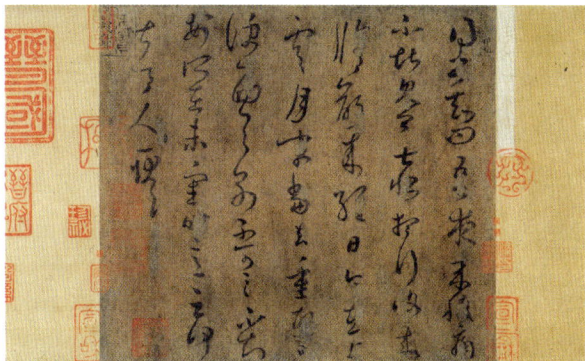

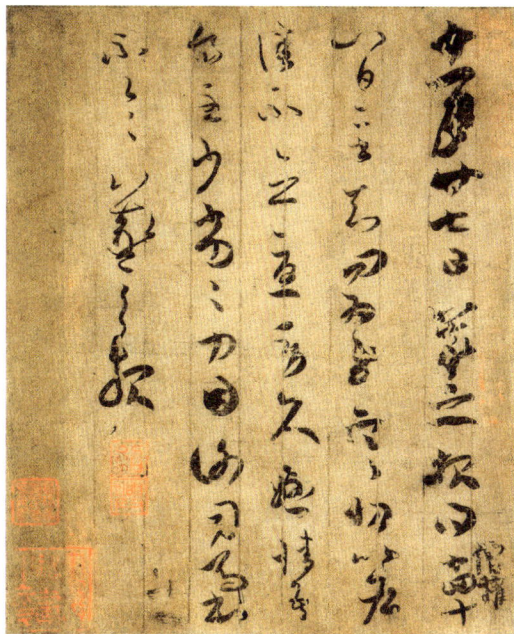

"唐摹之绝精者"。刻入北宋《淳化阁帖》、南宋《澄清堂帖》。

《上虞帖》为纸本，纵23.5厘米，横26厘米，有7行58字。帖的左右两上角钤有南唐墨印"集贤院御书印"半印、"内合同印"朱印，宋徽宗的泥金书签题"晋王羲之上虞帖"，"政和""宣和"以及双龙朱文圆印。一方"政和"朱印正押在左上角的"集贤院御书印"墨印之上。帖的前后隔水及拖尾有宋徽宗的"御书"葫芦印、"内府图书之印"。北宋内府的原装完好无损。

《上虞帖》是一件质量上乘的古摹本，虽不能与《兰亭序》《丧乱》等帖相比，但能达到清晰、流畅的视觉效果，而且是唯一一件同时保存两方南唐内府印鉴的书法文物。

《上虞帖》藏于上海博物馆。

草书《寒切帖》卷 东晋文物。《寒切帖》又名《谢司马帖》，是王羲之致友人的一封信，作于东晋升平四年（360年）。内容为王羲之叙述自身近况，如天气寒冷、体况不佳等，并提及"谢司马"（谢安）。谢安在这一时期代替谢万任桓温府司马。《寒切帖》南朝萧梁时收入内府，南宋时藏绍兴内府，后经明韩世能及王锡爵、王衡、王时敏三代收藏。娄坚和董其昌与王家交往甚密，得以观赏作跋。

清中期归李霨收藏。清何如璋曾携《寒切帖》到日本，由此产生和刻本。1958年，天津市政府动员各界人士捐献文物，将所得资金存入银行支援国家工业建设。天津市艺术博物馆副馆长韩慎先在和平区成都道人民银行的收购点工作时发现《寒切帖》，之后入藏天津市艺术博物馆。北宋朱长文《墨池编》、明张丑《清河书画舫》《真迹日录》等书著录。刻入北宋《淳化阁帖》《大观帖》、南宋《澄清堂帖》、明《宝贤堂帖》《来禽馆帖》《玉烟堂帖》、清《临苏园帖》等汇集各家书法墨迹的法帖之中。

《寒切帖》为纸本，纵25.6厘米，横21.5厘米，共有5行51字，原为册页形式，后裱成手卷。帖后有明董其昌、娄坚跋语。有"僧权"押署，"绍兴""内殿秘书之印""王元驭印""高阳李霨""王时敏印"等鉴藏印。

《寒切帖》为唐代摹本，高度还原王羲之草书，如实再现折纸痕迹、破损处、前代押署等，几乎可视为"右军真笔"。徐邦达称《寒切帖》"双钩淡墨帖，极为明显，觚棱转折，备见锋芒，精好亦不在《远宦》之下，是唐摹善本无疑"。

《寒切帖》藏于天津博物馆。

草书《干呕帖》卷　东晋文物。《干呕帖》又名《足下各如常帖》，是东晋王羲之在病中写给友人的一封短信。明嘉靖年间，王世贞得《干呕帖》于慧山谈氏，记于《弇州四部稿》卷一百三十文部，并认定为唐人临本。清时曾归顾复，著录于其《平生壮观》卷一，之后两卷一并入为清皇家收藏。溥仪出宫时，将两卷《干呕帖》赐予傅杰。刘光启在天津市文物图书清理组工作时发现《干呕帖》，鉴定后入藏天津历史博物馆。北宋黄伯思《东观余论》《法帖刊误》等书著录，刻入北宋《淳化阁帖》《大观帖》。明孙鑛《书画跋跋》、汪砢玉《珊瑚网》等书也有讨论。

《干呕帖》为纸本，纵26.4厘米，横16.1厘米，共有4行36字。卷后有元乔篑成、危素、班惟志，明王世贞、周天球、文彭、王穉登跋语，项元汴记语。

《石渠宝笈初编》卷三十一"御书房"记载，《干呕帖》共有两卷，一为"上等地一"，一为"次等天一"，项元汴记语和周天球跋语均不在"上等"卷后。"上等"《干呕帖》已失传，传世者为"次等"本。卷后乔篑成等人跋、记语、宋元诸印均为伪，只清廷内府诸印为真。专家认为书写时间至早不过明代。

《干呕帖》藏于天津博物馆。

行书《中郎帖》页　东晋文物。《中郎帖》又名《八月五日帖》，是东晋谢安的行书作品。谢安（320～385年），字安石，陈郡阳夏（河南太康）人，东晋政治家。谢安博闻沉静，少有名望，早年居会稽东山，以山水之趣自娱，工书善画，逾40岁方才出仕，历任征西大将军桓温司马、吴兴太守、吏部尚书、中护军。桓温死后，孝武帝尚年幼，谢安总理朝政，又指挥淝水之战，力挫前秦，为保东晋有"总统之功"。《中郎帖》中提到"安"向众位友人报告"中郎"的死讯，除"安"和离世的"中郎"外，还提到"渊""朗""廓"等7位人物。北宋时收录于驸马都尉李玮《晋贤十四帖》中，拆出后为米芾所获，刻入《宝晋斋帖》。明崇祯时藏于"嘉禾项晦夫"家，清时入乾隆朝内府，与《雨后帖》合装为《王谢合册》。明董其昌《容台集》、清吴升《大观录》著录。

《中郎帖》为纸本，纵23.3厘米，横25.7厘米，共有7行65字。帖后有南宋张逸、陆瑛题名、（某）璿政，明焦竑跋。帖前两方半印已不可辨，帖后有南宋"德寿"、明"吴桢""黄琳美之""新安吴廷""许叔次家藏""杨嘉""堵氏"等收藏印，以及清乾隆、宣统两朝内府诸印。

《中郎帖》书体为楷书兼有行书、草书。楷字结体平稳、草字变化较少。行笔圆转流畅，笔法纯熟。徐邦达认为，故宫博物院藏本是南宋御书院书手的临摹作品。

《中郎帖》藏于故宫博物院。

行草书《中秋帖》卷　东晋文物。《中秋帖》又名《十二月帖》，传为东晋王献之的行草书作品。王献之（344～386年），字子敬，琅琊临沂（山东临沂）人，东晋书法家，"书圣"王羲之第七子，官至中书令，人称"王大令"。王献之自幼随父练习书法，以行书及草书闻名，在楷书和隶书上也有深厚功底，与其父王羲之并称为"二王"。《中秋帖》北宋时曾入内府，南宋时为贾似道所藏，明时为项元汴所藏，项元汴称为《十二月帖》而非《中秋帖》，之后由明董其昌鉴藏，清乾隆时被收入内府，与《快雪时晴帖》《伯远帖》号为"三希"，被刻入《三希堂法帖》中。民国时期，《中秋帖》同《伯远帖》一起被敬懿皇贵妃指使卖出，后辗转为商人郭葆昌购得。郭葆昌之子郭昭俊将《中秋帖》《伯远帖》抵押给香港汇丰银行借贷。1951年，在贷款即将到期之时，徐森玉、徐伯郊与国家文物事业管理局局长郑振铎及时向中央人民政府政务院总理周恩来汇报。同年11月5日，周恩来批准赎回抵押在港的《中秋帖》《伯远帖》，拨交故宫博物院收藏。北宋《宣和书谱》，明张丑《清河书画舫》《清河见闻表》《清河秘箧表》、汪砢玉《珊瑚网》，清顾复《平生壮观》、卞永誉《式古堂书画汇考》、吴升《大观录》《石渠宝笈初编》等书均有著录。

《中秋帖》为纸本，纵27厘米，横11.9厘米，帖上原为5行32字，后被割去2行，仅存3行22字。帖内有"君倩"押署。卷前引首清乾

隆帝行书题"至宝"两字，前隔水乾隆帝御题一段，帖正文右上乾隆御题签"晋王献之中秋帖"一行。卷后有明董其昌、项元汴，清乾隆帝题跋，其中附乾隆帝、丁观鹏绘画各一段。卷前后及隔水钤有北宋宣和朝内府，南宋内府，明项元汴、吴廷，清内府等鉴藏印。

《中秋帖》书法古拙肥厚，生动自然，有很高的艺术水平。专家认为《中秋帖》是北宋米芾的节临本，但能够体现王献之行草书的特色。

《中秋帖》藏于故宫博物院。2003年，在"铭心绝品——两晋隋唐法书名迹特展"中公开展示。

行草书《鸭头丸帖》卷 东晋文物。《鸭头丸帖》是东晋王献之写给友人的一封短信。内容为对方剂"鸭头丸"的服用效果不满意，要明日与友人相见详谈。"鸭头丸"是一种治疗水肿、面赤烦渴、肢体悉肿、腹胀喘急、小便涩少的药物，用甜葶苈、防己、绿头鸭的头及血、猪苓菌制成。《鸭头丸帖》最早为北宋内府收藏。元文宗天历三年（1330年）时被赐予柯九思。明代曾为严嵩、严世藩父子收藏。严嵩家产被籍没后，再次进入皇家收藏，而后经过吴廷等人流于民间。晚清时经廷雍、徐树钧（光绪八年，1882年）递藏，再接徐汉立、叶恭绰等人。1949年，《鸭头丸帖》经谢稚柳鉴定后，为上海文管会收购，得以保存。北宋《宣和书谱》，明文嘉《钤山堂书画记》、董其昌《画禅室随笔》、陈继儒《妮古录》，清吴其贞《书画记》、卞永誉《式古堂书画汇考》等书著录，刻入北宋《淳化阁帖》《大观帖》《绛帖》，明《余清斋法帖》《泼墨斋帖》等。

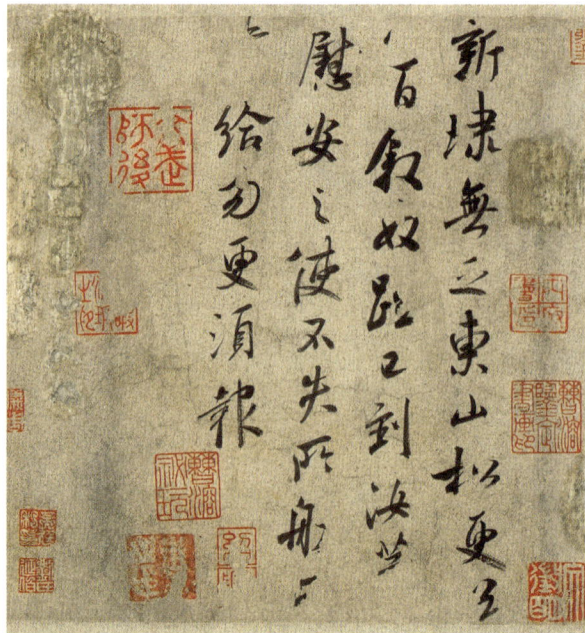

《鸭头丸帖》为绢写本，纵26.1厘米，横26.9厘米，共有2行15字，绢、墨状态很古旧。帖前有王肯堂题款。帖上有北宋宣和朝内府诸印鉴：双龙圆玺、"宣和""政和"、元虞集天历三年（1330年）关于本帖赐柯九思的题记与"天历之宝"大印、明"南昌县印"残印。黄绢隔水后所接一纸，有南宋高宗赵构赞语六句、北宋柳充等人元丰二年（1079年）题名三行，是在明早期由别帖移来，但其中所含"御书"、高宗刘贵妃"奉化堂印"与"德寿"二印、高宗"御书之宝"、内府收藏印"绍兴"等，俱为真迹。帖后有王肯堂、周寿昌、江标等人跋语。

《鸭头丸帖》是王献之书法作品的早期重要临本，与真迹非常接近，有真实可靠的北宋、南宋皇家装裱证据。帖后的赵构赞语也是难得的书迹。《鸭头丸帖》的书法兼备雄强与俊逸的气息，与王献之草书"超迈俊爽""妍媚流便"的特征有一定程度的吻合，但笔毫特征柔软，为唐以后人的仿本。

《鸭头丸帖》藏于上海博物馆。2002年，在"晋唐宋元书画国宝展"中陈列展出。

行书《东山松帖》页　东晋文物。《东山松帖》又名《东山帖》《新埭帖》，传为东晋王献之的行书作品。《东山松帖》内容分为两部分，一是写信人需用泰山松树800株加固新修成的堤坝，二是写信人告之已经安顿"奴某"，望对方勿念。《东山松帖》清乾隆时入内府收藏。北宋《宣和书谱》，南宋《中兴馆阁录》，明张丑《真迹日录》、董其昌《容台集》，清孙承泽《庚子销夏记》、安岐《墨缘汇观》、王澍《虚舟题跋》等书著录。刻入明《余清斋法帖》《戏鸿堂帖》，清《三希堂法帖》及《法书大观》首帖影印。

《东山松帖》为麻纸本，纵22.8厘米，横22.3厘米，共有4行29字，以硬毫笔书写。帖上有南宋"绍兴""内府书印""机暇清玩之印"，明文徵明、刘承禧、吴廷和清曹溶等印，以及两方不辨古印。帖上有两侧刮剔痕迹，原为清乾隆帝鉴藏诸印和题语。帖前所题"王子敬东山帖"也被刮去。

关于《东山松帖》的书者，史上曾有王献之、米芾两种看法。北宋《宣和书谱》著录、明董其昌均认为《东山松帖》是王献之真迹，明孙承泽、清安岐等认为是米芾所临。清完颜景贤在《三虞堂论书画诗》谈到其自藏一本

《东山松帖》，是"子敬《东山松》真迹"，卷中有五代林罕章草题，宋刘泾、朱熹题名、吴琚跋语等信息，他认为该藏本是"孙退谷见于曹秋岳处米临者"。当代专家认为该帖是"晋无名氏"所书。"二王"真迹几乎无存世可能，《东山松帖》临本对于全面了解王献之书法的流传，不失为一份宝贵的历史资料。

《东山松帖》藏于故宫博物院。

行书《伯远帖》卷 东晋文物。东晋王珣的行书作品。王珣（350～401年），字元琳，琅琊临沂（山东临沂）人，东晋书法家，丞相王导之孙、中领军王洽之子。王珣弱冠与陈郡谢玄俱为桓温属员，为桓温所敬重，授封东亭侯，累官大司马参军、散骑常侍、辅国将军、吴国内史，尚书右仆射，领吏部转左仆射，加征虏将军，获赠车骑将军、开府，后改赠司徒，谥号"献穆"。王珣小传附于《晋书·王导传》后。王氏一门俱善书法，《宣和书谱》云："珣三世以能书称，家范世学，珣之草

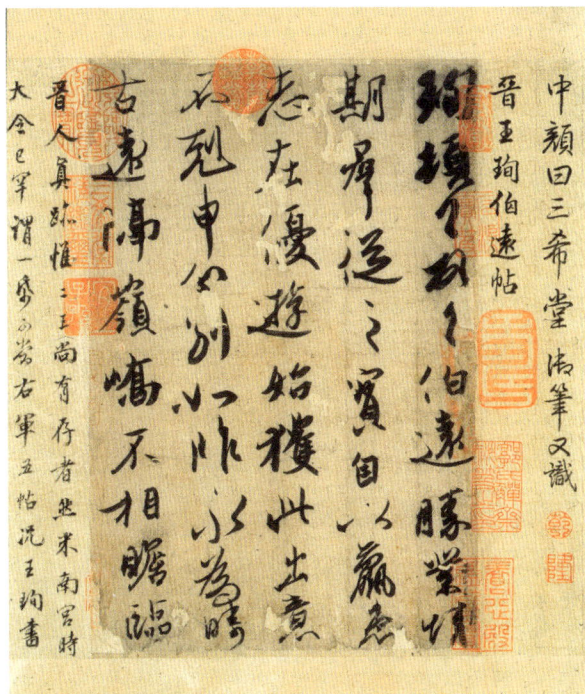

圣，亦有传焉。"《伯远帖》帖文内容已不完整，但大意为王珣向某位长辈表达自己对"伯远"的追思。《伯远帖》北宋时曾入宣和朝内府，后流落民间，明时为董其昌收藏，明末在新安吴新宇处，后归吴廷，清时经安岐等人收藏，乾隆十一年（1746年）进入清内府，经乾隆帝品题，与《快雪时晴帖》《中秋帖》并藏在养心殿西暖阁内的前室，乾隆帝御书匾额"三希堂"。北宋《宣和书谱》，清吴升《大观录》、顾复《平生壮观》、安岐《墨缘汇观》《石渠宝笈初编》等均有著录。

《伯远帖》为纸本，纵25.1厘米，横17.2厘米，共有5行47字。帖上原有宣和装裱，在明代董其昌收藏时被裁去重装，仅保留残缺古印数枚，已不可辨。卷前引首有乾隆帝御书"江左风华"四字，上有"乾隆御笔"一玺，并前后御题三次，包括题画一幅。卷后有董其昌、王肯堂题跋，并有董邦达、沈德潜奉旨补图、题诗。

《伯远帖》字形横张，点画方硬，有明显的行书笔意，下笔纵任自由。《伯远帖》是东晋大族琅琊王氏一门存世的唯一真迹。

《伯远帖》藏于故宫博物院。2002年12月在上海博物馆"晋唐宋元书画国宝展"、2015年9月在故宫博物院"石渠宝笈特展"中作为重要展品进行展出。

司马金龙墓漆绘屏风题字 北魏文物。北魏木板漆面墨书。1965年冬，山西省大同市东石家寨北魏司马金龙墓出土一组人物故事彩绘描漆屏风。由于早期盗扰，屏风散落在墓葬后室甬道中，仅保存下5块较完整的屏板。司马金龙（？～484年），字荣则，河内郡温县

（河南温县）人，晋宣帝司马懿之弟司马馗九世孙。司马金龙墓漆绘屏风采用双面绘画，每幅画上都有题记。屏风正面取材自西汉刘向《列女传》人物故事，如《有虞二妃》《启母涂山》《周室三母》《孙叔敖母》《蔡人之妻》等，背面描绘了《后汉书》与《诗·小雅·小旻》中的德行故事。画绘制于朱漆木板上，又于黄漆框内墨书人物榜题、故事标题及题记，共计35处。

司马金龙墓书题记为小字楷书，用笔爽利，笔画劲健，结法上保持平宽的体势，略显隶书意味。一些笔画的现象，如撇捺的开张，横画起笔顿按、转折处折笔，以及一些偏旁部件的写法，与楷书在南方的演变一致，虽书出无名，但有江南士人的书法意趣，是北魏书法中难得的佳品。司马金龙墓漆绘屏风题字具有明确纪年，如"汉成帝班""卫灵公"，保存完好，是北魏太和年间（477～499年）南北文化交流的重要物证。

司马金龙墓漆绘屏风题字藏于大同市博物馆。

楷书《华严经》卷　北魏文物。北魏曹法寿的楷书作品。曹法寿，甘肃敦煌人，北魏后期敦煌镇"官经生"（由官府聘用的职业写经人）。《华严经》全称《大方广佛华严经》，是佛教的重要经典，有三种译本。楷书《华严经》卷所写为东晋佛陀跋陀罗所译六十卷本，称"六十《华严》"，共含三十四品。

《华严经》为纸本，纵24.6厘米，横817.5厘米。卷首尾完整，首题为"大方广佛华严经入法界品第卅四卷第卌一"，尾署"华严经卷第卌一"，并有书者注记："延昌二年岁次水巳四月十五日。敦煌镇经生曹法寿所写此经成讫。用纸廿三张。典经师令狐崇哲。校经道人（姓名阙）"，在注记上钤墨印一方。

《华严经》为成熟的今体楷书，单字结体丰腴，起收跌宕，顿挫有迹，整体书势茂密而前后丝毫不懈，是难得的精致的北朝墨迹，展现了曹法寿熟练的写经技艺。《华严经》是研究北魏时期敦煌写经书法的重要实物资料。敦煌地区是中西交通要道，佛教的盛行促使佛典传播。在印刷术尚未普及的时代因素下，写经成为普遍的佛事，从民间到皇家，都以此为无上功德。《华严经》题记上的"经生""典经师""校经道人"，反映敦煌写经机构的部分情况。卷上所提"令狐崇哲"与"曹法寿"，除《华严经》外，还有别卷保存，可知令狐崇哲为"典经师"或"经生师"，曹法寿为"（官）经生"。这些珍贵记载说明北魏时由官方组织的专职抄经机构即已出现，内含专业的分工，可以保证经卷缮写工作的有效进行。

《华严经》藏于故宫博物院。

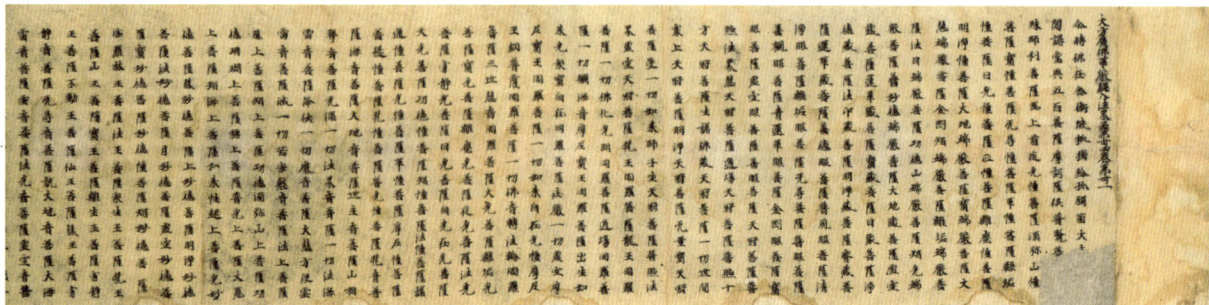

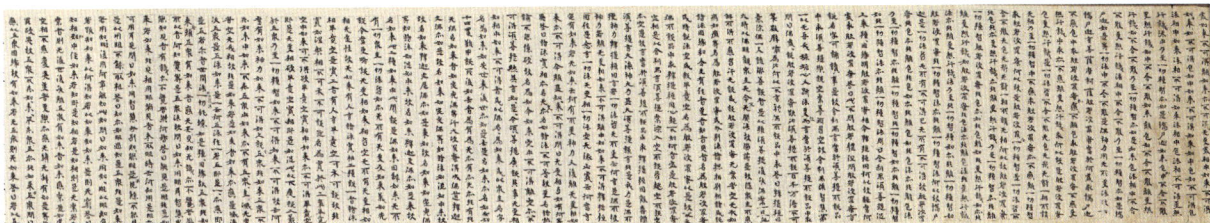

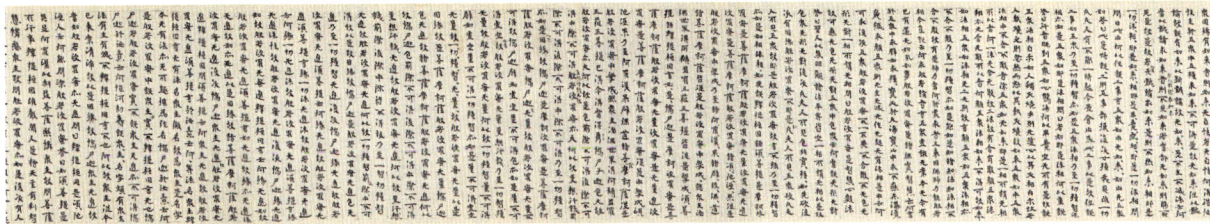

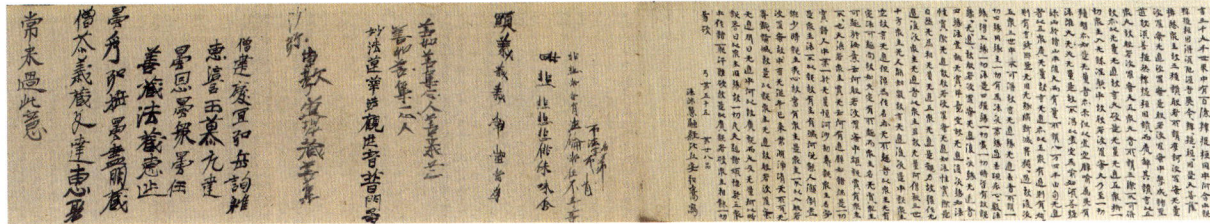

楷书《大智度论》卷 北朝时期文物。北朝安弘嵩的楷书作品。安弘嵩，北凉"经比丘"（专事佛经译写的僧人）。《大智度论》是印度大乘佛教经典，龙树菩萨著，内容极其丰富，涉及大乘佛教的各个方面，对中国佛教影响深远，历来为中国佛教各宗尊奉。后秦鸠摩罗什汉译，共100卷。

《大智度论》为纸本，纵25.1厘米，横342.5厘米，原定名"六朝人写经卷"，背签"六朝安弘嵩小楷经"，双面书写。内容为《大智度论》第五十五卷、第二十八品《释幻人听法品》的后半部分，经文起于"如来亦不可得，须菩提语释提桓因言"，止于"破众生相，余一切易破"，并注"卷第五十五、第廿八品"。末尾题记"法师慧融，经比丘安弘嵩写"。书体为楷书，但笔画与结体的隶意较浓，书写时代为六朝早期。纸背首残尾全，前有文字六行，难以辨识，书写时代较晚，内容为僧人习字与《妙法莲华经》题字一行，纸背

的书写年代与正面相近。

汉末至魏晋时期，汉字书体经历了由隶至楷的演变。北凉地处西域，其传世墨迹和碑刻中的字体较之中原同时期作品保留了较多的隶意，而且笔势峭拔，风格独特，被称为"北凉体"。《大智度论》卷字形扁阔，横长竖短；撇画露锋起笔，方头锐尾；捺画顺锋铺毫，轻出重收，为"北凉体"代表之作。

《大智度论》藏于故宫博物院。

章草《出师颂》卷 隋代文物。《出师颂》是东汉史岑撰写的反映东汉后期外戚干政和镇压羌人战争的颂文，收入《文选》卷四十七。史岑，字孝山，东汉沛国（安徽宿县）人，其他事迹不详。《出师颂》曾留存有两本，一为故宫博物院所藏"绍兴本"，一为北宋内府收藏"宣和本"。"宣和本"仅存拓本（刻入明邢侗《来禽馆帖》、董其昌《戏鸿堂帖》等丛帖）。"绍兴本"是已知《出师颂》的最早写本。《出师颂》收藏情况大致为：唐代经太平

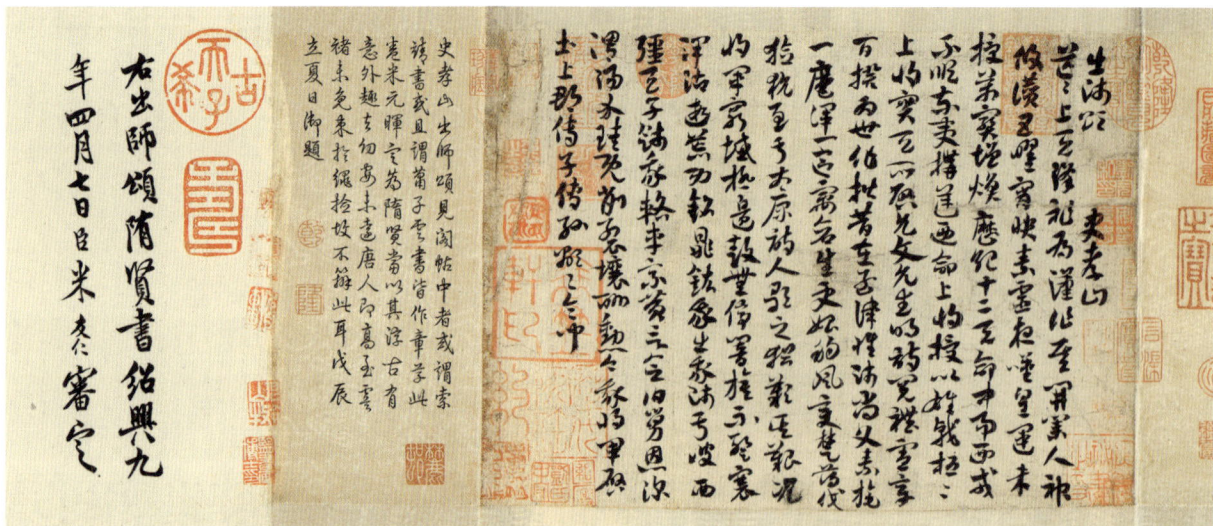

公主、李约、王涯先后收藏，南宋初入高宗绍兴朝内府，明归王世懋，清初由安岐收藏，后入乾隆朝内府。1920～1921年，经朱益藩、陈宝琛二人短期携带出宫，随后归还。之后，该卷被溥仪以赏赐溥杰的名义带出故宫，1945年后散落匿于民间，直至2003年由中国嘉德国际拍卖公司征得。故宫博物院以2200万元购回，对《出师颂》进行修复与入藏。明詹景凤《东图玄览》、王世贞《弇州山人续稿》、吴其贞《书画记》、孙镛《书画跋跋续》，清顾复《平生壮观》、安岐《墨缘汇观》、吴升《大观录》《石渠宝笈续编》、阮元《石渠随笔》等书著录，刻入清《三希堂法帖》。

《出师颂》为纸本，纵21.2厘米，横127.8厘米，有14行189字（不含重文2字、原缺1字）。卷前有篆书"晋墨"二字引首、宋高宗花押与"御府图书"印、清乾隆帝御题。卷后

有南宋米友仁鉴题、元人张頔题跋两段。该卷有唐"三藐母驮""约"、宋元明诸印等清乾隆朝以前印记15处，清乾、嘉、宣三帝印22处。

《出师颂》使用的是章草书体。章草体在西汉时已经出现，至东汉趋于成熟，广泛应用于魏晋时期，至隋唐几成绝迹，因而在汉字历史和书法史上具有很重要的历史价值和艺术价值。《出师颂》体现了东汉至西晋时期流行的规范章草体特征，并带有一定的今草笔意，与智永《真草千字文》中的草体有相似之处，是带有时代特征的珍贵书法资料。关于《出师颂》的书写者，后人有持西晋索靖、梁萧子云、隋或唐人书写几种看法。专家认为《出师颂》的书写时间不会晚于初唐，为"隋贤书"。

《出师颂》藏于故宫博物院。2003年，在故宫博物院"铭心绝品——两晋隋唐法书名迹特展"、中国国家博物馆"中国嘉德艺术品拍卖20年精品回顾展"等重要展览中公开展示。

行楷书《张翰帖》页 唐代文物。《张翰帖》又名《张翰思鲈帖》《季鹰帖》，唐代欧阳询的行楷书作品。欧阳询（557～641年），字信本，唐潭州长沙县（湖南长沙）人，唐书

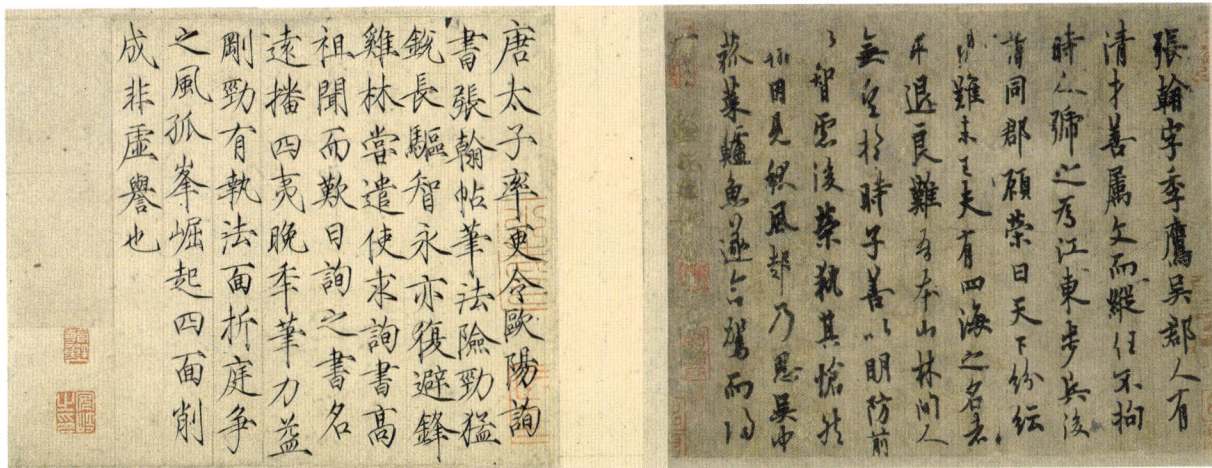

法家、政治家。隋时官太常博士，善书之名已重长安。入唐时年已65岁，官给事中，再迁太子率更令、弘文馆学士，封渤海县男。欧阳询精于书法，各体均有造诣，而独以正书为书家圭臬，世称"欧体"。其子欧阳通亦善书，继承父体，父子二人并称"大小欧阳"。有《道因法师碑》《泉男生墓志》传世。《张翰帖》讲述西晋张翰的生平事迹。张翰，字季鹰，吴郡（江苏苏州）人，西晋文学家，以才华声望称世，为人旷达不拘，时人谓之"江东步兵"。晋惠帝时，张翰任为大司马东曹掾，见天下动乱，便以秋风已起，思念故乡菰菜、鲈鱼脍为由，弃官归家。《张翰帖》曾藏南宋绍兴朝内府，清代由安岐收藏，后入乾隆朝内府。北宋《宣和书谱》，清卞永誉《式古堂书画汇考》、吴升《大观录》、安岐《墨缘汇观》等书著录，刻入明《快雪堂帖》、清《三希堂法帖》。

《张翰帖》为纸本，纵25.1厘米，横31.7厘米，有11行94字。帖上有瘦金书题跋一开，专家认为是宋徽宗赵佶尚未即位时所作。有"绍兴"联珠印、曲角"封"字印及"安""仪周真赏"等印记。帖左原有乾隆题

跋已被刮去。

《张翰帖》字体修长，笔力刚劲挺拔，风格险峻，精神外露。虽为唐代摹本，但与欧阳询真迹的风格较为接近，具有重要价值。

《张翰帖》藏于故宫博物院。

行楷书《卜商读书帖》页 唐代文物。《卜商读书帖》又名《卜商帖》，唐代欧阳询的行楷书作品。《卜商读书帖》源自《尚书大传》，是孔子弟子卜商的一则言论。卜商，字子夏，春秋卫国人，师从孔子。他与孔子常有议论问答，极富哲理。欧阳询曾书写过数篇人物事迹，北宋《宣和书谱》记载内府藏欧阳询行书十余件，内容均为古人逸传。米芾《书史》中称，曾见"欧阳询故事十余帖，老笔相连"。顾复著录时首次提出"宋元人极称率更《史事帖》"。后来《史事帖》被拆散，仅存《仲尼梦奠帖》《卜商读书帖》《张翰帖》三帖。《卜商读书帖》曾藏于北宋宣和朝内府，清时归安岐所有，后成为清乾隆朝内府珍品，辑入《法书大观》册中。北宋《宣和书谱》，清《装余偶记》、卞永誉《式古堂书画汇考》、顾复《平生壮观》、吴升《大观录》、安岐《墨缘汇观》等书著录。

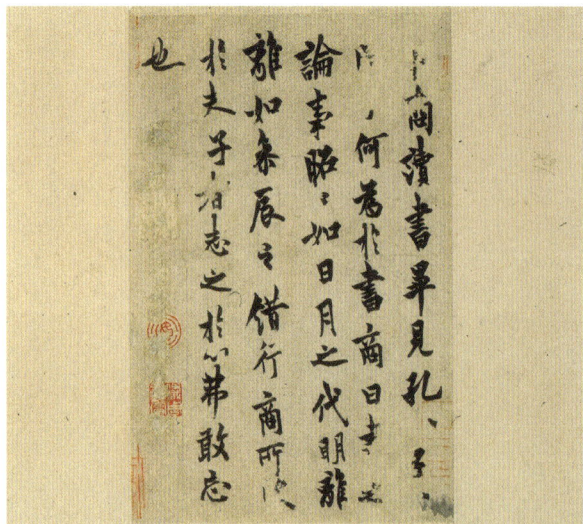

《卜商读书帖》为纸本，纵25.7厘米，横16.5厘米，存6行44字，残存古印两枚，内容无法辨识。帖文参考欧阳询领修的《艺文类聚·杂文部·读书》，与史籍相较，帖中个别字有出入，可能为欧阳询修书的手稿。安岐著录时，《卜商读书帖》前隔水有宋徽宗手书"唐欧阳询书"签，钤双龙、"宣和"联珠印，帖上有宣和内府诸印和一瘦金体题跋："晚年笔力益刚劲，有执法廷争之风，孤峰崛起，四面削成，非虚誉也。"存世版本是与《张翰帖》合装的状态，黄绢隔水、徽宗墨题等已被拆去。

《卜商读书帖》笔法独具一格，严谨又不失生动气韵，点画的起止处强化方切硬折，体现出"欧体"兼容南北的独到之处。《卜商读书帖》为研究欧阳询书法提供了珍贵实物资料。

《卜商读书帖》藏于故宫博物院。

行楷书《仲尼梦奠帖》卷 唐代文物。唐代欧阳询的行楷书作品。《仲尼梦奠帖》记叙孔子梦奠之事，阐述生命终结的必然。《仲尼梦奠帖》递藏历史有序可查，南宋时藏于皇室，又经过周密、杨镇收藏，元代郭天锡得到

并重装，之后成为乔篑成藏品，明代杨士奇、项元汴、周凤鸣先后收藏，清代经过高士奇、王鸿绪而进入清宫，清末被溥仪携至长春。中华人民共和国成立后，《仲尼梦奠帖》由东北博物馆收藏。南宋周密《云烟过眼录》《志雅堂杂钞》，明都穆《寓意编》、朱存理《铁网珊瑚》、詹景凤《东图玄览》、陈继儒《妮古录》、张丑《清河书画舫》，清卞永誉《式古堂书画汇考》、顾复《平生壮观》、吴升《大观录》、高士奇《江村书画目》《石渠宝笈三编》等著录，北宋《绛帖》首次刻入。

《仲尼梦奠帖》为纸本，纵26.5厘米，横34厘米，帖上共有9行78字。帖前有乾隆帝"真迹无疑""向己论梦……"两段引首。帖后有元郭天锡、赵孟頫，明杨士奇、朱应祥，清高士奇、王鸿绪等人跋语。另有南宋高宗、贾似道、杨镇，元赵孟頫、乔篑成，明杨士奇、项元汴，清高士奇、王鸿绪、孔继涑、陈淮和康熙等四代清帝收藏印，以及项元汴的千字文收藏编号"禅"。

《仲尼梦奠帖》是两种书体的结合，结字严整，瘦劲猛锐，行笔流畅；行间疏朗，字距较密。《仲尼梦奠帖》中"裁""墓""报"等字，突出主笔的笔势，笔画重心时有调整，体现出强烈的个性。唐张怀瓘《书断》评欧

阳询书法均入妙品，"惊奇跳跃，不避危险"。该帖笔迹的干枯浓淡与纸墨的老化程度均为自然形成，有补笔现象，如"不满"的"不""灭"等字。《仲尼梦奠帖》代表了欧阳询行书成就的顶峰，在中国书法发展史上占有重要地位。后世把《仲尼梦奠帖》列为"中华十大传世名帖之一"。

《仲尼梦奠帖》藏于辽宁省博物馆。

行书《汝南公主墓志》卷 唐代文物。传为唐代虞世南的行书作品。虞世南（558～638年），字伯施，越州余姚（浙江余姚）人，南北朝至隋唐时期书法家、文学家、诗人、政治家。隋时为秘书郎，入唐为秦王府记室参军，迁太子中舍人，唐太宗时期历任弘文馆学士、秘书监，赐爵永兴县子，世称"虞永兴"。虞世南诗文与书法俱工，与欧阳询、褚遂良、薛稷并称为"唐初四大书家"，编有《北堂书钞》160卷，书论有《书旨述》《笔髓论》等，两《唐书》有传。《汝南公主墓志》是虞世南为汝南公主撰写的墓志铭草稿。汝南公主是唐太宗第三女。北宋《宣和书谱》记载，内府收藏有7件虞世南行书，其中有"汝南公主铭稿"。

《汝南公主墓志》为纸本，纵25.9厘米，横38.4厘米，存18行220字。卷上有明李东阳

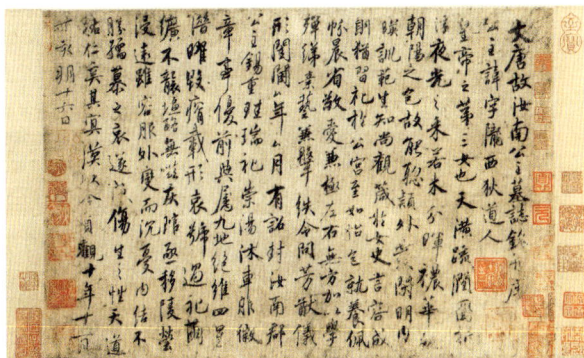

"虞书真迹"引首，帖后有李东阳、王世贞、毛澄、俞凡父、文嘉、端方、杨守敬、完颜景贤等跋。钤有"弘文之印""鲜于枢伯几父""天锡""万金之玩""贞元""匋斋十宝之一""小如庵秘笈"等鉴藏印。

《汝南公主墓志》没有修改、涂抹痕迹，尚未书写完成，后半部分缺失，是了解汝南公主生平的重要资料。虞世南的传世书迹，除准确无疑的《孔子庙堂碑》外，其余尺牍刻帖均有争议。《汝南公主墓志》书法"萧散虚和"，与《兰亭序》相仿佛。综观全篇，圆活舒展，姿荣态秀，潇洒平和，点画虽瘦而风骨棱棱，符合虞世南书法风格。关于《汝南公主墓志》墨迹的真伪，历史上曾有唐虞世南真迹、北宋米芾临本、明人写本三种看法。专家认为《汝南公主墓志》为古摹本，但具有珍贵价值。

《汝南公主墓志》藏于上海博物馆。2006年，在上海博物馆与东京国立博物馆合办"中日书法珍品展"中公开展示。

行书临《兰亭序》卷 唐代文物。传为唐代虞世南的行书作品。《兰亭序》又名《兰亭宴集序》《兰亭集序》《临河序》《禊序》《禊帖》，是东晋书法名家王羲之的行书作品，作于永和九年（353年）。内容讲述王羲之与友人谢安、孙绰等41人在会稽山阴的兰亭雅集，饮酒赋诗，抒发内心感慨。《兰亭序》仅有摹本、临本传世。《兰亭序》的记录最早出现在南朝刘孝标《世说新语》中的萧梁时期注文，敦煌遗书中也有《兰亭序》写本。唐代文献《晋书·王羲之传》、褚遂良《右军书目》、孙过庭《书谱序》、何延之《兰亭

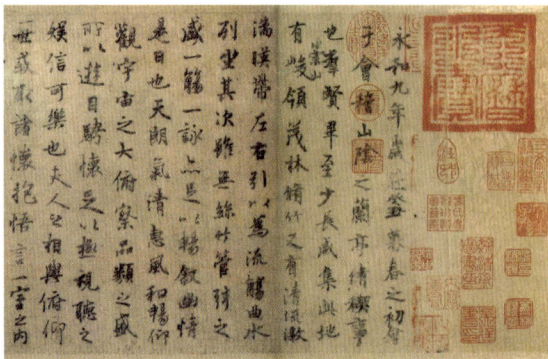

记》、刘餗《隋唐嘉话》等书也提及《兰亭序》内容。唐太宗对王羲之书法推崇备至，从民间得到王羲之《兰亭序》真迹后，曾命当朝书法名家欧阳询、褚遂良以及弘文馆拓书人冯承素等勾摹数本，分赐近臣。传世的有定于虞世南、褚遂良、冯承素名下的"临摹本"三种，还有传为欧阳询摹本的定武石刻本。《兰亭序》虞世南临本历经南宋高宗朝内府，元文宗天历朝内府，明杨士述、吴治、董其昌、茅元仪、杨宛、冯铨，清吴廷、梁清标、安岐、乾隆朝内府等处收藏。明董其昌《容台别集》《画禅室随笔》、张丑《真迹日录》《南阳法书表》、汪砢玉《珊瑚网》，清吴升《大观录》、安岐《墨缘汇观》、阮元《石渠随笔》《石渠宝笈续编》等书著录，在清乾隆四十四年（1779年）时编入《兰亭八柱帖册》，排次居首，刻入明《戏鸿堂帖》《余清斋法帖》《东书堂帖》、清《快雪堂帖》《秋碧堂法帖》。

《兰亭序》虞世南临本以唐白麻纸勾摹，两纸拼接，纵24.8厘米，横57.7厘米，共有28行324字。点画圆转而少见锐利笔锋，整体呈现古淡的艺术气息。卷首有清梁清标题签"唐虞世南临禊帖"，在帖前后各拼纸一处，前钤元代"天历之宝"收藏印，后有小楷题字"臣

张金界奴上进"一行，因此也被称为"天历本""张金界奴本"。跋尾可见南宋魏昌等观款，明宋濂跋，清乾隆帝题诗一首，以及董其昌、蒋山卿、陈继儒等明清人题跋。卷中共有宋、明、清诸家题跋、观款17则，钤印104方，另有半印5方。

虞世南所临版本是研究《兰亭序》真迹与王羲之书法的珍贵资料。

《兰亭序》虞世南临本藏于故宫博物院。

行书临《兰亭序》卷 唐代文物。传为唐代褚遂良的行书作品。褚遂良（596～658年），字登善，杭州钱塘（浙江杭州）人，祖籍阳翟（河南禹州），唐书法家、政治家。褚遂良受到唐太宗赏识，官至中书令，并受命为太宗托孤大臣。高宗永徽元年（650年），褚遂良因强买土地案遭弹劾，出为同州刺史，召还后继续担任要职。因在高宗废王立武事件中反对立武则天为皇后，再次遭外放，显庆三年（658年）死于爱州刺史任所。褚遂良精于书法，近学虞世南上溯王羲之，书法风格经历了由宽博方正到温雅遒劲的变化，与欧阳询、虞世南、薛稷被称为"初唐四大家"。清刘熙载《艺概》中评价褚遂良的书法为"唐之广大教化主"。褚遂良传世作品有碑刻《大唐三藏圣教序》《伊阙佛龛记》《孟法师碑》《房玄龄碑》《雁塔圣教序》等、拓本《枯树赋》，并传有墨迹《倪宽赞》卷、大字《阴符经》卷等传世，著有《晋右军王羲之书目》。《兰亭序》褚遂良临本经北宋宣和朝内府，南宋绍兴朝内府，元赵孟頫，明浦江郑氏、项元汴，清卞永誉等收藏，最终进入乾隆朝内府。清顾复《平生壮观》、卞永誉《式古堂书画汇考》、

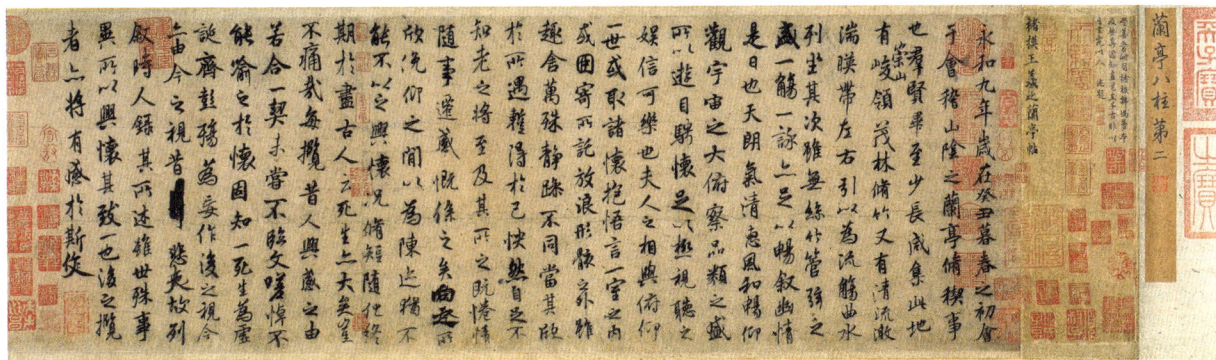

吴升《大观录》、安岐《墨缘汇观》《石渠宝笈续编》、阮元《石渠随笔》等书著录,刻入清《三希堂法帖》,并选入"兰亭八柱"第二(清乾隆帝命人将虞世南、褚遂良、冯承素等人临摹的《兰亭序》书迹同刻在一根石柱上,称为"兰亭八柱")。

《兰亭序》褚遂良临本纵24厘米,横88.5厘米,由两纸拼成,前纸19行,后纸9行,行距较稍大,共有324字。纸张为楮皮纸,是北宋以后的产物。卷前有项元汴题签"褚摹王羲之兰亭帖"。卷后有米芾自书评诗一首,《宝晋英光集》卷三收录,名为"题永徽中所模兰亭叙",以及苏耆所题"天圣丙寅年(1026年)正月二十五日重装"一款。卷内共有范仲淹、王尧臣、米芾、刘泾、龚开、朱葵、杨载、白珽、仇几、张泽之、程嗣翁、陈敬宗、卞永誉、卞岩等宋、元、明诸家题跋或观

款,以及鉴藏印记215方,又半印4方。其中,"滕中"等2方北宋印,南宋绍兴朝内府"绍兴""内府印""睿思东阁"等7方印,第一后纸上米芾诗题及7方钤印确认为真。

《兰亭序》褚遂良临本藏于故宫博物院。

行书摹《兰亭序》卷 唐代文物。传为唐代冯承素的行书作品。冯承素(617～672年),字万寿,长安信都人,唐书法家,官至"中书主书"。冯承素书写的摹本先后由南宋高宗、理宗朝内府,元郭天锡,明洪武朝内府纪察司、杨慎、项元汴,清陈定等收藏,进入清乾隆朝内府,中华人民共和国成立后入藏故宫博物院。明汪砢玉《珊瑚网》,清卞永誉《式古堂书画汇考》、顾复《平生壮观》、吴升《大观录》《石渠宝笈续编》等书著录。

《兰亭序》冯承素摹本为纸本,纵24.5厘米,横69.9厘米,共有28行324字。卷前隔水

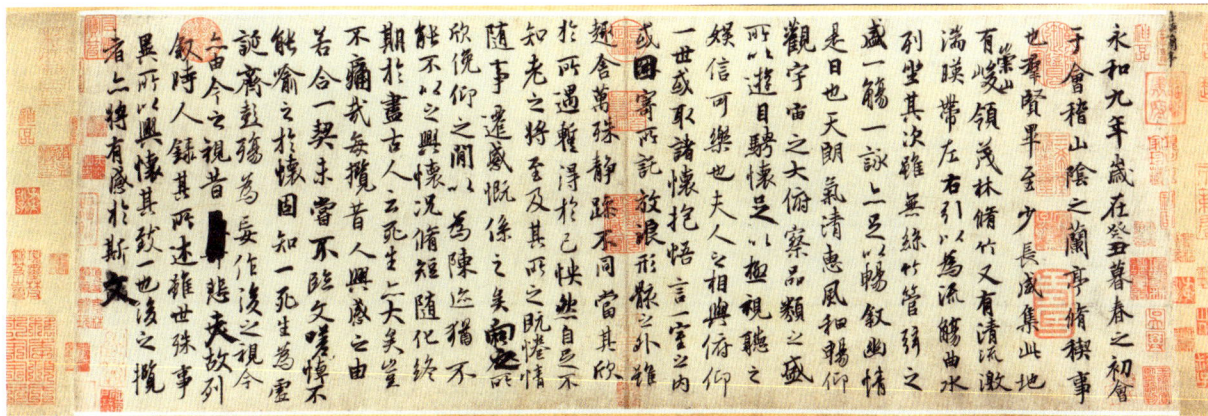

"唐摹兰亭"，后有许将、王安礼、朱光裔、李之仪等宋人观款，元赵孟頫、郭天锡、邓文原等人题跋，明李廷相、项元汴题记两则，文嘉跋。卷内保存有唐中宗朝"神龙"小玺残印两枚，还有南宋高宗朝内府"绍兴"联珠印，元赵孟頫诸印，明初"纪察司印"、项元汴以及清内府诸印章。

《兰亭序》冯承素摹本从单字的锋芒、笔尖特征到行文中的行款、补书、涂抹、改字等现象，一一再现，是一件还原度颇高的"艺术复制品"，可谓体现王羲之成熟的"今体"行书的珍贵遗物。专家认为该摹本为冯承素书写。2009年，陕西省西安市出土《唐故中书主书冯君墓志铭并序》中提到，"公爰自弱龄，尤工草隶，遂临古法，奉进宸闱，载纡天睠，特蒙嗟赏，奉敕令直弘文馆"，与褚遂良《拓本〈乐毅论〉记》（唐张彦远《法书要录》卷三）记录的贞观十三年（639年）命冯承素摹写《乐毅论》真迹一事相符合。

《兰亭序》冯承素摹本藏于故宫博物院。2011年在"兰亭特展"、2015年在"石渠宝笈特展"中公开展示。

楷书《善见律》卷 唐代文物。唐代国诠的楷书作品。国诠，唐代写经人，应为奉敕敬写《善见律》。《善见律》是一部来自锡兰的小乘佛教律部的重要经典，共18卷，南齐永

明十年（492年）于广州译出。在流散的敦煌文献中可见其名目，如《大唐内典录》卷八："小乘律卅五部……《善见律毗婆沙》十八卷，二帙"，《龙兴寺器物历》："《善见律》十八卷。"《善见律》作于唐贞观二十二年（648年）十二月十日，经南宋高宗、理宗两朝内府，元赵孟頫、皇姊大长公主祥哥剌吉，明华夏、董其昌及清初王鸿绪等递藏。1947年3月23日，由故宫博物院收购。明董其昌《容台集》、清《秘殿珠林续编》著录。

《善见律》为纸本，纵26.6厘米，横469厘米，卷数已残，存260余行，4400多字。《善见律》卷后有元赵孟頫、冯子振、倪瓒、赵岩，明邢侗、徐霖、董其昌、岑易简等人跋语。钤"绍兴""缉熙殿宝""赵郡苏氏""史德珪印""史处厚氏""嘉禾吴仲圭""退省斋庵主""云间王鸿绪鉴定"，以及清内府乾隆、嘉庆、宣统三帝收藏印。

《善见律》用笔为典型的唐代写经体，结构谨严优美，笔画挺拔腴润，使转灵活生动。全篇一气呵成，造诣精湛，为唐人小楷上乘之作。《善见律》卷后押署信息也十分重要，从中可以了解到唐初写经的工作流程，补充大量的唐代人物信息。《善见律》规格较高，经过沙门两次检校，一人装潢、五人监察。其中"门下坊""率府""家令"均是唐代

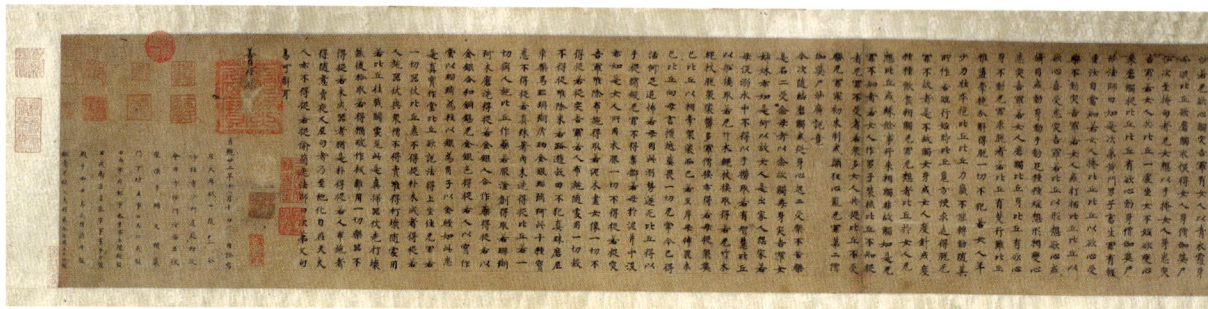

太子属官。赵模为宫廷"拓书人",曾与冯承素等人奉命摹制《兰亭序》。阎立本是唐代著名画家,传世作品有《步辇图》《历代帝王图》。这些押署信息增加了《善见律》的史料价值。

《善见律》藏于故宫博物院。2017年,在"赵孟頫书画特展"(第一期)中公开展示。

草书《法华经玄赞》卷 唐代文物。《法华经玄赞》又名《妙法莲花经玄赞》《法华玄赞》《法华经疏》,简称《玄赞》,唐代窥基撰写,共10卷(一说20卷)。窥基(632~682年),京兆雍州长安(陕西西安)人,唐代著名高僧,玄奘弟子,法相宗大师。《玄赞》旨在以法相宗的立场阐发《法华经》,从经文产生原因、主旨、品名解释、经文疏释等方面,对《妙法莲华经》进行全面的分析,是后世评价很高的一部佛典注疏。《法华经玄赞》抄写于唐代。隋唐时期佛教大行其道,僧人纷纷抄写精美的佛经,而唐代书法艺术的兴盛催生了草书抄写经卷的现象。历代大藏经均未收录《玄赞》,直到近代才于敦煌藏经洞发现,之后大部分被带往日本。故宫博物院所藏一卷为其中幸存者。上海博物馆、国家图书馆也藏有《玄赞》写本。

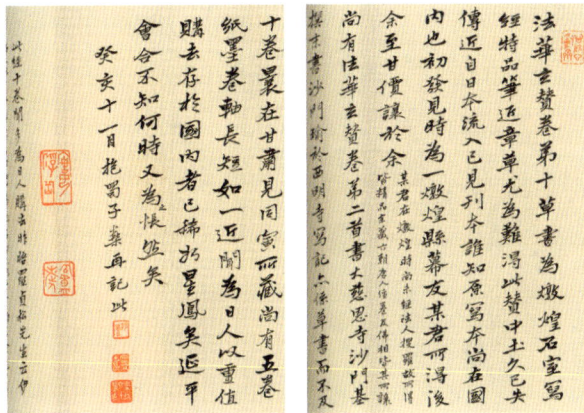

《法华经玄赞》为纸本,纵28.4厘米,横373.2厘米。卷首尾已残,草书风格典雅,草法严谨,全卷颇长,但书写气息不断,偶见连字。鉴藏印有"罗振玉印"等。

《法华经玄赞》藏于故宫博物院。

行草书《王氏一门书翰》卷 唐代文物。《王氏一门书翰》,又名《宝章集》《万岁通天帖》《唐摹王方庆万岁通天进帖》《唐摹王氏书》,是王羲之、王献之父子并王氏一门法书真迹的唐代摹本。王方庆(? ~702年),名綝,字方庆,雍州咸阳(陕西西安)人,东晋丞相王导十一代孙、北周王褒曾孙,在唐武周时期任行凤阁议郎。武则天访求王羲之书迹,王方庆将家藏历代先祖39人的法书一并进献。武则天命弘文馆将王氏家族的原作勾摹复制,真迹归还王方庆。王方庆所献原迹已无传,摹本《王氏一门书翰》曾藏于武周"建隆新史馆",两宋时期在内府收藏,之后经韩镇、岳珂、元王芝、岳浚、张雨、华幼武、明华夏等人递藏,清乾隆时入内府,贮藏于乾清宫。《王氏一门书翰》在明清两朝各遭遇火灾一次,帖上有清晰的火烧痕迹。1911年溥仪逊位后,《王氏一门书翰》辗转于天津、长春,直至中华人民共和国成立,被沈阳军区查获,拨交东北博物馆收藏。北宋《宣和书谱》、明华夏《真赏斋赋注》、清卞永誉《式古堂书画汇考》《石渠宝笈初编》等书著录,刻入明《真赏斋帖》、清《三希堂法帖》。

《王氏一门书翰》为纸本,纵26.3厘米,横253.8厘米。按书者亲属关系的远近排次,计有王羲之、王荟、王徽之、王献之、王僧虔、王瓷、王志等7人10帖,已远不及王方庆

进献时的数目。每位书者首帖前，有王方庆小字题签，如"臣十代再从伯祖晋右军羲之书"，帖中保存先唐鉴定人押署，帖尾有王方庆进帖的准确纪年，武周万岁通天二年（697年）四月三日。卷上鉴藏印记众多，有"颍川□□""史馆新铸之印""绍兴"（联珠印）"王芝""春草轩审是记""贞节堂礼仪传家之印"以及清乾隆、嘉庆、宣统三朝内府诸印。

《王氏一门书翰》的珍贵之处，在于以最接近真迹的形态，将王氏一门的书迹，从东晋到梁各代贯连起来，形成了一个近200年的完整书法系列，是王氏家族的一部综合资料，其中不乏珍贵的王羲之最早尺牍《姨母帖》、王献之楷书《廿九日帖》、王僧虔《太子舍人帖》等，为综合研究琅琊王氏家族书风的演变等书法史中的问题，提供重要资料。

《王氏一门书翰》藏于辽宁省博物馆。

草书《古诗四帖》卷 唐代文物。传为唐代张旭的草书作品。张旭（约675～759年），字伯高，吴郡（江苏苏州）人，主要活动于唐玄宗时期，官至左率府长史，世称"张长史"，因其常在醉后时有颠逸的举止，又被谑称"张颠"，《新唐书》有传。张旭母为虞世南外孙、陆柬之侄女。陆柬之传书法于子彦远，彦远又传于张旭。张旭草书最为知名，传世书迹有楷书《郎官石柱记》、草书《肚痛帖》刻帖等。张旭工诗，与贺知章、张若虚、包融号"吴中四士"，又与李白、贺知章等人合称为"饮中八仙"。唐文宗时，李白诗、裴旻剑舞、张旭草书被誉为"三绝"。《古诗四帖》是用草书写成的四首古诗，分别为庾信《步虚词》失题二首、谢灵运《王子晋赞》《岩下一老公，四五少年赞》。《古诗四帖》早在北宋嘉祐年间已有刻本流传，墨迹进入北

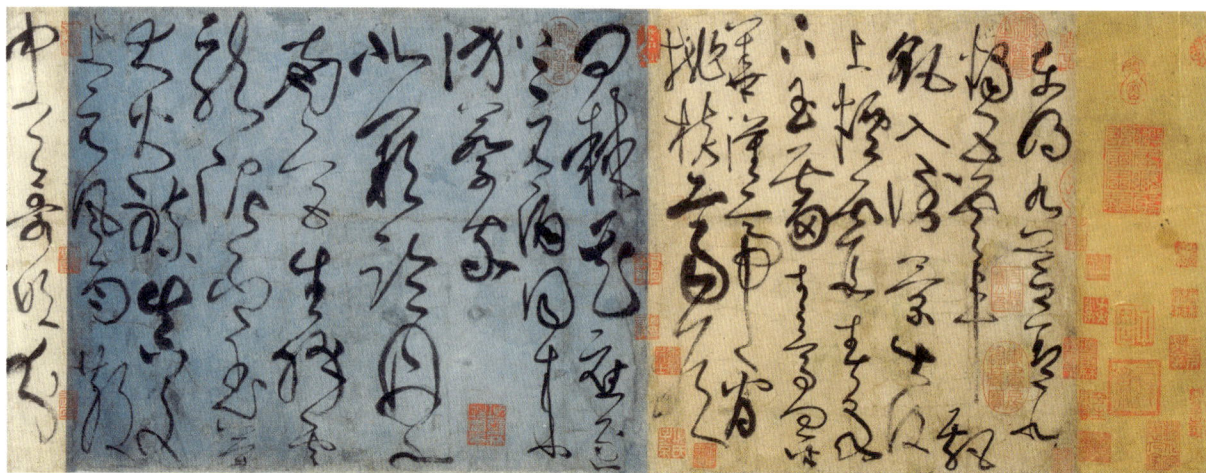

宋内府，"靖康之乱"后散入民间，南宋后期为贾似道收藏，之后转入南宋收藏家赵与勤家，明代时收入著名收藏家华夏的真赏斋，后又归项元汴所藏，清时入内府。清末，《古诗四帖》被溥仪以"赏赐"之名带出清宫，后运往长春伪满皇宫。1945年溥仪携逃时被截获，之后分别由东北人民银行、东北文物管理委员会收藏，1949年《古诗四帖》入藏东北博物馆。北宋《宣和书谱》，南宋周密《云烟过眼录》，明汪砢玉《珊瑚网》，清卞永誉《式古堂书画汇考》、顾复《平生壮观》《石渠宝笈初编》等书著录。

《古诗四帖》用素笺和碧色笺连成一卷，纵29.5厘米，横195.2厘米，共有40行180字。卷后有明丰坊与董其昌跋语，间有明人小楷一篇，原属于该卷的元荣僧肇、明项元汴题跋，已遗失。卷上有北宋内府收藏诸印，南宋赵孟坚，明华夏、项元汴，清宋荦及乾隆、嘉庆、宣统三帝玺印，共百余方。

《古诗四帖》使用的是草书，章法大开大合，形态回旋起伏，用笔能保持中锋的形态，笔墨浓重。笔法快慢有节，但线质变化多样，没有纤巧或涩滞之感。《古诗四帖》卷无款，关于其作者与时代，宋元以来已有不同观点。早期有"谢灵运书"的观点。明董其昌认定为张旭真迹，但《石渠宝笈初编》著录时，重订为"伪张旭书"。专家大部分认为《古诗四帖》为张旭真迹，同时又有持北宋真宗时期书作的观点。

《古诗四帖》藏于辽宁省博物馆。

行草书《上阳台帖》卷 唐代文物。传为唐代李白的行草书作品。李白（701～762年），字太白，号青莲居士，唐代著名诗人。李白生于碎叶城（吉尔吉斯斯坦托克马克），5岁时跟随父亲李客行商来到绵州（四川江油）。李白创作了大量风格多样、体裁不拘一格的诗歌。他在继承《楚辞》等古典文学作品的基础上，发展出想象丰富、语言朴实、情感热烈的个人风格，对后世产生深远影响。代表作有《望庐山瀑布》《行路难》《蜀道难》《将进酒》《明堂赋》《早发白帝城》等。北宋宋敏求重编、曾巩考订、晏知止校正刊行的《李太白文集》（30卷）是遗存最早的李白诗文集。《上阳台帖》内容是李白创作的四言诗"山高水长，物象千万，非有老笔，清壮可穷"，描绘了王屋山的高耸峻拔，通过赞颂司马承祯的作品，抒发仰慕之情。《上阳台帖》经南宋贾似道、元张晏、明项元汴、清安岐等人收藏，清乾隆时入内府，藏于养心殿。清末流出宫外，民国时期为张伯驹所有。中华人民共和国成立后，张伯驹将《上阳台帖》捐赠国家。1958年，《上阳台帖》入藏故宫博物院。清安岐《墨缘汇观》、顾复《平生壮观》《石渠宝笈初编》等书著录。

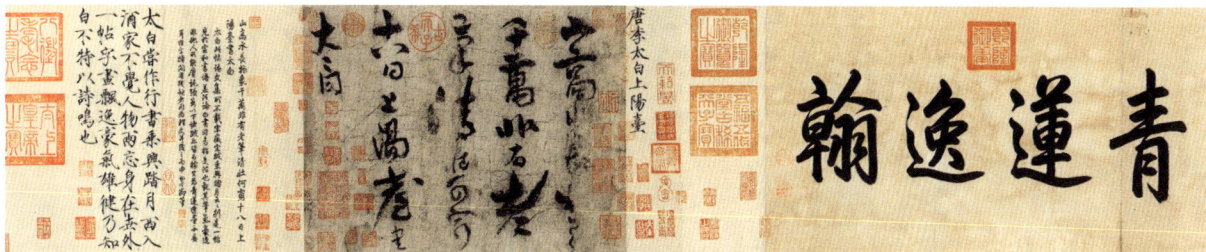

《上阳台帖》为纸本，28.5厘米，横38.1厘米，存5行25字。卷前有清乾隆帝引首"青莲逸翰"，赵佶瘦金书题签"唐李太白上阳台"，后纸有宋徽宗赵佶，元张晏、杜本、欧阳玄、王余庆、危素、骆鲁，清乾隆帝等人的题跋、诗题和观款。卷前后及隔水上钤有宋赵孟坚"子固""彝斋"、贾似道"秋壑图书"，元张晏、欧阳玄以及明项元汴，清梁清标、安岐、清廷内府，近代张伯驹等鉴藏印记。

《上阳台帖》用笔恣肆任行，结构开张，但纸笔并不符合唐代特征。根据北宋文献记载，当时已经出现仿造李白书迹而不能辨伪的情况，存在《上阳台帖》为北宋仿书的可能性。《上阳台帖》诗后款署"十八日，上阳台书，太白"，通过文献考证，难以将"阳台"或称"上（尚）阳台"与李白的行踪联系起来，尚无法确定《上阳台帖》为李白真迹。

《上阳台帖》藏于故宫博物院。

行书《湖州帖》卷　唐代文物。《湖州帖》又名《江外帖》，唐代颜真卿的行书作品。颜真卿（709～784年），字清臣，京兆万年（陕西西安）人，颜师古五世从孙，唐代政治家、书法家。颜真卿任平原太守时，曾力抗安禄山叛军，后官至吏部尚书、太子太师，封鲁郡公，世称颜鲁公。颜真卿的楷书端正雄浑，行书遒劲郁勃，开创了唐代书法新风，对后世影响很大，世称其楷书为"颜体"。代表作品有石刻《王琳墓志》《多宝塔碑》《颜勤礼碑》《颜家庙碑》、摩崖《大唐中兴颂》、墨迹《祭侄文稿》《自书告身》、刻帖《祭伯父文稿》《争座位稿》《殷践猷墓碣铭》等。后人辑有《颜鲁公文集》15卷。《湖州帖》讲述湖州地区发生水灾与百姓得到安抚一事。《湖州帖》经宋宣和朝内府、贾似道，明项元汴、张则之，清梁清标、安岐、清廷内府收藏。清安岐《墨缘汇观》、卞永誉《式古堂书画汇考》著录。

《湖州帖》为纸本，纵27.6厘米，横50.2厘米，存8行47字。帖内钤有宋"政和""绍兴"3方、"机暇清玩之印""内府书印"，元"北燕张氏珍藏""端本"，明洪武朝内府"司印"残印、项元汴诸印，清"梁清标印""仪周鉴赏"等鉴藏印。

颜真卿遗存墨迹，除保存在台北故宫博物院的《祭侄文稿》是真迹外，其余均是临摹品本。专家认为《湖州帖》书写时间在唐大历

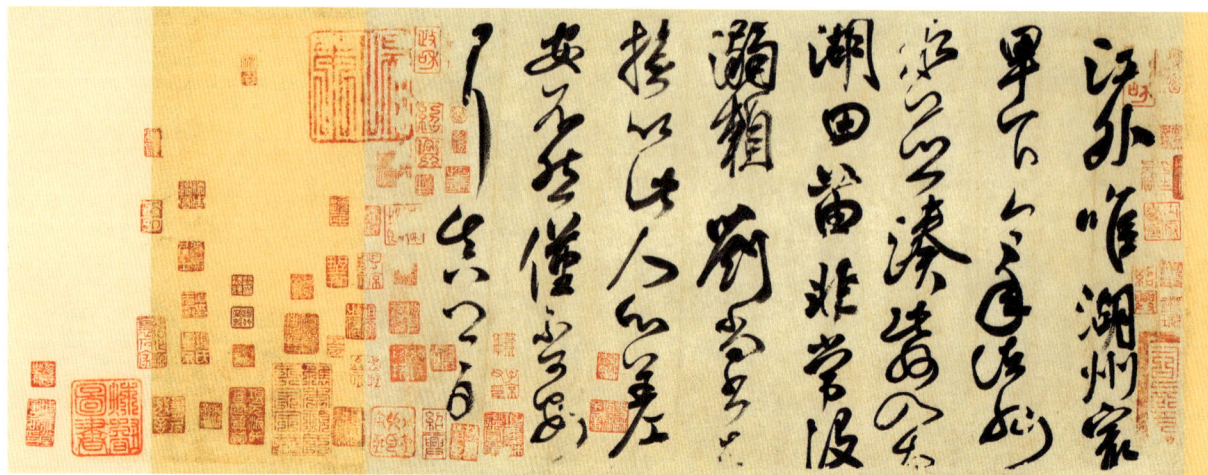

七至十二年（772～778年）。时值颜真卿贬官湖州刺史，此时他的旧友吏部尚书刘晏正任唐江南诸道转运使，与韩滉一同负责江南道的财赋。信札中提到"湖州""刘尚书"，与史实相合。另外，《湖州帖》的纸张为加粉砑光的宋代竹纸，书写风格圆转连绵，侧媚多姿，墨色华润，可能为宋人临写。

《湖州帖》藏于故宫博物院。

楷书《竹山堂连句》册 唐代文物。传为唐代颜真卿楷书作品。《竹山堂连句》作于唐大历九年（774年）三月。时任湖州刺史的颜真卿与李萼、陆羽、释皎然、陆士修、韦介等人雅集于潘述家竹山堂中，由颜真卿启首，每人作五言诗一联，组成联句诗一首，并由颜真卿亲书录之，后传为《竹山堂连句》。《竹山堂连句》经南宋高宗绍兴朝内府，明晋王府，清梁清标、安岐等收藏，明王世贞《弇州续稿》、詹景凤《东图玄览》，清顾复《平生壮观》、卞永誉《式古堂书画汇考》、安岐《墨缘汇观》等书著录，刻入清《秋碧堂法帖》。

《竹山堂连句》原本为绢本整幅，后割裱成册，15开，题跋3开。每开纵28.2厘米，横13.7厘米不等，共计298字。册前裱边有楷

书"颜鲁公竹山连句诗帖，上上品"一行。后纸有宋米友仁，清姚鼐、铁保三段题跋。册上有"绍兴""缉熙敬止""希世之书""御府之印""容斋清玩""晋府图书""玉张氏""王世懋印""苍严""安仪周家珍藏""铁保私印""叶恭绰"等鉴藏印。

《竹山堂连句》的书法端严浑厚，具有颜体特征。专家认为《竹山堂连句》可能是一件宋人的临本。颜真卿在大历年间的官职与《竹山堂连句》前自署不符。诗文《颜鲁公文集》最初并未收入《竹山堂连句》，而是经清姚鼐、黄本骥补入后才有。册后米友仁两行跋语定为真迹；且《竹山堂连句》确定曾为绍兴御府藏品，最迟不晚于南宋高宗时期。

《竹山堂连句》藏于故宫博物院。

草书《千字文》残卷 唐代文物。唐代高闲的草书作品。释高闲，乌程（浙江湖州）人，晚唐高僧、书法家。事迹主要见于宋《高僧传》卷三十《广修传》。高闲少年显露才气，于湖州开元寺出家，后来游历长安学习经律，又入为供奉，先后侍奉宣宗、懿宗二帝，获得了很高的荣誉。归乡后圆寂于湖州开元寺，有弟子鉴宗传其书艺。高闲工书，所作草书盛名一时。韩愈有名篇《送高闲上人序》，盛赞高闲书法之精美，也是推测高闲生卒的参考文献。高闲的代表作除《千字文》外，还有《此斋帖》和《正嘉帖》两件刻帖，《宣和书谱》提及北宋徽宗朝内府收有高闲的其他作品。《千字文》最初可考的收藏家为元代乔篑成、鲜于枢，当时已经残损。鲜于枢收藏时将其以二十二纸补完合一。清初，鲜于枢补书部分散佚，为韩世松所得。韩世松在购得高

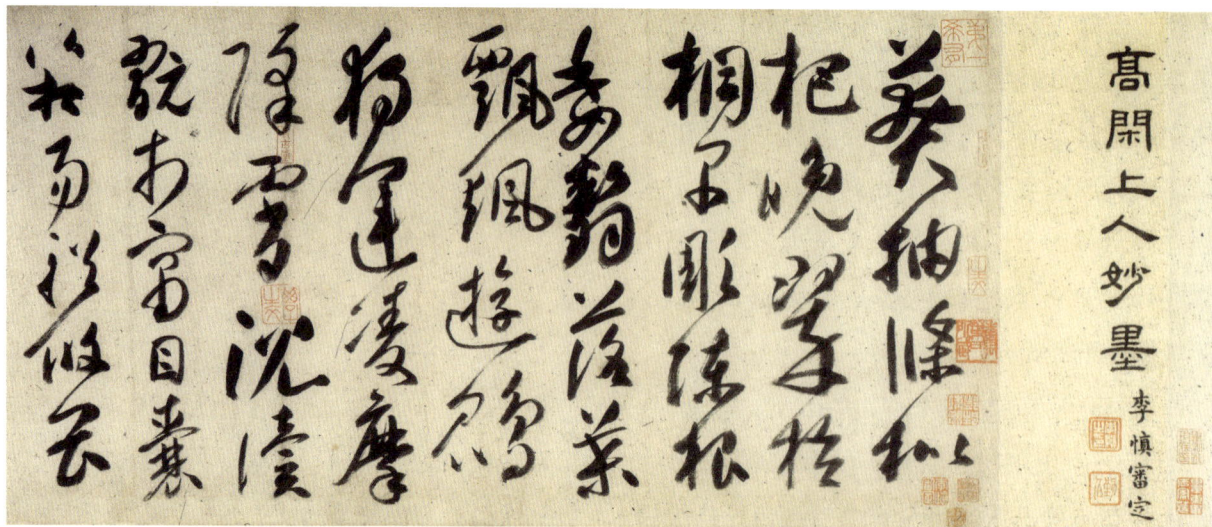

闲原作后，将前后两部分合装刻入《墨缘堂藏真帖》。之后，鲜于、高闲二卷再次离散。清末，端方在琉璃厂发现高闲《千字文》残卷，复赠完颜景贤。民国时期，完颜景贤将《千字文》残卷抵押给叶恭绰。中华人民共和国成立后，经谢稚柳发现鉴定，入藏上海博物馆。南宋周密《云烟过眼录》，元鲜于枢《困学斋杂录》，明汪砢玉《珊瑚网》，清卞永誉《式古堂书画汇考》、安岐《墨缘汇观》、完颜景贤《三虞堂书画目》等书著录。

《千字文》残卷为纸本，纵30.8厘米，横331.3厘米，共有52行248字。仅存"（园）莽抽条"至"焉哉乎也"，款署"吴兴高闲书"。卷外有安岐"唐高闲半卷千文、麓村珍藏"的标签，编号"雨二"，卷前隔水有"高闲上人妙墨"的李慎隶书题字。卷后有林佑、叶恭绰跋语。卷上钤"枢""其子之裔""乔氏篝成""乔氏真赏""式古堂书画""安氏仪周书画之章""遐公""完颜景贤精鉴"等诸家鉴藏印。

《千字文》残卷书体为大草书，由8张纸接成。用硬毫笔书写，下笔宽博劲健，痛快淋漓，墨色厚重，使转灵巧，圆笔之中时见方折处理。字大多呈右倾，字距稍小而行距略大。《千字文》是高闲传世的唯一一件墨迹，弥足珍贵。

《千字文》残卷藏于上海博物馆。

草书《苦笋帖》卷 唐代文物。唐代怀素的草书作品。释怀素（737～约798年），字藏真，永州零陵（湖南零陵）人，俗姓钱，活动于唐德宗时期，擅长草书。怀素在两《唐书》中无传，事迹主要见于《自叙帖》、陆羽《僧怀素传》、李肇《国史补》等。颜真卿、李白、韩愈、钱起等唐代名家的作品中不乏赞颂怀素草书的诗文。北宋吕总《续书评》云：

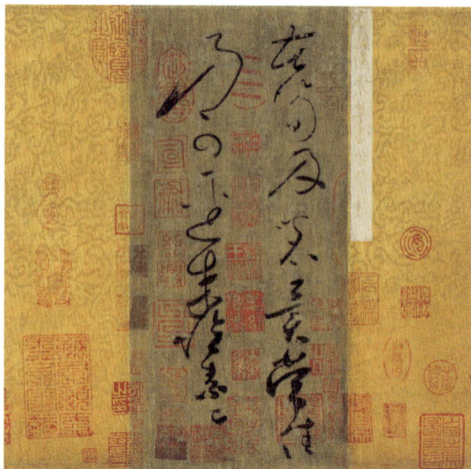

"怀素草书，援毫掣电，随手万变。"朱长文评曰："如壮士拔剑，神采动人。"《宣和书谱》称怀素书法："字字飞动，圆转之妙，宛若有神。"《苦笋帖》是一封个人书信，内容为怀素期待对方寄来美味的苦笋（"筍"）和茶叶。北宋黄庭坚有短篇辞赋《苦笋赋》，更是将苦笋比喻为能发出忠谏之言的贤才。《苦笋帖》在北宋时入绍兴朝内府收藏，后历经元欧阳玄，明项元汴，清安岐、乾隆朝内府、永瑢、永瑆、奕䜣、戴滢等收藏。明张丑《清河书画舫》、陈继儒《妮古录》、吴其贞《书画记》，清《装余偶记》、卞永誉《式古堂书画汇考》、吴升《大观录》、安岐《墨缘汇观》、李佐贤辑《书画鉴影》等书著录，刻入清《墨妙轩法帖》《三希堂续帖》《诒晋斋帖》《邻苏园帖》等。

《苦笋帖》为绢本，纵25.1厘米，横12厘米，共有2行14字。前清乾隆帝"醉僧逸翰"引首，帖前有无款月白签泥金字"唐僧怀素草书苦笋帖"一行。帖后有南宋米友仁跋、聂子述观题、某松观题，明项元汴跋，清乾隆帝跋。帖上有"绍兴""欧阳玄印""内府图书之印"、清乾隆朝内府诸印、永瑆诸印等鉴藏印记。帖上的"宣和""绍兴"等宋内府印有部分为后代添入，已不符"宣和装"的规制。明项元汴在跋语中出现两处错误：怀素（字藏真）出生过晚于玄奘，不可能为玄奘亲传弟子，唐代有另一位怀素（字宾列），他才是玄奘弟子，后来成为东塔宗创始人；《宣和书谱》记藏怀素草书101件，其中没有《苦笋帖》，项元汴未能细查，之后清乾隆帝误引这一观点。

《苦笋帖》两行草书圆畅自然，草中见行，精美跌宕，第二行更是笔法连绵，以意贯之，"常""佳"等字尚存右军法度。更珍贵之处在于，《苦笋帖》为怀素已知两件真迹之一，另一件为藏于台北故宫博物院的小草《千字文》卷。

《苦笋帖》藏于上海博物馆。

草书《论书帖》卷 唐代文物。传为唐代怀素的草书作品。《论书帖》记述的内容为怀素晚年事，所言均是对于草书的体悟。《论书帖》由北宋内府，元张晏，明项氏"天籁阁"，清高士奇、安岐相继递藏，清乾隆时期入御府，收藏于养心殿。清末，《论书帖》被溥仪"赏赐"傅杰，带出清宫，1945年从长春伪满皇宫流出，中华人民共和国成立后入藏东北博物馆。北宋《宣和书谱》，清张丑《清河书画舫》、顾复《平生壮观》、安岐《墨缘汇观》、高士奇《江村销夏录》、陆心源《穰梨馆过眼录》《石渠宝笈初编》等书著录。

《论书帖》为粉白花笺纸本，纵28.6厘米，横40.5厘米，共有9行85字。帖前有"唐怀素论书帖"题签，后有清乾隆帝释文，元张晏、赵孟頫，明项元汴三家跋语，其中元两家的跋文是怀素《食鱼帖》后所跋，在散佚过程

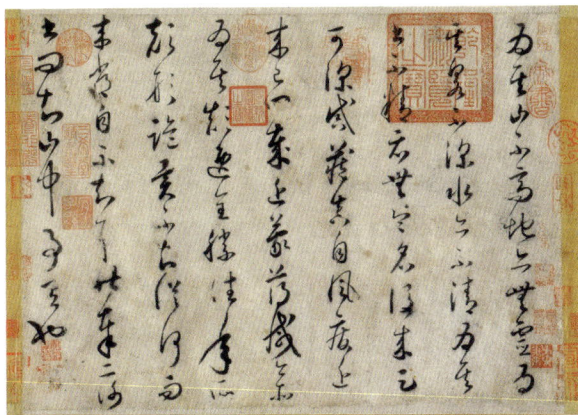

中由清顾复接于帖后。帖上可见两宋内府印、南宋贾似道，元华幼武、张晏，明吴时芳、项元汴，清高士奇、高岱，清乾隆、嘉庆、宣统三帝诸印等鉴藏印记。

《论书帖》书法与怀素《苦笋》《食鱼》《自叙》等传世墨迹相比，无奔放、狂怪之势，但又不同于小草《千字文》的悠游不迫，颇有王羲之草书的熟稳风格。

《论书帖》藏于辽宁省博物馆。

行书《蒙诏帖》卷　唐代文物。《蒙诏帖》又名《翰林帖》，传为唐代柳公权的行书作品。柳公权（778～865年），字诚悬，京兆华原（陕西省铜川市耀州区）人，兄柳公绰。唐元和元年（806年）进士，初仕秘书省校书郎。穆宗时拜右拾遗，充翰林院侍书学士，迁司封员外郎，留下著名的"笔谏"故事。长庆四年（824年）以右补阙出院后，文宗大和二年（828年）再度充翰林书诏学士。开成三年（838年）转工部侍郎，累迁学士承旨。武宗时授太子詹事，封河东郡公。咸通初年，以太子太保致仕。柳公权通晓经学，对《诗经》《尚书》《左传》以及《庄子》都曾做过精深

的疏解。柳公权尤其擅长书法，为穆宗、敬宗、文宗三朝侍书。他的楷书出于颜真卿而自成面目，世称楷书"柳体"。柳字用笔的基本特点是方圆并重，结构疏密得宜，虚实兼善，舒敛自如。传世代表作有碑版书法《玄秘塔碑》《神策军碑》《金刚经》《回元观钟楼铭》，又有传为其书的《蒙诏帖》《兰亭诗》《跋送梨帖》三件墨迹，此外还有《年衰帖》（即《蒙恩帖》《紫丝靸帖》）《圣慈帖》《辱问帖》《泥甚帖》《尝瓜帖》《跋王献之小楷〈洛神赋〉》等刻帖资料。2008年，西安碑林博物馆征集到柳公权为亡甥撰写的《韩复墓志》。《蒙诏帖》的内容分两部分，前为柳公权对放出翰林院的谢恩，后为对某人请托办事表示为难。《蒙诏帖》经明詹景凤《东图玄览》、张丑《南阳书法表》《真迹日录》，清安岐《墨缘汇观》著录，刻入清《三希堂法帖》《快雪堂帖》。

《蒙诏帖》为纸本，纵26.8厘米，横57.4厘米，共有7行27字。鉴藏印有宋"绍兴""瑞文图书""贤志赏"，元"赵氏子昂""乔簣成氏""齐郡张绅士行"，明"冯氏鹿庵珍藏

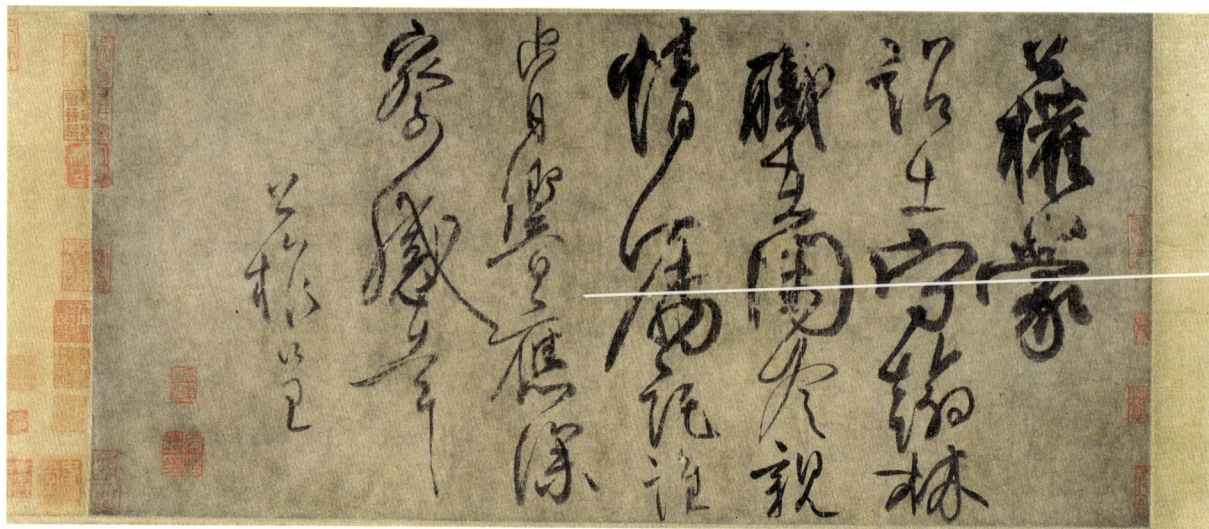

图籍印"，清"安岐之印""王常宗""陈氏彦廉""韩世能印""韩逢禧印"等。

《蒙诏帖》并非勾填本，前后书写连贯，书势起篇沉稳，渐行渐快，笔力减弱，对比刻帖中的柳氏尺牍，距离较大。《蒙诏帖》墨迹的真伪历来颇有争议。《蒙诏帖》中"出守翰林"的说法不符合唐代职官制度。因翰林学士无品秩，由他官充任，不可以"守"自称。翰林院的衙署在宫中，更不能用"出"表达。专家认为《蒙诏帖》是北宋人自柳公权《年衰帖》中临摹而成。

《蒙诏帖》藏于故宫博物院。

行书《兰亭诗》卷 唐代文物。传为唐代柳公权的行书作品。《兰亭诗》是东晋王羲之、谢安等人在兰亭宴会上所赋诗篇的唐代抄写本。经南宋绍兴朝内府，元乔篑成、柯九思，明王世贞，清高士奇等收藏，清乾隆时入

内府。北宋米芾《宝章待访录》、明詹景凤《东图玄览》、张丑《清河书画舫》《清河见闻表》、清汪砢玉《珊瑚网》、卞永誉《式古堂书画汇考》、吴升《大观录》《石渠宝笈续编》等著录，收为"兰亭八柱"第四。

《兰亭诗》为绿绢本，纵26.5厘米，横365.3厘米。卷前清乾隆帝引首题"笔谏遗型"，并题签"兰亭八柱第四"，题记一段，有金书题签"唐柳公权书群贤诗"。卷后有宋邢天宠、杨希甫、习之、蔡襄、李处益、孙大年、王易、黄伯思、宋适，金王万庆，明王世贞、莫是龙、文嘉、张凤翼，清王鸿绪等题跋和观款。其中蔡襄、黄伯思所书不真，

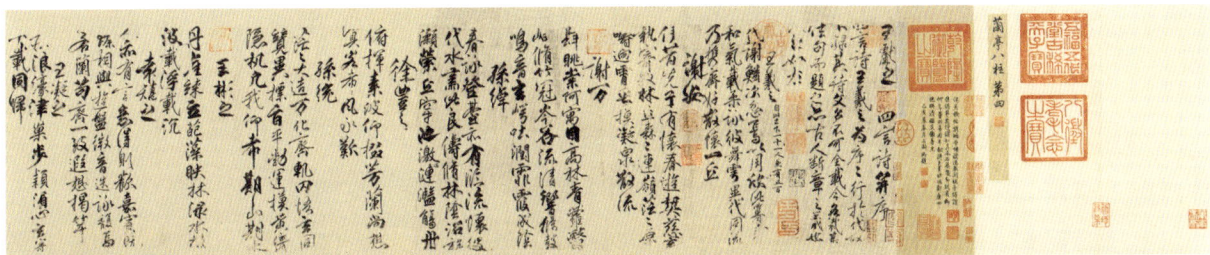

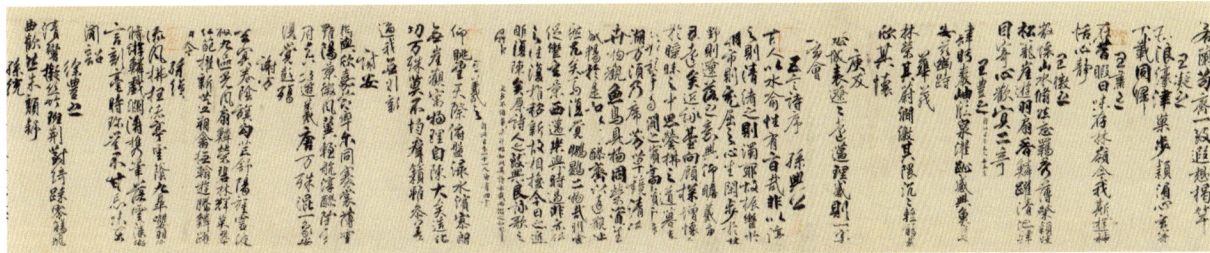

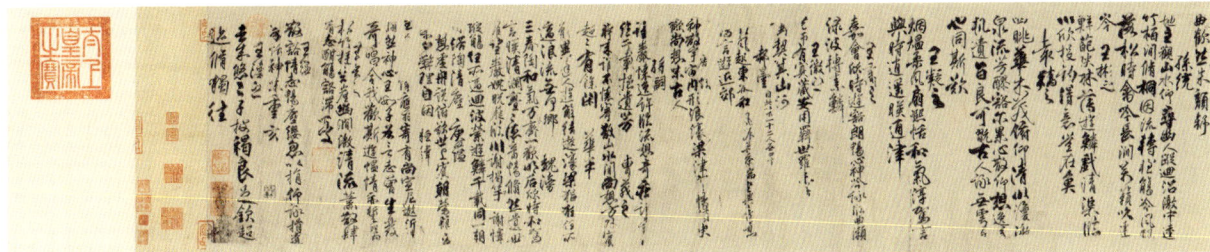

明以后诸段跋语虽为真，但是拼配而成，与《兰亭诗》卷无关。鉴藏印有宋"御书""双龙""宣和""政和""内府图书""奉华宝藏""内府书印""睿思东阁"，以及宋"绍兴"，元"乔篑成氏""柯九思"，明王世贞，清高士奇、王鸿绪、乾隆朝内府诸印。

《兰亭诗》落笔率意而为，笔法僵硬粗糙，多有枯锋现象。对比较为可靠的柳公权字迹，如《跋送梨帖》《尝瓜帖》《衰年帖》等，结体、笔法没有丝毫相同之处，诗文亦颇有不通之处。专家认为《兰亭诗》归入柳公权名下是后世依据卷后的伪黄伯思跋而定下的，真实写作年代应在晚唐。《兰亭诗》作为一件唐代《兰亭诗集》写本，具备一定的文献价值。

《兰亭诗》藏于故宫博物院。

行书《张好好诗并序》卷 唐代文物。唐代杜牧的行书作品。杜牧（803～852年），字牧之，号樊川居士，京兆万年（陕西西安）人，唐文宗太和二年（828年）进士及第，同年又以贤良方正科及第，授弘文馆校书郎，历任江西、宣歙、淮南诸使幕僚，监察御史，黄州、池州、睦州、湖州刺史，官至中书舍人。杜牧兼工诗、赋、文，以诗成就最高，后人称为"小杜"，以别杜甫。杜牧诗歌词采清丽，情思豪爽，主张"以意为主，以气为辅，以辞彩章句为之兵卫"，有《樊川文集》二十卷、

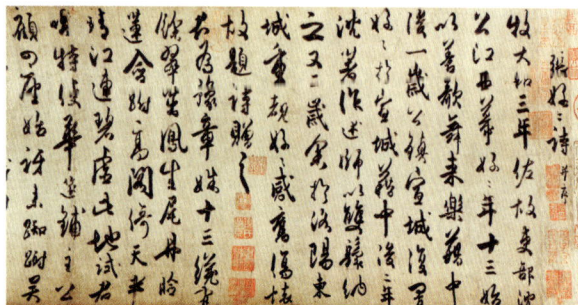

《外集》一卷、《别集》一卷。《旧唐书》卷一四七、《新唐书》卷一六六有传。《张好好诗并序》为杜牧所写五言长诗。作于唐太和九年（835年）秋。诗中描写杜牧在洛阳重见歌妓张好好，张好好已从被沈传师宠遇变为流落市井，抒发了对这类无法主宰自己命运的苦难女子的深切同情。《张好好诗并序》经北宋徽宗御府，南宋贾似道，明项元汴、张孝思，清梁清标等递藏，清乾隆年间入藏内府。1932年，日本侵略军将存于天津静园的清宫珍宝运至长春伪满皇宫，存于"小白楼"，《张好好诗并序》卷就在其中。1945年溥仪逃亡，《张好好诗并序》被士兵填埋，挖出时已是满纸霉斑，失色不少。之后流入京城古玩市场，最终为张伯驹重金购得。1956年1月，张伯驹将《张好好诗并序》与陆机《平复帖》、范仲淹《道服赞》等8件书法珍品一并捐与中央人民政府。北宋《宣和书谱》《悦生所藏书画别录》，明汪砢玉《珊瑚网》，清顾复《平生壮观》、吴升《大观录》、陆时化《吴越所见书画录》《石渠宝笈初编》等书著录，刻入明《戏鸿堂帖》、清《墨妙轩法帖》。

《张好好诗并序》为纸本，用5张精制麻纸拼接而成，纵28.2厘米，横162厘米，存48行322字，末纸"洒尽满"和"聊一书"至明董其昌著录时残失。卷前有瘦金书月白绢题签"唐杜牧张好好诗"，并钤有宋徽宗诸人印，保存了宣和原装，但卷后的明张孝思、清年羹尧等人题名，原本是赵模《千字文》卷的观款，后被移接至此。卷最末为张伯驹自作《扬州慢》一首。鉴藏印有"弘文之印""宣和""政和"（联珠）"宣和""政和""内

府图书之印""秋壑图书""张氏珍玩""北燕张氏珍藏"项元汴诸印"梁清标印""蕉林居士""宋荦审定""张伯驹珍藏印"等，以及清乾隆、嘉庆、宣统三朝内府诸印。

《张好好诗并序》用硬毫短锋笔书写，笔法劲健，颇多叉笔，但气势连绵，笔墨酣畅，是典型的文人书法，虽无精研博采之功，但有足够的学养与心性，亦成独特面目。北宋《宣和书谱》评杜牧书法："气格雄健，与文章相表里。"

《张好好诗并序》藏于故宫博物院。

草书《神仙起居法》卷 五代时期文物。《神仙起居法》又名《起居帖》，是五代杨凝式的草书作品。杨凝式（873～954年），字景度，自号虚白、癸巳人、希维居士、关西老农等，华阴（陕西华阴）人，五代书法家、文学家，唐昭宗时进士及第，历任后梁、后唐、后晋、后汉、后周五朝。后周太祖时官至尚书左仆射、太子太保。杨凝式善属文辞，长于歌诗，精于楷、隶，尤工行、草。《全唐诗》《全唐诗补编》存诗6首，《全唐文》《唐文拾遗》存文4篇。生平事迹见《旧五代史》卷一二八、《新五代史》卷三五。《神仙起居

法》是一种古代按摩健身方法口诀，大意为要不厌其烦，甚至可请家人帮助按一定次序揉摩胁、肚、腰背等部位，以达到保健效果。《神仙起居法》曾为南宋高宗朝内府收藏，后入贾似道手中。元初在理宗驸马杨镇处，明代曾经杨士奇、项元汴、清河王氏收藏。清初由古董商陈定收购，之后经张孝思等人，最终进入清内府，藏于敬胜斋。中华人民共和国成立后，在故宫漱芳斋戏台下发现《神仙起居法》，之后入藏故宫博物院。明朱存理《铁网珊瑚》、都穆《寓意编》、张丑《清河书画舫》，清卞永誉《式古堂书画汇考》、顾复《平生壮观》、吴升《大观录》《石渠宝笈三编》、胡敬《西清札记》等书有著录。

《神仙起居法》为纸本，纵27厘米，横21.2厘米，共有8行85字。款署杨凝式书于"乾祐元年（948年）冬残腊暮"。后纸有宋米友仁、元商挺、清张孝思题记及佚名释文5行。卷前右下角有明项元汴《千字文》"凌摩绛霄"之"摩"字编号。卷前后及隔水上钤有两宋间杜绾印章、南宋"绍兴""内府书印"，明杨士奇、陈淳、项元汴，清张孝思、陈定、清内府等鉴藏印。

《神仙起居法》用小行草书写成，点画随意，下笔成画，用墨浓淡相间，时有枯笔飞白。结字体势于欹侧险劲中求平正，行间字距颇疏，在继承唐代书法的基础上，以险中求正的特点创立新风格，尽得天真烂漫之趣。《神仙起居法》为杨凝式代表作品，对宋代书法影响较大。日本东京书道博物馆藏有另一卷《神仙起居法》，有故宫博物院藏本不见的数家跋语，但摹制水准不如故宫博

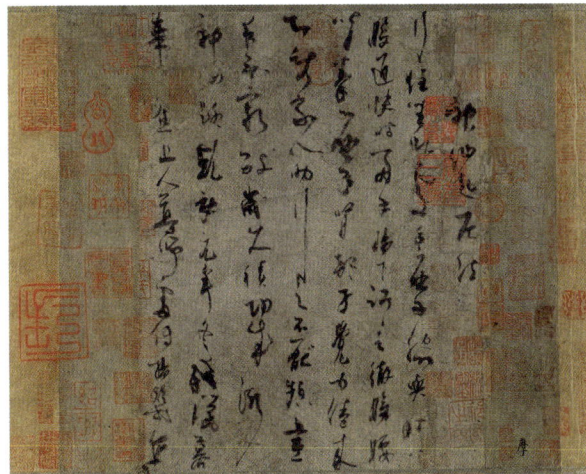

物院藏本。

《神仙起居法》藏于故宫博物院。

草书《夏热帖》卷　五代时期文物。五代杨凝式的草书作品。《夏热帖》内容大致是因炎热难耐，杨凝式送给某位僧人"酥密水"以示问候。民国年间佚出，郑洞国购自长春，经原沈阳军区周桓转交东北博物馆，后调拨至故宫博物院。明汪砢玉《珊瑚网》、吴其贞《书画记》，清顾复《平生壮观》、卞永誉《式古堂书画汇考》《石渠宝笈初篇》等书著录，刻入清《三希堂法帖》。

《夏热帖》为纸本，纵23.8厘米，横33厘米，存8行32字。后纸有宋王钦若，元鲜于枢、赵孟頫，清张照题跋及乾隆帝的释文。卷前后及隔水上钤有宋"贤志堂印"，元赵孟頫，明项元汴，清曹溶、纳兰成德、清内府等鉴藏印139方。

《夏热帖》兼取唐颜、柳笔法，在草书中杂有行楷，大小参差，错落有致，体势雄奇险崛，运笔爽利挺拔，与杨凝式其他作品相比，风格差异较大，表现出了他丰富的艺术变化。是杨凝式的行书精品，与传世《神仙起居法帖》狂草书相辉映。

《夏热帖》藏于故宫博物院。2017年，在"赵孟頫书画特展"（第二期）中公开展示。

楷书《韭花帖》卷　五代时期文物。五代杨凝式的楷书作品。《韭花帖》大致内容为，杨凝式感谢收信人恰在他"朝饥"时，为他送来韭花佐餐羊肉，写信时间是"一叶报秋"的七月十一日。《韭花帖》真迹经北宋苏耆，南宋内府，元张可与、张宴、赵孟頫等人收藏。民国时期，在罗振玉《百爵斋藏名人法书》上册中可以看到照片。在《韭花帖》真迹的递藏后期，产生过两种摹本：一种是台北兰千山馆本，清高士奇《江村销夏录》著录，寄存于台

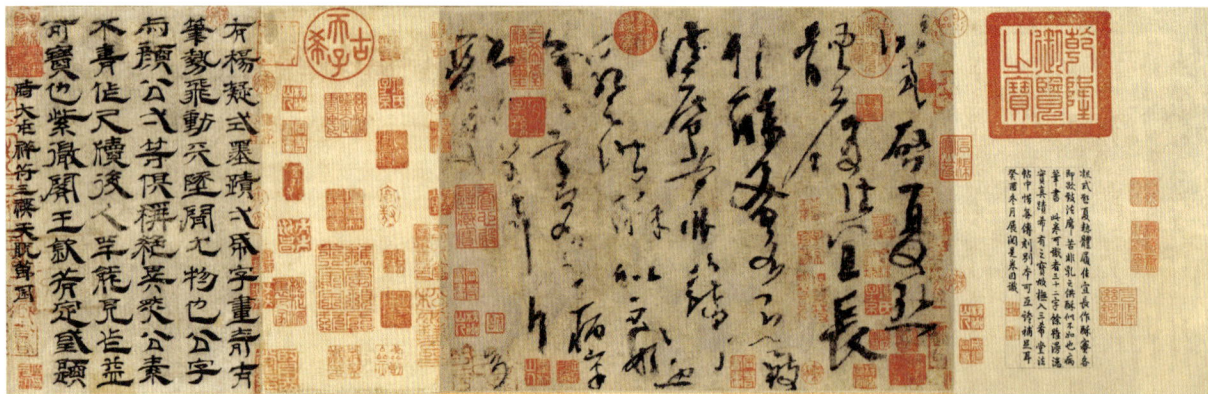

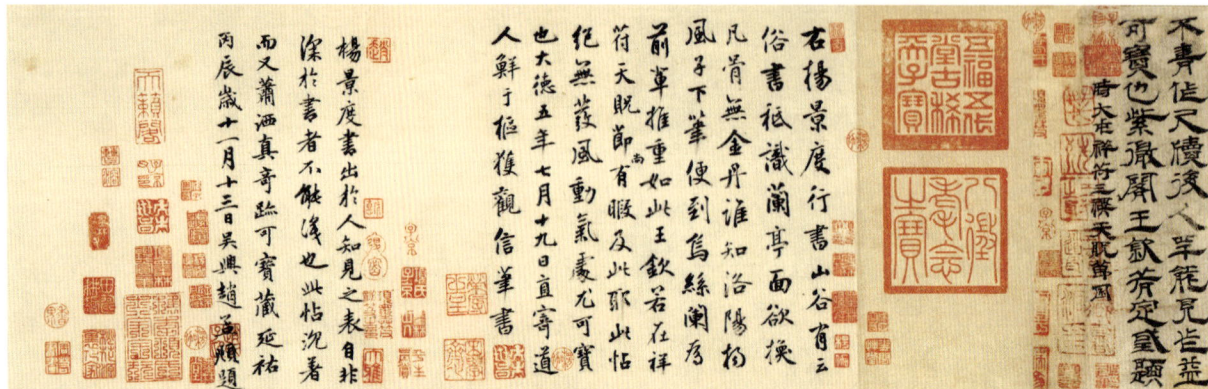

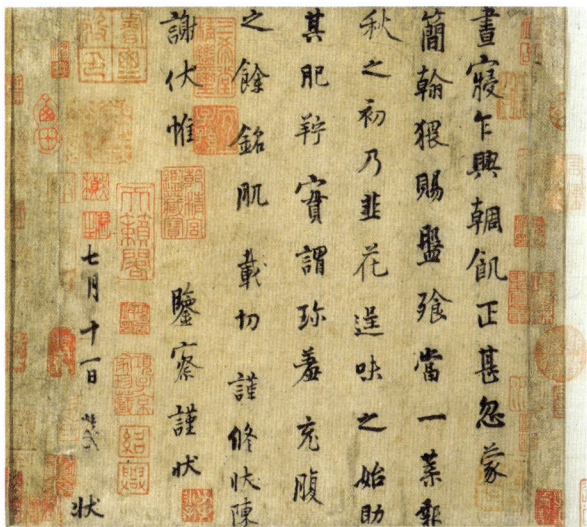

北故宫博物院；另一种是无锡博物院藏本，疑按照清宫真迹临摹而成，但卷中的南宋、元代藏印与真印有所出入，该摹本于1982年5月28日入藏无锡市博物馆。

《韭花帖》为纸本，纵25.5厘米，横40.6厘米，共有7行63字。帖上"凝式"款识已模糊不清，有较明显的刮剔痕迹。卷前有清乾隆帝引首"杨少师韭花帖妙迹"。帖后有元张宴，明陈继儒、徐守如，清乾隆帝、陆世韶、张照等人跋语。帖上可见南宋高宗朝内府，元赵孟頫、张晏，明项元汴、吴桢，清王时敏、王掞，清乾隆及嘉庆朝内府、末帝溥仪，民国时期无锡收藏家薛处等人藏印。

《韭花帖》字迹为小字楷书，点画稳重，笔姿奇逸，对于单字的部件位置有独特的设计，使得结体新奇，欹侧微妙。章法上，字距和行距都较大，更显风神凝远的字外气质。《韭花帖》的字法，与唐代楷书严整遒劲的做派完全不同，开启了两宋尚意的书法时代风格，对宋苏轼、黄庭坚以及明董其昌的书法影响很大。

《韭花帖》藏于无锡博物院。

行书《同年帖》页 北宋文物。《同年帖》又名《金部帖》《披风帖》，是北宋李建中的行书作品。李建中（945～1013年），字得中，号岩夫民伯，京兆（陕西西安）人，北宋书法家。太平兴国八年（983年）进士甲科，历著作佐郎、殿中丞、太常博士、金部员外郎、工部郎中。李建中性格安静，不慕荣利，对于洛阳风物钟爱有加，曾前后三次上书恳请掌管西京御史台事务，人称"李西台"。李建中勤学精鉴，家多藏名画古器。《宋史》卷四四一有传。李建中能写多种书体，行书尤擅。欧阳修曾评价李建中为杨凝式之后，北宋初期最著名的书法家。《同年帖》是李建中写给"金部同年"的一封信，主要是托他照顾在东京汴梁的女婿刘仲谟与次子李周士。"金部"属尚书省户部，掌国家库藏出纳、市肆交易及度量权衡等。"同年"是指同榜科举者。李建中也曾在金部供职，他写信之时正在西京洛阳为官，确切说是景德至大中祥符年间，李建中在西京留司御史台，所以帖中说"略表西京之物"。帖后又接加工后的水纹纸一条，内容是附上自作《怀湘南诗》的说明。《同年帖》原是李建中《李西台六帖卷》之一，明末清初时被人分拆。除《同年帖》外，尚存《贵宅帖》《土母帖》。《同年帖》曾由明项元汴收藏。明汪砢

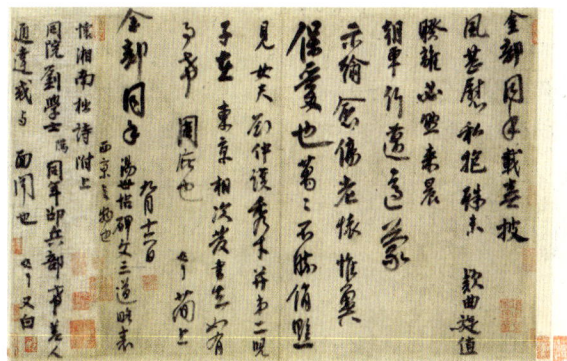

玉《珊瑚网》、郁逢庆《郁氏书画题跋记》，清卞永誉《式古堂书画汇考》、吴升《大观录》等书著录。

《同年帖》为纸本，纵31.3厘米，横41.4厘米，共有15行134字。卷后有文及翁、杨维桢、姜良等人跋语，又郭天锡、张监观款。

《同年帖》用笔苍老圆厚，形体紧结取敛势，圆转飘逸，结体遒媚，用笔醇古，存风骨于肥厚之内。《同年帖》是李建中晚年代表作之一。李建中的书法源自颜真卿，用笔丰厚，但同时能做到"神气清秀"，虽然处于唐宋书法的过渡时期，但已开宋代书法平易自然的面貌，为北宋名家苏轼、黄庭坚所认同，黄庭坚曾以禅语论之："余尝评近世三家书，杨少师如散僧入圣，李西台如法师参禅，王著如小僧缚律。"

《同年帖》藏于故宫博物院。

行书《贵宅帖》页 北宋文物。北宋李建中的行书作品。《贵宅帖》是李建中撰写的一

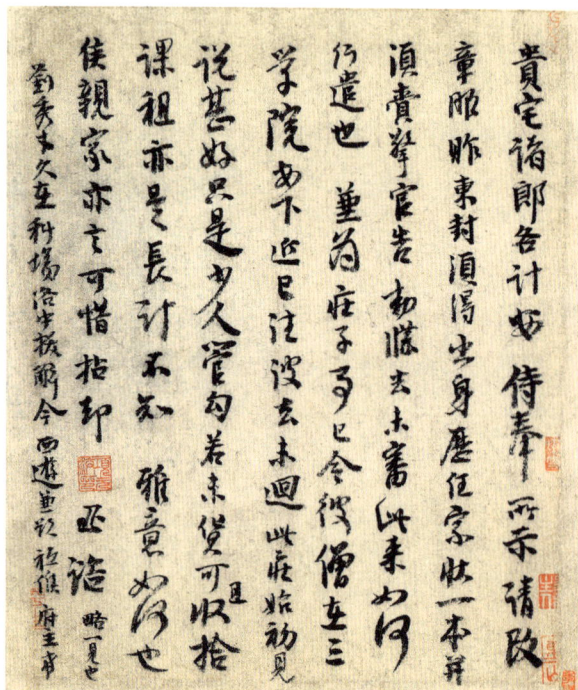

篇咨文。"咨"是古代的一种公文形式，唐宋时期是学士院向三省申报的文书。《贵宅帖》记述了三件事情：一是"东封"，即大中祥符元年（1008年）宋真宗奉祀泰山；二是"庄子事"；三是"刘秀才"，指的是李建中的女婿刘仲谟。明汪砢玉《珊瑚网》、郁逢庆《郁氏书画题跋记》，清吴其贞《书画记》、卞永誉《式古堂书画汇考》、顾复《平生壮观》、吴升《大观录》等书著录。

《贵宅帖》为纸本，纵31厘米，横27.5厘米。对开。有明刘日升诗题："钟王书法久寂寞，群议纷纷迷后学，西台遗迹世应稀，见此令人重惊愕。文江刘日升拜手。"鉴藏印记有"东山""无恙"、项元汴诸印记等。

《贵宅帖》是李建中晚年作品，用笔稳健沉静。北宋黄伯思在《东观余论》一文中评价其"笔势尚有先贤风气，固自佳"。

《贵宅帖》藏于故宫博物院。2005年12月30日～2006年2月4日，在上海博物馆"书画经典——故宫博物院、上海博物馆中国古代书画藏品展"中陈列展出。

行书《自书诗帖》卷 北宋文物。北宋林逋的行书作品。林逋（967～1028年），字君复，浙江人（一说杭州钱塘），北宋诗人，隐居杭州西湖孤山，喜与高僧诗友交往。宋仁宗赐谥"和靖先生"。苏轼评价林逋"书似留台差少肉""和靖笔意殊类李西台，而清劲处尤妙"。《自书诗帖》作于林逋归隐西湖孤山之时，共5首诗，除第二首是五言诗外，其余均为七言诗，是林逋传世作品中书写最长的一卷。诗后林逋自识"时皇上登宝位岁夏五月"，可知书写时间为仁宗天圣元年

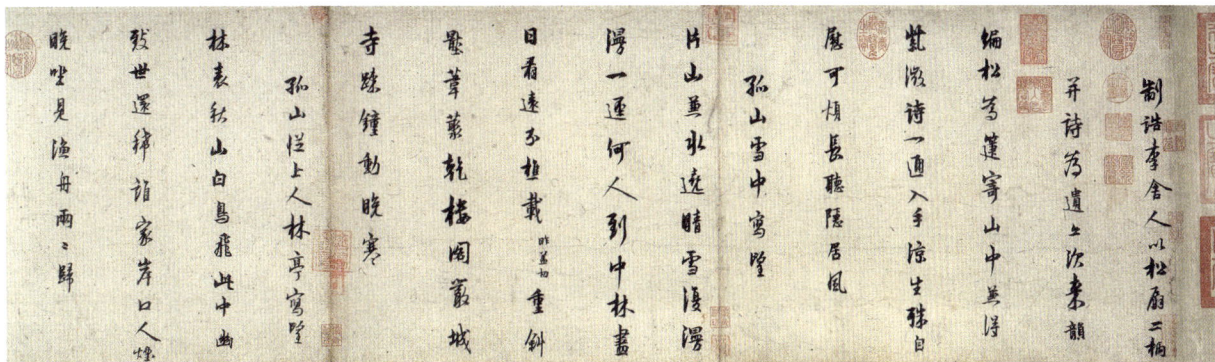

（1023年）癸亥。《自书诗帖》存入清宫后，继之金香蕙存长春刘国贤处，后由东北博物馆收藏，1953年调拨入故宫博物院。北宋《宣和书谱》、明汪砢玉《珊瑚网》、詹景凤《东图玄览》，清顾复《平生壮观》、吴其贞《书画记》、安岐《墨缘汇观》、卞永誉《式古堂书画汇考》、高士奇《江村销夏录》《装余偶记》、吴升《大观录》、阮元《石渠随笔》《石渠宝笈续编》等书有著录。

《自书诗帖》为纸本，纵32厘米，横302.6厘米，共34行，6段接纸。卷后有苏轼书七言古诗《书和靖林处士诗后》一首，无苏轼年款，专家认为是元祐四至五年（1089～1090年）间苏轼第二次到杭州作刺史时所书。后纸有清乾隆帝用苏轼原韵御题七言诗及题记一段，以及明王世贞、王世懋，清王鸿绪、董诰四家题跋。卷上钤有"济阳文府""宝奎

堂""宝晋山房""怡老堂珍藏印"、清王鸿绪、清内府等鉴藏印。

《自书诗帖》书体瘦劲，行间距较宽，笔法厚重，与北宋李建中的书风相似。

《自书诗帖》藏于故宫博物院。2015年9月8日～11月8日，在"石渠宝笈特展"中陈列展出。

楷书《道服赞》卷 北宋文物。北宋范仲淹的楷书作品。范仲淹（989～1052年），字希文，苏州吴县（江苏苏州）人，北宋著名政治家、思想家、军事家和文学家。谥文正，封楚国公、魏国公。有《范文正公集》传世。《道服赞》是范仲淹为友人"平海书记许兄"所制道服撰写的一篇赞文。曾为宋范氏义庄，清安岐、清内府等收藏。《道服赞》民国时期流入民间，被张伯驹以110两黄金购得并加以保存。中华人民共和国成立后，张伯驹将《道

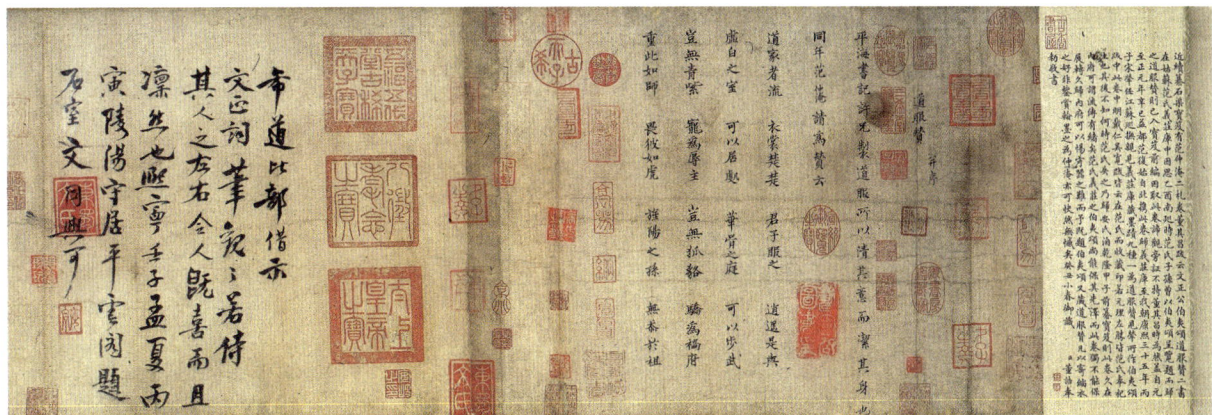

服赞》捐献给国家。1958年，调拨故宫博物院收藏。明朱存理《铁网珊瑚》、清张丑《清河书画舫》《清河见闻表》、卞永誉《式古堂书画汇考》、顾复《平生壮观》、吴升《大观录》、安岐《墨缘汇观》《石渠宝笈初编》等书著录，刻入明《停云馆帖》、清《三希堂法帖》等。

《道服赞》为纸本，纵34.8厘米，横47.9厘米，共8行97字。卷上有文同行书题跋："希道比部借示文正词笔，观之若侍其人之左右，令人既喜而且凛然也。熙宁壬子孟夏丙寅，陵阳守居平云阁题，石室文同与可。"后纸有吴立礼、戴蒙、柳贯、胡助、刘魁、戴仁、司马垔、吴宽等多家题跋。另有黄庭坚一题，为后人抄录，并非黄庭坚亲笔书写。卷上钤鉴藏印"高阳图书""寿国公图书印""东汉太尉祭酒家学""十六世孙主奉右胜谨藏图书""怀州军康记"等多方，另钤清梁清标、安岐，清乾隆、嘉庆、宣统三朝内府诸印等共计110余方。

《道服赞》传承晋唐书风，行笔方劲，较为瘦硬，顿挫有力，结字方正，被后人称赞"文醇笔劲，既美且箴"。

《道服赞》藏于故宫博物院。2005年12月30日～2006年2月4日在上海博物馆"书画经典——故宫博物院、上海博物馆中国古代书画藏品展"、2015年9月8日～11月8日在故宫博物院"石渠宝笈特展"中陈列展出。

行楷书《边事、远行二帖》 北宋文物。北宋范仲淹的行楷书作品。《边事帖》又名乡曲帖，帖中提到"知府刑部"是指富严，庆历初年任刑部郎中，知苏州。《边事帖》书写于

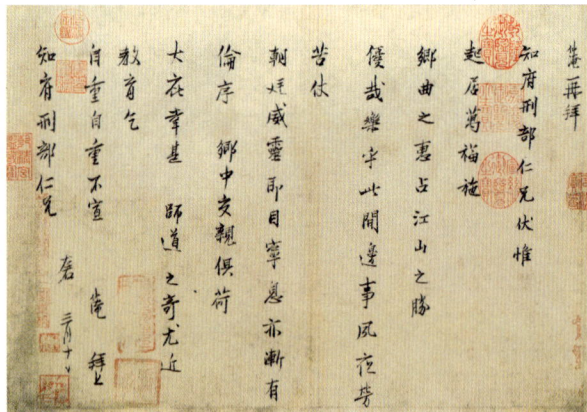

庆历三年（1043年）三月十日，范仲淹时任陕西四路统帅，开府泾州，在陕西抗击李元昊。由于苏州是范仲淹故乡，所以帖中洋溢着对富严关照苏州百姓的深切感激。《远行帖》推测是范仲淹在庆历以前"放逐数年"家居时所写，以"苏酝""金山盐豉"等江南土产送行某位兄长。两件作品曾经清乾隆、嘉庆、宣统三朝内府递藏。清阮元《石渠随笔》《石渠宝笈续编》等书著录。

《边事帖》为粉花笺本，纵30.5厘米，横42厘米，共有13行93字。《远行帖》为纸本，纵31.1厘米，横39厘米，共有11行90字。两帖合装，有"吴郡张顼""仲均父""嗣康""招隐蒋氏"及清乾隆、嘉庆、宣统三朝内府诸藏印。

《边事、远行二帖》以行楷书写成，瘦硬方正，章法疏朗，清劲中有法度。

《边事、远行二帖》藏于故宫博物院，2014年9月5日～11月4日，在"故宫博物院藏历代书画作品展（第九期）"中陈列展出。

行楷书《灼艾帖》卷 北宋文物。北宋欧阳修的行楷书作品。欧阳修（1007～1072年），字永叔，号醉翁，晚号六一居士，吉州永丰（江西吉水）人。北宋天圣八年（1030年）举进

士，召知谏院，改知制诰，庆历六年（1046年）知滁州，徙扬州、颍州，还为翰林学士，官至龙图阁学士，权知开封府，拜参知政事，以太子少师致仕，卒谥文忠。欧阳修主张革新，既是范仲淹"庆历新政"的支持者，也是北宋诗文革新运动的领袖。欧阳修诗、词、散文均为一时之冠，散文说理畅达，抒情委婉，为"唐宋八大家"之一。欧阳修曾与宋祁合修《新唐书》，并独撰《新五代史》，著有《欧阳文忠公文集》，因喜收集金石文字，编有《集古录》。后人将欧阳修的部分书画杂论辑成《欧阳文忠公试笔》《六一题跋》。《灼艾帖》是欧阳修书写的一封私信，写作于"廿八日"。帖中有"见发言"一句，"发"指的是欧阳修长子欧阳发。"灼艾"，是以燃烧的艾绒熏灸人体一定的穴位，以达到培固人体阳气的作用。收信人"学正足下"，应是欧阳修的一位同辈友人，官为国子监学正，负责学生的训导工作。《灼艾帖》经清安岐、江德量、费屺怀等人鉴藏。1939年11月，张珩购得《灼艾帖》。中华人民共和国成立后，入藏故宫博物院。清安岐《墨缘汇观》著录。

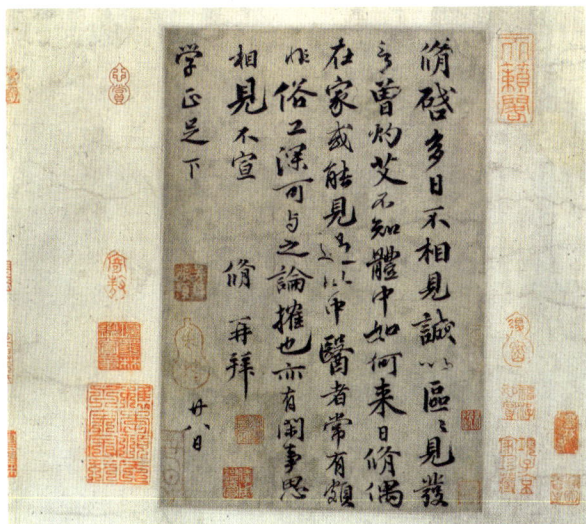

《灼艾帖》为纸本，纵25厘米，横18厘米，共有6行69字。后纸有明李东阳、清翁方纲诗跋。帖及跋上有"吴郡张□""仲□""世昌"（仅存半印）、"仪周鉴赏""安逸周家珍藏""德量审定""江德量鉴藏印""江秋史""希逸"等印鉴。

《灼艾帖》秀润新丽，笔势清劲。欧阳修在《试笔》中自云："余因李邕书得笔法，然为字绝不相类"，在学习前人笔法之上，致力追求一种天然清新的自家风格。苏轼曾评价欧阳修的书法："公用尖笔干墨作方阔字，清眸丰颊，进退晔如。"元赵孟頫也做过评价："欧阳公书居然见文章之气。"明李东阳在帖后的诗跋中称赞欧阳修"宋代书家自不孤，当时只许蔡君谟。若将晋法论真印，此老风流世亦无"。《灼艾帖》是欧阳修存世书迹中年代相对较早的一件，具有宝贵价值。

《灼艾帖》藏于故宫博物院。

行书《自书诗文稿》卷 北宋文物。北宋欧阳修的行书作品。《自书诗文稿》包括《欧阳氏谱图序》和《夜宿中书东阁》七律一首。《欧阳氏谱图序》作于至和二年（1055年），《夜宿中书东阁》作于嘉祐八年（1063年）。《自书诗文稿》流传有序，南宋时由周必大所藏，元代欧阳修六世孙欧阳耐轩得于钱塘（浙江杭州），又传其八世孙欧阳彦珍，清嘉庆时入内府收藏。清末代皇帝溥仪逊位后，以赏赐溥杰的名义将《自书诗文稿》携带出宫，经天津运至长春伪满皇宫，之后辗转入藏东北博物馆。《石渠宝笈三编》等书有著录。

《自书诗文稿》为纸本，纵30.5厘米，横66.2厘米。《欧阳氏谱图序》书法左边"右欧

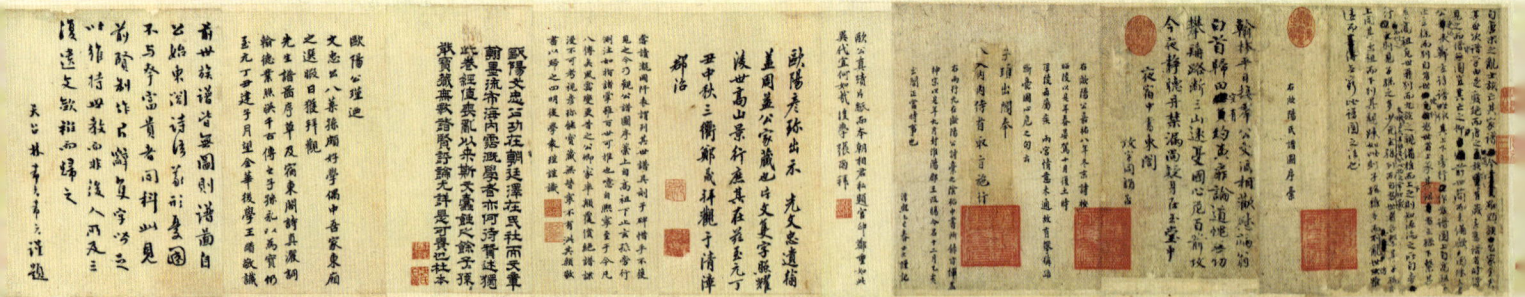

阳氏谱图序稿"为周必大所题。周必大另写题跋三则，每则题跋右侧均盖"中书省印"九叠朱文印。卷后有元张雨、欧阳玄，明宋濂等人题跋。卷中有清内府鉴藏印记。

《自书诗文稿》通篇布局匀称，书写自然流畅，字体劲健，对多方位考察和认识欧阳修的书法成就有重要意义。

《自书诗文稿》藏于辽宁省博物馆。2002年11月30日，在"千年遗珍国宝展"中公开展示。

行书《扈从帖》页 北宋文物。北宋蔡襄的行书作品。蔡襄（1012～1067年），字君谟，兴化仙游（福建仙游）人。北宋天圣八年（1030年）进士，官至端明殿学士，谥号"忠惠"。宋代四大书法家之一。苏轼评价蔡襄

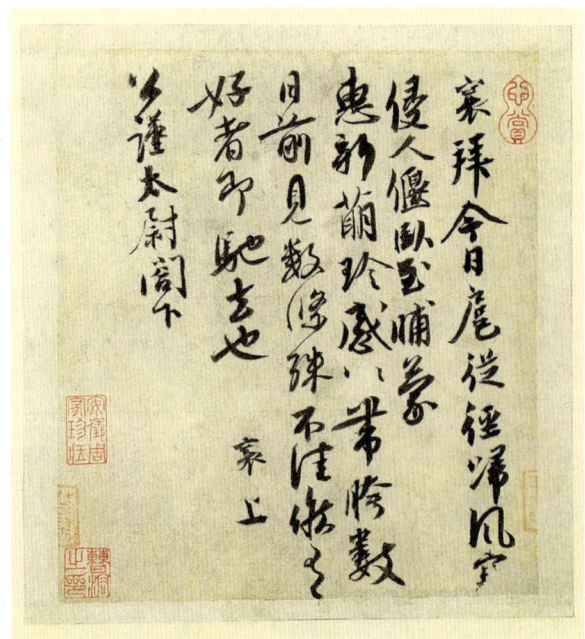

"天资既高，积学深至，心手相应，变态无穷"。《扈从帖》是蔡襄所写的一封书信。据《临安志》卷三记载"蔡襄在治平二年（1065年）二月，以三司使给事中为端明殿侍书学士，礼部侍郎知杭州"，《扈从帖》有可能写于他赴杭州之前。清顾复《平生壮观》《装余偶记》、安岐《墨缘汇观》《石渠宝笈三编》等书著录。

《扈从帖》为纸本，纵23.3厘米，横21.3厘米。钤有"曹溶之印""安仪周家珍藏""心赏"等鉴藏印记。

《扈从帖》字迹先为行书后用草书，圆转飘逸，既可以看到蔡襄擅长各种书体，多姿多彩的书风，也可以看到他中晚年的书写风格变化。

《扈从帖》藏于故宫博物院。2015年9月8日～11月8日，在"石渠宝笈特展"中陈列展出。

楷书《宁州帖》卷 北宋文物。北宋司马光的楷书作品。司马光（1019～1086年），字君实，号迂叟，世称涑水先生，陕州夏县涑水乡（山西运城）人，北宋政治家、文学家、史学家，仁宗宝元初中进士甲科，英宗时进龙图阁直学士，赠太师、温国公，谥文正，曾主持编纂中国历史上第一部编年体通史《资治通鉴》，传世书法作品不多。《宁州帖》是司马光答复侄子司马富的一封手札，作于元丰八年

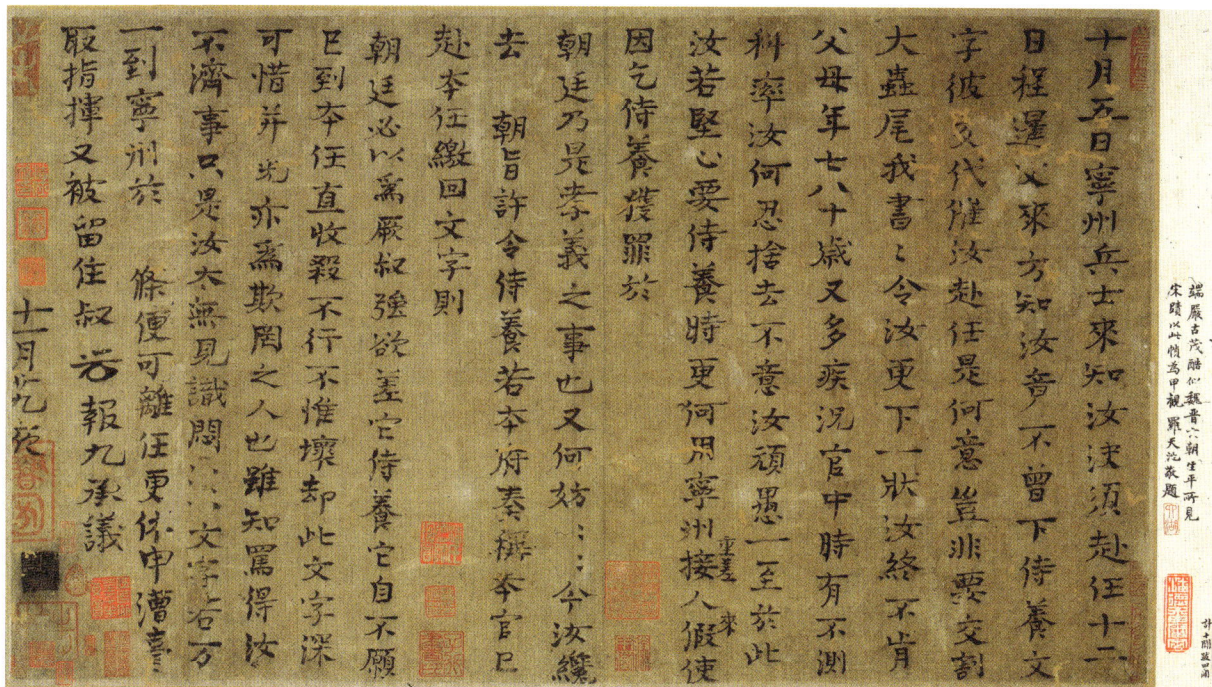

（1085年）冬十一月。信中司马光嘱咐司马富辞官还乡，侍奉赡养长辈。《宁州帖》历经元吾丘衍、滕用亨、苏大年，明沈周、王世贞，清江德量、伍元蕙、罗天池、潘延龄等鉴藏，明王世贞《弇州山人稿》著录，《海山仙馆藏真帖》刻石。

《宁州帖》为纸本，纵32.7厘米，横57.6厘米。裱边清罗天池题："端严古茂，酷似魏晋六朝。生平所见宋迹，以此帖为甲观。罗天池敬题。"钤有元滕用衡、苏大年，明沈周、项元汴，清江德量、伍元蕙、罗天池、潘延龄等鉴藏印记。

《宁州帖》在正楷中保留着隶书笔意，字体端劲方正。帖中短而有力的捺笔不仅与唐颜真卿相仿，更与汉史晨《祀孔子奏铭》及北魏龙门《杨大眼造像记》颇为接近，取径也与由唐追溯六朝的蔡、苏、黄、米有所不同，颇富有魏晋南北朝的书体气息。《宁州帖》虽然是写给子辈的一封日常书信，却是通体正楷，反

映出司马光一丝不苟的品格。北宋黄庭坚《论书》曾评价司马光书法"温公正书不甚善，而隶法极端劲，似其为人，所谓左准绳、右规矩，声为律、身为度者，观其书可想见其风采"。宋高宗称赞"司马光隶书字真似汉人，近时米芾辈所不可仿佛。朕有光隶书五卷，日夕展玩其字不已"。

《宁州帖》藏于上海博物馆。2002年11月30日～2003年1月6日，在"晋唐宋元书画国宝展"中陈列展出。

行书《楞严经》卷 北宋文物。北宋王安石的行书作品。王安石（1021～1086年），字介甫，晚号半山老人，抚州临川（属江西）人，北宋政治家、文学家、书法家，唐宋八大家之一。庆历二年（1042年）进士，熙宁二年（1069年）任参知政事，次年拜相。执政期间，曾力主推行新法。谥号"文"，又称王文公。北宋《宣和书谱》评价王安石的书法："凡作行字，率多淡墨疾书……美而不妖

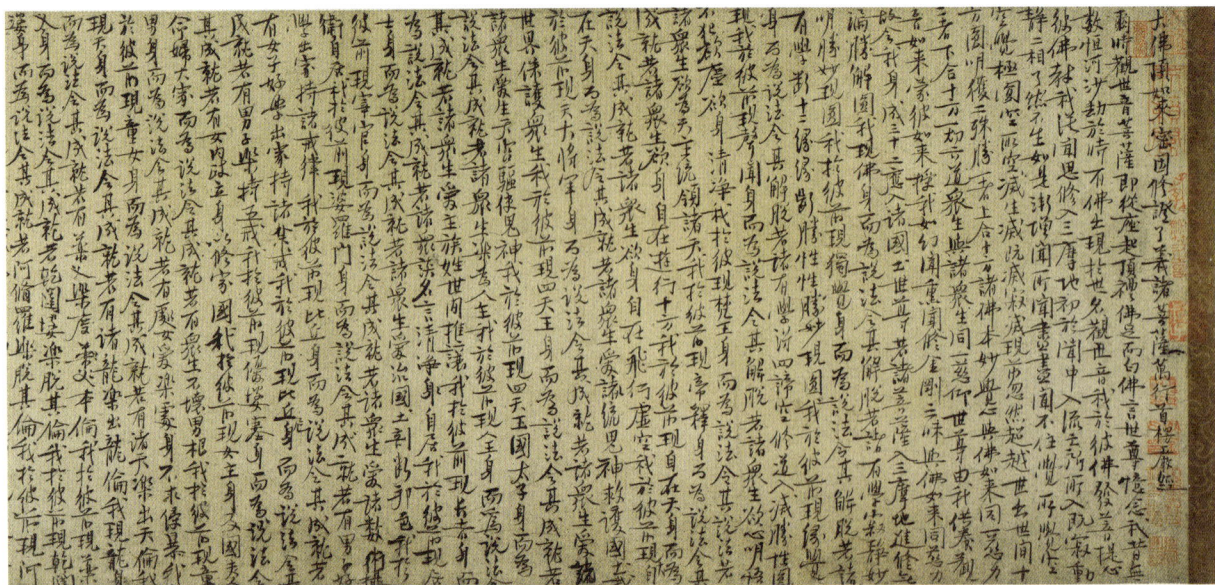

饶，秀而不枯瘁。"北宋书法家黄庭坚也有评价："荆公书法奇古，似晋宋间人笔墨。"元丰八年（1085年），王安石摘录、校正部分《楞严经》经文，主要是观世音发妙耳门，以闻思修，以"三十二应"现身说法得"十四种无畏功德"一节。《楞严经》是佛教重要经典，唐般刺蜜谛译，共10卷。《楞严经》先后经元陈惟寅，明项元汴，清安岐、曹溶等收藏。民国时期，《楞严经》由周诗临收藏，之后被带至美国，辗转由王南屏保管。1981年，《楞严经》及《王文公文集》被专家鉴定为真迹。1984年，上海文化局、上海文管会为使国宝回归祖国，联合向文化部上报《关于接受香港王南屏捐献宋代珍贵文物并允许落实政策的二百件明清书画运港的请示报告》，文化部请示国务院后得以批准。1985年2月，上海博物馆与海关人员通力合作，将王南屏所藏200件书画运抵深圳，《王文公文集》和《楞严经》由黄宣佩等人接收，由深圳运至上海。1986年3月，上海博物馆举行国宝捐赠仪式，《楞严经》正式入藏上海博物馆。明汪砢玉《珊瑚网》，清吴其贞《书画记》、卞永誉《式古堂书画汇考》、顾复《平生壮观》、安岐《墨缘汇观》、吴升《大观录》《装余偶记》等书有著录。

《楞严经》为纸本，纵29.9厘米，横119厘米。卷前录有《楞严经》全称经名"大佛顶如来密因修证了义诸菩萨万行首楞严经"一行。卷末有王安石自题："余归钟山，道原假楞严本，手自校正，刻之寺中。时元丰八年（1085年）四月十一日，临川王安石稽首敬书。"卷后有南宋牟献之，元王蒙，明项元汴、周诗临题跋。钤有元陈惟寅，明项元汴，清安岐、曹溶等人收藏印。

《楞严经》是王安石去世前一年在钟山所写，具有极高的书法价值和历史价值。

《楞严经》藏于上海博物馆。2002年11月30日～2003年1月6日，在"晋唐宋元书画国宝展"中陈列展出。

行书《治平帖》卷 北宋文物。北宋苏轼的行书作品。苏轼，字子瞻，号"东坡居士"，眉州眉山（四川眉山）人，北宋著名文

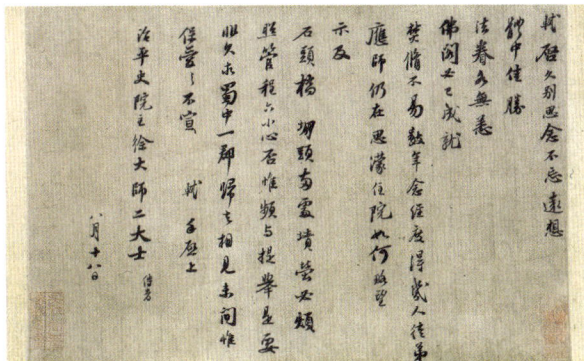

学家、书法家、画家。苏轼与父苏洵、弟苏辙并称"三苏"，同在"唐宋八大家"之列。苏轼一生几经起伏，嘉祐二年（1057年）举进士，因反对王安石新法，"乌台诗案"后被贬黄州。后移知汝州，官至吏部尚书，先后兼翰林学士、龙图阁学士、翰林承旨、端明殿翰林侍读两博士等。苏轼学识渊博，才华卓著，诗、词、文俱能，书法以行书见长，取法于颜真卿、杨凝式而自创新意，个人风格强烈，书论观念鲜明透彻，在北宋独树一帜，对后世有深远影响。《治平帖》是苏轼写往故乡的信札。"治平"指苏轼家乡四川眉山的一处僧寺。收信人史院主、徐大师是该寺的两位乡僧。文中所提"程六"是苏轼母亲程氏的侄子程之元。信中拜托两位乡僧照看家族坟冢，字句间流露出思乡之情。1955年，李佐陶将《治平帖》捐献给故宫博物院。清顾复《平生壮观》《装余偶记》等书著录。

《治平帖》为纸本，纵29.2厘米，横45.2厘米。卷首有明人所画苏轼像及释东皋妙声书《东坡先生像赞》。卷末有赵孟頫、文徵明、王穉登题跋。署月、日款，未见具体年份。帖尾文徵明跋，跋中"治平辛巳"有笔误，应为"乙巳"，可推测书写时间为北宋熙宁年间。鉴藏印有"商丘宋荦审定真迹""吴江张荃德载图书"2方。

《治平帖》笔法精细，追求平淡自然，与苏轼早年书法特征吻合。

《治平帖》藏于故宫博物院。2007年7月23日～8月11日在"国之重器——故宫博物院藏晋唐宋元书画展"、2009年9月2日～11月1日在"故宫博物院藏历代书画作品展（第六期）"中公开展出。

行书《新岁展庆、人来得书帖》合卷 北宋文物。北宋苏轼的行书作品。《新岁展庆》《人来得书》原为独立的两幅字帖，因后人在装裱时将二帖放在一起，从此合为一卷。《新岁展庆帖》也称《新岁未获展庆帖》，是苏轼写给好友陈慥的书信，内容为上元节过后与陈慥、李常相约黄州，书写时间大约在元丰四年（1081年）正月二日。当时，苏轼得知李常将在上元节之后出发，月底到达黄州，于是写信给陈慥，邀他到时同来相聚。《新岁展庆帖》提到"上元起造，尚未毕工"，是指苏轼到黄州第二年，以军职之便于郡城之东申请废地开垦、建筑房屋。由于

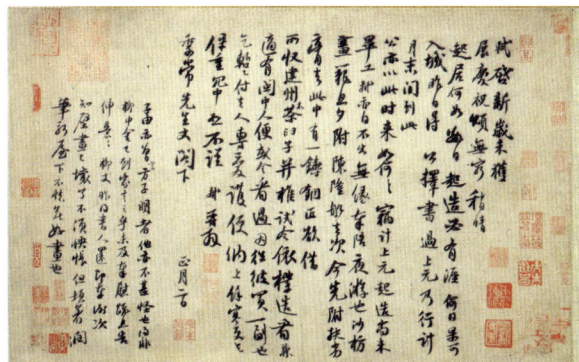

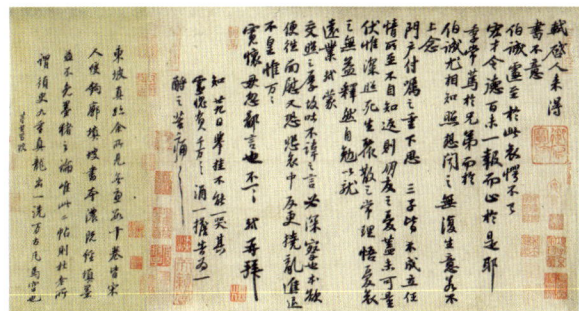

不能陪游上元节，因此将沙枋木制的灯笼随后送去。信中还提到扶劣膏、木制茶具，苏轼与李常、陈慥的其他信件中也提到过这两件器物（《与李公择》《与陈季常九首之七》）。《人来得书帖》也是苏轼写给陈慥的一封信件。苏轼听闻陈慥的兄长去世，心中深感悲痛，于是给陈慥写了一封问候信，信中说道"伏惟深照死生聚散之常理。悟忧哀之无益，释然自勉"，真挚情感溢于言表。《新岁展庆、人来得书帖》卷最初由陈慥收藏，后来几经辗转，被明董其昌收藏。清安岐《墨缘汇观》、吴升《大观录》著录，刻入清《三希堂法帖》。

《新岁展庆、人来得书帖》为纸本，上帖为《人来得书》，纵29.5厘米，横45.1厘米，正文16行，共192字；下帖为《新岁展庆》，纵30.2厘米，横48.8厘米，正文14行，共247字。卷后有明董其昌跋，鉴藏印有明项元汴、清安岐诸印等。

《新岁展庆、人来得书帖》笔力雄健，骨劲肉丰，自然流畅，是北宋晚期"尚意"书风的佳作，对后世书法技艺的发展产生了重要影响。

《新岁展庆、人来得书帖》藏于故宫博物院。2008年7月15日～8月31日在"故宫博物院藏历代书画作品展（第二期）"、2016年9月6日～10月26日在"故宫博物院历代书画作品展（总第二十期）"中陈列展出。

行书《题王诜诗帖》册页　北宋文物。北宋苏轼的行书作品。《题王诜诗帖》是苏轼为王诜自书诗所作的题跋，记述王诜因受苏轼"乌台诗案"牵连，被贬至武当，依旧陶醉于诗词之乐。《东坡集》卷六五有记载。王诜，字晋卿，太原（山西太原）人。熙宁二年

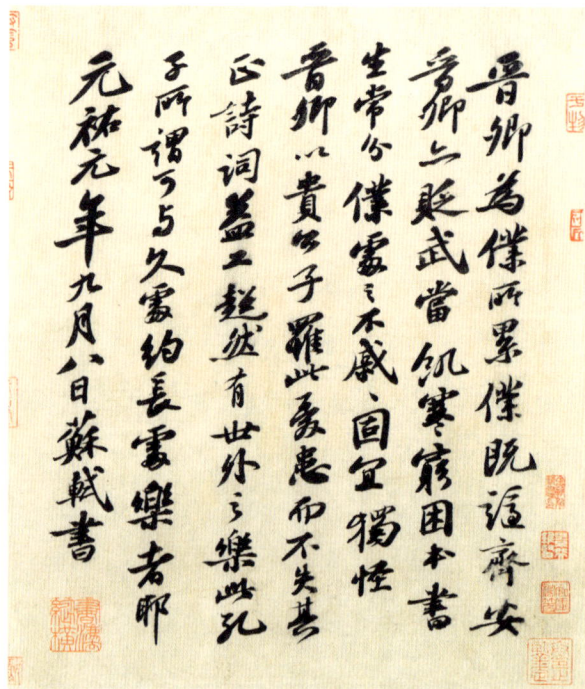

（1069年）娶宋英宗赵曙之女，官至左卫将军、驸马都尉。元丰二年（1079年），王诜因受苏轼牵连被贬官。元祐元年（1086年）复登州刺史、驸马都尉。王诜擅山水，工书文，存世作品有《渔村小雪图》《烟江叠嶂图》《溪山秋霁图》等。

《题王诜诗帖》为纸本，纵29.9厘米，横25.7厘米。有卞永誉等藏印4方，左右各有"式古堂"等半印6方。

《题王诜诗帖》字体厚重拙朴，中正平和，由心而发，体现了苏轼中年书法的特点。《题王诜诗帖》是苏王二人交游的历史见证。该帖笔丰墨满，结体长短交错，纵横抑挫，富有动感。虽是叙事而兼有议论，充满感情色彩，是为知己而作。

《题王诜诗帖》藏于故宫博物院。

楷书《祭黄几道文》卷　北宋文物。北宋苏轼与苏辙联名为好友黄好谦撰写的祭文，作于北宋元祐二年（1087年）八月四日。黄好谦，

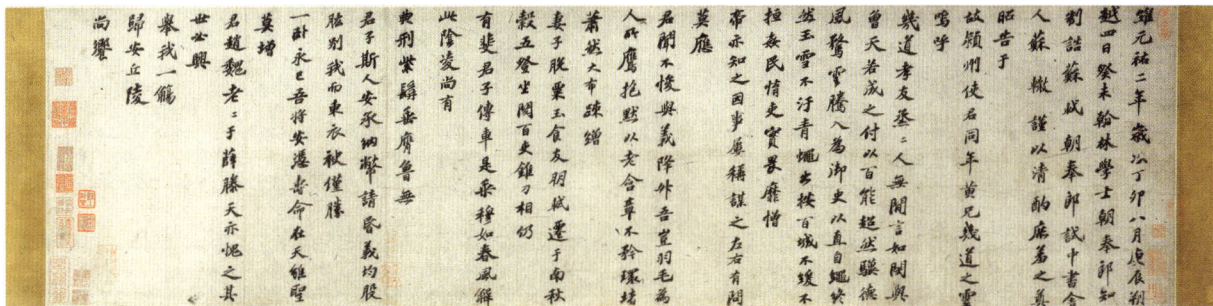

字几道，北宋神宗熙宁三年（1070年）六月以著作佐郎登上仕途，曾任太常丞权监察御史等职务，元丰八年（1085年）八月以朝散郎为驾部郎中，元祐二年（1087年）被任命为颍州知州，未到任就不幸逝世。黄好谦最后任职颍州知州，因此人称"黄颍州"。《祭黄几道文》经南宋黄仁俭，明何良俊、王世贞，清笪重光、王鸿绪、瞿中溶、顾文彬等人收藏。明王世贞《弇州山人续稿》、郁逢庆《续书画题跋记》、汪砢玉《珊瑚网》，清吴其贞《书画记》、顾文彬《过云楼书画记》、顾复《平生壮观》、卞永誉《式古堂书画汇考》等书有著录。

《祭黄几道文》为纸本，纵31.6厘米，横121.7厘米。卷后有清笪重光、王鸿绪、李鸿裔等众人题跋，明董其昌等鉴藏印。

《祭黄几道文》字体丰腴淳厚，古雅遒逸，是苏轼传世书法中的楷书珍品。

《祭黄几道文》藏于上海博物馆。2006年3月，在"中日书法珍品展"中陈列展出。

行书《洞庭春色赋、中山松醪赋》卷 北宋文物。北宋苏轼的行书作品。"洞庭春色"和"中山松醪"均为酒名。《洞庭春色赋》作于元祐六年（1091年）；《中山松醪赋》作于绍圣元年（1094年）。苏轼被贬往岭南时，在途中遇大雨留阻襄邑（河南睢县），他写下二赋抒发自己心中的不平。因两篇都为写酒，苏轼将两赋合为一卷。《洞庭春色赋、中山松醪赋》卷流传有序，在明代备受李东阳、詹景凤、王世贞等人赞美，曾为董其昌好友陈永年宝藏。清初为安岐所藏，乾隆时入清内府。清末溥仪携带《洞庭春色赋、中山松醪赋》出宫，后藏于长春伪满皇宫。1982年，一位中学教师将该卷捐献给吉林省博物馆。清顾复《平生壮观》、吴其贞《书画记》、安岐《墨缘汇观》《石渠宝笈续编》、裴景福《壮陶阁书画录》等书著录，并刊刻于清《秋碧堂帖》《敬一堂帖》《三希堂法帖》《壮陶阁帖》等丛帖中，有影印本传世。

《洞庭春色赋、中山松醪赋》为白麻纸七纸接装，纵28.3厘米，横306.3厘米。《洞庭春色赋》有行书32行287字；《中山松醪赋》

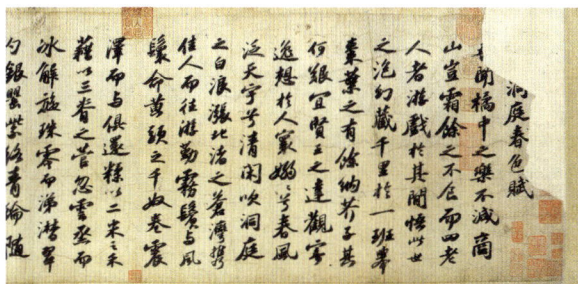

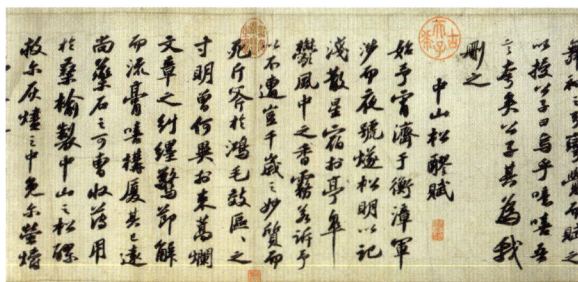

有行书35行320字；另有苏轼自题10行85字，共计684字，为苏轼传世墨迹中字数最多的书法作品。拖尾有元张孔孙，明黄蒙、李东阳、王穉登、王世懋、王世贞、张孝思题跋，以及清乾隆帝题跋和题诗。卷前隔水、引首在散佚过程中被撕掉，造成残损。

《洞庭春色赋、中山松醪赋》笔意雄劲，娴雅飘逸，反映了苏轼书法"结体短肥"的特点。明张孝思评价"此二赋经营下笔，结构严整，郁屈瑰丽之气，回翔顿挫之姿，真如狮蹲虎踞"。明王世贞云"此不惟以古雅胜，且姿态百出，而结构谨密，无一笔失操纵，当是眉山最上乘。观者毋以墨猪迹之可也"。清乾隆帝也评价"精气盘郁豪楮间，首尾丽富，信东坡书中所不多觏"。《洞庭春色赋、中山松醪赋》字与字之间映带呼应，率意洒脱的精神气质，营造出一种任意自然、宽厚灵逸的艺术魅力。

《洞庭春色赋、中山松醪赋》藏于吉林省博物院。

行书《答谢民师帖》卷 北宋文物。北宋苏轼的行书作品。北宋元符三年（1100年）五月，苏轼遇赦由儋州（属海南）北上，九月途经广东清远峡山寺。谢民师以诗文求教，二人相处甚洽。《答谢民师帖》是苏轼在同年的冬十二月写给谢民师的第二封信札。内容是答复谢民师关于写作上提出的问题，表述自己对写作的一些见解。谢民师，名举廉，新淦（江西新干）人，元丰八年（1085年）进士，后在广东任推官。

《答谢民师帖》为纸本，纵27厘米，横96.5厘米。《答谢民师帖》与南宋郎晔注《经进东坡元集事略》中所载原文对照，前段共佚148字。帖上起首处"轼启是文之意疑若"八字非原文所有，帖末"轼顿首并拜民师帐句推官阁下十一月五日"也并未在文集中见到。帖后题跋部分有明娄坚仿苏轼书体补写的一段阙文，另有陈继儒等人题跋。卷中钤"绍兴""曰藻""兰陵文子考藏""吴门缪氏珍赏""乔崇修印""顾子山祕箧印""韩崇珍赏""桢义之章""归安吴云平斋审定名贤真迹""潘顺之过眼金石书画""过云楼百种""希逸"等。

《答谢民师书》是苏轼对文学创作的总结、感悟和探索。苏轼提倡"文理自然"，文学创作要源于自然，又要高于自然，反对华而不实以及"好为艰深之辞"的文风；赞成"辞达"，既要辞能达意，准确反映客观事物，又要充分表达作者的思想情感；此外还表达了反对文学创作"雕虫篆刻"的风气。

《答谢民师书》藏于上海博物馆。2002年11月30日～2003年1月6日，在"晋唐宋元书画国宝展"中陈列展出。

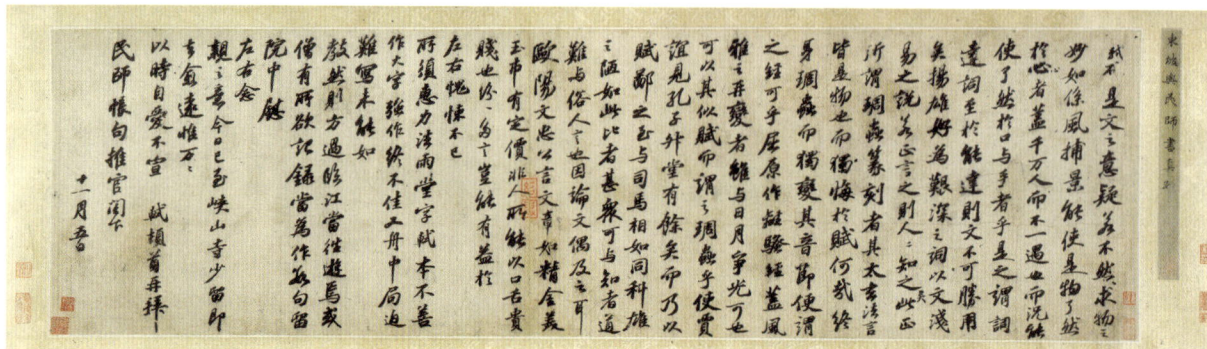

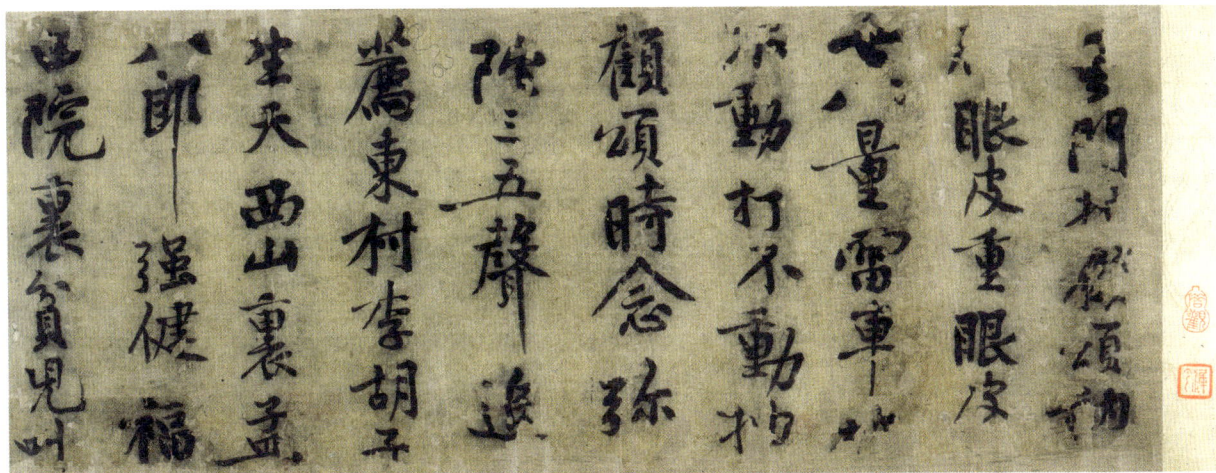

行书《华严小疏》卷 北宋文物。北宋黄庭坚的行书作品。黄庭坚（1045～1105年），字鲁直，号山谷道人，又号涪翁，洪州分宁（江西修水）人。为盛极一时的江西诗派开山之祖，与杜甫、陈师道和陈与义素有"一祖三宗"（黄庭坚为其中一宗）之称。与张耒、晁补之、秦观都游学于苏轼门下，合称为"苏门四学士"。生前与苏轼齐名，世称"苏黄"。著有《山谷词》，且黄庭坚书法亦能独树一格，为"宋四家"之一。《华严小疏》是黄庭坚经过京师华严寺时应巽上人的请求为佛事所作的一篇文章，是一个衲僧念经时打瞌睡的小故事，作于元丰七年（1084年）。《华严小疏》经明韩世能，清韩逢祐、汪日丞、益阳周氏等收藏。1962年，拨交上海博物馆收藏。明张丑《南阳法书表》《真迹日录》，清卞永誉《式古堂书画汇考》、裴景福《壮陶阁书画录》等著录，刻入清《平远山房法帖》。

《华严小疏》为绫本，纵25.1厘米，横115厘米，共19行113字。卷后有黄庭坚自跋及迟云居士跋，钤有"迟云珍赏""古心堂""雷氏裕之""钱唐汪日丞迟云氏图书记"等鉴藏印。

《华严小疏》疏文蕴藉而有理趣，寥寥数语便把衲僧边念经边瞌睡、有口无心的情景刻画得栩栩如生。运笔沉凝浑厚，笔画遒劲娟秀，结体疏朗萧逸，深得晋人韵趣，是黄庭坚中年书法的杰作。

《华严小疏》藏于上海博物馆。

行书《小子相帖》卷 北宋文物。北宋黄庭坚的行书作品。《小子相帖》卷是书与其子名相者，寓教于书。

《小子相帖》为纸本，纵31.3厘米，横33.3厘米，7行104字。未见作者款识。

《小子相帖》用笔结体与其晚年益见萧散的

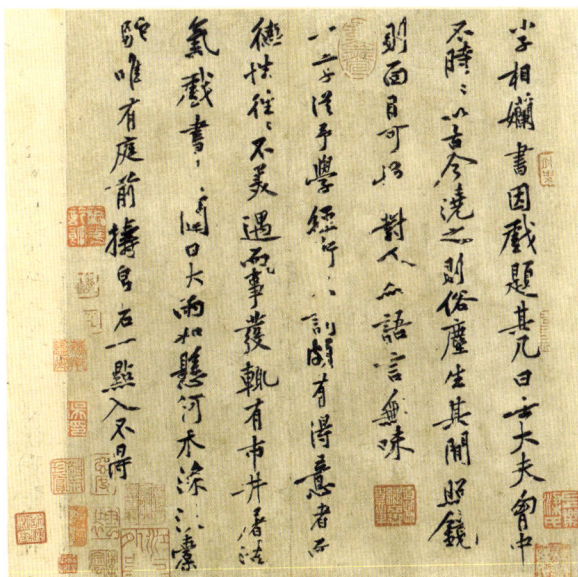

笔意相近。笔法精致婉转，自然朴实，结体中宫敛结，长笔四展，功力深厚，是晚年佳作。

《小子相帖》藏于上海博物馆。2002年11月30日～2003年1月6日，在"晋唐宋元书画国宝展"中陈列展出。

草书《杜甫寄贺兰铦诗》帖 北宋文物。北宋黄庭坚的草书作品。《杜甫寄贺兰铦诗》是唐代著名诗人杜甫于广德二年（764年）冬末所作的五言律诗。全诗前四句写纷乱后的相逢之感，后四句写远方依依惜别之情。《杜甫寄贺兰铦诗》为《宋元宝翰》册中的一开。清吴其贞《书画记》、顾复《平生壮观》《石渠宝笈初编》等书著录。

《杜甫寄贺兰铦诗》为纸本，纵34.7厘米，横69.6厘米，共有9行45字，衍字1。卷尾"寄贺兰铦"四字写作行楷书。钤有明早期鉴藏印以及"内府书印""典礼纪察司印"半印、"归来印""希之"。

《杜甫寄贺兰铦诗》通篇书写融情于笔端，圆润道劲，提笔回挽，笔势连绵，一气呵成，是黄庭坚晚年草书的上乘之作，与藏台北故宫博物院的黄庭坚《花气诗》帖被世人誉为"双璧"。

《杜甫寄贺兰铦诗》藏于故宫博物院。2011年9月10日～11月15日在"故宫博物院藏历代书画作品展（第三期）"、2015年9月8日～11月8日在"石渠宝笈特展"中陈列展出。

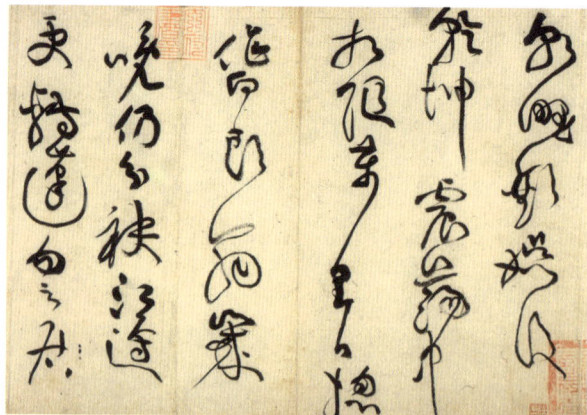

行楷书《诗送四十九侄》卷 北宋文物。北宋黄庭坚的行楷书作品。《诗送四十九侄》记述了黄庭坚与侄子初见又别、举觞相属时以"奋发""轩昂"共勉的情景。著录于清《石渠宝笈初编》，刻入清《三希堂法帖》。

《诗送四十九侄》为纸本，纵35.5厘米，横130.2厘米，共有13行46字。首书标题，后为五律一首。帖后无名款。鉴藏印有"白石山房""宋荦审定""宣统御览之宝"。

《诗送四十九侄》运笔圆折苍劲，结体紧密，脱胎于颜真卿行书，又参以《瘗鹤铭》的笔法。北宋张耒曾评价黄庭坚诗文"不践前人旧行迹，独经斯世擅风流"，而黄庭坚的书法正如诗法，入古出新而独具一格。

《诗送四十九侄》藏于故宫博物院。2007

年6月29日~8月11日在"国之重器——故宫博物院藏晋唐宋元书画展"、2008年4月21日~6月9日在"故宫博物院藏历代书画作品展(第一期)"陈列展出。

草书《刘梦得竹枝词》卷 北宋文物。北宋黄庭坚的草书作品。《刘梦得竹枝词》出自唐刘禹锡所作《竹枝词》。《竹枝词》是古代四川东部的一种民歌,人们边舞边唱,用鼓和短笛伴奏。赛歌时谁唱得最多,谁就是优胜者。刘禹锡(772~842年),字梦得,洛阳(属河南)人,唐代文学家、哲学家,有"诗豪"之称。刘禹锡任夔州刺史时,非常喜爱这种民歌,他学习屈原创作《九歌》的精神,采用当地民歌的曲谱,制成新的《竹枝词》,描写当地山水风俗和男女爱情,富于生活气息。《刘梦得竹枝词》原为朱赞卿别宥斋旧藏,其后代于1979年捐献给宁波市天一阁。

《刘梦得竹枝词》为纸本,纵30厘米,横182.1厘米。全卷283字,破损残缺难以辨认37字。无署名钤印。卷后有陈从周、徐邦达1978年和沙孟海1980年的题跋。

《刘梦得竹枝词》书法雄健豪放,变化多态,气魄宏大。构字及笔法又极严谨,笔笔不离章法,字字精妙。

《刘梦得竹枝词》存于宁波市天一阁文物保管所。1978年,在故宫博物院"各省市征集文物汇报展览"中展出。

草书《梅花三咏》卷 北宋文物。北宋黄庭坚的草书作品。《梅花三咏》所书写的三首诗,诗文与跋文见于清乾隆三十四年(1769年)缉香堂刻本《山谷全书》中,题名为《出礼部试院王才元惠梅花三种皆妙绝戏答三首》,诗文内容与此卷所书完全一致,作于宋哲宗元祐三年(1088年)。赵怀玉根据卷中"蕉林秘玩""乾隆御览之宝""石渠宝笈"的印章判断此卷曾经梁清标收藏,后入乾隆朝内府,赐予某位臣工,又辗转流藏于他人。后被章乃器购得收藏。20世纪80年代,经文物单位划拨归首都博物馆收藏。

《梅花三咏》为绢本,纵27.5厘米,横210厘米。此卷在拖尾处依次有清人张照跋文两段、赵怀玉跋文一段、王懿荣跋文一段。

《梅花三咏》从书写风格上看,节奏较为缓慢和多变,笔画安排痕迹明显,布局虽有开合之势,但尚未形成成熟的草书风格。与《草书廉颇蔺相如列传》《花气诗帖》(台北故宫

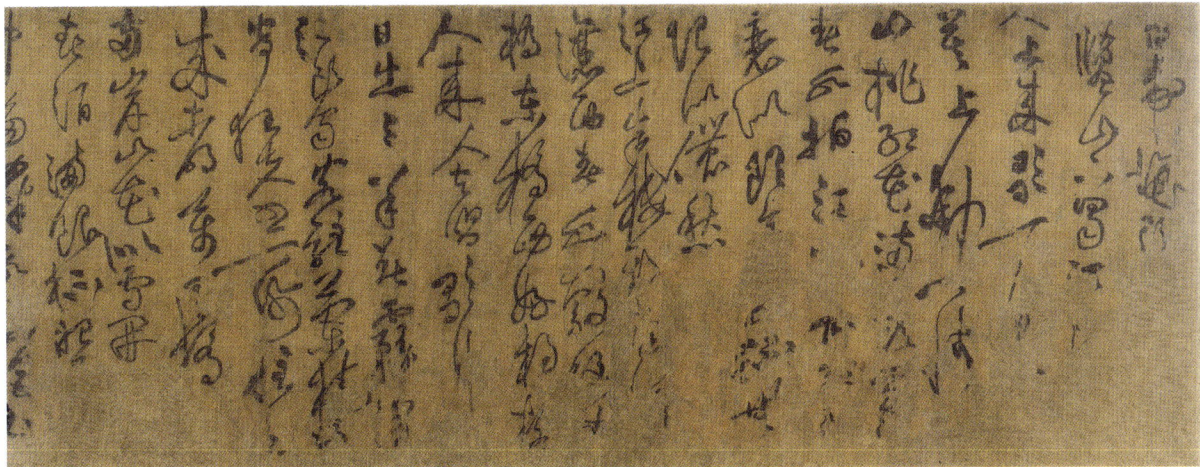

博物院藏）、《草书杜甫寄贺兰铦诗页》（故宫博物院藏）的面貌略同，是研究黄庭坚书法风格分期的重要实物资料。

《梅花三咏》藏于首都博物馆。

草书《诸上座帖》卷　北宋文物。北宋黄庭坚的草书作品。《诸上座帖》是黄庭坚为友人李任道抄录的五代金陵僧人文益《语录》，作于元符三年（1100年）。《诸上座帖》初藏南宋高宗内府，后归贾似道，明时递藏于李应祯、华夏、周亮工处，清初藏孙承泽砚山斋，后归王鸿绪，清乾隆时收入内府，清末流出宫外，后为张伯驹所得。中华人民共和国成

立后，张伯驹将《诸上座帖》捐献给国家。明都穆《寓意编》、华夏《真赏斋赋注》、文嘉《钤山堂书画记》，清张丑《清河书画舫》《清河见闻表》、卞永誉《式古堂书画汇考》、孙承泽《庚子销夏记》《石渠宝笈初编》等书著录。

《诸上座帖》为纸本，纵33厘米，横729.5厘米，共92行。署款"山谷老人书"，"书"字上钤"山谷道人"朱文方玺。后纸有明吴宽，清梁清标题跋各一段。卷前后及隔水上钤宋"内府书印""绍兴""悦生"，元"危素私印"，明李应祯、华夏、周亮工，清

孙承泽、王鸿绪，清乾隆、嘉庆两朝内府诸印，近代张伯驹等鉴藏印。

《诸上座帖》行笔沉着，笔势把控得体，又生出变化，为黄庭坚晚年草书代表作。

《诸上座帖》藏于故宫博物院。2012年1月2日～2月19日在日本东京国立博物馆"北京故宫博物院200选"特别展、2015年9月8日～11月8日在故宫博物院"石渠宝笈特展"中陈列展出。

楷书《大字青衣江题名》卷 北宋文物。北宋黄庭坚的楷书作品。宋绍圣年间（1094～1098年），黄庭坚任鄂州（湖北武汉）知州，不久被贬官至涪州（四川涪陵）任散职，继而又迁往戎州（四川宜宾）。元符三年（1100年），哲宗去世，徽宗继位，任命黄庭坚为太平州（安徽当涂）知州。黄庭坚在赴任前，前往青神（属四川）探望姑母。七月二十一日，乘船溯江而上，二十四日至牛口庄宿廖致平（养正）家，八月十一日到达青神。在牛口庄廖家时夜饮兴酣，黄庭坚可能就在此时书写了明瓒的诗卷，并记下了从戎州至牛口庄的行程。

《大字青衣江题名》纵24.6厘米，横1004厘米。原属于黄庭坚所书明瓒（唐懒残和尚）诗卷后的题款部分。全文为："元符三年七月，涪翁自戎州溯流上青衣，廿四日宿廖致平牛口庄，养正致酒弄芳阁，荷衣未尽；莲实可登，投壶弈棋，烧烛夜归。"又有小字："此字可令张法亨刻之。"卷首、卷尾有南宋贾似道、元赵孟頫、明项元汴等人的鉴藏印记。

《大字青衣江题名》字迹劲秀，因是正书大字，又每行只书一字，结体相互取势，自然开阔，浩逸俊伟之外独具清淳雅洁之风。

《大字青衣江题名》藏于中国国家博物馆。2016年10月，在"中国国家博物馆典藏——中国古代书法展"中陈列展出。

行草书《盛制帖》页 北宋文物。北宋米芾的行草书作品。米芾（1051～1107年），初名黻，后改芾，字元章，自署姓名米或为芈。祖居太原，后迁湖北襄阳最后定居润州（江苏镇江），时人号海岳外史，又号鬻熊后人。火正后人。北宋书法家、画家，"宋四家"之一。曾任校书郎、书画博士、礼部员外郎。米芾书画自成一家，创立"米点山水"，擅篆、隶、楷、行、草等书体，长于临摹古人书法，达到乱真程度。《盛制帖》是米芾写给蔡肇的

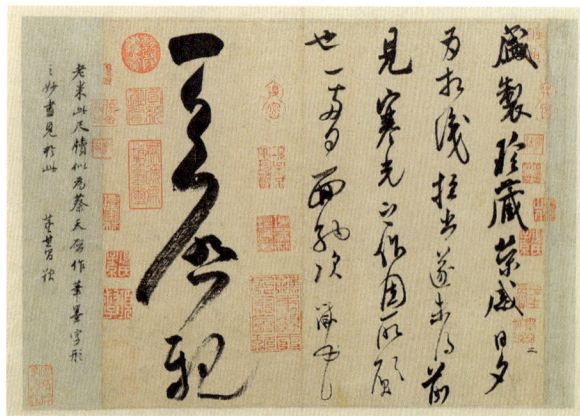

一封书信。蔡肇，字天启，润州（江苏镇江）人，北宋画家，曾任吏部员外郎、中书舍人等职，师从王安石、苏轼，能画山水人物木石，善诗文，著有《丹阳集》。米芾因刘庠之荐引，前往金陵谋职，听闻王安石谪居金陵钟山（蔡肇跟从读书），便以诗文贽见。王安石十分赏识米芾的诗文，与之共论书法。

《盛制帖》为纸本，纵27.4厘米，横32.4厘米。裱边有明董其昌题跋。帖上钤有明项元汴，清梁清标、王鸿绪及乾隆、宣统两朝内府鉴藏印多方。

《盛制帖》首行起始为行书，之后以草书为主，行笔圆劲流畅而不飘浮。款字"黻顿首"笔锋墨已不多，行笔如游丝，蜻蜓点水。既注重书写之势，用笔强调提案顿挫和上下映带，又注重体势造形，结体强调左右摇曳和大小参差。

《盛制帖》藏于故宫博物院。2010年6月18日～8月30日，在"故宫博物院藏历代书画作品展（第八期）"中展览陈列。

行书《苕溪诗》卷　北宋文物。北宋米芾的行书作品。《苕溪诗》的内容是米芾从无锡去往苕溪时所作的六首五言绝句，作于宋哲宗元祐三年戊辰（1088年）。《苕溪诗》南宋时藏入绍兴朝内府，明代被杨士奇、陆完、项元汴诸家鉴赏收藏，清乾隆时期收入内府，后随溥仪出宫带至东北。1963年，辗转入藏故宫博物院。明汪砢玉《珊瑚网》、郁逢庆《郁氏续书画题跋记》，清吴其贞《书画记》、卞永誉《式古堂书画汇考》、顾复《平生壮观》、吴升《大观录》《石渠宝笈初编》等书有著录，刻入清《三希堂法帖》。

《苕溪诗》为纸本，纵30.3厘米，横189.5厘米，共35行394字，有米芾之子米友仁、明李东阳跋。此卷从长春伪满皇宫中流出，为人裂坏，已残损缺字。明李东阳篆书引首"米南宫陆翰"五字被撕缺失；卷末项元汴题记缺失；"知穹岂念通"句中缺"岂念"2字、"病觉养心功"句中缺"养心功"3字、"青冥不厌鸿"句缺"不厌"2字、"载酒过

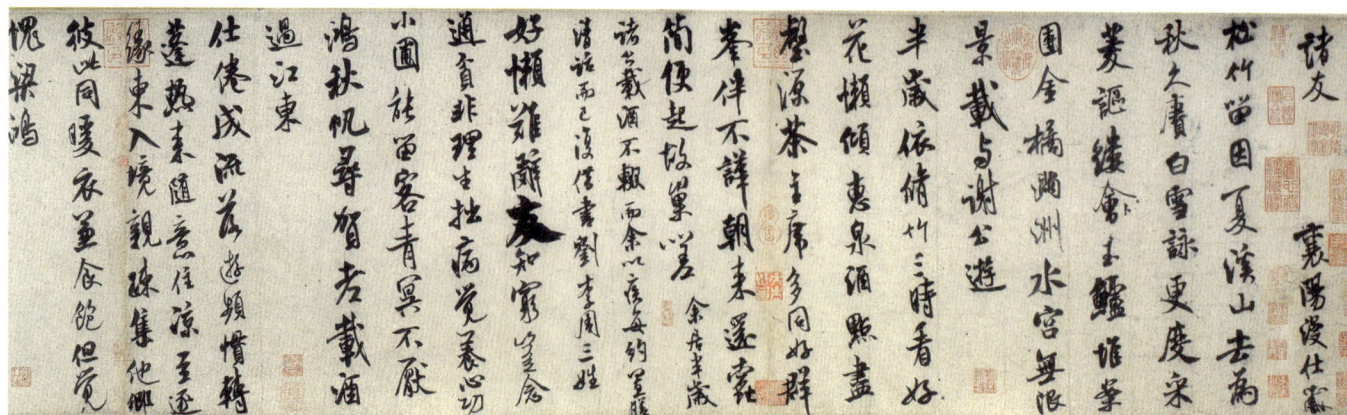

江东"半缺"载酒"2字，少缺"岂、觉、冥"3字总共残缺10字。1977年，文物修复专家郑竹友等人根据延光室影印本勾摹填补所缺之字，修复后重新装裱《苕溪诗》。

《苕溪诗》通篇字体微向左倾，变化有致，挥洒自如。清吴其贞《书画记》评价："运笔潇洒，结构舒畅，盖教颜鲁公……为米老超格，妙书。"《苕溪诗》展现了米芾中年时期书法的艺术特点。

《苕溪诗》藏于故宫博物院。2007年7月23日～8月11日在"国之重器——故宫博物院藏晋唐宋元书画展"、2015年9月8日～11月8日在"石渠宝笈特展"中公开展示。

行书《〈淡墨秋山诗〉帖》页 北宋文物。北宋米芾的行书作品。米芾传世作品中以长卷及小品为主，《〈淡墨秋山诗〉帖》属米芾行书中的小品，寥寥28字，变法无穷，气象万千。"淡""墨""平"等字之浓重与"故""人""好"等字之轻灵有机地组织在一起，使作品带有音乐般的节奏感。米芾笔法的多变堪称宋人第一，古人所谓八面开锋，即指米字而言。单从此帖的"淡""秋""远""天""霞""故""人""不"等字的捺笔来看，各具形态，变

化无穷。清安岐《墨缘汇观》《石渠宝笈续编》著录，刻入清《三希堂法帖》。

《〈淡墨秋山诗〉帖》为纸本，纵29.1厘米，横31.9厘米。此帖书自作七绝一首，钤有清代安岐及乾隆、嘉庆朝内府鉴藏印多方。

《〈淡墨秋山诗〉帖》运笔如刷，笔力雄健，使转灵动，结字端妍，为米氏中年行书精品。

《〈淡墨秋山诗〉帖》藏于故宫博物院。2010年6月18日～8月30日，在"故宫博物院藏历代书画作品展（第八期）"中陈列展出。

行书《参政帖》页 北宋文物。北宋米芾的行书作品。《参政帖》是米芾记述在已故参知政事苏易简家所见盖有一件四代相印的文物，是鉴定苏家藏书画钤印的记录性文字，为历来米芾作品著录中的集外篇。《参政帖》经清季振宜、安岐、清内府，近代张珩收藏。清安岐《墨缘汇观》著录。

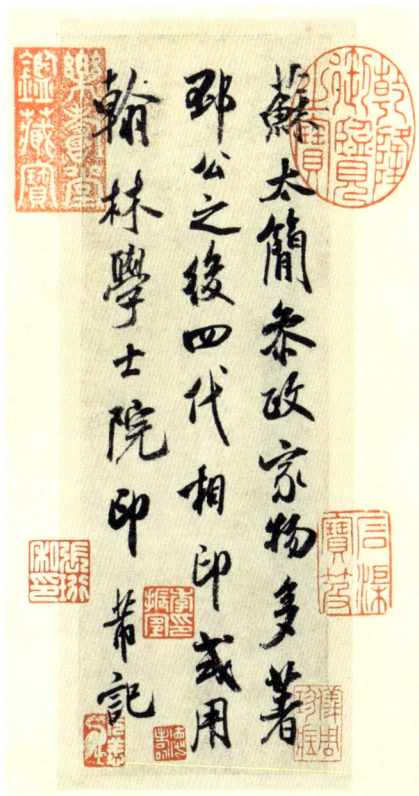

《参政帖》为纸本，纵23.9厘米，横12.2厘米，存3行27字。钤有"季振宜印""无恙"鱼雁形印、"仪周珍藏"印、清乾隆朝内府诸印。

《参政帖》字数虽不多，却是精心构思，一丝不苟，全篇间架紧密，笔意俊爽，行气平稳，法度精整，用笔浑圆，结体略长，藏锋和露锋互应。末行潇洒飘逸，不失天真自然之态，是米芾中年的佳作。

《参政帖》藏于上海博物馆。2005年12月30日～2006年2月4日，在"书画经典——故宫博物院、上海博物馆中国古代书画藏品展"中陈列展出。

行草书《向乱帖》卷 北宋文物。北宋米芾的行草书作品。《向乱帖》又名《寒光帖》，是米芾写给蔡肇的书札。明藏项元汴天籁阁，清入内府收藏。清安岐《墨缘汇观》著录。

《向乱帖》为纸本，纵27.3厘米，横30.3厘米。明董其昌在此帖的跋记中写道："老米此尺牍似为蔡天启作，笔墨字形之妙，尽见于此。"

《向乱帖》书法与一般常见的米字略有不同，其行笔时提处细若丝发，圆润遒劲，按处中锋直下，沉着不滞；结字因势生形，行间丝带连绵不断，熟而不俗，险而不怪，欹正相生，出乎自然。通篇结体修长秀韵，为米芾中年所书的代表作。

《向乱帖》藏于故宫博物院。

行书《公议、韩马、新恩三帖》卷 北宋文物。北宋米芾的行书作品。《公议、韩马、新恩三帖》为米芾三封书信合裱而成。《公议帖》又名《长至帖》，是对一位官居"发运左司"同僚的祝颂之词，愿他能"主公议于清朝，振斯文于来世。弥缝大业，继古名臣"，干一番大事业。《韩马帖》是向友人商借唐韩幹所绘鞍马图，以供过节时"贵游宴集"赏玩

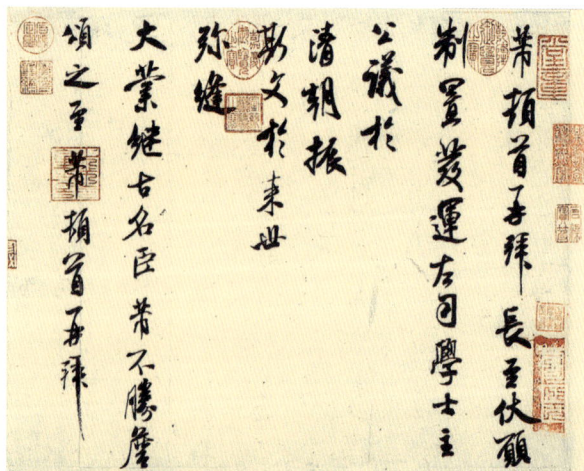

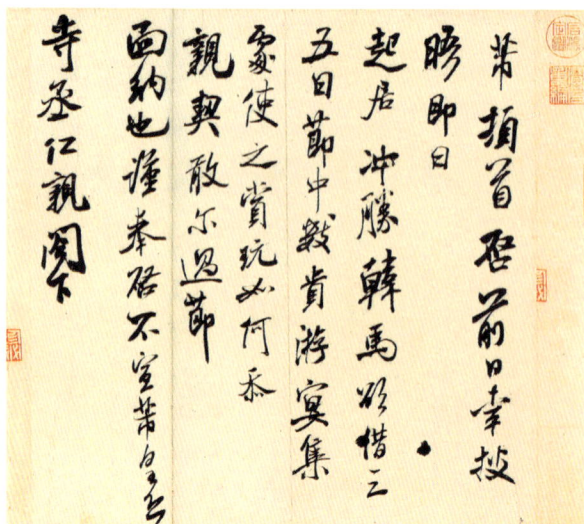

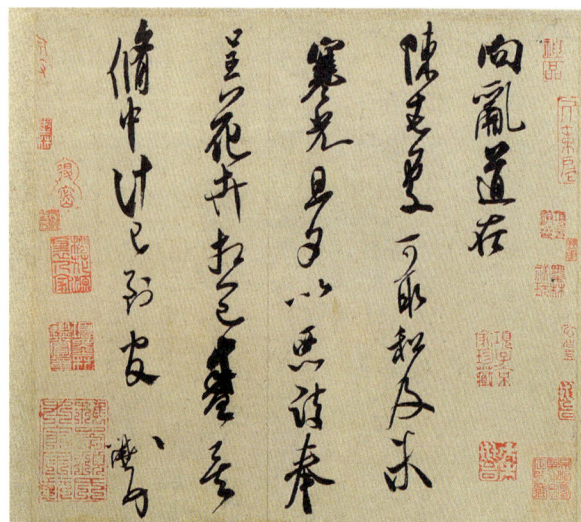

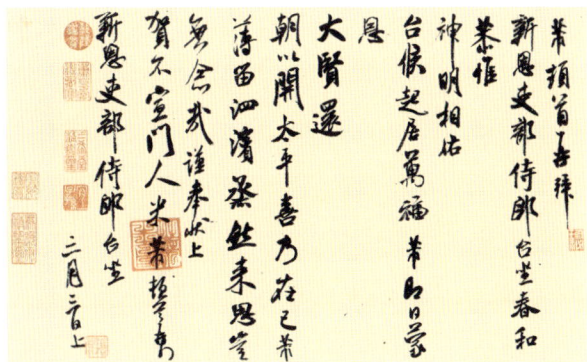

之需。《新恩帖》则是给一位新任吏部侍郎的贺信。清《石渠宝笈续编》、阮元《石渠随笔》有著录。

《公议、韩马、新恩三帖》为纸本。其中《公议帖》纵33.3厘米，横42厘米；《韩马帖》纵33.3厘米，横33.3厘米；《新恩帖》纵33.3厘米，横48.5厘米。钤有"米芾之印"。卷后有清初大书家王铎关于观赏此卷与友人的通信一封及清康熙时倪粲、方膏茂的观款。

《公议、韩马、新恩三帖》皆为米芾50岁后的晚期作品。新恩帖中"春和"二字极为俊美，其余字熟中有生，一刷而下。"神"字中一竖，细如钢丝；"佑"字第一笔与上字相属，但无轻浮之弊。三帖炉火纯青，米芾的个人风格从此可知十分成熟。

《公议、韩马、新恩三帖》藏于故宫博物院。

楷书《向太后挽词》册 北宋文物。北宋米芾的楷书作品。《向太后挽词》的内容涉及宫廷内部册封、变故等，作于建中靖国元年（1101年），为米芾晚年作品。向太后（1046～1101年），宋神宗赵顼皇后，1085年宋哲宗继位后，被尊为皇太后。明何良俊《书画铭心录》、郁逢庆《郁氏书画题跋记》、汪砢玉《珊瑚网》、陈继儒《妮古录》，清吴其贞《书画记》、卞永誉《式古堂书画汇考》、顾复《平生壮观》、崇彝《选学斋书画寓目记》《三虞堂书画目》等有著录。

《向太后挽词》为纸本，纵30.2厘米，横22.3厘米，全文共120字。后有董其昌临"向太后挽词"并跋。明陈继儒、项元汴、孙慎行，清徐渭仁、缪荃孙、朱益藩等近30家观题。钤有项元汴诸印、"沧苇""季振宜印""含青楼书画记""含青楼""传经堂鉴赏""鸿绪""徐渭仁印""随轩""费念慈"等印记。

《向太后挽词》结字介于行楷之间，笔法精练，古人评价为："研笔如铁，而秀媚之气奕奕行间，风华类得大令（王献之）之神，是南宫得意笔。"米芾小楷书仅见于题跋，非常精致，极为珍贵。叶恭绰《宋米元章〈向太后挽词〉》载："米元章书法，以小楷为最佳，但存世仅一件，即《向太后挽词》也。其实，亦系行楷。此物，以前未入过元、明、清三朝内府，以挽词犯忌讳也。"此帖可视为米芾小楷的代表作。

《向太后挽词》藏于故宫博物院。2015年12月10日～2016年3月13日，在"吴湖帆书画鉴藏特展"中陈列展出。

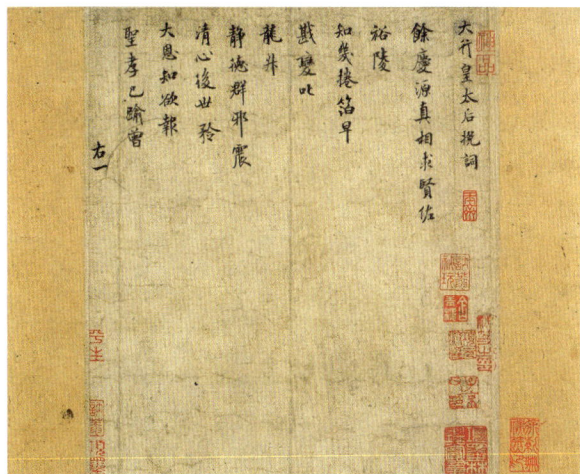

行书《褚遂良临〈兰亭序〉跋赞》 北宋文物。北宋米芾的行书作品。《褚遂良临〈兰亭序〉跋赞》是米芾所书褚遂良摹《兰亭序》的跋赞之文，作于崇宁元年（1102年）。明詹景凤《东图玄览》、张丑《真迹日录》，清顾复《平生壮观》、吴升《大观录》、高士奇《江村销夏录》《江村书画目》均有著录。

《褚遂良临〈兰亭序〉跋赞》为纸本，纵24厘米，横47.5厘米。跋前的《兰亭序》已非米芾所见摹本，在清安岐《墨缘汇观》著录时已被换掉，但米芾跋文是真迹，跋的内容与《宝晋山林集拾遗》中的记载稍有出入。卷后有多家明人题识，以及明清时陈缉熙、项元汴、卞永誉、永瑆等人的鉴藏印。

《褚遂良临〈兰亭序〉跋赞》小行书点画精致，书姿峭丽，是米芾自诩"跋尾书"的典型笔法。

《褚遂良临〈兰亭序〉跋赞》藏于故宫博物院。

行书《多景楼诗帖》册 北宋文物。北宋米芾的行书作品。《多景楼诗帖》描绘的是米芾当年游览多景楼的壮观景色和记录他游历时

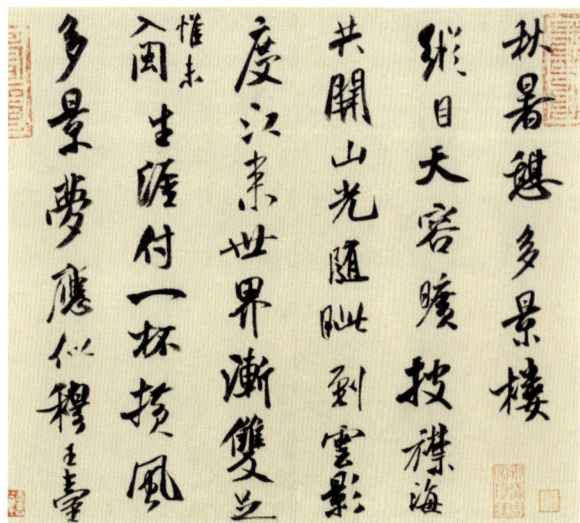

的激情。应为北宋元符三年（1100年）以后所书。《多景楼诗帖》经北宋蔡卞、清安岐等人收藏，清乾隆时入内府，清朝末年流出宫外。19世纪末为邵松年收藏，至20世纪30年代经吕宝菜出售，由吴湖帆收藏。后被上海博物馆征购收藏。明詹景凤《东图玄览》，清吴其贞《书画记》、卞永誉《式古堂书画汇考》、顾复《平生壮观》《装余偶记》、安岐《墨缘汇观》、吴荣光《辛丑销夏记》、李佐贤《书画鉴影》、邵松年《古缘萃录》等书著录。

《多景楼诗帖》为纸本，纵31.2厘米，横53.5厘米，共十页半。原为横册，宋时被割装成册。册中钤有宋"左吏江氏""桧""秦禧之印""秦埙"，明曹溶、张镠、黄美，清梁清标、安岐、成亲王永瑆、乾隆朝内府、邵松年等诸家藏印。

《多景楼诗帖》写得极为豪放，笔力雄伟，神采奕奕。所书从头至末，风樯阵马，沉着痛快，一气呵成。运笔苍劲飞动，筋骨雄毅，神气飞扬，刚健端庄中有婀娜流丽之态。明代吴其贞在《书画记》评此帖："运笔松放，结构飘逸，如仙人舞袖，为米之绝妙书。"此帖前篇、中段、结尾的布势，气韵畅达，波澜起伏，高潮迭起，引人入胜，足见作者把握全局、驾驭笔墨的胆力和功力。其结字多取侧势，印证了米芾自谓的"四面"用笔，为米芾传世大行书之代表作。

《多景楼诗帖》藏于上海博物馆。2006年，在"中日书法珍品展"中陈列展出。

行书《珊瑚帖》页 北宋文物。北宋米芾的行书作品。《珊瑚帖》是米芾与人谈论收藏情况的一封书信，内容可分为三部分：一是列

出自己新收到的三件藏品：张僧繇《天王》、景温《问礼图》以及一枝珊瑚；二是因为提到珊瑚，便画了一枝绝妙的三叉珊瑚插在金属座架上，米芾还在笔架的底座旁添注"金座"二字；三是为珊瑚笔架题了一首诗。《珊瑚帖》流传有序，经南宋内府，元代郭天锡、季宗元、施光远、肖季馨，清代梁清标、王鸿绪、安岐、裴伯谦等递藏，后归张伯驹。1956年，张伯驹将该作品捐献给文化部文物局，后划拨归故宫博物院收藏。清安岐《墨缘汇观》、顾复《平生壮观》、吴升《大观录》、裴景福《壮陶阁书画录》等书中均有著录。

《珊瑚帖》为纸本，纵26.6厘米，横47.1厘米。前6行36字，字大寸余。帖中画珊瑚笔架一只，后书七绝一首，共4行28字，字略小。钤有"文言三昧""俨斋秘玩""诒晋斋""南韵斋印""睫庵鉴赏""行有恒堂审定真迹"等鉴藏印。

《珊瑚帖》书法天真雄健，活泼洒脱，百态横生，充满生机。第一部分写收获墨宝的欣喜若狂之情，笔势遒劲，浑然有力。粗、细、浓、淡，笔法各有千秋，将"刷字"技法挥洒得淋漓尽致。字体大小不一，各有体分，趣味横生。米芾通过书体的姿态表现自身的情感和风骨。元代虞集评《珊瑚帖》"神气飞扬，筋骨雄毅，而晋魏法度自整然也"，元代施光远称其"当为米书中铭心绝品，天下第一帖"。《珊瑚帖》中的珊瑚图是米芾的唯一传世画迹，对研究北宋文人画意义重大，对研究中国艺术品收藏历史也有重要的文献价值。

《珊瑚帖》藏于故宫博物院。2008年4月21日～6月9日，在"故宫博物院藏历代书画作品展（第一期）"中陈列展出。

草书《大年帖》页 北宋文物。北宋薛绍彭的草书作品。薛绍彭，字道祖，号翠微居士，长安（陕西西安）人，北宋书法家，官至秘阁修撰，擅长鉴赏评品书画。薛绍彭与米芾是好友，米芾自言："薛绍彭与余，以书画情好相同，尝见有问，余戏答以诗曰。"薛绍彭曾刻孙过庭《书谱》传世。宋高宗《翰墨志》评曰："苏、黄、米、薛笔势澜翻，各有趣向。"元赵孟頫评价薛绍彭"道祖书如王、谢家子弟，有风流之习"，"脱略唐、宋，齐踪前古，岂不伟哉"。《大年帖》又称《晴和帖》，是薛绍彭与友人赵大年讨论观摩藏品与交换的书信。"大年太尉"，据考证应是北宋宗室、名画家赵令穰。信中提到归还两幅借时已久的绘画，也希望借阅观摩对方友人所藏的制墨名家李承晏、张遇所制名墨，并提到如果李承晏墨是真品而且完

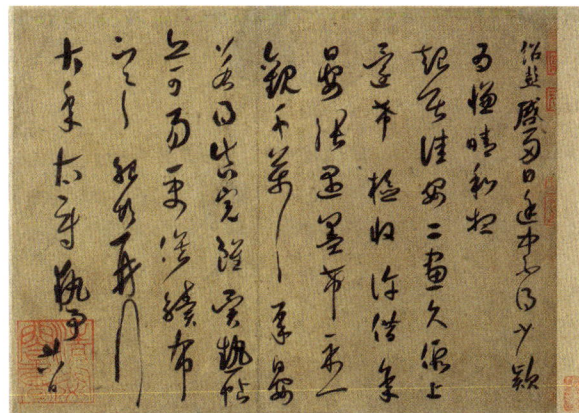

整的话，自己愿意以收藏的王羲之《异热帖》与之交换。明都穆《寓意编》、朱存理《铁网珊瑚》、清卞永誉《式古堂书画汇考》、顾复《平生壮观》等书著录。

《大年帖》为纸本，纵25.1厘米，横34.8厘米，共10行。上钤"贞元""绍兴"半印。

《大年帖》以中锋圆笔为主，行笔圆健，藏而不露，流畅从容，有晋唐法度，风格古朴雅正而又遒劲流畅，是薛绍彭传世书法精品，对进一步梳理和研究北宋时期私家鉴藏和交游有重要的历史价值。

《大年帖》藏于故宫博物院。2008年7月15日～8月31日，在"故宫博物院藏历代书画作品展（第二期）"中陈列展出。

楷书《千字文》卷　北宋文物。北宋徽宗赵佶的楷书作品。赵佶（1082～1135年），号宣和主人，北宋第八位皇帝，擅长绘画，在书法上也有较高的造诣。宋徽宗创造出独树一帜的瘦金体，瘦挺爽利，侧锋如兰竹，与他所画工笔重彩相映成趣。《千字文》是为赐予童贯而作，作于崇宁三年（1104年）。《千字文》在北宋时藏于御府，后归藏于清内府。清《石渠宝笈初编》著录。

《千字文》为纸本，纵31.2厘米，横323.2厘米。字大寸许，每行10字，前后百行。

《千字文》结体内紧外松，撇捺开张，字形方正偏瘦，笔画瘦硬刚健，劲爽挺拔，侧锋如画兰竹，横画收笔带钩，竖下收笔带点，撇如匕首，捺如切刀，竖钩细长，犹如铁划银钩，屈金断玉。宋徽宗的真书学自唐薛曜，并且青出于蓝，间架开阔，笔画劲利，清逸润朗，别具一格。《千字文》展现了瘦金体书法艺术的极致。杨仁恺曾评价："其结体疏朗端正，下笔尖而重，行笔细而劲，撇捺出笔锋而利，横竖收笔顿而钩，文体匀称，用笔轻按重收，顿折利落，具有飘逸清润之感，显示出'瘦金书'的独特风格。"

《千字文》藏于上海博物馆。

草书《千字文》卷　北宋文物。北宋徽宗赵佶的草书作品。宋徽宗与众多书家一样，喜欢书写《千字文》，传世的共有两件，草书《千字文》是其中一件。《千字文》在宋时藏于御府，清时归藏于内府。溥仪逊位后，命弟溥杰将《千字文》连同其他书画从天津运往长春伪满皇宫。1945年，溥仪携数箱珍贵书画欲逃往日本，途经沈阳时被东北民主联军及苏联红军截获。1950年，劫后余生的《千字文》等一批清宫散佚书画入藏东北博物馆。明张丑《清河书画舫》、曹昭《格古要论》，清孙承泽《庚子销夏记》《石渠宝笈初编》有著录。

《千字文》为纸本，纵35.1厘米，横117.2厘米。

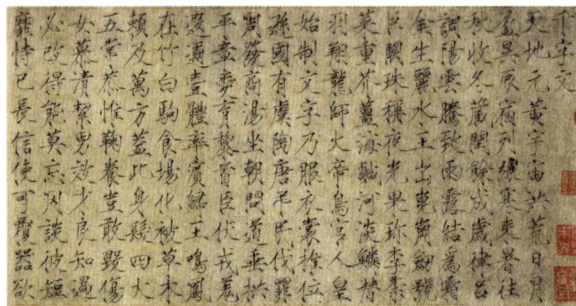

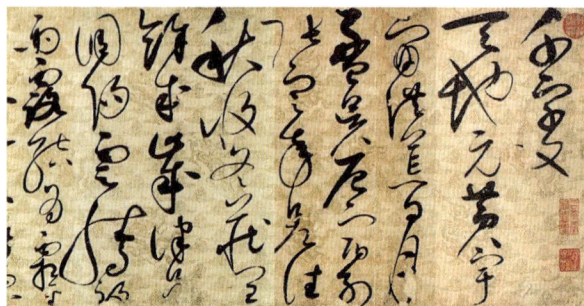

《千字文》虽为长卷，却笔跃气振，跳动不息，毫无倦笔，有如奔腾之水顺势而行。《千字文》对于长线条的使用非常恰当，如文中"号""帝""也"等字末笔的遥遥下垂，不仅调节空间比例，使之疏朗、跌宕、灵动，充满高情远致，同时也起到导气、融通的作用。《千字文》还体现出宋徽宗善于运用穿插错落的章法处理方式。卷中运用线条的入侵与穿插，使某些字跨区域而行，侵入其他字的线条空间，使得章法的呈现不再止于单行、单列，予人以"乱石铺街"之美感。元陶宗仪在《书史会要》中评价："意度天成，非可以形迹求也。"《千字文》所用的纸张是宫廷特制金云龙底纹笺纸，制作这种纸张需要上百道工序，制作方法已失传。专家推测，当时的工匠在江边把船舶排列成行，均匀浇上纸浆，自然干燥后成型，金云龙笺上的图案也是工匠一笔一笔描画出来。《千字文》是北宋造纸技术空前发达的宝贵证据。

《千字文》藏于辽宁省博物馆。

草书《七言诗二句》扇页 北宋文物。北宋徽宗赵佶的草书作品。

《七言诗二句》为绢本，纵28.4厘米，横28.4厘米。扇页上"掠水燕翎寒自转，堕泥花片湿相重"14个字布置巧妙，在有限的空间里散落，气势充盈而又有疏朗之意，行笔圆转流

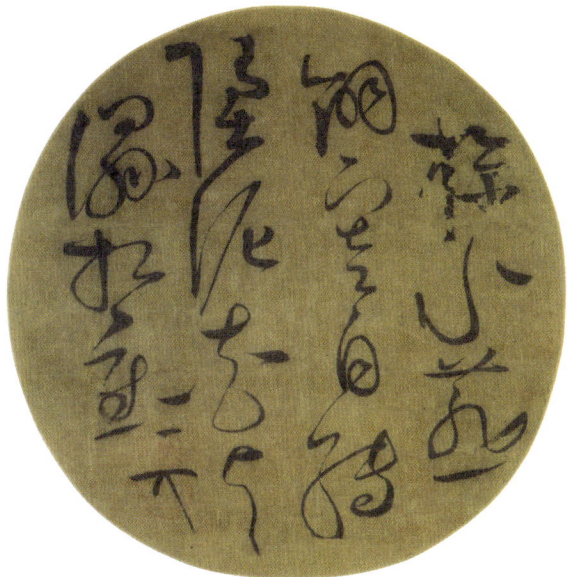

利，举重若轻，墨落潇洒流畅，有唐怀素狂草的风格。末尾所署符号是赵佶常用的签署，疑是"天下一人"四字的缩写。

《七言诗二句》书法流利俊爽，与宋徽宗所书的草书《千字文》有异曲同工之妙。

《七言诗二句》藏于上海博物馆。

真草书《养生论》卷 南宋文物。南宋高宗赵构的真草书作品。赵构（1107～1187年），字德基，宋徽宗第九子。宣和三年（1121年）十二月封康王，徽、钦二宗被俘后，于临安建都，始称南宋。赵构书法初习黄庭坚、米芾，后着力于钟、王，用功甚勤，自称"余五十年间，非大利害相妨，未始一日舍笔墨"。宋王应麟在《玉海》中也说："高宗皇帝飞龙之初，颇善黄庭坚体格，后

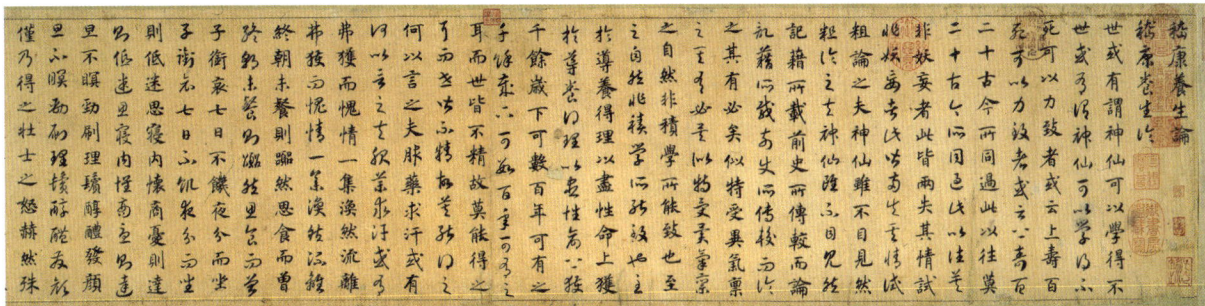

又采米芾，已而皆置不用，专意王羲之、王献之父子。手追心慕，直与之齐驱并辔。"《养生论》从宋内府到元内府，一直是宫中珍藏，钤有元代宫印"天历之宝"。明弘治、嘉靖年间，此件流出宫外。从李东阳后跋而知，此卷曾归明代杨一清所有。后为姚继父珍藏，清初归梁清标所藏，后归清宫收藏。溥仪在位时，此卷以赏弟溥杰为名偷携出宫，散落民间。中国嘉德拍卖公司于2000年秋以990万的高价拍出后，终被上海博物馆购藏。明陈继儒《妮古录》、王世贞《弇州山人稿》，清卞永誉《式古堂书画汇考》《佩文斋书画谱》《石渠宝笈初编》著录。

《养生论》为纸本，纵23.5厘米，横602.8厘米。蓝地白花锦袱内书"宋高宗书养生论真迹上等日四乾隆九年春月臣张照等奉敕编次"。卷首钤有"乾隆御览之宝""三希堂精鉴玺""宜子孙""石渠宝笈"等10余方印章。

《养生论》以真草二体写成，真书与草书并行排列，互为映照。用笔润媚圆和，精奥纯正，丰腴圆润不失清逸之气，温柔妍婉颇具清和流宕之象。结字疏朗秀整，真书工稳而韵意萦绕，草书流动而意态冲和，完全承传了魏晋"二王"一脉的书风。

《养生论》藏于上海博物馆。2002年11月30日～2003年1月6日，在"晋唐宋元书画国宝展"中陈列展出。

草书《洛神赋》卷　南宋文物。南宋高宗赵构的草书作品。此卷内容为曹植名篇《洛神赋》。明俞光禄、清内府秘藏。明詹景凤《东图玄览》、张丑《清河书画坊》，清《石渠宝笈初编》有著录，刻入清《三希堂法帖》。

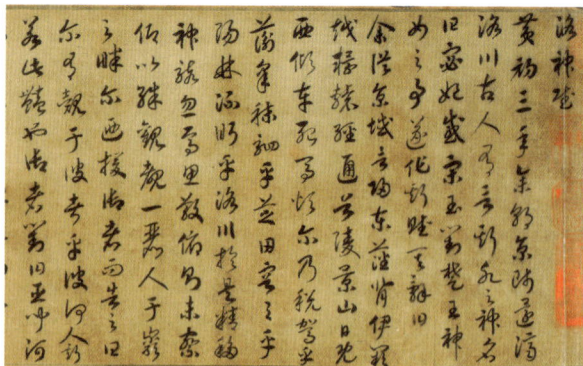

《洛神赋》为绢本，纵27.3厘米，横277.8厘米。卷署"德寿殿书"款，钤"德寿殿御书宝"朱文印。卷后有元赵严七绝诗一首，为皇长公主题咏，明宋献观款。鉴藏印记有"皇姊图书""韩逢喜"、梁清标诸印。清乾隆、嘉庆、宣统三朝内府诸印。

赵构的书法能广收博采前人之长，草法出入规矩，运笔沉着浑厚，提按转折飞动流畅，通篇一气呵成。虽是草书，但字字独立，同一字亦有变化，笔法圆浑苍润，大似智永禅师，是其成熟期的佳作。

《洛神赋》藏于辽宁省博物馆。

草书《绝句代书赠钱员外》团扇页　南宋文物。南宋高宗赵构的草书作品。《绝句代书赠钱员外》上有宋高宗抄写的一首白居易七言绝句，诗文出自《白氏长庆集》。

《绝句代书赠钱员外》为绢本，纵24厘米，横23.2厘米，共有4行28字。无诗题及落款。诗文末行左侧钤"德寿"朱文葫芦印，是高宗禅位于太子赵眘后退居德寿宫常钤之印，因此可知《白居易绝句代书赠钱员外》团扇写于高宗退位以后。扇面右钤"孔氏鉴定"朱文长方印，右上残印漫漶不清，左侧钤"明安国印"白文方印。

《绝句代书赠钱员外》书体为草书，行距疏朗，用笔圆劲，清秀中寓老练，为宋高宗晚年佳作。

《绝句代书赠钱员外》藏于中国国家博物馆。2019年12月17日，在"中国古代书画"专题展中陈列展出。

行书《自书诗文稿》卷　南宋文物。南宋陆游的行书作品。陆游（1125～1210年），字务观，号放翁，越州山阴（浙江绍兴）人，南宋文学家、史学家、诗人。陆游一生笔耕不辍，诗词文俱有很高成就，饱含爱国热情，对后世影响深远。陆游擅长正、行、草三体书法，尤精于草书。陆游的正体书法师从晋唐法帖，沉雄浑厚，极富神韵，有明显的颜真卿楷书笔势；他的行书、草书取法张旭、杨凝式，又受苏轼、黄庭坚、米芾等人的影响，更多追求人品和精神上的契合，讲究对比的变化和节奏。陆游的书法简札善于行草相参，纵敛互用，秀润挺拔，晚年笔力遒健奔放。朱熹评价"笔札精妙，意致深远"。《自书诗文稿》是陆游创作的八首诗，题为《记东村父老言》《访隐者不遇》《游近村》《癸亥初冬作》《美睡》《渡头》和《杂书》二首。每首诗都反映了陆游怡然自得的田园生活。此八首诗都见于《剑南诗稿》第五十五卷。此行书诗卷作于嘉泰四年（1204年）。《自书诗文稿》元时为高秋泉之父随军南征时所得，至正年间为杨时中购藏，后归其侄杨敏收藏。明弘治年间归沈周所有。入清以后藏于王掞处，后入清廷内府。清末被溥仪带出清宫，1945年从长春伪满皇宫流出，中华人民共和国成立后入藏辽宁省博物馆。清孙承泽《庚子销夏记》《石渠宝笈初编》有著录。

《自书诗文稿》为纸本，纵31厘米，横701厘米。上款"五七郎"，从称谓上推测是写给一个晚辈的书法。

《自书诗文稿》保留了陆游早年学习颜真卿、苏轼书法的笔法风格和习惯用笔，但又明显地融会杨凝式行书、张旭草书的长处，无论是用笔、结字和布白都与诗文浑然一体，明程郁评价"诗甚流丽，字亦清劲"。书法老健，是其暮年的佳作。

《自书诗文稿》藏于辽宁省博物馆。

行草书《怀成都十韵诗》卷　南宋文物。南宋陆游的行草书作品。此诗据《剑南诗稿》题称《怀成都十韵诗》，是陆游回忆自己50岁左右在四川成都做参议官时候的生活情况。清《装余偶记》《石渠宝笈初编》有著录。

《怀成都十韵诗》为纸本，纵34.6厘米，横82.4厘米。卷后有明陆釴、谢锋、程敏政、王鏊、沈周等题跋。卷中钤有清乾隆、嘉庆、宣统三朝内府诸玺及"商丘宋荦审定真迹""陈宗后印"等鉴藏印章。

《怀成都十韵诗》用笔不拘成法，纵横超逸，墨色浓淡得当，潇洒遒劲，反映了陆游书法中的浪漫主义色彩。陆游是典型的为诗名所掩的书家，他的书法气遒体劲，与他同时代的朱熹已有定评："笔札精妙，意致高远"，

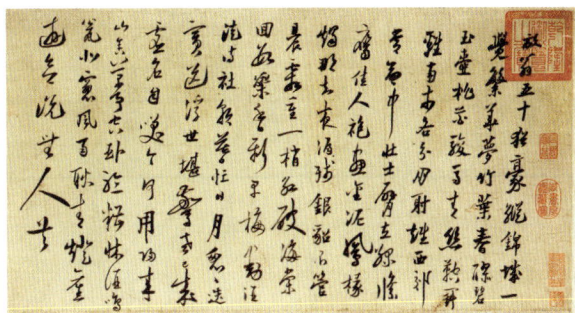

"放翁老笔尤健，在今当推为第一流"。

《怀成都十韵诗》藏于故宫博物院。

行书《城南唱和诗》卷　南宋文物。南宋朱熹的行书作品。朱熹（1130～1200年），字元晦，又字仲晦，号晦庵，晚称晦翁，谥文，世称朱文公。祖籍徽州府婺源县（江西婺源），出生于南剑州尤溪（福建尤溪）。南宋理学家、思想家、哲学家、教育家、诗人，闽学派代表人物，儒学集大成者，世尊称为朱子。朱熹19岁中进士，曾任江西南康、福建漳州知府、浙东巡抚，做官清正有为，振兴书院建设。官拜焕章阁侍制兼侍讲，为宋宁宗讲学。朱熹是"二程"（程颢、程颐）的三传弟子李侗的学生，与二程合称"程朱学派"。朱熹的理学思想对元、明、清三朝影响很大，成为三朝的官方哲学，是中国教育史上继孔子后的又一人。朱熹著述甚多，有《四书章句集注》《太极图说解》《通书解说》《周易读本》《楚辞集注》，后人辑有《朱子大全》《朱子集语象》等。其中《四书章句集注》成为钦定的教科书和科举考试的标准。《城南唱和诗》是朱熹为和张栻城南诗所作的诗歌。张栻，字敬夫，又字乐斋，张浚之子，潭州（湖南长沙）人，南宋学者。乾道三年（1167年）八月，朱熹与张栻在潭州游历城南胜景，其间两人有许多应酬唱和的诗作，城南唱和诗就是这一时期的作品，和诗一共20首，描绘了城南风光二十景。《城南唱和诗》经元钱伯广、明严嵩、清孙承泽及清内府等所藏。清吴其贞《书画记》、孙承泽《庚子销夏录》、卞永誉《式古堂书画汇考》《石渠宝笈三编》等书著录。

《城南唱和诗》为纸本，纵31.5厘米，横275厘米，共有64行462字。卷上首题"奉同敬夫兄城南之作"，末款"熹再拜"，钤白文"朱熹之印"。卷后有元干渊、黄潜，明李东阳、吴宽、周木等人题跋。

《城南唱和诗》书法笔墨精妙，萧散简远，笔意从容，灵活自然，无意求工，而点画波磔无一不合书家规矩，韵度润逸，苍逸可喜，是朱熹书法的代表作。明陆简《朱熹城南唱和诗帖跋》评价："紫阳夫子平生讲道之功日不暇给，而于辞翰游戏之事亦往往精诣绝人。评书家谓其书郁有道义之气、固耳。"

《城南唱和诗》藏于故宫博物院。

行书《五段卷》　南宋文物。南宋吴琚的行书作品。吴琚，字居父，号云壑，汴京（河南开封）人，南宋书法家。主要活动于南宋孝宗、光宗和宁宗三朝。太宁郡王、卫王吴益之子，宋高宗吴皇后之侄。乾道九年（1173年）以恩荫授临

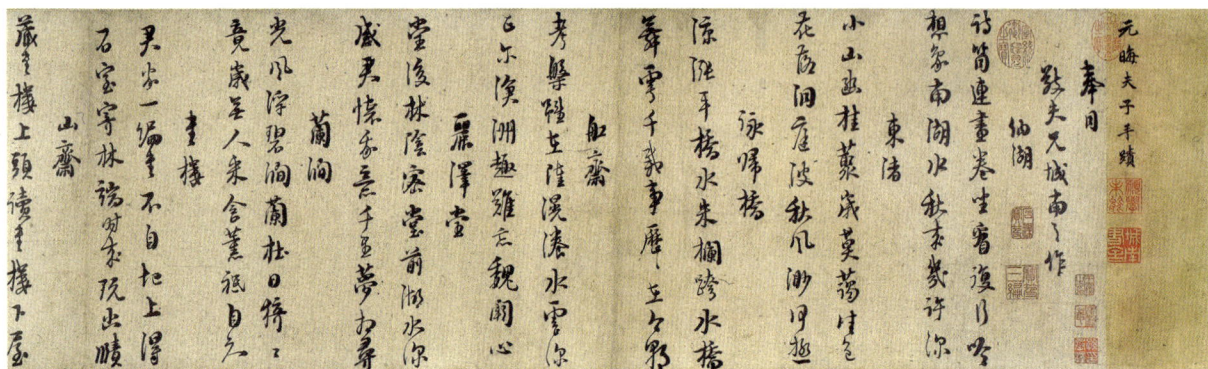

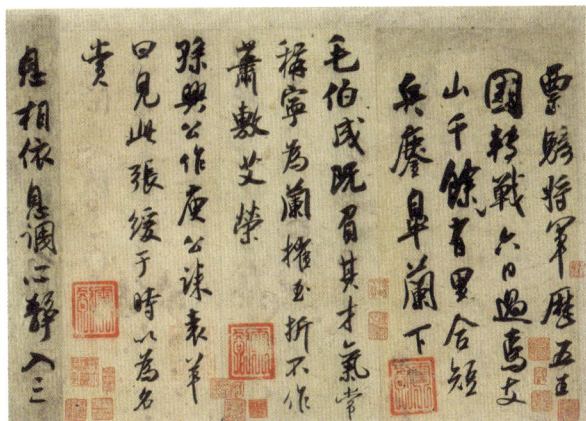

安通判，其后历任尚书郎，镇安军节度使。宁宗时，知鄂州，再知庆元府，世称"吴七郡王"，谥号忠惠。著述有《云壑集》。传世书迹有《观伎帖》《与寿父帖》《焦山题名》《诗帖》《碎锦帖》《七言绝句》等。清孙承泽《辛丑销夏记》有著录，刻入清《筠清馆帖》《耕霞轩帖》《海山仙馆帖》。

《五段卷》为纸本，纵28.7厘米，横63.8厘米，共收录五段文字，各段内容没有关联。每段文字后均未落款，一至四段各钤有"云壑"朱文长方印，是《五段卷》为吴琚手迹的确证。第五段无钤印，文字内容出自米芾《天马赋》。卷后有清王文治、翁方纲、吴荣光、张埙、吴锡麒、赵怀玉、朱方增、蔡之定、林则徐、阮元、罗天池、何绍基等题跋。

《五段卷》书法风格接近米芾，书写精熟流畅，体势顿挫峻峭，神采动人。尤其第五段

的笔意饱满洒脱，最得米书神采。明董其昌评价"琚书似米元章，而峻峭过之"。清翁方纲后跋中评为"离形得髓"。

《五段卷》藏于上海博物馆。

楷书《杜甫诗》卷 南宋文物。南宋张即之的楷书作品。张即之（1186～1263年），字温夫，号樗寮，历阳（安徽和县）人，南宋书法家。张即之擅长大书，主要传世作品有楷书《佛遗教经》卷、行书《待漏院记》卷、行书《汪氏报本庵记》卷等。《宋史》记载张即之"以能书闻天下"。《杜甫诗》是张即之用楷书书写的杜甫诗歌，包括《紫宸殿退朝口号》和《赠献纳使起居田舍人澄》七律二首。清《石渠宝笈初编》有著录。

《杜甫诗》为纸本，纵35.5厘米，横1464.6厘米。鉴藏印记有"神品""王澍印""长宜子孙""子安珍藏记""王澍之印""乐无事日有喜宜酒食"诸印，清乾隆、嘉庆、宣统三朝内府诸玺。

《杜甫诗》书体雄厚挺拔，险劲清绝。起笔落墨沉着从容，运行稳健，老笔纵横。笔画抑扬顿挫，使转颇急，力透纸背。结体不雕不琢，斩钉截铁，笔势飘逸潇洒，大气磅礴。历代书坛公认"大字难妙"，因为大字在行笔与结体上，很少有人能够达到预期的理想境界。

《杜甫诗》堪称大字楷书的代表佳作，是件十分难得的翰墨精粹。

《杜甫诗》藏于辽宁省博物馆。

楷书《佛遗教经》卷 南宋文物。南宋张即之的楷书作品。《佛遗教经》又名《佛垂般涅槃略说教诫经》，共一卷，鸠摩罗什汉译，是释迦牟尼涅槃前的说法记录，全经阐释教诫，上宣下化，为佛教经典，备受历代僧众、文人推崇，东晋王羲之、唐孙过庭等人均有临习。《佛遗教经》抄写于宝祐三年（1255年），曾归清安岐收藏。清《装余偶记》、安岐《墨缘汇观》有著录。

《佛遗教经》为纸本，纵28厘米，横867.9厘米，共249行2450字。经卷原是经折，后改为长卷。署款"张即之七十岁写，宝祐三年夏至日"。卷后有清乾隆帝题跋并引首"采华取味"四大字。卷前隔水签题"张即之书《佛遗教经》"。钤有清安岐、乾隆朝内府、袁励准等鉴藏印。另外，卷上原有明文嘉、朱之蕃二跋，已不存。据徐邦达考证，二跋"今已拆装在一伪本之后，曾著录于《岳雪楼书画记》，现在日本，有影印本可以查勘。伪卷笔法滞嫩，相差很远"。

《佛遗教经》小楷用笔粗细分明，坚挺精细，一字之间粗细变化灵动，字与字之间笔画粗细灵活运转，首尾用笔牵丝互盼，通篇书写

严谨，是张即之晚年书法精品。

《佛遗教经》藏于故宫博物院。2013年5月17日～7月16日，参加"故宫博物院藏历代书画作品展（第六期）"展览陈列。

行楷书《汪氏报本庵记》卷 南宋文物。南宋张即之的行楷书作品。《汪氏报本庵记》是南宋楼钥撰写的文章，文中所提汪氏是楼钥的外祖家。两家可能与张即之有过关系，所以张即之录写了这篇文章。经明汤子重、项元汴，清卞永誉等人收藏，清乾隆时入内府。清末，《汪氏报本庵记》被溥仪以"赏赐"之名带出清宫，后运往长春伪满皇宫。1945年溥仪携逃时，被中国人民解放军截获后入藏东北博物馆。清《石渠宝笈续编》、阮元《石渠随笔》有著录，刻入清《墨妙轩法帖》。

《汪氏报本庵记》为纸本，纵29.3厘米，横91.4厘米。卷后原本无款，"淳熙十二年三月二日，即之志"款为后人妄加，与张即之生平不符，《石渠宝笈续编》著录、刻本《墨妙轩法帖》中均加按语断其为伪作。卷上有明文徵明跋、项元汴题记与鉴藏印，清卞永誉古堂印，清乾隆、嘉庆、宣统三朝印玺。

《汪氏报本庵记》字字潇洒，与传世张即之《台辞帖》笔法相近，运笔流畅劲健，是张即之传世墨迹中的佳作。

《汪氏报本庵记》藏于辽宁省博物馆。

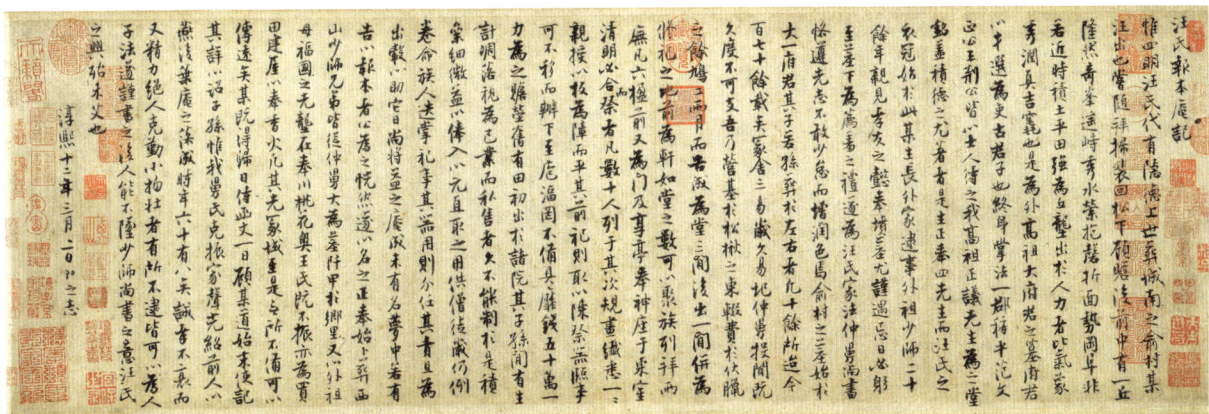

行书《上宏斋帖》卷 南宋文物。南宋文天祥的行书作品。文天祥（1236～1283年），原名云孙，字天祥，改字宋瑞，又字履善，号文山，吉州庐陵（江西吉安）人，南宋杰出的民族英雄和爱国诗人。文天祥曾任南宋右丞相兼枢密使，祥兴元年（1278年）加封少保信国公，同年十二月在五坡岭被元兵俘去，在大都（北京）被囚禁三载，终不屈服，至元二十年（1283年）就义。文天祥创作了大量的诗、词和散文作品。诗作达百余首，其中包括《过零丁洋》《正气歌》等千古绝唱，有《文山先生全集》20卷。除《谢昌元座右辞》外，文天祥还有《小青口诗卷》《篆玉常砚铭》等墨迹传世。《上宏斋帖》为祝贺宏斋（包恢）晋官，作于宋度宗咸淳元年（1265年）。曾为明项元汴收藏。明汪砢玉《珊瑚网》、郁逢庆《郁氏续书画题跋记》，清卞永誉《式古堂书画汇考》、顾复《平生壮观》、安岐《墨缘汇观》等书著录。

《上宏斋帖》为纸本，纵39.2厘米，横149.4厘米，共有53行747字。卷后有明李时勉，清永瑆、绵亿、李端芬、朱益藩题跋。钤明项元汴，清卞永誉、安岐、永瑆、奕绘、绵亿等印。

《上宏斋帖》风格劲秀，流转畅达，表现出文天祥高深的艺术造诣。帖中内容为文天祥在江西任上对赣寇"用兵丁万人，声罪致讨"之事，有重要的历史文献价值。

《上宏斋帖》藏于故宫博物院。

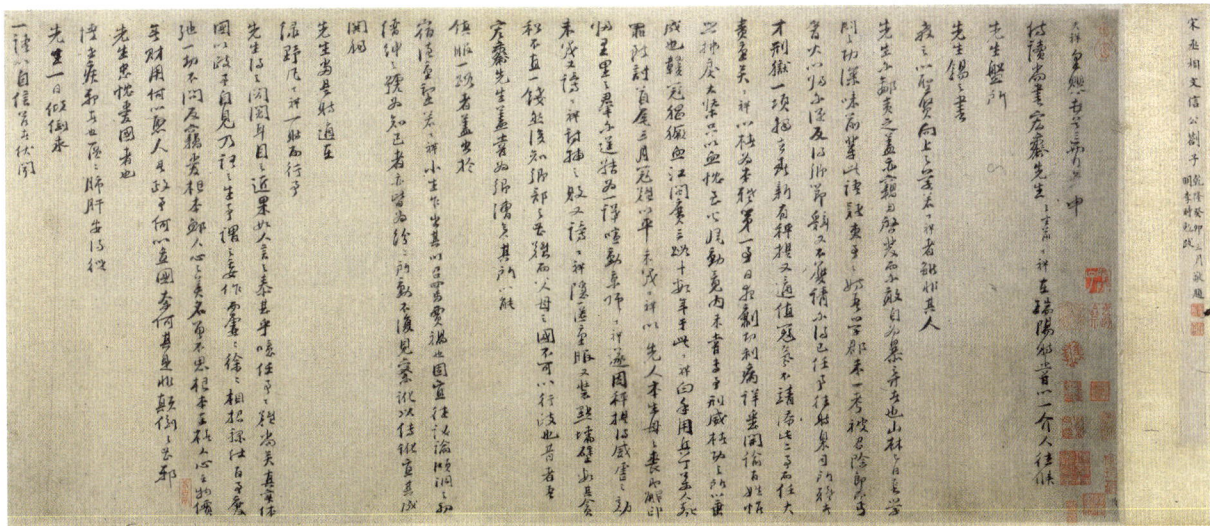

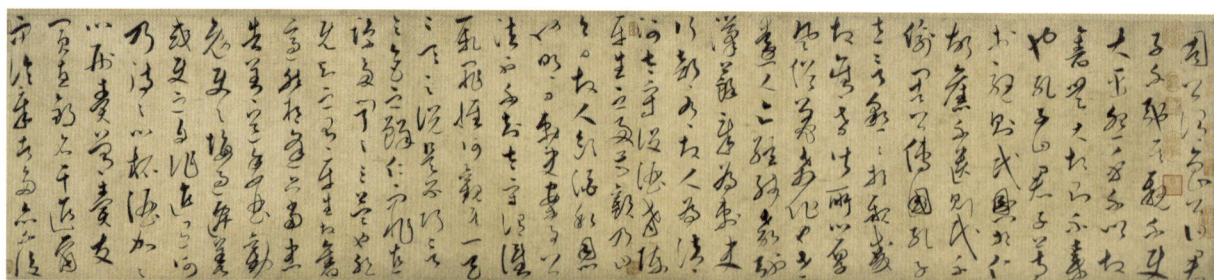

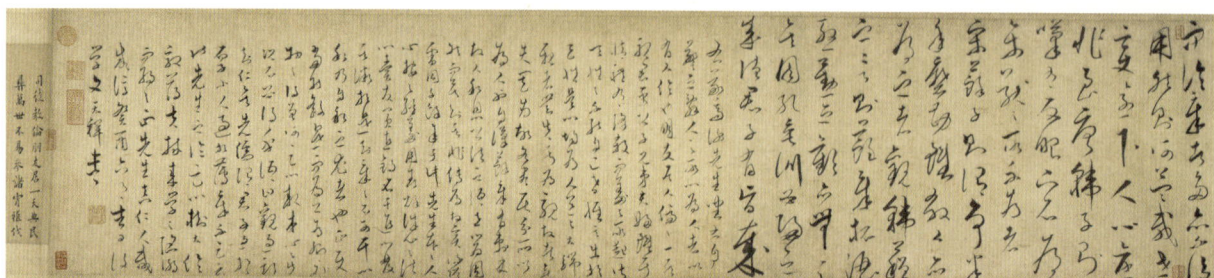

草书《谢昌元座右辞》卷 南宋文物。南宋文天祥的草书作品。《谢昌元座右辞》全称"文天祥书《谢昌元座右自警辞》",记述了谢昌元在《座右辞》中引用汉冀州刺史苏章的故事,阐发了文天祥对于世道人伦的看法。谢昌元,字叔敬,资州(四川简阳)人。淳祐四年(1244年)进士,官至秘书少监。苏章的事迹见于《后汉书苏章传》,谢昌元认为,苏章并不是正直无私,而是"卖友买直,钓名干进",文天祥以后学自称,非常赞同谢昌元的看法,认为"足以树大伦,敦薄夫,救来学之陷溺而约之正",并称赞谢昌元为"真仁人",赞美之情溢于言表。此卷经谢源、谢梦辉收藏,后归司马松,明末清初归梁清标、安岐收藏,清乾隆间入内府,后被溥仪携至东北。后被香港竹森生收藏,几经转折,由故宫博物院回购。20世纪50年代,由故宫博物院划拨给中国历史博物馆收藏。明都穆《寓意编》、朱存理《铁网珊瑚》,清吴升《大观录》、安岐《墨缘汇观》《石渠宝笈续编》等书著录。

《谢昌元座右辞》为纸本,纵36.7厘米,横335.7厘米。共44行315字,字体稍大;文天祥跋语27行281字,字体稍小。款署"咸淳癸酉六月吉日,后学文天祥书",下钤"文氏天祥"篆书朱文方印。卷首为清乾隆帝行书"文天祥书谢昌元座右辞,内府鉴藏",下钤"神品""乾隆宸翰"二印。卷后有宋王应麟,元蒋岩,明万韫辉、郏智、廖驹、程启光等题跋,以及谢昌元后人谢源抄写的小楷谢昌元《行实》一则。

文天祥传世书法很少,此卷用笔多侧锋,笔力迅疾,一气呵成,与其同年所书的《木鸡集序》可称双璧。

《谢昌元座右辞》藏于中国国家博物馆。

草书《木鸡集序》卷 南宋文物。南宋文天祥的草书作品。《木鸡集序》应同乡友人张强之请而作书,作于宋度宗咸淳九年(1273年)冬至。"木鸡"取意《庄子·达生篇》:"纪渻子为王养斗鸡,经三十日训练,斗鸡变得非常沉着,不骄不惊。"其他鸡一见"木鸡"都望而生畏,不敢应战,逃之夭夭。"木

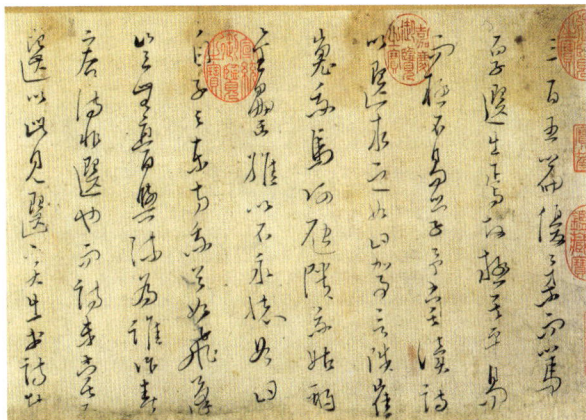

鸡"寓意人之德全，涵养高深，态度稳重，故有"木鸡方备德，金马正求贤"诗句。文天祥在《木鸡集序》中阐述了治学见解，强调学习应从难从严。清末被溥仪携带出宫，后藏于长春伪满皇宫。明张丑《清河书画舫》、清顾复《平生壮观》《石渠宝笈初编》有著录。

《木鸡集序》为纸本，纵24.5厘米，横96.5厘米，共24行213字。"咸淳癸酉文天祥"款旁钤有"天祥""履善"二印。后有明宋献等观款。

《木鸡集序》笔势瘦劲、收放自如，体势通达，上承晋唐遗风，通篇一气呵成而无懈怠之笔。明王鏊曾评文天祥书云："公之精忠大节，焯焯天地间，而字画精妙，虽纸墨之微，亦皆不苟。"此卷与《自警辞》同出一年，可称为"姊妹篇"。

《木鸡集序》藏于辽宁省博物馆。

行书《杜工部行次昭陵诗》卷 元代文物。元代鲜于枢的行书作品。鲜于枢（1246～1302年），字伯机，晚年营室名"困学之斋"，自号困学山民，又号寄直老人，大都（北京）人，一说渔阳（天津蓟县）人，元代著名书法家。大德六年（1302年）任太常典簿，元世祖至元年间入浙东宣慰司，后改任浙东省都事，晚年任太常典簿。鲜于枢喜好诗歌与古董，文名显于当时，书法成就最著。明朱权《太和正音谱》将鲜于枢列于"词林英杰"150人之中。《新元史》有传。清顾复《平生壮观》《石渠宝笈初编》等书著录。

《杜工部行次昭陵诗》为纸本，纵32厘米，横342厘米。卷末有王祎、宋濂二跋。末识："右工部行次昭陵诗，困学民书。"钤"鲜于""白几印章""箕子之裔""虎林隐吏""中山后人"印5方。鉴藏印记有清乾隆、嘉庆、宣统三朝诸玺及梁清标、宋濂、王祎等印。

《杜工部行次昭陵诗》结体疏朗，行笔酣畅。元柳贯评价为："面带河朔伟气，每酒酣鹜放，挥毫结字，奇态横生。"笔墨酣畅，是他乘兴时的得心应手之作，最能代表鲜于枢的笔势特点。《杜工部行次昭陵诗》是鲜于枢的大字行书代表作。

《杜工部行次昭陵诗》藏于故宫博物院。

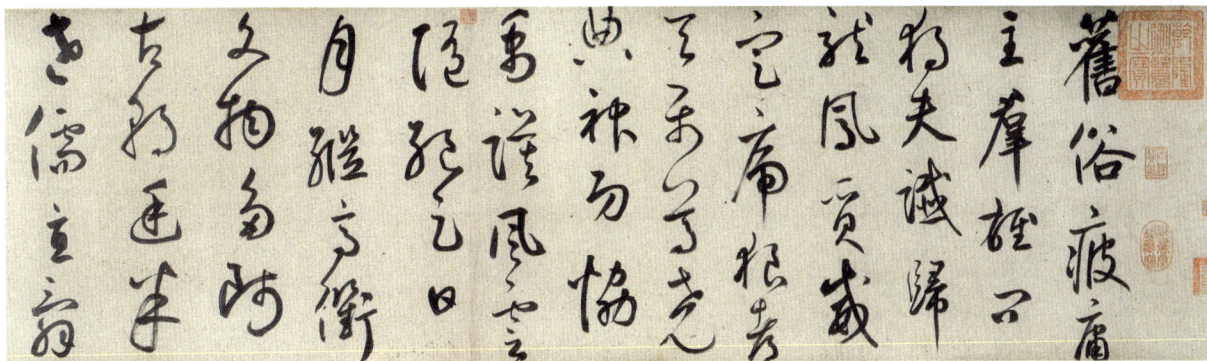

行书《秋兴赋》卷 元代文物。元代赵孟頫的行书作品。赵孟頫（1254～1322年），字子昂，号松雪、松雪道人，又号水晶宫道人、鸥波，中年曾作孟俯，吴兴（浙江湖州）人。由宋入元，曾官至翰林学士承旨、荣禄大夫。元代画家，"楷书四大家"（欧阳询、颜真卿、柳公权、赵孟頫）之一。赵孟頫博学多才，能诗善文，懂经济，工书法，精绘艺，擅金石，通律吕，解鉴赏，特别是书法和绘画成就最高。他善篆、隶、真、行、草书，尤以楷、行书著称于世。其书风遒媚、秀逸，结体严整、笔法圆熟，创"赵体"书。《秋兴赋》是西晋潘岳的代表赋作之一。潘岳（247～300年），字安仁，荥阳中牟（属河南）人，西晋文学家。《秋兴赋》上未写年款，但从用笔结体来看，是赵孟頫晚年之作。《秋兴赋》先后由"吾乡进士王缉"，明项希宪，清梁章钜、

苏州顾氏过云楼递藏。清顾文彬《过云楼书画记》、叶昌炽《缘督庐日记钞》著录。

《秋兴赋》为纸本，纵25.7厘米，横184.5厘米，署"子昂"款，钤有"赵氏子昂"印。卷前有梁章钜注记，提到原有沈凡民隶书"松雪墨妙"隶书引首，在重装时拆去。卷后有清梁章矩、梁逢辰、成亲王、哲亲王、阮元、钱泳等人题跋，"高氏"半印、"渤""海"联珠印半印和"不因堂""钱泳曾观""顾子山秘笈印""梁清标印""蕉林鉴定""吉甫收藏""过云楼百种"等收藏印。

《秋兴赋》在继承传统书法的基础上，削繁就简，结体宽绰秀美，分行布白疏朗从容，用笔圆润遒劲，是赵孟頫书法作品中的得意之作。

《秋兴赋》藏于上海博物馆。

楷书《胆巴帝师碑》卷 元代文物。元代赵孟頫的楷书作品。《胆巴帝师碑》全称《大元敕赐龙兴寺大觉普慈广照无上帝师之碑》，是赵孟頫奉元仁宗皇帝敕命为龙兴寺撰写的碑文，叙述元朝帝师胆巴的功德事迹，作于延祐三年（1316年）。明詹景凤《东图玄览》、张丑《清河秘箧表》《南阳名画表》，清卞永誉《式古堂书画汇考》等书著录。

《胆巴帝师碑》为纸本，纵33.6厘米，横166厘米。共125行923字，有方格界。有清姚元之、杨岘、李鸿裔、潘祖荫、王颂蔚、杨守敬、王懿荣、盛昱等人题跋。钤有清许乃普等人收藏印记。

《胆巴帝师碑》笔法秀媚，苍劲浑厚，神采焕发，意在笔先，从规整庄重中见潇洒超逸，是赵孟頫晚年行楷中的代表作。其书风和

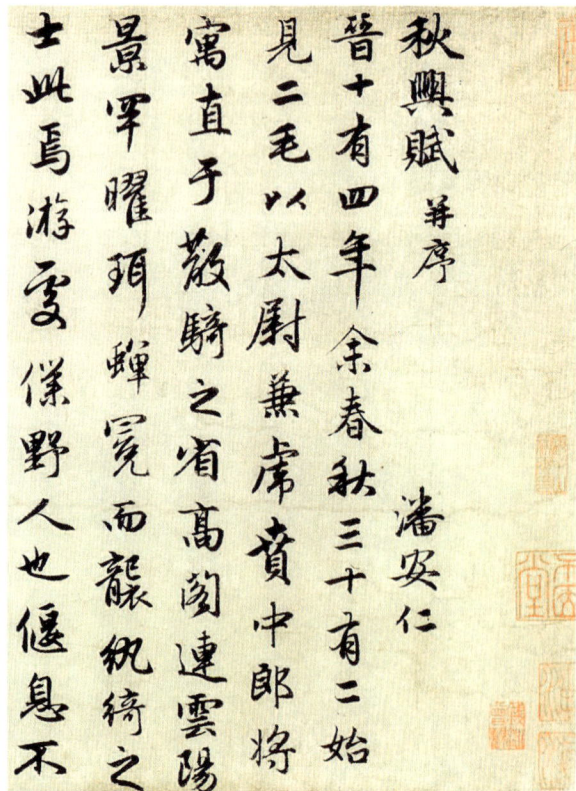

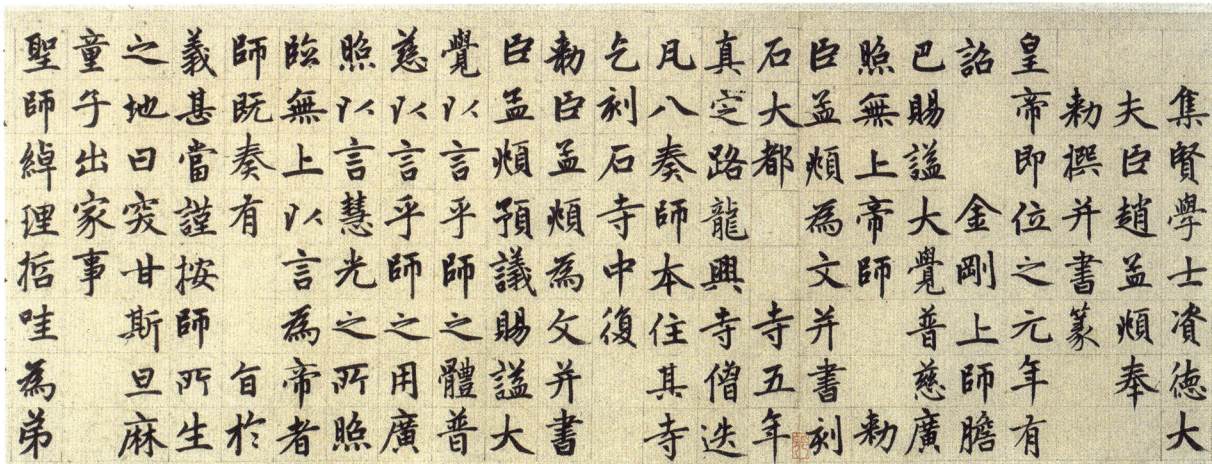

书学主张对当代及后世影响巨大而深远。

《胆巴帝师碑》藏于故宫博物院。

行书《题伯夷颂诗帖》页 元代文物。元代邓文原的行书作品。邓文原（1258～1328年），字善之，一字匪石，人称素履先生，绵州（四川绵阳）人，元代书法家。邓文原曾任江浙儒学提举、江南浙西道肃政廉访司事、集贤直学士兼国子监祭酒、翰林侍讲学士，政绩卓著，为一代廉吏，卒谥文肃。邓文原文章出众，堪称元初文坛泰斗，《元史》有传。著述有《巴西文集》《内制集》《素履斋稿》等。邓文原擅长书法，以行、草书著称，传世书迹有《临急就章卷》等。《题伯夷颂诗帖》是题于宋范仲淹书《伯夷颂》卷后的五言律诗，后

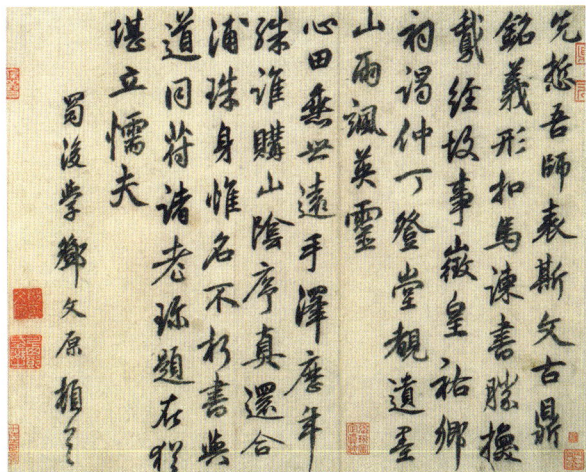

被人割离原本，单独成为一帖。《伯夷颂》及《题伯夷颂诗帖》所颂人物伯夷，是商末时代历史人物，因其不逆父命、拒承王位出逃，周灭商后耻食周粟、饥饿而亡的仁义气节受到后人称颂。最早赞美伯夷是春秋后期孔子在《论语》称之为"古之贤人"，汉代史学家司马迁编纂《史记》置伯夷为列传之首，唐代文学家韩愈创作了散文《伯夷颂》，北宋思想家、文学家范仲淹小楷正书誊抄《伯夷颂》，成为一件传世千年的书法佳作。

《题伯夷颂诗帖》为纸本，纵32.7厘米，横40.9厘米。钤元"邓文原印""巴西邓氏善之"印。鉴藏印有"褒贤"半印、"十陆世孙"半印、"贞元"半印及张珩、潘厚等印。

《题伯夷颂诗帖》书法矫健俊爽，洒然自得，经意而有规矩，具典型的元代书法风貌。

《题伯夷颂诗帖》藏于故宫博物院。

行书《秋深帖》册页 元代文物。元代管道升的行书作品。管道升（1262～1319年），字仲姬，一字瑶姬，吴兴（浙江湖州）人，元代著名女性书法家、画家，赵孟頫的妻子，封魏国夫人。管道升擅画墨竹梅兰，笔意清绝，又工山水、佛像、诗文书法，世称管夫人。著

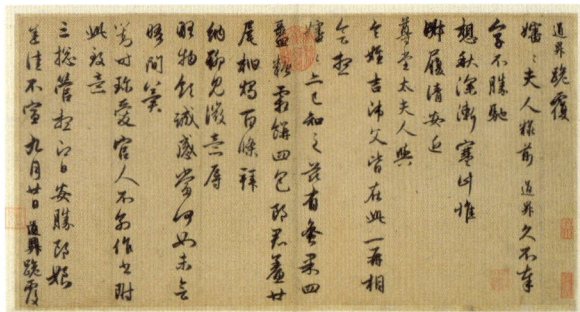

《墨竹谱》，传世作品有《水竹图卷》《秋深帖》《山楼绣佛图》《长明庵图》等。《秋深帖》是元朝大德年间深秋时节，写给婶婶的一封问候请安、馈赠物品的家书。《石渠宝笈初编》有著录。

《秋深帖》为纸本，纵26.9厘米，横53.3厘米，共有19行。帖上有清宣统玺印及李肇亨鉴藏印等4方。

《秋深帖》一气呵成，气韵流动。笔力扎实、体态修长。整篇文章断句、起笔不拘一格，结构错落有致。末尾落款字迹模糊。

《秋深帖》藏于故宫博物院。

草书《谪龙说》卷　元代文物。元代康里巎巎的草书作品。康里巎巎（1295～1345年），字子山，号正斋、恕叟，色目康里部人，元代少数民族书法家，幼年时在皇家图书馆受过充分的汉文化教育，后做过文宗和顺帝的老师。康里巎巎正书学自虞世南、钟繇，行

草宗羲献，草书犹得钟王笔意，圆劲豪雄，极具个人特色，与赵孟頫齐名，世称"北巎南赵"。《元史·本传》云："善真行草书，识者谓得晋人笔意，单牍片纸，人争宝之，不翅金玉。"代表作有《谪龙说卷》《李白古风诗卷》《述笔法卷》《柳宗元梓人传》《十二月十二日帖》等。《谪龙说》是唐柳宗元为赠送友人叶彦中而创作的一篇寓言，出自《柳宗元集》第十六卷，曲折表达了被贬谪后的抑郁之气。柳宗元（773～819年），字子厚，汉族，河东（山西运城永济一带）人，"唐宋八大家"之一，唐代文学家、哲学家、散文家和思想家。世称"柳河东""河东先生"，因官至柳州刺史，又称"柳柳州"。康里巎巎以此文为内容创作了书法作品《谪龙说》。《谪龙说》清初由安岐、梁清标递藏，乾隆年间入内府，后归乾隆帝第十一子成亲王永瑆。清顾复《平生壮观》、安岐《墨缘汇观》、吴升《大观录》《石渠宝笈》等著录。

《谪龙说》为纸本，纵28.8厘米，横137.9厘米。引首钤"松风堂"朱文印，款下钤"康里子山"朱文印。卷前有清永瑆题签"康里子山谪龙说"。卷后有元周伯琦、昂吉、瞿智，清永瑆四段题跋。另钤清梁清标

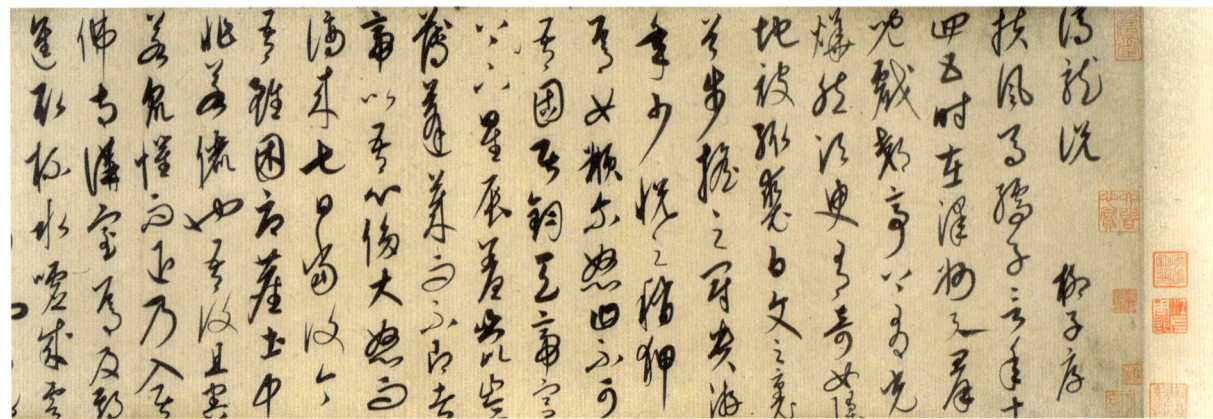

"蕉林鉴定"、安岐"安仪周家珍藏"及乾隆朝内府诸鉴藏印。

《谪龙说》得王羲之笔意，用笔精巧娴熟，线条圆润流畅，笔画轻重粗细极为分明，富有强烈的节奏感，为康里巎巎书法成熟期的代表作品之一。元瞿智在题跋中评论道："子山平章书似公孙大娘舞剑器法，名擅当代，前后相去数百载，而具美于卷中，展玩之如秋涛瑞锦，光采飞动，可谓妙绝古今矣。"

《谪龙说》藏于故宫博物院。

行书《宴啸傲东轩诗》页 元代文物。元代杨维桢的行书作品。杨维桢（1296～1370年），字廉夫，号铁崖、东维子，会稽（浙江绍兴）人，元末明初诗人、文学家、书画家。元泰定四年（1327年）进士，杨维桢授天台县尹，改钱清场盐司令，升调江西等处儒学提举。元末兵乱，避地富春山。明洪武二年（1369年）召至京师，负责议定各种仪礼法典，事成后归乡，不久逝世。杨维桢创作以诗歌为主，散文笔法纵横，辞富才赡。善行草书，笔法清劲遒爽，体势矫捷横发，富于个性，自成一体。传世作品主要有《真镜庵募像疏卷》《鬻字窝铭》《张栻城南诗卷》等。

《宴啸傲东轩诗》纵34.1厘米，横71.2厘米。署款"抱遗叟杨维桢再拜"，钤"杨廉夫""铁笛道人"二印。有清代安岐，近代何厚琦、赵叔彦、完颜景贤、张爰、谭敬等家鉴藏印。

《宴啸傲东轩诗》藏于故宫博物院。

楷书《静寄轩诗文》轴 元代文物。元代倪瓒的楷书作品。倪瓒（1306～1374年），

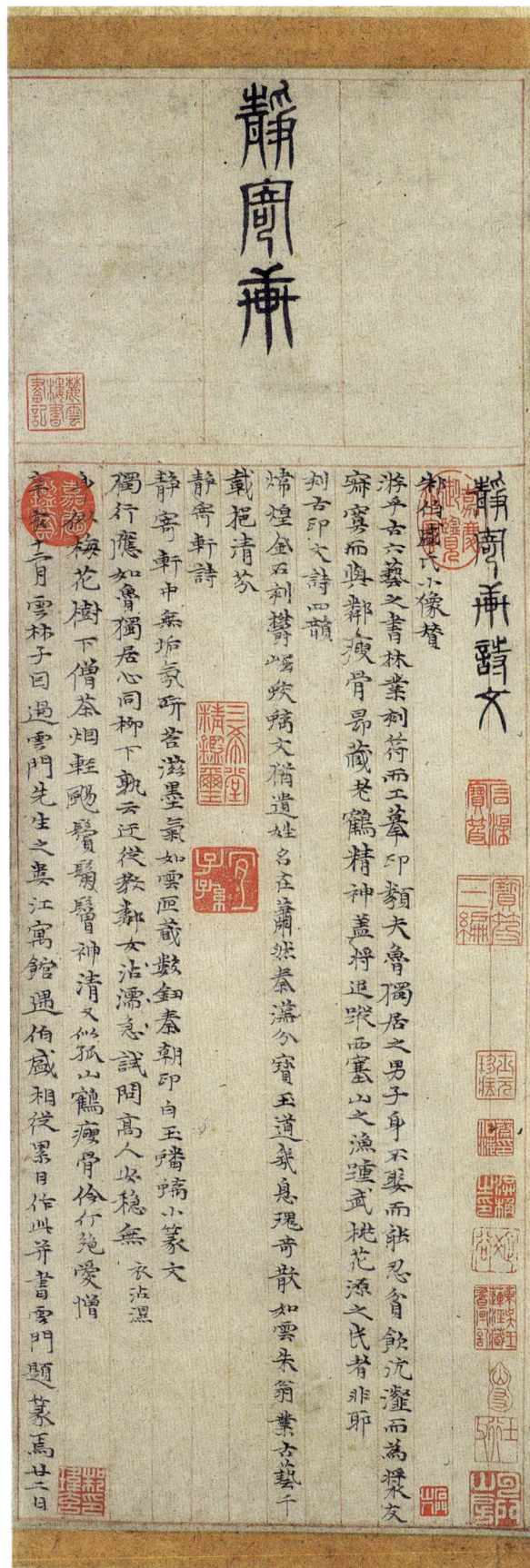

字元镇，别号荆蛮民、净名居士、朱阳馆主等，江苏无锡人，元末明初画家、诗人。倪瓒擅画山水、墨竹，师法董源，受赵孟頫影响，早年画风清润，晚年变法，平淡天真。书法从隶入，有晋人挺健温厚风度。倪瓒与黄公望、王蒙、吴镇合称"元四家"。存世作品有《渔庄秋霁图》《六君子图》《容膝斋图》等，著有《清閟阁集》。《静寄轩诗文》是倪瓒创作的诗文，内容共三部分，包括《邾伯盛氏小像赞》《刻古印文诗四韵》五律一首、《静寄轩诗》七绝三首。"静寄轩"是邾伯盛的斋名。邾伯盛，名珪，字伯盛，苏州人，静寄轩的主人，师濮阳吴睿，习大小篆书，喜为人治印。清卞永誉《式古堂书画汇考》、汪士元《麓云楼书画记略》著录。

《静寄轩诗文》为纸本，纵62.9厘米，横23.3厘米。款署："辛亥十二月，云林子因过云门先生之娄江寓馆，遇伯盛，相从累日，作此并书，云门题篆焉。廿二日。"帖上方篆书"静寄轩"和帖首篆书"静寄轩诗文"为元代张绅所书。卷后清杨守敬题跋介绍了邾伯盛的生平。鉴藏印钤"邾玮玄印""士行父""蔡伯海印""士元珍藏""麓云楼书画记"及清嘉庆朝内府诸印。

《静寄轩诗文》对更全面、更系统地研究倪瓒的创作理念、书法分期、交游鉴藏等方面，有着重要的艺术价值。

《静寄轩诗文》藏于故宫博物院。

行书《自书诗》卷 元代文物。元代俞和的行书作品。俞和（1307～1382年），字子中，号紫芝（芝生），晚号紫芝老人，桐江（浙江桐庐）人，元末书法家。俞和冲淡安

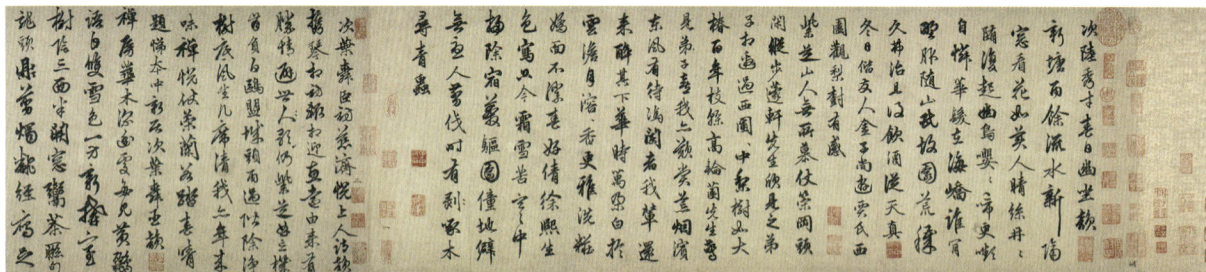

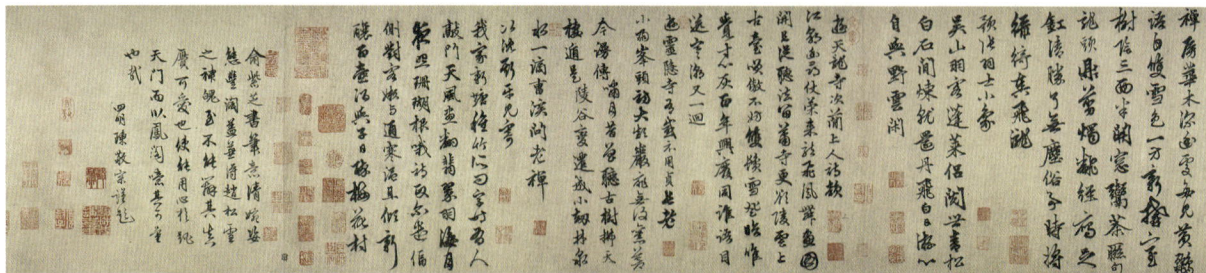

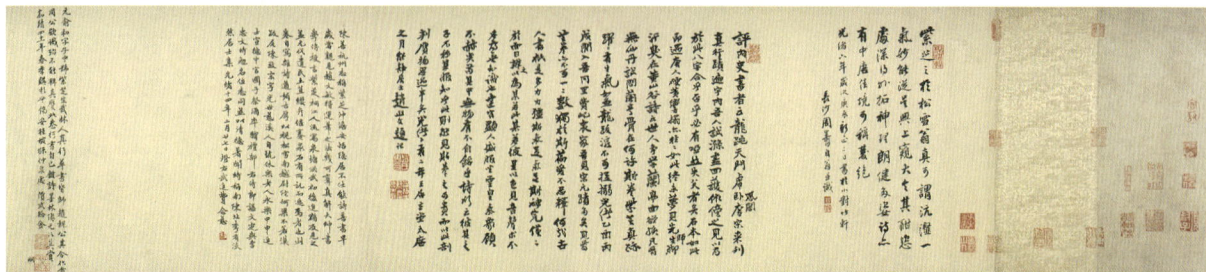

恬，隐居不仕，早年得见赵孟頫运笔之法，后返临晋、唐名家碑帖，以书名于时。俞和的行草书秀雅挺劲，酷似赵孟頫，楷书则是高古风雅，颇有晋人风度。《自书诗》是俞和自作自书的八首七言诗，诗文描写他拜僧访友、游历山水的情景。《自书诗》曾经明项元汴、清陈子受等收藏，清乾隆年间入内府。清卞永誉《式古堂书画汇考》、安岐《墨缘汇观》著录。

《自书诗》为纸本，纵28.8厘米，横216.7厘米。卷末无款印，仅第一首诗后有俞和钤"子中父印"一方。卷后有明项元汴题并"嗣"字编号，以及明陈敬宗，清周寿昌、赵烈文、费念慈题跋。鉴藏印钤明项元汴"项子京家珍藏"、清安岐"安仪周家珍藏"及乾隆朝内府诸印。

《自书诗》中第一首诗《次陆秀才春日幽坐韵》，结体稳妥，功力深厚，学赵孟頫晚年书风。陈敬宗在题跋中赞云："俞紫芝书笔意清婉，姿态风润，盖兼得赵松雪之神魄，至不能辨其真赝，可爱也。"

《自书诗》藏于故宫博物院。

草书《急就章》卷 明代文物。明代宋克的草书作品。宋克（1327～1387年），字仲温，号南宫生，长洲（江苏苏州）人。官至凤翔同知，是明代初期闻名于书坛的书法家"三宋、二沈"之一。善画竹石小景，是明代以墨竹名世的四家之首。宋克擅长楷、草书，尤精章草，师法钟繇、王羲之，体势开张趋长，笔画瘦劲挺拔，一洗古章草旧貌，形成挺健秀丽的新章草风格。《急就章》原称《急就篇》，是汉代学童的启蒙读物。世传本共32章，每章63字。作者史游，西汉元帝时期（前48～33年）官黄门令。宋王应麟曾分析《急就篇》的书名是"急就谓字之难知者，缓急可就而求焉"的意思。《急就篇》流行于魏晋间，写本较多。在历代的章草《急就章》写本中，传为三国时皇象所书的版本最早。宋克临习的《急就章》作于明洪武三年（1370年）。宋克所书《急就章》，除故宫博物院藏本外，天津艺术博物馆另有一藏本。清顾复《平生壮观》、安岐《墨缘汇观》有著录。

《急就章》为纸本，纵20.4厘米，横342.5厘米，1900余字。款书"吴郡宋克书"，并有"聊以自备遗忘"的自识一则，无款印。引首为明姚绶所书"宋南宫章草"五字隶书。后隔水及尾纸有明周鼎、孙廷惠、朱之赤、项元汴，清宋荦、铁保六家题跋。鉴赏印也多为此六家所钤。

《急就章》的书体是从隶书解化而来的一种

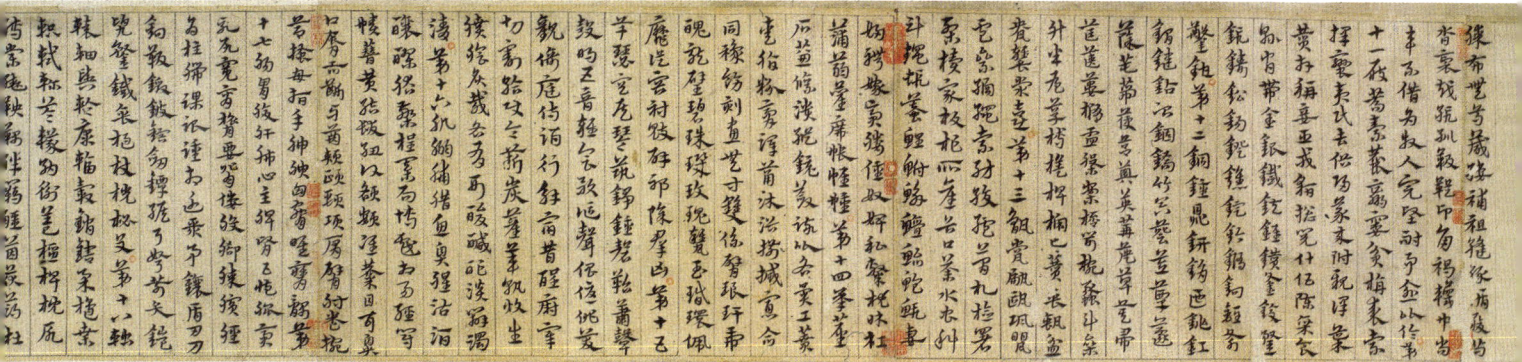

草书，即"章草"，笔势劲健，风貌简古，兼备古法之神形，为宋克着意临摹之作。明王世贞评价为："观仲温书《急就章》，结意纯美，以为征诛之后，获睹揖让。而后偶取皇象石本阅之，大小行模及前后缺处若一，惟波撇小异耳。"《急就章》代表了明代章草书的最高成就，对《急就章》章草、正书二体的互释，以及文字脱佚伪误的校勘等都具有重要价值。

《急就章》藏于故宫博物院。

楷书《敬斋箴》页　明代文物。明代沈度的楷书作品。沈度（1357～1434年），字民则，号自乐，华亭（上海松江）人，明代书法家。明洪武时中举文学不就。永乐时以能书与滕用亨、陈登选入翰林，为皇帝朱棣激赏，赞为"我朝王羲之"，每日侍从御前。凡用于朝廷、藏于秘府、颁赐属国的金版玉册等，必命沈度执笔。遂由翰林典籍擢检讨，历修撰，选侍讲学士。沈度书法光洁明丽，婉转端秀，点画圆润平和，代表了明初"台阁体"的最高成就。沈度与其弟沈粲以善书闻名朝野，并称"二沈"。《敬斋箴》是南宋理学家朱熹撰写的文章，主要阐发持敬的理论。沈度于明永乐十六年（1418年）仲冬冬至临写。

《敬斋箴》为纸本，纵23.8厘米、横49.4厘米。款署"永乐十六年仲冬至日，翰林学士云间沈度书"。钤"沈民则""玉堂学

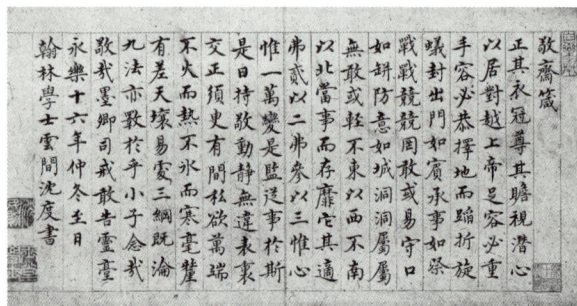

士""自乐轩"3印。鉴藏印有"秦汉十印斋藏""张吉熊印""日藻珍玩"3方。

《敬斋箴》笔力遒劲，结字匀停，行列齐整，形貌丰润淳和，端雅雍容，是"台阁体"的经典之作。

《敬斋箴》藏于故宫博物院。

草书《游七星岩诗》册页　明代文物。明代解缙的草书作品。解缙（1369～1415年），字大绅，一字缙绅，号春雨。江西吉水（江西吉水）人，明初学者、文学家。洪武二十一年（1388年）进士第，授中书庶吉士，初期甚受朱元璋爱重，后因"抗直敢言"触怒朱元璋而罢官。建文帝朱允文即位始再出仕。永乐五年（1407年），解缙被以"泄禁中语""廷试读卷不公"，谪迁广西。永乐八年（1410年），解缙入京（江苏南京）奏事，适值成祖外出，于是谒见太子而还，被以"无人臣礼"罪下诏狱，拷掠备至、受尽折磨。永乐十三年（1415年），解缙被锦衣卫活埋雪中而死，后谥文毅。著有《谢文毅公集》《春雨杂述》《解学士集》《天潢玉牒》等。解缙擅长书法，师法危素、詹希元。小楷书端庄精妍，有王羲之《黄庭经》遗意，但仍不脱台阁体的束缚，后世以行草、狂草书知名。传世墨迹有《自书诗卷》《书唐人诗》《宋赵恒殿试佚事》等。《游七星岩诗》是解缙在广西、交趾做官期间游览七星岩所赋的诗章，作于明永乐六年（1408年）。七星岩位于广西壮族自治区桂林市东七星山，岩洞深邃，钟乳凝结，瑰丽多彩，隋唐以来即为游览胜地。《游七星岩诗》经清朱之赤、安岐、乾隆朝内府、顾崧和近代潘厚、张珩等鉴藏。

《游七星岩诗》为纸本，纵23.3厘米，

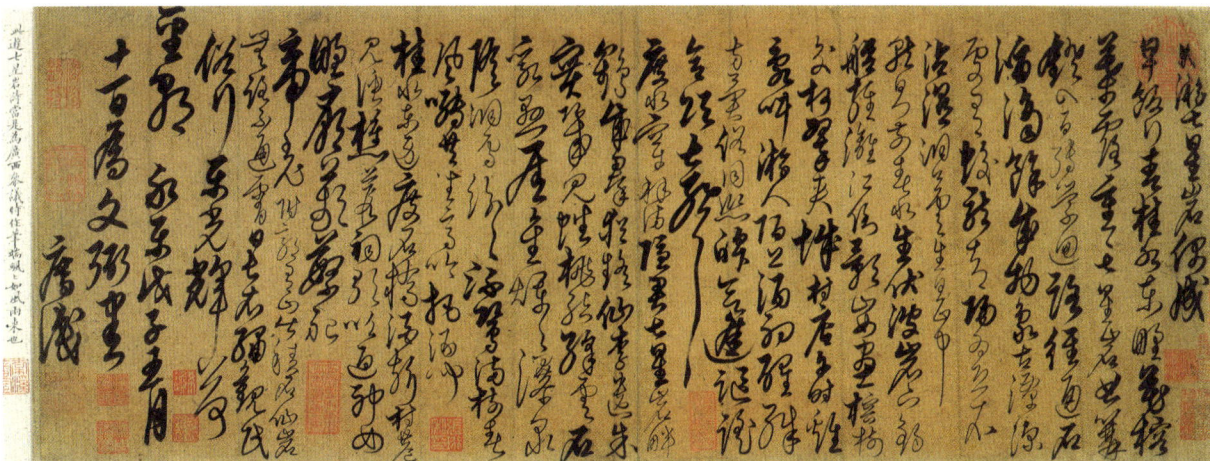

横61.3厘米，共28行284字。钤有朱之赤、安岐、乾隆朝内府、顾崧、潘厚、张珩等鉴藏印记共16方。

《游七星岩诗》行笔风格受张旭、怀素影响，兼具王羲之笔意，大势磅礴之间笔意连绵不断，粗细对比强烈，一气呵成。草书开晚明狂草先河。明何乔远《名山藏》曰："缙学书得法于危素、周伯琦。其书傲让相缀，神气自倍。"

《游七星岩诗》藏于故宫博物院。

草书《自书诗》卷 明代文物。明代解缙的草书作品。《自书诗》是解缙创作的7首诗，

作于明永乐八年（1410年）。内容均为解缙被贬之后返回南京寓居时所作。除第六首《过藤县》外，其余均见于解缙《文毅集》，其中个别诗句有出入。从卷末自识中可以看出解缙本人对此卷的作诗和书写都颇为满意，于是将这件得意之作送给了他的侄子祯期。《自书诗》经清安岐和乾隆、嘉庆、宣统三朝内府收藏。清顾复《平生壮观》、安岐《墨缘汇观》《石渠宝笈续编》、阮元《石渠随笔》等书著录。

《自书诗》为纸本，纵34.3厘米，横472厘米，共有75行389字。卷后有明王稺登跋一

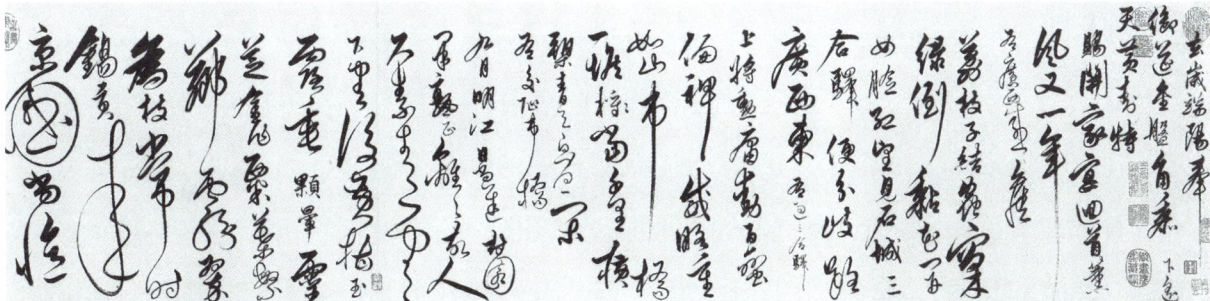

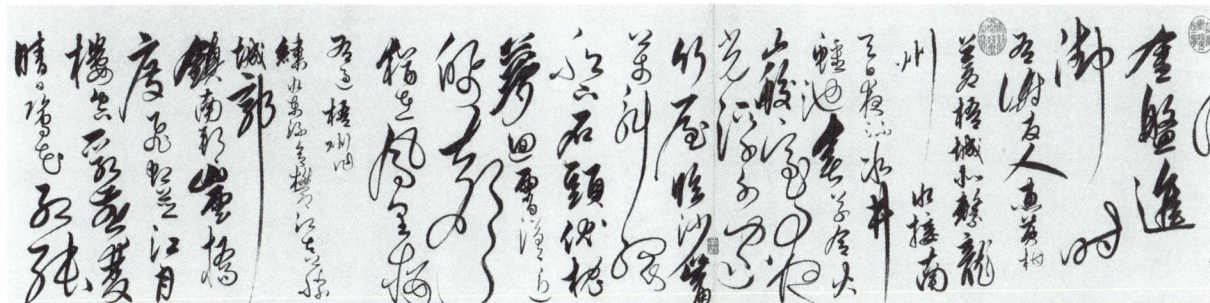

则。钤清安岐和乾隆、嘉庆、宣统三朝内府等鉴藏印共25方。

《自书诗》书法纵横超逸，奔放洒脱，有天真烂漫之态。章法经营尤见匠心，全篇一气呵成，神气自备；笔法反覆偃侧，或劲健沉着，或游丝牵掣，极尽丰富变化之致。《自书诗》是解缙书法的代表佳作。

《自书诗》藏于故宫博物院。

行草书《诗文》卷　明代文物。明代张弼的行草书作品。张弼（1425～1487年），字汝弼，号东海，晚称东海翁，松江华亭（属上海）人，明代书法家。明宪宗成化二年进士，久任兵部郎，议论无所顾忌，出为南安（江西大余）知府，律己爱物，大得民和。张弼长于诗文，草书甚佳，被评为"颠张复出"。著有《东海集》。《诗文》书写内容是自作诗和短文，作于明成化十六年庚子（1480年）六月。

《诗文》为纸本，纵29.5厘米，横589厘米。署款"成化十六年庚子六月，张弼在南安郡斋记"。款下钤"汝弼""东海翁"印。卷后有清潘正炜题记一段。鉴藏印有"潘氏季彤珍藏""李定颐收藏记""宋氏廉一长物"等诸方。

《诗文》落笔清晰，书风张弛有度，线条流畅，气势贯通而变化丰富。结字的处理和张弼的大草作品相比较，已经没有了过度夸张、

欹侧的字形，大多字都中规中矩而又错落有致。此时张弼的书法，更注重直抒胸臆，抒发情感，为其行草书的典型风貌。

《诗文》藏于故宫博物院。

草书《大头虾说》轴　明代文物。明代陈献章的草书作品。陈献章（1428～1500年），字公甫，号石斋，别号碧玉老人、玉台居士、江门渔父等，广州府新会县（广东江门）白沙里人，人称白沙先生。明代思想家、教育家、书法家、诗人。陈献章主张学贵知疑、独立思考，提倡较为自由开放的学风，开创"江门学派"。著作被后人汇编为《白沙子全集》。陈献章书法植骨于欧阳询，后习怀素草书，又参以米、苏之势，自成一体，最擅长草书。陈献章早年作书皆用毛笔，晚年则喜用茅笔，下笔挺健雄奇，时称"茅笔字"。《大头虾说》是陈献章撰写的一篇文章，借乡间俚语"大头虾"来阐述人生哲理，作于明弘治元年（1488年）。

《大头虾说》为纸本，纵158.5厘米，横69.9厘米。署款："弘治戊申秋八月望，石翁力疾书于白沙之碧玉楼。"款下钤印"石斋"。无鉴藏印。

《大头虾说》下笔顿挫力强，毫端开叉，多有飞白之笔。字迹墨色干枯，粗细变化丰富，运笔迅疾奔放、挥洒自如，并不连绵，显示出动中

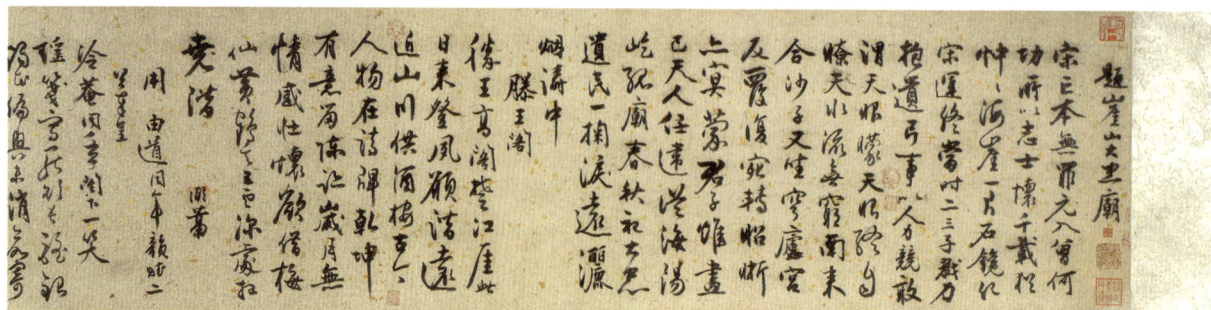

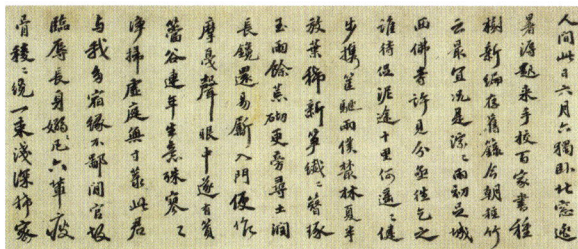

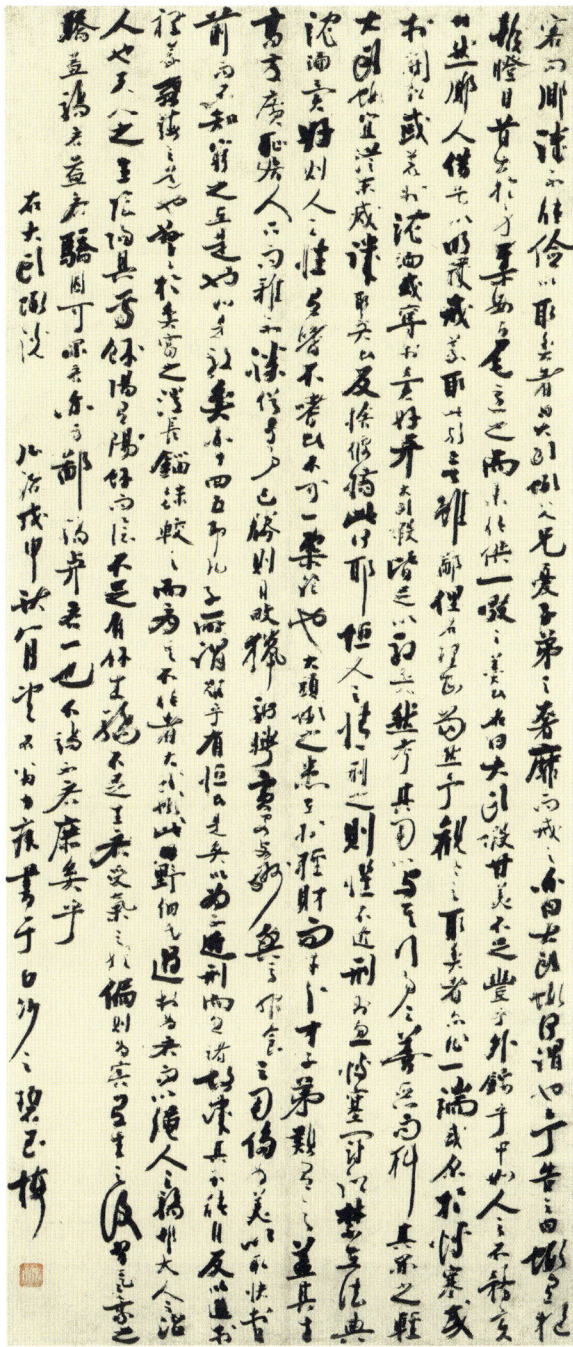

寓静、拙中藏巧的韵致，书风独树一帜。

《大头虾说》藏于故宫博物院。

行书《种竹诗》卷　明代文物。明代吴宽的行书作品。吴宽（1435～1504年），字原博，号匏庵，玉延亭主，世称匏庵先生，长洲（江苏苏州）人。明代诗人、散文家、书法家。明宪宗成化八年（1472年）会试、廷试获

第一，入翰林，授修撰。曾侍孝宗东宫，孝宗即位，迁左庶子，预修《宪宗实录》，进少詹事兼侍读学士，后又升任吏部右侍郎、礼部尚书等。官至礼部尚书时，专典诰敕修《宪宗实录》，粹然笃实，为当时馆阁巨手。吴宽善诗文书画，尤工行书。著有《匏翁家藏集》存世。《种竹诗》共收录吴宽的长篇七言古诗《种竹》及《园中竹》《次韵陈给事种竹》《雨中对竹》《故园种竹》《赋丛桂堂前矮竹》等6首诗，共1000余字。叙述了半夏时节自己由城南护国寺分竹六茎种于自家庭院之事。诗中引用了白居易和苏轼对竹子的评价。《种竹》长诗写于明弘治七年（1494年），其余五首写于明弘治十一年（1498年）。清顾文彬《过云楼书画记》著录。

《种竹诗》为纸本，纵28.2厘米，横582.6厘米，共118行。卷前有明文彭隶书引首"筠窗雅玩"。卷后有文彭、徐显卿跋。钤"吴宽""原博""延州来季子后"朱文印。后题："近稿复有此数首，公余更录归之，戊午秋在吏部右厢记。匏庵。"钤"玉延亭主"白文长方印。鉴藏印有"骏叔"朱文印、"顾麟士"白文印等。

《种竹诗》是吴宽晚年的作品，运笔生动，其字外柔内刚，有凝重厚实之风，融豪迈与细腻为一体。吴宽的书法在书画题跋上多见，但传世卷轴数量很少，此件对研究吴宽书

法具有重要的艺术价值。

《种竹诗》藏于上海博物馆。

草书《前后赤壁赋》卷　明代文物。明代祝允明的草书作品。祝允明（1461～1527年），字希哲，长洲（江苏苏州）人，自号枝山，世人称为"祝京兆"，明代著名书法家，与唐寅、文徵明、徐祯卿并称"吴中四才子"，又与文徵明、王宠同为明中期书家代表，并称"吴中三家"。祝允明擅诗文，尤工书法。楷书早年精谨，师法赵孟頫、褚遂良，并从欧、虞而直追"二王"。草书师法李邕、黄庭坚、米芾，功力深厚。代表作有《太湖诗卷》《箜篌引》《赤壁赋》等。《前后赤壁赋》曾为明汪西山、虞卿收藏。《石渠宝笈三编》著录。

《前后赤壁赋》为纸本，纵31.3厘米，横1001.7厘米。后有近人李瑞清题签，明黄省曾、文徵明、文嘉、文从简、文震亨，近代罗振玉等题跋。

《前后赤壁赋》为祝允明晚年代表作品，运笔豪纵狂放又法度严谨，行笔沉着痛快，功力深厚。

《前后赤壁赋》藏于上海博物馆。

行书《西苑诗》卷　明代文物。明代文徵明的行书作品。文徵明（1470～1559年），明代画家、书法家、文学家。初名壁，字徵明，后以字行，改字徵仲，号衡山居士。长洲（江苏苏州）人。出身仕宦之家，早年攻诗文书画，师事吴宽、李应祯、沈周等人。少时即负盛名，与祝允明、唐寅、徐祯卿并称为"吴中四才子"。绘画造诣尤深，其绘画技艺全面，山水、人物、花卉、兰竹兼能，尤以山水著称，与沈周一同奠定了吴门画派的基调。书法兼工篆、隶、楷、行、草等书体，尤精楷、行。其楷书师承晋唐各家，主要学钟繇、王羲之、王献之、虞世南、褚遂良、欧阳询，法度严谨，笔锋挺秀，书体端正，格调清俊；行、草书早年师法怀素和苏轼、黄庭坚、米芾，后融合《圣教序》和智永，自成一体。他的书法对明代后期影响也很大，学生、子弟甚多，其子文彭，学生陈淳、彭年、钱穀，以及陆师道、周天球、王穉登等人，从各种书体方面继承其法，使他的书风盛行一时。

《西苑诗》藏经纸本，乌丝栏，纵28.4厘米，横447.4厘米。书录其描写京都太液池景色的七律诗10首。后有清王澍题跋，并有"庆

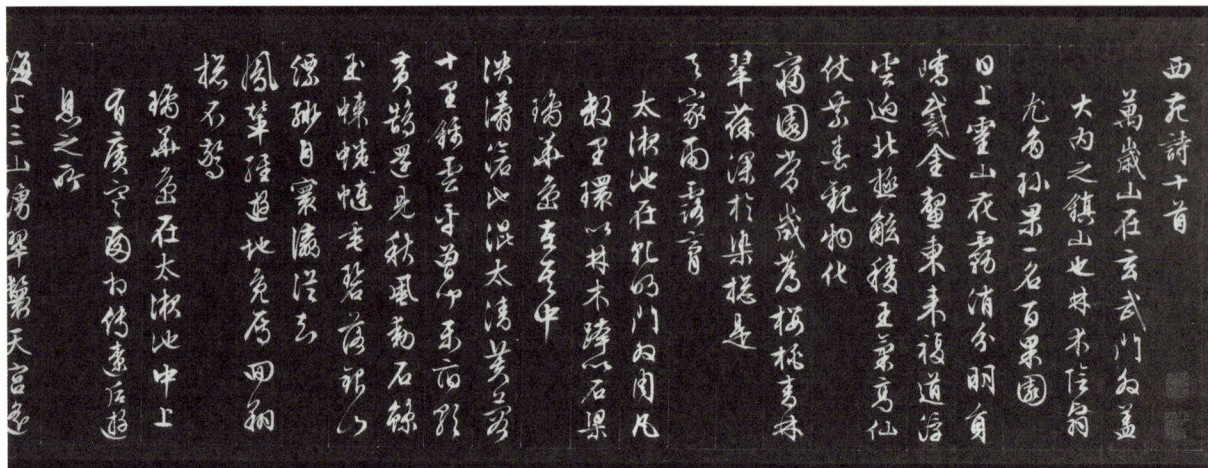

邸鉴赏书画之章"等藏印多方。

《西苑诗》变化王羲之、赵孟𫖯笔法，遒劲清媚，结体严密工整，独具一格，反映其晚年书法面貌。

《西苑诗》藏于故宫博物院。

行书《铜陵观铁船歌》卷　明代文物。明代王守仁的行书作品。王守仁（1472～1528年），初名云，更名守仁，字伯安，号阳明，绍兴府余姚县人。明代哲学家、教育家。明弘治十二年（1499年）进士，授刑部主事，任兵部主事。因病告归后于会稽山龙瑞宫旁之阳明洞讲学，创立书院，世称"阳明先生"。病愈后复职，正德时期因反对太监刘瑾遭廷杖，流放贵州。至刘瑾被诛，复官，封新建伯，世称"新建先生"。官南京兵部尚书。卒谥文成。王守仁工文章，善书法，师法王羲之。著有《王文成全书》。书法作品以行草为主，将心学融入书法，丰富了中国的书法理论。《铜陵观铁船歌》作于明正德十四年（1519年）。王守仁平定宁王朱宸濠叛乱并在铜陵献俘。在返回南都时，他由"铁船"引发出内心感慨，感叹人生道路坎坷。

《铜陵观铁船歌》为纸本，纵31.5厘米，横771.8厘米。款署："阳明山人书于铜陵舟次，时正德庚辰春分献俘还自南都。"款下印"阳明山人王伯安印"。鉴藏印有"林□周印""杜是鉴藏书画之印""杜是收藏书画""星衍""伯渊审定真迹"。

《铜陵观铁船歌》每行以三个字居多，行间疏朗，字间互不连属而又以笔势相牵。通篇字体修长，行笔快捷，劲气内敛，豪放中见沉着，遒劲中见秀丽，有米芾书法"沉着飞翥"的神韵。明徐渭曾云："古人论右军以书掩其人，新建乃不然，以人掩其书。"

《铜陵观铁船歌》藏于故宫博物院。

楷书《送陈子龄会试诗》页　明代文物。明代王宠的楷书作品。王宠（1494～1533年），字履仁、履吉，号雅宜山人，吴县（江苏苏州）人，明代书法家。王宠博学多才，工篆刻，善山水、花鸟，尤以书法名噪一时，善

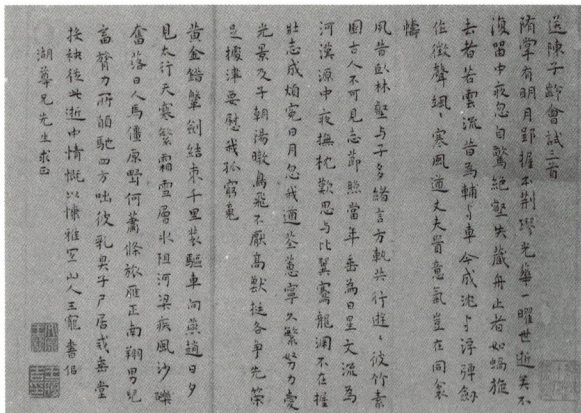

小楷，行草尤为精妙。擅长行楷书，行书主要学自阁帖，楷书得自智永、虞世南，以古拙取胜，拙中藏巧。著有《雅宜山人集》，传世书迹有《诗册》《杂诗卷》《千字文》《古诗十九首》《李白古风诗卷》等。

《送陈子龄会试诗》为纸本，纵23.2厘米，横36.3厘米，共18行。钤有"太原王宠""王履吉印"白文印2方，以及"秦汉十印斋藏""兰陵文子收藏""祥伯""辛谷经眼"等收藏印。

《送陈子龄会试诗》书法极尽"雅中藏拙"之态，笔意内敛，每一笔画均似在牵掣中运行，绝无流动率意之痕，结构亦不求平整，看似散漫不经，实则格调高迈、古拙典雅。按

王宠楷书的风格变化，《送陈子龄会试诗》为王宠晚年所书小楷中的代表作。

《送陈子龄会试诗》藏于故宫博物院。

行书《淮安府濬路马湖记》卷 明代文物。明代董其昌的行书作品。董其昌（1555～1636年），字玄宰，号思白、香光居士，松江华亭（属上海）人，明代书画家。万历十七年（1589年）进士，授翰林院编修，官至南京礼部尚书，卒后谥"文敏"。董其昌擅画山水，师法董源、巨然、黄公望、倪瓒，笔致清秀中和，恬静疏旷；用墨明洁隽朗，温敦淡荡；青绿设色，古朴典雅。以佛家禅宗喻画，倡"南北宗"论，为"华亭画派"杰出代表，兼有"颜骨赵姿"之美。其画及画论对明末清初画坛影响甚大。书法出入晋唐，自成一格，能诗文。其存世作品有《岩居图》《秋兴八景图册》《昼锦堂图》《白居易琵琶行》《草书诗册》《烟江叠嶂图跋》等。著有《画禅室随笔》《容台文集》《戏鸿堂帖》（刻帖）等。《淮安府濬路马湖记》是董其昌仿唐李邕以行书写碑的作品。经清王鸿绪、安岐、张若霭等鉴藏，乾隆年间入藏内府。清安岐《墨缘汇

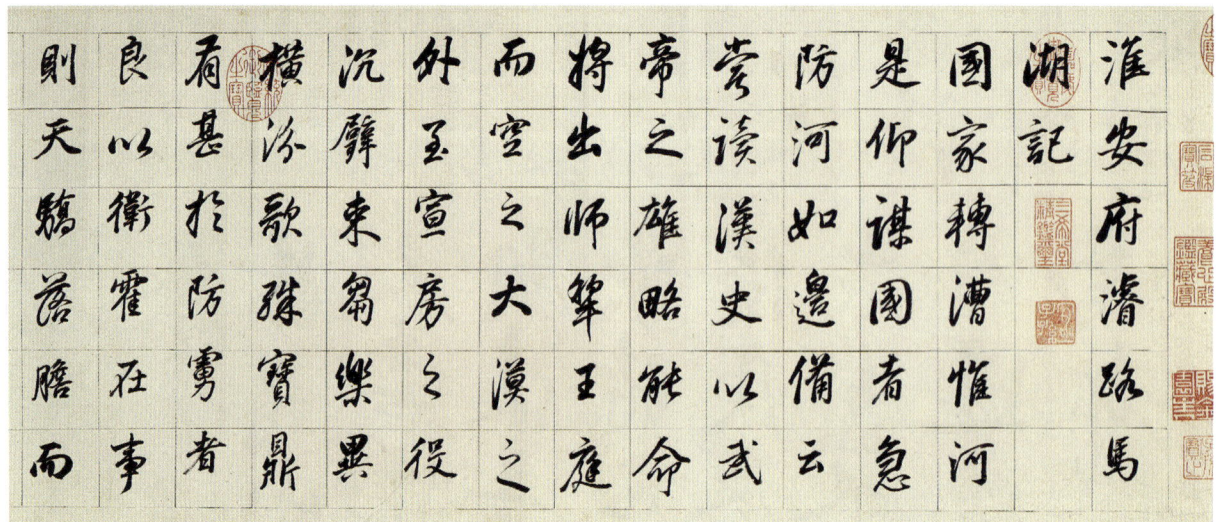

观》《石渠宝笈初编》著录。

《淮安府濬路马湖记》卷为纸本，纵29.3厘米，横607.5厘米。卷后有清沈荃题跋一则。钤有"王鸿绪印""安仪周家珍藏"及"乾隆御览之宝""石渠宝笈"等鉴藏印记。

《淮安府濬路马湖记》布字疏宕秀朗，笔法精劲而古拙，表现出对书法朴而秀、拙而自然的艺术追求，是其晚年行书碑记的代表作之一。

《淮安府濬路马湖记》藏于故宫博物院。

楷书《闰中秋诗》卷 明代文物。明代陈继儒的楷书作品。陈继儒（1558～1639年），字仲醇，号眉公、麋公，无名钓徒等。松江华亭（属上海）人，明代文学家、书画家。初以文才为官宦、名士所器重。然屡试不中，隐居小昆山。论画倡导文人画，持南北宗论，重视画家的修养，赞同书画同源。擅墨梅、山水，画梅多册页小幅。著有《陈眉公全集》传世。《明史》有传。《闰中秋诗》是陈继儒创作的六首七言律诗，作于明崇祯七年（1634年）闰中秋。1954年，由樊尔乾捐赠于中国历史博物馆。《陈眉公全集》著录。

《闰中秋诗》为绫本，纵25.5厘米，横251.6厘米。卷后钤"陈继儒印""麋公"二印。

《闰中秋诗》卷布局疏朗，笔画多有变化，用笔流畅，有飞白效果，为陈继儒的晚年佳作。

《闰中秋诗》藏于中国国家博物馆。

真草书《草诀百韵歌》册 明代文物。明代韩道亨的真草书作品。韩道亨，字颖泉，主要活动在明万历年间。韩道亨能诗善书，以行草为主，师法二王。万历四十一年（1613年）撰成《草诀百韵歌》。《草诀百韵歌》是中国古代一本重要的草书歌诀，把比较通行的草字集中起来，找出它的结体和行笔中的某些规律，编成五字一句的韵文，有正楷作对照，以便于记忆。《草诀百韵歌》是学草书的重要门径，最早见于北宋，伪托王羲之之名。

《草诀百韵歌》为纸本，纵28.7厘米，横193.8厘米。字的体态、笔顺与北宋版本多有不同。北宋版本的末尾四句是"意到形须似，体完神亦全，斯能透肝腹，落笔自通玄"；韩道亨所书结句则为"习观羲献迹，免使墨池浑"。

《草诀百韵歌》是韩道亨的代表作，被视

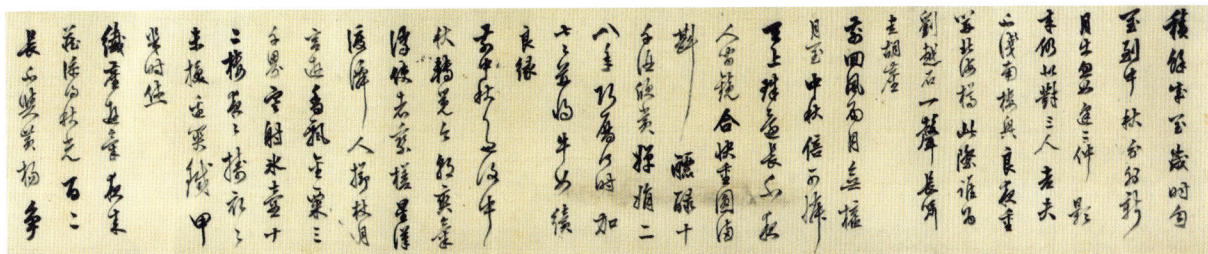

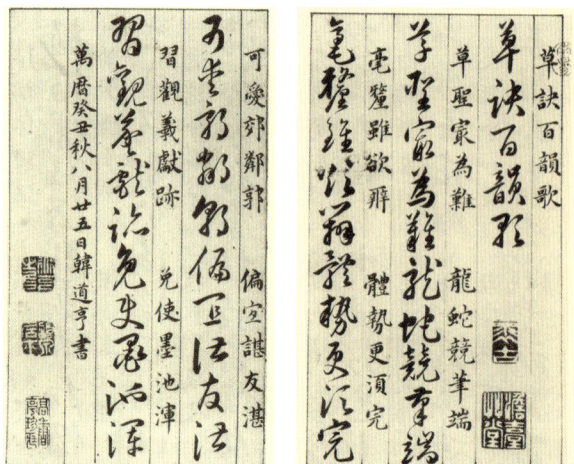

为行草书入门学习教材，广为流传。

《草诀百韵歌》藏于故宫博物院。

楷书《张溥墓志铭》卷　明代文物。明代黄道周的楷书作品。黄道周（1585～1646年），字幼玄（或幼平），又字螭若，螭平，号石斋，漳浦铜山（福建漳州东山）人。明末著名学者、书画家、爱国名臣。明天启二年（1622年）进士，官至礼部尚书，南都亡，唐王任以武英殿大学士，谥忠烈。黄道周通天文、理数诸书。工书善画，诗文、隶草皆自成一家。书法擅长楷书、行书和草书。世人尊称之"黄圣人""石斋先生"。著作甚丰，有《儒行集传》《石斋集》《易象正义》《春秋揆》《孝经集传》等。此篇是黄道周为张溥撰写的墓志铭。"弘光"为南明福王朱由崧的年号，"弘光元年"相当于清顺治二年（1645年）。张溥（1602～1641年），字乾度，一字

天如，号西铭，南直隶苏州府太仓州（江苏太仓）人，明代晚期文学家。著有《七录斋集》《五人墓碑记》。

《张溥墓志铭》为纸本，纵28.7厘米，横193.8厘米。款署："弘光元年龙飞春三月朔日。赐进士出身，光禄大夫、太子太保协理、詹事府事、礼部尚书兼翰林院学士、前吏部左右侍郎、正詹事兼翰林院侍读学士、充经筵日讲官纂修实录玉牒，通家侍生漳海黄道周顿首撰识。"钤"黄道周印""石斋""亦号赤松子""何如黄石公"等印，引首钤"明诚堂"椭圆印。卷前有何绍基楷书引首："石斋先生选书张天如墓志铭。"卷后有周永年、梁章钜、何绍基题跋，钤高士奇、梁章钜、钱大昕、罗振玉等鉴藏印。

《张溥墓志铭》字体方整略扁，用笔挺拔遒劲，风格清新刚健，为黄道周晚年的书法杰作。

《张溥墓志铭》藏于故宫博物院。

草书《录语》轴　明代文物。明代王铎的草书作品。王铎（1592～1652年），字觉斯、觉之，号十樵，一号嵩樵。河南孟津人，明末清初书法家。明天启二年（1622年）进士，官至翰林院编修、少詹事，充经筵讲官。明亡入清，官至大学士，卒谥文安。明末书坛受董其昌书法影响追求俊骨逸韵。王铎、倪元璐、黄道周等人反其道而行，以"敏而好古"为

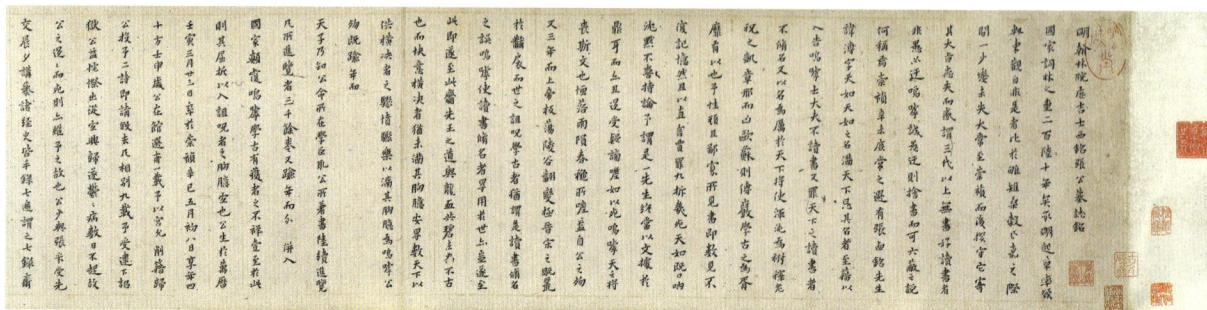

标帜，追求雄强、激烈的风格和对动荡内心生活的表现。王铎行草从王羲之、王献之，正书法钟繇，均有很高成就。代表作有《拟山园帖》《琅华馆帖》等。

《录语》为绫本，纵254.2厘米，横48.2厘米。作于明崇祯十三年（1640年）。末款："庚辰夏宵奉，王铎。"下钤"崝嵘王铎""大宗伯印"。上款已为人裁去。

《录语》笔墨饱满，行笔洒脱，属于王铎风格初成时期作品。

《录语》藏于故宫博物院。

草书《孟浩然诗》卷 清代文物。清代傅山的草书作品。傅山（1607～1684年），字青主，别字公它，名号甚多，阳曲（山西太原）人，明末清初著名的思想家、书法家、学者、医学家。清康熙十七年（1678年）荐博学鸿词不就。著有《霜红龛集》《荀子评注》。《清史稿》列传二百八十八有传。《孟浩然诗》是傅山为张钺抄写的唐代诗人孟浩然《与诸子登岘山》等18首诗。张钺，字有虔，号毅亭，直隶保定府清苑县（属河北）人，乾隆三至六年（1738～1741年）、乾隆八至十二年（1743～1747年）两任郑州知州。

《孟浩然诗》为纸本，纵28.2厘米，横394.8厘米，共114行。款署"张山人钺持此纸要书，雪中惜研上余墨，孟诗十八首与之。山"，下钤"傅山私印"。

《孟浩然诗》落笔纵横，气势磅礴跌宕，笔力雄奇，字与字间不相连属，结字真率，笔意相连不断。在书法艺术方面，傅山追求独特、倔强的意趣。《孟浩然诗》被视为傅山草书中的上乘佳作，体现了他"宁拙毋巧，宁丑毋媚，宁支离毋轻滑，宁真率毋安排"的书法美学思想，代表了傅山中晚期行草书的最高艺术水平。

《孟浩然诗》藏于故宫博物院。

行草书《手札十三通》卷 清代文物。《手札十三通》又名《十三札册》，清代朱耷的行草书作品。朱耷（1626～1705年），江西南昌府人。清代画家，清初四僧之一。明宗室后裔，朱元璋十七子宁献王朱权的九世孙。清顺治五年（1648年）落发为僧，法名传綮，字刃庵；康熙五年（1666年），取号雪个；后又有个山、驴汉、驴屋驴、人屋等号。康熙二十三年（1684年），始号"八大山

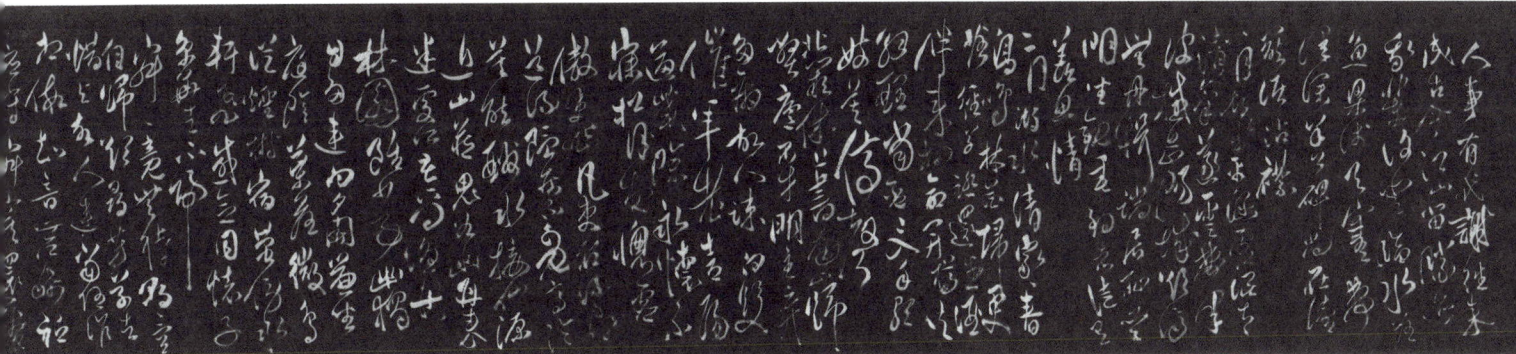

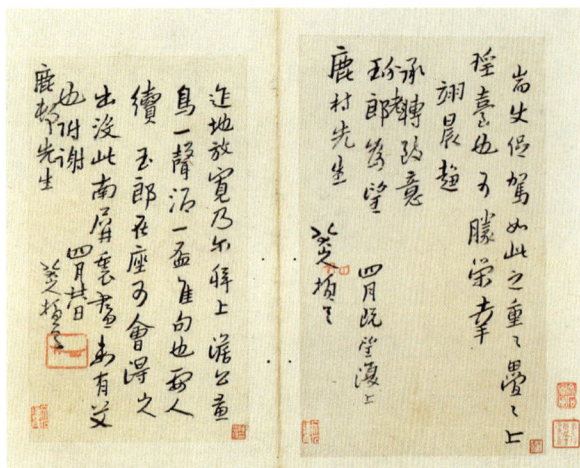

人"，直至去世，以前字号皆弃而不用。朱耷有许多奇特的画押，如"三月十九日""个相如吃""添鸥鹚""拾得""何园"，寓意较深。朱耷兼善诗、书、画。诗作古怪而幽涩，充满神秘性和讽刺性。书法源于王羲之、王献之、颜真卿、王宠、董其昌等人，而能以秃笔传达出傲岸不驯的情态和流畅秀健的风神。绘画最负盛名，擅长花鸟、山水，其阔笔写意花鸟画，以象征寓意的手法、夸张奇特的形象、简朴豪放的笔墨、孤傲雄奇的风貌，而自创一格，给后世以深远的影响。《手札十三通》是朱耷撰写的十三通信札，札中所述多为友人间奉画、饮宴之约，借钱、谢赠等事。

《手札十三通》为纸本，纵24.6厘米，横13.1厘米不等，共七开一跋。每札均有作者题名"八大山人"，大部分钤有"八大山人"印，其中第四札钤"八还"印，第五札钤"十得"印，第十札钤"遥属"印。有六通上款"鹿村先生"，六通"西翁"，一通致"僧舍方丈"。第四札裱边有游悔庐主人题诗一首。末开附清李葆恂题识四则。钤"李文石""臣葆恂印""文石""葆恂""文石父"等印多方。

《手札十三通》挥洒自如，行草相间，无拘滞之感，是朱耷晚年书法佳作。由于是致友人的书信，信中可以窥见八大山人的生活侧面，具有重要的文献价值，在书法艺术方面也同样具有很高的艺术价值。

《手札十三通》藏于故宫博物院。

楷书《七言诗》册 清代文物。清代刘墉的楷书作品。刘墉（1720～1804年），字崇如，号石庵、青原、日观峰道人等，山东诸城人。清代政治家，书法家。乾隆十六年（1751年）进士，授翰林院编修，后升翰林院侍讲。不久因受父亲连累，夺官下狱。事解后，历任吏、礼、兵部尚书。嘉庆二年（1797年）授体仁阁大学士，卒后赠太子太保，谥文清。刘墉书法初从赵孟頫、董其昌入手，又喜好苏轼笔意，曾潜心研习《阁帖》，对唐、宋诸家并六朝碑版无不临习。擅长楷书、行书，喜用硬笔短毫，书法丰腴淳厚、落落大度。著有《刘文清诗集》。《七言诗》收录多首临写抒情长诗，作于清嘉庆元年（1796年）。

《七言诗》为纸本，纵11.8厘米，横6.9厘米。末识"丙辰秋有九月重阳二日书于久安室"，署款"东武石庵"。下钤"刘墉""石庵"印2方。后附清邵松年跋二段。首页裱边钤"子固之印"1方。末页钤"昆""虔"联珠印。

《七言诗》朴实沉厚，结体圆整，有魏、晋人遗韵。《七言诗》吸收北碑书风特点，在圆润遒媚的书法风格中融入方硬刚健的笔法，是刘墉晚年小楷的佳作。邵松年在题跋中称："锋发韵流，有一泻千里之势，而结体圆整，动中规矩。"

《七言诗》藏于故宫博物院。

楷书《沧海日、少陵诗》长联　清代文物。清代邓石如的楷书作品。邓石如（1743～1805年），初名琰，字石如，为避嘉庆帝讳，遂以字行，后更字顽伯，号笈游道人、完白山人、凤水渔长、龙山樵长，安徽怀宁人。清中期著名篆刻家，有"邓派"之称。著有《完白山人篆刻偶存》。《沧海日、少陵诗》为龙门式对联，作于清嘉庆元年（1796

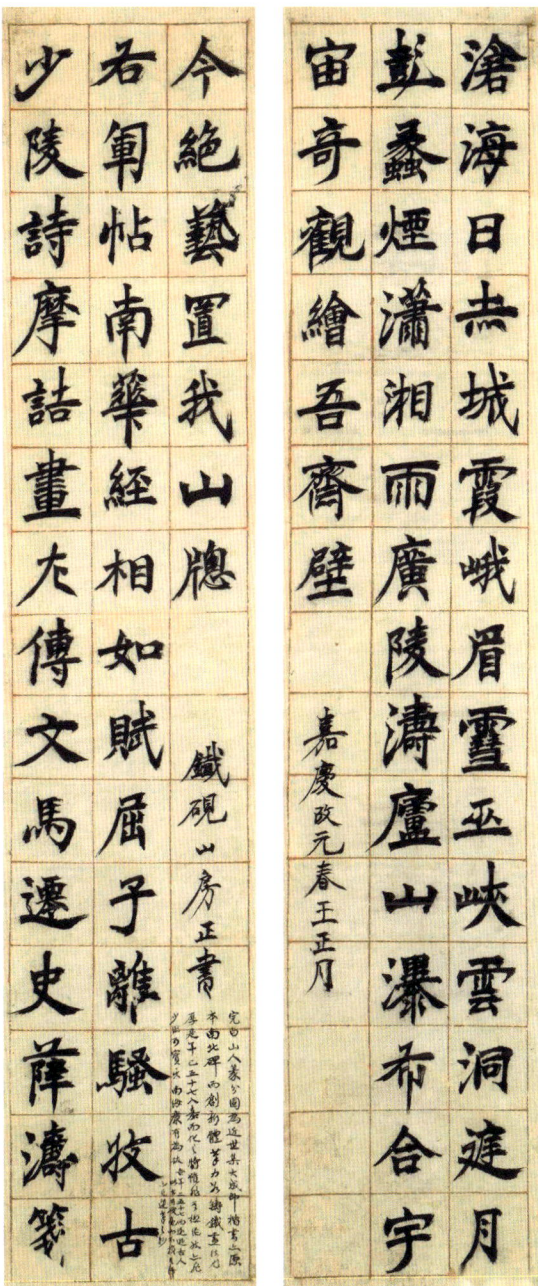

年）。这副对联最早是明代诗人李东阳所创的《题书斋联》。长联用三言句式，上联以天象地理写宇宙景观，下联列敬慕的先贤及其事迹，内容丰富，气势恢宏，表达出天人合一、物华天宝的超脱境界。

《沧海日、少陵诗》为纸本，每幅纵137.2厘米，横28.3厘米。末款识"铁砚山房正书"。下联右下有清康有为跋一段。

《沧海日、少陵诗》取法魏碑，以篆隶笔法入楷，多用方笔，运笔浑厚，风格苍古，体现出邓石如深厚的碑学基础。以邓石如为代表的北碑学派通过广泛地吸收传统营养，融会贯通，为囿于帖学中的楷、行、草书开辟了新的书学路径。

《沧海日、少陵诗》藏于故宫博物院。

行书《五言联》　清代文物。清代伊秉绶的行书作品。伊秉绶（1754～1815年），字组似，号墨卿，晚号默庵，福建汀州府宁化县（福建三明）人，清代书法家。乾隆四十四年（1779年）举人，乾隆五十四年（1789年）进士，历任刑部主事，后迁员外郎。清嘉庆十年（1805年）任扬州太守。伊秉绶为官清廉，勤政爱民，擅绘画、治印，尤精篆隶，风格放纵飘逸，自成高古博大气象，有诗集传世。

《五言联》为纸本，纵125厘米，横31厘米。作于清嘉庆十二年（1807年）。"改诗眠未稳，怀古坐应枯"，为芸野三兄所作，款署"嘉庆丁卯初秋汀州伊秉绶"。钤"墨卿"朱文印、"伊秉绶印"朱文印，引首印"宴坐"白文印。

《五言联》运笔全用中锋，无论大字、小字皆点画瘦劲，不露圭角，与其隶书方正又形成鲜明对照。通篇章法疏朗，体式宽博，是伊秉绶书法成熟面貌的体现。

《五言联》藏于故宫博物院。

篆书《铙歌》册 清代文物。清代赵之谦的篆书作品。赵之谦（1829～1884年），字益甫，号㧑叔，别字悲盦、铁三、无闷等，会稽（浙江绍兴）人。清代书法家、画家、篆刻家。赵之谦幼喜作字，读书过目成诵。曾以书画为生，又为塾师。咸丰九年（1859年）举人，官江西鄱阳、奉新知县。卒于任所。赵之谦书法早期学颜真卿，后取法六朝碑刻，对《张猛龙碑》《郑文公碑》《龙门造像》《石门铭》等十分推崇。他将北魏碑刻、墓志写得婉转圆通，自成一格，被称为"魏底颜面"。篆书受到清邓石如影响，但能掺以北魏书法笔意，颇具姿态。《铙歌》是为习书弟子所书的范本，共录"上之回""上陵""远如期"三

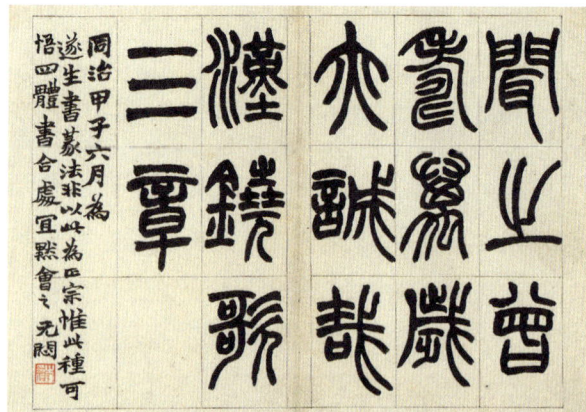

章，作于清同治三年（1864年）。

《铙歌》为纸本，12开，纵32.5厘米，横36.8厘米，共74行，每行3字。下钤"之谦印信"印。

《铙歌》用汉篆法，又有隶书笔法融会其中，书法结体略长，中锋用笔，沉实厚重，气质内敛，起笔处多方折，具有魏碑笔意，为赵之谦篆书代表作之一。

《铙歌》藏于故宫博物院。

第二节 绘画

《人物龙凤图》 战国文物。1949年2月，湖南省长沙市陈家大山楚墓出土，后被蔡季襄收藏。他在《晚周帛画冢的报告》和《关于晚周帛画冢的补充说明》两篇文稿中记录了当时的收藏经过，并首次提出"帛画"的定名。1949年，蔡季襄将《人物龙凤图》交予湖南省文管会，后转藏湖南省博物馆。1951年，郑振铎的《伟大的艺术传统图录》中首次著录并公布其图像。陆式熏、李正光先后绘制摹本。1954年，北京历史博物馆举办"楚文物展览"，《人物龙凤图》帛画首次公开展示。

《人物龙凤图》为丝质，墨笔，纵31厘

米，横22.5厘米。画面分为上下两层：上层为龙与凤，龙有双角，绘一足，曲身作飞升势，凤昂首引颈，振翅踏空；下层绘一贵族女子，是墓主形象。女子头上有高髻，身着宽袖上衣，长裙曳地，双手合掌，侧身站立；她身下有一不完整的新月形物，可能为摆渡女子灵魂的小舟。人物线条细劲有力，结构简洁，主次分明。《人物龙凤图》帛画的功能，应为在葬礼中使用的"魂幡"。

《人物龙凤图》又名《人物夔凤图》，是20世纪80年代前发现的两件帛书画之一，对于中国美术的史研究具有重要意义。该图表明，传统绘画以线作为造型的基本手段，在战国时期已经形成。陈家大山楚墓的年代为战国中期偏早，这件帛画的年代也早于《人物御龙图》，其精神意义包含楚文化中的引魂升天的丧葬观念。

《人物龙凤图》藏于湖南省博物馆。

《人物御龙图》 战国文物。1973年5月，湖南省长沙市东郊子弹库纸源冲一号楚墓出土。子弹库楚墓是战国中晚期木椁墓，墓主身份相当于士大夫。

《人物御龙图》为绢质，纵37.5厘米，横28厘米，位于椁盖下的隔板上，正向放置。画面上方为加饰飘带的华盖，中央为一从侧方表现的男子，身形修长，神情自若，着深衣，腰

佩长剑，手执缰绳，驾驭一造型似舟的巨龙。人物右侧是鹳、鹭一类的水鸟。画面左下角绘有一尾鲤鱼。华盖、龙、水鸟形成一个几乎封闭的空间，突出驭手的形象。人物略施色彩，龙、水鸟、华盖多用白描。

《人物御龙图》是中国第一件科学发掘出土的楚帛画。画中人物比例准确，使用单线勾勒和平涂渲染兼用的画法，技巧已趋成熟。画中使用金白粉彩，是所发现最早使用这一画法的作品。画中的龙、鱼等，是楚人重要的信仰形象，是将灵魂引向更高维度世界的灵物，在《楚辞》等文献中有记载。在发现画的同时，画上端还有用于悬挂的细竹条和丝绳，代表帛画是墓葬仪式的重要道具，作为用于引魂升天的铭旌，使用后一并随葬。

《人物御龙图》藏于湖南省博物馆。

马王堆一号墓T形彩绘帛画　西汉文物。1972年，湖南省长沙市马王堆汉墓群一号墓出土。马王堆汉墓群是西汉初期轪侯家族墓地，其中一号墓的墓主是轪侯利苍的妻子辛追。帛画出土后，由胡继高等人谨慎起取，运抵湖南省博物馆，后经过上海博物馆窦治荣等精心修复装裱完成。

马王堆一号墓T形彩绘帛画为绢本，彩绘，通长205厘米，顶宽92厘米，末端宽47.7厘米。帛画向上铺在内棺盖板上，顶端有用以张举悬挂的竹竿、丝带和玳瑁璧，四角有长20厘米的丝绦。整幅帛画上宽下窄，展现整个宇宙的面貌。上部描绘死后的天国，以日月、蛇身神仙为主要形象，中央是一对应龙，双龙之间有衔索悬钟的怪兽，下面是一对门柱，有守门神作接引状。中段是墓主辛追在人间的缩影。相背的穿璧双龙装饰中间，有一位拄杖妇人，身着云纹长裙袍，正接受侍者的供奉。图上妇人身形明显大于侍者，是辛追步入老年的形象。人物上方有一顶华盖。下部表现为宴饮或祭祀做准备的场景。帷帐之下，地神托举的平台上，有7名男子正在处理食具。在整幅帛画的底部，地神踏在一对交尾的鳌鱼上，周围还有大龟、鸱鸮等。

马王堆一号墓T形彩绘帛画是一件保存完好、内容丰富的巨作。画中人物精细、纹饰繁复，显示制作者成熟的思路、技巧与匠心。帛画的使用方式和背后的意义广受学界关注。从早先学者认为帛画的作用是"引魂升天"，如《人物御龙图》《人物龙凤图》，至20世纪80年代，学者提出的更符合汉人生死观的"魂魄归位"说，T形帛画为后者提供了佐证。

马王堆一号墓T形彩绘帛画藏于湖南省博物馆。

马王堆三号墓T形彩绘帛画 西汉文物。1974年，湖南省长沙市马王堆汉墓群三号墓出土。据考证，墓主人是利苍之子，墓葬年代为公元前168年。

马王堆三号墓T形彩绘帛画为绢本，彩绘，通长233厘米，顶宽141厘米，末端宽50厘米。帛画用三条绢帛拼接而成，呈上宽下窄的T形，上下六角各缀有一黑褐色细麻线织成的穗形飘带。帛画内容分为三个部分：上部是帛画横向拼幅的部分，绘有日、月、星辰、升龙、凤、蛇身神人及神人骑鱼等图像，象征天上的境界；下部两侧绘有两龙交缠谷璧，上下分别有墓主人形象以及人间筹备宴飨的场面，以及赤身巨人、大鳌等幻想形象。在帛画上下两部分交界的地方，有把守天门的"帝阍"迎

接亡者的灵魂。画面以朱红、土红、暖褐为基调，辅以石青、藤黄、白粉等，用色丰富。着色方法主要是勾线后平涂，部分使用渲染，少量形象直接用色彩画成。

马王堆三号墓T形彩绘帛画是一件保存完好、内容丰富的巨作，与一号墓帛画的内容和形式基本相同。帛画的图像体系经过精心安排，形象繁复但有合理的阅读性，反映出西汉早期的生死观与宇宙观。

马王堆三号墓T形彩绘帛画藏于湖南省博物馆。

《洛神赋图》卷 东晋文物。顾恺之（348～409年），字长康，小字虎头，晋陵无锡人，曾为桓温及殷仲堪参军。顾恺之擅长绘画，

与曹不兴、陆探微、张僧繇合称"六朝四大家"。顾恺之提出的"迁想妙得""以形写神"以及"六法",为中国传统绘画的发展奠定基础。传记详见《晋书》本传、《历代名画记》等书。《洛神赋图》取材于三国魏曹植作《洛神赋》,系连续性的神话故事画。洛神,即洛水的女神洛嫔。唐代李善在《文选》注中引如淳说:伏羲之女称宓妃,因渡水淹死,成为女神。宓妃之名,亦见于战国楚屈原《离骚》。但李善又引旧说,以为曹植的《洛神赋》,系感念甄后而作,实为附会。南朝宋谢灵运《江妃赋》中有"招魂定情,洛神清思"之句。故宫博物院、辽宁省博物馆和美国弗利尔美术馆均藏有顾恺之《洛神赋图》卷,皆宋人摹本,历代画家还多有绘制。学者研究主要以故宫博物院馆藏摹本为例,此卷在一定程度上保留了顾恺之艺术的若干特点,画风仍存六朝遗韵,是保存较好也最接近于原貌的一件。

《洛神赋图》为绢本,设色,纵25.8厘米,横572.8厘米。内容包括暂息、相遇、遨游、辞别、依恋等情节。"暂息"描绘曹植在洛水畔停歇时的情形。作者着力刻画三匹呈现不同情状的马:一马卸套暂获自由,猛然就地滚尘,惊得驭手慌忙侧身躲让;一马引颈回望;一马俯首啮草。"相遇"描绘曹植与洛神的相遇。洛水之上,洛神衣带飘逸、从容凌波而来。柳岸边,曹植身体微微前倾,伸出双手挡住众随从,目光灼灼地注视前方水面上飘然而至的洛神。"遨游"描绘洛神与诸神仙嬉戏,风神收风,河神抚平水波,水神鸣鼓,女娲起舞,洛神在空中、山间、水中若隐若现,舒袖歌舞。通过对洛神与众神仙欢聚热闹的场面刻画,为洛神与曹植即将分离做了铺垫,衬托出女神无奈和矛盾的内心状态。"辞别"是故事情节的高潮。画面展现洛神离去时的情景,场面宏大,气势非凡。洛神乘六龙驾驶云车,向远方驶去,鲸鲵从水底涌起围绕车的左右,六龙、文鱼及鲸在云气中飞驰,生动奔放。岸边,曹植在众随从的扶持下目送洛神渐渐远去。洛神也回首岸上的曹植，眼神中流露出深切的依恋与不舍。画面充满无法相守的悲伤气氛和眷恋之情。最后一部分描绘洛神离去，曹植乘轻舟溯流而上追赶云车。直到随从们驱车上路，曹植仍然不断回头张望。《洛神赋图》卷尾所绘曹植驾车登程、回首寻望洛神的情景，采用俯视角度，开阔视野。

《洛神赋图》的构图采用连续多幅画面表现一个完整情节的手法。作者巧妙地利用山石、林木、河水等背景，将画面分隔成不同情节，主要人物随着赋中内容的铺陈重复出现，将时间和空间打成一片，使画面既分隔又相连接，首尾呼应，和谐统一，虽然情节不同，却没有画面分割的突兀之感。《洛神赋图》的整体布局不仅在形象的安排上基本摆脱前代的"稚拙"，做到疏密有致、迂回曲折，而且还通过对画面复杂气氛的营造，极大地增强作品的感染力。画面中的山石树木风格古拙，结构简单，状物扁平。没有运用皴擦，只是在坡脚岸边施以泥金，以展现近实远虚的空间关系。山石主要依靠线的变化来表现不同的面，依靠层次来表现不同的山峦变化，利用俯视的角度来表现纵横的山川，是后来山水画的基本表现技法。

《洛神赋图》充分反映魏晋时代画风特点。

画中人物表情较呆板，则是宋人摹本的特征。

《洛神赋图》藏于故宫博物院。

《列女仁智图》　　东晋文物。《列女仁智图》根据西汉刘向所著《古列女传》人物故事而创作，内容是颂扬与标榜妇女的明智美德。汉成帝沉湎于酒色，宠信赵飞燕姐妹，朝政大权旁落于外戚手中，危及刘氏政权。楚元王四世孙光禄大夫刘向（公元前77～前6年）针对这一情况，采摘自古以来诗书上所记载的贤妃、贞妇、宠姬等资料，编辑成《列女传》一书呈送汉成帝，希望他从中吸取经验教训，以维护刘氏政权。据《汉书》记载，刘向在向汉成帝呈送《列女传》的同时，还呈送《列女颂图》，并画为屏风。据图中保存有较多的汉代风俗，以及其构图形式的古朴，推测此卷原应出自东汉时期，而祖本则为刘向《列女图》一书所创。画史并载蔡邕曾创作有《小列女图》。《列女传》及《列女仁智图》在宋代有多本。清孙承泽《庚子销夏记》《石渠宝笈初编》著录。

《列女仁智图》为绢本，墨笔淡设色，纵25.8厘米，横471.8厘米。有元汪注，明叶隆礼、无名氏、王铎题记。全图按妇女的封建行为道德准则和给国家带来的治、乱后果，分为母仪、贤明、仁智、贞顺、节义、辩通、孽

璧7卷，此即其中"仁智卷"部分，共有15个列女故事。"楚武邓曼""许穆夫人""曹僖负羁妻""孙叔敖母""晋伯宗妻""卫灵公夫人""晋羊叔姬"7个故事保存完整。"齐灵仲子""晋范氏母""鲁漆室女"3个故事只存一半，其余5个故事则全丢失。后人错将"鲁漆室女"的右半与"晋范氏母"的左半拼接在一起，使人误以为是一个故事。画中人物线条粗犷流畅，特别是对妇女的描绘尤为绝妙。男子头戴进贤冠，身着曲线大袖袍，腰结绶带并佩挂长剑；女子体态轻盈，婀娜多姿，梳垂髻髻，身着深衣，眉毛涂以朱色，是模仿赵昭仪的新妆，展现当时的风俗与时尚。画中有蘧伯玉乘坐的马车"轺车"，为汉代形制，与汉代画像石、砖和壁画的图像相一致。

《列女图》的大量出现是为了在社会上广泛推行妇女的道德教育，借以维护封建秩序。此卷保留的题记、著录，是唯一传世的版本，尤为珍贵。

《列女仁智图》藏于故宫博物院。

《游春图》卷　隋代文物。隋代展子虔的山水画作品。展子虔（约550～604年），渤海人（山东惠民，一说河北河间），隋代画家，经历北齐、北周、隋，隋时曾任朝散大夫、帐内都督。展子虔善画佛道人物、车马、楼阁、山水、翎毛等，尤以画山水闻名。《游春图》北宋时被收入内府，历经北宋徽宗赵佶、南宋贾似道、元代鲁国大长公主收藏，明时被严嵩据有，清时再度入宫。1924年，《游春图》被溥仪带出宫，后辗转张伯驹手中，后归故宫博物院收藏。南宋周密《云烟过眼录》，明文嘉《严氏书画记》、詹景凤《东图玄览》、张丑《清河书画舫》，清安岐《墨缘汇观》《石渠宝笈续编》等书著录。

《游春图》为绢本，青绿设色，纵43厘米，横80.5厘米。《游春图》以全景方式描绘广阔的山水场景。画面右上部主要展现山峦。右下方绘有山间小径，画左侧绘有一处低矮的小山丘，与右侧上方的崇山峻岭遥遥相对。画面中间有大片江河，形成一道波光粼粼的天

堑，与湖水、天空融会一起。除山水树石外，还杂以楼阁、院落、桥梁、舟楫，并点缀踏春赏玩的人物车马，展现出一幅杏桃绽开、绿草如茵、水波粼粼的春日景象。《游春图》以细笔勾勒轮廓，再施以青绿色以及其他明丽的色彩，使得画面"细密精致而臻丽"。山石树木的线条不刻意使用粗细、明暗的变化，也不添加皴折，着意于塑造古朴苍劲、俊朗豪迈的形象。人物描绘重视细节，神情各有特色，衣着外观飘逸流畅。《游春图》还运用"点花"的方法，用粉点点在枝芽上，形成芽苞初放的形象，在人物上也使用点染方法，细小如豆的人马均形态毕现。《游春图》在设色上运用青绿重彩法，工细巧整。画面右上部分运用青绿着色，展现初春山林间盎然的生机。右下部分表现山间小路时使用泥金来表现，展现山林中春寒未退的山色。两类用色使整个画面的表现力更加丰富。《游春图》在敷色上运用各种晕染方法，使不同对象在色彩表达上显得统一而完善。描绘松树时，并没有细勾松针，而是整体施以深绿色。表现其他花木时，又运用桃红色、白粉色来展现，形成单纯而丰富、古朴而艳丽的形象特点。

《游春图》是中国山水画发展历史中承上启下的代表作品，结束了山水画技法上"人大于山、水不容泛"的稚拙状态。《游春图》的绘画方法对唐代山水画有深远影响。

《游春图》藏于故宫博物院。

《步辇图》卷 唐代文物。阎立本（601～673年），雍州万年（陕西西安）人，唐代政治家、画家。画家阎毗之子，阎立德之弟。曾任刑部侍郎、工部尚书，总章元年（668年）为右丞相。阎立本擅长书画，作画所取题材广泛，包括宗教人物、车马、山水，尤其善画人物肖像。代表作有《步辇图》《历代帝王图》《贡职图》《萧翼赚兰亭图》。《步辇图》以贞观十五年（641年）吐蕃首领松赞干布与文成公主联姻的历史事件为题材，描绘唐太宗接见来迎娶文成公主的吐蕃使臣禄东赞的情景。

《步辇图》为绢本，设色，纵38.5厘米，横129厘米。幅上有宋初章友直小篆书有关故事，还录有唐李道志、李德裕"重装背"时题记两行。图中不设背景，结构自右向左。右半部分是在宫女簇拥下坐在步辇中的唐太宗，左

侧三人前为典礼官，中为禄东赞，后为通译者。唐太宗面目俊朗，目光深邃，神情庄重，充分展现出盛唐一代明君的风范与威仪。宫女们娇小、稚嫩，或执扇或抬辇，或侧或正，或趋或行。禄东赞诚挚谦恭、持重有礼。《步辇图》设色典雅绚丽，大面积红绿色块交错安排，具有鲜明的视觉效果。《步辇图》绘画技巧纯熟，线条流畅圆劲，构图错落富有变化。图中衣纹、器物的勾勒墨线圆转流畅，时带坚韧，畅而不滑，顿而不滞。主要人物的神情举止栩栩如生。图像局部配以晕染，如靴筒的折褶等处，显得极具立体感。

《步辇图》为唐代绘画的代表性作品，具有珍贵的历史和艺术价值。《步辇图》所绘场景是汉藏民族友好情谊的历史见证。

《步辇图》藏于故宫博物院。

《虢国夫人游春图》卷　唐代文物。张萱，京兆（陕西西安）人，唐代画家，擅画人物，尤工仕女、婴儿画，也画贵公子、鞍马屏障，对亭台、林木、花鸟，皆穷其妙。张萱所画仕女，丰颐厚体，开盛唐曲眉丰颊新貌。线条简劲而流畅，赋色艳丽而不芜杂，鲜明而不单调，创造唐妆仕女的典型风格。唐宋画史著录上记载张萱的作品计有数十幅，但出于张

萱本人手笔的原作，已无一遗存。历史上留下两件重要的摹本，即传说是宋徽宗临摹的《虢国夫人游春图》和《捣练图》。《虢国夫人游春图》曾藏北宋宣和内府，在两宋时为史弥远、贾似道收藏，后经台州榷场流入金内府，明王鹏冲、清梁清标曾鉴藏，清乾隆年间入清宫内府，后随溥仪辗转天津、长春、沈阳等地。1948年，拨交东北文物管理委员会，后来转交给东北博物馆。清吴升《大观录》、孙承泽《庚子销夏录》、安岐《墨缘汇观》及阮元《石渠随笔》等书著录。

《虢国夫人游春图》为绢本，设色，纵51.8厘米，横148厘米。图中描绘天宝十一年（752年），唐玄宗宠妃杨玉环的三姊虢国夫人及其眷盛装出游，"道路为（之）耻骇"的情景。一群人骑马执鞭，画中右侧徐徐前行的第一人为中年从监，乘浅黄色骏马，戴乌纱冠，着虾青色窄袖侧领衫，袖口有描金的鸾凤团花。第二人是乘菊花青马的少女，乌黑的头发左右分开，梳成两个长长的发髻，是唐代仕女的典型发式。少女着胭脂红窄袖衫，下衬红花白锦裙。在少女左方略后有一个乘黑色骏马的中年从监随行，粉白色的圆领窄袖衫，与黑马形成鲜明的对比。疏朗的三骑成为前

导，紧接着便是簇拥的五骑，其中前两骑是虢国夫人姐妹。她们并辔而行，都乘着浅黄色雄健的骅骝。虢国夫人在全画的中心，她双手握缰，右手指间挂着的马鞭直线下垂，丰润的脸庞上淡描蛾眉，不施脂粉，鬘发浓黑如漆，高髻低垂，体态自若。身着淡青色窄袖上衣，披白色花巾，穿描金团花的胭脂色大裙，裙下微露绣鞋，轻点在金镫上。在虢国夫人左面与其并辔前行的是韩国夫人，其装束一如虢国夫人，惟衣裙颜色与之不同。她侧向虢国夫人作似有所告状。在虢国夫人姐妹之后，横列为后卫三骑。居中的是老年侍姆，右手护着鞍前的幼女，神情显得矜持，眉眼间流露着小心谨慎的表情。幼女左手把住鞍桥，态度十分安详。侍姆右侧的中年人也是从监，装束与前一从监相同。左侧红衣少女装束与第二骑少女亦相仿佛。全画构图疏密有致，错落自然。人与马的动势舒缓从容，应和游春主题。画中不着背景，只以湿笔点出斑斑草色以突出人物，意境空漾清新。用线纤细，圆润秀劲，在劲力中透着妩媚。设色典雅富丽，具装饰意味，格调活泼明快。画面上洋溢着雍容、自信、乐观的盛唐风貌。

《虢国夫人游春图》以细劲圆活的线条为主要艺术手段，端凝中显出柔婉，形成与内容相适应的最佳表现形式。《虢国夫人游春图》

虽系后人摹本，但仍不失原作风神，体现出大唐盛世雍容繁丽的时代特征。

《虢国夫人游春图》藏于辽宁省博物馆。

《神骏图》卷 唐代文物。韩幹，京兆蓝田（陕西西安）人，一作大梁（河南开封）人，唐代画家。相传韩幹年少时曾为酒肆雇工，经王维资助，学画十余年而艺成。唐玄宗年间，韩幹被召入宫封为"供奉"。韩幹擅绘肖像、人物、鬼神、花竹，尤工画马，曾师曹霸而重视写生，坚持以真马为师，遍绘宫中及诸王府名马，他画的马匹体形肥硕、态度安详、比例准确，一改前人画马的"龙马"作风，创造了富有盛唐时代气息的画马新风格。《神骏图》根据《世说新语》中东晋僧人支遁爱马的故事而创作。支遁好养马而不乘，只欣赏马儿豪俊爽朗的神气。《神骏图》在明时为郭衢阶、顾正谊收藏，清时为梁清标收藏，后入清内府，深得乾隆皇帝的喜爱。后被溥仪带出清宫，流落民间，直到1962年，辗转入藏东北博物馆。明汪砢玉《珊瑚网》、清孙承泽《庚子销夏记》《石渠宝笈续编》等书著录。

《神骏图》为绢本，设色，纵27.5厘米，横122.5厘米。无款，前隔水上有瘦金书题签"韩幹神骏图"，画卷与前后黄花隔水绫上有宋代以后的鉴藏印记，宋代以前的模糊不清，不易辨识。图中支遁身披袈裟，肩负锡杖，坐

于岸边石床之上。侍从托鹰而立。对坐高冠士人形态怡然，与支遁一起凝视迎面踏浪而来的骏马。马上童子手执木杖，欣然自得。马无鞍鞯，昂首健步，渡海如履平地，恣意驰骋，人马形神统一、栩栩如生。

《神骏图》是我国古代绘画艺术中的珍品。简练的空间结构突出"神骏"健壮奔腾的姿态和支遁倾前坐姿、注目而视的神态，表现极为生动有致。由于前隔水上题有"韩幹神骏图"，故明清诸家著录都沿袭前说，认为此为韩幹所作。有学者认为，据主题、构图、技法诸方面考察比较，此图应为五代仿唐的作品。

《神骏图》藏于辽宁省博物馆。

《五牛图》卷 唐代文物。韩滉（723～787年），字太冲，长安（陕西西安）人，唐代画家。韩滉经历唐玄宗至德宗四代，在德宗时期任宰相、两浙节度使等职，封晋国公。韩滉擅画人物和畜兽，尤以画牛"曲尽其妙"。《五牛图》收藏者包括赵构、赵伯昂、赵孟𫖯和乾隆内府等。在明代几易其主，直至清代乾隆年间，才从民间收集到宫中珍藏。1900年，《五牛图》流散国外。1950年，由周恩来总理主持，收购回国。

《五牛图》为纸本，设色，纵20.8厘米，横139.8厘米。无作者款印，本幅及尾纸上有赵孟𫖯、孙弘、项元汴、乾隆帝、金农等14家题记。图中从右至左，首匹为棕色老牛；次为黑白杂花牛，身躯壮大，翘首摇尾，步履稳健；第三匹为深赭色老牛，筋骨嶙峋，纵峙而鸣，白嘴皓眉，老态龙钟；第四匹为黄牛，躯体高大，峻角耸立，回首而顾；第五匹牛络首而立，体态丰厚，凝神若有所思。其中一头牛画成正面，增强画面立体纵深感，视角颇为独特。全图淡设色，除一丛灌木做点缀，无背景衬托，五牛形象突出。每头牛可独立成图，相互间又能首尾连贯，前呼后应，彼此顾盼，构成一个统一的整体。《五牛图》用赭、黄、青、白等色彩表现五牛毛色的不同，并根据肌肉线条走向，施以不同颜色，既刻画出牛的强健姿态，亦表现它们不同的性情，或活泼或沉

静，或温顺或倔强。用笔多用线描，线条流畅而富于变化，表现牛的骨骼和筋骨，并着意刻画牛的眼睛，五牛皆目光炯炯、"神气磊落"。五牛眼眶边缘的睫毛及头部与口鼻处的绒毛纤毫毕现，每头牛个性鲜明，牛的生命力和内心世界完全表露。

《五牛图》纸质为麻料，是遗存最古的纸本中国画之一。以画牛为题材的绘画，至唐代才成为独立画种。《五牛图》隐含鼓励农耕的意义，画幅所呈现的生动表现力，值得后人借鉴和参考。

《五牛图》藏于故宫博物院。

《挥扇仕女图》 唐代文物。唐代周昉的宫廷妇女生活画作品。周昉，又名景玄，字仲朗，京兆（陕西西安）人，唐代画家。周昉出身于仕宦之家，官至宣州别驾，约在中唐年间活动，传记见《唐朝名画录》《历代名画记》。周昉工画人物、仕女、佛像，初学张萱，画风"衣裳简劲，彩色柔丽""菩萨端严""妙创水月之体"，"画仕女，为古今冠绝"，是张萱之后以表现贵族妇女著称的画家。

《挥扇仕女图》为绢本，设色，纵33.7厘米，横204.8厘米。引首清乾隆帝题"猗兰清画"4字，有明韩世能"韩世能印""韩仲子氏""世能"，清梁清标"蕉林书屋""蕉林居士""蕉林考藏"、乾隆帝"古希天子""乾隆御览之宝""石渠宝笈""乾隆鉴赏"等鉴藏印31方。图中画有13名唐代宫廷妇女的日常生活，包括"挥扇""端琴""临镜""围绣""闲憩"五个部分。画面结构井然有序，横向上疏密松紧富有变化，纵向上高低错落层次清晰。图中色彩丰富，以红色为主，兼有青、灰、紫、绿等各色。冷暖色调相互映衬，显现出人物肌肤的细嫩和衣料的华贵。衣纹线条为琴弦描，圆润秀劲，富有力度和柔韧性，较准确地勾画出人物的种种体态、神情。

《挥扇仕女图》取材于中晚唐时期贵族妇女的行乐活动，描绘了唐王朝繁华兴盛的物质生活。

《挥扇仕女图》藏于故宫博物院。

《簪花仕女图》卷 唐代文物。传为唐代周昉的贵族人物画作品。《簪花仕女图》曾经南宋内府收藏，南宋末归贾似道所有，清初为梁清标、安岐收藏，后入清内府。1924年，溥仪以"恩赐"名义，将《簪花仕女图》等内府收藏珍贵字画赏赐给溥杰、溥佳，并盗运出宫。1925年，运抵天津，先后在日租界内的张园、静园收藏。1934年，藏于长春"小白楼"。1945年8月，溥仪乘飞机企图逃往日本时，被苏联红军俘获。他携带的《簪花仕女

图》等书画和珠宝由苏联红军查扣，并转交东北民主联军。几经辗转后，入藏东北博物馆。清安岐《墨缘汇观》《石渠宝笈续编》、阮元《石渠随笔》等书著录。

《簪花仕女图》为绢本，设色，纵45.5厘米，横175.5厘米。图中描绘六位衣着艳丽的贵族妇女及侍女赏花游园的情景。画面左端所绘贵族妇女，体态丰硕，发髻高大，上插牡丹花一枝，髻前饰步摇，姿态侧身作向右倾斜，外披紫色龟背纹纱罩衫，着斜格纹样朱色长裙，紫绿色花纹的洁白丝绸衬裙，长过纱衫，拖曳到地上。右手摆向前侧，左手执纬子前伸，逗引小狗，小狗呈扑跳的姿态。画面左起第二位妇人身材娇小，神情庄重，身着朱红披风，外套紫色纱罩。发髻上插海棠花，颈饰金质云纹项圈。白裙上的紫色团花，从纱衫的下面透出。帔子从后肩向两臂平分下垂，双手抓紧薄纱。画面左起第三位贵族女人髻插荷花，身披白花格纱衫，胸前束朱色斜格长裙，紫色

帔子上有粉和青花枝纹样。她右手略向上举，反掌拈红花一枝，左手髻上取下金钗朝着右边移去，目光注视花枝，凝神遐思，其前立一丹顶鹤。画面左起第四位侧立着的侍女执长柄团扇，团扇上绘盛开的牡丹，其装扮异于卷中的其他贵族仕女。画面左起第五位仕女，发髻上插红瓣花枝，纱衫上有深白色的菱形纹样。着紫绿色团花朱红地裙、云凤纹紫色帔子，她右手轻举，左手向下伸出，与小狗呼应。画面左侧起最后一位髻插芍药花的贵族仕女，着浅紫色菱纹纱衫、白地彩色云鹤纹帔子。她右手举蝴蝶，左手提起帔子，上身前倾，呼应小狗。画面远处绘一块玲珑石，石后有紫色辛夷花。全幅构图人物之间似有联系，又各成画幅，营造了闲适和谐的气氛。六个人物的主次、远近安排巧妙，景物衬托少而精。设色浓丽，头发勾染、面部晕色和衣着浓施均较好地表现了贵族妇女细腻柔嫩的肌肤和丝织物轻薄鲜丽的质感。

《簪花仕女图》具有明显的时代特征和民族气息，是中国传统绘画史上重要的作品之一。清安岐认为《簪花仕女图》是唐周昉所绘，此后观点被清内府及阮元沿用。近代研究出现异议。

《簪花仕女图》藏于辽宁省博物馆。

《高逸图》卷 唐代文物。唐代孙位的人物画作品。孙位，一名遇，号会稽山人，会稽（浙江绍兴）人，唐代画家。孙位善画龙水、人物、松石墨竹，兼长天王鬼神。唐末，孙位随僖宗入蜀，名列蜀中画家第一。《高逸图》北宋时入宣和内府，最早的收藏者是李玮。清代初期为梁清标所有，之后进入内府，储养心殿内。1922年，溥仪以御赐溥杰之名将《高逸图》带出宫廷，遂使其流散于文物市场，被靳伯声收入囊中。1955年，上海博物馆筹备委员会购入《高逸图》。著录于北宋《宣和画谱》、清《石渠宝笈初编》，被评为"上等第一"。

《高逸图》为绢本，设色，纵45.2厘米，横168.7厘米。无作者名款，有宋徽宗瘦金体题签"孙位高逸图"，钤有北宋"宣和""双龙""政和""御书"等印玺，以及清梁清标和内府诸收藏印。图中画有四位士大夫，分别是魏晋"竹林七贤"中的山涛、王戎、刘伶与

阮籍。山涛赤膊袒胸、披襟抱膝，眼神显得深沉持重。王戎踝足趺坐，手执长柄如意，面有得意之色。刘伶手捧酒杯，回首作呕吐状，侍者捧壶跪接。阮籍手执麈尾，面露微笑，神情悠然。麈尾具有拂尘清暑的作用，还有"领袖群伦"的含义，这一细节突出阮籍在七贤中的领袖地位。四人分坐在四块华美的地毯上，每人身旁各有一小童侍候，身后有湖石和槐、柏、丛竹、芭蕉等。《高逸图》的人物画法继承东晋顾恺之的传统，人物躯干伟岸，神态各异，尤重眼神的刻画。面部、手足的勾线细劲柔和，衣褶线条圆劲流畅，又有转折刚健的笔致，吸收了南朝梁张僧繇"骨气奇伟"的笔法，画风在六朝的基础上更趋工致精巧。《高逸图》设色浓丽雅洁，尤其运用色调的浓淡变化表现薄纱透体的质感十分出色。作者以娴熟的技巧传写出人物的不同形貌特征，细腻地刻画出各自的精神气质，传达出"竹林七贤"所反映的魏晋文士旷达、洒脱的风度。缀景湖石、杂树、芭蕉等，皴染已趋细密，开五代画法之先河。

《高逸图》是孙位唯一存世的作品，在传统人物画的研究中具有不可忽视的承前启后作用。

《高逸图》藏于上海博物馆。

《宫苑图》轴 唐代文物。

《宫苑图》为绢本，设色，纵162.5厘米，横83.7厘米。无作者款印。图中绘崇山峻岭间殿阁亭榭林立，人物穿梭往来。山水采用高远及深远的构图法，极尽岩岭幽缈之致。岩石以粗笔勾勒轮廓，行笔富于变化；部分山体行笔简劲，以墨笔勾勒并施以石青、石绿；长松古木皆精致地表现出其表面纹理及枝叶，杂树叶

冠则以白粉、石绿及墨笔点画或涂染。图中建筑、船只的描绘均未用界尺，但结构准确。屋脊等处多覆以石青、石绿色，用以代表琉璃瓦，门窗则施以对比的朱红色。此外，建筑、船只、山体轮廓以及山间云气等景物多在墨线基础上以金线勾描，部分山体直接以泥金皴点，水纹纯用金线勾成，使画面显得金碧辉煌。全图将山野之间的逸趣与宫殿的富丽完美地结合，是一幅极富装饰趣味的山水楼阁画佳作。

《宫苑图》原被认为代表唐代李思训画派的艺术风格。傅熹年通过对图中的种种名物制度及金碧山水画派的发展进行科学考证，认为《宫苑图》的时代上限为南宋中期，不能代表李思训父子的画风，很可能出于临安以外地区或民间画家之手。

《宫苑图》藏于故宫博物院。

《伏羲女娲像》 唐代文物。1963年4月，新疆维吾尔自治区吐鲁番阿斯塔那古墓出土。1963年12月，由新疆维吾尔自治区博物馆拨交故宫博物院。据阿斯塔那古墓考古报告中所示，同期出土的吐鲁番高昌国至唐西州国时期的墓葬中，此类绢画共有数十件。画面形式大致相似：人首蛇身，交尾相拥，伏羲持矩，女娲持规。绢画上方有日，下方有月，周围布满丝缕相连的星辰。整幅绢画上宽下窄，与棺形相似，在墓室中一般都是画面朝下，用木钉钉在墓顶上。一般认为伏羲所执矩象征地，女娲所执规象征天，用以配合画面上的日月星辰，为墓室营造一个小宇宙。

《伏羲女娲像》为绢本，设色，纵222.5厘米，横115厘米。描绘伏羲女娲相拥交媾的景象。图中伏羲女娲衣袖飞扬，腰部相连，共着一条白裙。伏羲头戴笼冠，手持矩，女娲束高髻，手持规，代表天地方圆，下身蛇尾相交，交合七段，尾部粗长内钩，蛇尾以红、黑线勾边点线，内涂白彩。伏羲手里拿的"矩"用于丈量，是一种权力的象征。女娲手里拿的"规"用来研究天象，用于立法。中国最早的立法被称为"女娲历"。画幅上下以墨线勾绘日月星辰，日中有三足鸟，月中有玉兔、桂树、蟾蜍。《伏羲女娲像》中有74个圆点，大小不一，每个点都代表一颗星星。上面中央一点代表日，加周围11点共12点代表上天12月，下面中央一点代表月亮，加周围11点共12点代表12辰。剩下的50颗星星里有49颗是"实星"，还有一颗"虚星"，指那颗流星所代表的意义。《乾坤谱》认为有"大衍之数五十，其用四十有九"的含义。

《伏羲女娲像》表现中国古代神话传说中人类始祖的形象，以及神秘的宗教含义。

《伏羲女娲像》藏于故宫博物院。

《写生珍禽图》卷　五代时期西蜀文物。五代西蜀黄荃的花鸟画作品。黄荃（903～965年），字要叔，四川成都人，五代西蜀宫廷画家。黄荃先后供职前蜀、后蜀，入北宋画院，以工画得名，擅花鸟，师刁光胤、滕昌佑、孙位等人。黄荃所画禽鸟造型准确，骨肉兼备，形象丰满，赋色浓丽，勾勒精细，几乎不见笔迹，似轻色染成，人称"写生法"。黄荃与江南徐熙并称"黄徐"，形成五代、宋初花鸟画两大主要流派，对后世花鸟画影响极大。《写生珍禽图》曾经宋内府、贾似道及清内府收藏，《石渠宝笈初编》著录。

《写生珍禽图》为绢本，设色，纵41.5厘米，横70.8厘米。画幅左下角有一行小字："付子居宝习"，疑为后添。《写生珍禽图》是黄荃为创作而收集的素材，是临摹练习用的一幅稿本。图中用细密的线条和浓丽的色彩描绘自然中的多种生物，在尺幅不大的绢素上绘鹡鸰、麻雀、鸠、龟、昆虫等动物共24只，均以细劲的线条画出轮廓，然后赋以色彩。动物造型准确、严谨，特征鲜明。鸟雀或静立，或展翅，或滑翔，动作各异，生动活泼；昆虫有大有小，小的虽仅似豆粒，却刻画精微，须爪毕现，双翅呈透明状，鲜活如生；两只乌龟是以侧上方俯视的角度进行描绘，前后的透视关系准确精到，显示作者娴熟的造型能力和精湛的笔墨技巧。

《写生珍禽图》虽为写生画稿，却灵活生动、形态准确、富于质感。画法特点是墨线细勾，略加淡彩，严谨工整，即典型的双钩法，体现了黄荃一派"用笔新细，轻色晕染"的特点。五代虽是传统花鸟画走向成熟的时期，但传世珍品极少，此幅尤为珍贵。《写生珍禽图》对宋代花鸟画的工笔重彩画风产生很大影响。

《写生珍禽图》藏于故宫博物院。

《文苑图》 五代时期南唐文物。《文苑图》传为五代南唐周文矩的人物故事画作品。周文矩，建康句容人，五代南唐画家。周文矩约活动于南唐中主李璟、后主李煜时期（943～975年），曾在南唐后主李煜时任画院翰林待诏，工冕服、车器、人物、仕女，多以宫廷或文人生活为题，以"用意深远"著称。周文矩师从周昉，风格更趋纤丽繁复，用笔多以"战笔"为特点。《文苑图》曾入南唐后主李煜《阁中集》，后又入北宋徽宗《宣和睿览集》。明詹景凤《东图玄览》、清《石渠宝笈初编》著录。

《文苑图》为绢本，设色，纵37.4厘米，横58.5厘米。无作者款印。图左侧有宋徽宗"瘦金体"题字。《文苑图》描绘琉璃堂人物故事，即唐玄宗时诗人王昌龄任江宁县丞期间，在县衙旁琉璃堂与朋友雅集，诗友岑参兄弟、刘眘虚等人参与。四位文士围绕松树思索诗句，有倚垒石持笔觅句者，有靠松干构思者，有两人并坐展卷推敲诗句，情态各异。《文苑图》人物衣纹所运"战笔描"细劲有力，曲折中见流畅，圆润中具轻重，树石勾染细致，富层次和立面感，人物情态尤富神采，个性各异。从时代风格看，《文苑图》极似五代周文矩所创的"战笔描"。另外人物头戴的"工脚上翘"的幞头形式，亦至五代才出现。同时，美国大都会博物馆藏有一本周文矩的《琉璃堂人物图》卷，后半段画面与此图一致，故推断《文苑图》原作者是周文矩，所画内容为琉璃堂人物故事的一部分，宋人摹。

《文苑图》用画笔勾勒人物的内心，使人物的瞬间神态同中有异，展现出作者高超的绘画功力。

《文苑图》藏于故宫博物院。

《重屏会棋图》卷 五代时期南唐文物。《重屏会棋图》是一幅反映宫内生活的纪实性图卷。《重屏会棋图》完成以后，先是上呈给南唐中主李璟，后由后主李煜保存在宫内，北宋时期，保存于宣和内府。

《重屏会棋图》为绢本，设色，纵40.3厘

米，横70.5厘米。无名款。图中描绘南唐中主李璟与其弟景遂、景达、景遏会棋情景。头戴高帽，手持盘盒，居中观棋者为中主李璟，对弈者是齐王景达和江王景遏。衣纹疏密有致，色调自然。笔法瘦硬，略带顿挫颤动。刚柔相济，独具一格。四人身后屏风上画白居易"偶眠"诗意，其间又有一扇山水小屏风，因在屏风中又画屏风的缘故，故名"重屏图"。人物形象修长清秀，表情动态刻画精细，具有"体近周昉，而纤丽过之"的造型特点，反映作者的艺术风格。画中的两组屏风一直一曲，不显单调，体现出画中有画的境界，显示作者善于巧思和别出新意的艺术才智。同时，屏风上的人物及周围的陈设给人一种浓郁的生活气息和真实感。

《重屏会棋图》是一幅写实性的绘画作品，作者在逼真刻画人物肖像特征的同时，也真实描绘出室内的生活用具，如投壶、屏风、围棋、榻几、茶具等，为后人研究五代时期各种生活器具的形制以及中国早期皇室的行乐雅集活动提供重要的形象资料。《重屏会棋图》宋元藏印均伪，但人物服饰及生活用品为五代遗制，依画风推测系五代南唐周文矩所绘。存世的仅为摹本。

《重屏会棋图》藏于故宫博物院。

《韩熙载夜宴图》卷　五代时期南唐文物。五代南唐顾闳中的绘画作品。顾闳中，江南人，五代南唐画家。顾闳中在南唐中主时任翰林待诏，后主时任画院待诏，长于人物，尤擅仕女，多画宫廷贵族生活，擅写神情意态，与周文矩齐名，继承唐代周昉而更趋纤细的线条，受后主李煜的书法影响，喜用颤动的"战笔"线条表现衣纹。《韩熙载夜宴图》在南宋时曾被内府收藏，流传至清代雍乾时期再次被收入宫廷。后被溥仪携带出宫，流入民间，经张大千购藏，并转让给中央人民政府，使其重归故宫博物院。

《韩熙载夜宴图》为绢本，设色，纵28.7厘米，横335.5厘米。无款。前隔水存南宋人残题二十字。引首有明初程南云篆书题"夜宴图"三个大字。卷后有南宋史弥远"绍勋"葫芦印和清宋荦钤"商丘宋荦审定真迹"一印。拖尾有行书"韩熙载小传"，后有元班惟志泰定三年（1326年）题诗，积玉斋主人题识。后

隔水清王铎题跋，后有"董林居士""纬萧草堂画记"等收藏印，以及乾隆帝长跋及清内府诸收藏玺印。《韩熙载夜宴图》描绘官员韩熙载家设夜宴载歌行乐的场面。图中展现出一次完整的夜宴过程，即琵琶演奏、观舞、宴间休息、清吹、欢送宾客五段场景。第一段是琵琶独奏，描绘韩熙载与到访的宾客们聚精会神地倾听演奏琵琶。画家着重表现的是弹奏已经开始，全场空气凝注的一瞬间。床上的红袍青年是新科状元郎粲，端坐在状元左侧戴着高高的纱帽之人便是主人公韩熙载，弹琵琶的女子是教坊副使李嘉明的妹妹，李嘉明则在她左边并扭头望着她，听得入神且一直关心她的弹奏手法。长案的两端坐着韩熙载的朋友太常博士陈雍和门生紫薇郎朱铣，另有宠妓弱兰和王屋山等。人物都确有记载。第二段是六幺独舞，描绘韩熙载站在红漆羯鼓旁，两手抑扬地敲鼓。韩熙载右手举起鼓槌，使人感觉仿佛这二捶敲下去就能听见鼓的声音似的。郎粲侧身斜靠在椅子上，一边可以照顾到韩熙载击鼓，一边可以欣赏王屋山的舞技。画中还有一位青年在打板，应该是韩熙载的门生舒雅。旁边还有一个和尚拱手伸着手指，谦卑地低着头。第三段是宴间小憩，描绘韩熙载坐在床榻上，边洗手边和侍女们谈话。一个女子扛着琵琶和笛箫行走，随后还跟着一位端着杯盘的女子。两位女子好像还在对当晚的宴会津津乐道，烘托出轻松的氛围。红烛已经点燃，床帏拉开，被子堆叠，枕头也已放好，以便随时可以躺下休息。第四段是管乐合奏。韩熙载换下正装并敞胸盘膝坐在椅子上，一边挥动扇子，一边又跟侍女吩咐着什么。五个奏乐人横坐一排，各有自己的动态，虽同列一排，却无整齐划一的滞板。旁边一名打板男子坐姿端正，与富有变化的吹奏管乐之女伎形成动静对比。第五段是宾客酬应，描绘宴会结束，宾客们陆续离去的场景。韩熙载站在两组人物的中间，伸出左手呈摆手状。

《韩熙载夜宴图》以形写神，显示出高超的艺术水平。画中人物动姿各异，情态生动，尤其对主人公韩熙载的传神刻绘。由于画家与韩熙载同时代，了解韩熙载在南唐的处境，理解他的苦衷，从而细化主人公的面部表情，以表达他在当时复杂情景下的心理矛盾。构图采用把不同时间、空间的活动，展现在同一画面上的方式。虽然整幅画情景节奏繁杂，人物动势变化多样，却安排得宾主得当，疏密有致，场景衔接自然连贯。色彩对比参差，交相辉映，使得整体色调艳而不俗，绚中出素，格调高雅素馨。多处采用了朱红、朱砂、石青、石绿以及白粉等色，对比强烈。但又在众多绚丽璀璨的色彩中，间隔以大块的墨色来统一协调，色墨相应。晕染技法让画面虚实有序，统一而和谐。

《韩熙载夜宴图》是五代时期写实性较强的作品之一，代表中国古代工笔重彩的最高水平。《韩熙载夜宴图》内容丰富，涵盖家具、乐舞、衣冠服饰、礼仪等方面，是研究五代时期服饰、装饰等艺术风格的重要参照物，对研究中国古代绘画、传统服饰、民族音乐以及古代人文生活具有极高的参考价值。

《韩熙载夜宴图》藏于故宫博物院。

《潇湘图》卷 五代时期南唐文物。五代南唐董源的山水画作品。董源（?～约962年），一作董源，字叔达，江西钟陵（江西进贤）人，五代南唐画家。南唐中主李璟时任北苑副使，擅画山水，兼工人物、禽兽，多作江南景色。董源的山水画初师荆浩，笔力沉雄，后以江南真实山景入画，不为奇峭之笔，疏林远树，平远幽深，皴法状如麻皮，后人称为"披麻皴"。董源存世真迹极少，代表作有《夏景山口待渡图》《潇湘图》《夏山图》

《溪岸图》等。《潇湘图》明末经董其昌、袁枢收藏。明崇祯十五年（1642年），袁枢的家乡睢州城遭闯变，其父袁可立尚书府第的藏书楼内数万册藏书毁于一旦，《潇湘图》为袁枢随身携带至江苏浒墅免遭兵燹之灾。入清后《潇湘图》经卞永誉、安岐收藏，后入藏清廷内府，溥仪出宫时带到长春，流散于民间。1952年张大千将《潇湘图》出售给中央人民政府，1959年入藏故宫博物院。

《潇湘图》为绢本，设色，纵50厘米，横141.4厘米。无作者款印，名称由明代董其昌据北宋《宣和画谱》记载"洞庭张乐地，潇湘帝子游"的描述而定。图上有董其昌跋三、袁枢跋一，王铎跋一，"袁枢私印"（重一）、"袁枢之印"（重一）、"睢阳袁氏家藏图书记"，明"袁枢鉴赏"书画之章、"袁枢印信""伯应"等印记。《潇湘图》为描写人事活动的山水画。山势自卷首起，以花青运墨勾皴，山峦上的小土丘自近至远由大渐小、由疏渐密，墨点随远近呈现疏密浓淡的变化，勾勒出密密匝匝的远树势态。山凹处云霭雾气，树

木茂密成列，远近高下参差，林中隐约露出渔村茅舍。整幅画卷沙碛平坡，芦苇荒疏，江南水泽汀岸，有人物若干，伫立吹奏，迎接船上来客；背景水面空阔，山色郁葱，有渔舟往来，意境高远。

《潇湘图》被画史视为"南宗"山水的开山之作，也是中国山水画史上代表性作品之一。《潇湘图》在绘画技法上的创新是多方面的。山的表现采用了独特的皴法；用墨彩渲染时又在山凹得当处留出了云霭雾气，造成迷漾淡远之感。

《潇湘图》藏于故宫博物院。

《夏景山口待渡图》 五代时期南唐文物。五代南唐董源的山水画作品。《夏景山口待渡图》曾为南宋内府，元内府，明项元汴，清耿昭忠、索额图、清内府等收藏。民国初期，被溥仪挟带出宫。

《夏景山口待渡图》为绢本，设色，纵49.8厘米，横329.4厘米。引首有明董其昌题识，卷后有元柯九思、虞集、雅琥题跋。钤有南宋内府，元内府，明项元汴，清耿昭忠、索额图、清内府等鉴藏印记。图中描绘江南夏日景色，山势重叠，缓平绵长。作者选取江南渡

口之景，江水蜿蜒而过，在群山中时隐时现。展卷右起是平静的水面，中远处有一细长的小洲，稍近处浮一渔船，渔人悠闲作业。画面左移出现似"犬牙"的洲渚，坡岸平缓，冈峦起伏，山头多作圆形，草木蒙茸其上。再往左呈现出"蝛洄"错落的洲渚，树木繁茂，房舍掩映其间，偶见劳作的农人。垂柳依依的滩岸上，一戴青冠的红衣人正在招呼驶来的渡船。山体结构变幻无穷。沙滩、山坡、近山、远山的画法有别，近树、远树、灌木、柳树、芦苇、竹丛的画法也各不相同，但它们的组合有节奏、有变化，十分和谐。

《夏景山口待渡图》是董源独特的创造，带动了后来"米氏云山"的出现。

《夏景山口待渡图》藏于辽宁省博物馆。

《高士图》卷 五代时期南唐文物。又名《梁伯鸾图》，五代南唐卫贤的人物画作品。卫贤，京兆（陕西西安）人，五代南唐画家。卫贤在南唐后主李煜时为内廷供奉，初师尹继昭，后宗吴道子，善作界画，以刻画楼阁、殿宇、山村、水磨见长于世，又善画人物，情景交融，不落俗套，集人物、界画、山水画家于一身，被称作唐以来的第一能手。北宋《宣和

画谱》记载内府一共收进卫贤的《高士图》六幅，分别绘黔娄、楚狂、老莱子、王仲孺、于陵子和梁伯鸾六高士，当时可能用作六曲屏风，只遗存《梁伯鸾图》一幅。《高士图》曾经北宋内府，清梁清标、安岐、清内府等收藏。明朱存理《铁网珊瑚》、张丑《清河书画舫》，清孙承泽《庚子销夏记》李调元《诸家藏画簿》《石渠宝笈续编》、阮元《石渠随笔》等书著录。

《高士图》为绢本，设色，纵134.5厘米，横52.5厘米。无名款，卷前隔水有宋徽宗书"卫贤高士图梁伯鸾"七字，清乾隆帝书"神"字并题记。《高士图》描绘汉代隐士梁鸿与妻孟光"相敬如宾，举案齐眉"的故事。画面高山丛树，瓦屋竹篱，屋堂上一坐一跪二人，梁鸿端坐于榻，竹案上书卷横展，孟光双膝跪地，饮食盘盏高举齐眉。孟光举案跪进。虽房舍简陋、粗食布衣，但主人公志趣高洁，神态坦然平和。《高士图》构图严密，勾线劲挺，屋舍以界画法刻画准确、精细，山石及树木的皴笔密集，多用干笔，近树精心勾画，远树则勾、点结合，重在以墨色由淡至深层层烘染，显得质感凝重。尤其是石凹处的浓墨干点，为其独创。水流的勾线柔和顺畅，绵密有序，恰如微波皱起。

《高士图》中人物与山水平分秋色，与唐代的以人物为主、此后北宋的以山水为主相比较，清晰地体现出典型的五代时期绘画的承上启下特征。

《高士图》藏于故宫博物院。

《闸口盘车图》卷　五代时期南唐文物。传为五代南唐卫贤的绘画作品。《闸口盘车

图》历经北宋宣和内府、元天历内府、明晋王府、清成亲王收藏。

《闸口盘车图》为绢本，设色，纵53.3厘米，横119.2厘米。无作者款印。画心两端有黄绢隔水，前隔水黄绢已佚，后隔水黄绢保存完整。黄绢前边上下钤有"政和""宣和"朱印，后边中央有"政和"联珠朱印。拖尾白宋笺，居中有"内府图书之印"，下有"晋府图书"，上有"益王之章"。前后隔水及骑缝处有"蕉林""雏凤楼""郑邸珍藏""清修斋主人赏""凌云阁书画印"等收藏章。在拖尾、卷后有明王守仁庚午（正德五年，1510年）题诗，清王铎丙戌（顺治三年，1646年）、磐石甲午（顺治十一年，1654年）、永瑆嘉庆丁巳（嘉庆二年，1797年）题记。署名"卫贤恭绘"系后人伪添。《闸口盘车图》描绘河旁闸口一个官营磨面作坊。画面左中部位是安置水磨的堂屋，堂屋两端各置望亭一座。台基前面是河道，河面上有两艘运粮引渡的篷船。对河是坡道，木桥横亘在画面下方。坡上有六辆独轮车、太平车，或载粮前行，或息置路旁。坡道左向傍山脚逶迤而隐，右首有

酒楼一所，门上悬木牌，上标"新酒"两字。门前扎有彩楼，高逾丈。楼中悬一布旌，书有"酒"字。画面描绘了45个人物的活动，劳动着的"民夫"人数最多：有磨面、筛面、扛粮、扬簸、净淘、挑水、引渡、赶车等各种不同的分工作业。在左边上角的望亭里，有戴硬脚幞头、着圆领袍衫装束的官吏和侍从五人正在履行职守。

《闸口盘车图》对盘车水磨的细节一丝不苟，人物刻画生动传神，真实而质朴地反映现实生活，是比北宋张择端《清明上河图》早一个半世纪的社会风俗画。

《闸口盘车图》藏于上海博物馆。

《勘书图》轴 五代时期南唐文物。又名《挑耳图》，五代南唐王齐翰的绘画作品。王齐翰，五代南唐画家，生平事迹记载极为简略。宋郭若虚《图画见闻志》载：王齐翰在建隆二年（961年）时任翰林待诏，工画人物，并以笔法细致著称。《勘书图》是王齐翰唯一流传于世的画迹。《勘书图》曾经南唐，北宋宣和内府，宋李敬之、贾似道，明安国、吴文正、严世藩，清耿嘉祚（耿精忠之子）、端方

等收藏。明张丑《清河书画舫》、文嘉《钤山堂书画记》、汪砢玉《珊瑚网》，清顾复《平生壮观》、吴升《大观录》等书著录。

《勘书图》为绢本，设色，纵28.4厘米，横65.7厘米。原无款印，卷前有宋徽宗瘦金书题签"勘书图"，卷后左上题"王齐翰妙笔"五字。卷后有宋苏辙、苏轼、王晋卿，金史公奕，明董其昌、文震孟及清人题跋。钤有南唐后主李煜"建业文房之印"、宋徽宗"睿思东阁""御书"等印，以及明安桂坡、清耿嘉祚等鉴藏印记。图中绘士夫左手自然搭于椅子扶手上，抬起右手采耳，面部稍稍右倾，左目微微闭成缝状，一种采耳获得的快感跃然素绢之上。他身着白衣敞开胸襟，长须顺柔下垂胸前，跷腿而坐，双脚赤露搭垫于鞋上，脚拇指上跷，与采耳相呼应联系，一种闲适惬意的感觉被惟妙惟肖地表现出来。另外衬景屏风、几案以及侍童布置得体，简洁大方，有条不紊，用笔流畅之中有顿挫变化。

《勘书图》作品构图奇巧，以三叠屏风居画中央，屏风上画青绿设色山水；屏风前绘书案、人物等，屏风中山水以青绿设色晕染，不用皴法；人物衣纹用游丝描法，突出勘书文人的消闲神态。《勘书图》是继承、发展唐代山水、人物绘画特点的艺术佳作。

《勘书图》藏于南京大学考古与艺术博物馆。

《卓歇图》卷　五代时期后唐文物。传为五代后唐胡瓌的绘画作品。胡瓌，约生活于10世纪，范阳（河北涿县）人，五代后唐画家，擅画人物、鞍马，尤长于描绘北方游牧民族的生活。传世作品有《卓歇图》《阴山七骑》《围猎图》《出猎图》等。明代张丑《清河书画舫》中载："绢本胡番部卓歇图，尘垢破裂，神彩（采）如生，明昌秘物也，今在韩氏。"清初经高士奇重装后为清宫所藏，后入藏故宫博物院。清阮元《石渠随笔》、高士奇《江村书画目》《石渠宝笈续编》著录。

《卓歇图》为绢本，设色，纵33厘米，横256厘米。无款印。引首有清张照书"番部卓歇图"，乾隆帝作《卓歇歌》。尾纸有元王时，清高士奇、张照的跋文。《卓歇图》描绘

契丹族可汗率部下骑士出猎后歇息饮宴的情景。"卓歇"即立起帐篷休息的意思，亦可释为立而暂休息。画卷分为两部分，前半部描绘狩猎归来的骑士正在休息的场面，他们情态各异，神态举止生动自然；画卷的后半部主要表现狩猎贵族宴饮歌舞的场面，场景安逸而恬静。整个画面以开阔的草原风光为背景，人物、马匹排列疏密有致，生动描绘了边塞部落酋长在狩猎途中休憩宴饮的场面，富有游牧民族生活气息。《卓歇图》虽人物、鞍马众多，形神各异，但作者处理得起伏有致，有条不紊而又浑然一体。各部分间疏密得当，跌宕多姿。绘画线条均匀、准确有力。

《卓歇图》是五代时期重要的绘画作品，在中国书画史上具有重要作用和地位。它奠定了金代人马画的发展走向，即线条凝练、造型生动、画风淳朴，着意于表现女真族勇悍和粗犷的民族个性及浪漫不羁的草原生活，并一直影响了元初的人马画艺术。尤其是画中的人物发式和服饰，几乎成了表现北方少数民族人物形象的定式。为了解中国少数民族历史提供了实录和史料。《卓歇图》定名、作者及创作时代均存在争议。旧考认为作画年代上限约在金太祖灭辽前后，下限年代至迟在太宗朝末（1116～1135年），属金初之作。

《卓歇图》藏于故宫博物院。

《阆苑女仙图》卷 五代时期南唐文物。五代南唐阮郜的绘画作品。阮郜，五代南唐画家，入仕为太庙斋郎，工写人物，尤擅仕女图。《阆苑女仙图》是阮郜唯一的传世作品。北宋《宣和画谱》，清高士奇《江村销夏录》《江村书画目》、卞永誉《式古堂书画汇考》、吴升《大观录》《石渠宝笈初编》等书著录。

《阆苑女仙图》为绢本，设色，纵42.7厘米，横177.2厘米。无作者款印。卷后跋语有

清乾隆帝题诗，前后隔水有清高士奇和乾隆、嘉庆、宣统三朝内府诸收藏印记共22方，残印6方。此图描绘的是仙山阆苑，为仙女生活游玩之地。"阆苑"是传说中仙人的住处，有时也指宫苑。画作描绘出茫茫大海中一片宁静的仙岛。水天浩瀚，波浪环抱，礁岸崎岖，松柏挺立，竹林间白云缭绕，岸边珊瑚琅玕。画面中部群仙聚会是重点，苍松翠竹间，一群仙女休闲的情景，其中三个地位显赫，在小仙女的陪侍下坐在一起，或执卷欲书，或展卷凝视，或拨弄弦琴。四周有乘鸾女仙、乘龙女仙、驾云女仙，还有在海面上凌波漫步，缓缓而来的女仙，与地上群仙互为呼应。画中女仙体态纤弱，衣纹勾描细密圆软，一反唐周昉时代侍女之丰肥与衣纹线条之方硬。树枝多画成蟹爪状，画法略似李成。坡石以墨线勾出，染青绿色。水纹繁复，刻画生动。清高士奇在跋中云："五代阮部画，世不多见。《阆苑仙女图》曾入宣和御府，笔墨深厚，非陈居中、苏汉臣辈所可比拟。"

五代绘画传世作品稀少，《阆苑女仙图》尤其值得重视。《阆苑女仙图》采用工笔重彩绘成，体现了中国汉唐以来民族绘画的特点。

《阆苑女仙图》藏于故宫博物院。

《雪景寒林图》轴 北宋文物。传为北宋范宽的山水画作品。范宽（950～1032年），陕西华原（陕西铜川）人。山水始师李成，继法荆浩，有"师人不若师物"的创作体会。范宽落笔雄强，山多正面奇峰，画出秦陇间峰峦浑厚、严峻逼人之气概，又擅写雪山，冒雪出云之势，尤具气骨。北宋《宣和画谱》著录宋

徽宗内府藏范宽作品达58件，仅《溪山行旅图》《临流独坐图》《雪山萧寺图》《雪山楼阁图》等存世，但大多为托名或临仿之作。北宋末为宣和内府藏品，明末清初为梁清标所藏，康熙时则由安岐处进入清内府，后流入民间，被时在天津的工部右侍郎张翼购藏。20世纪80年代，张叔诚将《雪景寒林图》捐给天津市艺术博物馆收藏。北宋《宣和画谱》，清卞永誉《式古堂书画汇考》、安岐《墨缘汇观》等书著录。

《雪景寒林图》为绢本，墨笔，纵193.5厘米，横160.3厘米。在画面前景的寒林枝干中隐藏一处款识"臣范宽制"。有清梁清标"蕉林""观其大略""蕉林收藏"三印、安岐"麓邨""安氏仪周书画之章""思源堂"三印、清内府"乾隆御览之宝""御书之宝""石渠宝笈"诸印，以及张翼"潞河张翼燕某所藏""文孚嗣守"等鉴藏印。画面表现关中地区，山川雪后森然静穆的美感。图中雪峰高耸，峰峦沟壑间云气弥漫，真实再现冬季北方山石和枯木的特有质感。画面下方有大块水面，水面以上是深谷寒林，中藏萧寺一座。整幅画构图严整，笔墨浓重润泽，主用雨点皴法，层次分明而浑然一体，皴擦、渲染并用，突出雪的亮度。

《雪景寒林图》是一件艺术水平极高的宋人山水画，在中国古代绘画经典作品中占有一席之地。

《雪景寒林图》藏于天津博物馆。

《写生蛱蝶图》卷 北宋文物。北宋赵昌的写生画作品。赵昌，字昌之，广汉（属四川）人，北宋画家。赵昌擅画花果，多作折枝花，兼工草虫，重视写生，字号"写生赵昌"，在宋真宗大中祥符年间（1008～1016年）声誉最隆。传世之作如《杏花图》《粉花图》《写生蛱蝶图》《四喜图》。《写生蛱蝶图》南宋时由贾似道收藏，德祐年间被官府没收。元时为仁宗之姊鲁国大长公主收藏。明初入内府纪察司。清时转入梁清标之手，旋即又归入清内府，备受乾隆帝赏识。晚清宣统时流入民间，为伪满"国兵"朱国恩抢得，存放于吉林长春的家中。1952年，东北文化部组织的工作小组在长春查获《写生蛱蝶图》，交由东北博物馆收藏。东北博物馆将《写生蛱蝶图》与北宋崔白《寒雀图》卷、吴元瑜《荔枝图》卷一同送交国家文物局，后拨交故宫博物院收藏。

《写生蛱蝶图》为纸本，设色，纵27.7厘米，横91厘米。无作者款印。尾纸处有元冯子振、赵岩题诗，明董其昌题跋及清乾隆帝御

题诗一首。钤南宋贾似道"魏国公印""秋壑""台州房务抵当库记"（官府印），元仁宗爱育黎拔力八达之姊鲁国大长公主"皇姊图书"，明"纪察司印"（半印），清梁清标"蕉林居士""棠邨"及清乾隆、嘉庆帝收藏印。图中描绘秋天野外风物。画面上方大面积留白营造晴空，三只美丽的彩蝶在空中翩翩飞舞，一只蚱蜢正在向上观望。景物多集中在画面左下部，以墨笔勾野菊、霜叶、荆棘和偃伏的芦苇等，形象准确自然，布置错落有致。整幅画意境平和，用笔遒劲，逼真传神，设色清丽淡雅，清劲秀逸。

《写生蛱蝶图》设色明快柔和，线条简练变化丰富，突破了北宋花鸟画院体的束缚，丰富了花鸟画的技法，形成了一种新风格。董其昌题跋"赵昌写生曾入御府，元时赐大长公主者，屡见冯海粟跋，此其一也"，将《写生蛱蝶图》定为赵昌所画。

《写生蛱蝶图》藏于故宫博物院。

《十咏图》卷 北宋文物。北宋张先的山水人物画作品。张先（990～1078年），字子野，吴兴（浙江湖州）人，宋仁宗朝进士。做过都官郎中（刑部所属曹司的主管官）。传世《安陆词》，又名《张子野词》。张先的绘画作品仅《十咏图》一幅。北宋熙宁五年（1072年），张先致仕家居，出于对父亲的怀念，翻阅他生前诗作，其中一首七律《吴兴太守马大卿会六老于南园人各赋诗》的最末两句说道"它日定知传好事，丹青宁羡洛中图"，对张先有所触动，于是创作出《十咏图》。《十咏图》在清时先为内府收藏，清末溥仪以赏溥杰的名义将画盗出，后携至长春，下落不明。1995年，故宫博物院在拍卖会上购回《十咏图》。

《十咏图》为绢本，设色，纵52厘米，

横125.4厘米。无款,旧题张先。引首有清乾隆帝手书"诵芬写妙"四字,拖尾有南宋陈振孙,元颜尧焕、鲜于枢、脱脱木儿四跋,画中有北宋孙觉一跋,以及南宋贾似道"悦生""秋壑""秋壑玩赏"等印,明初"典礼稽察司印"半印,清乾隆、嘉庆两帝宝玺十余方,又溥仪印三方。画卷开首部分为吴兴南园一角,主体建筑为一座重檐歇山顶的楼阁,相配小亭栏杆回环曲折,花草树木掩映,庭中有鹤,亭角有花一株,环境幽雅而气象恢宏。楼阁内,马太守正陪二老对坐弈棋;小亭内,二老手扶栏杆,一面赏景一面闲话;另二老或携琴或曳杖,款款而来。此外有童仆、衙役陪伴侍候,显然是一次气氛轻松的雅集活动,表现三首诗的内容,除前述一首之外,另有《庭鹤》《玉蝴蝶花》二首。南园临水而建,湖对岸所绘远渚汀洲,村庄茅舍,树木葱郁,群山耸翠,依次表现出《孤帆》《宿清江小舍》《归燕》《闻砧》《宿后陈庄偶书》《送丁秀才赴举》《贫女》七首诗的内容。

《十咏图》记载北宋的文化活动及有关人物,是存世唯一的第一手历史资料。陈振孙曾根据南园立石对各种人物作了详细的笔录和考证,但刻石在元代被毁,颜尧焕的跋记录颇详。《十咏图》及所有的题跋更显得弥足珍贵。

《十咏图》藏于故宫博物院。

《春山图》卷 北宋文物。北宋燕肃的水墨画作品。燕肃(991~1040年),字穆之,益都(山东青州)人,北宋画家、科学家、诗人。宋真宗大中祥符间进士,为秘书省著作佐郎,官至龙图阁直学士,人称"燕龙图"。燕肃善画山水,兼工人物、牛马、松竹、翎毛,以诗入画,意境高超,为文人画先驱。燕肃曾在京师太常寺、玉堂作屏风画,刑部、景宁坊住宅及许、雒二地的佛寺作壁画,皆为巨幅。画迹有37件著录于《宣和画谱》,仅存《春山图》《寒岩积雪图》。《春山图》曾经明项元汴及清内府收藏,清《石渠宝笈初编》著录。

《春山图》为纸本,墨笔,纵30厘米,横69.7厘米。此卷款识"燕肃画"。山峰上方有清乾隆帝题诗,尾纸有虞集、唐肃、项元汴等34家题记。其中唐肃一跋尤为重要,有"燕公山水雍公题"句。雍公即南宋名臣虞允文,存跋中的虞集,为其五世孙,可证为家传。图中描绘崇山峻岭间茅屋草亭,古木葱郁,溪流板桥环绕,栈道盘曲,高士寻幽访胜。坡石峰峦,行笔浑厚,高松垂柳,落墨苍劲。

《春山图》为纸本水墨全景山水,春山耸

秀，溪流板桥，竹篱村舍，高松垂柳，和高士在山水中寻幽访胜的刻画，处处都流露出对林泉之乐的向往，具有浓郁的诗情，生拙凝重的笔墨和山水造型，又与一般职业画家迥异，带有早期士大夫的形迹。

《春山图》藏于故宫博物院。

《窠石平远图》轴 北宋文物。北宋郭熙的巨幅山水画作品。郭熙（1023～约1085年），字淳夫，河南温县人，北宋画家。熙宁年间（1068～1077年），郭熙为图画院艺学，后任翰林待诏直长，工画山水寒林，宗法李成，山石用"卷云皴"和"鬼面石"，画树枝如蟹爪下垂，笔力劲健，水墨明洁，称"蟹爪枝"。郭熙笔法独树一帜，早年工致，晚年落笔益壮，常于高堂素壁作长松巨木、回溪断崖、岩岫巉绝、峰峦秀起、云烟变幻之景。传世作品有《幽谷图》《早春图》《树色平远图》《窠石平远图》，著有画论《林泉高致》，与李成并称"李郭"，与荆浩、关仝、董源、巨然并称五代北宋间山水画大师。《窠石平远图》曾为宋徽宗时宫廷所藏，后经明代朱元璋三子晋王朱棡、清初梁清标所收藏，民国时仍一直在梁氏家乡河北正定一带流传。1950年冬，徐邦达到河北保定地区收购古书

画，在保定莲池书院文化馆发现此画，最终收藏入故宫博物院。

《窠石平远图》为绢本，墨笔，设色，纵120.8厘米，横167.7厘米。画幅左侧有款"窠石平远"四字及"元丰戊午年郭熙画"，钤有"郭熙印章"一方，以及"敕赐临济壹宗之印"等印记11方和半印1方。画中描绘北方深秋田野清幽辽阔的景色。近景为寒林秋树窠石清溪，远方山峦隐隐可见；上部空旷，展现出一派秋高气爽的优美风光。《窠石平远图》取"平远"法，凭纵深的空间距离呈现开阔的画面。

郭熙传世作品不多，《窠石平远图》为其中署有年款的一幅，是其晚年的杰作，也是欣赏他的画作和理解他的美术理论的绝佳作品。《窠石平远图》既汲取范宽的宏阔气派，为李成派正宗传承，同时又兼江南画派的手法，是郭熙的创造和发展。北宋早期山水画创作的自然主义到北宋末期的郭熙已走向现实主义。

《窠石平远图》藏于故宫博物院。

《幽谷图》轴 北宋文物。北宋郭熙的山水画作品。《幽谷图》曾经北宋宣和内府收藏，明初入内府，又经明张孝思藏。入清由梁清标、安岐和乾隆朝内府等递藏。近代由蔡金台和靳伯声收藏。著录于北宋《宣和画谱》、清安岐《墨缘汇观》。

《幽谷图》绢本，墨笔，纵167.7厘米，横53.6厘米。无作者名款。钤有"宣和宝殿"等印。《幽谷图》以俯视深远的取景构图，在狭长的立幅上布满险峻的山石，中部是巨大幽深的沟壑，岩间苍劲不屈的枯枝与远岗层林形成对比；山涧清流，涓涓而下，描述"冬山惨淡而如睡"的季节特征。

《幽谷图》画面以纯熟的山水画技法、完备的构图、创新的笔墨风格和景少而意深的艺术特色，呈现出令人震撼的心灵映射，营造出清远、高旷、荒寒的山水画意境。

《幽谷图》藏于上海博物馆。

《渔村小雪图》卷 北宋文物。北宋王诜的雪景山峦画作品。王诜（1036～1093年后，一作1048～1104年后），字晋卿，山西太原人，居开封。官至宣州观察使、官左卫将军、驸马都尉。存世作品有《渔村小雪图》《烟江叠嶂图》《溪山秋霁图》等。《渔村小雪图》直至明朝末年才出现在民间，后经戴严荤、王翚、年羹尧递藏，后入清内府。

《渔村小雪图》为绢本，设色，纵44.5厘米，横219厘米。前隔水有宋徽宗题记，尾纸和画上有乾隆帝御题，题跋者有18人。依次为：年羹尧、宋荦、乾隆帝、蒋溥、刘统勋、汪由敦、裘曰修、刘纶、观保、彭启丰、于敏中、董邦达、金德瑛、王际华、钱汝诚、黄君坦、惠均、张伯驹。画作描绘快雪时晴之际，山峦和渔村的景致。寒汀疏林，薄积小雪，一只只小船和渔民张网垂钓的情景在寒林中形成妙趣。渔民的劳作和整个画面的阴冷荒寒气氛对比，令人玩味。后段一片虬曲林木，杂树以水墨点缀而成，松针用尖笔重勾。用笔尖劲清散，在刻画物态上十分精细自然，工中带写；用墨则明润秀雅，华滋淳厚，注重气氛的烘染。至于用色则更富创见，不仅在绘天山坳处用墨青作了处理，托出山岭坡岸的积雪，又在崖巅、树顶上用蛤粉渍染，表现积雪在阳光下灿烂夺目的景象。画面以白粉为雪，树头和芦苇及山顶、沙脚微染金粉，又以破墨晕染，表

现雪后初晴的轻丽阳光，为王诜独创之法。

《渔村小雪图》藏于故宫博物院。

《烟江叠嶂图》卷 北宋文物。北宋王诜的山水画作品。《烟江叠嶂图》曾入宣和内府。南宋由贾似道藏。贾氏败后，籍没入官。入清经孙承泽、宋荦，清乾隆、嘉庆至宣统诸朝内府收藏。此后为张伯驹所藏。北宋《宣和画谱》、清吴升《大观录》、安岐《墨缘汇观》《石渠宝笈》等书著录。

《烟江叠嶂图》为绢本，墨笔，纵26.2厘米，横139.6厘米。无款印。有宋徽宗赵佶标题"内府所藏王诜四卷中此为第一。"钤有"双龙"方玺、"宣""和"朱文联珠印，"悦生"朱文葫芦印、"秋壑珍玩"白文印，"台州房务抵当库记"朱文半印等藏印。图中绘云山高叠，江水辽阔，杂树丛生、水上烟波

缥缈无际。重峦叠嶂陡起于烟雾弥漫浩渺空旷的大江之上,空灵的江面和雄伟的山峦形成巧妙的虚实对比。奇峰耸秀,溪瀑争流,云气吞吐,草木丰茂,显得蓬勃富有生气。以墨笔皴山画树,用青绿重彩渲染,清雅而富丽。邓椿《画继》谓王诜"所画山水学李成皴法,以金绿为之,似古"。

《烟江叠嶂图》传世不止一本,画法略用青绿设色,石皴在不方不圆之间,小树多夹叶,别具一种风格。此画面萧疏清远,表现了烟雾迷蒙的水乡景色,在构图上,远近疏离,似有一透视感,远山隐映于云雾之中,悠远秀丽。

《烟江叠嶂图》藏于上海博物馆。

《维摩演教图》卷 北宋文物。传为北宋李公麟的绘画作品。李公麟(1049~1106年),字伯时,号龙眠居士,庐江郡舒县(安徽舒城)人,北宋著名画家。神宗熙宁三年(1070年)进士,历泗州录事参军,以陆佃荐,为中书门下后省删定官、御史检法。李公麟好古博学,长于诗,精鉴别古器物,尤以画著名,凡人物、释道、鞍马、山水、花鸟,无所不精。李公麟致仕后归居龙眠山庄,自作《山庄图》。传世作品有《临韦偃牧放图》《五马图》等。《维摩演教图》经元代柯九思,明沈度,清索额图、宣统皇帝等鉴藏。清

高士奇《江村销夏录》、卞永誉《式古堂书画汇考》《秘殿珠林初编》著录。

《维摩演教图》为绢本,墨笔,纵34.6厘米,横207.5厘米。无作者款印。画后幅有明沈度书《心经》及跋,明董其昌、王穉登题跋。钤元柯九思"柯敬仲氏",清索额图"钦赐忠孝长白山长索额图字九如号愚庵书画珍藏永贻子孙""长白索氏珍藏图书印"、宣统皇帝"宣统御览之宝""宣统鉴赏"等鉴藏印共57方。《维摩演教图》取材于佛教《维摩诘经》,描绘装病在家的维摩诘向奉佛祖释迦牟尼之命前来探病的文殊菩萨宣讲大乘教义的场面。全图意在表现维摩诘所具有的高深智慧及对佛教教义的巧思善辩。画中维摩诘坐于锦榻之上,精神矍铄地谈论教义,对面的文殊菩萨脚踩莲花,双手合十,对维摩诘的说法心悦诚服。画幅中部绘天女故意往大弟子舍利弗身上撒沾衣不坠的花瓣,令躲闪不及的舍利弗连忙振衣抖拂。维摩见此当即指出佛教应该视万物皆空的教义实质。

《维摩演教图》为墨线勾描,游丝描和铁线描相辅相成,在成功刻画出神态各异的人物形象的同时,也与佛教"空即是色,色即是空"的教义相吻合。

《维摩演教图》藏于故宫博物院。

《临韦偃牧放图》卷 北宋文物。北宋李公麟的绘画作品。《临韦偃牧放图》的底本系唐代韦偃的精品，是李公麟奉宋徽宗之旨而摹。清《石渠宝笈续编》、阮元《石渠随笔》、孙承泽《庚子销夏记》等书著录。

《临韦偃牧放图》为绢本，水墨，淡设色，纵46.2厘米，横429.8厘米。卷右上角有作者篆书自题"臣李公麟奉敕摹韦偃牧放图。宋李公麟临韦偃牧放图卷"。本幅、后隔水有清乾隆皇帝御题，拖尾有明太祖朱元璋跋，钤有北宋"宣和中秘"、明"万历之玺"、清"蕉林藏书画印"等近40方印玺。画面从右自左展开。在高低不平的土坡和广阔的平原间，牧者驱赶大群马匹蜂拥而来，马嘶人叫，热闹异常。马群逐渐散开成组各自活动，有的低头觅食，有的追逐嬉闹，有的奔跑跳跃，有的就地翻滚，还有几匹马走向远处的小河去饮水。众多的马匹姿态各异，生动自然。放马的牧人有的骑在马上，有的穿戴较为整齐，有的则敞胸露怀赤足，在树荫里休息的牧人为契丹族，其中似乎还有等级的差别。《临韦偃牧放图》构图从密集紧凑渐成疏松流畅，全图共画143人、马1286匹。马匹和人物均用墨线勾勒，线条挺拔有力，敷色精细清纯，坡石墨色稍淡，略有皴擦，再用赭石色渲染，加强画面的气氛。构图和笔墨的变化使得整个作品主次分明、生动活泼，避免呆板、混乱和重复。

《临韦偃牧放图》藏于故宫博物院。

《芦汀密雪图》卷 北宋文物。北宋梁师闵的绘画作品。梁师闵，一作士闵，字循德，汴梁（河南开封）人，北宋画家。梁师闵官至忠州刺史、左武大夫等职，工诗书，以画花竹翎毛、湖天小景著称于世。北宋《宣和画谱》评论"取法江南人""精致而不疏，谨严而不放"。《芦汀密雪图》为梁师闵的传世孤品。

《芦汀密雪图》为绢本，设色，纵26.6厘米，横145.8厘米。卷尾有作者自署"芦汀密雪，臣梁师闵画"款一行。画卷有宋徽宗书"梁师闵芦汀密雪"七字题签。画幅中乾隆帝御题的"鸳鸯两两相随逐，不为严寒异故心"的诗句则直接点出此画寄兴游心的主题。图中描绘严冬时节的沙渚平川，坡石竹枝已尽为白雪覆盖，丛丛干枯的芦草在阴沉晦暗的背景下瑟瑟隐现。清寂之中，一池湖水尚未封冻，两

只鹡鸰在沙洲上相互依偎，一对鸳鸯于寒波中游水嬉戏，此情此景与漫天密雪的荒寒景色形成对比，充满诗意。

《芦汀密雪图》是一幅山水与花鸟融汇的湖天小景佳作。《芦汀密雪图》用笔细润，皴法简括，水墨为主，略施赭色，大片空白的运用体现中国传统绘画"于无画处皆成妙境"的特质。

《芦汀密雪图》藏于故宫博物院。

《湘乡小景图》卷 北宋文物。北宋赵士雷的绘画作品。赵士雷，字公震，承平王孙，北宋画家，曾任襄州观察使等职。赵士雷善画湖塘小景，师法惠崇，作雁鹜鸥鹭、溪塘汀渚，落笔高超，驰誉于时。北宋《宣和画谱》著录御府所藏作品有《春岸初花图》《桃溪鸥鹭图》等51件。《湘乡小景图》初为宋徽宗赵佶收于内府，明代流入民间藏家之手，据图上题跋可知，顾从德于"嘉靖辛丑冬以五十金得之于黄茂夫氏"，项元汴"用原价

购于上海顾氏"。清康熙朝时被献入清宫。雍正末年，皇室将其赐给宫中负责鉴别内府藏书画的谢淞洲，谢为此题"上距嘉靖辛丑一百九十五年吴门谢淞洲得之"。但不久，又被乾隆帝收归清内府。宣统年间，溥仪将它偷运出宫，被伪满"国兵"王学安掠得。王学安迫于战乱，将其收入铁筒埋于地下，后又转于好友王思民。中华人民共和国成立后，归国家文物局所有，后拨交故宫博物院。清《佩文斋书画谱》著录。

《湘乡小景图》为纸本，设色，纵43.2厘米，横233.5厘米。前隔水黄绫上有宋徽宗"宗室士雷湘乡小景"瘦金书题签，清乾隆帝御题诗一首，尾纸有明顾从德、项子京、谢淞洲跋。钤明项子京"子京珍秘""子京父印""项元汴氏审定真迹"等印，清乾隆帝"三希堂精鉴玺""乾隆御览""古希天子"及嘉庆皇帝"嘉庆御览之宝"、宣统皇帝"宣统御览之宝"诸玺。《湘乡小景图》描绘夏季

池塘边的动人景色。图中远景为汀渚曲折，垂柳弄阴；中景为辽阔的水面，有白鹭、野凫、鸳鸯等水禽嬉戏波间；画右近景绘有高大的苍松，枝繁叶茂，一派生机。树木用夹叶法表现，茂密的树叶为笔法工整的双钩填色，枝叶相互叠加，既有层次感又不失之于琐碎。画卷融花鸟与山水为一体，境界优美，具有浓郁的诗意。

《湘乡小景图》藏于故宫博物院。2015年9月8日～11月8日，在"石渠宝笈特展"中陈列展出。

《寒雀图》卷 北宋文物。《寒雀图》又名《九雀图》，北宋崔白的花鸟画作品。崔白，字子西，濠梁（安徽凤阳）人。崔白擅画花竹、禽鸟，尤工秋荷凫雁，注重写生，精于勾勒填彩，体制清澹，笔迹劲利如铁丝，设色淡雅，别创一种清澹疏秀之格，一变宋初以来画院中流行的黄筌父子浓艳细密的画风。传世作品有《寒雀图》《禽兔图》（一名《双喜图》）等。

《寒雀图》为绢本，设色，纵25.5厘米，横101.4厘米。作品署款"崔白"二字，有清乾隆帝题诗一首："寒雀争寒枝，如椒目相妒。设有鹘来驱，舍仇共救护。"卷后有明文彭题跋。图中描绘隆冬的黄昏，一群麻雀在古木上安栖入寐的景象。右上角一只麻雀正向枝头飞来，它看着枝上停着许多同伴，意欲停之。最右面枝上的那只麻雀乍来尚未站稳，双爪抓住树枝，身子向下翻转，似跌落似翻身般地站稳枝上。画中央四只麻雀，靠右的两只一前一后站着，前面的那只好像在观看初来乍到正在枝头翻身的那只麻雀，后面的那只稍仰着头在看身后枝上那只面对着观众的麻雀。只唯一正面的麻雀，它稳稳地站着，尖尖的嘴巴向前，笔直的尾巴向下挺着，两只眼睛有神地注视着前下方，这种姿态的鸟最难刻画，然画家把握得十分精确。下面粗枝旁也停着只麻雀，枯木挡住了它的尾部，它在仰头鸣叫。最左面的细枝上的三只麻雀已经憩息安眠，处于静态。一只嘴衔着翅羽，两只一面一背地相依着。鸟雀的灵动被表现得惟妙惟肖。劲挺的树干与清秀的鸟雀相映衬，使画境显得格外浑穆恬澹、苍寒野逸。树干的用笔落墨很重，且烘、染、勾、皴浑然不分，造型纯以墨法，笔踪难寻。虽然施于画上的赭石都已褪落，但丝毫未损害它们的神采，野逸之趣盈溢于绢索之外，有师法徐熙的用笔特点。

《寒雀图》反映北宋宫廷花鸟画在审美感受上已进入了另一阶段。崔白新创的花鸟画打破了流传百年的黄筌画派一统格局，推动宋代花鸟画的发展。

《寒雀图》藏于故宫博物院。

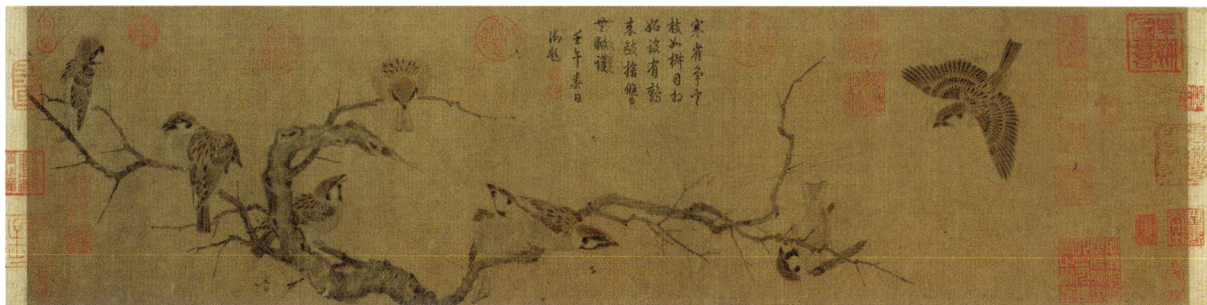

吟徵調商竟下桐
松間疑有入松風
仰窺低審含情客
以聽無弦一事十
　　昌京謹題

聽琴圖

《听琴图》轴　北宋文物。传为北宋徽宗赵佶的绘画作品。赵佶（1082～1135年），即宋徽宗，神宗赵顼第十一子，在位25年。能书善画，尤擅花鸟，自创书法瘦金体。传世品有《柳鸦芦雁图》《祥龙石图》《芙蓉锦鸡图》《摹张萱虢国夫人游春图》《池塘秋晚图》《瑞鹤图》《听琴图》、真书及草书《千字文卷》等。另有《五色鹦鹉图》《翠竹双雀图》《四禽图》等，藏于美国。

《听琴图》为绢本，设色，纵147.2厘米，横51.3厘米。图中有蔡京所题七言绝句一首，右上角有宋徽宗赵佶所书瘦金体书"听琴图"三字，左下方书"天下一人"一押，上钤朱文"御书"方印，清嘉庆内府诸印。图中坐一人微髯，穿道服低头抚琴。听者三人，右一人纱帽红袍，俯首侧坐，一手反支石墩，一手持扇按膝，神情像是沉醉于动人的曲调中；左一人纱帽绿袍，拱手端坐，抬头仰望，似视非视，也正被美妙的琴声拨动情思；旁边立一童子，双手交叉抱胸，远远地注视着主人公，正在用心细听，神情单纯。画面背景简洁，主人公背后有一株松树，女萝攀附，枝叶扶疏，亭亭如盖；松下有竹数竿，折旋向背，摇曳多姿；主人公对面有小巧玲珑山石一块，上置盆卉，琴案旁有一几，几上置熏炉，香烟袅袅，简洁而静谧。

历代鉴赏家认为，《听琴图》并非赵佶作品，而是宣和画院画家代笔。无论是否为代笔，《听琴图》都是一幅上乘之作。

《听琴图》藏故宫博物院。

《瑞鹤图》卷　北宋文物。北宋徽宗赵佶的绘画作品。《宋史·仪卫六》：载"政和二年，延福宫宴辅臣，有群鹤自西北来，盘旋于睿谟殿上，及奏大晟乐而翔鹤屡至，诏制瑞鹤旗"，徽宗认为是祥云伴着仙禽前来帝都告瑞，于是欣然命笔作《瑞鹤图》。靖康二年（1127年），金兵攻陷北宋都城汴梁，《瑞鹤图》散落民间。元胡行简，明项元汴、吴彦良等递藏，清时归藏内府，备受诸帝珍爱。1945年，溥仪随身携带数箱珍贵书画及珠宝玉器欲逃往日本，其中包括《瑞鹤图》。1950年，《瑞鹤图》等一批清宫散佚书画入藏东北博物馆。清《石渠宝笈重编》、阮元《石渠随笔》著录。

《瑞鹤图》为绢本，设色，纵51厘米，横138.2厘米。卷后有徽宗瘦金书题记及诗，款"御制御画并书"，签押"天下一人"，书风健笔开张，挺劲爽利，侧锋如兰竹，媚丽之气溢出字里行间。钤清"乾隆御览之宝""石渠宝笈""宝笈重编""乾隆鉴赏""嘉庆御览之宝""宣统御览之宝"等玺印。北宋政和二年（1112年）上元之次夕，都城汴京上空忽然云气飘浮，低映端门，群鹤飞鸣于宫殿上空，久久盘旋，不肯离去，两只仙鹤竟落在宫殿左右两个高大的鸱吻之上。空中仙禽竟似解人意，长鸣如诉，经时不散，后迤逦向西北方

向飞去，此图描绘的即为此景。图中下部绘白云缭绕的汴梁宣德门，仅见宫门脊梁，上空飞鹤盘旋，左右两鸱尾之上有两鹤伫立，互相呼应。画面突出群鹤翔集，庄严肃穆中透出神秘吉祥之气。绘画技法精妙，图中群鹤如云似雾，姿态百变，无有同者。用色独特，天空石青满染，薄晕霞光，色泽鲜明，鹤身粉画墨写，睛以生漆点染，顿使整个画面生机盎然。

《瑞鹤图》采用非传统花鸟画构图的方法，将飞鹤布满天空，一线屋檐既反衬出群鹤高翔，又赋予画面故事情节，在中国绘画史上是一次大胆尝试。《瑞鹤图》独具清俊潇洒格调，形神兼备，是宋徽宗书画珍品中难得的上乘之作。卷后为徽宗瘦金书题记及诗，"瘦金体"的出现丰富了我国书法艺术的个性化风格，对后世亦颇有影响。

《瑞鹤图》藏于辽宁省博物馆。

《祥龙石图》卷 北宋文物。北宋徽宗赵佶的绘画作品。北宋邓椿《画继·圣艺》记载，徽宗宣和时期，曾集结前代名画而成《宣和睿览集》，《祥龙石图》卷可能也是其中一件。同样格式的画作，还有辽宁省博物馆藏《瑞鹤图》卷、美国波士顿美术馆藏《杏花鹦鹉图》卷。《祥龙石图》历经北宋内府、元"天历之宝"收藏。清吴荣光《辛丑销夏记》等著录。

《祥龙石图》为绢本，设色，纵53.9厘米，横127.8厘米。卷后拖尾一纸有清陈仁涛跋语一段，钤"陈氏仁涛"朱文印。鉴藏印有"宣和殿宝""御书""天历之宝""晋国奎章""晋府图书之印""笃寿""第一稀有""恭亲王宝""叶恭绰""恭绰长

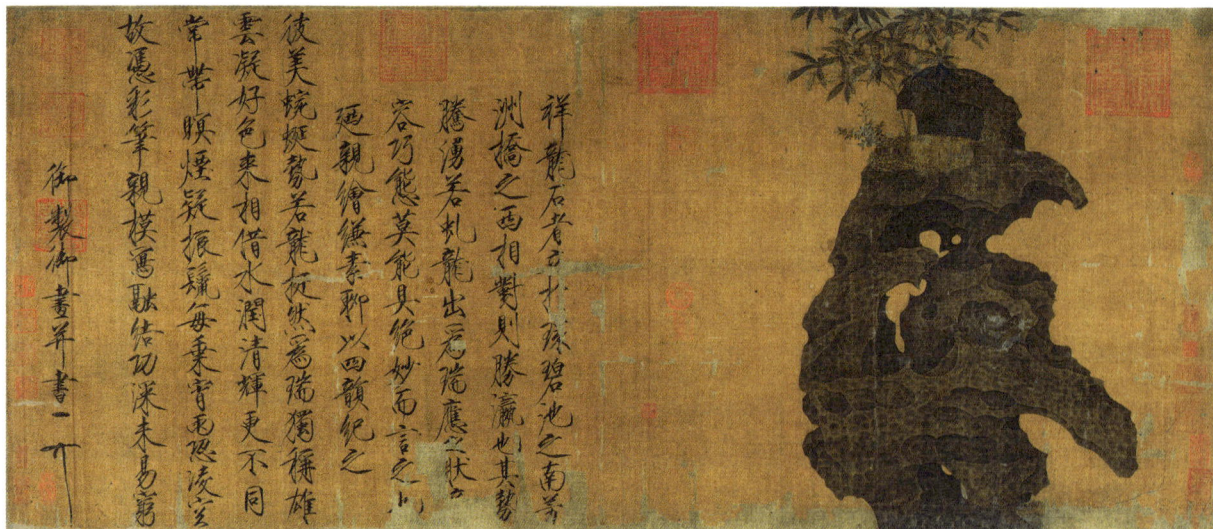

寿"、"玩物而不丧志"、"辽西郡图书印"等。
图绘一竖立的太湖石，石质剔透，石的上层洼陷处被制成小池，有石生植物长出，在湖石中部的坑眼中，也有一丛杂卉。图中小池右下方有小字金书"祥龙"，命名湖石。湖石全以墨笔表现，构图简洁，石的结构清晰，勾勒与晕染水平很高，是典型的北宋宫廷工笔绘画。画左侧为宋徽宗题记并御制诗，以及款识和签名草押。题记表达对"祥龙"石的欣赏和作画的初衷。在《祥龙石图》中，徽宗的诗作为画面的一个部分，这样的形式已有中国绘画诗、书、画、印一体的形式要素。

《祥龙石图》保存基本完好，代表北宋工笔画的精湛水平，宋徽宗的瘦金书真迹同样具有其独特的艺术价值。《祥龙石图》是北宋晚期皇家审美的典型作品。

《祥龙石图》藏于故宫博物院。

《雪江归棹图》卷　北宋文物。北宋徽宗赵佶的绘画作品。《雪江归棹图》曾经清梁清标、张应甲递藏，最后经乾隆帝、嘉庆帝、宣统帝御藏。民国初年，被溥仪挟带出宫外，后散落民间，被张伯驹收藏。1952年，张伯驹将该图出售给国家，由文化部文物局划拨给故宫博物院。明詹景凤《东图玄览》、张丑《清河书画舫》、汪砢玉《珊瑚网》，清《石渠宝笈续编》等著录。

《雪江归棹图》为绢本，设色，纵30.3厘米，横190.8厘米。有宋徽宗瘦金书自题"雪江归棹图"。款署"宣和殿制"，押"天下一人"，钤双龙纹印。另有清乾隆帝御题诗一

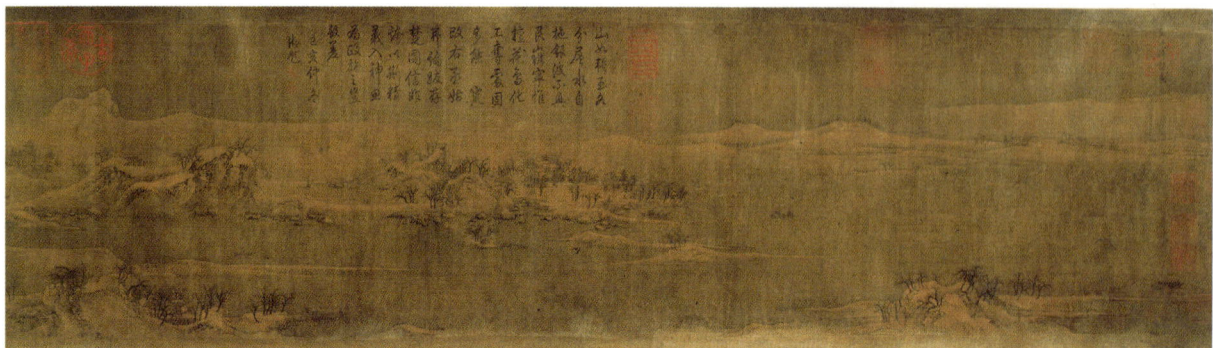

首。引首有清乾隆帝御题"积累超神"。尾纸有蔡京、王世贞、董其昌等题跋。蔡京题跋云："伏观御制《雪江归棹》，水远无波，天长一色，群山皎洁，行客萧条，鼓棹中流，片帆天际，雪江归棹之意尽矣。"此图以长卷形式，绘雪后郊野山川，平远辽阔，雪峰耸起，古刹清冷。坡岸其间隐现楼观、村舍、桥梁、栈道及人物活动，长堤上纤夫牵引归舟，渔村萧条。山石树木皆笔法苍劲，至工至细。

《雪江归棹图》行笔流露出作者长于画枝条和界画，展示了作者的花鸟画和界画的艺术功力。清代画家吴升《大观录》："格制颇与晋卿《渔村小雪》相似，但气韵风度凝重苍古，直闯王右丞堂奥。"

《雪江归棹图》藏于故宫博物院。2015年9月8日～11月8日，在"石渠宝笈特展"中陈列展出。

《柳鸦芦雁图》卷 北宋文物。北宋徽宗赵佶的绘画作品。《柳鸦芦雁图》曾经北宋内府收藏，后出赐给邓洵武，传家四世，至庆元三年（1197年）仍为其曾孙邓谏从所藏。明初入内府。清时孙承泽、梁清标，清内府收藏。清孙承泽《庚子销夏记》《石渠宝笈续编》、阮元《石渠随笔》著录。

《柳鸦芦雁图》为纸本，水墨，设色，纵34厘米，横223.2厘米。赵佶落款及右上角"紫宸殿御书宝"及"御书"葫芦印为后人描画。卷后有南宋荣传辰、邓谏从题跋，邓易从、范逾跋则是后人伪作。卷首有清乾隆帝题"神韵天然"引首及题诗，另有清梁清标题签。画作内容共分两段。前段画一株柳树和数只白头鸦。柳树枝干用粗笔浓墨作短条皴写，柳条直线下垂，流利畅达，运笔圆润健韧而富

弹性，墨色前后层次分明。后段四只芦雁在芦草蓼花边栖息、嬉戏，饮水啄食，羽翼丰满，神态各异，动姿充满生机。前段为宋徽宗亲笔，后段为同时代人临摹，水平稍差。

《柳鸦芦雁图》使用水墨淡设色，笔法简朴粗犷，画面明净舒展，平和典雅中蕴涵着自然界的无限生机。画法采用以墨为骨，把粗笔写意和精湛写生融合在一起，是一幅画风拙朴的佳作。

《柳鸦芦雁图》藏于上海博物馆。

《芙蓉锦鸡图》 北宋文物。北宋徽宗赵佶的绘画作品。

《芙蓉锦鸡图》为绢本，设色，纵81.4厘米，横54厘米。有宋徽宗自题诗："秋劲拒霜盛，峨冠锦羽鸡。已知全五德，安逸胜凫鹥。"钤有"万历之宝""乾隆御览之宝""嘉庆御览之宝""宣统御览之宝"等印。图中描绘纤细的芙蓉花枝一角，一只锦鸡蓦然飞临芙蓉枝头，压弯了枝头，宽大的叶片也随之翻转，瞬间停落而又回首翘望右上角那对翩翩的彩蝶。芙蓉、锦鸡、蝴蝶、秋菊构成构图丰满、诗意盎然、气韵生动的画面。全图设色艳丽，双钩重彩，笔力挺拔，线条工细沉着；渲染填色薄艳娇嫩，细致入微。锦鸡、花鸟、飞蝶，皆精工而不板滞、形神兼备、富有逸韵。锦鸡羽毛斑斓华贵，尾毛长而硬，密而不乱，造型准确，用笔精微。用色丰富多彩，在鸡的面部和颈后羽毛上铺厚薄不同的白色，颈部为黑色条纹，腹部施朱砂。锦鸡神情专注地紧盯着两只翻飞的蝴蝶。左下的菊花修长而富有弹性，花与叶都玲珑又精致，与宽大舒展的芙蓉叶形成对比，既丰富全图的线条，又与整幅画的艺术

风格十分和谐。

《芙蓉锦鸡图》是中国古代经典名画中的精品，它不同于一般宋代花鸟画，将"成教化，助人伦"的画理隐喻在怡情悦性的画面之中。此画借"锦鸡"的五种自然天性，宣扬人的五种道德品性，颂扬宋代社会具有儒家精髓的伦理品德。《芙蓉锦鸡图》以其独特的艺术天赋和精湛的绘画技巧，使用笔和设色这两大中国传统绘画技法达到完美的统一，且以特有的笔调活灵活现地传达出所描绘对象的精神特质，达到了高度成熟的艺术化境，同时突出了自己所强调的形神并举，提倡诗、书、画、印的艺术主张。

《芙蓉锦鸡图》藏于故宫博物院。

《枇杷山鸟图》页 北宋文物。北宋徽宗赵佶的绘画作品。

《枇杷山鸟图》为绢本，墨笔，执扇页，纵22.6厘米，横24.5厘米。款押"天下一人"。钤"御书"朱文葫芦形印一方。裱边题签"宋宣和枇杷山鸟"。对开有清乾隆帝御题诗一首："结实圆而椭，枇杷因以名。徒传象厥体，奚必问其声。鸟自讬形稳，蝶还翻影轻。宣和工位置，何事失东京。"鉴藏印钤"宣统御览之宝"，中缝钤"八征耄念之宝""太上皇帝之宝"朱文印各一方。图中描绘江南五月，成熟的枇杷果在夏日的光照下分外诱人。一只绣眼鸟翘尾引颈栖于枇杷枝上，正欲啄食果实，却发现其上有一只蚂蚁，便回喙定睛端详，神情十分生动有趣。枇杷枝仿佛随着绣眼的动作重心失衡而上下颤动，画面静中有动，妙趣横生。绣眼的羽毛先以色、墨晕染，随后以工细而不板滞的小笔触根根刻画，表现出鸟儿背羽坚密光滑、腹毛蓬松柔软的不同质感。枇杷果以土黄色线勾轮廓，继而填入金黄色，最后以赭色绘脐，三种不同的暖色水乳交融，从而展现出枇杷果成熟期的丰满甜美。

《枇杷山鸟图》中枇杷叶用笔致工整细腻的重彩法表现，不仅如实地刻画出叶面反转向背的各种自然形貌，且将叶面被虫儿叮咬的残损痕迹亦勾描晕染得一丝不苟，充分反映宋代花鸟画在写实方面所达到的艺术水平。

《枇杷山鸟图》藏于故宫博物院。

《梅花绣眼图》页 北宋文物。北宋徽宗赵佶的绘画作品。

《梅花绣眼图》为绢本，设色，纵24.5厘米，横24.8厘米。款识"御笔""天下一人"。钤"御书"朱文葫芦形印一方。右下角有鉴藏印"阿蒙秘笈"。图中描绘瘦劲梅枝，枝上疏花秀蕊，一只绣眼俏立枝头，与白色清丽的梅花相映成趣。梅花修剪痕迹较重，应为宫梅。绣眼羽翼精微，眼神灵动，立于枝头，似在婉转鸣叫。梅花画法精细，梅枝劲挺，相互交错而富于弹性，墨色饱满雅致；梅花层层敷色，呈现厚重白色。整个画面清晰灵动，景物刻画富有空间立体效果。

《梅花绣眼图》画法精细，墨色饱满雅致，画面富有立体效果，代表北宋皇家的审美趣味。

《梅花绣眼图》藏于故宫博物院。2019年9月3日，在"万紫千红——中国古代花木题材文物特展"中陈列展出。

《清明上河图》卷 北宋文物。北宋张择端的绘画作品。张择端，字正道，琅琊东武（山东诸城）人，北宋画家。张择端自幼好学，早年游学汴京，后习绘画，宋徽宗时供职翰林图画院，专攻界画宫室，尤擅绘舟车、市肆、桥梁、街道、城郭。代表作《清明上河图》。《清明上河图》流传有序。建中靖国元年（1101年）入宋御府；"靖康之变"后，流入金人地区。南宋景定元年（1260年）入元内府，后为陈彦廉购藏。元至正十一至二十五年（1351～1365年），先后经杨准、刘汉，元李祁购藏。明代经手人有朱鹤坡、张英、徐溥、李东阳、陆完、顾鼎臣、严嵩、严世蕃父子，后由内府转入冯保之手。入清以后，先后为陆费墀、毕沅等人收藏，后入清宫。清宣统三年（1911年），《清明上河图》被清末代皇帝溥仪盗出宫外，流落民间，经张克威、林枫拨至东北博物馆，后调入故宫博物院。《石渠宝笈三编》著录。

《清明上河图》为绢本，淡设色，纵24.8厘米，横528厘米。有张著、张公药、郦权、王磵、张世积等题跋。全图大致分为汴京郊外春光、汴河场景、城内街市三部分，描绘数量庞大的各色人物，牛、骡、驴等牲畜，车、轿、大小船只，房屋、桥梁、城楼等。其中以汴河周围的场景为全图的中心，汴河是北宋时期，国家重要的漕运交通枢纽，商业交通要道。从画面上可以看到人口稠密，商船云集，人们有的在茶馆休息，有的在看相算命，有的在饭铺进餐。还有"王家纸马店"，是卖扫墓祭品的。河里船只往来，首尾相接，或纤夫牵拉，或船夫摇橹，有的满载货物，逆流而上，有的靠岸停泊，正紧张地卸货。横跨汴河上的是一座规模宏大的木质拱桥，宛如飞虹，故名虹桥。一只大船正待过桥，船夫们有用竹竿撑的，有用长竿钩住桥梁的，有用麻绳挽住船的，还有几人忙着放下桅杆，以便船只通过。这里是闻名遐迩的虹桥码头区，一个水陆交通的汇合点，可称为画面的高潮片段。构图采用鸟瞰式全景法，并采用"散点透视法"组织画面，真实而又集中地描绘汴京东南城角，画面长而不冗，繁而不乱，严密紧凑。画中所摄取的景物，大至寂静的原野、浩瀚的河流、高耸的城郭，小到舟车里的人物、摊贩上的陈设货物、市招上的文字，描绘一丝不苟。用笔兼工带写，设色淡雅。

《清明上河图》生动记录了中国12世纪北宋都城汴京的城市面貌和当时社会各阶层人民的生活状况，是北宋时期都城汴京当年繁荣的

见证，也是北宋城市经济情况的写照，具有很高的历史价值和艺术价值。

《清明上河图》藏于故宫博物院。

《千里江山图》卷 北宋文物。北宋王希孟的青绿重彩山水画作品，作于北宋政和三年（1113年）四月。王希孟，北宋画家，18岁即显示出不凡的绘画天赋，为北宋画院学生，后召入禁中文书库，经宋徽宗指点笔墨技法，技艺精进，画遂超越矩度，英年早逝。《千里江山图》是王希孟唯一传世作品。《千里江山图》经北宋蔡京、内府，元溥光，清内府等收藏。清《石渠宝笈初编》著录。

《千里江山图》为绢本，设色，纵51.5厘米，横1191.5厘米。无作者款印。卷后有北宋蔡京、元代溥光和尚二跋，钤"缉熙殿宝""乾隆御览之宝"等印28方。作品以长卷形式，大青绿设色绢本，以"咫尺有千里之趣"的表现手法和精密的笔法，布局交替采用深远、高远、平远的构图法则，撷取不同视角以展现千里江山之胜。描绘连绵的群山冈峦和浩渺的江河湖水，于山岭、坡岸、水际中布置点缀亭台楼阁、茅居村舍，水磨长桥及捕鱼、驶船、行旅、飞鸟等，景物繁多，气象万千。构图于疏密之中讲求变化，繁复的林木村野、舟船桥梁、

楼台殿阁、各种人物布局井然有序。以披麻皴与斧劈皴相合，表现山石的肌理脉络和明暗变化。设色匀净清丽，于青绿中间以赭色，富有变化和装饰性。在运笔上，更趋细腻严谨，点画晕染均能一丝不苟，人物虽小如豆，却形象动态鲜明逼真。万顷碧波，皆一笔一笔画出。渔舟游船，荡漾其间，使画面平添动感；山石皴法以披麻与斧劈相结合，综合了南、北两派的特长；在用色上，以简洁的墨线勾、皴，薄施赭色后，用石绿、石青反复罩染，多达八九层，并在画绢的反面用青绿色衬染，故其青绿石色厚重沉稳，整幅画的墨青、墨绿基调浑然一体，艳而不俗，历经千年而依然灿烂夺目。

《千里江山图》意境雄浑壮阔，气势恢宏，充分表现自然山水的秀丽壮美。《千里江山图》不仅是青绿山水发展的里程碑，而且是集北宋以来山水画的大成之作。

《千里江山图》藏于故宫博物院。

《江山放牧图》卷 北宋文物。北宋祁序的绘画作品。祁序，北宋画家。工画花竹翎毛，兼善山水、人物，尤长画水牛及猫。画迹有《倒影牛图》《渡水乳牛图》《斗牛图》《牧牛图》《夹竹桃花图》《写生鸡冠花图》《四皓弈棋图》等44件，著录于北宋《宣和画谱》，均已佚。《江山放牧图》是祁序的唯一传世画作。《江山放牧图》原藏清宫内府，清宣统年间被溥仪偷运出宫，存于长春小白楼内，后为伪满洲国周觉民掠走。1983年，由李倩玉捐献给故宫博物院。清《石渠宝笈》著录。

《江山放牧图》为绢本，设色，纵47.3厘米，横115.6厘米。无款。有金章宗完颜景题签、清梁清标书签，清乾隆帝御题诗一首，金章宗，清耿昭忠、梁清标以及乾隆、嘉庆、宣统诸帝之玺等鉴藏印。图中描绘江南水乡牧童牧放水牛的情景。湖山坡渚一区，树木茂盛，坡地山丘逶迤，湖湾河汊平远开阔，水牛在水边踱步，姿态各异，或低头饮水，或昂首举目，或扭身顾盼，或侧身前行，牧童也各呈其趣，或在牛背上戏耍，或在树阴下闲坐。笔法劲健，造型准确，虚实变化丰富，洋溢乡土风情。构图采用平远式构图，布局疏朗有致，图中树木刻画风格粗简，树干以粗线条勾勒轮廓，润墨皴擦，尽显苍健、虬曲之美；树叶笔法细腻，线条圆润工整，展现出树木丰润华滋之美。堤岸坡石的表现更别具匠心，以曲折弯转的墨线勾边，再以石绿色晕染坡面，亮丽的

色彩不仅丰富画面的色调，也为全图增添万物复苏的春之气息。

北宋时期社会经济得到了迅速的发展，而当时的绘画也堪称是色彩与水墨争辉、诗情与画意相融的时代，市民文艺创作开始兴起并不断发展，人物画和社会风俗画也得到高度的发展，《江山放牧图》就是一幅描绘江南农村风土人情的风俗画。作品善于描绘坡坂汀渚、江湖小景，通过局部小景表现开阔清旷之象，宁静中透出蓬勃生意，形成独特的审美意趣。

《江山放牧图》藏于故宫博物院。2015年10月13日，在"石渠宝笈特展"中陈列展出。

《江天楼阁图》轴 南宋文物。

《江天楼阁图》为绢本，设色，纵98厘米，横55厘米。无作者署名。钤藏印"万几清暇""大雅斋""慈禧太后预览之宝""苍岩""棠村审定"等藏印。图中描绘江天水色。山崖突起，重木虬松，楼台耸峙。崖下巨舸正倒椗泊岸，扁舟载客穿行。远处青山隐约，水天相接，浩渺无涯。所绘船舶，楼阁十分精细、上半部写远景，用淡墨勾染，虽很简略，却给人一种深远苍茫的感觉，特别是船上三十几位船工紧张操作的神态，描绘得非常生动。

《江天楼阁图》用笔工整，设色淡雅，画风承五代遗绪。图中山体用短线条密笔勾皴，坚挺爽利，舟船楼台作界画，十分精细，画法可与北宋张择端的《清明上河图》相印证。

《江天楼阁图》藏于南京博物院。

《采薇图》卷 南宋文物。南宋李唐的绘画作品。李唐（1066～1150年），字晞古，南宋河阳三城（河南孟县）人，南宋画家。李唐初以卖画为生，徽宗时入画院，南渡后流亡至临安（浙江杭州），授成忠郎衔任画院待诏，颇受宋高宗赵构赏识，与刘松年、马远、夏圭合称"南宋四家"。李唐擅山水、人物故事画。山水用峭劲笔墨，写北方山川的雄峻气势，布局多取近景，突出主峰或崖岸。山石作大斧劈皴，积墨深厚，所画石质坚硬，立体感强。画水不用鱼鳞纹，而得盘涡动荡之状，开南宋一代山水画新风。人物初学李公麟，后衣褶变为方折劲硬。传世品有《万壑松风图》《清溪渔隐图》《采薇图》《晋文公复国图》《宋画山水》等。《采薇图》是南宋李唐所作的历史题材画，描绘殷末伯夷、叔齐"不食周粟"的故事。北宋靖康二年（1127年），金灭北宋，活捉徽、钦二帝，俘获一批包括李唐等宫廷画家

在内的能工巧匠。李唐在去往金国的途中逃走，作《采薇图》，对苟且偷安、腆颜事敌的北宋臣子进行辛辣讽刺。经明张丑《清河书画舫》、汪砢玉《珊瑚网》，清《佩文斋书画谱》、卞永誉《式古堂书画汇考》等书著录。

《采薇图》为绢本，淡设色，纵27.52厘米，横90.5厘米。款署"河阳李唐画伯夷叔齐"。引首有明代李擢公书"首阳高隐"。前隔水题签"宋李唐画伯夷叔齐采薇图"。后幅有元宋杞，明俞允文、项元汴，清永瑆、翁方纲、蔡之定、阮元、林则徐、吴荣光、潘霄汉的题记。本幅有明项元汴、清吴荣光等鉴藏印多方。尾纸钤诸家藏印54方。图中最前面有一松、一枫相对而立，树干奇崛如铁、挺拔坚硬，枫树后面的石壁上有两行款识："河阳李唐画伯夷叔齐。"画面的中心位置有一块巨大的岩石，光滑如砥，石上伯夷与叔齐二人相对而坐，伯夷双手抱膝，目光炯然，显得坚定沉着；叔齐则上身前倾，表示愿意相随。伯夷、叔齐均面容清癯，身体瘦弱，二人由于生活在野外，长时间以野菜充饥，身体受到极大的折磨，但是精神却丝毫没有被困苦压倒。摆放在二人面前的篮子和镢头是采薇的工具。一条透迤蜿蜒的小溪从崖下流过。图中把人物放在突出位置，造型较大，用淡墨晕染衬出白色的布

衣，暗喻伯夷和叔齐的高洁。人物身体用线柔和，须眉用笔精细且多变化。背景部分用笔较为豪放粗简。老松主干两边用浓墨侧锋，以细笔勾出松鳞，充分表现出老松厚重的量感和体积。柏叶点染细密，浓淡变化细微。山石用大斧劈皴，并以不同深浅、枯润的墨色涂抹，表现山石奇峭的风骨和坚硬的质感。图中整体气氛肃穆、凝重、萧瑟。左方辽阔的平原和河流与高险山崖相对比，简劲的衣纹和繁茂的树木相对比，展现出伯夷和叔齐的亡国之痛与内心矛盾。

《采薇图》作品人物描绘生动传神，用笔精练而又富于变化，墨法枯润适中，对南宋马远、夏圭的绘画极有影响。清张庚《浦山论画》评价："二子席地对坐相话言，其殷殷凄凄之状，若有声出绢素。"

《采薇图》藏于故宫博物院。

《濠梁秋水图》卷　南宋文物。南宋李唐的山水画作品。《濠梁秋水图》又名《濠濮图》，是李唐根据《庄子·秋水篇》而创作。经明安国、项子京，清宋荦、李凤池、陈定等人鉴藏，后入藏清乾隆朝内府，清末溥仪将其挟带出宫，中华人民共和国成立后收藏于天津艺术博物馆。

《濠梁秋水图》为绢本，设色，纵24厘

米，横114.5厘米。尾纸有明范允临题跋。图中描绘庄子和惠子论辩时的情景。数株茂密的大树占据主要画面。树用夹叶法，淡赭设色，透露出浓浓秋意。大石用斧劈皴，勾勒劲健，结构谨严，苍劲凌厉，颇见质感，以青绿罩染。远山峡口飞泉直泻，与山下溪水相接。水中矶石兀立，波纹回环，落叶随水漂游，山石的刚硬和水波的柔和形成鲜明对比。整个画面显示出一幅浓郁的深秋景象，给人以金风送爽、清幽之感。山石丛林中，二长者于平台上相对而坐，一人面对观者，一人侧面作交谈状，衣着古朴，衣纹简练，神态刻画细致，颇见精神。

李唐的作品可以分为两个时期即南渡之前和南渡之后。南渡之前的作品以《万壑松风图》为代表，表现为构图繁密，气势雄峻，画风严谨，朴实厚重，动人心魄；南渡之后的作品以《采薇图》和《清溪渔隐图》为代表，呈现了另一种简练洒脱，水墨苍劲，以刚性线条和大斧劈皴为标志的风貌。而《濠梁秋水图》处于风格转变的时期，可从图中体会。

《濠梁秋水图》藏于天津博物馆。

《四梅花图》卷 南宋文物。南宋扬无咎的绘画作品。扬无咎（1097～1171年），字补之，号逃禅老人，又号清夷长者，自称草玄（扬雄）后裔，清江（属江西）人，南宋词人。扬无咎擅绘墨梅，以墨笔圈线为特点。《四梅花图》是扬无咎应友人范端伯之请而绘。《四梅花图》清嘉庆初年为陆谨庭所得，专门筑"四梅花阁"庋藏，后流落于外邦，被程桢义用"番钱三百枚"购回，当时传为艺林盛事。后由顾文彬收藏，1949年后入藏故宫博物院。明朱存理《铁网珊瑚》、张丑《清河书画舫》、汪砢玉《珊瑚网》，清顾文彬《过云楼书画记》、卞永誉《式古堂书画汇考》、吴升《大观录》等著录。

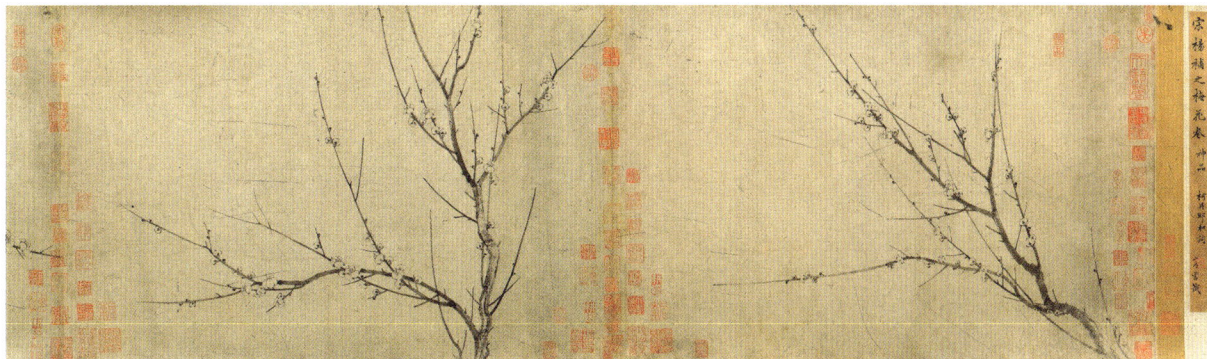

《四梅花图》为绢本，水墨，纵37.2厘米，横358.8厘米。画幅上有扬无咎自书《柳梢青》咏梅词4首，以及元吴镇，明沈周、文徵明、项元汴等人收藏印记多达300余方。《四梅花图》描绘梅花从含苞到初绽、怒放，最后凋零的全过程。四梅纯以水墨绘成，花朵作白描圈线，不加晕染，即为"圈花法"，注意浓、淡、干、湿、焦的变化，用笔轻快洗练，毫不拘板。新枝用劲直线条一笔写成，极为挺秀。粗干则用"飞白法"，湿笔复加干皴，虚实相间，墨色变化丰富。全幅呈现出匀协恬静、清淡闲野的气氛，诚如时人所谓的"村梅"格调。作品有借梅言情、迟暮感伤之意。扬无咎的梅花与画院富丽风格的"宫梅"有所不同，他笔下的梅花是以水墨"写意"为之。

《四梅花图》藏于故宫博物院。

《江山秋色图》卷 南宋文物。南宋赵伯驹的青绿重彩山水画作品。赵伯驹，字千里，宋室宗亲，宋太祖七世孙，南宋画家。赵伯驹在宋高宗时期官任浙东兵马钤辖，擅长绘画，人物、花卉、翎毛、山水皆精通。有《阿阁图》《汉宫图》《江山秋色图》等传世。《江山秋色图》曾入明内府，清代初年为梁清标收藏，后入清宫。抗战期间由溥仪携往长春，后为中央人民政府所收。

《江山秋色图》为绢本，设色，纵55.6厘米，横323.2厘米。尾纸有明洪武八年（1375年）朱标题跋，钤有清内府"乾隆御览之宝""石渠宝笈"以及梁清标等鉴藏印。此图采用全景式构图、青绿重彩绘北方山水。群峰绵密，层峦叠嶂，仅在画卷前部有一条长河曲折蜿蜒而远逝，后卷但见崇山峻岭，错落连绵，辅以竹林乔木、楼观屋宇、山庄茅舍及车马行旅等丰富的细节，展现深秋辽阔的壮丽景色。画风精密不苟，设色清丽和谐，章法严谨，造型准确生动。框架取景于图中局部，也可单幅成立为构图和谐的山水，内在遍布不同题材之间的组合，对于后世的绘画创作具有借鉴意义。

北宋后期青绿重彩山水画复兴，传世最具代表性的作品有两件，一件是王希孟的《千里江山图》，另一件即为此卷。两者都展示了宋代全景山水之宏伟，但在表现手法上有明显的区别。前者青绿色彩浓丽，而《江山秋色图》则勾、皴更为精细工致，并用墨青色层层烘染，山石土坡普罩赭石色，堪称水墨淡彩山水画。

《江山秋色图》藏于故宫博物院。2017年9月15日～12月14日，在"千里江山——历代青绿山水画特展"中陈列展出。

《枫鹰雉鸡图》轴　南宋文物。南宋李迪的花鸟画作品，作于南宋庆元二年（1196年）。李迪，河阳（河南省洛阳市孟津区）人，南宋宫廷画家。李德茂父。南宋孝宗、光宗、宁宗时供职画院。李迪擅画花鸟、竹石、走兽、长于写生。禽鸟画法精细，神态活现，画鸠精俊如生，画鹡鸰翘翘欲起。树石笔法苍劲，亦作山水小景。传世作品有《枫鹰雉鸡图》《鸡雏待饲图》《雪树寒禽图》等。

《枫鹰雉鸡图》为绢本，设色，纵189.4厘米，横209.5厘米。款署"庆元丙辰岁李迪画"，钤有鉴藏印"怡亲王宝"。图中绘苍鹰雄踞古枫枯枝上，回首俯视雉鸡，雉鸡正惶恐地鸣叫着向草丛逃窜，营造出强烈的紧张气氛。苍鹰目光圆瞪，钢喙如钩，爪尖扣进树皮，既突出鹰的凶猛矫健秉性，又强调捕捉猎物时的力之凝聚和意念之专注，真实传神。雉的形象也逼真如生，仓皇奔逃的姿态，惊惧的目光，乍开的羽毛，尤其是蹬枝欲飞的动作，准确地刻画出急于逃命又难脱厄运的情状，体现作者体察生物及捕捉瞬间的敏锐洞察力和写生传神的高超表现力。

《枫鹰雉鸡图》为南宋画院所绘花鸟画中罕见的宏构巨制。禽鸟工整精细，设色轻淡。树干粗勾细染，斑纹点点，呈苍劲之质。枫叶、兰草、丛竹则细笔双钩，淡墨渲染，形体富有弹性，又疏密有致。山石运斧劈皴，兼作笔实墨重的擦染，近李唐又存北宋之法。

《枫鹰雉鸡图》藏于故宫博物院。

《鸡雏待饲图》页　南宋文物。南宋李迪的花鸟画作品，作于南宋庆元三年（1197年）。《鸡雏待饲图》历经宋代张则、明代项元汴收藏，后入清内府。清《石渠宝笈续编》著录。

《鸡雏待饲图》为绢本，设色，纵23.7厘米，横24.6厘米。有款识"庆元丁巳岁李迪画"。裱边钤清乾隆帝"太上皇帝之宝""八徵耄念之宝"玺印两方。对幅有清乾隆帝御题五言诗一首，"含英咀华""即事多所欣"二

印。钤宋"张则印"、明"项元汴印""墨林秘玩""项墨林鉴赏章""神品"等鉴藏印，一朱文印模糊不辨。图中两只雏鸡一卧一立，面朝同一方向，屏气凝神、侧耳静听。黑、白、黄等细线密实地描绘雏鸡绒毛的质感，栩栩如生。构图极其简洁，无任何背景相衬，却捕捉住雏鸡回眸的刹那神情，幼小可人的生动神态跃然而出。

《鸡雏待饲图》自民间入藏清内府后，乾隆帝除赏识其艺术造诣外，还从帝王角度联想到勤政爱民的治国之策。他于乾隆五十三年（1788年）临摹此件作品，并且喻令摹刻多份，颁赐给各省督抚，希望这些地方官将所辖地区的百姓视为图中的鸡雏，在处理政务时要"实心经理，勿忘小民嗷嗷待哺之情"。

《鸡雏待饲图》藏于故宫博物院。

《后赤壁赋图》卷 南宋文物。南宋马和之的绘画作品。马和之，钱塘（浙江杭州）人，南宋画家。宋高宗绍兴年间（1131～1162年）进士，官至工部侍郎，为南宋宫廷画院中官品最高的画师，位次在苏汉臣、李安中、夏圭、马远等仅有10人的御前画院中，居首位。马和之擅长人物、佛像、山水，发展吴道子的"兰叶描"而成"柳叶描"（一称为"蚂蟥描"），笔法飘逸，着色轻淡，自成一家，绘画风格与唐代吴道子相仿，人称"小吴生"。

宋高宗、宋孝宗两朝，马和之的画作备受重视。高宗曾书《毛诗》300篇，让和之逐篇作画，可惜仅成50余幅。传世作品有《唐风》《豳风》《小雅·鹿鸣之什》《周颂》《鲁颂》和《后赤壁赋》等。

《后赤壁赋图》为纸本，墨笔，纵25.9厘米，横143厘米。画卷后接宋高宗赵构草书《后赤壁赋》，钤双龙圆印、"太上皇帝之宝"二印。另有一纸小篆书《后赤壁赋》，有"炼雪"葫芦形迎首章。有清"梁清标印""蕉林秘玩""苍岩子""河北棠邨""梁清标玉立氏印章""冶溪渔隐""梁雝之印""朝鲜人""安岐之印""安氏仪周书画之章""麓邨"以及张若霭、张若澄兄弟，清乾隆、嘉庆、宣统三朝内府诸印等鉴藏印记。图中描绘苏轼与客二人"携酒与鱼，复游于赤壁之下"的月夜泛舟情景。远处为疏远的山木，小舟在水中央，两端有三人操舟，苏轼左手抚沿，仰视夜空，二客正在谈论。石壁枯木，波涛拍岸，又见一只鹤飞向石壁。画作传神地再现了苏轼的文意，映衬《后赤壁赋》中"江流有声，断岸千尺；山高月小，水落石出。曾日月之几何，而江山不可复识矣"的感怀之情。

《后赤壁赋图》藏于故宫博物院。

《豳风图》卷 南宋文物。南宋马和之的绘画作品。《豳风图》是马和之根据《诗

经·国风》之《豳风》绘制的画作，在元代初年被分割为两卷，仅《破斧》篇为赵孟頫收藏，明董其昌误认为是赵孟頫补图。清乾隆年间两卷入内府，合璧装成一卷，将董其昌、高士奇跋移往后幅。明张丑《清河书画舫》，清卞永誉《式古堂书画汇考》、吴升《大观录》《石渠宝笈续编》、阮元《石渠随笔》等书著录。

《豳风图》为绢本，设色，纵25.7厘米，横55.7厘米。无款印。卷首有清乾隆帝御书"苇籥余风"四字，尾纸除董其昌、项元汴等三则题记外，尚有乾隆帝御题一则，钤明项元汴，清高士奇、梁清标及乾隆、嘉庆、宣统三朝内府藏印多方。内容共分7段，依次为《七月》《鸱鸮》《东山》《破斧》《伐柯》《九罭》《狼跋》，每段画前书《豳风》原文。图中人物形象生动，衣纹用兰叶描，笔法流畅潇洒，设色清丽古雅，在诸本毛诗图中属于精作。旧传为马和之画，宋高宗赵构书，但在《伐柯》篇内"构"字因避高宗讳而缺一笔，可能书法部分是画院高手代笔。

《豳风图》藏于故宫博物院。

《鹿鸣之什图》卷 南宋文物。南宋马和之的绘画作品。《鹿鸣之什图》是马和之绘制的诗经图，创作于宋高宗时期。"鹿鸣之什"是《诗经·小雅》中以"鹿鸣"为第一首诗的十首诗歌的总集，是先秦时期的诗歌。马和之《诗经图》问世不久即出现摹本、临本，传世者约16卷，风格、水平不一。此卷属马和之典型的"蚂蝗描"，书法端庄潇洒，为高水平的高宗书体，书画均属真迹。曾为清内府收藏。经清孙承泽《庚子销夏记》、吴升《大观录》、安岐《墨缘汇观》《石渠宝笈》著录。

《鹿鸣之什图》为绢本，设色，纵28厘米，横864厘米。无款印。引首有清乾隆帝御题"治赅内外"，尾纸有清乾隆帝题记。钤鉴藏印"绍兴""南阳宋氏""子章""鲁野""石渠定鉴""宣统御览之宝"等。图中共绘10段内容，首段开头书"鹿鸣之什"四字，末段书三首诗名及小序及"鹿鸣之什十篇"。每段后有宋人楷书《诗经》原文。第一段《鹿鸣》描绘一所豪华的宫殿中华灯盛宴，一王者相貌之人踞坐殿中，嘉宾与臣下列坐两侧。殿外丹墀之下内侍环立，乐工鼓琴奏乐，以乐君臣。右侧是高大的树木与叠起的云霭，将画面自然隔开，表现群鹿于山谷之中，或鸣，或奔，或低首觅食，各具姿态。第二段《四牡》描绘外国使臣来朝路上的情节。一辆四驾马车左行，一人手持节旄端坐车中，四名仆从于车前挽辔而行，车后一人跟随。衬景仅

绘一丛树木，表现出路途的荒凉与使臣远行的艰辛。第三段《皇皇者华》绘山间路上一辆四匹马驾的车正逶迤行进，与前段人物的运行方向相反，为自左向右行。第四段《常棣》绘坡岸上三人立于水畔，形貌几乎相同，似表现兄弟三人正在观看水中的植物。水中植物也为三株，错落生长，或为常棣之木。第五段《伐木》绘山高草深，林木茂盛，山谷间二人手执利斧，在一株较矮小的树下作砍伐状。二人视线均集于树上的一只栖鸟身上，扣紧"出自幽谷，迁于乔木"的主题。第六段《天保》绘高山峻岭，乔松挺秀，碧海翻波，祥云瑞霭，红日初升于水上，皎月掩映于峰峦之间，光华耀人。第七段《采薇》绘山林间一队车马右向奔驰，驾车之马皆着甲胄。画面上只画出七人八马，但山坡顶部扬起的数杆旗帜却令人有千军万马随之而来的感觉。第八段《出车》描绘王者乘车出郊慰劳戍边而还的将士之场面。图中以人物车马为主，衬景仅是边角上点缀几丛杂树，远处山丘隐现。第九段《杕杜》绘山林间茅屋隐现，小路上一妇人提篮远眺，远处山顶旗帜隐现，寓征夫将还之意。第十段《鱼丽》绘池塘中二人划一小舟，肩扛捕获的鱼向岸边而来，岸上二人正在指点谈论，意在表现"始于忧勤，终于逸乐"的政治观点，对统治者施政有一定的劝诫寓意。

《鹿鸣之什图》画法以简劲飘逸的"蚂蝗描"勾取轮廓。线条短促，"战掣"松动，用于描绘岚气，山坡、树木，虽见缺落，但气脉贯通，有笔不到而意到之妙。相比之下，建筑界画笔法整一，略显刻板。赋彩淡雅，色不隐墨，娴静幽远，近于"吴装"。

《鹿鸣之什图》藏于故宫博物院。

《江山万里图》卷　南宋文物。南宋赵芾的山水长卷作品。赵芾，亦作赵黻，京口（江苏镇江）人。工画人物、山水、窠石，南宋绍兴年间（1131～1162年）居镇江之北固。其绘画著录的有《金山图》《焦山图》《乘风破浪图》和《扬子风帆图》等。《江山万里图》是赵芾唯一流传于世的作品。《江山万里图》经明钱惟善、张宁、陆树声珍藏。清初入皇宫内府，逊帝溥仪以赏赐溥杰的名义将它移出宫外，后由国家文物局拨交故宫博物院收藏。明文嘉《钤山堂书画记》、汪砢玉《珊瑚网》，清卞永誉《式古堂书画汇考》《石渠宝笈初编》等书著录。

《江山万里图》为纸本，水墨，纵45.1厘米，横992.5厘米。有作者款题"京口赵黻作"，钤"黻"朱文印。拖尾上有明钱维善、张宁、陆树声等人的诗跋。图中用水墨大胆铺陈，内容分为三段：第一段烟云朦胧，漫过远山，远处的丛林由浅渐深。山峦起伏，林木葱

郁，陡峭悬崖上有一道曲折萦绕的山路。山路上一个人骑着驴，前后两人背着行李，缓缓前行。崎岖道路的尽头是烟波浩渺的万里长江，一只小舟逆流而上，远处江面有点点飞鸟。第二段描绘江流突然被一峭然石壁截断，绕过山崖，又重新出现在眼前，江面风高浪急。随后再次出现山峰，峰回路转，一片山间谷地和村落、溪水，出现茅屋、小桥、商贾、农民，给寂静的山川增添生气。第三段以巨浪排空、翻滚狂暴的波涛逐渐转向无边的大海，水天一色，整幅画卷虚进虚出，给人留下无穷无尽的遐想。《江山万里图》山石结构严谨，通过笔皴墨染，精工细密地刻画出山石的体积感与量感。卷尾形成画卷的高潮，大江之上惊涛骇浪，裹挟着风雨，翻腾着卷起冲天巨浪，展示出颠覆一切的自然伟力。

南宋初年的"靖康之难"，在文学上激发了以辛弃疾为首的豪放词派，在绘画上兴起了表现大场景、气势雄奇的山水画。《江山万里图》就是在这一文化背景下绘制的山水长卷。《江山万里图》通过描绘坚硬峻峭的山石与波澜壮阔的大江来抒发爱国热情，既迎合士大夫精英阶层的审美心理，也符合南宋广大人民收复家园的愿望。

《江山万里图》藏于故宫博物院。

《万松金阙图》卷 南宋文物。南宋赵伯骕的风景画作品。赵伯骕（1123～1182年），字希远，宋太祖七世孙，赵伯驹之弟，兄弟二人皆擅绘画，时称"二赵"。赵伯骕侍奉于高、孝两朝，曾绘苏州天庆观图样进呈，孝宗观后令以原样建造，即后世玄妙观。《万松金阙图》是南宋赵伯骕绘制的南宋首都临安（浙江杭州）风景画作。"万松"指临安皇城以北的万松岭，"金阙"指皇帝的宫殿。《万松金阙图》历经清梁清标、安岐及乾隆、宣统两朝内府收藏，后被溥仪盗出宫外，中华人民共和国成立后被国家收购。1953年，由文化部文物局拨交故宫博物院。清安岐《墨缘汇观》、吴升《大观录》著录。

《万松金阙图》为纸本，水墨，纵27.7厘米，横136厘米。无作者款印。后纸有元赵孟頫跋，倪瓒、张绅的题记。画中有一轮淡红的太阳高悬于青黛色的祥云之中。天水茫茫，水边的坡岸上点缀着几块礁石。礁石的后面有数株长松傲然挺立，伸展着枝叶向着太阳伸去。四周绿茵青翠，桃花灼灼，一只仙鹤信步岸边，另一只在水天之际翱翔。远方峰峦重叠，或远或近，或平或险，蜿蜒回复；草木松林，郁郁葱葱，随风摆动；峪翠峦涧，白云缭绕，迷离飘忽，增添画面的空灵意趣。在

丛林中，几顶琼楼金阙错落隐约可见，引人遐想。近处有条溪河，一架彩桥斜跨其上，朱栏回护，映带于山麓上下，伸展于白云生处。平冈上有三棵劲松，龙鳞披挂，枝干老道，顶天立地，撑满上下画幅。透过枝隙，可见一行白鹭冲天而起，飞向金阙。《万松金阙图》笔法清细繁复，格调柔丽雅洁。画中对于皴点的运用十分灵活，采诸家之长不为一家所囿。

《万松金阙图》代表南宋皇家贵胄新的审美情趣。《万松金阙图》的出现，标志宋代山水画的表现对象从北方雄浑的山川转移到江南的青山绿水。

《万松金阙图》藏于故宫博物院。2014年9月5日~11月4日，在"故宫博物院藏历代书画作品展（第九期）"中陈列展出。

《中兴瑞应图》卷　南宋文物。《中兴瑞应图》由南宋曹勋编纂，描绘的是赵构即位为高宗之前，与他有关的一系列瑞应故事，以暗示赵构受命中兴大业的合理与必然，其政治宣传的意义非常明显。据曹勋《松隐集》卷二十九《圣瑞图赞并序》可知，全本的《中兴瑞应图》共有12段，创作起始宋孝宗即位后（隆兴元年，1163年）。在明清绘画文献中，《中兴瑞应图》卷由萧照所绘，存有12段与6段两种版本。明吴宽《匏翁家藏集》、文嘉《钤山堂书画记》、张丑《清河书画舫》，清顾复《平生壮观》、卞永誉《式古堂书画汇考》、吴升《大观录》《石渠宝笈续编》等书，著录了不同版本的《中兴瑞应图》。天津博物馆藏本是全本中的第7、9、12三段故事。此外还有故宫博物院所藏明仇英4段摹本、台

北故宫博物院藏李嵩款4段摹本、2009年嘉德春拍所见12段全本等多种版本，而真本已难见。

《中兴瑞应图》为绢本，设色，纵26.7厘米，横397.3厘米。无款，无收藏印记。内容共分三段，每段前有楷书题赞。第一段表现显仁皇后投棋验证康王得天下的情景；第二段绘赵构在郓州"飞仙台"卜算，三箭皆中台额字中；第三段是赵构任大元帅时的扎营场景，帐中熟睡的赵构梦见兄长钦宗在宫中将为其披衣。

《中兴瑞应图》保存完好，画风呈现李唐一脉的南宋院体风格。人物众多，气氛静穆，可以反映南宋宫廷人物故事画的时代风格，也是南宋初期政治环境的艺术产物。

《中兴瑞应图》藏于天津博物馆。

《踏歌图》轴 南宋文物。南宋马远的绘画作品。马远，字遥父，河中（山西永济）人，"南宋四大家"之一。宋光宗、宁宗时画院待诏。马远善画山水，兼精人物、花鸟，山水始承家学，后学李唐，以峻拔简括见长，下笔遒劲严峻，设色清润，对南宋后期院画有很大影响。传世品有《踏歌图》《雪展探梅图》《水图》《华灯侍宴图》《西园雅集图》等。《踏歌图》中"踏歌"是中国古代的一种歌咏娱乐形式，指一边歌唱，一边用脚踏地打节拍。经清厉鹗《南宋院画录》《佩文斋书画谱》著录。

《踏歌图》为绢本，淡设色，纵192.5厘米，横111厘米。款署"马远"。《踏歌图》上端中间的地方，是南宋皇帝宁宗赵扩抄录北宋王安石的诗句："宿雨清畿甸，朝阳丽帝城。丰年人乐业，垄上踏歌行。"点明了此画

的主题，也是宋朝皇帝对丰收景象和太平盛世的企盼。图中描绘阳春时节南宋百姓在田垄上欢快踏歌的情景。近处有田垅溪桥，巨石居于左边一角，疏柳翠竹掩映，几位老农边歌边舞于垅上。中间部分云烟弥漫，似乎山谷中还有蒙蒙细雨。远处奇峰对峙，宫阙隐现，朝霞一抹。整个画面气氛欢快、清旷，笔锋恣肆健劲，山石用大斧劈皴，体现马远的绘画特点。

《踏歌图》对前景做了细致的刻画，成功地再现了南宋百姓欢快踏歌的场景。这种对物象的高度具体刻画，在全景式山水中是难以做到的，为当时一种新的创造。

《踏歌图》藏于故宫博物院。

《梅石溪凫图》 南宋文物。南宋马远的绘画作品。

《梅石溪凫图》为绢本，设色，纵26.7厘米，横28.6厘米。款署"马远"二小字。钤"潞王之宝""茅林心赏""阿蒙""于腾私印"等鉴藏印。图中画山崖侧立，蜡梅倒垂，薄雾蒙蒙的涧水中，一群野鸭正在游戏。山石以斧劈皴法画之，方硬峭拔，与用笔轻快、毛羽松蓬的野鸭形成鲜明的对比。一幅"春江水暖鸭先知"的景象，无限生趣，跃然绢素。生于悬崖的梅树倒悬而下，梅花怒放，溪水碧波中，群鸭嬉戏，处处洋溢着春日活跃的生机。

《梅石溪凫图》剪裁、构图新巧，所绘梅枝斜出石上，梅枝刚劲曲折，又有力度，用焦墨勾勒的树干，显得"瘦硬如屈铁"。山石用大斧劈皴，坚实，爽朗而有力。水波绘制生动，表现迂回、盘旋以及由微风吹起的微波。画面上方留出空白，迷茫空濛，引人入意境悠远的尘外世界。倒垂曲折的枝条是马远特有的画法，故有"拖枝马远"之称。画面呈典型的对角线式构图，岩石、梅树都偏居画面的左上部分，梅树枝条的走势更强调了此种布局的形式感，右下方的野鸭既起到平衡画面的作用，又是全图的点睛之笔。

《梅石溪凫图》藏于故宫博物院。

《水图》卷 南宋文物。南宋马远的绘画作品。《水图》曾收藏于清宫内府，原贮御书房。明孙鑛《书画跋跋》、李日华《六研斋笔记》、王世贞《弇州山人稿》、陈继儒《妮古录》，清《佩文斋书画谱》、卞永誉《式古堂书画汇考》《石渠宝笈初编》、厉鹗《南宋院画录》等书著录。

《水图》为绢本，设色，共有12幅，每段纵26.8厘米，第一幅横20.7厘米，第二至十二幅横41.6厘米。卷引首有明代书法家李东阳篆书"马远水"三个大字，卷末又有李东阳、吴宽、王鏊、俞允文、陈永年、文嘉、张凤翼、文伯仁、王世贞等多家题跋。画上藏印众多，有梁清标、耿昭忠印记多方。《水图》专门画

水，除个别幅有极少岩岸之外，没有任何别的景色，完全通过对水的不同姿态的描写，表现出种种意境。图中以勾线表现水的不同形态，烟水缥缈，尺寸之中可见千里江河，万顷湖泊。每幅画面上有宋宁宗皇后杨氏楷书题图名，如"洞庭风细""层波叠浪""寒塘清浅"等等，又小字书"赐大两府"。

《水图》笔法变化多端，手法因景因情而异，表现得尽善尽美，尽得画水之理，为中国山水画中"水"形象的创造开辟了一条新的道路。它是中国山水画"水"形象的一个转折点，在中国"水"形象的历史长河中处于中心地位。

《水图》藏于故宫博物院。

《果熟来禽图》页 南宋文物。南宋林椿的花鸟画作品。林椿，钱塘（浙江杭州）人，南宋孝宗淳熙（1174～1189年）间画院待诏，赐金带。绘画师法赵昌，工画花鸟草虫，设色轻淡，笔法精工，所绘小品为多，当时赞为"极写生之妙，莺飞欲起，宛然欲活"。代表作有《梅竹寒禽图》《果熟来禽图》《葡萄草虫图》《枇杷山鸟图》等。

《果熟来禽图》为纸本，水墨，纵26.9厘米，横27.2厘米。有款署"林椿"二字，钤"宋荦审定"印一方。画中描绘寂静的山林木叶泛黄，沉甸甸的果实早已熟透却无人采摘，任由虫儿噬蚀。一只小鸟蓦然飞上枝头，转颈回眸。画中的小鸟用细劲柔和的笔致勾勒；蓬松的羽毛用浑融的墨色晕染；木叶的枯萎、残损，果实上被虫儿叮咬的痕迹都被一一描绘出来，设色轻敷淡染，黄绿的叶子、淡红的果实、鹅黄的小鸟，分外和谐明丽。构图删繁就

简，明洁奇巧，既保持画院花鸟画"要物形不改"状物精微的写实精神，又表现出作者蕴藉空灵的审美追求。

《果熟来禽图》藏于故宫博物院。2010年4月1日～6月15日，在"故宫博物院藏历代书画作品展（第七期）"中陈列展出。

《四景山水图》 南宋文物。南宋刘松年的山水组画作品。刘松年（约1155～1218年），钱塘（浙江杭州）人，宋孝宗、光宗、宁宗三朝宫廷画家，与李唐、马远、夏圭合称为"南宋四家"。刘松年工画人物、山水、界画，神气精妙。山水画笔墨精严，着色妍丽，多写茂林修竹，山清水秀，青峦耸翠，云烟晻霭。人物神情生动，衣褶清劲。传世品有《四景山水图》《猿猴献果图》等。

《四景山水图》绢本，设色，共4段，每段纵41厘米，横69厘米。无款印。后幅有明人李东阳题记，钤"春和园鉴藏"等印24方。图中描绘春、夏、秋、冬四时景色，主题鲜明。春，堤边庄园，桃柳争艳，主人倦游归来；夏，柳岸虚堂，荷花正茂，主人独坐纳凉；

秋，老树经霜，青红如绣，主人静坐怡神；冬，雪披高松，下荫深院，主人踏雪过桥。画风精巧，彩绘清润，季节渲染十分得体，树石笔法劲挺，房屋界画工整，精细秀润，山石用小斧劈皴，树叶多用双钩，设色淡雅。

《四景山水图》是南宋界画的典型代表，此图亭台楼阁的画法是传统的界画用笔，一丝不苟、工谨逼真、十分精致；院内堤边的树木，勾点结合，繁而不乱，层次分明，用笔细劲秀挺，黑色清润而苍茫，设色概括而雅致；远山以淡染为主；近处山石的小斧劈皴和刮铁皴刚毅中蕴含着滋润。作者还运用精练的艺术技巧准确、细致地表现四季变化的特点，最具季节特点的景物被描绘得恰到好处，写实并富有生活气息。《四景山水图》是遗存最早以四时入题的山水组画，展示出南宋画院的时代新风。

《四景山水图》藏于故宫博物院。

《雪山行旅图》轴　南宋文物。南宋刘松年的绘画作品。

《雪山行旅图》为绢本，设色，纵160厘米，横99.5厘米。画面左侧下方署"刘松年画"四字款，钤有皇家收藏印章及项子京等收藏印。图中绘山势苍莽，白雪皑皑，远处林中房舍隐现，桥横岸渚，山重水回，一舟泊于岸边；近处秋霜红叶丛树映衬，桥上行旅者踏雪而行。

以李唐、刘松年、马远、夏圭"南宋四家"为代表的院体山水画开创了南宋山水画艺术的新风尚。与北宋山水画雄浑壮阔的艺术特色不同，南宋山水画的艺术表达更为清秀精致。《雪山行旅图》用笔工整细致，人物面貌生动，神态刻画细腻入微。房舍用界画笔法，严谨工整，巧妙地将山水和人物融为一体。画中山石多用小斧劈皴画成，淡墨层染，近景树叶多用双钩法，较远的用笔尖横扫而成。笔墨

精妙、严谨清丽。从《雪山行旅图》可窥见刘松年善画山水人物，代表了其山水画的风格与成就，是传世南宋山水画中的杰作。

《雪山行旅图》藏于四川博物院。

《八高僧图》卷 南宋文物。南宋梁楷的绘画作品。梁楷，字白梁，东平（属山东）人，南宋画家。南渡后流寓钱塘，南宋宁宗嘉泰年间（1201～1204年）为画院待诏。善画人物、山水、道释、鬼神及花鸟，师法贾师古。总体绘画风格多样而有变化，有数种面目，擅长减笔画。画风与北宋初期的石格一脉相承，并将石氏粗简的画法创造性地运用到花鸟画之中。其性情狂放不羁，喜爱饮酒。据载，他曾在画院获"金带"而坚辞不受，不辞而别，人

称"梁风（疯）子"。传世作品有《八高僧故事图》《释迦出山图》《泼墨仙人图》《六祖图》《太白行吟图》（传）等。《八高僧图》曾为清代内廷所藏。《秘殿珠林续编》著录。

《八高僧图》为绢本，设色，纵26.6厘米，横约64厘米。共有八幅画面，分别描绘南北朝至唐代八位高僧的轶事。其中第二、三、五、八幅的树石或船体上，均有细楷题款"梁楷"二字。每幅画面后附明初文人行书撰写的文字说明，内容简单扼要，书体近似赵孟頫。第一幅《达摩面壁·神光参问》是神光僧问道达摩祖师的故事，第二幅《弘忍童身·道逢杖叟》描绘大师少时遇到一位智者点化的情景，第三幅《白居易拱谒·鸟巢指说》描绘白居易入山访道遇鸟巢禅师而得其指点的故事，第四幅《智闲拥帚·回眸竹林》描绘禅师在清扫草木时遇事顿悟，第五幅《李源、圆泽系舟·女子行汲》描绘园泽法师遇李源路上遇到一女子的情景，第六幅《灌溪索饮·童子方汲》描绘禅师与汲水童子对问，第七幅《酒楼一角·楼子参拜》描绘楼子和尚出家后的行状，第八幅《孤篷芦岸·僧倚钓车》描绘玄沙昆禅师垂钓于南台江的情形。画中以山石、树木、溪水、竹林、水泽、栈桥、船舟作穿插，将故事画面巧妙连接起来。故事中的人物有僧人、妇人、童子，也有文人雅士、未出家的俗人。高僧无一例外地深处"异"地，或在祥云缭绕的空间，或在常人难抵的高树上。身份不同的人物相貌区别很大，造型都偏于佝偻，肩膀皆从颈项后面斜出，古朴的造型，增加画面人物的"异相"意味。人物形态有端坐、拜谒、询问、讲授、问答，也有扫地、汲水、跪拜、行舟等。

《八高僧图》对高僧法相的描绘生动传神，造型古拙，笔法工整而豪放，人物多画半身，背景大胆取舍，用笔简括而富有气势，衣褶用尖笔作细长撇捺、转折劲利的折芦描，是梁楷早年的佳作。

《八高僧图》藏于故宫博物院。2002年11月30日～2003年1月6日在上海博物馆"晋唐宋元书画国宝展"、2015年9月29日～11月23日在上海博物馆"千年丹青——日本、中国藏唐宋元绘画珍品展"中陈列展出。

《秋柳双鸦图》页　南宋文物。南宋梁楷的绘画作品。《秋柳双鸦图》是梁楷根据唐代诗人王维五言绝句《鸟鸣涧》所作的画卷。

《秋柳双鸦图》曾入藏清内宫，《石渠宝笈续编》等书著录。

《秋柳双鸦图》为绢本，墨笔，纵24.7厘

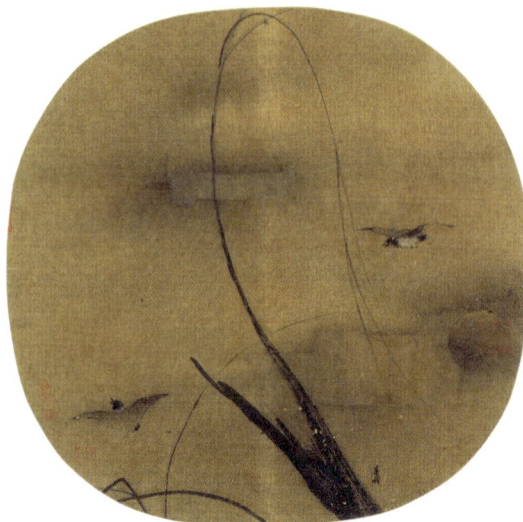

米，横25.7厘米。图右下方款署"梁楷"二字。对幅有清乾隆帝题诗。图中描绘鸟鸣涧春山月出的夜景，初升的月亮惊起两只山鸟奋飞呼鸣，打破夜空的静寂，老柳细弱，枝条却仍坚韧，一节断裂的枯柳上，三两根枝条昂扬向上又飘拂而下。整幅场景幽静而富于生气。

梁楷以画"减笔"画而闻名，擅于观察生活和提炼生活，抓住人物、花鸟的主要特征，寥寥几笔就可以把人物花鸟的精神面貌和意境生动地勾画出来。《秋柳双鸦图》是其善于运用减笔作画的代表作品之一。

《秋柳双鸦图》藏于故宫博物院。

《四羊图》页 南宋文物。南宋陈居中的绘画作品。陈居中，南宋画家。宋宁宗嘉泰（1201～1204年）时为画院待诏。陈居中专工人物和马，擅写放牧、出猎等景，注重写实，观察精微，风格"俊俏明媚"，富于生趣，人谓其作"不亚黄宗道"。传世作品有《文姬归汉图》《胡笳十八拍图》《绝塞逢春图》《进马图》等。

《四羊图》为绢本，设色，纵22.5厘米，

横24厘米。无款，左下角钤"陈居中画"朱文印。图中描绘四只毛色各异的山羊。高坡之上是头羊，呈现威严的注视姿态，坡下有三只山羊打斗嬉戏，顽皮好斗的天性表现传神；坡上枯木荆棘，木叶凋零，野草枯黄，一派清秋幽旷。枯枝上有两只雀鸟在停留观望，平添生活情趣。

《四羊图》中山羊的描绘十分准确，能够用不多的笔墨达到生动准确、突出主体的艺术效果，体现了画家深厚的写生功底及宋代院体绘画精工细致、刻画入微的风格特征，富于艺术感染力，为陈居中的传世佳作。

《四羊图》藏于故宫博物院。

《层叠冰绡图》轴 南宋文物。南宋马麟的花鸟画作品。马麟，钱塘（浙江杭州）人，马远之子，画承家学，擅画人物、山水、花鸟。传世作品有《层叠冰绡图》《橘绿图》《梅花图》《夕阳秋色图》等。《层叠冰绡图》是南宋马麟绘制的折枝花卉图。南宋时藏于内府。明洪武时为内府所得，嘉靖时顾从德重金购置，后为项元汴所有，藏于项氏天籁阁。明亡后，又转入清宋荦手中。宋氏之后转入清内府，一直传世，未流出宫外。中华人民共和国成立后，故宫博物院开始全面整理库存物品，发现《层叠冰绡图》《听琴图》等古卷真迹。《层叠冰绡图》辗转流传900余年，保存完好，色彩鲜艳如故。明华夏《真赏斋赋注》著录。

《层叠冰绡图》为绢本，设色，纵101.7厘米，横49.6厘米。画上端正中有杨皇后题的诗："浑如冷蝶宿花房，拥抱檀心忆旧香。开到寒梢尤可爱，此般必是汉宫妆。"诗后有

"赐王提举"一行小字,上端钤"丙子坤宁翰墨"朱文长方印,下端钤"杨姓之章"朱方印。梅花左侧竖书"层叠冰绡"四字。冰绡原意是透明如冰、洁白如雪的丝织品。"层叠冰绡"在这幅画中指梅花层层叠叠,玲珑剔透。右下有"臣马麟"款,地轴有明顾从德、项元汴两家题记。图中绘明黄底色上的梅两枝,从画右下方横斜于画面,构图简洁明了,花枝遒劲,精致简洁。

《层叠冰绡图》是一幅少有的大尺寸折枝花卉图,是南宋时期花鸟画的代表作之一,不同于北宋时期的过分严格写实,而向装饰趣味转变,更注重花枝和画面层次空间的关系,画风上偏向工丽的院体风格。

《层叠冰绡图》藏于故宫博物院。2016年9月6日~10月26日,在"故宫博物院藏历代书画作品展(总第二十期)"中陈列展出。

《遥岑烟霭图》页 南宋文物。南宋夏圭的山水画作品。夏圭,字禹玉,钱塘(浙江杭州)人,曾为宁宗朝画院待诏。夏圭初学画人物,后来攻山水,用秃笔带水作大斧劈皴,将水墨技法提高到"淋漓苍劲,墨气袭人"的效果。树叶有夹笔,楼阁不用界尺,景中人物点簇而成,神态生动。构图常取半边,焦点集中,空间旷大,近景突出,远景清淡,清旷俏丽,独具一格,人称"夏半边"。画法多少受佛教禅宗影响,"主张脱落实相,参悟自然",趋向笔简意远,遗貌取神。画雪景学范宽。夏圭与马远并称"马夏",与马远、李唐、刘松年称"南宋四家"。传世作品《溪山清远图》《西湖柳艇图》《遥岑烟霭图》《松岩客话图》等。

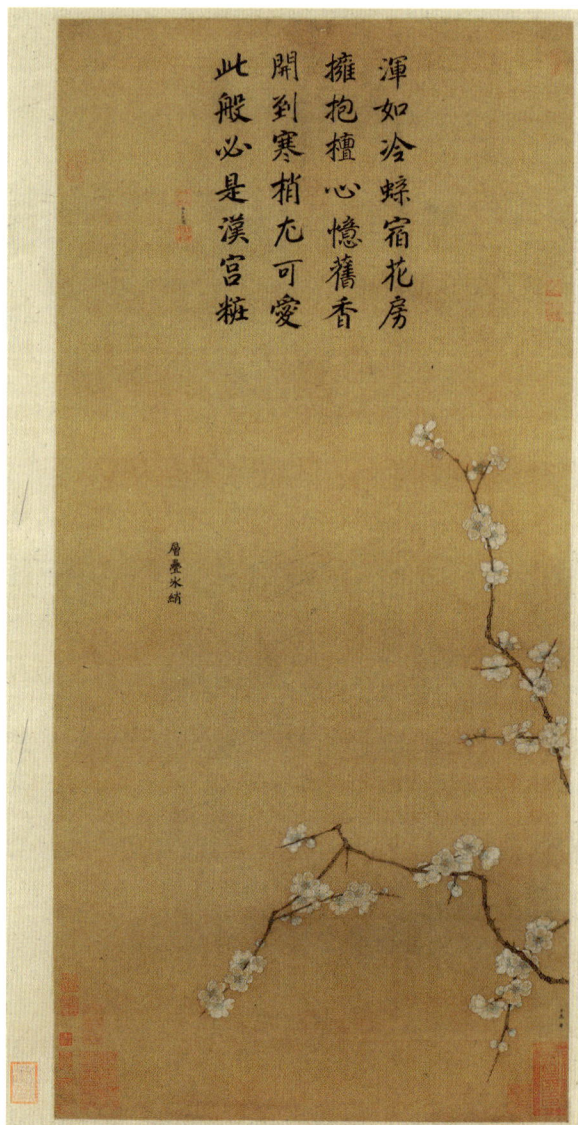

《遥岑烟霭图》为纸本，墨笔，纵23.5厘米，横24.2厘米。款"臣夏圭"。画中钤有"卞令之鉴定""庞莱臣珍藏宋元真迹"藏印两方。构图上疏下密，树林、屋舍、远山以水墨渲染，用墨色的浓淡表达空间的远近，悠远意境跃然而出。近景山坡处用笔皴擦。全幅画风类米家山水，朦胧迷离，让人感觉平静、幽深。

夏圭和马远都是南宋院体画家，同师于李唐画派，并把李唐所创"大斧劈皴"的笔墨效果在山水画中表现得淋漓尽致。注重巧妙地运用空白来表现江山的辽阔。景物不只疏密相间，更是相互统一。夏圭的绘画自成一格，成为绘画史上改变五代以来山水画主山堂固定模式的第一人。《遥岑烟霭图》即以上特点的体现。

《遥岑烟霭图》藏于故宫博物院。

《雪堂客话图》页　南宋文物。南宋夏圭的山水画作品。

《雪堂客话图》为纸本，设色，纵28.2厘米，横29.5厘米。画面左侧署"臣夏圭"三字款。图中描绘了江南寒冬的江边雪景。画面"边角式"局部取景，左上角留出的天空，缥缈空悠；山村房屋被皑皑白雪覆盖，房中二人对坐，神情专注似在闲话；生长在岩隙之中的两株老树前后掩映；河面泊有一叶扁舟，穿着蓑笠的渔者临水独钓。小斧劈皴和秃笔画远处山石，料峭挺拔。天空、山石、水面浑然一体，寒冬雪天的沉寂气息跃然纸上。由于经过近900年的氧化，绢已发黄、变暗，使得用蛤粉点染的白雪历久弥新、晶莹璀璨。画面右下角为细波荡漾的湖面一隅，一叶小舟漂于湖面之上。画面左上角留出的天空，杳渺无际，把

观者引入深远渺茫、意蕴悠长的境界。

《雪堂客话图》是夏圭传世的一幅精品佳作，为其早期作品。夏圭、马远同师李唐，但又各有自己的风格。马远用笔刚劲而偏于露，而夏圭用笔清劲而偏于含蓄；马画"意深"，夏画"趣胜"。《雪堂客话图》较多地表现了这些特色。

《雪堂客话图》藏于故宫博物院。2007年6月29日～8月11日，在"国之重器——故宫博物院藏晋唐宋元书画展"中陈列展出。

《货郎图》　南宋文物。南宋李嵩的绘画作品。李嵩（1166～1243年），钱塘（浙江杭州）人，南宋画家。李嵩出身贫寒，年少时曾以木工为业，后被宫廷画家李从训收为养子，任宋光宗、宁宗、理宗三朝画院待诏，被人称"三朝老画师"。李嵩作品较多，仅著录就达50多幅。代表作有《花篮图》《货郎图》《西湖图》等。

《货郎图》为绢本，设色，纵25.5厘米，横70.4厘米。画上左下方署款"嘉定辛未李从顺南嵩画"。画幅中央有清乾隆帝癸丑（1793年）

御题七言诗一首："肩挑重担那辞疲，夺攘儿童劳护持，莫笑货郎痴已甚，世人谁不似其痴"，钤"得佳趣""几暇清赏"二印。画幅上有"子孙承泽"收藏印，另外在卷前拖尾都有梁清标印，"家在北潭""蕉林居士""苍严子""蕉林密玩"，又钤有清内府"乾隆御览之宝""石渠宝笈""乾清宫鉴藏宝""石渠继鉴""三希堂精鉴玺""宜子孙""古稀天子"等多方印。图中货郎肩挑杂货担，不堪重负。欢呼雀跃的儿童奔走相告，喜悦之情溢于言表。货担上物品繁多，琳琅满目，从锅碗盘碟、儿童玩具到瓜果糕点，无所不有。左侧货架下书"三百件"三字。繁而不乱的货物描绘非常精细，图中一一可辨，显示"尤长界画"的技巧。画面以线描为主，人物鲜明，笔画细秀，设色淡雅古朴。人物分布在画面左右两侧，三角式构图使得画面疏密有致，层次分明。

《货郎图》表现南宋市井生活的日常，充满浓郁的乡土气息和生活情趣，是民俗学研究的珍贵史料。

《货郎图》藏故宫博物院。2010年4月1日～6月15日，在"故宫博物院藏历代书画作品展（第七期）"中陈列展出。

《钱塘观潮图》卷 南宋文物。南宋李嵩的绘画作品。《钱塘观潮图》是南宋李嵩创作的描绘观潮盛大场面的画作。自南宋迁都临安（浙江杭州）后，观潮成为一年一度的盛大活动。其时海水沿喇叭形的钱塘江口逆江而上，如"玉域雪岭，际天而来，大声如雷霆，震撼激射，吞天沃日，势极雄豪"。明汪砢玉《珊瑚网》、清卞永誉《式古堂书画汇考》《石渠宝笈初编》等著录。

《钱塘观潮图》为绢本，设色，纵17.4厘米，横83厘米。无作者款印。后幅有明张近仁、杨基两家题诗，前引首、隔水、裱边上有清乾隆帝题诗四首。本幅前后分别钤"项元汴印""明安国玩""梁清标印"及乾隆、嘉庆、宣统三朝内府收藏印玺多方。图中采用一水两岸构图，近绘江岸房舍，远绘连绵山云，用笔线条纤细，朦胧悠远。除了画滔滔江水，另绘"大内临江起飞阁"的

都城临安。作者用简括的笔法画成片的半露瓦顶于树影云雾之中，若隐若现，一番空寂意境。

《钱塘观潮图》创作正值南宋动荡之时，国家内忧外患，朝廷偏安一隅。李嵩通过绘画表达自己忧国忧民和孤寂感伤的情怀。

《钱塘观潮图》藏于故宫博物院。2009年6月25日～8月25日，在"故宫博物院藏历代书画作品展（第五期）"中陈列展出。

《西湖图》卷 南宋文物。南宋李嵩的风景画作品。《西湖图》先后经元仇远、莫昌，清雍正时期谢淞洲等人收藏，清乾隆时期入内府，道咸年间流出宫廷，后为庞莱臣所藏，中华人民共和国成立后入藏上海博物馆。清《石渠宝笈续编》、庞元济《虚斋名画续录》等著录。

《西湖图》为纸本，墨笔，纵27厘米，横80.7厘米。画幅尾部中间靠下位置有仅剩一半的"李嵩"款题。卷首为明沈周题"湖山佳处"四字楷书。前隔水有乾隆帝御题诗，钤"乾隆宸翰"朱文方印。拖尾处有吴瑶、金礼尤题跋及落款。画中、后隔水、押缝处均钤有乾隆朝内府印。图中以鸟瞰形式的构图与逸笔疏简的笔法描绘杭州西湖实景。画中央用大片的留白来表现宽阔浩渺的湖面，山峰连绵起伏，南北峰对峙呼应，湖边延绵曲回的"苏堤六桥"，其中一桥被绿荫的孤山掩蔽。市井民居、街景楼台、庙宇亭榭、游船渔钓均以凝练的笔墨绘入画中。画中自右侧分别画有孤山、白堤、北里湖、宝石山和保俶塔；左侧则是临湖南屏山，山上是高耸的雷峰塔。

《西湖图》是所传最早的杭州西湖图像。《西湖图》描绘西湖笔法精湛，是展现南宋西湖全貌的作品。

《西湖图》藏于上海博物馆。

《杜甫诗意图》卷 南宋文物。南宋赵葵的绘画作品。赵葵（1186～1266年），字南仲，号信庵，潭州衡山（湖南衡山）人。南宋后期著名的抗金名将赵方之子。以军功授承务郎，知枣阳军。绍定年间（1228～1233年）曾任淮东制置使，兼扬州知府。淳祐年间（1241～1252年）迁右垂相兼枢密使，封冀国公。赵葵工诗文，尤擅画梅。《宋史》卷四一七有传。《杜甫诗意图》是南宋赵葵以唐代杜甫五言律诗《陪诸贵公子丈八沟携妓纳凉晚际遇雨》中"竹深留客处，荷净纳凉时"两句诗为主题创作的画卷。《杜甫诗意图》曾经元释普明、释中吉收藏，明万历年间归沈巽垣所藏，清时经梁清标、汪令闻递藏，后入清内府。清《石渠

宝笈续编》、阮元《石渠随笔》著录。

《杜甫诗意图》为纸本，水墨，纵24.7厘米，横212.2厘米。清乾隆帝题"宋赵葵画杜甫诗意图"及"无上神品"四字，另在拖尾题诗并跋。有元张翥、郑元祐、杨维祯、王逢，明张率、张昱、钱思复、李东阳、王穉登题跋。图中描绘一派盛夏美景，临水数间房舍翠竹掩映，翠竹茂密，荷花清幽，贴切"竹深""荷净"四字。画中人物倚栏赏景，仆童持扇。构图精整，层次分明，用笔苍劲古朴，设色清雅，意境秀逸清幽。

《杜甫诗意图》笔墨秀逸，处处体现出画家以笔取气、以墨取韵的匠心。作者在构图立意上充分体现了"深""静"的意境。竹溪素淡，但正寄托着作者的生活感受和审美情趣。

《杜甫诗意图》藏于上海博物馆。

《墨兰图》卷　南宋文物。南宋赵孟坚的绘画作品。赵孟坚（1199～1264年），字子固，号彝斋，宋太祖十一世孙，南宋画家。工诗善文，家富收藏，擅长水墨白描水仙、松、竹、梅、兰、石等。画多用水墨，用笔劲利流畅，淡墨微染，风格秀雅，深得文人推崇。《图绘宝鉴》评赵孟坚画"清而不凡，秀而淡雅"。《松斋梅谱》则评价："擅作梅花，得逃禅、石室之绪余，水仙尤奇，世争贵重，识者又以兰蕙之笔为绝观。"有书法墨迹《自书诗》，绘画《墨兰图》《墨水仙图》《岁寒三友图》等传世，著《彝斋文编》四卷。《墨兰图》为南宋赵孟坚所绘写意画法兰花图。清吴升《大观录》、安岐《墨缘汇观》、卞永誉《式古堂书画汇考》、吴修《青霞馆论画绝句》均有著录。

《墨兰图》为纸本，墨笔，纵34.5厘米，横90.2厘米。落有"子固写生"款印。画幅左端有赵孟坚自题诗一首："六月湖衡暑气蒸，幽香一喷冰人清。曾将移入渐西种，一岁才华一两茎。"画卷中央共有兰花两本，兰叶作开放式向三面分散，两端横向叶梢伸出画外，上端亦出画外，颇有笔尽意不尽之感。长叶呈放射状，分合交叉、参差错落。兰叶起笔处拖锋入手，中段流利，叶梢稍弯转，中锋行笔、侧锋变换，一气呵成，兰叶有宽有窄，阴阳向背表达生动贴切。兰花花朵集中在根部，层次丰富，优雅俊逸。

以兰为题作画，最早为北宋时期的米芾，与米芾同时代的有释仲仁以及南宋初年的扬补

之，也画墨兰。到南宋末年，赵孟坚之墨兰兼学两家画法，虽非画兰鼻祖，但自成一家，被后人称为画兰宗师。

《墨兰图》藏于故宫博物院。

《岁寒三友图》页 南宋文物。南宋赵孟坚的绘画作品。《岁寒三友图》是南宋赵孟坚以折枝形式将梅、松、竹组合在一起为内容的画作。赵孟坚传世两幅《岁寒三友图》，均为写意画法。一幅为台北故宫博物院所藏《岁寒三友图》，绘于长方形的纸上，构图、绘画方式均与该扇面《岁寒三友图》类似，落有"子固""彝斋"款印。另一即为该幅椭圆形扇面。

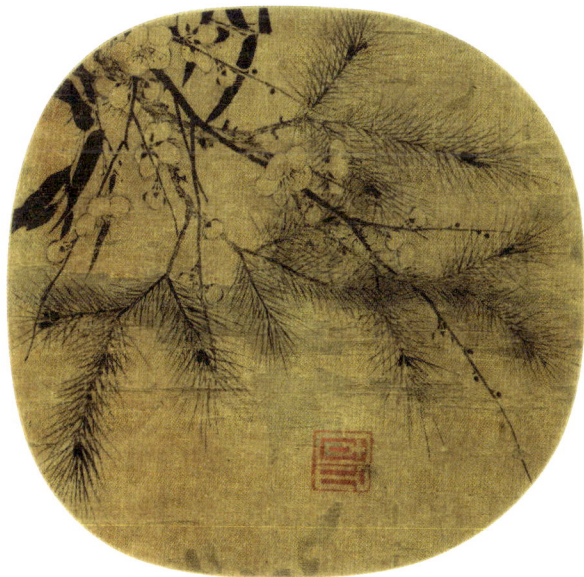

《岁寒三友图》为绢本，水墨，纵24.3厘米，横23.3厘米。画面右侧空余处钤朱文"子固"印。画中描绘松、竹、梅，画法各异。梅花以淡墨衬染着用细笔、浓墨圈勾花瓣，松针用笔尖挺劲拔，墨竹以中锋运笔，松、竹、梅交织在一起，错落有致。整个画面笔墨秀丽，幽雅意趣。

《岁寒三友图》藏于上海博物馆。

《水墨写生图》卷 南宋文物。南宋法常的绘画作品。法常（1207～1291年），蜀（属四川）人，俗姓李，自号牧溪（谿），绘画受同乡画家文同的影响。绍定四年（1231年）蒙古军队由陕西破蜀北，法常随难民顺流长江到杭州，与马臻等人交游，后出家为僧，从师径山无准师范禅师（1178～1249年），在此期间作有《禅机散圣图》。元庄肃著的《画继补遗》是最早记载法常的文献。法常传世作品中，《观音图轴》《猿图轴》和《鹤图轴》是被公认为真迹的精品，后被日本圣一法师在南宋淳祐元年（1241年）带回日本，均藏日本京都大德寺。法常是古代中国对日本影响最大、深受日本喜爱与重视的画家。

《水墨写生图》纵47.3厘米，横814.1厘

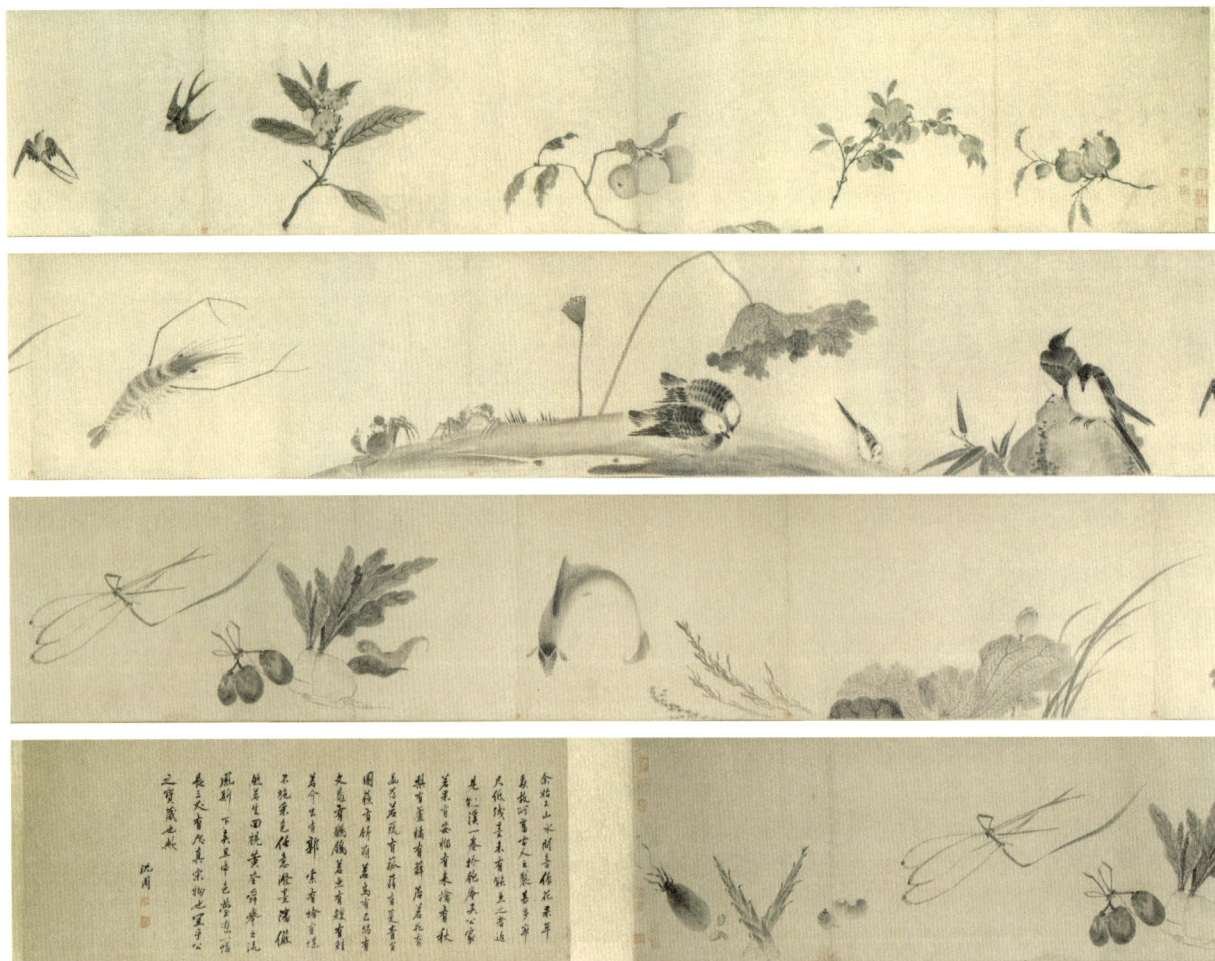

米，纸本，水墨。无作者款印，后有明沈周卷题跋："不施色彩，任意泼墨，俨然若生。回视黄荃、舜举之流，风斯下矣。"明沈周定此图为"真宋物也"。徐邦达认为，沈周题跋中"牧"字有挖改痕迹，是"似牧非牧之画"。画中描绘折枝花果、禽鸟、鱼虾及蔬果等，笔墨淡雅，宁静自然。作者用率真的笔意、凝练的风格达到大道至简的画境。画面大面积留白是主要特色，风格多笔墨淋漓，将意象的感染力同水墨画的表现力结合起来，表达出幽寂空灵的审美意趣。元末明初宋濂评价曰："谁描乳燕落晴空，笔底能回造化功；仿佛谢家池上见，柳丝烟暖水溶溶。"

《水墨写生图》藏于故宫博物院。

《墨龙图》轴　南宋文物。南宋陈容的绘画作品。陈容，字公储，号所翁，福建长乐人。宋理宗端平二年（1235年）进士，官至临江军、国子监。陈容尤善画墨龙，传世作品共20余件，有《霖雨图》《墨龙图》《云龙图》《五龙图》《六龙图》等。

《墨龙图》为纸本，墨笔，纵205.3厘米，横131厘米。右下题"扶河汉，触华嵩，普厥施，收成功，骑元气，游太空。所翁作"。图中绘一条墨龙翔游于云天之中。画面自右上向左下取势，龙身盘曲呈"S"状；四爪巨龙曲颈昂首，嘴大张，双目圆瞪，须发怒张，利爪奋攫，龙身盘旋，半隐半现于云中。画面背景烟云笼罩，笔法雄健，整体气势磅

礴，风格雄奇，生动有力。元代夏文彦评价："得变化之意，泼墨成云，噀水成雾，醉余大叫，脱巾濡墨，信手涂抹，然后以笔成之，或全体，或一臂一首，隐约而不可名状者，曾不经意而得，皆神妙。"

《墨龙图》有"东方第一龙图"的美誉，为南宋龙画的代表作。陈容身处南宋末期，借画龙来抒发自己的报国之志。

《墨龙图》藏于广东省博物馆。

《竹雀双兔图》轴 辽代文物。1974年春，辽宁省法库县叶茂台发现一座辽代砖室墓，墓葬完整未经盗掘。4月21日～5月15日，辽宁省博物馆、辽宁铁岭地区文物组对其进行考古发掘。该墓葬无明确年代文字记载，根据出土器物形制和绘画风格推测，该墓为辽代前期墓葬，上限晚于后周显德六年（959年）赤峰驸马墓，下限不晚于北宋雍熙三年（986年）的耶律延宁墓。《竹雀双兔图》创作年代应不晚于辽景宗耶律贤时期（969～982年）。1976年春季，同一地区发现辽代宰相萧义墓，出土的墓志详细记录了墓主人的身份、家世等情况。由此推知，叶茂台辽墓群可能为萧氏家族墓葬。

《竹雀双兔图》为绢本，设色，纵114.3厘米，横56厘米。基本保持完整，画轴天杆为竹料制成，竹纹理清晰可见，绫绢包裹的木画轴已朽烂。画轴有部分脱裱、破损、水渍和霉痕，后经故宫博物院修复。画面主背景为双钩墨竹，竹上停落三只麻雀，分别做理羽、觅食和探望状，神态各异。竹下自左向右分别生长蒲公英、地黄、白头翁花草。花草前近画端绘两只灰兔，左侧一只探望，右侧一只吃草，生动逼真。整幅画面构图上采用对称布局手法，颇具五代末宋初风格，设色清雅，静中有动，生机盎然。

《竹雀双兔图》是中国首次出土的卷轴画，为同时期传世作品的鉴定提供可靠标尺，对研究辽代契丹族的绘画艺术有重要的参考价值。画心两侧未套边镶裱，属于简装，其装裱形制对研究古代书画装裱艺术和历史，是重要的实物参考资料。该时期绘画作品多以写实的花卉鸟兽题材为主，且带有较强的装饰作用。棺室内发现悬挂轴画，表明契丹族定居后生活意趣受汉族意识形态影响而发生变化。瑞兔为宋辽时期常见的入画题材，同题材的如台北故宫博物院藏《双喜图》。由此推知，契丹族受汉族统治阶级殉葬风尚的影响，这位辽代贵族生前对汉族艺术以及受汉族艺术影响的本民族作品的喜好。

《竹雀双兔图》藏于辽宁省博物馆。

《深山会棋图》轴 辽代文物。1974年，辽宁省法库县叶茂台7号辽墓出土。

《深山会棋图》为绢本，设色，纵106.5厘米，横54厘米。出土时有画轴，无作者名款及印记。画中描绘文人士大夫幽居山林间的隐逸生活情景。画面上部绘陡峭嶙峋山峰，云雾缭绕掩映；中部山崖陡峭难登，松林间坐落两

层楼阁，阁内两人临崖对坐下棋，一书童在旁边侍候；绝壁山崖下出现一半掩山门，一位宽衣博袖、头戴高冠的长者策杖前行，身后跟随两个书童，前者背酒葫芦状物件，后者背琴囊。山上山下两组人物动静结合，相互呼应。

《深山会棋图》全景式的山水章法，画中人物、屋宇、服饰均为汉制，风格显然受唐宋风格影响。画中落叶松画法和董源、巨然的绘画特点一致。崖石水墨皴擦与南唐卫贤《高士图》相似，从荆浩、关仝等人的北方山水画派

发展而出,画中高士隐居山林也是五代北宋山水画中常见情境。由此推测是墓主人对死后灵魂去往仙境的精神寄托和美好愿望。

《深山会棋图》藏于辽宁省博物馆。

《文姬归汉图》卷 金代文物。金代张瑀的绘画作品。张瑀,金代画家,画史无传。传世作品有《文姬归汉图》和《明妃出塞图》等。《文姬归汉图》曾经明内府、清梁清标、清内府收藏,后流入民间。1962年4月,东北局文化部所属吉林省文化服务社向社会征集流散文物,工作人员从一位李姓老人手中购得,经专家鉴定为真迹后入藏吉林省博物馆。

《文姬归汉图》为绢本,设色,纵29厘米,横129厘米。原画上角有题"祗应司张□画"。其中一字漶漫不清。清乾隆帝题签"宋人文姬归汉图"。画面近中处有清乾隆帝御题诗一首,前端有明万历"皇帝图书""宝玩之记"两印,后端书款处有"万历之玺"一印,另有清乾隆、嘉庆、宣统三朝诸鉴藏印。图中描绘东汉末年蔡邕之女文姬从匈奴归汉行旅在漠北风沙中的情景,共绘人物12位。一汉人骑老马引路,躬背缩首迎着风沙而行,侧后方有一马驹紧紧相随。蔡文姬处于画面中部偏右的位置,头戴貂冠,身穿华丽胡服,脚蹬皮靴,眺望前方,端庄威仪。后面有官员护送,并有

猎犬、小驹、鹰等相随。画中人物错落有致,互相呼应,笔墨遒劲简练,富于变化,真切描绘出长途跋涉的艰苦旅程气氛和朔风凛冽的塞外风情。

历代都绘有《文姬归汉图》或《胡笳十八拍图》题材的作品,其中比较著名的有宋人陈居中、金人张瑀、元人赵孟頫以及清人苏六朋的作品。宋"靖康之变"后,北方沦陷,南宋偏安杭州,使得画家不约而同地选择了"文姬归汉"这一题材,以古喻今。

《文姬归汉图》藏于吉林省博物院。

《秋江待渡图》卷 元代文物。元代钱选的山水画作品。钱选(1239~1299年),字舜举,号玉潭,又号巽峰,浙江吴兴(浙江湖州)人。南宋景定年间进士,善诗文书画,与赵孟頫等并称"吴兴八俊"。清卞永誉《式古

堂书画汇考》、吴升《大观录》、高士奇《江村销夏录》《江村书画目》、安岐《墨缘汇观》《石渠宝笈续编》等书著录。

《秋江待渡图》为纸本，设色，纵26.8厘米，横108.4厘米。款署"吴兴钱选舜举画并题"，钤印"舜举印章""舜举""钱选之印"。引首清乾隆帝御题"秋江待渡"四大字，钤"御书"朱文印。本幅有乾隆帝行书自题五言律诗一首。后纸有陈恭、胡惟仁、朱庸、胡敦等17家题记或题诗。卷后自题七言绝句："山色空蒙翠欲流，长江浸彻一天秋。茅茨落日寒烟外，久立行人待渡舟。"有清高士奇、安岐、清内府等鉴藏印80余方。图中描绘江南的湖光山色。起首一处茅舍处在茂树环抱之间，屋前水波不兴，屋后群峰高耸，远处淡雾轻岚，气氛宁静平和，恍若神山仙境。画幅中央是一大片开阔的水域，江天浩渺，远景秋山隐隐，起伏连绵。江水左岸土坡上青红杂树，一人独立待渡，秋水望穿，而将要渡他的客船才刚刚驶离对岸。画面绚丽清雅，富有装饰意味，工致精巧中不失古拙秀逸之气。

《秋江待渡图》作者以自己的隐居生活为题材创作，是钱选继承唐宋"金碧山水"画法并用以体现文人意兴的代表作。不仅与之前的水墨山水在技法上不同，而且在构图上采用了一河两岸式，比"一角一边"式的构图更能表达出淡泊宁静的气息。这样的画法更多地被明清时期的画家效仿，用来表达绝意仕途、归隐山林的高尚情怀。

《秋江待渡图》藏于故宫博物院。

《山居图》卷 元代文物。元代钱选的山水画作品。1952年，张伯驹将《游春图》《雪江归棹图》《山居图》售于国家文物事业管理局。后一并划拨故宫博物院收藏。清孙承泽《庚子销夏记》著录。

《山居图》为纸本，设色，纵26.5厘米，横111.6厘米。卷尾有钱选自题："山居惟爱静，日午掩柴门。寡合人多忌，无求道自尊。鹍鹏俱有志，兰艾不同根。安得蒙庄叟，相逢与细论。吴兴钱选舜举画并题。"钤"舜举印章""舜举""钱选之印"三方。卷后隔水有明俞贞木、刘敏、周传等题记。"子山平生真赏""归安吴云平斋审定名贤真迹"等共计40余方鉴藏印。画中描绘钱选居住的太湖一带的秀美风光。画面从左至右依次展开为近景坡岸，岸上茅舍松枝相互掩映，一座小

桥将视线带入中景群山之中，小桥通往画幅中间的岛屿，岛上有两三峰峦突起，山下树丛环绕，庭院隐藏其中。湖面浩渺，有舟行泊，远山连绵，若隐若现。《山居图》用墨线勾勒，淡墨皴擦后施以淡雅的青绿色，给人以清新雅致之感。

《山居图》题材选用了"隐逸"的主题。画面中间不着一笔，从中可看到钱选作品吸收了南宋绘画"一角""半边"的构图方式，滩涂和舟船展现出水面之感，意境辽阔平远。钱选的山水画以青绿设色为主，近师南宋赵伯驹，远溯隋展子虔、李昭道，运笔有生拙之趣，设色明快不失艳丽，布局张弛得度，疏密有致，自成风貌。

《山居图》藏于故宫博物院。2007年6月29日～7月22日，在"国之重器——故宫博物院藏晋唐宋元书画展"、2009年9月2日～11月1日，在"故宫博物院藏历代书画作品展（第六期）"中陈列展出。

《幽居图》卷　元代文物。元代钱选的山水画作品。清吴升《大观录》、高士奇《江村销夏录》、安岐《墨缘汇观》、顾文彬《过云楼书画记》等书著录。

《幽居图》为纸本，设色，纵27厘米，横115.9厘米。画作右上方角有钱选自题"幽居图"三字。"幽"字残破，所剩部分近似"山"形，因此曾被误称为"山居图"。尾纸上有明纪仪、纪堂，清高士奇、邵松年、"明阃堂"等题跋。本幅及前后隔水有"稀世有""怡亲王宝""曾在定邸行有恒堂""高士奇"半印、"朗润堂印""仪周鉴赏""行有恒堂审定真迹""明善堂珍藏书画印记""陈定画印"等鉴藏印共29枚。《幽居图》表现清雅幽淡的隐居世界。画面左半部分是起伏的群峰，参差错落，山下藏有一处楼阁，又有隐蔽的茅舍、木桥等建筑，表现幽居的环境。主峰背后是绵延的青碧群峰，过渡的云气略施金粉。画面右侧为一片湖岸景色，有一直一曲两棵青松，村居掩映树石之间，极淡地勾出幌子，增加趣味。小舟载着两位雅士，划向湖心。两片陆地的布置，制造出开阔旷远的水面。以折线勾勒物象的形状，而不用皴法，施以绿、青、赭等丰富色彩，吸取唐人山水技法，造型古朴，但蕴含精致的秀逸气息。

《幽居图》是钱选青绿山水的代表作品，与《山居图》堪为"双璧"。《幽居图》设色明快艳丽，布局张弛得度，疏密有致，在元初画坛独树一帜。

《幽居图》藏于故宫博物院。

《浮玉山居图》卷　元代文物。元代钱选的绘画作品。《浮玉山居图》元延祐四年（1317年）之前已流传至杭州，为元方天瑞所藏。元至正八年（1348年），张雨于书肆购得。明天顺间（1457～1464年）藏于沈悦梅家，姚绶过访时得见此卷。明成化十九年（1483年），沈悦梅之子将画卷赠给姚绶，隔数十年，为嘉兴项笃寿所得。不久，项笃寿授于其弟项子京，清初归耿嘉祚收藏，又为安岐收藏，乾隆时入内府收藏。后经王德溥、孙毓汶、孙橦收藏。近代为庞元济收藏。明汪砢玉《珊瑚网》，清《佩文斋书画谱》、顾复《平生壮观》、卞永誉《式古堂书画汇考》、吴升《大观录》、安岐《墨缘汇观》《石渠宝笈》、阮元《石渠随笔》、李葆恂《无益有益斋论画诗》，庞元济《虚斋名画录》等著录。

《浮玉山居图》为纸本，设色，纵29.6厘米，横98.7厘米。右上方有自题五言古诗一首，诗后署款"右题余自画山居图，吴兴钱选舜举"，共钤三印。画幅中部有清乾隆帝题诗。卷前洒金笺引首有明金湜篆书"山居图"三字。卷后有元仇远、张雨、黄公望、顾瑛、郑元祐、楚石梵琦、倪瓒，明姚绶、周鼎、杨循吉、项元汴，清王懿荣等诗跋。其中姚绶所题诗、跋、记共14次，真、草、行、隶各种书体达数千字。钤收藏、鉴赏印章达300余方。图中描绘三组山峦，左侧山势峻峭，山间云雾缭绕；中部山中用细笔勾画茅舍、渡舟、小桥、老翁；画面延伸向右，山势渐缓，水波不兴，坡岸枝树葱郁。整幅画面以山石、绿树贯穿，墨青涂染，用勾皴表现山石阴阳向背，富于造型感。

《浮玉山居图》是钱选以水墨为主的代表作，卷中山石的阴阳向背用墨笔勾皴，丛树小草淡施花青，清逸秀润，别具一格，与其青绿山水有异曲同工之妙。

《浮玉山居图》藏于上海博物馆。

《墨竹坡石图》轴　元代文物。元代高克恭的绘画作品。高克恭（1248～1310年），字彦敬，号"房山""房山道人""房山老人"，大都房山（北京）人。大德九年（1305年），高克恭官至刑部尚书，与周密、赵孟頫、鲜于枢、李衎、邓文原等文人雅士交往密切。高克恭山水初学米氏父子，又在五代董源等人的技法中，形成苍润沉润的个人风格，画艺与赵孟頫齐名，有"南赵北高"之称。山水之外，高克恭亦善墨竹，代表作有《墨竹坡石图》《春山欲雨图》《春云晓霭图》《仿米氏云山图》《云横秀岭图》。《墨竹坡石图》曾经清吴景旭、韩泰华收藏。清卞永誉《式古堂

书画汇考》、安岐《墨缘汇观》、高士奇《江村销夏录》、吴升《大观录》等书著录。

《墨竹坡石图》为纸本，水墨，纵121.6厘米，横42.1厘米。高克恭自识"克恭为子敬作"，钤"彦敬"印。"子敬"为元代学者、书法家龚璛。画面右侧中部有元赵孟𫖯题诗一首。画右侧钤"清父之印""顾氏珍玩""吴景旭印""仁山鉴定"等鉴藏印。图中景物简明，细节丰富。在画面底部的坡石上，长出两竿挺拔的新竹，分别以浓墨和淡墨写出，前浓后淡。居前一竿竹叶错落有致，位后一竿以淡墨表现，似在风中轻摇。一对竹子的组合颇见匠心，疏密浓淡，层次井然，丝毫不乱。

《墨竹坡石图》是高克恭有关墨竹的仅存之作，其笔法沉厚挺劲，墨气清润，结构谨严，为典型的元代文人墨竹画。

《墨竹坡石图》藏于故宫博物院。

《人骑图》卷 元代文物。元代赵孟𫖯的人物画作品，作于元元贞二年（1296年）。赵孟𫖯（1254～1322年），字子昂，号松雪道人，又号水精宫道人、鸥波，中年曾署孟俯，吴兴（浙江湖州）人。曾任翰林学士承旨、荣禄大夫。赵孟𫖯尤其以书法和绘画的成就最高。在绘画上，他开创元代新画风，被称为

"元人冠冕"。其绘画取材广泛，技法全面，山水、人物、花鸟无不擅长。存世作品有《秋郊饮马图》《秀石疏林图》《松石老子图》等。《人骑图》至正二十六年（1366年）藏于平江（江苏苏州）城内。明时经安国、袁梦鲤、项元汴等人递藏。明清之际由王时敏、王掞收藏，后入清内府。清《石渠宝笈续编》、陆心源《穰梨馆过眼录》著录。

《人骑图》为纸本，设色，纵30厘米，横52厘米。卷后有赵孟頫三段题跋，赵氏族人赵孟籲、赵由辰、赵雍、赵奕、赵麟五人题跋，元宇文公谅、张世昌、倪渊、也先溥化、程郇、陈润祖、何颐贞、释文信、朱景渊、清乾隆帝等诗题或跋语，明安国、袁梦鲤、项元汴，清王时敏、王掞等收藏印记，项元汴《千字文》"敕"字编号。图中绘有一人一马，表现青年男子骑马前行的状态。男子穿红袍，戴官帽，腰间系玉带。男子微有髭须，神态优雅自足。左手牵缰，右手持鞭，右脚轻踩马镫。马匹体型精瘦，左前蹄微起，呈行进之势。

《人骑图》画面布局、人物形象和马匹写实画法有唐人风格，是赵孟頫人物画中的早期精品。

《人骑图》藏于故宫博物院。2015年9月8日～11月8日，在"石渠宝笈特展"中公开展示。

《水村图》卷　元代文物。元代赵孟頫的山水画作品。《水村图》明时曾为董其昌收藏，清时收入内府。明朱存理《铁网珊瑚》、张丑《清河书画舫》《书画见闻表》、李日华《六研斋随笔》、汪砢玉《珊瑚网》，清卞永誉《式古堂书画汇考》《石渠宝笈初编》等书著录。

《水村图》为纸本，水墨，纵24.9厘米，横120.5厘米。画中右上角有赵孟頫自题"水村图"三字，左下方款识"大德六年（1302年）十一月望日，为钱德钧作。子昂"。下钤"赵氏子昂"朱文印。中有绫隔水，后又有自题："后一月德翁持此图示见，则已装成轴矣，一时信手涂抹，乃过辱珍重如此，极令人惭愧，子昂题。"钤朱文"赵子昂氏""松雪斋"二印。本幅有清乾隆帝御诗题两段，乾隆、嘉庆两朝内府藏印及"楞伽真赏"等收藏印26方，半印8方。引首为清乾隆帝所书"清华"二字，钤乾隆帝印鉴4方。前后隔水有"宣统御览之宝""古稀天子"等收藏印9方。钤"觉非斋"朱文印。另有觉非叟、无名氏、顾天祥等人题记总计56段。《水村图》画面仿董源《潇湘图》，以水墨写江南水乡平远开阔之景，山用披麻皴画出，景物以平远的形式展开。

《水村图》是赵孟頫生平最晚一件纪年

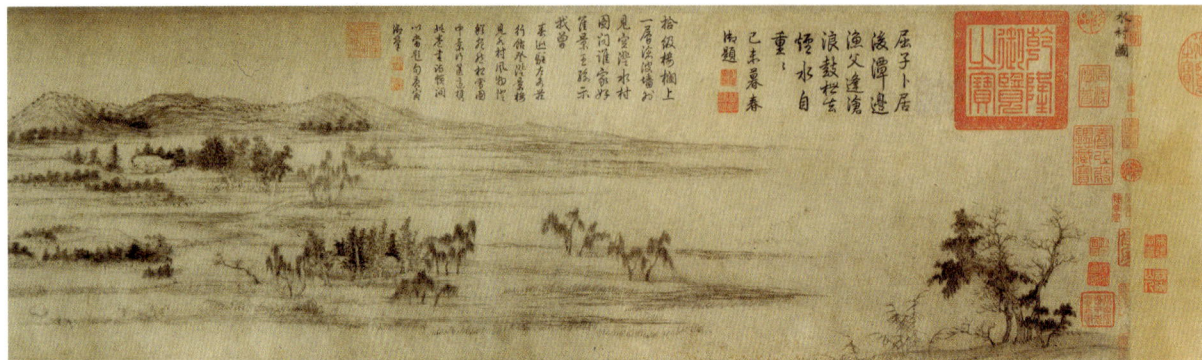

可考的作品。作者借景抒情，表现了一种静穆的心态和对"平淡天真"的美好追求。《水村图》对元画独特风格的形成产生了较大的影响，开创了元、明、清文人画潮流新风尚。

《水村图》藏于故宫博物院。2002年11月30日～2003年1月6日，在上海博物馆"晋唐宋元书画国宝展"中陈列展出。

《张果老见明皇图》卷 元代文物。元代任仁发的人物故事画作品。任仁发（1255～1327年），字子明，号月山道人，松江青龙镇（上海青浦）人，元代画家。任仁发书学李北海，画学李公麟，擅长人物画，所画人物苍润传神。传世画作有《出圉图》《二马图》《五王醉归图》等。《张果老见明皇图》原藏于清内宫。20世纪20年代，末代皇帝溥仪以"赏溥杰"等为名，将清宫旧藏法书名画1200余件书画偷出，此图即在其中。后辗转经天津、长春，藏于伪满皇宫"小白楼"。后陆续佚散出来，《张果老见明皇图》经八公司之手卖于香港陈仁涛，后流入日本，已购还，藏于故宫博物院。清《秘殿珠林续编》著录。

《张果老见明皇图》为绢本，设色，纵41.5厘米，横107.3厘米。款署"云间任仁发笔"，钤"任氏子明"印。有清乾隆帝题七言诗一首。钤"金匮宝藏陈氏仁涛""希世有"及清内府乾隆、嘉庆两朝鉴藏印计12余方。隔水钤"金匮秘笈""太上皇帝之宝""乾清宫宝"鉴藏印。后纸有元康里巎巎、危素题二则，款下分钤"子山""正斋恕叟""危氏太朴""世外玄赏"印。又钤"仁涛铭心绝品""金匮室""仁涛""金匮室主"等鉴藏印4方。画面描绘传说中的"八仙"之一张果老及其弟子谒见唐明皇的故事。画面描绘唐玄宗李隆基，身材壮伟，面相庄严，着黄袍，戴幞头，坐于椅上，头略低，对所发生的一切表现出关注的神情。身后站立四名侍从神情各异。全图设色明丽古雅，人物表情生动细腻，瞬间的动态表现得极为成功，小驴的奔跑构成全图的视觉中心，增强画面的故事性。张果老的沉着自如，唐玄宗略带惊讶的神情表现得恰到好处，体现元代人物画高超的艺术水平。

《张果老见明皇图》是元代画家任仁发人物故事画的代表作。画卷拖尾有康里巎巎、危素二人的题跋，反映了元人追忆大唐气象，把政治的现实目的和传说的虚幻想象糅合在一起，成为人们雅俗共赏的文学表现内容。

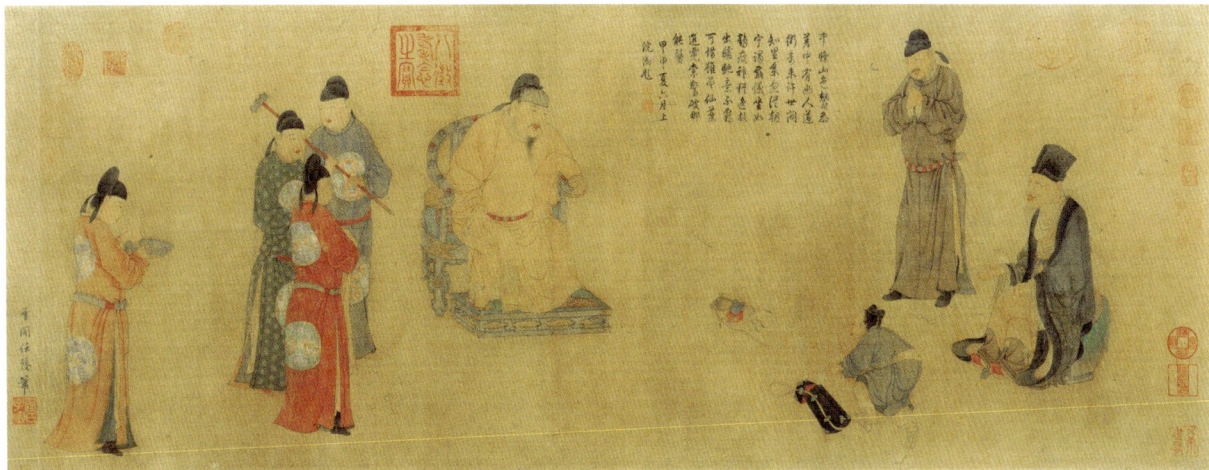

《张果老见明皇图》藏于故宫博物院。2008年7月15日~8月31日，在"故宫博物院藏历代书画作品展（第二期）"中陈列展出。

《李仙像》轴 元代文物。《李仙像》又名《铁拐李仙像》，是元代颜辉的肖像画作品。颜辉，字秋月，江山（浙江衢州）人，宋末元初画家。擅画道释、人物，画鬼神尤工，常取道教题材，元大德年间曾在辅顺宫绘壁画。笔法粗厚，勾勒粗细咸宜，起伏有致，渲染精到，画面富立体感，有"笔法奇绝，八面

生意"之称，是一种前无古人的创新画法。柳贯赞之"收揽奇怪一笔摸"，与梁楷、法常一脉相承。传世作品有《李仙像》《猿图》《寒山拾得图》《蛤蟆铁拐像》等。铁拐李又称李铁拐，是中国民间传说及道教中的八仙之首。《李仙像》曾为清张照、蒯光典收藏。清《秘殿珠林续编》著录。

《李仙像》为绢本，水墨，纵146.5厘米，横72.5厘米。画上款署"秋月颜辉"，"秋"字已被割去。钤"秋月"朱文无边印。鉴藏印有"张则之""礼卿府君遗物""蒯寿枢家珍藏""秘殿续编"圆朱印、"珠林重定"、乾隆帝鉴藏印。画作正中一人为"李仙"，盘单腿，右手拄其铁杖，坐于磐石之上。披头散发，蹙眉斜目，衣衫褴褛，袒胸赤足。左手提斜挎的葫芦，半露袖中。背后是飞泻的瀑布，水面上雾气弥漫。画面右侧露出悬崖，有藤条盘区生长，崖下藤枝盘绕衬托出仙人的气场。

《李仙像》笔法苍劲，风格雄奇，人物衣纹用粗笔勾染，须发用细笔工描，浓墨烘染，此画法已开浙派吴伟画风之先河。

《李仙像》藏于故宫博物院。

《溪山雨意图》卷 元代文物。元代黄公望的山水画作品，作于元至正四年（1344年）。黄公望（1269~1354年），字子久，号一峰，大痴道人，常熟（属江苏）人。曾任浙西廉访司书吏。黄公望擅长画山水，多描写江南自然景物，以水墨、浅绛风格为主，与吴镇、王蒙、倪瓒并称元四家。所绘山水，必亲临体察，笔法初学五代宋初董源、巨然一派，后受赵孟頫熏陶，善用湿笔披麻皴，为明清画家大力推

崇。著有《写山水诀》《论画山水》等，为后世学画典范。《溪山雨意图》经元曹永，明陶宗仪、史邦俊、项元汴、李日华、李肇亨先后递藏，清时经安岐进入乾隆朝内府收藏。中华人民共和国成立前，《溪山雨意图》一直藏于孙照处，后存放于故宫博物院。1989年，在北京市文物局的协助下，故宫博物院将《溪山雨意图》退还孙照长子孙念台。孙念台将《溪山雨意图》捐赠给中国历史博物馆。明都穆《寓意编》、朱存理《铁网珊瑚》、陈继儒《妮古录》、张丑《清河书画舫》、汪砢玉《珊瑚网》，清顾复《平生壮观》、吴升《大观录》、卞永誉《式古堂书画汇考》、安岐《墨缘汇观》等书均有著录。

《溪山雨意图》为纸本，水墨，纵26.9厘米，横106.5厘米。图上有文彭"溪山雨意"引首，卷尾黄公望自识，还有清乾隆帝题诗、王国器题词、倪瓒跋语。鉴藏印有明文徵明、史邦俊、项元汴、李肇，清安岐、乾隆朝御府等。图中描绘江南雨意空蒙的景象。画面近景绘坡石丛林、松柏细草，疏密相间有致。中间大片留白，水域平阔，静波浩渺。连接对岸连绵远山、草木葱茏，山脚一带茅舍村落，笼于雾气当中。构图取平远法，远山用淡墨勾画轮廓，又以淡墨层叠晕染。画作完美融合自然景物与高远意境，表现出画家隐逸安闲的心态。

《溪山雨意图》所呈现出的高远意境与自然景物完美结合的特点，对元代及以后的画风产生了深远的影响。《溪山雨意图》是已知所见最早的黄公望真迹。

《溪山雨意图》藏于中国国家博物馆。

《富春山居图》（剩山图卷） 元代文物。元代黄公望的山水画作品，作于元至正十年（1350年）。《富春山居图》是元代黄公望为郑樗（无用师）绘制的山水画。明万历十四年（1586年），《富春山居图》被董其昌收藏。崇祯九年（1636年），董其昌将画押给吴之矩。吴之矩儿子吴洪裕喜爱至极，临死前想将画焚烧殉葬，后被吴洪裕侄子从火中抢救出，但画已被烧成一长一短两段。较长的后段称《无用师卷》，于清乾隆十一年（1746年）入藏内府，后辗转至台北故宫博物院收藏。较短的称《剩山图卷》，是《富春山居图》起首一段。1650年被火烧损后重新装裱，清康熙八年（1669年）被王廷宾收藏，后辗转于诸多收藏家之手，湮没民间。抗日战争时期，为吴湖帆收藏。浙江省博物馆沙孟海与吴湖帆沟通商议，钱镜塘、谢稚柳等专家从中周旋。1956年，《富春山居图》（剩山图卷）入藏浙江省博物馆。

《富春山居图》（剩山图卷）为纸本，设色，纵31.8厘米，横51.4厘米。主要描绘江面的第一座山体，山头有大小不等的石块，林木掩映屋舍，山林随山势高低起伏。"山川浑厚，草木华滋"。笔法取法董源，山石的勾皴顿挫转折，洒脱自然。用墨淡雅，山水布置疏密得当，墨色浓淡干湿富于变化。《富春山居图》按照富春山脉络的延伸，应用了"长披麻皴"的画法，江面以横向长皴来表现水面波纹，与山体相交接的浅水处也用长线条皴擦来表示。高峰和平坡用浓淡朦胧的横点，描写丛林，用变化了的米点皴法，粗细变化，聚散组合，远近浓淡干湿结合，苍苍茫茫。远山高峰远树穿插淡墨小竖点，上细下粗，似点非点，似树非树。山石大部分用干笔皴擦，线条疏密有致；长披麻皴为主，略加解索皴；皴笔的转折灵活自如，墨虚实枯润相融。

《富春山居图》（剩山图卷）是黄公望的代表作，有"画中兰亭"美称。《富春山居图》对后世影响深远。明清至民国时期重要画家，如沈周、董其昌、张宏、沈颢、邹之麟、恽向、王时敏、程正揆、王翚、吴历、恽寿平、金城等人，均有对其临仿。

《富春山居图》（剩山图卷）藏于浙江省博物馆。2011年6月1日～7月31日，台北故宫博物院举办"山水合璧——黄公望与《富春山居图》特展"。《富春山居图》（剩山图卷）与台北故宫博物院所藏《富春山居图》（无用师卷）合璧展出，重现《富春山居图》原貌。

《渔父图》轴　元代文物。元代吴镇的山水画作品，作于元至正二年（1342年）。吴镇（1280～1354年），字仲圭，号梅花道人、梅道人、梅沙弥等，"元四家"之一，浙江嘉兴人。所居住室曰"梅花庵"。常往来于嘉兴、杭州一带，以诗文书画自娱。后人辑集吴镇诗文，编为《梅道人遗墨》及《梅花庵稿》。吴镇山水师法董源、巨然，多用披麻皴，同时充分发挥水墨丰润、浑然一体的特色。题材多描写渔夫和隐逸生活，用以寄托他隐遁避世的思想情趣。个人风格浑厚豪迈，自成一格，对后世影响深远，明沈周、文徵明等人多以他为师法。传世作品有《双桧平远图》、多件《渔父图》《秋江渔隐图》。《渔父图》曾经明詹僖，清吴荣光、潘正炜收藏。清吴荣光《辛丑销夏记》《中国古代书画图目》等有著录。

《渔父图》为绢本，墨笔，纵84.7厘米，横29.7厘米。图上有吴镇草书自题，钤朱文二印，以及清王铎题跋，鉴藏印有"仲和珍藏""笠斋珍藏"等。画中描绘江南水乡景色，山岗树木层叠，近端一渔父驾扁舟泛游于湖水天色之际。画面墨色苍润，山石、树木、枝叶墨色浓淡交替，层次感突出，远近相宜。给人以远离世间纷杂烦扰、投心于湖水山林的清寂幽情意境。

中国古代，渔、樵、耕、读常被文人士大夫视为理想化的生活方式，用以表达作者避世遁隐的情怀。元代时，汉族文人社会地位下降，"渔隐"题材的绘画作品较多出现，其中以吴镇的《渔父图》最为典型。

《渔父图》藏故宫博物院。

《便桥会盟图》卷　元代文物。元代陈及之的绘画作品，作于元仁宗延祐七年（1320年）。陈及之（1285~1320年），号竹坡，富沙人，布衣文人。《便桥会盟图》是已知唯一存世的作品。《便桥会盟图》是元代陈及之描绘唐与突厥会盟的画作。《旧唐书·太宗本纪》记载，唐武德九年（626年），李世民初即位。突厥在与唐有约的前提下，发兵进攻长安，进至便桥之北，太宗亲诣渭河上，隔水斥责颉利可汗的负约行为。突厥见到唐军严整的军容，旋即重盟于便桥之上。《便桥会盟图》明时由张元曾家收藏，清时经梁清标收藏后进入清宫。清末溥仪以赏赐溥杰的名义将《便桥会盟图》带出清宫，运至吉林长春伪满皇宫。抗日战争胜利后，《便桥会盟图》在通化流散民间。1955年，文化部文物事业管理局收购《便桥会盟图》，之后拨交故宫博物院收藏。清《石渠宝笈初编》著录。

《便桥会盟图》为纸本，墨笔，纵36厘米，横774厘米。卷末有陈及之自识"祐申仲春中浣富沙竹坡陈及之作"，钤一枚隶书"竹坡及之戏作"印记。引首有梁清标题签"陈及之便桥会盟图"，署"棠村鉴赏"。卷首有"张元曾家珍藏"印、苍岩子"蕉林鉴定"二印，卷后有"蕉林玉立氏图书"一印。前隔水有"蕉林书屋"一印，拖尾有"观其大略"与

"蕉林收藏"二印。另有清乾隆、嘉庆、宣统三帝鉴藏印，以及"石渠宝笈""重华宫鉴藏宝"等鉴定印记。全图分为马术、游骑、会盟三段，共有246人、180匹马和4头骆驼。卷首可见一支奔驰的马队，至开阔地三度"折叠"队形，马队前驱紧紧衔接前方"马上舞旗"的表演者。各色彩旗后是展示高超骑术的马上大站与乐舞表演，藏身、弄丸、吹奏、杂技等，将游牧民族的马上技艺完美展现，其中有些动作已失传。接下来可以看到争球的紧张激烈和球员间交流的生动场面。马上运动之后是一段松林休息场景。画面再往后便是突厥颉利可汗求和的场面。突厥有两队人马，一队是群臣簇拥下的颉利可汗，神态羞愧；另一队则是慌乱的人马。唐军一方则是相反的情态，整齐和威武。李世民坐于龙车上，在军队的保护下徐徐行进。双方之间隔着一座便桥，有一名探子正匆忙奔向突厥禀报。

《便桥会盟图》是一幅珍贵而精彩的历史画长卷，绘画技法以白描为主，便桥以界画的手法完成。陈及之娴熟的白描技法，有李公麟一派的风格。《便桥会盟图》绘制于元仁宗在位的最后一年，这一阶段统治者推行了一系列文化政策，社会上层的文化气氛利于文化与艺术充分发展。在这一时代前提下，作者主要汲取文人画的笔墨气韵，并结合南宋院体绘画和民间绘画的造型，表现出细腻而独特的民族特征、民族活动和艺术特色。

《便桥会盟图》藏于故宫博物院。

《清閟阁墨竹图》轴　元代文物。元代柯九思的绘画作品。柯九思（1290～1343年），字敬仲，号丹丘生、五云阁吏，台州仙居（属

浙江）人。曾任典瑞院都事，掌管瑞宝和礼用玉器。天历二年（1329年），迁升为奎章阁鉴书博士，专门负责宫廷所藏金石书画的鉴定。柯九思博学能诗文、善书，素有诗、书、画三绝之称。存世书迹有《老人星赋》《读诛蚊赋诗》《重题兰亭独孤本》等。他的绘画以"神似"著称，擅画竹，存世画作有《竹石图》《清閟阁墨竹图》《双竹图》等。清閟阁为元

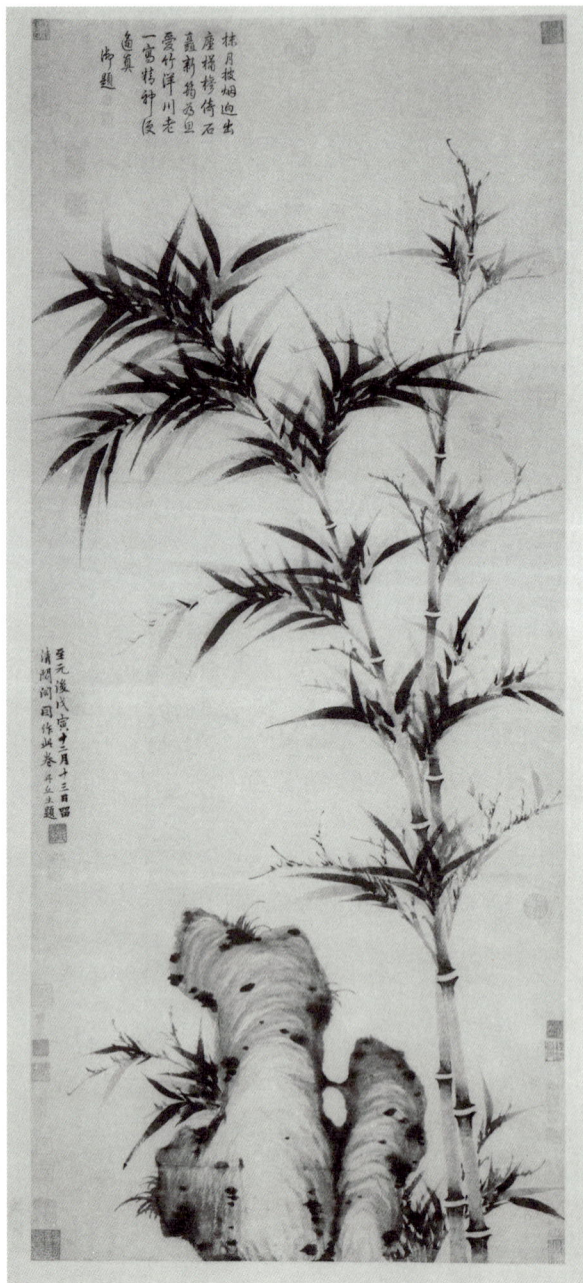

代画家倪瓒住所，该画应为柯九思留宿倪瓒处时所绘。《清閟阁墨竹图》经明项元汴、归希之，清卞永誉、安岐、乾隆朝内府等递藏。清卞永誉《式古堂书画汇考》、安岐《墨缘汇观》，庞元济《虚斋名画录》等书著录。

《清閟阁墨竹图》为纸本，墨笔，纵132.8厘米，横58.5厘米。有柯九思自识与钤印，清乾隆帝题诗跋。画中绘有两块湖石，一大一小相连，干墨皴擦，间用浓墨点青苔。两竿竹子从旁侧出，一繁一疏，挺拔直立，对比鲜明。以书法撇法画竹叶，浓淡墨色变化以展现竹叶的向背，再用浓墨拖笔渲染为竹节。

《清閟阁墨竹图》用披麻长绘石，圆劲浑厚，具有空间及体积感。柯九思绘竹画风从文同中变出，画面清雅秀美，神足韵高，自有一股劲挺拔俗的清高之气，在元代的画竹大家中自成一派。

《清閟阁墨竹图》藏于故宫博物院。

《武夷放棹图》轴　元代文物。元代方从义的绘画作品，作于元至正十九年（1359年）。方从义，字无隅，号方壶，又号不芒道人、金门羽客、鬼谷山人等。贵溪（江西信江）人，为正一教道士，居信州（江西上饶）龙虎山上清宫，修道家之学。平生好游历，元至正初年（1341～1368年）自信州出行，遍游各地名胜，所到之处，结交广泛，名臣危素称之为"方外之交"。方从义工诗文书画，善写隶书和古章草，尤以画山水著名。擅长画水墨云山，师法董源、巨然、米芾、米友仁，但能突破成法，发挥自己的独特创造。所作大笔水墨云山，苍润浑厚，富于变化，自成一体。传世作品有《武夷放棹图》《山阴云雪图》《神

岳琼林图》《高高亭图》《白云深处图》卷等作品。《武夷放棹图》曾为清安岐、清廷内府、陈仁涛所藏。后被张珩、张大千收藏。

1951年，《武夷放棹图》被卖到香港，后经郑振铎从香港购回。清吴升《大观录》、卞永誉《式古堂书画汇考》、陈夔麟《宝迂阁书画录》等书著录。

《武夷放棹图》为纸本，水墨，纵74.4厘米，横27.8厘米。右上隶书款题："武夷放棹"。左侧章草自识："叔董签宪周公，近采兰武夷，放棹九曲，相别一年，令人翘企。因仿巨然笔意图此，奉寄，仲宣，幸达之。至正己亥冬，方方壶寓乌石山识。"钤"方壶清隐"印。画上可见鉴藏印15方。画中描绘武夷山的自然景色。构图奇特，近景为武夷九曲的水面，小舟正在漂流。水岸边有千奇百态的怪石，林木丛生其间。中景是高耸峭立的山峰，山体用纵向长线条皴染，以增其峭立高耸之感，突起的山势对比出舟的渺小。笔墨浓润，酣畅淋漓，布局奇特，笔法多变，融古法为己用，表现出独具特色的艺术格调。

《武夷放棹图》藏于故宫博物院。

《太白山图》卷 元代文物。元代王蒙的山水画作品。王蒙（1301～1385年），字叔明，号黄鹤山樵、香光居士，湖州（属浙江）人，王国器之子，赵孟頫外孙。王蒙于元末隐居黄鹤山（浙江余杭）。明洪武初年任泰安知州，后因与胡惟庸交往甚密，在胡惟庸案中受牵连，洪武十八年（1385年）九月在狱中病逝。王蒙工诗文书法，擅长山水，继承董、巨传统，并自出新意，独具面貌，创牛毛皴，喜用简练的枯笔干皴，兼用解索皴、小斧劈皴，与黄公望、吴镇、倪瓒并称"元四家"。董其昌曾评价"王侯笔力能扛鼎，五百年来无此君。"代表作有《青卞隐居图》《春山读书图》《葛稚川移居图》《秋山草堂图》等。《太白山图》是元代王蒙为左庵禅师而作。左庵禅师是天童寺第五十八代住持，对天童寺的建设有巨大贡献。《太白山图》最初是左庵禅师私人藏品，后经明沈周、项子京，清梁清标、安岐，辗转入藏清宫。1954年，沈阳军区副政委周恒将《太白山图》捐赠给东北博物馆。明《石田诗选》曾提到《太白山图》。明张丑《清河书画舫》《法书名画见闻表》，清吴其贞《书画记》、安岐《墨缘汇观》《石渠宝笈初编》等书著录。

《太白山图》为纸本，设色，纵28厘米，横238.2厘米。卷首有小字篆书题"太白山图"，清乾隆帝题字及题诗。卷后有明僧宗泐、僧守仁、僧清浚、徐仁初、姚广孝、谢时臣、项元汴等跋文8则，项元汴千字文"近"字编号3处。鉴藏印有"释氏□渊""南州

高士方间""二灵山房""吴沈氏有竹庄图书""沈周宝玩"等近90方。画作描绘浙江宁波鄞州区的太白山景色，以山麓的天童寺为重心，展现寺前的万松夹径。画面近处是石头堆砌的坡岸，并见拱桥一架。中部为天童寺寺景和往来寺宇的古松夹道。山间密树层林，繁茂丰郁，叶色五彩缤纷。在寺前的万工池边及松道上，可见居士、比丘、文人、学者、官员等各色社会人物，体现天童寺显要的文化地位。远处诸峰上接天际，只现出淡淡的一抹轮廓。宽谷之中薄雾微起，反衬出山体明晰的层次。清溪流转，环峰抱岭，迂曲蜿蜒，汇入山外湖水之中。湖面宽平，一叶轻舟飘游其上。画面构图饱满，笔法细秀繁密，色泽明艳雅致。山峦以解索皴染，用朱砂及花青点苔，山树勾染结合，墨彩凝重。

《太白山图》除独特的绘画艺术性之外，卷后的题跋也颇具史料价值。王蒙作此图，旨在为左庵禅师寄托离开故地的怀念。

《太白山图》藏于辽宁省博物馆。

《青卞隐居图》轴　元代文物。元代王蒙的山水画作品。

《青卞隐居图》为纸本，墨笔，纵140.6厘米，横42.2厘米。图上有王蒙自题："至正廿六年（1366年）四月黄鹤山人王叔明画青卞隐居图。"诗塘有明董其昌题跋"天下第一王叔明"，画幅中还有清乾隆帝题诗，裱边有近人朱祖谋、罗振玉、金城、陈宝琛、张学良、冒广生、吴湖帆等人的题款。图中描绘王蒙家乡浙江的卞山。画面上段，危峰耸立，雄奇秀拔，山势险峻；中段，山势逶迤而上，山间林木茂密，茅屋隐约可见，屋内有隐士正抱膝倚

床而坐；画面下段，山麓处幽涧流水，树林中正有一人曳杖而行。全图结构繁复丰满，采用深远构图法，笔法、墨法类别颇多，线条流动，墨点密密层层，繁而不乱，山势气脉贯通，空间广阔而深邃，溪流、水潭、奔泉、云霭等在稠密中透出灵动的气韵。整幅画体现出南方溪山林茂景深、滋润华秀的景色。

《青卞隐居图》以精致的笔墨技巧，繁复的空间分割和繁密的意境创造，使之成为王蒙传世山水画中最具代表性的经典作品，王蒙山水画中繁密的这一特点对明清乃至现代山水画产生了深远的影响，受其影响者主要有明代的沈周、董其昌和清代的石涛等。

《青卞隐居图》藏于上海博物馆。

《葛稚川移居图》轴　元代文物。元代王蒙的绘画作品。《葛稚川移居图》描绘葛洪携家移居罗浮山的故事。葛洪，字稚川，晋代著名道教人士。《葛稚川移居图》曾经明项元汴、清安岐收藏。

《葛稚川移居图》为纸本，设色，纵139厘米，横58厘米。画作右上角有王蒙篆书自题及行书款，正中上方钤"怡亲王宝"大印。画中描绘葛洪手中持扇，牵鹿过桥，身着道服，神态安详，正回首眺望。画下方绘有房舍、高士、童仆等形象。庭前草树葱密，溪上横卧小桥将两处屋舍连接。画面中部山路曲折，溪水潺潺，上部山峦叠起，瀑布飞下，展现给世人一派深秋山林佳境。画面整体构图缜密，层次与明暗的处理使全图充满生趣。笔法灵动，用色考究，色彩明快而无俗艳之感，具有沉实浑厚的韵致。石头用皴擦，岩壁以细笔短皴为主，夹杂披麻皴和斧劈皴。斧劈皴用极干的笔

墨轻松地加以皴擦，不加点苔，与南宋湿笔绢本大有不同。树木、人物、房屋略施以赭石、花青和红色，创造出一幅理想的隐居环境，反映出作者当时隐居山林的避世情怀。

《葛稚川移居图》中解索皴和淡墨勾石骨，纯以焦墨擦，使石中绝无余地，再加以破点，望之郁然深秀"两种画法兼用，将宋人的湿笔重墨用干笔淡墨来代替，同时将宋人重刻画的特色用注重写意来代替，此画融合南北画法于一体，在技法上为后人所传承，在意境上表达了士人对于隐居的追求。

《葛稚川移居图》藏于故宫博物院。2002年11月30日～2003年1月6日，在"晋唐宋元书画国宝展"中陈列展出。

《水竹居图》轴 元代文物。元代倪瓒的山水画,作于元至正三年(1343年)。倪瓒(1306～1374年),字元镇,号云林、幻霞子、荆蛮民、经锄隐者等,无锡(属江苏)人。倪瓒擅画山水、竹石,且水墨居多,少设色。山水初师董源,后法荆浩、关仝,独创折带皴,在画史上别具一格。代表作品有《水竹居图》《秋亭嘉树图》《容膝斋图》《六君子图》《渔庄秋霁图》《雨后空林图》《修竹图》《溪山图》《虞山林壑图》等。著有《清閟阁全集》《倪云林诗集》等。《水竹居图》画成后赠予高进道,元末战乱时散佚,明初传入沈恒处,后经项元汴、王权石、张丑等人收藏,清乾隆时入内府。1982年,孙照子女将《水竹居图》捐赠给中国历史博物馆。清《石渠宝笈》著录。

《水竹居图》为纸本,设色,纵113厘米,横53厘米。图上有元倪瓒、释良琦,明董其昌,清乾隆帝、梁诗正、董邦达、蒋溥等题诗或印鉴。图中静水潺潺,间以坡石、水渚、小桥相错,尽求曲折流远之意;近岸处坡石层累,其上疏木参差偃仰,虬枝繁叶,昂扬坚劲;近岸平地,一茅舍院落掩映树间,若隐若现;栅外修竹环绕,浴风飒飒;远处群峦竞秀,青翠欲滴;山下岸处坡石簇簇,林木深深。水、竹、山、林、茅屋、小桥等,深远幽静。构图取平远法,结构紧凑,寓变化于平淡之中,节奏分明。

《水竹居图》中以披麻皴表现山石结构,有较多五代董源、巨然笔墨,并以青绿敷染,是倪瓒早期的山水面貌。

《水竹居图》藏于中国国家博物馆。

《幽涧寒松图》轴 元代文物。元代倪瓒的山水画作品。《幽涧寒松图》曾归清内府收藏。明张丑《清河书画舫》等书著录。

《幽涧寒松图》为纸本,水墨,纵59.7厘米,横50.4厘米。未署年款。左上题有五言诗:"秋暑多病暍,征夫怨行路。瑟瑟幽涧松,清阴满庭户。寒泉溜崖石,白云集朝暮。怀哉如金玉,周子美无度。息景以消摇,笑言思与晤。"图中绘有坡石、溪谷、群山渐远,近景两株松树茕茕孑立于画中;远景山石墨色清淡,枯笔侧锋作折带皴,笔法秀峭;画面上方大片留白,山水界限模糊。整幅画面意境萧疏。

《幽涧寒松图》一为友人周逊学赠别,更是劝友人"罢"征路,"息"仕思,含有强烈的"招隐之意"。此图从其书风、画法疏简,

格调天真幽淡判断，当是晚年之作。

《幽涧寒松图》藏于故宫博物院。

《伯牙鼓琴图》卷 元代文物。元代王振鹏的绘画作品。王振鹏，一名振朋，字朋梅，号孤立处士，永嘉（浙江温州）人，善画界画、人物。因画艺精湛，受元仁宗喜爱，曾任秘书监典簿，掌管宫中收藏书画图谱。绘画取材广泛，勤于临摹前人名迹，人物尤喜师法李公麟，界画风格工整秀丽。代表作有《金明池龙舟竞渡图》《鬼母揭钵图》《货郎图》《维摩不二图》等。《伯牙鼓琴图》元时为鲁国大长公主祥哥剌吉收藏，清初为梁清标所有，乾隆时入内府。元夏文彦《图绘宝鉴》、清《石渠宝笈初编》《中国古代书画图目》等著录。

《伯牙鼓琴图》为绢本，水墨，纵31.4厘米，横92厘米。画作最右边略有残缺。后纸有元冯子振、赵严、张原湜题诗。钤有"□□图书"，清梁清标和乾隆、嘉庆、宣统三朝内府诸印。画中共有五人，左侧是俞伯牙，面目清秀，蓄长髯，披衣敞怀，端坐石上，双手抚琴。伯牙面前设天然木高几，几上放博山炉，身后站立一位侍童手捧水盂。他的对面是钟子期，静坐石上，低头聆听，身后站二位侍童，一人双手捧书，另一人双手持如意。作者用生动、细致的笔墨刻画出两位主人公的外形特征和内心活动。弹琴者的专注，听琴者的入神，跃然绢上。为衬托主要人物，作者通过三个侍童作为次要人物来表达伯牙和子期之间用琴声

传递感情并成为知音的友谊。绘画技法继承北宋李公麟的白描画法，笔法流利劲健，既连绵不断，又有轻重、粗细、缓急、顿挫的变化。衣帽用淡墨渲染，石块略加皴擦，白描与渲染皴擦相结合，使画面有变化而又含蓄，明快又不显单调。

王振鹏传承了宋代以来的白描技法，《伯牙鼓琴图》即用此种技法创作的优秀作品，包含了文人画中儒生士人的审美观念，求雅致、讲意境。

《伯牙鼓琴图》藏于故宫博物院。2008年4月21日～6月9日，在"故宫博物院藏历代书画作品展（第一期）"中陈列展出。

《东原草堂图》轴　明代文物。明代谢缙的绘画作品，作于明永乐十六年（1418年）。谢缙，字孔昭，号"兰亭生"，晚年号"葵丘""葵丘道人"，明初画家，吴县（江苏苏州）人。谢缙山水师承王蒙、赵原，邈远意深，姿态多变，结构灵动苍厚。山水多作层叠之景，被称作"谢叠山"。谢缙对明中期以后的吴门画派，特别是对沈周的画风有很大影响，代表作有《东原草堂图》轴，著有《兰庭集》。《东原草堂图》是明谢缙为友人杜琼设计的"艺术隐居"画。杜琼，字用嘉，吴县（江苏苏州）人，因在苏州城东有田亩，又号"东原耕者"，人称"东原先生"，博文多识，工王蒙风格山水，笔墨苍秀遒丽。杜琼是《东原草堂图》的受赠者，也是首位藏者。晚清时收藏于官员陈通声处。

《东原草堂图》为纸本，设色，纵108.2厘米，横50.1厘米。图上有谢缙题诗及"葵邱""孔昭""淡中有味"三印。钤"畸园秘

笈""真赏""杜用嘉印""畸园秘笈""陈通声印""畸园珍藏"等印。图的左右两侧各有一则陈通声赞语，一则是赏析，一则是次韵题诗。图中崇岩密林，长松参天，松林掩映之下草堂隐约可见。草堂内高士对坐清谈，通往山外的小路上走来一老者，侍童携琴后随。整幅画构图严谨而不塞堵，气势非凡，皴染玲珑，尤其是山头的皴染，给人以遐想的空间，

格调苍率质朴，画法在王蒙、赵原之间。

《东原草堂图》意境深远，在传世不多的谢缙作品中，尤显珍贵。

《东原草堂图》藏于浙江省博物馆。

《杏园雅集图》卷 明代文物。明代谢环的绘画作品，作于明正统二年（1437年）。谢环，字庭循，永嘉（浙江温州）人，明代早期宫廷画家。明朱谋垔《画史会要》卷四记谢环"山水宗荆浩、关仝、米芾，东里杨少师称其清谨有文，是以见重于当时"。谢环存世作品很少，有《杏园雅集图》《云山小景图》。

《杏园雅集图》为绢本，设色，纵37厘米，横401厘米。卷首留有清乾隆三十年（1765年）江德亮题签"无上神品"小字，再接篆书"杏园雅集"引首。卷后有明杨士奇隶书《杏园雅集图序》记述杏园雅集活动的始末，杨士奇、杨荣、杨溥、王英、王直、周述、李时勉、钱习礼、陈循等人杏园诗作，杨荣《杏园雅集图后序》，翁方纲清乾隆五十六年（1791年）长跋，"叶名琛印""世袭一等

男爵""平安馆""亳州何氏珍藏""关西后裔"等鉴藏印。图中描绘明英宗正统二年三月一日，内阁成员杨士奇、杨荣、杨溥、陈循，以及王英、王直、钱习礼、周述、李时勉等九位重臣在杨荣府邸的杏园雅聚的活动。杨士奇、杨荣、王直在石屏前座谈，钱习礼、杨溥、王英在杏花旁赋诗书翰，周述"徐行后至"。画中共绘有24人，画家谢环也在其中。

《杏园雅集图》既有纯熟的艺术技巧，也承载大量关于政治的隐蔽信息，是一卷有丰富历史价值的人物肖像长卷。

《杏园雅集图》藏于镇江博物馆。

《竹鹤图》轴 明代文物。明代边景昭的绘画作品。边景昭，字文进，沙县（福建三明）人。明永乐、宣德年间两度召入宫中任武英殿待诏，与蒋子成、赵廉合称"禁中三绝"。边景昭擅画花鸟，设色浑厚鲜丽，在南宋院体的传统上，更多表现描绘物本身的美感。代表作有《三友百禽图》《翎毛图》等。

《竹鹤图》为绢本，设色，纵180.4厘

米，横118厘米。款署"清华阁画史边景昭制"，钤印二方模糊不辨。收藏印有"黄胄心赏"白文、"黄胄珍藏"朱文、"沛"朱文。图中描绘两只丹顶鹤在有翠竹的岸边休憩，远处溪滩隐约可见。丹顶鹤自古就被视作高洁、尊贵的灵鸟。鹤的丹顶、喉颈、体羽、飞羽、长腿等特征高度写实。构图疏密有致，安排得当，两鹤一前一后，一俯一仰，主体突出又灵活有变，中间一竹穿插，景物层次分明。三株老竹线条沉着，用中锋勾勒填色，坡岸又用侧锋描绘，笔法朴拙，风格浑厚，近似南宋院体画法。

《竹鹤图》承继了五代黄荃以及宋代画院花鸟画的富贵品貌，带有浓郁的宫廷气息。

《竹鹤图》藏于故宫博物院。

《春山积翠图》轴 明代文物。明代戴进的山水画作品，作于明正统十四年（1449年）。戴进（1388～1462年），字文进，号静庵，又号玉泉山人，浙江钱塘（浙江杭州）人。初为银工，所造钗朵、人物、花鸟，技艺精湛。后改习绘画，明宣德年间被荐入宫中。

明代中期，戴进成为"浙派"代表画家之首，董其昌称"国朝画史以戴文进为大家"。戴进绘画技艺全面，山水、禽兽、人物、花卉，无不精通。传世作品有《达摩至慧能六代像》《春山积翠图》《雪夜访戴图》《风雨归舟图》《金台送别图》《葵石蛺蝶图》等。

《春山积翠图》为绢本，设色，纵141.3厘米，横53.4厘米。画面右下方有作者自题"正统己巳（1449年）上元日，钱唐戴进为文序至契写《春山积翠图》"。下钤"文进""静庵"二朱文印。图中近景为松下小径上，一文士持杖前行，书童在后抱琴侍随。古松虬曲，枝条下伸，有马远一派的院体遗风。中景和远景是两座山，对切布置，用笔爽利，用大斧劈皴，淡墨略加渲染，层次分明，极其精练地画出南方春山的湿润感，之间布置古寺。云气采用浸化渲染留出空白，隐无笔痕又弥漫流动。画面具有空间层次感，意味清远，表现出文人的世外情趣。

明代前期，宫廷内外受南宋院体画风影响很大，以戴进为首形成"浙派"。《春山积翠图》代表了戴进中晚期画风的演变，是其晚年山水画的代表作。

《春山积翠图》藏于上海博物馆。

《关山行旅图》轴　明代文物。明代戴进的山水画作品，作于明天顺年间（1457～1464年）。《关山行旅图》经清卞永誉、安岐以及近代庞元济等人递藏。清安岐《墨缘汇观》《石渠宝笈续编》、庞元济《虚斋名画录》等书著录。

《关山行旅图》为纸本，设色，纵61.8厘米，横29.7厘米。署款"静庵"，无年款。

画中近处板桥上三只毛驴踯躅而行，两位行者挑担、背筐后随，似是长途跋涉后即将歇息。中景的村落中有几间简陋茅屋，有卸担询问的行人、招待客人的店家、闲坐嬉玩的稚童、小狗守立村头，真实地传达出僻远山村简朴平和的生活气氛。远景的山道上有拉驴上山的人，躬腰挑担下山的人，另显一番艰辛劳作的情境展现眼前。画中环境可居可游，观者如身临其境。布景重视天然布势，力求真实自然。画中

主山居中，左右景物相衬，笔墨勾皴点染结合，有斧劈、披麻、点子诸皴，点叶丰富，有夹叶、点叶等，干湿浓淡相宜，笔意纯熟。

《关山行旅图》在技法上融汇了荆浩、关仝、范宽等人的技法以小斧劈的皴法，用横笔或竖笔、斜笔皴出山石，笔墨厚重苍润，设色浅淡，画面中山石树木结构紧凑，是画家仿北宋画风的作品。从《关山行旅图》创作年代及趋于成熟的集大成面貌判断，为戴进晚年精品。

《关山行旅图》藏于故宫博物院。2008年4月21日～6月9日，在"故宫博物院藏历代书画作品展（第一期）"中陈列展出。

《达摩至慧能六代祖师像》卷 明代文物。明代戴进的绘画作品。《达摩至慧能六代祖师像》是明代戴进为"普顺居士（纳斋）"而画。纳斋是戴进的禅学晚辈。《达摩至慧能六代祖师像》传至正德、嘉靖间为纳斋所有，明末清初归程季白，其后散失，经20余年，季白之弟程君吉复购藏，乾隆时期入清内府。清末，溥仪以赏赐的名义将其带出皇宫，之后流转天津、长春，辗转入藏东北博物馆。清《秘殿珠林续编》等著录。

《达摩至慧能六代祖师像》为绢本，设色，纵36厘米，横704厘米。款署"西湖静庵为普顺居士写"，钤"钱塘戴氏""文进"两印。鉴藏印有"子贞"及清乾隆、嘉庆、溥仪三朝内府鉴藏印12枚。卷后有明祝允明、唐寅、曹勋、曹溶等人题跋。图中以岩石、泉水、苍松、古柏为背景，依次绘禅宗初祖达摩、二祖慧可、三祖僧璨、四祖道信、五祖弘忍、六祖慧能六位大师形象，描绘禅宗的六代祖师衣钵相承的事迹。六位祖师或面壁而坐，或树下伫立，或跌坐顾语，个性鲜明，神情各异。为体现佛法传承的精神脉络，戴进将六组故事放进统一的山水背景中，选择松树比喻六位祖师坚韧的信仰。图中设色浅淡古雅，使用"钉头鼠尾描"的技法，衣纹用铁线描和兰叶描，工整流畅，柔和自然。山石林木多以顿挫之笔勾勒轮廓，施以小斧劈皴，点染繁密，视觉质感很强。

《达摩至慧能六代祖师像》遵循南宋"院体"的画法，继承多于变格，严谨多于疏放，无一笔中年以后的放逸之态，与其晚年风格不同，是戴进早期人物画精品。

《达摩至慧能六代祖师像》藏于辽宁省博物馆。

《三顾草庐图》轴 明代文物。《三顾草庐图》又名《三顾茅庐图》，明代戴进的绘画作品。

《三顾草庐图》为绢本，设色，纵172.2

样的少年正在与一长者相互揖手行礼。长者神情庄重而恭敬，他就是求贤若渴的刘备。他身后的两位壮士一是关羽，一是张飞。他们昂首而立，气宇轩昂，大有不屑一顾之势，由此很自然地衬托出刘备的礼贤下士。距他们不远处一块山石嶙峋的小丘山，两株古松遒劲有力。画中人物描绘生动细致，刘备恭敬的神态、张飞的深色面庞及武夫的站姿都描绘得精准传神。画山石用大斧劈皴，松枝顾长，继承了南宋马远的画风，用笔简劲、画面墨色清雅。

明代宫廷画中以"招贤纳士"为题材的历史故事画较多，反映了当政皇帝求贤的迫切心情。《三顾草庐图》笔力雄健豪放，形成斧劈皴。淡设色，水墨苍劲淋漓的浙派山水画独特风格，开创了明代山水画的新风。此画为戴进山水人物故事中不可多得的精品。

《三顾草庐图》藏于故宫博物院。

《湘江风雨图》卷　明代文物。明代夏昶的绘画作品，作于明正统十四年（1449年）。夏昶（1388～1470年），字仲昭，号自在居士，又号玉峰，江苏昆山人。明永乐十三年（1415年）登进士，官至太常寺少卿。夏昶善画墨竹，初师王绂，后融会吴镇、倪瓒画法，形成自己的风格。他作画讲究法度，结构严

厘米，横107厘米。款署"静庵"，钤"静庵"。图中描绘的是家喻户晓的"三顾茅庐"故事。画面背景是万仞高山，山势峻峭。山上布满挺拔的树木，山下修竹丛中掩映着几间草庐。这里的幽静与险峻的山景形成了鲜明的对比。草庐内诸葛亮端然静坐，神态悠闲，一派儒雅飘逸的风度。庐外柴扉开启，一名书童模

谨，起笔收笔均以楷书入画，笔墨厚重，又具潇洒清润之趣。代表作《湘江风雨图》《野林大士图》。

《湘江风雨图》为纸本，墨笔，纵35厘米，横1206厘米。夏昶自题图名"湘江风雨"，款"东吴夏昶仲昭笔"，钤"东吴夏昶仲昭书画印""燕寝凝香"印，自跋"正统己巳（1449年）秋九月"。卷后有夏昶、王英、李时勉等题记。图中描绘坡石和飞泉流水之间，竹树丛生，枝叶纷披，荒草倾侧，随风摇曳，似临风雨。构图疏密得当，大体分为首、中、尾三段，每段又以泉石流水相连，有似断又连、起伏多变之感。用墨苍厚、浓淡分明，笔势既豪爽劲利，一气呵成，又讲究法度。坡石画法圆润，用墨厚重，层次清晰，飞白与墨色辉映。

《湘江风雨图》是夏昶为少司寇杨仆所作，也是他中晚期有代表性的作品之一。此画在构图方面，安排紧凑，疏密得宜，稳中求变，不失法度。竹子浓淡干湿，披离横斜，掩映于山石、泉水之间。所摄人景繁多，但繁而不乱，层次分明，并以书法入画，使之具有强烈的韵律感。山石画法，厚重圆浑，皴染细致荷叶皴的运用，具王绂遗韵。

《湘江风雨图》藏于故宫博物院。

《魏园雅集图》轴　明代文物。明代沈周的山水画作品，作于明成化五年（1469年）。沈周（1427～1509年），字启南，号石田，晚号白石翁，长洲相城（江苏苏州）人。沈周出身于诗画及收藏世家，书法绘画造诣尤深，兼工山水、花鸟、人物，以山水和花鸟成就突出。技法严谨秀丽，用笔沉着稳练，内藏筋

骨,晚年时笔墨粗简豪放,气势雄浑。沈周的画作对明代及后世文人画的发展有重大影响,被誉为吴门画派领袖。传世作品有《庐山高图》《秋林话旧图》《沧州趣图》,著有《石田集》《客座新闻》等。

《魏园雅集图》为纸本,设色,纵145.5厘米,横47.5厘米。画的上方有沈周和魏昌的题识可知,魏昌的家在苏州城内,住所后面开辟出了一个园池,用来自娱。魏昌是杜琼的外甥,在他84岁的时候有一些朋友来他的园池雅集聚会。园池主人魏昌,为了纪念成化己丑(1469年)十二月十日的雅集活动让沈周作了这幅《魏园雅集图》,参加雅集的人有刘钰、沈周、祝颢、陈述、周鼎和魏昌本人,此图及与会人的题识均是在雅集的当天完成的。雅集过程中,首先由陈述作了第一首五言律诗;其

次,祝颢等人纷纷和诗。图绘山水亭榭,林泉远峰,轻披薄雾;近处山顶与中部山腰,露出多处缓缓向上的台地,泉水从山涧飞流直下,汇成淙淙小溪。溪水旁有一小桥,茅亭内四人席地而坐,书童侧立一旁正听候主人吩咐,一老者曳杖而来。山上山下,草木葱茏,叶红似火的枫叶点缀其间,更添几分胜地雅集美景。图中使用焦墨枯笔描绘苔点,表现方式非常突出。每座山都有疏密、浓淡、干湿的变化,营造出一种气势苍茫的意境。

《魏园雅集图》整体风格已在精细中显现粗劲,应是一件典型的转变期作品,这对沈周雅集题材山水画的研究有重要的引导作用。

《魏园雅集图》藏于辽宁省博物馆。

《仿黄公望富春山居图》卷 明代文物。明代沈周的绘画作品,作于明成化二十三年

（1487年）。《富春山居图》是黄公望历经数年完成的巨幅杰作，曾为沈周收藏。沈周拿黄氏原作请人题跋时，被人强占为己有，并以高价出售。沈周无力购回，因此凭印象仿绘以示思念。清时，《仿黄公望富春山居图》曾归王时敏收藏，民国初年被汪士元收藏，后又转入徐世昌收藏。1973年入藏故宫博物院。清吴历《墨井画跋》、吴升《大观录》《佩文斋书画谱》，汪士元《麓云楼书画记略》等均有著录。

《仿黄公望富春山居图》为纸本，设色，纵36.8厘米，横855厘米。图上有沈周自题，明姚绶、董其昌、吴宽、文彭、周天球，清谢淞洲等题跋，共钤清王时敏、宋荦、汪士元、徐世昌等鉴藏印30余方。图中画有层叠起伏的山峦，辽阔浩渺的江天，依势布置冈阜平滩、汀渚港汊、楼台亭榭、平桥曲径、农舍渔船。画中人物不多，三五幽人策杖于小桥、山径，二三渔夫垂钓于舟中，还有一人在水边茅亭凭栏观鹅，整幅画展现出一派宁静清远的气氛，表现了富春江两岸明媚秀丽的景色。除画卷尾部增加一段山峦平冈树石，其余部分维持原作结构。图中坡岗起伏，景物疏朗，布局开合有度，用笔方圆兼顾，刚柔并济，结合披麻皴法与矾头皴法，对原作的临摹达到形神兼似的境界，而笔法间又流露出沈周个人的特色。

《仿黄公望富春山居图》是所知最早的《富春山居图》临仿本，基本保留原作被焚毁前的面貌，除本身的艺术价值外，还具有重现黄公望原作的重要意义。

《仿黄公望富春山居图》藏于故宫博物院。

《卧游图》册 明代文物。明代沈周的绘画作品。"卧游"源于南朝宋宗炳在居室四壁挂山水画以卧游的典故，后逐渐演变为中国人观画的代名词。沈周创作《卧游图》有追思千年前的同道之意。

《卧游图》为纸本，设色，共17开，每开纵27.8厘米，横37.3厘米。开首为沈周自书"卧游"两字。册中绘有秋山读书、秋景山水、江山坐话、仿云林山水、仿米山水、秋江钓艇、杏花、蜀葵、秋柳鸣蝉、平坡散牧、栀子花、芙蓉、枇杷、石榴、雏鸡、菜花等。《卧游图》每开均有沈周自题，落款后钤朱文"启南"、白文"石田"、白文"石田翁"等印。《秋山读书图》前坡三木并立，坡后平台处别作一树，斜穿画面。树枝用笔老硬，时见飞白，落点苍劲。一高士持卷坐于台边，仰首若有所思。山石用短披麻，以浓墨点苔或作草

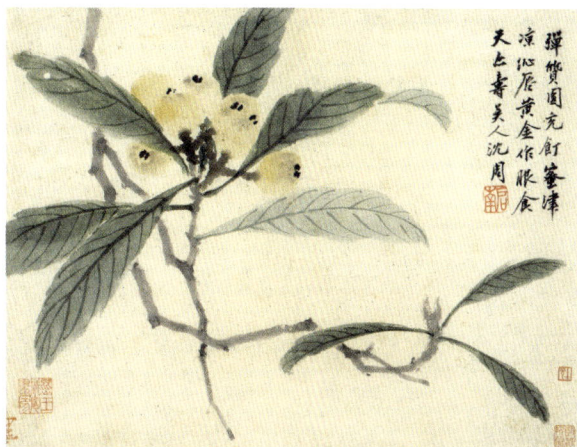

于山石。坡石染赭色，叶作绿色和赭黄，可见秋意。《秋景山水图》以水墨为主，浅绛为辅。图中画有两组山石、树木，以小桥相连，树木更为浓茂。临水驻足一位策杖老人，凝视前方。画下方近景坡石用中锋皴出，用淡墨复皴，加强山石厚度，以焦浓墨依石块结构点苔。《江山坐话图》近景集中于画面右下角，溪边浓荫下两位高士相对而坐，似在侃侃而谈；三株不同点法的树木交融错落，与左边山坡遥相呼应；远处屋宇若隐若现，藏露有致；远山含烟，结构分明。

《卧游图》中所绘山水、花鸟画法灵活，或设色，或水墨，或没骨，或勾勒渲染，各抒意趣，形简神聚。

《卧游图》藏于故宫博物院。2010年4月1日～6月15日，在"故宫博物院藏历代书画作品展（第七期）"中陈列展出。

《东庄图》册　明代文物。明代沈周的绘画作品。东庄是吴宽在苏州的私家园林，也是江南士大夫经常雅集的地方。《东庄图》册有两种版本，一为十二景，一为二十四景。十二景本见载于裴景福《壮陶阁书画录》，上款题《匏庵先生东庄十二景》，下落不明。二十四景《东庄图》从吴宽家族散出后，先后归文嘉、浙江长兴姚氏、江苏丹徒张觐宸收藏，清初从张觐宸之孙张孝思家流入扬州，乾隆时归耀卿、汪诣成收藏，嘉庆以后经冯秘生、潘仕成、潘延龄、罗天池、伍元惠、庞元济等人递藏。民国年间，该册被庞莱臣收藏，并著录在其《虚斋名画录》中，新中国成立后由其家人捐给南京博物院。

《东庄图》为纸本，设色，为21开，每开纵28.6厘米，横33厘米。前两页有王文治题《石田先生东庄图》，后有董其昌、王文、孙尔准、顾鹤庆、罗天池、吴荣光、姚元之、李宗瀚、梁章钜等人题跋15页。《东庄图》描绘吴宽家的庭园景色。以通幽的水境为主，岸边细竹林立，若无人之境，竹林之后有微露草堂两间。构图采用平远法，以移步换景、一景一图的方式，再现历史上的名园——东庄。《东庄图》遗存《东城》《振衣冈》《折桂桥》《续古堂》《拙修庵》《耕息轩》《朱缨径》《全真馆》《知乐亭》等21幅。所缺3幅，经肖谷实地踏勘并求证，认为应是《桃花池》《瓜圃》

和《桂坞》。图册既能独立成幅，又相互关联，设色明丽清雅，用笔圆润劲健，所取景物各有意趣，视点高低错落，构图形式多样，充分表现园林"虽由人作，宛如天开"的特征。

《东庄图》以实景为基础，但并不是对园林景色的简单绘制与临摹。它经过了作者的艺术提炼与加工，并在绘画过程中融合了作者的主观情感，将其对园林的理解与感悟融入其中，充分表达了作者对理想人文生活的向往与追求。这一图册就是沈周将自身主观情感融入其中的实景园林的艺术重构。《东庄图》对后世园林绘画影响很大，很多园林绘画如文徵明《拙政园图》、沈士充《郊园图》和张宏《止园图》等都受《东庄图》的影响。

《东庄图》藏于南京博物院。

《灌木集禽图》卷　明代文物。明代林良的花鸟画作品。林良，字以善，南海（广东广州）人，明代画家。明弘治年间以荐奉仁智殿，官锦衣卫指挥。林良早年学山水画于颜宗，学人物画于何寅，后专工花鸟，尤善画水墨禽鸟、树石。林良继承南宋画院放纵简括的笔法，笔势遒劲飞动，墨色灵活，为明代院体花鸟画的代表作家之一。但他的画又于院体法度中有所创新，带有较多的写意成分。明代诗人李梦阳曾作《林良画两角鹰歌》评价："林

良写鸟只用墨，开缣半扫风云黑。水禽陆禽各臻妙，挂出满堂皆动色。"代表作品有《双鹰图》《灌木集禽图》《白头翁图》等。

《灌木集禽图》为纸本，水墨、淡设色，纵34厘米，横1211.2厘米。款署"东厂林良"，卷前有清陆润庠"秋鹗群鸿"篆书引首，后有清黄元治、金廷标、徐步云、徐鸣珂父子等人跋语。图中以平远法表现捕捉野鸟的逸趣。从起首的飞入林中的麻雀开始，依次可以看到翠鸟、黄鹂、山鹊、白头翁、八哥旁边、山雀、鹊鸲、寒鸦、秦吉了、麻雀、白头翁、鹌鹑、苍鹰、鸬鹚等多种自然中的寻常鸟类。除灌木丛外，布置有竹林、松树、荻岸等多种场景，用来配合不同鸟类的生活环境。场景层层变换，令人应接不暇，生命的热烈与秋天的萧瑟形成巧妙的对比。画作并用水墨与工笔的手法，墨色简淡，风格朴素。

《灌木集禽图》描绘了飞、鸣、饮、啄等不同姿态的禽鸟，更以水墨分明的层次表现禽鸟毛茸茸的质感，成为中国写意花鸟画的开端，为以后写意花鸟画的发展奠定了基础，对花鸟画发展具有深远影响。

《灌木集禽图》藏于故宫博物院。

《秋林聚禽图》轴　明代文物。明代林良的花鸟画作品。《秋林聚禽图》原藏于清宫，

后流散民间，被容庚购藏，1956年捐献给广州博物馆。1957年调拨广州美术馆收藏。

《秋林聚禽图》为绢本，墨笔，纵153厘米，横77厘米。有"林良"款。钤"以善图书""玄赏斋书画印""刻溪世家""司礼太监""戴氏家藏子孙永保之""太监王诜置收书画留传""铁岭郑氏文燮号小舫珍藏唐宋元明名人书画之印""中天赏鉴"等鉴藏印。图中描绘秋日中山禽聚于老树枝头休憩的场景。画面前景是作为主体的白颈鸦，背景是浅润的竹林与麻雀。画作以多种角度表现禽鸟的立

姿，布局疏密有致。画面背景的竹枝下部，有两只伶仃的麻雀，与群鸟形成对照。前景的树木墨色浓重，又用淡墨画竹两竿，兼施淡绿和淡褚色，再点缀垂挂的藤条，增加画面的丰富性，加强秋天景物的生命力。

林良是明代前期一位富有创造性的花鸟画家。他在花鸟画的表现方法上，打破了宋代以来盛行的勾勒精细、敷彩秾丽的工笔体格，以遒劲飞动的笔法、淋漓酣畅的墨色，开拓出水墨阔笔写意花鸟画的新风貌，在当时工整重彩画风盛行之下，能够独树一帜，十分可贵。《秋树聚禽图》是林良传世写意花鸟画中的代表作。

《秋林聚禽图》藏于广州市艺术博物馆。

《鹰鹊图》轴　明代文物。明代吕纪的绘画作品。吕纪（约1439～1505年），字廷振，号乐愚，一作乐渔，鄞（浙江宁波）人，明代画家。弘治末年进入宫廷，供事仁智殿，官至锦衣卫指挥。吕纪擅画花鸟，绘画多以墨为主辅以淡彩，形成笔墨率简，敷色淡雅，生动传神的绘画风格。其代表作品有《雪梅集禽图》《残荷鹰鹭图》《桂菊山禽图》《秋鹭芙蓉图》等。

《鹰鹊图》为纸本，设色，纵120.7厘米，横61.5厘米。画面右上方有题款"吕纪"，款下钤有"四明吕廷振印"。画中描绘一只凶猛、强劲的苍鹰单足伫立于巨岩之巅，姿态雄健，两只飞绕于枝头的蜜蜂吸引它的注意，作回首注视状。巨石之下，一只喜鹊闲栖于枝，回首眺望时恰巧发现苍鹰，于是喜鹊惊恐万分，张嘴惊叫并欲振翅飞逃。鹰的专注凝视和喜鹊的振翅欲飞，形成鲜明的动静对比，

画面动中有静，静中有动，意趣盎然。画面左下角矗立一嶙峋怪石，巨石的后面有苍劲的枝干笔挺而上，疏朗自然。雄鹰居于画面主体，用粗笔水墨写成，笔法遒劲有力，将苍鹰凝神专注、无所畏惧的神态表露无遗。鹰的口喙、眼睛用劲挺有力的线条勾勒，用笔严谨准确。鹰的身体用较大的笔触果断写成，潇洒轻松。鹰爪则用较淡的墨色先简笔一次性写出，待略干之时，再用浓墨点出跗跖上的鳞片，表现出鹰爪的锐利与坚实。喜鹊的刻画虽简要但劲练

传神，疏朗的用笔与苍鹰的厚重和繁复形成对比，加重画面的萧瑟之感。枝干藤蔓的勾点松动明快。整幅画面用粗笔水墨写成，墨色洒脱，用笔纵逸，所画禽鸟尽显物之本性，天趣盎然，颇有林良笔墨的风貌。

吕纪的花鸟画不仅追求形似，更善于表现禽鸟之间的关系，捕捉住禽鸟瞬间的神态和动势，营造出千钧一发的紧迫感和爆发力，突破了传统花鸟画唯美的装饰意味，从而获得了新的艺术生命力。《鹰鹊图》即这样一幅作品。

《鹰鹊图》藏于故宫博物院。2011年9月10日～11月15日，在"故宫博物院藏历代书画展（第三期）"，2014年9月5日～11月4日，在"故宫博物院藏历代书画展（第九期）"中陈列展出。

《桂菊山禽图》 明代文物。明代吕纪的花鸟画作品。

《桂菊山禽图》为绢本，设色，纵192厘米，横107厘米。署"吕纪"款，钤"四明吕廷振印"。图绘秋天的情景，一棵高大而茂盛的桂花树，树干苍健，树上绿叶茂密，桂花簇聚。桂树上栖落着几只八哥，有两只正隔着树枝对唱，一只正翘首远眺。低一些的树枝上，一只蓝色绶带正朝着树下鸣叫，它黑白相间的羽翼之间，长着蓝色的羽毛，红色的嘴和爪子。树下的三只绶带，正在争食一只草虫，它们翘起高高的羽翎。桂树下长着一些野草，形状各异的石头，石后几株菊花正开得鲜艳，颜色有红的、黄的、白的。整个画面热闹非凡。

《桂菊山禽图》画法工整鲜丽，继承了"黄家富贵"的宫廷院体花鸟传统。同时，工笔重彩的花鸟与粗笔水墨的树石相间，也反映

了吕纪兼工带写的成熟花鸟画风格。

《桂菊山禽图》藏于故宫博物院。

《长江万里图》 明代文物。明代吴伟的山水画作品，作于明弘治十八年（1505年）。吴伟（1459～1508年），字次翁、士英，号鲁夫、小仙，江夏（湖北武汉）人，后居南京秦淮河畔。成化年间为宫廷作画，任仁智殿待诏。弘治年间孝宗晋授以锦衣卫百户，赐"画状元"印。人物宗吴道子，后学李公麟，取法南宋画院体格，早年作白描，以秀劲工细见长，中年后变为苍劲豪放，笔势粗犷。明代中叶继戴进后成为"浙派"健将，从学者颇多，人称"江夏派"。代表作有《二仙图》《渔乐图》《柳阴读书图》《江山渔乐图》《长江万里图》等。

《长江万里图》为绢本，淡设色，纵27.8厘米，横976.2厘米。卷后自题"弘治十八年乙丑九月望湖湘吴伟寓武昌郡斋中制"，汪尧展、汪尧庚跋，钤有"浣花溪屋祗藏书""仲祥审定真迹"等印。图中描绘了万里长江沿途的壮丽云山、幽谷山村、城乡屋宇、江上风帆等。画卷内容分为四段。第一段为壮丽云山，崇山峻岭从山谷深处逐渐展开，郁郁葱葱的林木随着山势的变化而跌宕起伏。第二段为幽谷山村，山势连绵渐推渐远，大江一望无垠，逐渐消融天际，江面上百舸争流，显示万里长江的气魄。第三段为城乡屋宇，山峦起伏平缓舒展，江水环绕群山，近景的岸边停泊着船只，山坡上掩映错落着许多屋舍、城郭。第四段为江上风帆，山峦逐渐虚入江面，江水复归。构图起伏变化，意境浩荡宏伟。此画卷构图起伏变化，意境浩荡宏伟。

《长江万里图》结构疏朗，笔墨酣畅，纵横挥洒，突出展现了长江雄伟壮观的景象，抒发了画家对祖国河山无限热爱的情怀，也集中反映吴伟以气势取胜的艺术特色。

《长江万里图》藏于故宫博物院。

《武陵春图》卷 明代文物。明代吴伟的人物画作品。明王世贞《艺苑卮言》、姜绍书《无声诗史》、徐沁《明画录》、王肯堂《郁冈斋笔尘》，清谢堃《书画所见录》等书有著录。

《武陵春图》为纸本，白描，纵27.5厘米，横93.9厘米。钤"小仙""次翁"印二方。引首有溥儒书"武陵春色，大千先生命题。溥儒"。钤"旧王孙""溥儒之印"印二方。另有清洞径居士题句，钤张大千"不负古人告后人""大千好梦"等鉴藏印六方。后幅有明徐霖书"武陵春传"，叶恭绰、吴湖帆、向迪宗、罗惇暖、顾飞、溥儒、吴定山、谢稚柳等十家题记。图中主要描绘江南名妓在庭院手执书卷，端坐忧思状的场景。女子因情郎被降罪流放，营救不得，以泪洗面终思虑成疾。人物面部和衣纹均以细匀的淡墨线条绘成，眼眸、发髻处用重墨点染，形成生动的墨韵，令画面清雅秀润，表现出女子的纤秀孤寂。石案旁有一盆开放的梅花，其余空间留白处理，营造出冷清凄寂的氛围。画上还采用借物言志的艺术手法，以石桌上陈设的琴、笔、砚等文房用具揭示出女子内在的文化修养。

《武陵春图》从技法上看，比吴伟前期作品更加流畅秀润、风神隽爽。

《武陵春图》藏于故宫博物院。2010年6月18日～8月30日，在"故宫博物院藏历代书画作品展（第八期）"中陈列展出。

《春泉小隐图》卷 明代文物。明代周臣的绘画作品。周臣（1460～1535年），字舜卿，号东村，吴县（江苏苏州）人，明代职业画家。周臣擅画人物、山水、花鸟，师承李唐、马远，受戴进影响，画法严整工细。唐寅、仇英、曹曦等均出自周臣门下。明何良俊著《四友斋丛说》中记载"学马夏者若与戴静庵并驱，则互有所长。未知其果孰先也，亦是院体中一高手"。代表作品有《沧浪亭图》《春泉小隐图》《上斋客至图》《溪山楼观图》《桃源问津图》《柴门送客图》等。《春泉小隐图》为明代周臣为一位裴姓、号"春泉"的文人所作。曾为朱之赤、清内府收藏。清《石渠宝笈续编》有著录。

《春泉小隐图》为纸本，设色，纵26.3厘米，横85.5厘米。款署："东村周臣为春泉

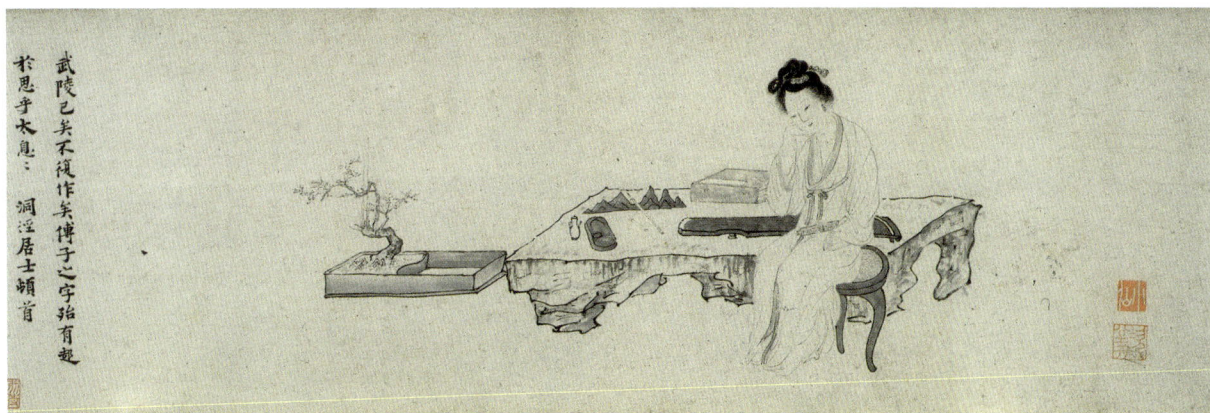

裴君写意"。钤"静远斋"印，押白文"周臣印"。画上有乾隆帝御题，并钤有"乾隆御览之宝""三希堂精鉴赏""石渠定鉴""宝笈重编""乾清宫鉴藏宝""乾隆鉴赏""嘉庆御览之宝""宣统御览之宝"等帝王收藏印。图中描绘裴春泉隐居小憩的情景。画面起首以裴君的草堂为中心展开，草堂敞亮，陈设简单，只有一椅一案而已。一人正伏案假寐，以示"小隐"之意。堂外垂柳掩映，一小童正在打扫庭院，并不时地回头张望堂内之人。门前有一座弯弯的板桥，桥下流水潺潺。板桥对岸山石重叠。画面左边有两棵树，枝叶随风舞动，与右边的松树、柳树相呼应，意趣盎然。远处青山连绵，平湖幽美。图中以小桥流水的江南春景喻示"春泉"之名，匠心独运。

《春泉小隐图》在艺术风格上继承了南宋的院体画传统，构图紧凑，状物准确生动，人物线条细腻流畅。树石用笔刚劲峭利，多为小斧劈皴，墨色浓重而清润，显示了画家高超的绘画技巧。

《春泉小隐图》藏于故宫博物院。

《长夏山村图》轴　明代文物。明代周臣的山水画作品。

《长夏山村图》为纸本，设色，纵113.5厘米，横59.2厘米。无款印。画作右上角有周臣

学生唐寅行书题诗："长夏山村诗兴幽，趁凉多在碧泉头。松阴满地凝空翠，肯逐朱门襁褓流。"图绘峰峦高耸、长松挺立、屋宇掩映、烟岚浮动、水阔清幽之景。一士人凭栏赏景。

《长夏山村图》采用"由"字取势的构图法，画面主要由山石、松树、小河、屋宇、远山组成。为突出山水画主题，画面分成三叠式，画的重心放在下方，形成下重而上轻之势，下实上虚的对比手法，是宋、元、明山水画家常用的一种构图形式。《长夏山村图》是周臣中期的山水画代表作。

《长夏山村图》藏于上海博物馆。

《事茗图》卷 明代文物。明代唐寅的绘画作品。唐寅（1470～1523年），字伯虎，一字子畏，号六如居士、桃花庵主，吴县（江苏苏州）人。唐寅与祝允明、文徵明、徐祯卿并称"吴中四才子"。绘画方面于山水、人物、花鸟、楼阁俱能。山水画方面，唐寅画法近似周臣，但其另一路山水，呈现元人绘画风格，多描绘亭榭园林和文人逸士的生活场景，文人意趣浓厚。其人物画题材多绘历代仕女和历史故事，造型准确优美，情态飘洒高雅，许多内容富有讽喻世态之意。代表作品有山水画《骑驴归思图》《山路松声图》《事茗图》人物画《王蜀宫妓图》《秋风纨扇图》等。"事茗"，既指画作内容为读书品茗的庭院茶事小景，又指唐寅友人陈事茗。《事茗图》曾入清内府收藏。1924年，清朝末代皇帝溥仪将其带到了长春，藏于小白楼里。1945年8月，抗战胜利，《事茗图》被金香蕙抢走，后将其变卖，辗转由张伯驹买下。1956年，张伯驹将《事茗图》等珍藏的一批书画，无偿捐赠给故宫博物院。清《石渠宝笈初编》等书著录。

《事茗图》为纸本，设色，纵31.1厘米，横105.8厘米。引首文徵明隶书题"事茗"二字，款署"徵明"，钤"文徵明印"。唐寅行书自题五言诗"日长何所事，茗碗自赍持。料得南窗下，清风满鬓丝。吴趋唐寅。"钤"唐居士""吴趋""唐伯虎"印。卷右有清乾隆十九年（1754年）御笔题记，钤印"古香"白文方、"太缶"朱文方。鉴藏印有耿昭忠、耿嘉祚、索额图等诸家印记多方，另有清内府鉴藏诸印。后纸有陆粲嘉靖行书《事茗辩》一文。画中描绘苏州文人陈事茗幽游林下、待客品茶的日常悠闲生活。画面近处山崖陡峭峥嵘，山间溪流曲折静谧，溪畔有茅屋数间，屋前青松挺拔，屋后青竹环绕，远景山峦雾霭，山下流水小桥。构图层次分明、严谨细致，饱

含清雅幽静之气。最近处茅舍中,一人伏案读书,案头放茶壶、茶盏等茶具,旁边茅屋内有一位书童煽火烹茶。溪畔有一小桥,一人持杖前行,身后跟随一位抱琴的书童。人物线条刻画细腻,生动自然。

《事茗图》表达唐寅对理想生活情趣的追求与向往。此图表现了文人雅士的闲情逸趣,是作者成熟期具有独创风格的代表作。

《事茗图》藏于故宫博物院。2014年4月30日~6月29日,在"故宫博物院藏历代书画作品展(第八期)"中陈列展出。

《王蜀宫妓图》轴 明代文物。明代唐寅的人物画作品。《王蜀宫妓图》原名《孟蜀宫妓图》,俗称《四美图》,是描绘五代前蜀后主王衍的后宫故事。1937年春,张伯驹购买了包括《中秋帖》《伯远帖》、李白《上阳台帖》、唐寅《王蜀宫妓图》、王时敏《山水图》等在内的一批珍贵书画。1956年,张伯驹和夫人潘素从30年蓄藏的书画中选出8件精品捐献国家,其中就包括唐寅《王蜀宫妓图》。该画后由国家文物局拨交故宫博物院收藏。

《王蜀宫妓图》为绢本,设色,纵124.7厘米,横63.6厘米。有唐寅自题。图中共绘有四人,无衬景。一青衣女子似手拿酒盏,让手托酒盏的绿衣女子斟酒伺候,红衣女子已不胜酒力,摆手欲止,却被青衣女子挡住。画中人物云髻高耸,青丝如墨,头饰花冠,脸饰水粉,身穿华丽长褂和修裙。人物交错伫立,平稳有序,微倾的头部、略弯的立姿和攀附的手臂,似是等待君王召唤侍奉。人物面部作"三白",又称"唐三白",即前额、鼻尖、下颌用白粉晕染,体现宫女的浓施艳抹。

《王蜀宫妓图》是唐寅人物画中工笔重彩一路画风的代表作,显示出造型、用笔、设色等方面的高超技艺。笔墨技巧近法杜堇,远宗唐人,衣纹作琴弦描,细劲流畅,富有弹性和质感,冠服纹饰尤见精工,细致入微。既有浓淡、冷暖色彩的强烈对比,又有相近色泽的巧妙过渡与搭配,整体色调丰富而又和谐,浓艳中兼具清雅。

《王蜀宫妓图》藏于故宫博物院。2010年9月3日~11月15日,在"故宫博物院藏历代书画作品展(第九期)"中陈列展出。

《湘君湘夫人图》轴 明代文物。明代文徵明的人物画作品，作于明正德十二年（1517年）。文徵明（1470～1559年），初名壁，字徵明，后以字行，更字徵仲，号"衡山居士""停云生"，长洲（江苏苏州）人，与沈周、唐寅、仇英合称"明四家"，为吴门画派的核心人物，子弟甚多，影响较大。文徵明擅画山水、人物、花卉。山水师法王蒙、吴镇，多写江南景色，用笔细劲秀润，墨法精微；人物描法高古，颇有风致。文徵明亦善书，行草学二王，兼得赵孟頫神韵，楷书大字仿黄庭

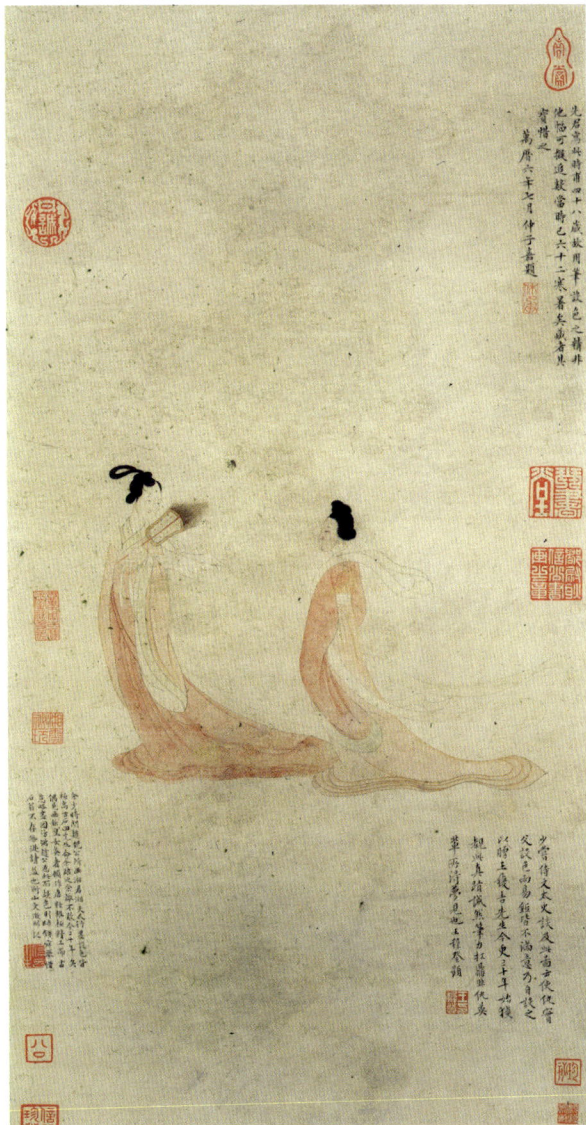

坚，小楷则是晚而俞精。传世画作有《千岩竞秀》《万壑争流》《湘君湘夫人图》等，著有《莆田集》，编有《停玉馆法帖》等。《湘君湘夫人图》题材源自战国诗人屈原的《九歌》。《九歌》是《楚辞》的篇名，原为中国神话传说中的一种远古歌曲的名称，战国楚人屈原在楚地民间祭神乐歌的基础上改作加工而成，诗中创造了大量神的形象，大多是人神恋歌。《九歌》共11篇，《湘君》《湘夫人》是其中两篇。《湘君湘夫人图》曾经清耿昭忠、顾文彬收藏，曾入清高士奇《江村销夏录》、吴升《大观录》、顾文彬《过云楼书画记》等书著录。

《湘君湘夫人图》为纸本，淡设色，纵100.8厘米，横35.6厘米。画上方有文徵明自书《湘君》《湘夫人》，署"正德十二年丁丑二月己未停云馆中书"，另有文嘉、王稺登等题跋。画中湘君、湘夫人一前一后，前者手持羽扇，侧身后顾，似与后者对答，神情生动。人物造型源自东晋顾恺之《女史箴图》《洛神赋图》，形象古雅，体态修长，长袖飘逸，衣裙曳地。用游丝描，施朱红及白粉，精工古雅。

《湘君湘夫人图》是文徵明早期的人物画名作。

《湘君湘夫人图》藏于故宫博物院。2009年9月2日～11月1日，在"故宫博物院藏历代书画作品展（第六期）"中陈列展出。

《惠山茶会图》卷 明代文物。明代文徵明的山水画作品，作于明正德十三年（1518年）。文徵明与好友蔡羽、王守、王宠、汤珍等人到无锡惠山游览，饮茶吟诗，事后创作出《惠山茶会图》。曾由明雁湖陶氏、沈鸿祚，清顾文彬所

藏。清顾文彬《过云楼书画记》著录。

《惠山茶会图》为纸本，大青绿设色，纵21.9厘米，横67厘米。画中共有蔡羽14首题诗、汤珍8首及王宠9首吟作，题诗长度超过画作的三倍，均为小楷书写，工整秀丽。未署作者款，钤印"文徵明印""悟言室印"。画作采用截取式构图，突出茶会场景。一片松林中，有茅亭泉井，诸人或围井而坐，或展卷吟诵，或散步林间赏景交谈，或观童子煮茶品茗。青山绿树、苍松翠柏的幽雅环境，与文人士子的茶会活动相互映衬，营造出情景交融的诗意境界。工笔设色，树干、山石、山坡的勾、擦、皴染多用中锋，间以侧锋，呈现出"以书入画"的笔意特点。人物衣纹用高古游丝描，稳健潇洒。树石形态于精细中呈适当变形，山石敷以石绿，勾线、凹处加淡赭微晕，树干用赭石、藤黄间染，人物着色后线条再用色复勾，整体色调于对比中见融和，呈现出清丽细致、文秀隽雅的风格。

《惠山茶会图》体现了文徵明早年山水画细致清丽、文雅隽秀的风格。

《惠山茶会图》藏于故宫博物院。

《东园图》卷 明代文物。明代文徵明的绘画作品，作于明嘉靖九年（1530年）。

《东园图》为绢本，设色，纵30.2厘米，横126.4厘米。引首有徐霖书写的篆体"东园雅集"四字。画卷右上端为文徵明书写的"东园图"，右下角钤有"文徵明印""徵仲"等两方印鉴；左端画尾以楷书款署"嘉靖庚寅（1530年）秋徵明制"，钤有"停云""玉兰堂印"等两方朱文闲章。卷尾拖有二文，分别为湛若水撰写的《东园记》，以及陈沂创作的《太府园游记》。两篇文章讲述东园雅集的始末。画中板桥横于潺潺细流之上，青松翠竹遥相呼应，湖石疏置，碧树成荫，池水为清风吹皱，泛起层层涟漪。甬路上二文士边走边谈，携琴童子相随其后；堂内四人凝神赏画，另有手捧数轴书画的小童立侍桌旁，水榭之中对弈的两人神态悠闲安逸。

文徵明创作《东园图》，一方面是将其作为礼物赠送给东园的主人，另一方面是出于文人对园林景观的情怀表达。文徵明的画风有"细文""粗文"之别。《东园图》是文徵明晚年细笔的精品，表现明代文人生活的清虚淡然。《东园图》留下了宝贵的图像资料，成为后人领略明代园林艺术生活的重要遗产，让人们得以在笔墨的流转飞动中，感受中国传统文人私家园林的风采。《东园图》亦能为当代的

园林景观设计提供宝贵的借鉴与参照。

《东园图》藏于故宫博物院。

《兰亭修禊图》卷 明代文物。明代文徵明的绘画作品，作于明嘉靖二十一年（1542年）。修禊，即农历三月上旬"巳日"。在这一天里，人们相约到水边沐浴、洗濯，借以除灾祛邪。后来演变为文人饮酒赋诗的集会。东晋永和九年（353年）三月三日，王羲之与名士谢安、孙绰等40余人来到会稽山阴的兰亭水边，做流觞曲水之戏。王羲之乘兴作《兰亭集序》，文采灿烂，书法遒劲飘逸，被后世推为"天下第一行书"。

《兰亭修禊图》为纸本，设色，纵24.2厘米，横60.1厘米。卷尾下钤"徵明父印""徵仲父印"，右下有"雪坪心赏""杜氏藏画"印，左下有"与古维新"印。尾纸首段是文徵明临写的王羲之《兰亭集序》，其后是一段文徵明行书自题，钤"征明印""悟言室印"。尾纸另有王榖祥、陆师道、许初、文彭、文嘉等人题跋。《兰亭修禊图》再现了王羲之书写《兰亭集序》的情景，描绘的是王羲之等人在兰亭溪上修禊，作曲水流觞之会的故事。崇山峻岭，溪流蜿蜒，溪畔众多文士或坐或卧，观赏水光山色，淙淙溪水送来酒觞。水榭上相对而坐的王羲之等三人正在评点已写毕的诗文。丛竹泛翠，林木荫翳。画中山石树木先勾后染，工致严谨，人物的衣纹、眉目简略，数根线条便勾勒出文人雅士潇洒的身姿。画面以青绿为主，淡施赭色渲染山脚坡石，浓而不失典雅，艳而别具秀润。

《兰亭修禊图》藏于故宫博物院。2009年6月25日～8月25日，在"故宫博物院藏历代书画作品展（第五期）"中陈列展出。

《真赏斋图》卷　明代文物。明代文徵明的绘画作品，作于明嘉靖三十六年（1557年）。真赏斋是明代书画藏家华夏在无锡太湖边修建的别墅，用于收藏各类古玩字画。文徵明长华夏20岁，两人交往十分密切。华夏经常让文徵明鉴定自己的收藏，或者在藏品上题跋，文徵明父子还曾参与华夏《真赏斋帖》的勾摹工作。《真赏斋图》存世有两卷，一卷为文徵明作于嘉靖二十八年（1549年）的版本，藏上海博物馆，一卷为文徵明的再次创作，作于嘉靖三十六年（1557年），藏中国国家博物馆。《真赏斋图》（1557年版本）最初在华夏处，后由项元汴收藏。清顺治二年（1645年），清兵攻陷嘉兴，项家遭到劫难，《真赏斋图》历经磨难仍完好如初，与钟繇《荐季直表》、王羲之《袁生帖》一同归高士奇所有，并被重装。随后又在安岐处。清乾隆年间归入内府。光绪二十一年（1895年），《真赏斋图》被赐给军机大臣孙毓汶，共经历孙家五代收藏。中华人民共和国成立后，孙念台将《真赏斋图》捐赠国家，由中国历史博物馆收藏。

《真赏斋图》纸本，设色，画心纵28.6厘米，横79厘米。图后有一篇小楷《真赏斋铭》纵19厘米，横50厘米，698字。有文徵明款署。图中描绘华夏与文徵明等好友共磋精鉴之道，同赏秀美幽静天地的生活场景。构图严谨别致，主题突出，人物讲究位置安排，用重墨描绘湖石、树木及近处山石，自然分格画面；淡墨河水、草堂、远山，穿插于浓墨山水之间。

《真赏斋图》是文徵明晚年细笔的代表作。

《真赏斋图》藏于中国国家博物馆。

《策杖寻幽图》轴　明代文物。明代谢时臣的山水画作品，作于明嘉靖二十五年（1546年）。谢时臣（1487～1567年），字思忠，号樗仙。吴县（江苏苏州）人，吴门画家。谢时臣工山水，师法吴镇、沈周。擅长绘水，能表现不同水环境的姿态。笔墨纵横自如，富有气势，有沈周笔意，但景物的精微处殊少着意，少秀韵气息。传世作品多为水墨立轴，有仿王蒙之作的《溪山揽胜图》《策杖寻幽图》，以及尺幅较大的《武当霁雪图》《谪仙玩月图》等。

《策杖寻幽图》为纸本，设色，纵84.9

厘米，横31.3厘米。谢时臣自识"六十翁谢时臣写，时丙午秋日"。下钤朱文"谢氏思忠"印。文嘉与钱穀诗题及钤印。图中是从俯视的视角观看水岸的全景画面。景色写实，墨色沉郁。画面下部是一潭清水，由水岸的溪流注

就。溪水将画的中部分成两部分，左右的山石形成呼应。左侧山石后绘一行者，隐约可见一条小路，而沿溪水看去的小桥，无形中延伸行者的前路。远景表现巍峨的山峰。在中景与远景间，有丛生的古树点缀空间。

《策杖寻幽图》构图饱满，笔墨苍润，笔法依稀可见王蒙、沈周的痕迹，但具有强烈的气势与写实性，是谢时臣后期的精品佳作。

《策杖寻幽图》藏于故宫博物院。

《玉洞仙源图》轴　明代文物。明代仇英的山水画作品。仇英（约1497～1552年），字实父，号十洲，原籍江苏太仓，后移居苏州。明代画家，与沈周、文徵明、唐寅合称"吴门四家"。仇英擅长山水、人物、花鸟画，取法众家，师古造化，以院体风格融入文人高雅的品位格调，形成独树一帜的青绿山水画风。代表作品有《汉宫春晓图》《桃园仙境图》《赤壁图》《玉洞仙源图》等。《玉洞仙源图》曾经清卞永誉、安岐递藏。1956年，故宫博物院收购入藏。清吴升《大观录》、卞永誉《式古堂书画汇考》、安岐《墨缘汇观》、吴荣光《辛丑销夏记》等有著录。

《玉洞仙源图》为绢本，大青绿设色，纵169厘米，横65.5厘米，图中有隶书一行"仇英实父制"，钤"仇实父氏"朱文印，另钤"卞令之鉴定"、清安岐等鉴藏印14余方。画中绘有奇峰峻岭，苍松翠柏，琼楼水阁，溶洞流溪，云烟缥缈其间，山壑或隐或现。溪水潺湲的溶洞前，一隐士临流盘膝，抚琴静坐，隐士对面有三位侍童，煮茶，其中一位侍童手捧鲜桃，俨然人间仙境。作品取景宏阔，结构严整，层次清晰，布局有序，景物

繁杂而不壅塞，人物虽小但刻画精细，位置突出。画作用大青绿设色，细劲的线条勾勒轮廓，浓艳的石青石绿渲染山石，同时以细密的皴法，追求色调的和谐，在宗法南宋青绿山水大家赵伯驹的基础上有所变化，代表

仇英青绿山水的典型画风。

描绘远离尘埃的人间仙境的题材在前人作品中经常出现，而仇英在《玉洞仙源图》中更多赋予美景以欢悦、明快的情调，在同类隐逸题材中是颇具特色。

《玉洞仙源图》藏于故宫博物院。

《水仙图》卷并《水仙花赋》 明代文物。明代王穀祥的书画作品，作于明嘉靖三十八年（1559年）。王穀祥（1501～1568年），字禄之，号酉室，长洲（江苏苏州）人。官至吏部员外郎。因在官场失意，遂弃官归里，久居而屡召不出，转而从事绘画，师文徵明，擅花鸟、篆刻。传世作品有《水仙图》并《水仙花赋》等。1964年，邓拓将《水仙图》捐赠中国美术馆。清陆时化《吴越所见书画录》、陆心源《穰梨馆过眼录》著录。

《水仙图》并《水仙花赋》为纸本，设色，纵30.1厘米，横186厘米。图上签题"王吏部禄之抚宋人设色水仙"，叶恭绰1940年行书引首"王禄之水仙图真迹"。卷末款署"己未仲春穀祥写"。卷后书《水仙花赋》，自题"右武功伯天全徐公之作，因写此图辄录一过，嘉靖己未春穀祥"。有清陆时化与陆愚卿跋语。图中描绘盛放的水仙，共四簇，花朵展现角度各异，开放情况也不尽相同，花簇间呈现不同的聚散状态，疏密变化有致，衔接天然。水仙之间以湖石为辅助景物，姿态高古，其皴、涩质地与柔嫩花叶形成鲜明对比，各得其所。画面勾勒精工，笔致细腻，设色与晕染的技巧娴熟。

《水仙图》并《水仙花赋》作介于工笔与写意之间，用笔自如清新，顿挫有力，画面

文人气息浓厚，具有一定寓意和古拙朴厚的妙趣。书法仿晋人，上溯羲献，擅楷、行书。王穀祥人品、画风为艺林所重，中年绝不肯落笔，流传率多赝作。此卷为作者晚年仿南宋赵子固精品。

《水仙图》并《水仙花赋》藏于中国美术馆。

《泛太湖图》轴　明代文物。明代文伯仁的山水画作品，作于明隆庆三年（1569年）。文伯仁（1502～1575年），字德承，号摄山老农、五峰山人、五峰樵客，长洲（江苏苏州）

人，叔父是文徵明。文伯仁深受苏州当地绘画传统及文徵明的影响，善用工整细致的笔法构图，作品多表现清幽静谧的山林胜景。代表作有《万山飞雪图》《都门柳色图》《秋山游览图》等。

《泛太湖图》为纸本，设色，纵60.5厘米，横41.6厘米。右上有文伯仁题"隆庆己巳春从胥口泛太湖因写此图。五峰文伯仁"。下钤"五峰山人"印。图中描绘从胥口泛舟太湖一路所见之景。画面中水面开阔，近处山峰围绕，层峦叠远；远处山峰寥寥几座，景色悠远浩渺。画面整体设色淡雅，用笔细致。构图使用平远法，真实自然，着重表现辽阔的水面，凸显太湖的浩渺幽远的意境。山石用干笔勾勒、皴染，细劲缜密。

《泛太湖图》有很强的个人风格，细笔为底，山石皴染细劲，是文伯仁的代表作品。画面描写从胥口泛舟太湖所见的景色，构图采用了中国古代绘画三远法中的平远法。中国画家追求为山水传神并直抒胸臆，即使以实际的山川为题时，也不拘泥于视觉上的机械描写。

《泛太湖图》藏于故宫博物院。

《黄甲图》轴　明代文物。明代徐渭的绘画作品。徐渭（1521～1593年），初字文清，改字文长，号天池，又号青藤道人、田水月等。山阴（浙江绍兴）人，明代书画家、文学家。中年学画，继承梁楷减笔和林良、沈周等写意花卉的画法，擅长画水墨花卉，用笔放纵，画残菊败荷，水墨淋漓，古拙淡雅，别有风致。兼绘山水，纵横不拘，画人物笔法更趋奔放、简练，风格清新，恣情汪洋，自成一家，开创"青藤画派"，对后世画坛（如八大山人、石涛、扬州八怪等）影响极大。著有《四声猿》《南词叙录》《徐文长佚稿》《徐文长全集》等。

《黄甲图》为纸本，墨笔，纵114.6厘米，横29.7厘米。署款"天池"，钤"徐渭私印"等二印。画上有自题诗："兀然有物气豪粗，莫问年来珠有无。养就孤标人不识，时来黄甲独传胪。"图中描绘肥阔的荷叶已开始凋零，一只螃蟹缓缓爬行，留出大片空白表现秋水。荷梗从左下向右上方斜出枝，正面荷叶向右下角引一枯梗残叶，右下方空白处添加螃蟹。画幅上方大面积留白，经题落款打破单调，与画中物象形成动静对比。整幅画作构图简洁洗练，布局清新奇巧，几乎没有线条，全用泼墨泼水而成，却墨分五色、浓淡有致、形态生动，狂放之气，足以骄人。侧面荷叶用大笔水墨，侧笔横涂，数笔连排成一片大叶，未勾叶筋。正面荷叶则以墨笔侧锋由外向中心横涂，如车轮状，中间留出一片空处，然后从中间向四周画出叶脉，略呈辐射状。叶柄以水墨中锋一笔而成，加小点以示梗上刺毛。蟹的造型，虽然是寥寥数笔，却是诸多笔法参用，形神兼备。荷叶用笔极见功力，干湿浓淡，恰到好处，气象阔大，一气呵成。

《黄甲图》藏于故宫博物院。2009年4月15日～6月15日，在"故宫博物院藏历代书画作品展（第四期）"中陈列展出。

《四时花卉图》卷　明代文物。明代徐渭的绘画作品。

《四时花卉图》为纸本，墨笔，纵29.9厘米，横108.1厘米。画幅引首徐渭自题："烟云之兴。青藤。"钤"湘管斋"朱文印。鉴藏印钤"尧峰楼"。前隔水鉴藏印钤"少山平生真赏""尧峰楼刘氏元农珍藏书画印""刘氏稷勋"。此幅自识："老夫游戏墨淋漓，花草都将杂四时。莫怪画图差两笔，近来天道够差池。天池徐渭。"钤"天池山人"白文印。鉴藏印钤有"元农得意""过云山房""书画船""宜子孙印""清净瑜迦馆""女加氏""樵山书屋""辉山马林保赏鉴之章""清净""元农""过云""茅氏秘玩""鲁氏太保坊家藏"等。图中以大写意手法绘牡丹、芍药、葡萄、芭蕉，以兼工带写的

手法绘桂花与苍松，以烘托法描绘雪中的竹、石、梅花，技法灵活多样，笔墨酣畅，不拘泥于形，旨在追求神韵。

《四时花卉图》风格简洁洗练，豪爽奔放，显得畅快淋漓。

《四时花卉图》藏于故宫博物院。2009年6月25日～8月25日，在"故宫博物院藏历代书画作品展（第五期）"中陈列展出。

《墨花九段图》卷　明代文物。明代徐渭的绘画作品，作于明万历二十年（1592年）。

《墨花九段图》为纸本，墨笔，纵46.6厘米，横625厘米。从画和题诗来看，画家晚年仍然倔强不屈，始终保持充沛旺盛的艺术生命力。全卷共绘牡丹、荷花、秋菊、水仙、梅花、葡萄、芭蕉、兰花、修竹四时花卉共九种，每种花卉旁边皆题徐渭自作的七言绝句诗

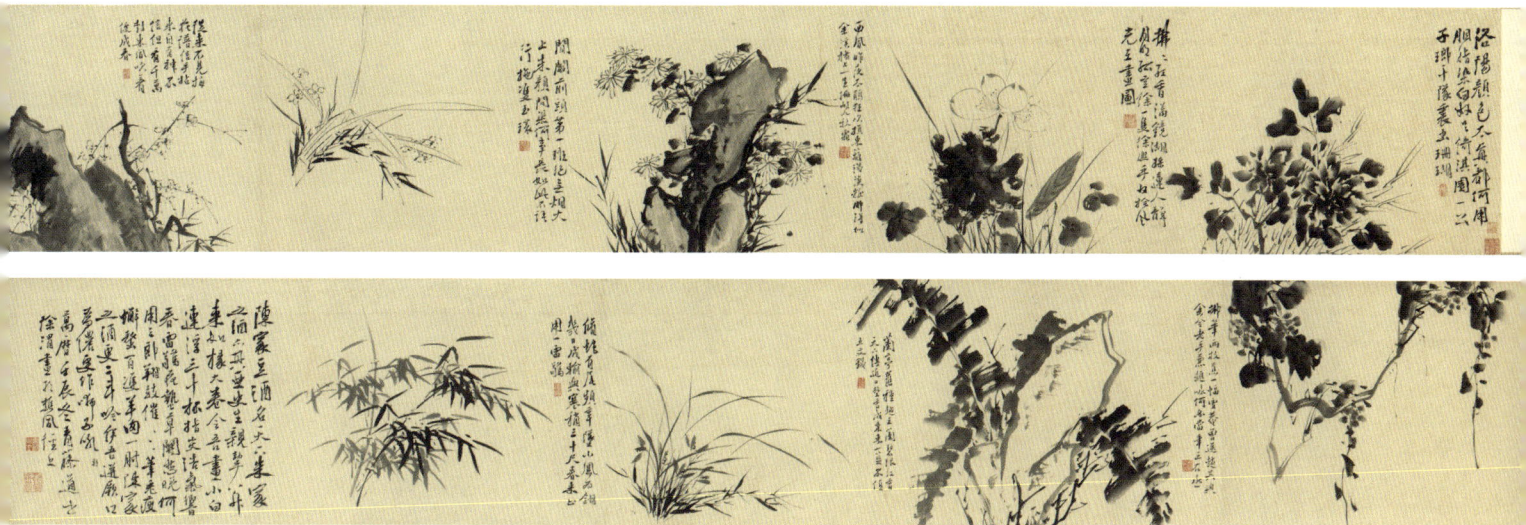

一首，卷末另有徐渭诗跋，讲述了画卷创作的过程。每段以花卉为主体，再夹以竹石为衬托。笔致老劲，墨色苍润，挥洒自如。

从徐渭自书诗并题记，知《墨花九段图》是作者在浓郁的创作激情中以酣畅的笔墨挥洒而就。《墨花九段图》为徐渭水墨写意花卉的佳作，是其绘画风格的典型作品。

《墨花九段图》藏于故宫博物院。

《求志园图》卷 明代文物。明代钱穀的绘画作品，作于明嘉靖四十三年（1564年）。钱穀，字叔宝，号馨室，长洲（江苏苏州）人，明代画家。钱穀擅长画人物和兰竹，代表作有《求志园图》《虎丘图》《渔乐图》《竹林觅句图》《避暑图》等，著作有《续吴都文粹》等。《求志园图》是钱穀应友人张凤翼要求描绘的山水园林画。张凤翼（1556～1636年），字伯起，长洲（江苏苏州）人，明代书法家。求志园是张凤翼的私家园林。

《求志园图》为纸本，设色，纵29.8厘米，横190.2厘米。画中有钱穀自识"嘉靖甲子夏四月，钱穀作《求志园图》"，钤"叔宝"等印。引首有文徵明、钱穀分别书"文鱼馆""求志园"题名。卷后有王世贞书《求志园记》，及傅光宅、李攀龙、皇甫汸、黄姬水、黎民表、徐献翼、梁章钜等题跋。图绘书法家张凤翼家

园春末夏初的园林景色。院墙内外槐柏浓荫茂郁修竹错列。堂屋正厅庭中以竹篱为架，藤花攀缘其上，色彩绚烂，形成天然隔墙，二人正悠闲地在花墙旁对话。厢房中一人据书案而坐，若有所思。院落数重，苍松翠竹，岸柳成行，亭阁水榭布置适宜，环境清丽，意境幽深，是具有典型风格的文人雅士居所。画法精致，皴法细密，秀逸文雅。画面以鸟瞰式构图，繁密疏落、井然有秩。笔墨细秀娴雅，设色明快清净，表现温暖恬适的园林美，从侧面反映明代中期文人士大夫的生活场景。

吴门画派中，有许多以庄园、庭院为题材的作品。《求志园图》在描绘人造园林真实性的基础上，力图表现园林主人的生活理想，反映园林主人虽身居闹市，却追求"与深山野水为友"的操守与志向。《求志园图》具有钱穀小写意山水园林画的典型风格，是其颇具代表性的作品。

《求志园图》藏于故宫博物院。

《高逸图》轴 明代文物。明代董其昌的山水画作品，作于明万历四十五年（1617年）。董其昌（1555～1636年），字玄宰，号思白、香光居士，松江华亭（属上海）人，明代书画家。万历十七年（1589年）进士，授翰林院编修，官至南京礼部尚书，卒后谥"文

敏"。董其昌擅画山水，师法董源、巨然、黄公望、倪瓒，笔致清秀中和，恬静疏旷；用墨明洁隽朗，温敦淡荡；青绿设色，古朴典雅。董其昌以佛家禅宗喻画，倡"南北宗"论，为"华亭画派"杰出代表，兼有"颜骨赵姿"之美，其画及画论对明末清初画坛影响甚大。董其昌书法出入晋唐，自成一格，能诗文。存世作品有《岩居图》《秋兴八景图》《昼锦堂图》《白居易琵琶行》《草书诗册》《烟江叠嶂图跋》等。著有《画禅室随笔》《容台文集》《戏鸿堂帖》等。明万历四十四年（1616年）三月，董其昌之子与乡民发生冲突，导致家宅被焚，家资尽丧，史书称为"民抄董宦"

事件。董其昌被迫避祸他乡，往来于吴兴、镇江之间。虽然半年后事态逐渐平息，但董其昌似乎心有余悸，仍旧频频四处游历、访友。《高逸图》即为第二年董其昌去镇江、太湖间的练湖湖畔访旧友蒋道枢，与蒋道枢泛舟荆溪时的即兴之作。

《高逸图》为纸本，水墨，纵89.4厘米，横52厘米。有董其昌自题、陈继儒题诗及王志道跋。画中采用平远法构图，近画坡石松杉，中间溪水宽阔，对岸平滩浅渚，山丘数层，小溪从山丘两边延伸至远方，溪山林木处茅舍数间。用笔秀逸，皴写适度，苍然萧古。

《高逸图》采用了元代倪瓒典型的笔墨技法，湖滨两岸的浅坡及山丘皆以干笔淡墨施以折带皴，行笔以侧锋为主，笔墨苍逸，表达出倪画中萧散简远的意境，同时也反映了作者晚年身历劫乱后的苍凉心绪。

《高逸图》藏于故宫博物院。2008年7月15日～8月31日，在"故宫博物院藏历代书画作品展（第二期）"中陈列展出。

《秋兴八景图》册 明代文物。明代董其昌的山水画作品，作于明万历四十八年（1620年）。同年八九月间，董其昌由松江坐船北行至镇江，途中即兴创作八幅画，并合为一册，称"是月写设色小景八幅，可当《秋兴》八首"，比喻画作具有唐杜甫《秋兴》八首诗一样的文化内涵。故后人称此册为《秋兴八景图》册。装册时次序有调整，并没有按创作时间的先后排序。《秋兴》八首诗是唐代诗人杜甫以垂老贫病之身飘零夔州时想望长安的感秋寄兴之作，饱蕴着诗人忧时伤乱的政治情怀。《秋兴八景图》最初为董其昌次子董祖源所有，之后经谢希曾、潘正炜、孔广陶、庞元济收藏。中华人民共和国成立后，由刘靖基收藏并于1981年捐献给上海博物馆。清孔广陶《岳雪楼书画录》、吴荣光《辛丑销夏记》，庞元济《虚斋名画续录》等著录。

《秋兴八景图》为纸本，设色，共8开，纵29.4厘米，横22.8厘米。每开均有董其昌行楷题记及署款，第七开还另有董其昌自作七言诗一首，未钤印。清宋荦、罗廷琛、张岳松、郑孝胥等人题外签。画前扉页有明曾鲸画董其昌肖像，项圣谟补图。对幅有吴荣光对题或和韵。画后有清谢希曾等人题跋。图绘为作者泛舟吴门、京口途中所见景色。第一开画面为峰峦巍峨、长松矗立，间以白云、红枫，题款为

仿文敏笔并记；第二开画面为近水坡石上一丛青松揖立，与隔水山峦遥相呼应；第三开画面为近处青林红枫，映衬远处高山白云；第四开画面为近水滩蓼映衬一带疏林远山，秋意阑珊，颇有萧瑟寒凉之感；第五开画面是秋林远山，画家将视距进一步拉开，使树木山石缩小，更衬出远处的空寂城池与苍茫云烟；第六开画面为流水空山之间，青林长松之下，一篷堂舍，空寂无人；第七开画面山形雄健、云气横生，山头一抹赭红，高处俯瞰，青林屋舍幽静如初；第八开画面远景为远山，近景为江边楼阁。画面秋意浓郁，体现了秋山的空灵恬静之美。着笔无多，寥寥数笔，但涵盖力强，设色古雅秀润，画面通透。

《秋兴八景图》是明董其昌设色山水画的代表作，有作者亲笔题记，大部分记录了作画的具体时间甚至地点，具有纪实的效果，为考察画家当时的真实心境提供切实的线索。

《秋兴八景图》藏于上海博物馆。

《关山雪霁图》卷 明代文物。明代董其昌的山水画作品，作于明崇祯八年（1635年）。《关山雪霁图》是董其昌观五代著名山水画家关仝所绘《关山雪霁》图后的临古之作。清安岐《墨缘汇观》著录。

《关山雪霁图》为纸本，墨笔，纵13厘米，横143厘米。本幅自识："关仝关山雪霁图在余家一纪，余未尝展观。今日案头偶有此小侧理，以图中诸景改为小卷，永日无俗子面目，遂成之。乙亥夏五。玄宰。"钤"董□□"印，印文不可辨。卷后顾大申跋"文敏墨妙，自成一家，适意匠心，不全摹古"者。鉴藏印钤"仪周珍藏""乾隆御览之宝""嘉庆御览之宝""重华宫鉴藏宝""仪周鉴赏"等。全图以平远和深远相结合的构图在一小卷内画连绵无际的山峦林壑。右方重峦叠嶂，气势沉雄。中间幽壑重重，峭壁矗立，村落、丛林、流泉、山径，错落有致，杂而不乱；大江曲折跌宕其间，虽有千岩万壑，亦无窒碍不通的感觉。左方云烟弥漫，路遥山重，隐入微茫，深远莫测，意味不尽。图中以渴笔勾勒峰峦山石，皴擦的运用极其准确、灵活，而线条流走轻快，疏密得宜。山冈陵石的凹凸明暗，则以横点巨苔，淡墨直皴地层层渲染，技巧纯熟。

《关山雪霁图》为董其昌晚年之作，是师法倪云林晚年画法的作品之一。

《关山雪霁图》藏于故宫博物院。2010年4月1日～6月15日，在"故宫博物院藏历代书画作品展（第七期）"中陈列展出。

《王时敏像》轴 明代文物。明代曾鲸的人物肖像画作品，作于明万历四十四年（1616年）。曾鲸（1564～1647年），字波臣，福建莆田人。一生多活动于杭州、桐乡、宁波、余姚、南京等地。崇祯十一年（1638年）在余姚为黄宗羲之父黄尊素写真，十四年（1641年）居南京鹫峰寺附近，常与黄宗羲来往。曾鲸善画肖像，曾为董其昌、陈继儒、项子京、葛一龙、王时敏、张卿子、胡尔慥、黄道周等不同身份和性格特征的人画像，对所画人物，精心

观察体会，点睛生动，逼真传神，如镜取影，俨然如生。画法注重墨骨，即先用线勾出面部轮廓和五官部位，墨骨既成，再层层烘染，多至数十层，富有立体感。曾鲸发展传统的粉彩渲染技法，吸取西方绘画的某些表现手法，对明清肖像画的发展影响很大，有"波臣派"之称。传世作品有《张卿子像》《葛一龙像》《王时敏像》《胡尔慥像》《黄道周像》等。

《王时敏像》为绢本，设色，纵64厘米，横42.7厘米。画卷右下角有曾鲸自识："万历丙辰五月曾鲸写。"钤"曾鲸之印""波臣氏"两印。上方有明顾秉谦篆书引首："逊之尚宝二十五岁小像。"钤"顾秉谦印""瀛洲"，左下角有王原祁"扫花庵"印。画中的王时敏头戴折巾，手持拂尘，盘坐于蒲团之

上，端庄静穆，清秀娴逸。衣纹的墨线上略施赭石色，领口、袖口处及指甲上施白色，着色清雅，构图简洁，线条流畅，恰如其分地反映出王时敏的身份和地位。

《王时敏像》所绘为青年时期的王时敏像，具有可贵的文献和艺术价值，是曾鲸中年时期的肖像画佳作。

《王时敏像》藏于天津博物馆。

《皇都积胜图》卷 明代文物。《皇都积胜图》是明代北京城景况的长卷风俗画，作于明嘉靖末期到万历早期。从图上明代礼部侍郎翁正春在万历己酉年（1609年）所作跋文可知，史学迁是《皇都积胜图》名字的题写者，也是这幅画最早的持有者。在《皇都积胜图》的木匣盖上，有篆书题款："明皇都积胜图"，另有两行小字："燕京大学图书馆藏，北平竹实斋装池。民国二十四年四月顾廷龙署。"《皇都积胜图》于1959年入藏中国历史博物馆。

《皇都积胜图》为绢本，设色，纵32厘米，横2182.6厘米。有"皇都积胜图"篆书引首，署"怡怡堂主人"，钤"怡怡堂"白文印，右下角盖"燕京大学图书馆"朱文印。卷后有明翁正春撰写的一篇赞赋。画中由南向北依次为卢沟桥、宛平城、京城广宁门、正阳门五牌楼、护城河上的正阳桥、箭楼、正阳门、大明门及朝前市，重点展示朝前市繁华的商业活动。然后是宫城承天门（天安门）、五凤楼、奉先殿等威严的皇家建筑，皇宫建筑半隐半现，楼阁台榭，高下相间，紫禁城的角楼清晰可见。大片宫殿用云雾进行遮蔽。至安定门外石桥处，已到京城北郊，出现居庸关长城的

烽火和军报场景。

《皇都积胜图》反映明嘉靖、万历年间的北京城市概况。作为明代首都的北京城，手工业和商业非常发达，是国家经济中心和交通枢纽，商品经济的发展情况很好。《皇都积胜图》所描绘的宏阔画面，是这一时段的真实写照。画中各阶层的人物形象具体生动，是已知仅见的有关明代京城市面景象和社会生活的图卷。

《皇都积胜图》藏于中国国家博物馆。

《杂画图》册　明代文物。明代陈洪绶的绘画作品。陈洪绶（1598～1652年），字章侯，号老莲，浙江诸暨人，明代画家。陈洪绶早年师法蓝瑛，并取法李公麟等，后自成一家。明崇祯十五年（1642年）至北京捐资为国子监生，召为内廷供奉，不就而南返。清顺治三年（1646年），陈洪绶在绍兴云门寺出家，自号悔迟，又称老迟。陈洪绶绘画题材广泛，人物、山水、花鸟、竹石、草虫等造诣均深，尤以人物画著称于世。陈洪绶与明末人物画家崔子忠有"南陈北崔"之称，"海内传模者数千家"，甚至远播朝鲜和日本。著有《宝纶堂集》《避乱诗草》《筮仪象解》等。主要传世绘画作品有《荷花鸳鸯图》《女仙图》《杨升庵簪花图》等。

《杂画图》为绢本，设色，共8开，每开

纵30.2厘米，横25.1厘米。这套图册，由于并非一次写就，题识与钤印也不尽相同。除描述中的题款外，计有"暨阳陈洪绶写""洪绶法名僧悔""老迟洪绶仿赵千里笔法""陈洪绶书于静香居""仿赵大年笔意，老莲洪绶""仿李唐笔意，洪绶"。钤印方面，则有"陈洪绶印""章侯""洪绶"三种，另外可见"芝农秘玩""润州戴植字培之鉴藏书画章""润州戴氏信万楼鉴藏""培之珍秘""培之所藏""翰墨轩芝道人供养""听鹂馆主人"，这些是清丹徒画家、藏家戴植用印。内容涉及山水、人物、花卉，依次为"玉堂柱石""无法可说""草坡烟树""黄流巨津""夔龙补衮图""谿石图""远浦归帆""设色湖山"。玉兰和海棠淡雅、剔透；达摩、仕女的造型具有晋唐风格；山水更是在宋人的基础上别出心裁。

《杂画图》画法工整，趣味古拙，设色浓淡相宜。山水、人物、花卉各具特色，无不精妙，堪称陈洪绶的佳作。

《杂画图》藏于故宫博物院。

《十八学士图》屏　明代文物。《十八学士图》为明代以唐贞观时期十八学士故事为题材的四幅组屏上的画作。唐太宗李世民在长安城设文学馆，王府属杜如晦，记室房玄龄、虞世南，文学褚亮、姚思廉，主簿李玄道，参军蔡允恭、薛元敬、颜相时，咨议典签苏勖、天策府从事中郎于志宁，军咨祭酒苏世长，记室薛收，仓曹李守素，国子助教陆德明、孔颖达，信都盖文达，宋州总管府户曹许敬宗共十八人常讨论政事、典籍，当时称之为"十八学士"。十八学士是一群博览古今、明达政事、善于文辞的文人，他们追随唐太宗李世民，各以其力，为国家统一、政治稳定和文化建设，作出了杰出的贡献。唐太宗命画家阎立本为十八学士画像，即为《十八学士写真图》，褚亮题赞。《十八学士图》为庄万里从日本购得。清《石渠宝笈三编》著录。

《十八学士图》为绢本，设色，纵134.2厘米，横78.6厘米。图中分别安排琴、棋、书、画四个场景，由后人定名为"松荫抚琴""蕉荫弈棋""柏荫操翰""槐荫赏画"，四幅连组而成。画中主要人物为身着朝服或巾服的官员文士，旁边有童仆侍候。周围树木挺拔高大，松柳梧槐掩映；文士悠闲地燃

香、弈棋、展书、观画。全画工笔重彩，人物面貌端严，姿态各异，尊卑主次分明。衣纹采用细劲流畅的钉头鼠尾描。庭园内湖石盆景陈列纵横，几榻、桌案、墩椅、画屏、雕漆、文房等日常用物摆设皆以工整写实技法绘出，呈现宫廷院画风格，又趋向清新秀逸，自成一格。山峦树石的画法接近马、夏一派，笔调较为柔和精巧；人物刻画精细，面部略敷铅粉，衣褶劲利流畅，吸收北宋李公麟和元代张渥的线描技巧。

《十八学士图》藏于上海博物馆。

《云壑藏渔图》轴　清代文物。清代蓝瑛的山水画作品，作于清顺治十四年（1657年）。蓝瑛（1585～1664年），字田叔，号西湖研民、吴山农、蝶叟等，晚号石头陀，浙江钱塘人，明末清初画家。蓝瑛早年慕唐宋元诸家，尤精心于黄公望，擅画山水，兼工人物、花鸟、兰竹。笔法秀润，构图工整严谨，得古人精蕴。晚年笔益苍劲，伟峻老练，自成一格，是明末清初颇具影响力的山水画家。蓝瑛从者众多，有蓝氏子孙蓝孟、蓝深、蓝涛和弟子刘度、冯湜、王奂等，后人称为"武林派"。代表作有《秋壑霜林图》《江皋话古图》等。

《云壑藏渔图》为绢本，设色，纵369厘米，横98厘米。画上有蓝瑛自识："云壑藏渔。丁酉秋九日仿李希古画于山阴道上。西湖外史蓝瑛。"钤"蓝瑛之印""田菽氏"，又"介菴"等鉴藏印三方。图绘奇峭耸立的山峰嵯峨壮观的情景。画幅的上半部，一段奇峭山峰耸立，于危峙耸拔呼之欲倒的险迫中，至画面中部，山泉飞瀑辗转而下。画面下部古松虬

枝，水面两只渔舟，舟中各一位高士，相对而坐。山石皴法，仿宋人李唐笔意，以粗犷的墨笔勾勒石之轮廓，以侧锋横擦的小斧劈皴皴擦石面，成功地显现出山岩凝重的质感。

《云壑藏渔图》藏于故宫博物院。

《落木寒泉图》轴 清代文物。清代王时敏的绘画作品。王时敏（1592～1680年），初名赞虞，字逊之，号烟客，自号偶谐道人，晚号西庐老人等，江苏太仓人。明末清初画家。王时敏主张摹古，笔墨含蓄，苍润松秀，浑厚清逸，构图较少变化。其画在清代影响极大，王翚、吴历及其孙王原祁均得其亲授。王时敏开创了山水画的"娄东派"，与王鉴、王翚、王原祁并称"四王"，外加恽寿平、吴历合称"清六家"。传世作品有《仿山樵山水图》《层峦叠嶂图》《秋山图》《雅宜山斋图》等，著有《西田集》《疑年录汇编》《西庐诗草》等。

《落木寒泉图》纸本，墨笔，纵83厘米，横41.2厘米。画幅左上有王时敏自题："癸卯长夏仿倪迂笔意写落木寒泉图，时敏。"钤"王时敏印""真趣"印。鉴藏印有"孙煜峰""曾在方梦园家""太原氏藏""希逸"等六方。画面描绘了太湖秋高气爽的景致。近端绘一水边坡地，碎石重叠；中景为置于画面右侧的较高山峰；山后远景为一空旷的水面，中有一带远山横向伸展。整个气象显得寂静萧疏，颇有清爽的秋凉之意。

《落木寒泉图》在石树木的用笔上，勾勒转折处露锋芒而笔墨浑然，点叶与小树画法仍继承黄公望笔意，经王时敏晚期绘画风格的演变，既不缺失倪瓒的苍润之感，画面也变得更

加厚重繁密，用墨更加大胆，树石其用笔苍润，墨色通透。

《落木寒泉图》藏于故宫博物院。2011年9月10日～11月15日，在"故宫博物院藏历代书画作品展（第三期）"中陈列展出。

《杜甫诗意图》册 清代文物。清代王时敏的山水画作品，作于清康熙四年（1665年）。

《杜甫诗意图》为纸本，墨笔、设色，纵39厘米，横25.5厘米。共12页，每幅隶书杜甫诗2句。此册页据诗意绘巫峡弈棋、松云绝壁、山村春色、藤月荻花等景致。第一开设色。绘从山落涧，选自杜甫诗《九日蓝田崔氏山庄》。自识："蓝水远从千涧落，玉山高并

两峰寒。"钤印"王时敏印"。第二开设色。绘江村月色，选自杜甫诗《南邻》。自识："白沙翠竹江村暮，相送柴门月色新。"钤印"逊之"。第三开设色。绘山村春色，选自杜甫诗《客至》。自识："花径不曾缘客扫，柴门今始为君开。"钤印"烟客"。第四开墨笔。绘松云绝壁，选自杜甫诗《七月一日题终明府水楼》其一。自识："断壁过云开锦绣，疏松隔水奏笙簧。"钤印"烟客"。第五开设色。绘秋山红树，选自杜甫诗《涪城县香积寺官阁》。自识："含风翠壁孤烟细，背日丹枫万木稠。"钤印"烟客"。第六开墨笔。绘落木江帆，选自杜甫诗《登高》。自识："无边落木萧萧下，不尽长江滚滚来。"钤印"逊之"。第七开设色。绘山城夕照，选自

杜甫诗《暮登四安寺钟楼寄裴十迪》。自识："孤城返照红将敛，近寺浮烟翠且重。"钤印"时敏"。第八开墨笔。绘山庄草阁，选自杜甫诗《严公仲夏枉驾草堂兼携酒撰得寒字》。自识："百年地僻柴门迥，五月江深草阁寒。"钤印"烟客"。第九开墨笔。绘藤月荻花，选自杜甫诗《秋兴八首》其二。自识："请看石上藤萝月，已映洲前芦荻花。"钤印"时敏"。第十开设色。绘秋山枫菊，选自杜甫诗《送李八秘书赴杜相公幕》。自识："石出倒听枫叶下，橹摇背指菊花开。"钤印"烟客"。第十一开设色。绘巫峡弈棋，选自杜甫诗《七月一日题终明府水楼》其二。自识："楚江巫峡半云雨，清簟疏帘看弈棋。"钤印"烟客"。第十二开设色。绘雪涧寒林，选自

杜甫诗《题张氏隐居二首》其一。自识："涧遣余寒历冰雪，石门斜日到林丘。""乙巳腊月写少陵诗意十二帧似旭咸贤甥，时年七十有四，时敏"。钤"王时敏印""真寄"。画中所书诗句与通行诗句有些字词稍异，为版本不同或作者记忆有误所至。后页自题："少陵诗体宏众妙，意匠经营，高出万层，其奥博沉雄，有掣鲸鱼探凤髓之力，故宜标准百代，冠古绝今，余每读七律，见其所写景物，瑰丽高寒，历历在眼，恍若身游其间，辄思寄兴盘礴。适旭咸甥以巨册属画，寒窗偶暇，遂拈景联佳句，点染成图，顾以肺肠枯涸，俗赖填塞，于作者意惬飞动之致，略未得其毫末。诗中字字有画，而画中笔笔无诗，漫借强题，钝置浣花翁不少，惭愧！西庐老人王时敏。"

《杜甫诗意图》是王时敏晚年炉火纯青之作。画面一派山川浑厚、草木葱茏的山居景象，布局稳中求变化，画面给人以雅秀平和之感，表现了文人优雅闲适的生活情怀。王时敏作画，极力主张恢复古法，反对自出新意。此册在笔墨技法上仿黄公望，也融汇了董源、巨然、王蒙诸家，形成了自己的绘画风貌。

《杜甫诗意图》藏于故宫博物院。

《青绿山水图》卷　清代文物。清代王鉴的山水画作品，作于清顺治十五年（1658年）。

王鉴（1598～1677年），字元照，一字圆照，号湘碧，又号香庵主，江苏太仓人，明末清初画家，"四王"之一。代表作有《长松仙馆图》《仿巨然山水》《仿王蒙秋山图》等。著有《染香庵集》《染香庵画跋》等。传世画迹有《虞山十景图》《梦境图》等。

《青绿山水图》为纸本，墨笔、青绿设色，纵23厘米，横198.7厘米。本幅卷尾处，王鉴自题："余向在董思翁斋头见赵文敏《鹊华秋色》卷及余家所藏子久《浮岚远岫图》，皆设青绿色，无画苑习气。今二画不知流落何处，时形之梦寐，闲窗息纷，追师两家笔法而成此卷，虽不敢望古人万一，庶免近时蹊迳耳。戊戌长夏王鉴。"此卷用绚烂夺目的色彩描绘了壮丽的河山：层峦叠嶂，逶迤连绵，断崖平冈，杂木丛生，房屋院落，水榭茅亭、两群山之间，宽阔河床，几只船帆争渡，烟波浩渺，开阔无垠。

《青绿山水图》敷色极为浓艳沉郁，突破了文人画设色淡雅的格调，却又保持了明洁清新的艺术特点，体现了画家大胆的艺术创新精神。

《青绿山水图》藏于故宫博物院。

《仿梅道人溪亭山色图》　清代文物。清代王鉴的山水画作品，作于清康熙六年（1667年）。

《仿梅道人溪亭山色图》为纸本，墨笔、

设色，纵87.4厘米，横45.7厘米。本幅自题："丁未小春仿梅道人《溪亭山色图》，王鉴。"左上王石谷题："此幅廉州夫子虽仿梅道人，然其气韵苍润，直逼董、巨，可谓生平杰作。己未（1679年）七夕后一日拜观于明志斋中，因识其后。虞山王翚。"恽寿平题："廉州先生用笔沈厚，墨气淋漓，盖得之于北苑者深，故仿仲圭落笔即与神合，石谷称为直逼董、巨，可谓定论矣。南田寿平。"钤"染香庵主"白文印。本幅有王翚、恽寿平题，钤"王翚之印""寿平之印"等。鉴藏印有"乾隆御览之宝""乾隆鉴赏"等诸方。画中山峦叠嶂，树木葱郁间立于山间道路，山谷林间道路由近及远蜿蜒幽长，使得画面更富有层次感。笔墨的处理上，巧妙地应用湿墨勾勒山的侧峰和山峦远景，山势浑厚之感跃然眼前，画面给人以静穆之感。

王鉴仿董巨、黄公望、王蒙画法的传世作品居多，仿吴镇画法的作品不多见。《仿梅道人溪亭山色图》是王鉴的晚年杰作之一。

《仿梅道人溪亭山色图》藏于故宫博物院。2009年9月2日～11月1日，在"故宫博物院藏历代书画作品展（第六期）"中陈列展出。

《苍山结茅图》轴 清代文物。清代髡残的山水画作品，作于清康熙二年（1663年）。髡残（1612～1673年），清初"四僧"之一。俗姓刘，武陵（湖南常德）人，法名髡残，字石谿，一字介丘，号白秃，一号莻壤、残道者、电住道人，晚署石道人。髡残善画山水，亦工人物、花卉。山水画主要继承"元四家"传统。构图繁复重叠，境界幽深壮阔，笔墨沉酣苍劲，以及山石的披麻皴、解索皴等表现技法，多从王蒙、黄公望处取法。存世代表作有《报恩寺图》《云洞流泉图》《层岩叠壑图》《雨洗山根图》等。

《苍山结茅图》为纸本，设色，纵89.8厘米，横33.8厘米。本幅髡残钤"石谿""电住道人"。左上方有髡残自识题画诗："卓荦伊人兴无数，结茅当在苍山路。山色依然襟带间，山客已入云囊住。天台仙鼎白云封，仙骨如君定可从。寒猿夜啸清溪曲，白鹤时依槛外松。莫（天）壤石溪残道者作天然古院，时癸卯十月一日也。"又有鉴藏印"礼髡龛鉴藏印""车廙""止溪真赏之宝""李家世珍""人间至宝""百镜斋珍藏印""藏名"等。图中描绘生活在山中的两位隐者。画面下方是清缓的溪岸，岸边可见一组房屋建筑，高士所在的院落和一名男子所在的茅屋。茅屋周围是一片在溪水之上的空地，有一只仙鹤漫步其中。大片的云雾增加了建筑的逸境。画面中的线索是通往古寺的山路，在山门处告一段落。山路之下有泉瀑飞泻。画面上部是耸立穿插的群峰和隐蔽其中的寺庙的构思。虽然开幅不大，却有宏伟的气魄。笔墨沉着浑厚，构图缜密严谨，一气呵成，虽非细笔山水，但用笔精润，布景精致。

从自题可以窥见髡残创作此画的动机，即出于对现实的不满，用绘画来结构理想中的境界。

《苍山结茅图》藏于上海博物馆。

《溪山无尽图》卷 清代文物。清代龚贤的绘画作品，作于清康熙二十一年（1682年）。

龚贤（1618～1689年），又名岂贤，字半千，又字野遗，号半亩、柴丈人，祖籍江苏昆山，后迁居南京，是清初"金陵八家"之一。龚贤一生不仕，与遗民文人有密切的交往。明亡后，漂泊北方多年，后南返，往来于南京、扬州等地。晚年定居南京清凉山。《溪山无尽图》《清凉环翠图》《摄山栖霞图》《千岩万壑图》等是其代表画作。有诗文集《香草堂集》，绘画专著《画诀》《柴丈人画稿》《龚半千课徒画说》，多是龚贤在课徒画稿上的解说，为初学者讲述山水画的一些基本画法。他的许多重要绘画见解散见于题跋中，如系统提出"画家四要"：笔法、墨气、丘壑、气韵，论述精辟，且有创见，是他对创作实践的理论总结。

《溪山无尽图》为纸本，黑笔，纵27.4厘米，横725厘米。卷后有龚贤题记一段。卷尾款署"江东龚贤画"，钤"龚贤""野遗"印。鉴藏印为"吴兴沈翔云鉴藏书画印"。图中描绘江南山水平缓、葱郁的景致特征，在自然中，水村、茅屋、桥舟分散点缀。群山起伏，但山势缓和，并不突出某座危峰的山势。作品的气势贯通，元气淋漓而毫无浊重之气，细节的布置亦见精致，多遍皴染、精细刻画，塑造出深厚苍郁的石形山体，同时给观者亲切之感，体现龚贤的独特画法。

《溪山无尽图》是龚贤晚年的精心之作。内容丰富，神清气厚，技巧纯熟，尺幅巨大，代表龚贤对于水墨画的深刻理解。

《溪山无尽图》藏于故宫博物院。

《水木清华图》轴 清代文物。清代朱耷的绘画作品，作于清康熙三十三年（1694年）。朱耷（1626～约1705年），江西南昌人，明宁王朱权后裔，明亡后曾出家为僧。法名"传綮"，字刃庵，又用过"八大山人""雪个""个山驴""驴屋""人屋""道朗"等号。清初画坛"四僧"之一。朱耷的花鸟画以水墨写意为主，拙朴中见巧妙，多用简笔绘画，形象多夸张奇特，笔墨凝练；山水师法董其昌，兼取黄公望、倪瓒等，笔致简洁，造型独特；书法先后吸收魏晋钟繇、二王，明董其昌、王宠等人的特点，形成自己的风格。朱耷的绘画成就对后世影响深远，清代晚期"海派"至近代齐白石、张大千等大家皆有追摹其法。传世作品有《朱耷书画合册》《上花图》《荷花图》《八大山人山水花鸟》等。

《水木清华图》为纸本，墨笔，纵120厘米，横50.6厘米。朱耷自题："甲戌之望日，为其老年词翁画，八大山人。"题识下钤朱耷屐形朱文印、"可得神仙"白文印。图中描绘在水岸观看水上荷花与巨石的场景。画面右侧为远景，突出的巨石上覆盖数朵芙蓉。画面左侧为近景，水中有几枝凋残的荷花。两组景物集中在画面上部，左侧枯荷伸出到右侧的巨石，形成呼应。在景物之外，水面与天空被留出大量的空白，给人以大量的想象空间。《水木清华图》墨色过渡自然，线条率意粗放，凝结朱耷创作时的情思。

朱耷的特殊艺术风格，对清中后期水墨写意画影响很大。这一轴水墨大写意画，是朱耷晚年的精品，是其写意画独特风格的体现。

《水木清华图》藏于南京博物院。

《猫石图》卷 清代文物。清代朱耷的绘画作品。

《猫石图》为纸本，水墨，纵34厘米，横

218厘米。署款"丙子夏日写八大山人。"钤"可得神仙""八大山人""遥属""禊堂"等印。钤鉴藏印"文心审定""宝贤堂""蒙泉书屋书画审定印"等七方。画中一只白猫蜷缩身体，蹲在山石上闭目养神。白猫身旁以泼墨法绘兰花、荷叶等花草。画面黑白对比鲜明，空间层次感突出，全幅景致简洁，给人以宁静闲适之感。

作者运用了象征隐喻的手法，将客观的意象与主观的意识作了巧妙而含蓄的结合。

《猫石图》藏于故宫博物院。2008年7月15日～8月31日，在"故宫博物院藏历代书画作品展（第二期）"中陈列展出。

《枯木寒鸦图》轴　清代文物。清代朱耷的绘画作品。

《枯木寒鸦图》为纸本，墨笔，纵178.5厘米，横91.5厘米。款署"八大山人写"。钤"遥属"朱文印、"可得神仙""八大山人"二方白文印。无年款。画中描绘隆冬时节，四只乌鸦栖息在山石枯枝上的情景。作者以淡墨晕染出乌鸦的羽毛，浓淡墨交融更表现出禽鸟羽毛的致密柔软。鸟的眼睛为一笔圈成的椭圆形，上眼眶处以重墨点睛，孤傲不驯神态跃然纸上。画面对角式构图，远近层次分明，山石、枯树、乌鸦，疏密有致、对比强烈、静动

相宜。

《枯木寒鸦图》依据落款"八大山人"在不同时期具有不同写法的特点，可推断是朱耷晚年的代表作。

《枯木寒鸦图》藏于故宫博物院。2009年

9月2日～11月1日，在"故宫博物院藏历代书画作品展（第六期）"中陈列展出。

《河上花图》卷并《河上花歌》 清代文物。清代朱耷的绘画作品，作于清康熙三十六年（1697年）。

《河上花图》卷并《河上花歌》为纸本，水墨，纵47厘米，横1292.5厘米。图上有徐世昌"寒烟淡墨如见其人"楷书引首，署"弢斋"款，"滇生乃普""钱塘许乃普贞锡父印""弢斋珍藏""水竹村人""许乃普印""钱塘许氏堪喜斋所藏""堪喜斋书画印"等鉴藏印。图后配有朱耷自题歌行体长诗《河上花歌》。此图绘河塘中嶙峋石间的一组盛开的荷花，以荷花为主，坂坡小草，溪水潺潺，兰竹点缀其间。荷花用笔清圆，荷茎以中锋写出，笔力内蕴，线条饱满。坡石用秃笔枯墨勾皴，苍润浑厚。《河上花歌》通过直接对荷花的描写，并引入道教人物河上公、唐诗人李白等形象，把荷花的意义放大为世界的载体。全诗思维缜密、用典精准，极具艺术表现力。

《河上花图》卷并《河上花歌》自康熙丁丑年（1697年）的五月至八月，历时4个月完成，这段时间也是荷花由初生到盛开的过程。

这卷书画合璧的艺术珍品，是朱耷晚年艺术巨制，倾注了他深厚的精神内涵。

《河上花图》卷并《河上花歌》藏于天津博物馆。

《杨柳浴禽图》轴 清代文物。清代朱耷的绘画作品，作于清康熙四十二年（1703年）。

《杨柳浴禽图》为纸本，墨笔，纵119厘米，横58.4厘米。朱耷自题："癸未冬日写，八大山人。"钤"八大山人""何园""真赏"印。鉴藏印有"白门李氏珍藏""米舫平生之真赏"等。裱边有狄平子题记二则，钤"狄平子"等印。画中一只乌鸦单足立于枯柳

之巅，柳树倚于一块石头之上，石头上大下小，几欲崩塌之象。柳叶凋零，寒风乍起。枯枝上的孤鸟立于枝头，埋头理羽，镇定自若，悠闲自在。画面上虚下实，取法自然，笔墨简练。中锋运笔的杨柳拂动，八哥站立树干上，为画面的焦点，舞翅剔羽，体态生动。

《杨柳浴禽图》构图和造型单纯却不单调，意境高古却不枯燥，为其晚年佳作。

《杨柳浴禽图》藏于故宫博物院。

《仿巨然烟浮远岫图》 清代文物。清代王翚的山水画作品，作于清康熙二十六年（1687年）。王翚（1632～1717年），字石谷，号耕烟散人，清晖主人等，江苏常熟人。先后师从王鉴、王时敏。王翚擅于摹古，综合南北之长，汲取诸家技法，最终形成自己的绘画风格。他笔下的山石树木多清逸雅秀之感。王翚60岁时奉康熙皇帝诏赴京师，任绘制《康熙南巡图》主笔。历经6年，完成了12卷的历史巨作。康熙帝赐其"山水清晖"四字。王翚遂自号"清晖主人"。从此声名大振，有"虞山派"开山之祖之称。代表作品有《秋山萧寺图》《虞山枫林图》《秋树昏鸦图》《芳洲图》等。

《仿巨然烟浮远岫图》为纸本，墨笔、设色，纵187厘米，横67.2厘米。下钤"王翚之印"白文印、"石谷"白文印。另收藏印三方："王藻儒考藏图书"白文印、"愉庭吴云审定"白文印、"陆朴野娱老"朱文印。裱边钤藏印四方："阁鉴藏"朱文印、"夫容江馆"朱文印、"愉庭吴云审定"白文印、"白云私印"白文印。又裱下端有李瑞清书牍。画面以纵向构图取势，山石以大披麻皴皴擦，山头上画小块状的山

石，山间画茂密丛林，流畅干净的线条勾勒出山峦层叠、云远悠长的意境。

据王翚仿巨然的同名画扇款题而知，王翚首次见到巨然的《烟浮远岫图》是在"毗陵庄太史家"。自此王翚不断地仿巨然《烟浮远岫图》，或自娱，或送友人留念。此图是王翚晚年仿宋巨然《烟浮远岫图》的代表作之一。

《仿巨然烟浮远岫图》藏于故宫博物院。

《溪亭话别图》轴 清代文物。清代王翚的山水画作品。

《溪亭话别图》为纸本，设色，纵102.9厘米，横48.5厘米。图上自题"耕烟散人王翚"。画面近处绘矾石古树、溪水渔船，左边岸上屋宇内高士话别，画面上部绘远山崖壁，增强了画面的纵深高远感。

《溪亭话别图》藏于上海博物馆。

《横山晴霭图》卷 清代文物。清代吴历的山水画作品。吴历（1632～1718年），原名吴启历，字渔山，号墨井道人，常熟（属江苏）人。吴历以山水画闻名于清代画坛。在王时敏、王鉴家中广泛临摹宋元名家作品，尤其对于吴镇、王蒙两人用力最深，为掌握笔墨技法打下了良好的基础。他能对前人传统加以融合、变化，逐步形成自己的风格面貌，既有北方山水刚劲雄伟的气魄，又有南方水乡淡雅浑朴的情调。其早年作品似王鉴；中年着重吸取王蒙、吴镇之长，用笔细润沉着，擅用重墨，积墨；50～70岁创作甚少；70岁以后作品渐多，水墨渲染和干笔枯墨并用，反复皴染，沉郁苍秀，最具特色。吴历与"四王"及恽寿平齐名，合称"清初六家"。代表作品有《琵琶行图》《消夏图》《横山晴霭图》《陶圃松菊图》等。著有《墨井诗钞》《三巴集》《三余集》等。

《横山晴霭图》为纸本，淡设色，纵22.8厘米，横157.3厘米。卷右上角有吴历自题"横山晴霭"，下钤"墨井"印、右下角钤"延陵"印。卷尾吴历自题："笔正写山横，烟云乱石生。破窗蕉雨过，添却砚池平。十日画成，海天雨霁，红日窗明，展卷题之。康熙丙戌年秋仲，墨井道人。"钤"墨井"印。画后吴历再做题跋，下钤"吴历之印""墨井道人"，迎首钤"延陵"。鉴藏印有"陆廷灿印""平原陆幔亭鉴藏印"等。后幅有戴兆芬、戴公望、顾文彬三家跋语。画面近密远疏，有类似西方绘画中的明暗及透视关系，但又可见浓厚的山水笔法，绘者在尾纸的自跋中谓，是师法元代王蒙而来。图中近景，山峦繁密，用干笔勾勒、皴擦，体现出日照下的阴阳向背。群峰层层推向远方，远山改用湿笔淡墨晕染，至于湖水则绝少着笔，由于布局得当，画中水的部分足以承接山势。近景的群山中，吴历穿插布置生动的茅屋、与人物活动。

《横山晴霭图》吸收西洋绘画重明暗、讲透视的造型技巧，为吴历晚年佳作。

《横山晴霭图》藏于故宫博物院。

《灵岩山图》卷 清代文物。清代恽寿平的绘画作品。恽寿平（1633～1690年），原名格，字寿平，后以字行，改字正叔，号南田，别号云溪外史，晚居城东，号东园草衣，后迁居白云渡，号白云外史。清初著名书画家，常州画派的开山祖师，"清六家"之一。诗、书、画皆造诣深厚，有"南田三绝"之誉。创造"仿北宋徐崇嗣"的没骨花卉画法。著有画论《瓯香馆集》。后人在道光年间收集他的题画跋语，编成《南田画跋》。

《灵岩山图》为纸本，墨笔，纵20.7厘米，横107.2厘米。卷前有弘储写给"简石西堂"的自寿诗，钤"虎丘弘储""担雪和尚""中吴研山简石"等印7方。后幅接恽日初《灵岩山赋》、余怀书弘储诗五首、黄子锡书赠简石禅师的四首诗、顾文彬词跋、费念慈观款，钤"西蠡经眼""顾子山秘笈印"等印14方。图中在布局上，将灵岩山放置在画面中央，寺庙建筑密集可见，应当是直取落红亭以上灵岩山及灵岩寺全貌，既画出了灵岩山之趣，又重点表现出了灵岩芙蓉城禅寺琼宫金碧辉色。沿山路向右，又是一组山林，向左则表现广阔的水面，依稀浩渺、水天一色的景象。全卷带有浓郁的实景写生色彩，画法类黄子久，山岩用长披麻与荷叶皴法，笔墨简淡清润，用笔泼辣飞洒，干净利落，秀劲有力，两侧的景致作陪衬性的淡化处理，由此更好地表现主题，烘托出灵岩山的空灵秀色。

《灵岩山图》是恽寿平写景山水画中形式美与意蕴美相得益彰的典型之作。

《灵岩山图》藏于故宫博物院。

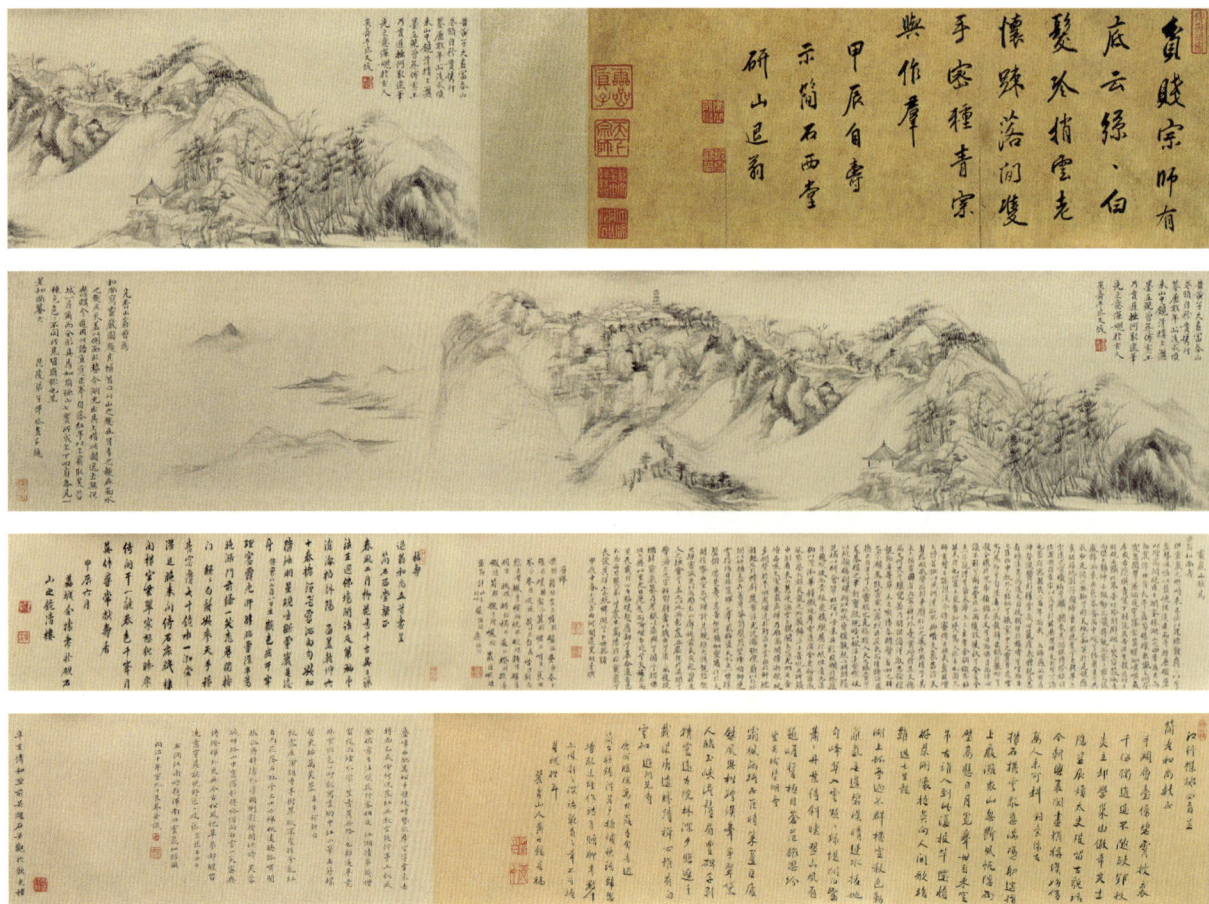

《陶渊明诗意图》册 清代文物。清代石涛的绘画作品。石涛（1642～1707年），本姓朱，名若极，广西桂林人，明藩靖江王朱守谦后裔。年幼时削发为僧，法名原济，小字阿长，字石涛，有多种别号行世。早年云游四方，屡登黄山、庐山等诸名胜。中年住南京，曾在南京、扬州两次见康熙帝。50岁前后于北京客居三年，晚年定居扬州。石涛与弘仁、髡残、朱耷合称"清初四画僧"。他擅绘花卉、蔬果、兰竹，兼工人物，而以山水成就最为突出。虽师法元人笔意，但更注重深入自然，其画布局新颖，笔墨千变万化，笔势多种多样。风格既雄健恣纵，亦秀逸娴静，在气概与风格上具独特面目。作画讲求独创，一反当时仿古之风，笔墨雄健纵恣，淋漓酣畅，对扬州画派与近代画风影响极大。存世作品有《搜尽奇峰打草稿图》《山水清音图》《竹石图》《石涛罗汉百开册页》等。著有《论画》《苦瓜和尚画语录》等。

《陶渊明诗意图》为纸本，设色，共12开，每开纵27厘米，横21.3厘米。以第二开为例，名为"悠然见南山"，题材来自陶渊明诗句"采菊东篱下，悠然见南山"。图绘篱笆院中菊花盛开，一高士手持菊花观赏，悠然之态可见。此图结构精巧，人物用笔细密。远山以墨笔烘染，山腰云雾密布，不见山脚，以此表现烟云缥缈的动态和气势。这种中锋、细勾、渍染相结合的画法使画面有动有静，虚实结合，意趣无穷。而第六开为"遥遥望白云怀古一何深"，描绘一位着布衣宽袍的老者临溪而立。老者远望青山，脚下溪水流淌。面对满目凄凉、空无一人的山水，主人公似思绪万千，发思古之幽情。整册12开画面技法相同、意境相似，均根据东晋著名诗人陶渊明诗句而创作。

《陶渊明诗意图》藏于故宫博物院。

《山水清音图》轴 清代文物。清代石涛的山水画作品。

《山水清音图》为纸本，水墨，纵102.5厘米，横42.4厘米。图上有石涛隶书自识："山水清音。石涛济。"下钤"膏肓子济"印。左下方钤"搜尽奇峰打草稿"长方印。右下方有一行王文治小字题跋"真州尤贡夫收，丹徒土文治鉴"，钤"王氏禹卿"朱文印。内容为石涛在徽州生活时期以黄山为对象的绘画作品。在构图上，山岩错落纵横，古松蜿蜒。远景表现瀑飞泻，经过中部的竹林和栈阁，向潭水流注。两位雅士在阁中对谈。整幅画面用笔有力而沉着，多种皴法交织融合。墨色层次丰富，是中国山水画"用墨如用色"的一个典范作品。石涛的画中善于用圈与点，是构成画

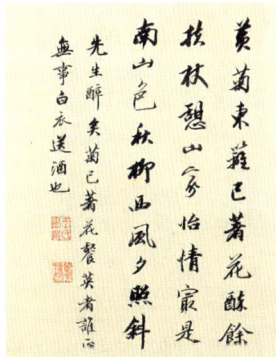

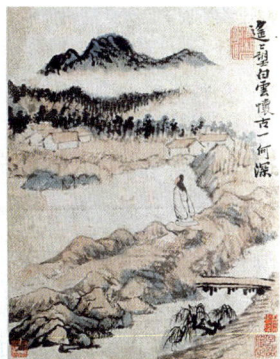

的气概和韵律的重要部分，有些画不着一点，有些画满纸皆点。《山水清音图》就是点染的代表作之一。

　　《山水清音图》是石涛的代表山水作品，体现丰富的笔墨技法，具有很高的艺术价值。

　　《山水清音图》藏于上海博物馆。

　　《古木垂荫图》轴　清代文物。清代石涛的山水画作品，作于清康熙三十年（1691年）。

　　《古木垂荫图》在赠予"吴翁"后，曾经程震佑收藏，1960年辽宁省博物馆自北京收购。

《古木垂荫图》为纸本，设色，纵175厘米，横50.7厘米。图上有石涛自书长题，题后钤"支长"引首、"臣僧元济""苦瓜和尚""四百峰中箬笠翁图书"等印。有鉴藏印"震佑印信""程氏家藏""广轩""蔚起堂章"等。构图气势幽远，描绘远去的河流以及两岸的景色。江水滔滔而去，远处一石桥横跨其上。山势危严，林木蓊茸，楼阁临江，烟云微茫。除石桥外，在山坳和树林中可见茅屋和层楼。近景处为坡石、老树。《古木垂荫图》以笔墨见胜，山石主用牛毛皴法，兼渲染赭石色、花青、红等色增添变化。突出的大树以及隐藏层楼的小树的树叶用焦墨点就，搭配树木的粗糙质理，树木枝叶虽不茂密，带给人强劲的生命力。

《古木垂荫图》是石涛中年的成熟作品，绘制精心，具有很高的艺术价值。

《古木垂荫图》藏于辽宁省博物馆。

《搜尽奇峰图》卷 清代文物。清代石涛的绘画作品，作于清康熙三十年（1691年）。

《搜尽奇峰图》为纸本，墨笔，纵42.8厘米，横285.5厘米。图上有石涛自题"搜尽奇峰打草稿"，钤"老涛"。画尾余白处，石涛题写画语，并有款署："时辛未二月，余将南还客且憨斋，宫纸余案，主人慎庵先生索画并识请教，清湘枝下人石涛元济。"钤"苦瓜和尚""冰雪悟前身""石涛"三枚白文方印。有墨香堂、陈奕禧、徐云、叶河音布、潘正炜等人的题记和诗题，钤"听帆楼书画印""梦龙之印""叶梦龙鉴藏""云谷曾藏识者宝之""逸轩珍藏""高阳李氏考藏""秀松堂鉴藏印""符曾经眼""诒晋斋印""怀昊""月香书屋珍藏"等鉴藏印记。画中描绘京师周边的山水形象。此卷起首处绘危崖层叠，中间群山起伏环抱，尖峰峭壁直插，奇峦怪石或横或耸、错落其间，山中溪流萦回，曲曲折折注入大江，卷尾一山屹立江心，烟浮远岫，思出画外。其间点缀苍松茂树，舟桥屋宇以及各种人事活动，幽居的高士正对客论道，觅诗的骚人徘徊山径，外出的游子轻快起棹，人勤春早，愈加显出山水有情，风景如画。

《搜尽奇峰图》是石涛绘画风格成熟时期的重要作品，集中表现石涛成熟的艺术思想。

图中有一段对长城的描绘，印证了此画的写实性以及作者所提倡的师法造化"搜尽奇峰打草稿"的美学观。

《搜尽奇峰图》藏于故宫博物院。

《卢鸿草堂十志图》册 清代文物。清代王原祁的山水画作品。王原祁（1642～1715年），字茂京，号麓台、石师道人，江苏太仓人，王时敏孙。康熙九年（1670年）进士，官至户部侍郎，人称"王司农"。以画供奉内廷，康熙四十四年（1705年）奉旨与孙岳颁、

宋骏业等编著《佩文斋书画谱》，五十六年（1717年）主持绘《万寿盛典图》为康熙帝祝寿。擅画山水，继承家学，学元四家，以黄公望为宗，喜用干笔焦墨，层层皴擦，用笔沉着，自称笔端有金刚杵。与王时敏、王鉴、王翚四人并称"四王"，形成"娄东画派"，影响清代300年画坛，成为正统派中坚人物。主要作品有《万寿盛典图》，所著画论有《雨窗漫笔》《麓台题画稿》。擅长作诗，有《罨画楼集》三卷。

《卢鸿草堂十志图》为纸本，墨笔、设色，共10开，每开尺寸不等，约纵29厘米，横29.5厘米。上钤"王原祁印""麓台""峭倩""乐寿堂鉴藏宝"等鉴藏印。10开画中，有6开设色，并兼用墨笔。色墨兼施，浑然一体，清丽中有苍厚之质，为画家毕生努力所形成的特色。

《卢鸿草堂十志图》是王原祁据唐代卢鸿《草堂十志图》图意，仿宋、元诸家笔意，重新加以创作而成。卢鸿的原作早已失传，尚存宋人的临仿本，但与此册相较甚殊。从苍劲的笔墨看，此图似追慕前贤草堂之隐的无奈心境的写照，为其晚年代表作。

《卢鸿草堂十志图》藏于故宫博物院。

《仿高克恭云山图》轴 清代文物。《仿高克恭云山图》又名《仿高房山云山图》，清代王原祁的山水画作品，作于康熙三十五年（1696年）。

《仿高克恭云山图》为纸本，设色，纵91.3厘米，横45.8厘米。画上题："此图仿高尚书云山，余丙子春雨窗所作。是日诸友俱集寓斋，联吟手谈，争欲得之。不意归于暮儿。

年来往来南北，遂致庋阁，余亦不复记忆。今辛巳九秋，蓦又将南归，出此请题。余再加点染并识岁月云。麓台。"画中描绘江南春天雨后的山村景色。近处坡石高树，阜柳交荫，小桥边，雨后溪水潺潺；画幅中部，与峰脚烟岚若即若离的一溪山水蜿蜒而下，其间又滞积为半湖碧水；远处峰峦高耸，丛树幽深，白云飘忽。山光水色连成一片，松竹桧柳苍郁茂密。整幅作品便构成烟云浩渺、葱郁深秀、意境空

旷的境界。云山取元人高克恭法，横点皴染，并用焦墨破醒，富有厚重的质感，构图以高远兼平远，深得缥缈之意。

王原祁仿高克恭林峦烟景的作品不止一幅，还有他作于康熙三十八年（1699年）的另一幅《仿高尚书云山图》传世。从所识的这幅《云山图》看，可以发现王原祁对高克恭的确是心慕手追。从笔墨特点方面看，《云山图》融合厚重的效果，也体现了王原祁的湿而干、淡而浓、疏而旷的浑然一气的笔墨特点。

《仿高克恭云山图》藏于上海博物馆。

《王原祁艺菊图像》卷 清代文物。清代禹之鼎的人物肖像画作品。禹之鼎（1647～1716年），清代画家。字尚吉，又作上吉、尚基、尚稽，号慎斋。本籍兴化，后寄籍江都（江苏扬州）。幼年师从蓝瑛，后出入宋元诸家，临摹前人作品能达到乱真的程度。善画山水、人物、花鸟、走兽，尤精传神写照。有《骑牛南还图》《放鹇图》等传世。曾为王翚作《骑牛南还图》、为王士禛画《放鹇图像》，南京博物院、常州市博物馆另各藏有一轴禹之鼎的《王原祁像》。

《王原祁艺菊图像》为绢本，设色，纵32.4厘米，横136.4厘米。款题"广陵禹之鼎敬写"。钤"慎斋禹之鼎印""广陵□□"，有"曾在朱屺瞻家"鉴藏印。卷后有清光绪八年（1882年）唐文治跋、光绪三十三年（1907年）王祖畬跋。此图表现王原祁在庭院内品茗赏菊的情景，旨在表现王氏的文人雅趣。图为肖像画，没有背景，仅靠人物和陈设展示人物活动。空间的留白突出了主人"艺菊"时的静思，给人以想象。中年的王原祁，身材微胖，

气度不凡。他手把茶杯，端坐于榻上，目光投向榻前精心栽培的盆菊。画中的陈设简洁，从桌榻到摆放整齐的碑帖、卷轴、桌上的文玩等，衬托人物的雅性。王原祁正凝神遐想，书童在一旁轻声谈话，增加了静谧的"艺菊"气氛。

《王原祁艺菊图像》综合宋人物画与明清肖像画的技法，融"写意"与"写真"合一，是禹之鼎晚年的精品之作。

《王原祁艺菊图像》藏于故宫博物院。

《寒驼残雪图》轴 清代文物。清代华嵒的绘画作品，作于清乾隆十一年（1746年）。华嵒（1684～1756年），字秋岳，一字空尘，号新罗山人，又号布衣生，离垢居士等，临汀（福建上杭）人，其父亲为纸匠。华嵒自幼聪颖，酷爱绘画。擅画人物、山水，尤精花鸟走兽，形成兼工带写的小写意手法。人物画自成一种减笔画法。山水则兼法院体、吴派、董其昌诸家，简略率脱。华嵒传世代表性作品还有《天山积雪图》《春水双鸭图》《蔷薇山鸟图》等。有《离垢集》《解弢馆诗集》行世。

《寒驼残雪图》为绢本，设色，纵139.7厘米，横58.4厘米。有华嵒自题："老驼寒齿三更月，残雪新开一雁天。乾隆丙寅春朝，新

罗山人写于晴香暖翠之阁并题句。"款下钤
"华嵒""秋岳"。画面边角的鉴藏印有"云
审平生心赏""鹿泉心赏""寿崧审定""存
平兰艾之间""关氏世家子孙永宝""关氏松
雪斋珍藏图书"等印记。图绘雪夜中一位休息
的旅人和他的瘦驼。画面下方是雪山脚下的寒
林中，红衣男子似为西域人，卷发浓须，面目
温和，向帐篷外看着他的坐骑。瘦驼正低头找
寻雪下的草。红衣人物和帐篷的勾勒简洁，几
乎与雪景融为一体；骆驼略施晕染，显示出减
笔画的功力。画面的夜空中，以淡墨染底表现
雪夜的阴暗，并勾出残月与孤雁，体现出寂寥
的时空感。

《寒驼残雪图》是华嵒晚期的代表人物
画。此图体现了作者古法用笔、化俗为雅的创
新精神，其风格对后世影响深远。

《寒驼残雪图》藏于故宫博物院。

《松藤图》轴　清代文物。清代李鱓的
绘画作品，作于清雍正八年（1730年）。李鱓
（1686～1756年），字宗扬，号复堂，别号懊
道人、墨磨人等，扬州兴化（属江苏）人，
"扬州八怪"之一。李鱓早年从同郡先辈魏凌
苍学习山水画；两次供奉宫廷时，先后从蒋廷
锡、高其佩学画，逐步形成自己的早期风格。
在扬州时，李鱓与郑燮等人交往，又从石涛作
品中从受到启发，促使了他风格的改变。李鱓
绘画主张"自立门户"，始终追求独立的人格
和个性表现，一生画风在不断地探索中数次变
化，代表作品有《土墙蝶花图》《蕉竹图》
《五松图》《城南春色图》等。

《松藤图》为纸本，设色，纵124厘米，
横62.6厘米。李鱓自识："漫惊笔底混龙蛇，

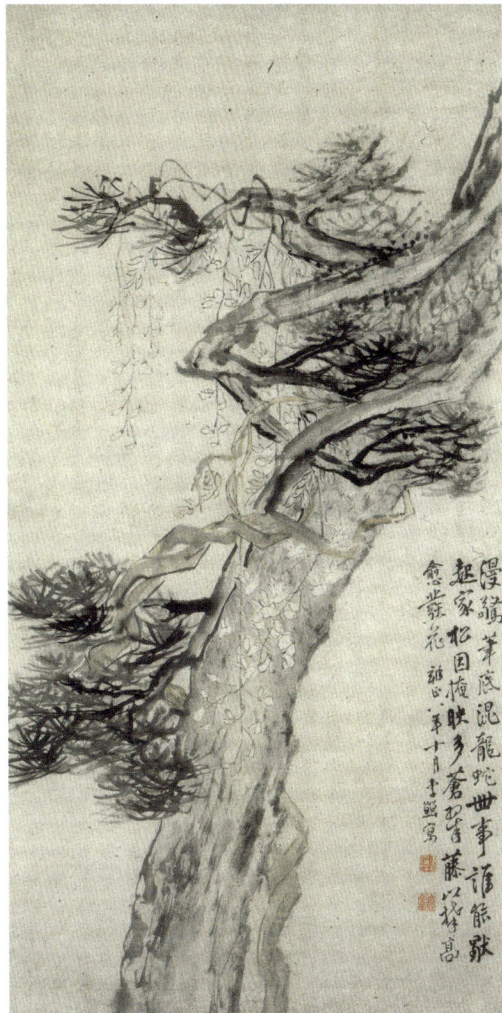

世事谁能独起家。松因掩映多苍翠，藤以攀
高愈发花。雍正八年十月李鱓写。"钤"李
鱓""复堂"印二方。图中表现松树与老藤的
组合形象，是传统的文人花鸟题材。苍老的松
干上缠绕褚色藤萝，构图讲究，设色淡雅，用
笔苍劲，泼墨淋漓，随意点染，却不凌乱，很
有整体感。

《松藤图》是李鱓写意画的代表作，体
现了他以抒发性情为个性的画风。他笔下的形
象，扩展了花鸟画的题材，在强烈的个人风格
下，往往蕴含针砭时弊的批判意识与向善的生
活观，这些是他作品立意的积极成分。

《松藤图》藏于故宫博物院。

《山水人物图》册 清代文物。清代金农的绘画作品。金农（1687～1763年），字寿门、司农、吉金，号冬心先生、稽留山民、曲江外史、昔耶居士等，钱塘（浙江杭州）人，布衣终身。清代书画家，"扬州八怪"之首。好游历，卒无所遇而归。晚寓扬州，以卖书画自给，嗜奇好学，工于诗文书法，诗文古奥奇特，并精于鉴别。书法创扁笔书体。兼有楷、隶体势，时称"漆书"。代表作有《东萼吐华图》《空捍如洒图》《蜡梅初绽图》《玉蝶清标图》《铁轩疏花图》《菩萨妙相图》《琼姿俟赏图》等。著有《冬心诗集》《冬心随笔》《冬心杂著》等。

《山水人物图》为纸本，墨笔、设色，

共12开，纵24.4厘米，横31厘米。有金农"心出家盦僧画记""稽留山民记""冬心先生笔记""七十三翁金农画记""龙梭仙客记""昔耶居士""金二十六郎画诗书""曲江外史画诗书""金老丁""昔耶居士并题"等多种署名，钤印则有"金吉金印""金农""莲峰居士""冬心先生""金氏寿门""寿""金老丁""林泉"。裱边、附页有王秉恩、吴湖帆题记，吴记中提到叶恭绰、王薳、程龙、陶洙、陈蘧、张珩同观此册。鉴藏印有"曾藏潘健庵处""铭心绝品""贞甫审定"等62方。图册内容依次为：林中佛像、礼佛自画像、仿宋马和之画意、湖山采菱、青山遥汀、戏笔山林鬼趣、卢仝煎茶图、文士策杖桃林、柳塘垂纶、廊桥观荷、女子抱膝长思、山僧叩门。第十开是金农所绘自度曲词意，《冬心自渡曲》收录，题为《池上》。图册中带有准确纪年者两开，均是清乾隆二十四年（1759年）。笔法多样，风格生拙奇奥，设色清秀淡雅，意境幽深，人物形象古朴，富有趣味。同时可见金农大量题记，是了解其创作心态的一手材料，同时也可视为金农的书法小品。

《山水人物册》是金农晚年不拘一格的小品集，形象别致但不失清秀的文人气质，是其晚年绘画佳作。

《山水人物册》藏于故宫博物院。

《自画像》轴 清代文物。清代金农的人物肖像画作品，作于清乾隆二十四年（1759年）。《自画像》是金农效仿唐人"引镜濡毫自写"。金农在题识中自称"三朝老民"，衣纹面相俱用陆探微的"一笔画"画法，作画地点为"广陵僧舍之九节菖蒲憩馆"。该像寄予

相配，笔意迟滞却又见流畅，墨色枯淡却又见滋润。人物神态自若，气定神闲，袍裾之下露出的半只朱履增加无限生意。

《自画像》见证了金农与丁敬的友谊，是一件宝贵的古代肖像画。

《自画像》藏于故宫博物院。

《嵩献英芝图》轴　清代文物。清代郎世宁的绘画作品，作于清雍正二年（1724年）。郎世宁（1688～1766年），意大利米兰人，本名朱塞佩·伽斯底里奥内，于康熙五十四年（1715年）以欧洲耶稣会的传教士身份来到中国，从澳门北上京师，遂以"郎世宁"为名。他约于康熙末期进入宫廷供职，已知所见最早的作品画于雍正元年（1723年）。郎世宁经历康熙、雍正、乾隆三代，在宫中创作了大量人

金农的旧友隐士丁钝，即金农同乡艺友、篆刻家丁敬。他在收到画后，回赠金农一方"寿道士印"。

《自画像》为纸本，墨笔，纵131.3厘米，横59.1厘米。自画像右侧有长段自题，题后钤"金氏"。画面左下角有"丁敬身印"。图中金农身穿长袍，露出一只红鞋。手执竹杖，侧身而立，头、手用笔纤细，胡须以细笔一一绘出，根根似出于肉，发辫只以一笔画出，颇具钝趣。人物表情平静，轮廓敦厚，线条清雅，衣纹极简，凝重的用笔和松秀的墨韵

物肖像、历史、花鸟走兽画。主要作品有《十骏犬图》《百骏图》《乾隆大阅图》《瑞谷图》《花鸟图》《百子图》等。

《嵩献英芝图》为绢本，设色，纵242.3厘米，横157.1厘米。署款"嵩献英芝。雍正二年十月，臣郎世宁恭画"。有"臣世宁""恭画"两印，又有"乾隆御览之宝"一印。全图是一幅传统题材的祝颂画，但使用西方绘画技法表现。画面正中是一只立于石上的白鹰，鹰首朝向画面右侧，目光犀利，鹰爪紧紧抓住石头。画面的右边是一棵盘曲的老松，枝干几乎充满画面的上方。在松树上有一棵藤萝攀绕，松根和石头的缝隙之间有灵芝数株，画左下方有坡石，溪水急流而下。图中郎世宁运用了欧洲的明暗技法，引入光线的概念，强调光线的明暗处理，讲究物象间的比例关系和观看的透视现象，使白鹰则刚好位于最显眼的中央，立体感极强。同时，灵芝卷起的边缘、松树投下的阴影、激起的水花等细节，也是西方绘画的长处所在。色彩上，郎世宁也施展了自己的才华，白色的鹰、绿枝的松树、棕红色的灵芝、粉紫色的藤萝花、绛色的土坡等都十分鲜明、绚丽、浓重，与传统的中国水墨画面貌和趣味迥异。

《嵩献英芝图》结合了中国题材和西方表现方式。松的粗壮枝干、岩石上的戏剧化阴影和画面整体的光影对比均来自西方构图，表现中国传统审美观与祥瑞思想。

《嵩献英芝图》藏于故宫博物院。

《梅竹图》轴　清代文物。清代郑燮的绘画作品。郑燮（1693～1765年），字克柔，号理庵，又号板桥，扬州兴化（属江苏）人。

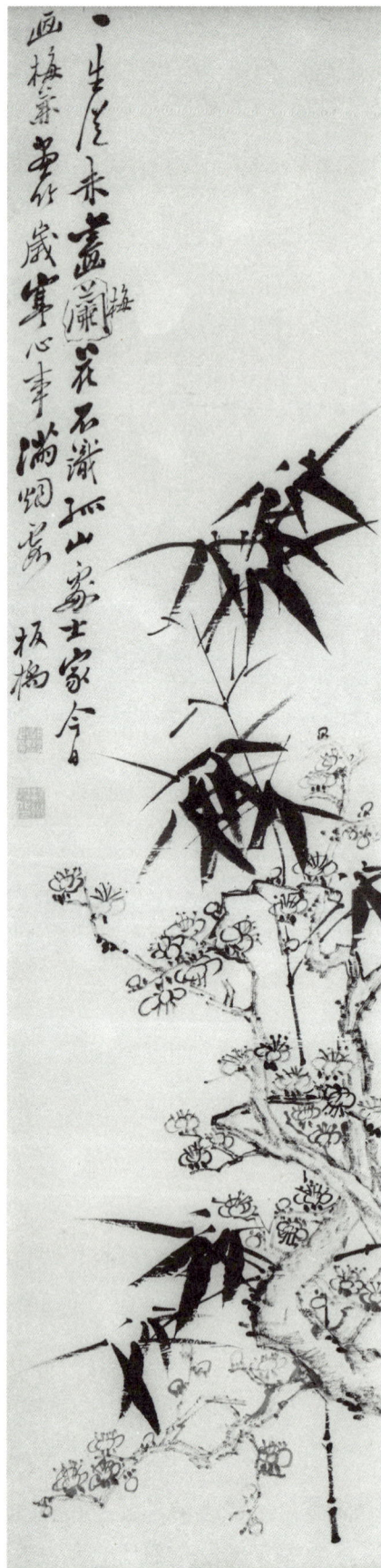

清代书画家、文学家。康熙秀才，雍正十年（1732年）举人，乾隆元年（1736年）进士。官山东范县、潍县县令，政绩显著，后客居扬州，以卖画为生，为"扬州八怪"重要代表人物。郑板桥一生只画兰、竹、石，其诗书画，世称"三绝"。代表作品有《修竹新篁图》《清光留照图》《兰竹芳馨图》《甘谷菊泉图》《丛兰荆棘图》等，著有《郑板桥集》。

《梅竹图》为纸本，墨笔，纵127.8厘米，横31.3厘米。本幅座上有郑燮七绝一首："一生从未画兰（自圈改为'梅'）花，不识孤山处士家。今日画梅兼画竹，岁寒心事满烟霞。板桥。"钤"郑燮之印""扬州兴化人"二印。在画中，梅花作为主要形象，用紧凑而密集的老干，用边角之势表现苍劲的树姿。梅瓣的线条圆满，有书法中锋的效果，形状或方或圆，别有一番梅花的傲寒生命力。作为梅树的搭配，画上仅写竹两支。青竹的润墨效果，与梅花的"全是雪精神"的文人气质相得益彰，表现了不同的美感。

竹是郑燮最擅长表现的题材，他能出神入化地准确捕捉住竹枝、竹叶在风中摇曳的动态和神韵，并形象生动地表现出来。同时竹之高洁素雅、坚韧不屈的物性亦最能体现郑燮刚直不阿的人品。

《梅竹图》藏于故宫博物院。

《邓石如登岱图》轴 清代文物。清代罗聘的绘画作品，作于清乾隆五十五年（1790年）。罗聘（1733~1799年），字遁夫，号两峰，别号花之寺僧、金牛山人、廖洲渔父等，"扬州八怪"之一。原籍安徽歙县，后迁居江苏扬州。罗聘随金农学画，人物、肖像、山水、花卉，均有独到之处。他构思奇特，想象奇偏，笔情古逸，思致渊雅，自成风格。代表作品《鬼趣图》《冬心先生蕉荫午睡图》《醉钟馗图》《药根和尚像》《墨梅图》等传世，著有《香叶草堂诗集》。邓石如（1743~1805年），初名琰，字石如，后更字顽伯，因居皖公山下，又号笈游道人、完白山人、凤水渔长、龙山樵长，安徽怀宁邓家大屋人。清代篆刻家、书法家，邓派篆刻创始人。有《完白山人篆刻偶存》存世。《邓石如登岱图》曾为邓石如后人邓以蛰收藏。1965年，邓以蛰将连同此图在内的100余件邓石如文物捐赠故宫博物院。

《邓石如登岱图》为纸本，墨笔，纵83.5

厘米，横51.1厘米。画幅左下款识"扬州罗聘写"，下钤"写真不貌寻常人"。画幅及诗堂及裱边存多家诗题，有清道光十六年（1836年）李兆洛、道光十七年（1837年）曹江、同治三年（1864年）庄受祺、同治六年（1867年）左宗棠、潘遵祁，1915年康有为等。《邓石如登岱图》描绘邓石如登临泰山日观峰的形象。人物头部略夸张，有金农人物画的特征。随风飘动的衣纹细劲轻盈，邓石如背手状，神态静穆，若有所思，目穷日出之景。对于山峰的表现，绘者用笔挥洒自如，淡墨皴染中用浓墨点苔，并表现了突起的日观峰"探海石"。山峰之外，云气缭绕，再现山顶的仙境氛围。绘者在图中深刻地揭示邓石如当时的心情。

《邓石如登岱图》藏于故宫博物院。

《嵩洛访碑图》册　清代文物。清代黄易的绘画作品，作于清嘉庆元年（1796年）。黄易（1744～1802年），字大易，号小松，又号秋庵，钱塘（浙江杭州）人。出身金石世家。黄易作诗著文，尤精于作词，而以金石书画名传于世。富收藏，钟鼎、钱币、玺印藏品众多。黄易擅山水，笔墨清隽，自成一家。与丁敬并称"丁黄"，为"西泠八家"之一。传世

墨迹有《节临石门颂》《隶书》等。汇考辑录成《小蓬莱阁金石文字》一书。

《嵩洛访碑图》为纸本，墨笔，共24开，每开纵17.5厘米，横50.8厘米。册前可见孙星衍篆书引首"嵩洛访碑廿四图"，并题诗一首。在每开左侧黄易的题记后，有翁方纲题记，另有王念孙、洪范、何琪、伊秉绶、董士锡等五家题记。后纸有梁同书、奚冈、宋葆淳、徐尚之、王秉韬、陈功、何绍基、祁隽藻八家题记。本幅及后纸有李佐贤"利津李贻隽平生真赏"、庞元济"虚斋至精之品""得修庵"等鉴藏印。图册是黄易对于自己在河南地区访碑的艺术记录，以简洁的笔触描绘他的所到之处和寻访汉唐著名碑版的相关活动。黄易的笔意简淡，古意满纸。构图萧散，重点在于表现碑石的存在环境，仅用轮廓之笔点缀同行的金石友人，并不过多布置树石等景物，使画面呈现清寂的气氛。24处地点依次为：等慈寺、轩辕、大觉寺、嵩阳书院、中岳庙、少室石阙、开元寺、太行秋色、少林寺、石淙、开母石阙、会善寺、白马寺、嵩岳寺、伊阙、龙门山、香山、奉先寺、邙山、老君洞、平等寺、缑山、晋碑、小石山房。这些地点多在登

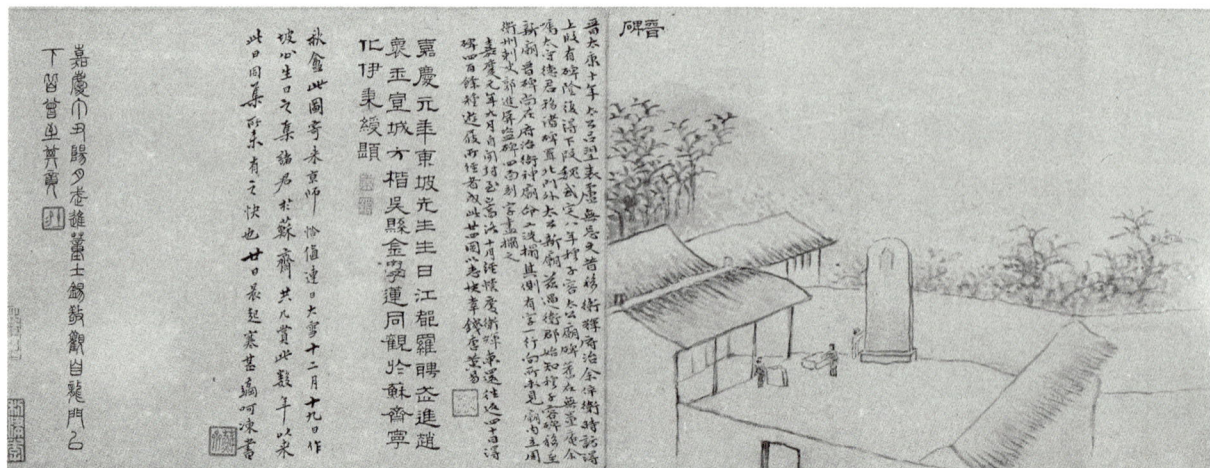

封与洛阳，另有偃师、荥阳、濮阳、郑州、孟县、卫辉等地。

《嵩洛访碑图》是黄易在金石界奠定地位的力作，全册兼具文人的艺术性和金石家的学者气质，图册有多处名家题跋，是一件价值丰厚的绘画艺术品。

《嵩洛访碑图》藏于故宫博物院。

《复庄忏绮图》卷 清代文物。清代费丹旭的绘画作品，作于清道光十九年（1839年）。费丹旭（1801～1850年），字子苕，号晓楼，别号环溪生、环渚生、三碑乡人、偶翁、长房后裔，乌程（浙江湖州）人，其父费宗骞擅画山水，影响了年幼的费丹旭。后游于江浙闽山水间，与画家汤贻汾、张熊，鉴赏家张廷济等均有往来。擅画仕女，秀润素淡，独具一格，有"费派"之称。存世《东轩吟社图》《果园感旧图》《负米图》《执扇倚秋图》等作品。

此画题为"复庄忏绮"，是指当时的风流才子姚燮对以往浮浪生活的忏悔。姚燮（1805～1864年），字梅伯，一字复庄，号大梅山民，浙江镇海人，清道光、咸丰时期著名词人。

《复庄忏绮图》为纸本，设色，纵31厘米，横128.6厘米。卷首为清咸丰元年（1851年）黄寿凤受姚燮之嘱的题篆"忏绮图"，并有七绝一首。卷后有齐学裘、雷葆廉等人跋语达24处，其中第一则齐学裘跋，收入他的《见闻随笔》卷八中。画面的场景分为内外两部分，林中的空地上，姚燮端坐在正中的蒲团之上，身体偏向桌旁，微笑似有所悟，周围可见气质温雅的八位仕女或远或近，神情各异，仪态万千，整幅作品格调淡雅。林外另有四位仕女，正作谈论状，无形中延伸了林中的环境。姚燮的面部细加刻画，淡墨勾勒、赭色烘染，使他具有明暗与凹凸的立体感。

《复庄忏绮图》中仕女细劲灵活的线条和淡雅的设色表现，显现出费丹旭创作仕女画的典型风貌。

《复庄忏绮图》藏于故宫博物院。

《梅鹤图》轴 清代文物。清代虚谷的绘画作品，作于清光绪十七年（1891年）。虚谷（1823～1896年），俗姓朱，名怀仁，僧名虚白，字虚谷，别号紫阳山民、倦鹤，室名觉非庵、古柏草堂、三十七峰草堂。籍新安（安徽歙县），居广陵（江苏扬州）。初任清军参

将与太平军作战，意有感触，后出家为僧。清代著名画家，"海上四大家"之一，有"晚清画苑第一家"之誉。工山水、花卉、动物、禽鸟，尤长于画松鼠及金鱼。亦擅写真，工隶书。作画有苍秀之趣，敷色清新，造型生动，落笔冷峭，别具风格。早年学界画，后以擅画花果、禽鱼、山水著名。风格冷峭新奇，秀雅鲜活，无一笔滞相，匠心独运，别具一格。亦能诗，有《虚谷和尚诗录》。传世作品有《梅花金鱼图》《松菊图》《葫芦图》《蕙兰灵芝图》《枇杷图》等。

《梅鹤图》为纸本，设色，纵248.7厘米，横121.1厘米。有虚谷自题："辛卯春二月。虚谷。"钤"虚谷书画"朱文印、"耿耿其心"白文印。图中取梅鹤双清之意。梅树两株一直一曲，干皮的苍老、枝条的繁密，绘者以细碎的点与线表现。两只丹顶鹤前后立于树上，淡然闲适而昂藏真气。鹤的丹顶是整幅画最浓艳的部分。画面左下方的背景中，隐约绘出青绿山石，弥补空白梅与鹤造成的重量感。梅花可见白、粉、绿三色，和树干、山石等均用淡色点染。

《梅鹤图》尺幅较大，但能以"平淡"的绘画语言表现出中国文人的精神气质，是虚谷晚年技法纯熟的绘画精品。

《梅鹤图》藏于故宫博物院。

《墨松图》轴　清代文物。清代赵之谦的绘画作品，作于清同治十一年（1872年）。赵之谦（1829～1884年），字㧑叔、益甫，号冷君、梅庵，又号悲盦，浙江绍兴人。晚清著名书法家、篆刻家和画家，以绘画成就最为卓著，开创"金石画派"，是"海派"的前驱艺术家。赵之谦的书法师从丁敬、邓石如，并效法秦汉，独创一派；绘画如其书，擅写意花卉。传世作品有《瓯中物产图》《积书岩图》《闽中名花》《墨梅图》等佳作。有《六朝别字纪》《悲盦居士诗剩》《悲盦居士文存》《补寰宇访碑录》《仰视千七百二十九鹤斋丛书》《梅庵集》《勇庐闲话》《英吉利广东入城始》《张忠烈公年谱》等著作。

《墨松图》为纸本，水墨，纵176.5厘

米，横93.5厘米。画面左下方有赵之谦自署："同治十一年七月，梅圃仁兄大人属。赵之谦。"钤"赵之谦印"朱文印。画中描绘一段苍松，中央是粗壮的树干，周围是肆意生长的松枝以及松针。松树呈现古厚的韵味，是一件气魄很大的中堂作品。赵之谦在自题中强调，本幅中的松树，他参用了篆、隶、草三体的书写特征，与作者的书法风格同一格调。树干、枝条、松针以草书笔法表现，秉承了文人画豪放洒脱的传统。落笔圆厚，笔触无不透出书法中的高质量线条。用墨浓淡相宜，层次丰富。画上行书落款的碑版气息强烈，与画法相得益彰。

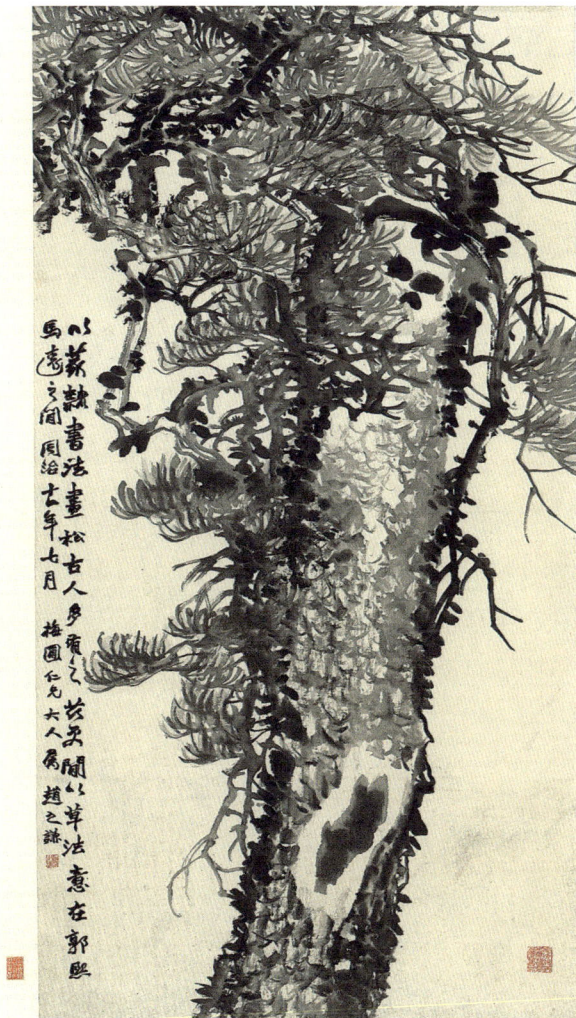

《墨松图》是赵之谦以书法入画的代表作，同时也是他少见的大手笔水墨之作。

《墨松图》藏于故宫博物院。

《苏武牧羊图》轴 清代文物。清代任颐的人物画作品，作于清光绪六年（1880年）。任颐（1840～1895年），初名润，字次远，号小楼，后改名颐，字伯年，别号山阴道上行者、寿道士等，以字行，浙江绍兴人。清末著名画家。自幼随父卖画，后从任熊、任薰学画，居上海卖画为生。在"四任"之中，成就最为突出，是海上画派中的佼佼者。代表作有《蕉阴纳凉图》《华祝三多图》等。

《苏武牧羊图》为纸本，设色，纵149.5

厘米，横81厘米。署款："光绪庚辰嘉平吉旦，山阴任颐伯年甫，写于春申浦。"画中人物造型比例准确，除保持了陈洪绶人物奇古伟岸的特征之外，还融汇了西洋画速写、素描的技法，线条凝练概括，具有力度，与主题相统一。色墨的渲染协调统一，尤其是羊群运用写意的手法，在黑、白、灰的墨色变化中准确地描绘出羊群的造型，同时也描绘出群羊因寒冷而挤作一团的情景，以此衬托出环境的恶劣，从而突出了人物的坚毅性格。

《苏武牧羊图》中苏武手持汉节，目光坚定自信，表现臣子不屈于困苦的忠贞气节。

《苏武牧羊图》藏于故宫博物院。

《三友图》轴 清代文物。清代任颐的人物画作品。

《三友图》为纸本，设色，纵64.5厘米，横36.2厘米。有任颐自识："锦堂、风沂两兄嘱颐写照，更许在坐（座），谓之三友，幸甚幸甚。"右上方有清光绪十二年（1886年）徐允临篆题"三友图"并识。画上诗塘位置，有钟德祥诗题并跋："不须对月自三人，自有须眉自写真。脱去头巾衣扫塔，似俞清老段祛尘。"跋语叙述了他受朱锦棠嘱托为《三友图》题诗之事，并且记下了画中人物信息，十分难得。图中为一组僧衣男子的坐像，背景为圆榻，榻上堆满书画，另有一插满画轴的画筒。图中三位人物，自左至右依次为朱锦堂、曾风沂、任颐。三人神态平和而自信，面部淡赭设色，人物衣纹变化丰富，时见飞白，三人抱膝而坐。只寥寥数笔，就描绘出了三人自若的神态。衣纹线条简练，折转有力，结构准确，并微以墨染，似山石之皴笔，大有岿然独

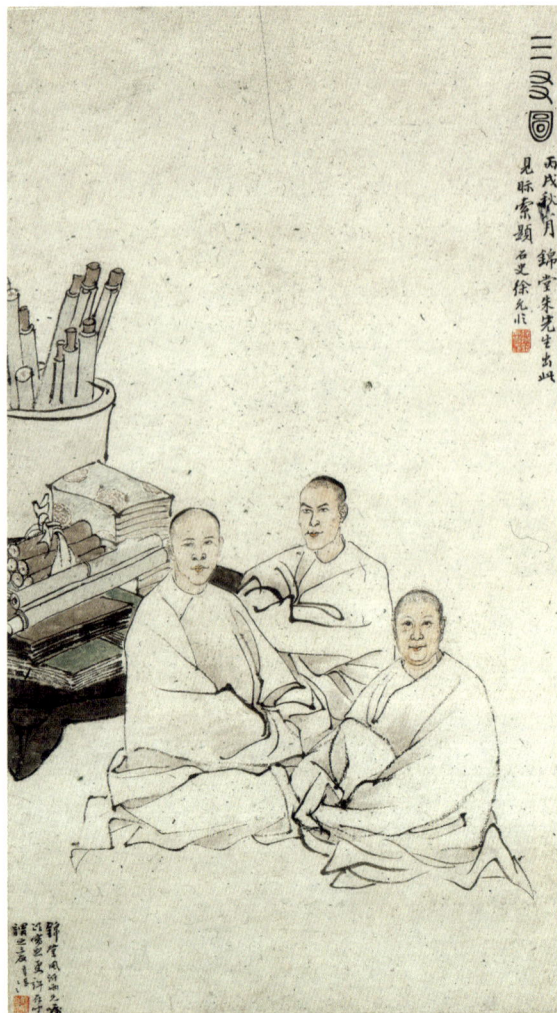

坐之意。

任颐精于写像，他曾为许多画家和朋友绘肖像，他认为"今所传者在神，不在貌也"。《三友图》充分体现了"神"字，人物面部用墨线勾出轮廓。《三友图》是任颐不多见的带有自画像的人物画。另有一卷藏中国美术馆的《东津话别图》，都是研究任颐的重要作品。

《三友图》藏于故宫博物院。

《紫藤图》轴 清代文物。清代吴昌硕的绘画作品，作于清光绪三十一年（1905年）。吴昌硕（1844～1927年），浙江安吉人。原名俊、俊卿，初字香补，中年以昌硕、仓石字行，或署仓硕，号缶庐、苦铁、破荷亭长等，

时人尊称以"缶翁"。晚清著名国画家、书法家、篆刻家,杭州西泠印社首任社长。著有《削弧庐印存》《吴昌硕印谱》《缶庐诗》《缶庐别存》《缶庐集》等。

《紫藤图》为纸本,设色,纵163.4厘米,横47.3厘米。图中右侧有题画诗:"繁英垂紫玉,条系好春光。岁岁花长好,飘(飘)满画堂。"款署"乙巳八月八日,安吉吴俊卿拟十三峰草堂",下钤"吴俊之印"白文印。图中描绘为花卉四条屏中的末尾一条,应是一轴气韵厚重的老藤。藤条盘绕回曲,已缠绕奇石数周,藤叶姿态舒展,以绿、黄、墨等不同颜色表现叶不同的生命特征。藤花无次第地开放,但并没有过多驻笔。对藤条的表现,更是带有篆书的感觉,线条质量高。

《紫藤图》以书入画的画风别开蹊径,对近现代中国画的创作有着深远的影响。《紫藤图》与同藏于故宫博物院的《苦瓜图》《荷花图》均为吴昌硕的绘画佳作。

《紫藤图》藏于故宫博物院。

第三节　壁画

《车马图》　秦代文物。1979年3～9月，陕西省秦都咸阳3号宫殿遗址出土。

《车马图》纵86.7厘米，横166厘米。所绘内容是一辆向北疾驶奔驰的马车。马呈枣红色，面部装白色当卢，带衔镳，颈有白轭。二骖马腰部有白色的装饰条，体外侧又有黑飘带一条，在奔跑中呈现飘动姿态。马后拉着车，车白色单辕，车盖如伞状，黑色。盖下有一黑色横带，其下为车厢。车厢有两白色方形窗，车厢后上角饰一黑飘带，右下角饰一白飘带。在车马图的下方还有黑彩几何纹样的装饰边。

《车马图》是中国已知发现最古老的壁画实物，是了解战国时期至秦代绘画技艺的重要资料。

《车马图》存于咸阳市文物保护中心。

《升仙图》　西汉文物。1976年6月，河南省洛阳市卜千秋墓墓室出土。此墓是一座西汉后期的空心砖墓，年代较早，属于郡级长官的级别，营建兼具牢固与细致，在墓门内额、后壁及顶脊上绘有壁画。

《升仙图》纵32厘米，横451厘米，位于墓葬主室的顶脊上。图中描绘天界和卜千秋夫妇升仙的场面。自画西端起，依次绘有蛇、日与金乌、伏羲、墓主形象、三头凤、腾蛇、白虎、朱雀、飞廉、龙、羽人、月与蟾蜍、桂树、女娲，各种形象间穿插云气。伏羲戴冠，面东合掌，着红色深衣。女娲造型与伏羲相类，高髻戴耳珰。墓男主人握弓踏腾蛇、女主人抱乌乘三头凤，二人向西。墓门内有一造型华美的人首鸟身神明，代表东方的主生之神句芒。

《升仙图》中形象雄健、奔放有力，代表墓主死后升天的愿望，反映汉代早期墓葬美术中的宇宙观。

《升仙图》藏于洛阳古代艺术博物馆。

《天象图》 西汉文物。1987年4月，陕西省西安交通大学附属小学西汉墓出土。

《天象图》纵约310厘米，横约240厘米，绘制在墓室墓顶。画分为三层，最中央的圆形内表示日月，金乌为太阳，兔和蟾蜍是月亮，周围填以彩云并用仙鹤点缀气氛。外围一周星宿带，宽度约40厘米，星宿分为4组，用四象区分，与中央的日月一并构成完整的天象图。星宿带之外有、仙鹤、蟾蜍、三足乌以及各种瑞兽，延伸到北壁上半部。

《天象图》是中国发现年代最早的天象图完整壁画，内容丰富，保存完好，反映西汉时期人类对天象二十八宿的系统认识，对于研究古代天文学十分重要。

《天象图》藏于陕西历史博物馆。

《二桃杀三士图》 西汉文物。1957年，河南省洛阳市烧沟61号汉墓出土。此墓是一座西汉晚期砖室墓。

《二桃杀三士图》纵23厘米，横110厘米，位于主室支柱上方的两条横梁上。图中共绘有13位人物，人物身份众说纷纭。郭沫若认为，其中

人物是《晏子春秋》中的"二桃杀三士"。其中三个壮士，一个按长剑左顾，一个做仰视状，一个俯视盘中的两个桃子。均身穿齐膝短衣，下身着大口裤，腰间配长剑，头部无冠。

《二桃杀三士图》画面生动流畅，资料丰富翔实，是西汉墓葬的珍贵实物。

《二桃杀三士图》藏于洛阳古代艺术博物馆。

《车马出行图》 东汉文物。1984年，河南省偃师县杏园村2917号墓出土。此墓是一座东汉时期的前后室砖室墓。

《车马出行图》纵60厘米，横1200厘米，位于前室的北、西、南三面墙壁上。画上描绘一队车马出行，共有9架安车、70余人、50余匹马。其中保存较清晰的人物、马匹约10处。从队首起依次是前导官吏、墓主、随从人员。队伍中的人员，可以识别出的有墓主人、御者、骑吏、步卒、伍伯等。

《车马出行图》的车队配置，人物的服饰、器具，都与《后汉书·舆服志》关于贵族出行的内容相吻合，为研究汉代物质文化提供可靠的佐证。

《车马出行图》藏于洛阳古代艺术博物馆。

《庄园图》 东汉文物。1971年，内蒙古自治区呼和浩特市和林格尔小板申汉墓出土。墓主为东汉王朝政府派往北方民族地区的重要官吏，历任西河长史、行上郡属国都尉和护乌

桓校尉等官职，负责管理少数民族事务。墓室中的壁画共有46组，57个画面，面积约100平方米，榜题250多项，700余字，描绘城池、粮仓、府舍、署吏、车马出行等，展现出墓主人的生平事迹。1976年，墓葬意外毁于地震，壁画无一幸存，遗存可见者为摹本。

《庄园图》纵188厘米，横289厘米，位于后室南壁，描绘一处山林中的大型庄园。图中北部有繁花盛开的山峦，农人正以二牛抬杠的方式进行耕种，旁边有谷堆以及运粮车。庄园中部房舍密集，有马厩、牛羊圈，圈中牛马健硕。在牛圈的东侧有一片菜田，其外可见散养的鸡、猪。庄园西部是桑林，有妇女正在进行采桑、沤麻等工作。画面东南是大面积的待耕区。

《庄园图》是和林格尔汉墓全部壁画中意义较突出的一幅。东汉时期，地方豪强势力有明显的发展。大地主占有大量土地，修建庄园，在经营农业的同时，进行畜牧、纺织、酿造等活动，自给自足，成为东汉经济生活的特点。大批破产、逃亡的农民成为庄园主的"徒附"或家兵。在《庄园图》中，可以看到为墓主人进行经济生产的农人和他们从事的方方面面，具有丰富的史料价值。

《庄园图》藏于和林格尔县盛乐博物馆。

《墓主画像及庄园图》 东汉文物。1971年春，河北省衡水市安平县逯家庄东汉墓出土。墓后室顶部有"惟熹平五年（176年）"题记确定了墓葬的筑造年代。

《墓主画像及庄园图》纵230厘米，横135厘米，位于墓前室、前室右侧室。南壁下部为墓主肖像及男女侍者。墓主人正面端坐、执麈凭几，旁边仅见两位侍女，画面简洁，形象突出。这种坐像可能与其时大族士人流行的清谈

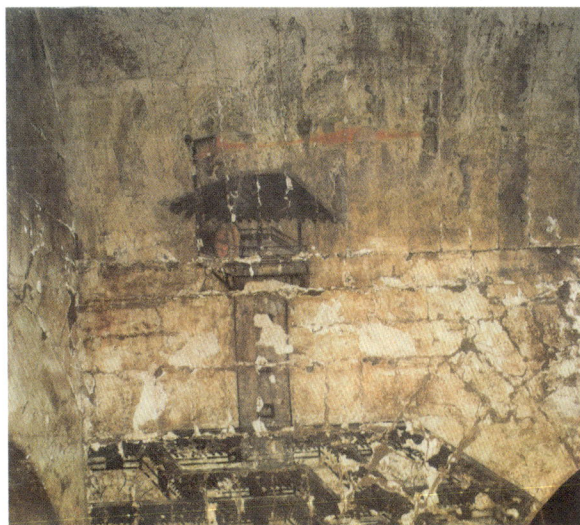

活动有关。前室右侧室北壁西侧是鸟瞰庄园图。院正门位于南面，进入大门，是一个长方形的院落。院落东西各有一排厢房，有小路从大门口通向厢房和两侧院落，还有一条较宽的路直通正北面的正厅。在前院的后面和左右两侧各有许多围墙隔开的院子，每个院子均有大门、厢房和正房。庄园最北面，有一座高大的望楼，楼顶是一个四面设围栏的方亭。

《墓主画像及庄园图》均是对墓主人生前生活环境的模仿，是了解东汉晚期社会生活、建筑形制的珍贵材料。

《墓主画像及庄园图》藏于河北省安平县汉王墓博物馆。

《屯田图与兵屯图》 三国时期魏国文物。1972年4月～1979年11月，甘肃省嘉峪关市新城3号墓出土。此墓是三国时期曹魏墓葬，墓主可能出身于当地大族。墓中有大量带有地域

特色的彩绘砖画，描绘农畜生产、墓主生活场景以及与军事有关的内容。

《屯田图与兵屯图》分布在3号墓的3个墓室内。前室壁画描绘墓主生前的生活状态以及兵屯活动；中室壁画描绘主人的宴饮场面；后室为侍女、绢帛、衾等表现寝室的图案。墓主人是一军事将领，砖画中绘有骑兵出行以及屯营、屯垦。在3号墓里，有两大幅突出地表现耕战场面的壁画被摆在前室南壁上端。南壁东侧绘一幅屯营图：图中间有一大帐，内坐一将军，为墓主形象。帐外有二侍卒。大帐周围绕以小帐三重，帐外戟盾森然。左侧为牙门，两侧各有牙旗三面。南壁西侧绘一幅兵屯图：图中上部有两列士卒正在操练，下部有二耕者，分别为鲜卑人与汉人。

《屯田图与兵屯图》是魏晋时期兵屯组织"且耕且守"的具体写照。

《屯田图与兵屯图》藏于嘉峪关市新城魏晋砖壁博物馆。

《宴乐图》 北魏文物。2005年7月，山西省大同市沙岭北魏壁画墓出土。此墓是已知唯一的北魏平城时期的完整壁画墓，保存有北魏时期最早的出土文献。

《宴乐图》横342厘米，面积约5.4平方米，位于墓室南壁，保存基本完整。壁画分上下两栏。上栏的神兽图案已经损坏。下栏分两层，上层有24位男性形象，下层中部绘一道"之"字形步嶂，将画面分为东、西两部分。东面是墓主夫妇宴饮图，墓主夫妇端坐屋中，屋前是二列跽坐宾客，还有伎乐队吹奏和舞蹈表演。西面所绘为宴会的准备场景，有粮仓、车辆、毡帐等。壁画笔法细劲连绵，设色典丽

秀润，充分展现出北魏年间的社会现实生活。

《宴乐图》填补了考古壁画没有北魏时期典型材料的空缺，具有极高的学术价值和艺术价值，为研究中国民族风情、丧葬习俗、服饰装备等提供宝贵的形象资料。

《宴乐图》藏于大同市博物馆。

《列戟图》 东魏文物。1978～1979年，河北磁县茹茹公主墓出土。墓的年代在东魏武定八年（550年）。茹茹公主姓郁久闾氏。"茹茹"亦作"芮芮"或"蠕蠕"，自号"柔然"，是当时西魏与东魏竞相婚好的对象。公主是可汗阿那瑰孙女、谙罗臣可汗女。出于政治需要，阿那瑰可汗在兴和四年（542年）让孙女邻和公主与东魏高欢九子高湛成婚，此时公主仅13岁，而高湛也只有8岁。

《列戟图》纵95厘米，属于茹茹公主墓墓道两壁仪卫图的一部分，东西两壁对称绘制，模式相同。以西壁为例，共4组14人，8人站

姿。《列戟图》所绘就是队伍中端坐的6人。他们持盾端坐于廊屋状的戟架之后，画中长戟的杆上饰虎头纹彩幡，上有锯齿状幡旒。幡上画虎头，表示主人的地位非常高贵。戟架上的硬山式屋顶是已知仅见的样式，可能是东魏时

期的独特形式。

《列戟图》布局严谨，人像比例准确，生动逼真，神怪皆作驰趋奔腾之状，满壁风动，敷彩艳丽，堪称北朝墓壁画墓之上乘，填补魏晋南北朝壁画中的缺失一环。

《列戟图》存于河北省文物研究所。

《出行图》 北齐文物。1979年4月～1981年1月，山西省太原市娄叡墓出土。墓主为北齐东安王娄叡。娄叡，鲜卑匹娄姓，简改称娄，是北齐武明皇太后的内侄。墓志记载娄叡是"太安狄那汗殊里"人。家祖本是大畜牧主，由于高欢借助与娄家的婚姻关系发迹，娄氏一家在北齐时成为显赫的外戚。娄叡随高欢"信都起义"，为北齐建立军功，先后封东安王、司空、司徒、太尉，天统二年（566年）封为大司马统领全军，次年为太傅、太师，兼录并省尚书事、并省尚书令，成为朝廷重臣。在东魏、北齐之世，他是一个很有影响的历史人物。娄叡卒于武平元年（570年）二月五日，葬于太原。墓室内常年积水，墓内有严重

的塌方，墓内壁画颜色脱落，污迹斑斑，有一部分壁画损伤脱落，且墓道两壁壁画上层的壁画出现严重的重叠和错位。

《出行图》位于墓道西壁的上、中层。由于墓道向下通向甬道，两壁为角度较大的三角形，画家按水平线将其分割成三栏，但所画内容却是一前后通连的长卷，即表现墓主人率众出行和回归的情景。西壁《出行图》，画三只奔犬当头引领，其后大队人马，浩浩荡荡。东壁则与此相呼应，也画几只奔犬，但表现为鱼贯而入之状。出行的场面主从有序，疏密相间，节奏鲜明。《出行图》和《回归图》大致相仿，分若干小段，每段都是前有导骑2人，后有主骑群组，各段又前后呼应，有连续性。主骑8人，头戴风帽，身着开领交衽长衫，穿长靿靴，皆挎长弓。中间年长者双目前视，其右1人回顾长者，其后6人同行，有的前视，有的左顾。马的躯干矫健，双眼炯炯有神，生动地描绘出机警劲健的猎马神态。壁画中广泛采用了色彩的渲染、明暗的映衬和远近、对比的手法，增强了人物形象的立体感和整个画面的真实感。其中画马的技巧完全摆脱汉墓壁画中的呆板形象，画出了生动的神采。

娄叡墓壁画，无论是对单一人物、马匹还是场景的还原，都有高度的写实性，同时在画面当中大量运用铁线描、晕染法、勾填法等，以淡彩微晕的平涂效果为主的手法对人物及马匹等进行了深入细致的刻画。娄叡墓壁画因其画幅丰富，保存完好，并拥有很高的艺术价值，成为代表北齐绘画水平的杰作。

《出行图》藏于山西博物院。

《举哀图》 北齐文物。1975年9～10月，河北省磁县东槐村高润墓出土。高润，字子泽，北齐神武帝高欢第十四子。天保初高洋称帝，封高润为冯翊王，历东北道大行台、尚书右仆射、都督、定州刺史。为人谨慎方正，习于吏职。"摘发隐伪，奸吏无所匿其情"。尝按举开府王回洛与六州大都督独孤枝侵占官田，受纳贿赂事。后迁尚书令，领录尚书，别封文成郡公。北齐隆化元年（576年）卒，死后赠左丞相。由于身份高贵，高润墓的规格可以代表北齐的皇家墓葬。

《举哀图》纵约280厘米，横约600厘米，绘制在墓道和墓室四壁。墓葬曾遭遇水泡，壁画损坏比较严重，但《举哀图》保持完好。图中所绘是墓主高润临终之际的场景。画面中央绘制一大型帱帐，而坐在其中的男子，应该就是高润。高润去世32岁，尚为一个壮年男子。画像中，墓主头戴折上巾身，蓄有胡须，着直裾便服，眯着双眼。帷帐两旁，12位侍者分为2组，为主人的离去感到悲痛。男侍皆头戴巾子，身着斜领窄袖长衣，腰系革带，佩挂香囊、宝剑，分别张举着翅葆、华盖等仪仗。他们双眉紧锁，表情忧郁。女侍紧靠着帐子的两侧，头挽高髻或裹纱巾，上身着圆领上衣，腰下系曳地长裙。东侧的女童手执崖尾，西侧的女侍作捧物进献的姿态。她们垂头、锁眉，呈现出哀伤的情绪。画面构图严谨，2组侍从在对称中又有参差变化，整个画面表现出哀伤的氛围。

《举哀图》反映北齐绘画的艺术水平。

《举哀图》藏于河北博物院。

《大朱雀图》 北朝时期文物。1987～1989年，河北磁县湾漳北朝壁画墓出土。墓的规格高于同时期的茹茹公主墓、高润墓、娄叡墓等，随

葬品的数量在同时期墓葬中也是最多的。

《大朱雀图》纵504厘米，位于墓甬道南门墙。画中描绘朱雀站立在莲花之上的姿态。朱雀的羽翼饱满展开，双眼凝视墓道，体现出保护神的英姿。在朱雀两侧，还有对称分布的莲花忍冬、祥云、凤鸟、羽兔以及神兽图案。

《大朱雀图》表现了墓主生前地位崇高，是墓主人死后精神世界的表达，生动再现了北朝时期的绘画艺术水平。

《大朱雀图》存于河北省文物研究所。

《宴享行乐图》　隋代文物。1976年2月，山东省济宁市嘉祥徐敏行夫妻合葬墓出土。墓主徐敏行，字纳言，恒山太守徐之范次子，历经梁、北齐、北周、隋四朝。北齐时，任来仪河朔开府行参军、太尉府法曹参军。北周时，仕途受挫，虽被任"司膳二命士"，但未赴任。隋文帝时，任正五品驾部侍郎，终不得志而卒。

《宴享行乐图》纵74厘米，横93厘米，绘于墓室北壁，再现了墓主徐敏行夫妇生前的宴饮场面。徐敏行夫妇手举高足杯，端坐于榻

上，榻两侧有垂挂的绛帐。女主人身后可见一隐囊。在主人背后可见一架山水屏风。从画面中，可见两位侍女。榻前是一位投入的胡人踢毬者，着胡装，髡发而耳上"妥其两髦"。毬用绳系于腰间，一腿屈盘上踢，两目注视踢起之毬，配合乐曲而舞动。屏风上所绘山水树木，着墨之后再敷彩浅绛设色，在隋以前的绘画中不曾出现。

徐敏行夫妇合葬墓是已知的10余座隋代壁画墓中唯一一座较完整者，隋代墓室壁画此前从未被发现，徐敏行墓壁画的发现填补了这一空白。《宴享行乐图》对研究隋代习俗及绘画有重要意义。

《宴享行乐图》藏于山东博物馆。

《仪仗队列图》　隋代文物。2005年3～12月，陕西省潼关市税村隋墓出土。由于墓志被盗，墓主身份不得而知。从墓中解体的线刻石棺、壁画内容和大量随葬品看，结合税村墓位于弘农杨氏家族墓地的情况，墓主应为隋代皇室高级成员。

《仪仗队列图》纵205厘米，横205厘米，绘于墓道东壁。画中有一队仪仗人物，共7组，计有46人、1匹马、1架列戟。每组人物之

间相对独立。人物服饰基本一致，裹黑色幞头，身穿圆领直襟窄袖过膝衫，衣襟开在身前右侧，系有黑色革带，穿白裤，乌皮靴。每人腰间挂仪刀、弓袋、箭箙、鞶囊和布囊等，手中握兵器或旗帜。在第6组的8人中，1人牵枣红色骏马，马身装具齐全，领队手拈笏板。第7组的人物手中有木质列戟架，插入9杆戟，戟装饰虎头纹彩幡，戟与架均绘红白色组合。

潼关税村隋壁画墓是中国隋唐考古史和美术考古史上的重大发现，是已知发掘的规模最大、等级最高的隋代墓葬，为探索隋代皇族墓地和高等级墓葬制度提供了线索。潼关税村隋代壁画墓的发现，填补了成熟的北齐壁画墓与唐代壁画墓之间的缺环，具有承上启下的关键性作用。

《仪仗队列图》存于陕西省考古研究院。

《佛寺图与道观图》 唐代文物。1972年，陕西省三原县唐李寿墓出土。李寿（577～

630年），字神通，唐高祖李渊的堂弟，谥号"靖"。隋大业末年，李寿响应李渊举兵反隋，并加入对宇文化及、窦建德和刘黑闼的战争，武德元年（618年）封为淮安王。但李寿的战绩不佳，还曾被窦建德俘虏，最后随从李世民平定刘黑闼。虽没有显赫战功，李寿却成为建立唐王朝的有功之臣，因此得到高祖与太宗的不断赏赐。唐贞观四年（630年）十二月，李寿卒于长安延福里第，享年53岁，葬于三原县，陪葬献陵。

《佛寺图与道观图》绘制在墓葬后甬道的东西壁上。由于盗扰、墓内积水等原因，损毁严重。图中可见殿堂、双阁，四周绕一围墙，正面辟门，门为栅栏板。殿内外有沙弥10余人，有的盘坐，有的合十伫立，有的在殿旁走动。道观图，周有回廊，正面辟门。院落以墙分为前后两部，墙上辟门，以便两院相通。后院有殿一座，仅余一角。殿内外有道士、女冠活动。前院有双阁，一阁内悬钟一口，旁有道士作撞击状，另一阁余局部，道观外有两名劳动者肩扛重物向道观大门走去。从遗存的图像可以发现，观者的视线是正向俯视建筑。

《佛寺图与道观图》是仅有的宗教建筑壁画遗存，体现唐代墓葬的发展过程，价值珍贵。

《佛寺图与道观图》藏于陕西历史博物馆。

《云中车马图》 唐代文物。1986年，陕西省礼泉县昭陵长乐公主墓出土。长乐公主为唐太宗第五女，名李丽质，为长孙皇后所生，贞观十七年（643年）逝世，年仅23岁，陪葬于昭陵。

《云中车马图》纵176厘米，横410厘米，绘于墓道南段，靠近出口。《云中车马图》共

有两幅，位置对称，大同小异。西壁保存较为完好，主题为导引升仙。图中车为红色，辕头雕龙首，双箱，前低后高，车顶置华盖，后两侧各插一红色旄旗。车前两马驾车，马皆缚尾扬蹄，驾车奔驰。二马之间一人着白色宽袖交襟长衫，挽髻。马右侧二人。车厢坐三人，厢中三人均着粉红色宽袖交襟长衫，不着唐人装束。其中一人挽髻，一人束发，一人戴莲花冠，有飘然长髯。车厢左下方绘一龙首鱼身的摩羯鱼，张口伸舌，鳍尾俱全。车后插唐制七旒黻字旗，车周遍饰流云。车前方可见青龙的尾部，表示正在引导云中仙车。

《云中车马图》藏于昭陵博物馆。

《肩舆图》 唐代文物。1994年10月～1995年6月，陕西省礼泉县昭陵新城公主墓出土。新城公主（633～663年），唐太宗第二十一女，逝世后，在众公主中唯一以皇后礼陪葬昭陵。

《肩舆图》纵207厘米，横315厘米，位于墓道东壁。壁画描绘仪列队中抬舆前进的场面。肩舆的主体模仿建筑，浅蓝色庑殿顶，红色方形橡头装饰，双层阑额，另可见5组一斗三升斗拱和4组"人"字形拱。从图像看，肩舆所本的建筑，面阔三间，带有卷帘，帘下绘3个

红、绿、青等杂色大花，两侧绘灰色网格的隔板。最下层又绘一周门图案。舆夫4名，前后各2人肩扛黑杠，装束均穿圆领紧袖长袍，腰束黑带，穿黑长靴，右侧两人袍为白色，左侧两人袍为浅蓝色，左前轿夫头戴毛边毡帽，腰系般革囊，其余3人戴黑幞头。肩舆是唐代贵族与官员造朝、入府、郊游的常备的代步工具，解决宫殿间和宫内外等中短途出行。

《肩舆图》展示唐代宫廷皇室贵族奢华浩大的生活场景，为研究唐代宫廷礼制提供翔实的图像资料。

《肩舆图》藏于陕西历史博物馆。

《轧筝图》 唐代文物。1990年，陕西省礼泉县烟霞镇陵光村韦珪墓出土。韦珪（597～665年），北周太傅韦宽曾孙，隋沈、陈二州刺史韦圆成之女。初嫁隋户部尚书李雄之子李友珉，后改嫁秦王李世民，贞观元年（627年）册封为贵妃，四月拜册"四夫人"（正一品）之首，先后生临川公主李孟姜与纪王李慎，永徽元年（650年）拜纪国太妃，随李慎出藩，麟德二年（665年）死于泰山封禅的途中，享年69岁。死后陪葬昭陵。其墓葬在昭陵已发掘的陪葬墓中规格最高。

《轧筝图》纵92厘米，横139厘米，是墓

北后甬道西壁一组乐伎图中一幅。壁画右侧为吹排箫者，人物高88厘米，坐毡毯之上，衣着为高领绿袖衫，套紫色对领半臂，系红色长裙。乐伎梳双环望仙髻，面贴花钿，目光右视。右手托轧筝斜放怀中，左手持琴弓。轧筝是唐代流行的拉弦乐器，但在表现伎乐的唐代图像中，出现得并不多。

《轧筝图》对研究盛唐时期的服饰、乐器、社会生活等方面有珍贵的历史价值。

《轧筝图》藏于昭陵博物馆。

《备马图》 唐代文物。1990年，陕西省礼泉县烟霞镇陵光村韦珪墓出土。

《备马图》纵150厘米，横140厘米，位于墓道第一天井东壁。壁画绘制二胡人形象，高100～107厘米。二人卷发，高鼻深目，居前的

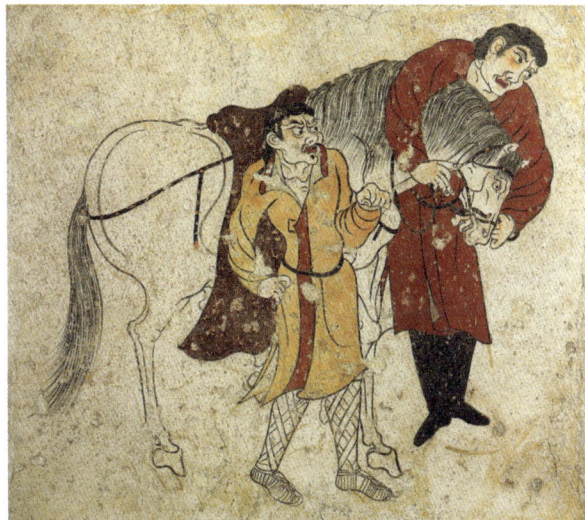

穿褐色翻领与斜纹裤，居后的穿深红色长袍与黑色靴。在二人之间的白色骏马，体长115厘米，高103厘米，筋肉健美，犹未驯服，红衣男子正夹住马颈、抓住缰绳试图控制，居前的人也向后拉扯缰绳。

《备马图》对研究唐代服饰、民族交流、社会生活等方面有重要的历史价值。

《备马图》藏于昭陵博物馆。

《嬉戏图》 唐代文物。1973年，陕西省礼泉县李震墓出土。李震（617～665年），字景阳，唐大将名臣李勣长子。麟德二年（665年），卒于梓州刺史任上，时年49岁。根据墓志铭记载，李震虽然没有陪葬昭陵的荣誉，但"听随其母陪葬昭陵"，才可以"葬于陵旧茔"。

《嬉戏图》纵100厘米，横66厘米，位于

墓道第三过洞东壁。图中所绘的是两个年轻侍女相拥嬉戏的场景，鲜活生动，意趣盎然，前者左手横持团扇，右臂长袖摇曳，手腕被后者左手拦腰抓握；后者右臂半屈，作欲抱前者腰际势。二人面容丰腴，凤眼朱唇，属典型的唐代美人，前者身穿素白色窄襦衫，红、黄相间条纹裙，外套朱色短裳，肩披深紫色帔巾；后者身着朱色上衣，深紫白色相间条纹裙。二人发髻为盛唐最为流行的高髻，前者梳双丫髻，后者梳双螺髻，是少女的代表形象，具有一种清新、活泼的气息。螺髻本是儿童发式，因其形似螺壳而得名，至唐代，成年妇女也开始梳起这种发髻，且十分流行。壁画中的二人体态窈窕，步履轻盈，腰肢稍弯，向同一方向微微扭动。前

者头稍后偏，迎合着后者的目光。二人动作优雅协调，配合十分默契，把两侍女亲昵嬉戏的情景表现得惟妙惟肖、淋漓尽致。从一个侧面反映唐代相对宽松、自由的宫廷生活氛围。

《嬉戏图》画面布局合理，构图完整，色彩清晰鲜明，人物各具风采又和谐统一，落笔设色，颇具匠心。画家在具体制作时先以墨线勾出轮廓，然后再行填色，用笔简洁明快，线条生动流畅，严谨之中有洒脱，细腻之中见奔放，充分反映唐墓壁画的绘制特点以及娴熟高超的技艺。

《嬉戏图》藏于昭陵博物馆。

《马球图》 唐代文物。1971年7月～1972年2月，陕西省乾县乾陵章怀太子墓出土。章

怀太子墓，为乾陵陪葬墓之一。墓主李贤，高宗第六子，武则天第二子，上元二年（675年）立为太子。奉命监国，曾集前贤所注《后汉书》。永隆元年（680年）被武则天放逐四川巴州。文明元年（684年）被逼令自杀，年仅31岁。中宗复位后，追赠李贤司徒，并以雍王身份，与妃房氏陪葬乾陵。景云二年（711年）睿宗又追赠其为"章怀太子"。

《马球图》纵229厘米，横762厘米，位于墓道西壁。整幅画面描绘唐代宫廷贵族日常生活中打马球的场面。马球，又称击鞠，由波斯传入中国，唐初开始流行宫廷，是一项带有军事性质的集体体育项目。图中可见20余位骑手。戴幞头，穿窄袖长袍，蹬黑靴，腰间束带。画面可分为竞技与观赛动静两部分。赛场上，5人左手执缰，右手执月仗，专注于眼前的红色丸毬；远处有10余位骑手，或伫立观望，或驰骋于山谷间，似为等待上场的球员。击球手分穿黑白两色服装，可能代表比赛的双方。马匹身形健硕，皆细尾结扎。画中以青山、古树为背景，表明这场马球活动在郊野展开，而不在正规的球场之上。《马球图》展示唐代画师高超的艺术造诣和1300年前中国已高度发展的绘画艺术水平。整个画面采用了鸟瞰式的散点透视法，通过一种大视角、全景式的描绘，突出表现5位击球手驱马奔突、争相击球的紧张场面。

《马球图》壁画的发现，不仅成为中国马球运动最早的记录，印证和补充文献记载的不足，还为唐代对外文化交流频繁的史实增添佐证，对了解唐代社会的习俗风情，以及进一步感知唐人崇尚健康、强力、竞争的社会心态和

大唐盛世昂扬的时代精神提供形象的帮助。

《马球图》藏于陕西历史博物馆。

东《客使图》 唐代文物。1971年7月～1972年2月，陕西省乾县乾陵章怀太子墓出土。

东《客使图》纵185厘米，横242厘米，在墓道东壁《狩猎出行图》之后。壁画表现的是番臣客使等候接见的情景。图中共有6人，左侧3人为唐官员，其余3人均是外邦使节。东《客使图》中唐代官员，头戴平巾帻，外加笼冠，身着绛纱单衣、白色裙襦，前系绶，后曳纷硇，足着岐头履。右侧官员，可见其手持上圆下方的朝笏。3人成三角形站立，视线在同僚身上，作商讨状，并没有看向外国使臣。这3位身着"具服"的官员，应是鸿胪寺卿及少卿。其余3位，依次是来自东罗马、新罗、靺鞨的客使。东罗马使者光头、浓眉深目，着紫色翻领外套，穿黑靴，双手叠于胸前；新罗使者头戴"骨苏冠"，身穿红领宽袖白袍，穿黄靴，作拱手状；靺鞨使者戴皮帽，穿圆领灰色大氅、皮毛裤、灰色靴。从整个壁画环境考察，结合李贤迁葬乾陵之事，这3位客使应是前来参加吊祭太子，正等待唐政府官员的引领。

关于3位唐代官员的身份，有学者认为他们是位在中书舍人、主客郎、给事中级别的三省官员，在接到鸿胪寺奏报的信息后，具体执行接待工作。而接见的场合，可能为大明宫麟德殿。东《客使图》中人物比例匀称，造型逼真，绘画技艺圆熟，生动反映了唐代时期政治稳定，经济发达，文化繁荣，民族融洽。

东《客使图》藏于陕西历史博物馆。

《观鸟捕蝉图》 唐代文物。1971年7月～1972年2月，陕西省乾县乾陵章怀太子墓出土。

《观鸟捕蝉图》纵168厘米，横175厘米，位于墓前室西壁南侧，是墓中一件比较别致的宫女壁画，表现宫女们在庭院中游戏的休闲时光。作为背景的是一棵细劲的矮树，根部的石块点缀出图中环境，似乎是人为营造的山水，供人游乐。3位宫女面向右侧，南面一侍女长圆脸，高髻，圆领对襟，袒胸，红披巾，绿长裙，云头鞋，右手握一棒，仰视飞翔的戴胜鸟。居中的侍女双髻，黄长袍，黄裤，尖头鞋，束腰带，带上系一小圆盒。她正屏气凝神，缓步接近树干，双手虽犹在袖中，但已经伸出去，准备捉住停在树干上的蝉，与前两名侍女的活动相比，树旁的灰色披肩侍女，两手交叉于胸前，托住披巾，正思索事情。3名女子各自活动，神态各异。画面线条圆润，衣纹流畅。

《观鸟捕蝉图》为研究唐代仕女画的艺术风格和发展变化提供翔实的图像资料。

《观鸟捕蝉图》藏于乾陵博物馆。

《阙楼图》 唐代文物。1971～1972年，陕西省乾县乾陵懿德太子墓出土。懿德太子墓为乾陵17座陪葬墓之一。墓主李重润，唐中宗长子，唐高宗时曾被立为皇太孙，后被废，大足元年（701年）被武则天杖杀，死于洛阳，年仅19岁。神龙二年（706年）追赠皇太子，谥号"懿德"，由洛阳迁至乾陵东南陪葬。

《阙楼图》纵296厘米，横304厘米，位于墓道东壁中段，在青龙图北侧，是一幅"三出阙"的建筑图。门阙各以"母阙"和"子阙"组成三出阙形式。每座阙楼由屋顶、屋身、平座和墩台组成。所画为四座庑殿顶阙楼，耸立在高大的墩台之上，结构宏伟，雕梁画栋，彰显皇家气度。屋顶为庑殿式，上有鸱尾。屋身

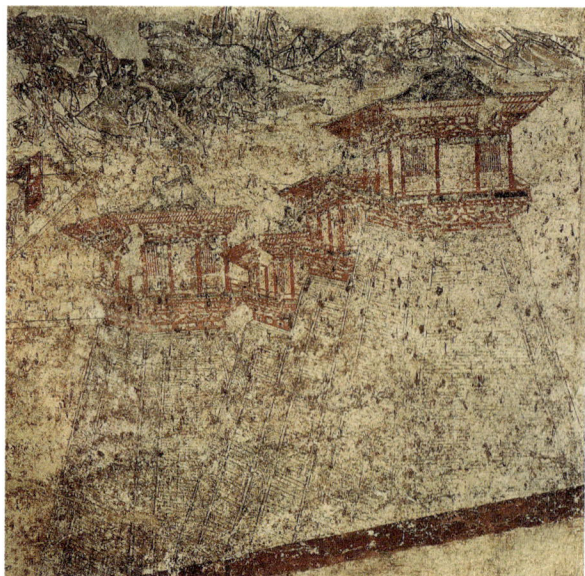

面阔三间，进深三间，大门居中，两边为直棂窗。墩台为砖石结构，中间为长方砖砌成，周围由石头包砌，饰以忍冬蔓草花纹。子阙与宫垣连接，城墙带有转角。墙外可见装饰性的青绿山树，墙内是即将出行的仪仗队伍。

隋唐以后，阙基本从中国建筑中消失。懿德太子墓《阙楼图》中的建筑，基本上是仿照东汉石阙的形制，但在建筑结构及外部装修等方面，却处处都表现出盛唐时期的手法和特点，是研究唐代建筑难得的珍贵资料。《阙楼图》的珍贵之处还在于，墓前室西壁顶部保存两处墨书题记："杨瓒珪""杨瓒珪愿得常供养"，杨辩陆可能参与懿德太子墓壁画的绘制，这在已知的唐代壁画墓中尚属孤例。

《阙楼图》藏于陕西历史博物馆。

《架鹰戏犬图》 唐代文物。1971年7月，陕西省乾县乾陵懿德太子墓出土。

《架鹰戏犬图》纵168厘米，横133厘米，位于太子墓第二过洞西壁。壁画绘人物戏犬之状。男侍浓眉络腮，头戴幞头，身穿圆领窄袖袍衫，脚着长靴，腰间佩饰弓囊，左臂架鹰，回首站立。右侧有一条猎狗，猎狗呈红棕色，尖嘴，双耳竖立，腿长身瘦，脖戴项圈铃铛，前腿抬起搭在男侍身上，狗后有一侍者拱手站立。人物身后画有树木。初唐时期，宫廷盛行猎禽，五坊中有雕、鹘、鹰、鹞坊，专门管理宫廷猎禽。民间盛行饲养鹰隼，"邠人家所育鹰隼极多，皆莫能比，常臂以玩"。鹰猎成为唐代皇室和贵族喜爱的一种游乐活动。墓前室顶部西侧有"杨瓒珪""杨瓒珪愿得常供养"11字墨书题记，为探讨壁画作者提供线索。壁画多用石青、石绿、石黄、朱磦、大

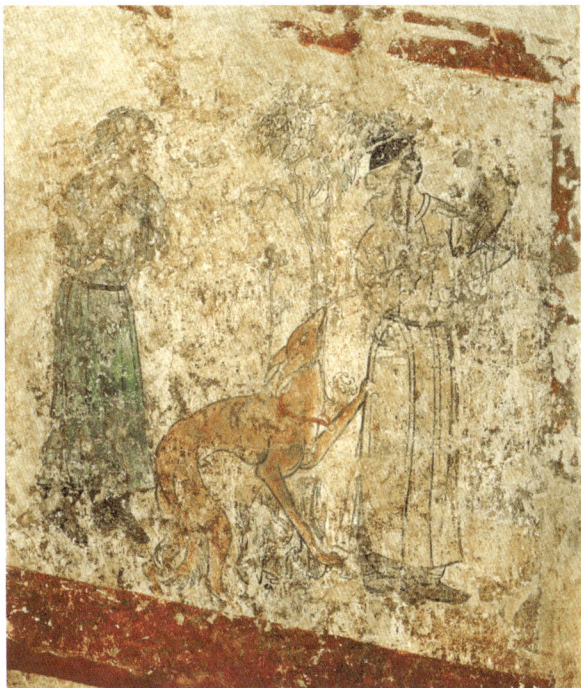

红、深红、金箔等矿物颜料着色，色彩丰富，画面生动形象。

《架鹰戏犬图》保存完整，布局严谨，绘画精湛，代表初唐时期人物、宫廷、山水绘画的时代风貌，为研究唐代宫廷生活和皇室丧葬陵寝制度提供重要资料。

《架鹰戏犬图》藏于陕西历史博物馆。

《宫女图》 唐代文物。1960～1962年，陕西省乾县永泰公主墓出土。永泰公主李仙蕙（685～701年），唐中宗李显第七女，武周大足元年（701年）与夫武延基（武承嗣之子）一同被武则天杖杀。神龙元年（705年）中宗即位，号墓为陵。神龙二年（706年），下令将二人合葬，陪葬乾陵。墓早年被盗，壁画有损毁。

《宫女图》纵179厘米，横210厘米，绘于墓前室东壁北侧，以枋额梁柱式建筑的红柱间隔出两幅画面。南侧为9人一组，北侧为7人一组。北侧7人中，为首者一人，梳高髻，手未

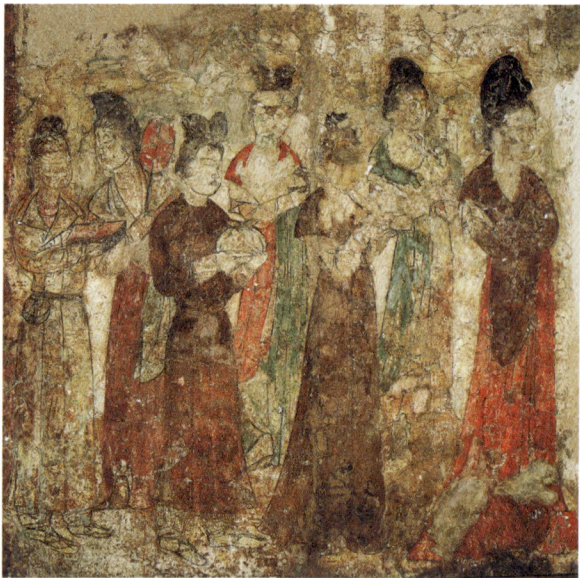

执物，披肩绕肩，双手交叉胸前，目光微侧，神情雍容端庄，似向对面一组宫女传情示意，显示身份较高，正率领其他宫女徐徐前行。其余宫女分别持方盘、食盒、烛台、团扇、如意等物随后而行。最后一位着男装。其他人均头梳高髻，阔眉小口，面颊丰润，肩披长巾，胸微坦露，身穿紧袖罗襦，长裙曳地。侍女身材修长，比例协调，彼此顾盼呼应，步履轻盈，是初唐时期典型的妇女形象。图中人像与真人等身，人物前、后、高、低参差排列，突破平列式布局。画面线条流畅，粗细均匀，色彩鲜丽，人物生动传神，场景开阔壮观。

《宫女图》为研究唐代仕女画的艺术风格和发展变化提供翔实的图像资料。

《宫女图》藏于陕西历史博物馆。

《孔雀图》　唐代文物。1995年3～12月，陕西省富平县宫里乡南陵村唐节愍太子墓出土。节愍太子李重俊，唐中宗第三子，神龙二年（706年）秋，立为皇太子。此时宫中武氏称制。景龙元年（707年）七月，李重俊率左羽林大将军李多祚、右羽林将军李思冲、李

承颍、独孤祎之、沙吒忠义等，矫制发左羽林及千骑兵300余人，杀武三思父子及党羽10余人。在进一步追灭韦后的行动中，遭遇部下倒戈，仅率其属百余骑奔终南山，至鄠县（陕西户县）西约5千米，为部下所杀。睿宗即位，追谥号"节愍"，陪葬中宗定陵。

《孔雀图》位于墓前甬道券顶壁画，绘制精细，保存较好。主要内容为彩云和瑞禽。瑞禽成对，每对飞禽皆以券顶正中为对称点，分列东西两边。从南向北计有仙鹤一对，凤凰一对，仙鹤一对，孔雀一对。孔雀之后的画面脱落不存。飞禽间和两边填绘彩云。凤凰分雌雄。东部凤头似龙头，十分硕大。小尖耳，圆瞪眼，大张口，看去较为凶猛，头顶似有冠，大部残去，颈毛弯若钢丝。蛇颈有上下双圈、中加形的饰纹。身躯和翅膀的羽毛似鱼鳞般短而齐整；翅膀边沿为扇状弯翘的长羽。从头至身躯皆为黄色，但耳根处点染成橘黄色，翅膀为黄绿相间色。尾部如三绺窄长的彩色旌幡，向后飘扬，上缀有小云朵状的纹样，以橘黄、黄、绿色饰染，非常华丽。骨骼凸出的双腿奋力后伸，尖利的鹰爪足，极富力度感。两孔雀各朝向墓口飞起，又突然都回首眺望。孔雀头部回转为正侧形，身躯半侧，平展双翅，似扑向壁面。东部孔雀头顶一枝花翎，圆眼灵动，蛇颈。身躯绿色的羽毛如鱼鳞般整齐，也如鱼鳞般光滑。一束长尾上，松针似的绿毛和黄色的"晴"相间，点点耀眼。双足隐去不见。

《孔雀图》保存完整，绘画精湛，代表唐代绘画的时代风貌，为研究唐代宫廷生活和皇室丧葬陵寝制度提供重要资料。

《孔雀图》存于陕西省考古研究院。

《**树石风景图**》 唐代文物。1995年3～12月，陕西省富平县宫里乡南陵村唐节愍太子墓出土。

《树石风景图》东壁纵100厘米，横150厘米；西壁纵70厘米，横110厘米，位于墓道的东壁与西壁的北部，是主体绘画马球场面的配景。主体绘画大部分已经脱落。东壁风景以近景的山石为对象，所绘山石、老树、坡丘，杂草，通过用笔体现了他们各自的特质。景物各有位置，疏密结合，布局和谐。西壁的画中，2块突兀的山石周围，有大片的草茵丛生，绘制手法与东壁一样。西壁风景画中，在短松枝头，可见寒鸦1只，增加绘画的艺术气氛。

《树石风景图》存于陕西省考古研究院。

《**侍卫图、树下褒衣人物图、四神图**》 唐代文物。1987年7月，山西省太原市金胜村焦化厂武周墓出土。

《侍卫图、树下褒衣人物图、四神图》位于墓室四壁及墓顶。侍卫图在门洞两侧，画中均是躬身、佩剑、持笏板的侍者，区别在于汉人双手执笏、胡人单手执笏。墓室其余三壁，以影作木构的形式仿造出一套完整的室内空间，而在柱间的空白处绘制人物故事、侍女、驼马人物等，呈现屏风画的效果。墓顶正中画玩结花幔。人物为侍女2幅、褒衣人物8幅、驼马人物1幅。侍女分别在东西两壁北端，东壁侍女双手持拂尘，西壁侍女单手握行障叉。8幅褒衣人物，是形式统一的传统"树下老人"模式，题材是孝子故事，如王襄"闻雷泣墓"，孟宗"哭竹生笋"等。驼马人物，位于北壁中央棺床之间。在墓顶四坡，绘制四神，点缀日月星辰。一胡人穿黄色团领窄袖衣，腰系黑带，下着黄裳，足蹬乌靴，执马鞭拱手躬身立于马前，身后为一马一驼，马身白毛黑斑，红鬃，鞍格齐备；骆驼曲颈昂首，背负行囊，表现出一副似乎远行归来的场面。

《侍卫图、树下褒衣人物图、四神图》将屏风画与仿木结构建筑壁画结合起来，用壁画来表现虚拟空间的意识，为研究武周宫廷生活提供重要资料。

《侍卫图、树下褒衣人物图、四神图》存于山西考古研究院。

《文吏进谒图》 唐代文物。1995年10月～1996年5月，陕西省蒲城县惠庄太子墓出土。惠庄太子李㧑，唐睿宗李旦二子，初名李成义。唐垂拱三年（687年），封恒王，后改封衡阳郡王，在中宗、睿宗朝历任司农少卿、右卫大将军、光禄卿、右金吾大将军，再封申王。唐玄宗即位后，避玄宗母昭成皇后尊号，改名㧑，历任行司徒、益州大都督、邓、虢、绛三州刺史。开元十二年（724年）病薨，册赠惠庄太子，陪葬睿宗桥陵。

《文吏进谒图》纵150厘米，横206厘米，

位于惠庄太子墓第一过洞西壁。图中描绘6位唐代文官进谒的场面。6人中，左侧首位脸部细节最为清晰，可见长须，涂红唇，虽表情严肃但神采奕奕。他戴武弁冠，冠上附带玉蝉，冠顶有貂饰，垂到冠前。穿曲领单衣，外罩绯红色长袍。双手持笏板，拱手前行。后面几人服饰大致相似，但只有首位官员的冠上附带玉蝉。与这组画对称，东壁同样绘制一组文吏图，构成大致相同。

《文吏进谒图》是唐代皇家墓葬中罕见的壁画，为研究盛唐时期宫廷的服饰典章制度提供难得的图像资料。

《文吏进谒图》存于陕西省考古研究院。

《山水六扇屏图》 唐代文物。1994年1月，陕西省富平县吕村乡唐墓出土。根据墓志记载，墓主人为唐高祖李渊重孙李道坚。

《山水六扇屏图》位于唐墓西壁。壁画为一组山水屏风画，共6幅，各自独立成景，互不相连。画面有损伤，但构图清晰可见。山势垂直而起，表现北方山水风格，树木、苔点均少，立体效果突出。左图近山渐远，为两山夹峙，中有水溪谷道，以"之"字形延伸到远方。远方山水隐约可见，与白云一起飘浮在天际间。右图由山下往山上看，为一高耸山峰，山体高大且垂直，有壁立千仞之感，山顶上还有墨笔勾画出的白云。其他4幅内容基本类似。壁画山水主体采用了水墨技法，用笔粗犷豪放；画山石先勾勒出轮廓，除个别远山采用平涂外，其内部用淡墨依山石走势，分层次、明暗关系涂抹，突出了山石的质感和山体的层次，有的缓曲，有的强直。远山的小树，不见枝叶，直接用墨染出，如同小墨团。

《山水六扇屏图》内容丰富，题材独特，为已知发现的唐代纪年墓中最早的山水屏风壁画，对研究中国山水画史有极其重要的意义。

《山水六扇屏图》存于陕西省考古研究院。

《乐舞图》 唐代文物。2014年3月，陕西省西安市长安区韩休夫妇墓出土。墓主人韩休（672～740年），京兆长安（陕西西安）人，字良士，开元初年为虢州刺史，后转尚书右丞。开元二十一年（733年）迁黄门侍郎、同中书门下平章事，同年十二月罢相，转为工部尚书。历司封员外郎、起居郎、中书舍人，迁礼部侍郎，兼知制诰。开元二十八年（740年）五月卒，年68岁。谥号文忠，追赐太子少师。宝应元年（762年），追赠太子太师，扬州大都督。代表作有《奉和御制平胡》《奉和圣制送张说巡边》《蔡汾阴乐章》等。夫人柳氏，出身河东郡世家大族，天宝七年（748年）卒，与韩休合葬于少陵原。其子韩滉，为唐德宗时期宰相，以绘画作品《五牛图》名闻天下。

《乐舞图》纵233厘米，横396厘米，位于墓室东壁。画面通幅以墨线勾勒，以玄黄、石青、石绿、石墨、赭红等颜色平涂，分男、女两部。女部为典型的唐人形象，男部为胡人形象，两部间有一男一女合乐起舞。画面左侧为4位仕女坐在方形地毯上，演奏笙、竖箜篌、拍板、筝乐器。毯前站立一名仕女，人物画面略残，手中未持乐器，推测可能是伴唱者。这位仕女左前方有一男子左手举起，右手拿一根竹竿扛在肩上。画面中间一对男女站在小圆毯上对舞。右侧有乐队，为胡人形象用竖箜篌、琵琶、铜钹、排箫等乐器伴唱。乐舞图背景为栽植有松树、芭蕉树、柳树的庭院。

饮酒、歌唱、赏乐、观舞，是唐代盛行的社交与娱乐生活。李宪墓、苏思勖墓、富平朱家道村唐墓、陕棉十厂唐墓中都发现绘有伎

乐、芭蕉、垂柳、松柏、乐器、地毯等题材的私家乐舞壁画，但均为一组乐舞，且乐队对面有观赏者。韩休墓男女双人合舞的乐舞图是已知首次发现。

《乐舞图》藏于陕西历史博物馆。

《山水图》 唐代文物。2014年3月，陕西省西安市长安区韩休夫妇墓出土。

《山水图》纵227厘米，横395厘米，位于墓室北壁东侧。壁画为通屏山水，鸟瞰式取景，画面完整，略呈正方形。主体为两山对峙的山谷，河流穿谷其中，画面四周群山环抱，山势陡峭。两山间各有草亭一处，圆形基台，庑殿式顶，一近一远，错落有致。画面上部正中以墨线勾勒太阳，藤黄涂色，红日当空，云蒸霞蔚。画面主体山石以墨线勾勒，用赭石、花青敷以轻墨，大笔淡彩依山势涂色。两山山脊处用橙黄色粗线条涂抹，绘画出阳光照射方向。草亭、翠竹、灌木、流水、云霞多用朱磦点染、敷彩。山水画中有亭子的改绘，符合一般绘画的改画方式。整体用笔粗放，设色雅致，构图疏朗开阔。

《山水图》是西安地区唐代壁画墓中首次发现的独立山水画，由墓葬装饰壁画变为绘画作品，在中国绘画史上占有重要地位。

《山水图》藏于陕西历史博物馆。

《乐舞图》 唐代文物。1952年2月，陕西省西安市东郊苏思勖墓出土。墓主苏思勖，又名杨思勖。罗州石城人。唐玄宗时期太监，曾任内侍员外、从事内侍省、银青光禄大夫、行内常侍、右监门卫将军、辅国大将军、骠骑大将军，封虢国公。开元二十八年（740年），杨思勖因病去世，时年80余岁。

《乐舞图》纵147厘米，位于墓室东壁。壁画中间为一舞蹈者，两边分为伎乐。舞蹈者是一深目高鼻满脸胡须的胡人，头包白巾，身着长袖衫，腰系黑带，穿黄靴，立于黄绿相间的毯上起舞。右面置一黄毯，上为一组由5人组成的乐队，分前后两排，前排3人跪坐，分持竖笛、七弦琴、箜篌等乐器；后排立2人，1人吹排箫，1人以右手平伸向前，未执乐器。左面亦设黄毯，毯上乐队由6人组成，分前后两排，前排3人跪坐，分持琵琶、笙和钹；后

排立3人，一横笛，一击拍板，另一人以左手平伸向前。奏乐者均戴圆顶黑幞头，衣着圆领窄袖四袄衫，腰间系有黑带，颧骨涂有淡红色。画面人物均以墨线勾勒。

《乐舞图》反映唐代各民族间友好交往、和睦相处的情景，是不同文化艺术交流与融合的生动例证。

《乐舞图》藏于陕西历史博物馆。

《胡僧图》　唐代文物。1985年，陕西省西安市临潼区唐庆山寺舍利塔基地宫出土。地宫年代为唐开元二十九年（741年）。

《胡僧图》位于舍利精舍主室东壁，为坐部乐伎图局部。胡僧形容消瘦，光头浓眉，高鼻深目，络腮胡须，颧骨高耸。身穿红色袈裟，身体侧向石帐而坐，口微张，神情庄重，右手屈指，左手手指微舒展，与敦煌第103窟盛唐维摩诘经变形象有相似之处。壁画线条流畅，技法娴熟。人物形象生动，造型准确。

《胡僧图》是研究盛唐绘画、乐舞艺术和中外文化交流的珍贵实物资料。

《胡僧图》藏于临潼博物馆。

《牡丹芦雁图》　唐代文物。1991年9月，北京市海淀区八里庄王公淑夫妇合葬墓出土。墓主王公淑（780～848年），字均，名公淑，太原人。由于王公淑夫人吴氏先夫而亡，王公淑是在死后4年合葬到夫人墓中。

《牡丹芦雁图》纵156厘米，横290厘米，位于墓室北壁，是一件类似屏风画的壁画。壁画保存相对完好，画左右上方有不同程度剥落。画面以盛开的牡丹为主，占据壁面中央，繁枝大叶，一窝九花，花头直径最小为12厘

米，最大约42厘米，其生植之态，僵仰俯侧，极尽自然意趣。牡丹花丛东西两侧绘相对的2只芦雁，东边的1只侧身昂立，头作正向，西边1只长颈前伸，羽毛略张。在牡丹花丛的右上方，另绘2只上下翻飞的蝴蝶，蝶翅上见有漂亮的花纹。画面下方两角，点缀秋葵和百合花，呈折纸花卉的美术样式。画幅基本采取对称式的构图，牡丹作为主要对象，置于画面中心。在壁画中，花枝绿叶先用墨笔双钩，用笔依枝叶结构顿挫启合，线条徐疾婉转，有的密密匝匝，有的地方则似连非连。填色也依阴阳向背而有变化，粗枝大叶之处并不完全受线条轮廓的规范，留给人生动的意象。大如磨盘的牡丹花头，在勾线填色之间或用退晕手法，表现出花瓣"披多而色洁"的内外层次。颜色与线条的表现力在芦雁的描绘上更见特点，勾线与敷色干净利落，且都在结构的紧要处下笔。头面胸突处的线条紧劲连绵，用色重拓，多次烘染。尾羽与双翅线条疏放，大色点拂，笔痕表露，颇有些后来意笔花鸟"写"的意味。

《牡丹芦雁图》在用笔用色上的突出特点，表明唐代花鸟画一方面是师摹自然，一方面对笔法的表现也十分重视。唐人的"笔不周而意周"不仅仅是一种画学理论的表述，而且是由笔法笔意的可感性所传达出的真实的审美体验。

《牡丹芦雁图》藏于北京市海淀区博物馆。

《陈设图》　五代时期文物。1995年，河北省曲阳县曲阳王处直墓出土。王处直，字允明，京兆万年人，兴元节度使王宗之子，义武军节度使王处存之弟，义武军节度使王郜的叔父，五代十国初期北平国统治者。

东壁上部绘山水，下部绘一长案，长案上摆满了墓主生前所用帽架、方盒，在长案的右侧放着一个三足镜架。镜架架足细长，上托一方形镜盒，架足及镜盒上绘有各式花纹，盒盖上饰有一只鸾鸟。据所绘镜架结构推测，可通过调节后足与前方两足的开合度来调整镜架高度及镜面倾斜度。西耳室西壁上所绘的镜架也置于一长案上。镜架下承方座，方座上立四柱，柱上有横着的托梁。托梁顶端为云头状，镜托为圆形盒状，稍向后倾斜。镜托边缘饰有花纹，中间的菱形格内及周边绘有牡丹花。两耳室内的镜架、镜盒一方一圆，再结合几案上的其他器物可推知方形三足镜架应为男性墓主所用之物，而圆形镜架应为女性墓主所用之物。

《陈设图》题材独特，绘画技艺生动娴熟，为研究五代时期社会文化、绘画艺术提供了重要依据。

《陈设图》藏于河北博物院。

《夫妇对坐图》　北宋文物。1999年8月，河南省登封城关镇黑山沟村北宋墓出土。墓葬年代为北宋哲宗绍圣四年（1097年），墓主名为李守贵，是当地有一定财力的乡绅。

《夫妇对坐图》纵134厘米，横77厘米，位于墓室西北壁，描绘墓主人夫妇对坐待茶的情景。居室上方装饰赭色幔帐以及青、赭色组

绶。居室中央是一张八直帐方桌，桌上最明显的器物是一对茶盏，夫妇二人各一，又有果盘两只。墓主人夫妇对坐于靠背椅上。男主人，作袖手状，头戴黑色无脚幞头，着淡黄色圆领窄袖袍，腰束带。女主人头梳高髻，裹褐色额帕，插步摇。身穿褐色褙心，搭红色抹胸，下着细百褶裙。二人背后立有两扇插屏式小屏风，从屏风后走出的侍女，手捧注子和注碗，准备侍茶。

《夫妇对坐图》存于河南省文物考古研究院。

《墓主宴饮图》 北宋文物。1951年1月，河南省禹县白沙镇赵大翁墓出土。白沙宋墓年代为北宋哲宗元符二年（1099年）。墓主赵大翁可能是地主，并兼营商业。

《墓主宴饮图》纵92厘米，横132厘米，位于墓前室西壁。壁画描绘男女对坐和桌椅等物的侧面。男子坐右侧，头戴蓝帽，身穿圆领蓝袍。女子坐左侧，梳高髻方额，身穿绛襦白裙。二人侧身坐椅上，观看东壁的乐舞。男女二像砌砖浮出，推测为墓主人夫妇之像。男女当中有一桌，为赭色，桌上放一注子，两盏，盏有荷叶托。男坐像身后画一屏风，屏风上绘水波纹。屏风左侧站立一侍女，露出半身，梳高髻戴簪饰，身穿窄袖绛衫，面南，双手捧黑色果盘，盛放有桃子。其前为一男侍，梳童髻，身穿圆领窄袖浅绿袍，双手捧青白色唾壶，站立男坐像旁侧。女坐像身后画一屏风，屏风上绘水波纹。屏风右侧站立一侍女，面北，露出半身，梳高髻，髻上戴团冠，身穿宽袖绛袍和白地赭条纹裙，露尖角鞋。其前站一侍女，高髻，髻编鬟饰，身穿窄袖蓝衫，衫下穿花裙，面北，双手捧圆盒，站立女坐像旁侧。壁画正中露白墙，墙上书草书，共15行，字迹潦草，除"不""车马"3字外，其余字皆无法识别。砖砌圆腿桌下画一黑色高瓶，瓶有座。男女坐像的椅下皆画有类似金银锭的图案。

《墓主宴饮图》藏于故宫博物院。

《吹奏图》 北宋文物。1951年1月，河南省禹县白沙镇赵大翁墓出土。

《吹奏图》位于墓前室东壁，描绘女乐共11人。右侧5人分前后两排立。后排2人：右者戴硬脚花额幞头，身穿圆领窄袖紫袍，面北，双手各持小杖作击鼓状；左者梳高髻，髻上戴白色团冠，身穿窄袖浅绛衫，面北，双手击拍板。前排3人头上皆戴硬脚花额幞头冠饰，右边者身穿圆领窄袖浅绛衫、窄腿蓝裤，尖角鞋，面北，双手击腰鼓；中间者身穿圆领宽袖蓝色长衫，面南，吹横笛；左边者身穿圆领宽袖绛色长衫，面东，吹筚篥。东壁右侧站立5人，后排2人：皆高髻方额，面南吹箫；左边者身穿窄袖蓝袖和绛色裙，右边者身穿绛衫。前排3人：左边者髻戴莲花冠，方额，身穿窄袖绛色长衫和裙，面南吹笙；中间者高髻方额，身穿窄袖蓝色长衫和绛色裙，面南吹排箫；右边者髻上戴花冠，身穿窄袖浅绛色长衫和白裙，露出尖角鞋，面南弹琵琶。画面正中为一女子头戴硬脚花额幞头，身穿圆领窄袖紫袍，面东，作扬袖起舞状。

《吹奏图》藏于故宫博物院。

《佛祖涅槃图》 北宋文物。2009年3月，陕西省韩城市盘乐村宋墓出土。墓葬年代为北宋晚期。

《佛祖涅槃图》纵86厘米，横245.5厘米，位于墓室东壁。壁画中央为佛祖释迦牟尼面西侧卧于宝床之上，神情安详。周围是佛祖十大弟子阿难等人，蒙面掩泪，捶胸哀号，礼佛痛哭。佛祖脚边有两位短须的汉装天人，一位抚摸佛祖左脚，另一位手捧香炉。画面右端是三位乐舞天神，以雅乐的形式为佛祖举哀。佛祖宝床边，画有两头狮子。左边一头后爪立

起，前爪紧扒佛床，向佛举哀；右边一头四爪着地，作奔走状。在人物上方，有17朵流星状花瓣飞落。

《佛祖涅槃图》准确而生动地表现佛教追求的至高境界，对于研究佛教图像具有重要价值。

《佛祖涅槃图》存于陕西省考古研究院。

《杂剧演出图》 北宋文物。2009年3月，陕西省韩城市盘乐村宋墓出土。

《杂剧演出图》纵86厘米，横245.5厘米，绘于墓室北壁，是一幅完整的杂剧演出图。图中共17人，乐伎12人，杂剧角色5人。画面南端有乐伎10人：6人笙箫、2人杖鼓、1人大鼓、1人拍板。画面右侧另有女乐伎2人，奏笙。画面中央的5人，则是杂剧角色，自左至右依次为引戏、诨裹、副净、副末、装孤。人物面部化妆细节一一再现。乐手在脸上敷粉，女乐伎的粉底之上还有淡粉色。5个杂剧角色中，左起4位引戏、副净2人、副末扮相滑稽逗笑，装孤者则是严肃扮相。演出团队的所有人幞头上簪花，反映宋代的"簪戴"风俗。

男乐师中穿团领大袖长袍或团领宽衫，裹长脚幞头或东坡巾。女乐师服对襟旋袄，颜色为黄色和蓝色。使用乐器的数量多，种类丰富，除常规的伴奏乐器筝篥、杖鼓、大鼓、拍板外，还出现笙。

《杂剧演出图》是一幅珍贵的戏曲图像文物，全面展示了北宋晚期杂剧演出的场面，从人员配置到服饰化妆，无不真实还原，为深入了解宋代宫廷杂剧向民间杂剧的转化提供重要依据。

《杂剧演出图》存于陕西省考古研究院。

《备茶图》 辽代文物。1993年，河北省宣化下八里村辽代张世卿墓出土。墓主张世卿，辽代归化州（宣化）清河郡人，汉族，地方绅士。辽代大安年间（1085~1094年）宣化遭灾，张世卿拿出谷物以解灾民之难。为此，皇帝特授其创业右班殿直，之后又累升到银青崇禄大夫、监察御史、支骑尉等官职。其子张恭谦任辽国枢密院留承，并与耶律氏通婚，是辽代"以汉治汉""辽汉亲善"的一个范例。

《备茶图》纵157厘米，横162厘米，位于墓后室西南壁。图中描述一侍吏手把茶盏，另一侍吏手持执壶向盏内冲汤，桌上置都篮、茶盂、盏托等器皿，桌下火盆中置一短颈执壶。与其相对是墓后室东壁的备经场面：两侍吏立

于方案前，一人双手将一黄色盘口汤瓶于案上，另一人右手指向墓内并回头与前者私语，案上摆着一个盝顶函盒和一个黄色熏炉，还有两摞经卷，以及一个黑色茶托上承一个白色茶盏。壁画造型准确，线条流畅，构图饱满，人物形象描绘动态逼真。采用墨线勾勒轮廓、内敷重彩的绘画手法，色彩华丽饱满。

《备茶图》画面生动，再现了选茶、碾茶、煮茶等一系列过程，以及茶道的器皿与工具，反映了当时社会对饮茶的热衷和流行，填补了中国古代茶文化研究实证的空白。

《备茶图》存于河北省文物考古研究院。

《打马球图》 辽代文物。1990年9月，内蒙古自治区赤峰市敖汉旗宝国吐乡丰山村2号墓发现。

《打马球图》纵50厘米，横150厘米，

位于墓室券顶，描绘辽代契丹民族的马球活动。人们手执球杖，在马上争夺飞起的红色马球。球手共计5人，其中有3人戴白帽，1人戴绿帽，另1人把头发盘系在头上。马的颜色分别为两白、两红和一黑，球门摆在两端。骑者有的神情专注，有的面带微笑，还有的举杖争抢，马匹或奔或驰，均呈明显的动态。

《马球图》补充了辽代马球运动的图像，为研究作为辽代国球的马球运动，以及当时的历史之文化、风俗习尚等提供珍贵资料。

《马球图》藏于内蒙古自治区敖汉旗博物馆。

《水墨山水图》 元代文物。1958年，山西省大同宋家庄冯道真墓出土。冯道真（1189～1265年），道号青云子。全真教道官，任龙翔万寿宫宗主，被封为"清虚德政助国真人"。

《水墨山水图》纵91厘米，横270厘米，位于墓室北侧。壁画右上题"疏林晚照"4字墨书。通幅绘幽美景致，远处丛山峻岭，群峰挺拔叠翠，林木葱郁，云雾缭绕山腰。山脚处河水潺潺，林木依山傍水，远处一叶扁舟与近处茅舍人家互为呼应。茅舍左侧绘3人协力拉帆。《水墨山水图》反映墓主人的生前生活、情趣和爱好。图中景致优美，意态生动，笔法流畅而苍劲，章法结构具有文人画的部分特色。

《水墨山水图》为研究元代绘画艺术，以及丧葬制度、民俗风尚等提供珍贵资料。

《水墨山水图》存于山西省考古研究院。

《堂中对坐图》 元代文物。1998年3月，陕西省蒲城县洞耳村元墓出土。墓葬年代是元至元六年（1269年）。

《堂中对坐图》纵175厘米，横300厘米，位于墓室西北、北、东北三壁。北壁部分图宽129厘米，图中墓主夫妇对坐于一座屏风前方，男主人面部丰满，唇上和颊下留须，眉目含笑。头戴折沿带披缨帽，身穿淡蓝色交领左衽束袖长衣，腰间扎系红色包肚，足着红色筒靴。左手触膝，右手轻拽衣襟，坐下一把黑色圈背交椅，双足置于椅前踏板。女主人面庞宽圆，眉分八字。头顶"姑姑冠"，身着红色左衽束袖极足罩袍，右手置膝，左腕轻搭于圈背交椅的扶手上，足下置有脚踏。主人夫妇身后立一黄色单扇大屏，屏底两侧装置斜向云头旋雕站牙。这件屏风横三段，由上至下依次为水墨山水图、雕荷面板以及一大块素面板。西北壁和东北壁的宽度分别是82厘米与89厘米，以向全画中轴对称的形式绘少年男女侍从，他们的身后有作为背景的条案和案上的器皿。男侍发型为蒙古人的"婆焦"式，身穿黄色左衽长衣，扎黑皮带，穿红色靴子。合手而立，左腕搭着一条拭巾，右臂夹着一杆蒜头杖。女侍辫发，穿蓝色短襦搭白色半袖衫，下身朱红色长裙。手中捧着三层漆盒。侍者背后的案子上，可见花瓶、玉壶春瓶、匜、红色盖罐、高足碗等，在二张条案下散落着许多类似银锭、银铤。《堂中对坐图》是整个墓葬壁画的中心，在《堂中对坐图》的正中央上方，有一块类似匾额的红板，上钩墨书题字："大朝国至元六年（1269年）岁次己巳。娘子李氏云线系河中府人，张按答不花系宣德州人，祭主长男闰童悉妇，二月清明日闭穴蹑个真。"

《堂中对坐图》是研究元代蒙古史及民俗、服饰、建筑的宝贵资料。

《堂中对坐图》存于陕西省考古研究院。

《醉归乐舞图》 元代文物。1998年3月，陕西省蒲城县洞耳村元墓出土。

《醉归乐舞图》纵182厘米，横214厘米，位于墓室东壁与东南壁。壁画描绘蒙古贵族宴罢欲归，随侍乐舞相娱的场面。画中共6人。北侧第一人身份较高，装束与墓主人相似，垂臂虚足，一副醉意朦胧之态。身侧侍仆留"婆焦"发，挽主人左臂，一副殷勤逢迎模样。后侧一侍，左手持盏，右手持玉壶春瓶，跨足向前。其余三人一人起舞，一人击掌，另一人怀抱"火不思"，正在运指弹拨。"火不思"又称"浑不似"，是流行于中国古代西北部的少数民族弹拨乐器，元代将之列入国乐。图中的献酒人、乐手、舞者、挽扶者，都在侍奉已醉的贵客，举止恭敬。图北侧与《献酒图》对应也绘有勾栏、湖石，南侧绘出两马，一马面向树干，抬蹄踏步，另一马面对树干，举蹄扬鬃。

《醉归乐舞图》中蒙汉文化兼收并蓄，为研究元代传统服饰、乐器等提供丰富材料。

《醉归乐舞图》存于陕西省考古研究院。

《进酒图》 元代文物。2001年7月19日～9月4日，陕西省西安市韩森寨元代韩氏墓出土。墓葬年代为元至元二十五年（1288年），墓主人韩氏是一位汉族富户。

《进酒图》纵80厘米，横140厘米，位于墓室西壁。画面一端为一张高腿方桌，桌上有盘盏、花瓶等器物。桌子两旁共表现5位侍女，正从桌上取放酒食去侍奉北壁的墓主人。5位侍女发式、装饰、手中物品各不相同。侍女间的动作体现出交流而有序的状态。画面构图讲究，人物衣纹流畅，之间疏密有致，体现了元代民间画师的熟练水平。

《进酒图》为研究元代绘画以及音乐、建

筑等提供丰富材料。

《进酒图》存于西安市文物保护考古研究院。

《讲道图》与《升仙图》 元代文物。1993年，河南省登封市王上村元墓出土。

《讲道图》纵104厘米，横84厘米；《升仙图》纵99厘米，横82厘米，分别位于墓室的东壁与西壁。《讲道图》构图简洁，远景为高山飞瀑，近景为山间小路，中景是大片的水雾。小路上有二人正在谈话。居左的白衣人，头戴皂色软脚幞头，身着宽身左衽黑边白袍，腰束长带，足穿黑履。右手牵一头黄牛，左手指向前方。谈话的另一方，是一位蹲坐大石上的黄衣男子，头戴皂色筷头，身穿黑边黄袍，腰束黑带，左手置膝上，右手略抬。《升仙图》远绘青山、白云，近绘古树与山涧。左下方绘黄衣人，衣带随风飘起，拱手做相送姿态；白衣人足下踏一道云气，已飞升至半空中，神态安详，左手置胸前，右手拂袖，衣带微飘，回首下视黄衣人，情似道别。壁画采用

工笔与写意结合的手法，线条细腻流畅，色彩浓淡分明。

《讲道图》与《升仙图》保存完整，绘画精湛，代表元代人物、山水绘画的时代风貌，为研究元代宗教发展、丧葬制度提供重要资料。

《讲道图》与《升仙图》存于郑州市考古研究所。

《夫妇并坐图》 元代文物。1991年7～10月，内蒙古自治区凉城县后德胜村元墓出土。

《夫妇并坐图》纵70厘米，横210厘米，位于墓室北壁。男主人位于画面正中，端坐于卷云形单扶手椅之上。面部圆阔，长眉细眼，上唇及颌下均留有黑色短须。头戴黄色盖笠式盔形圆帽，外穿灰色右衽半袖长袍，内穿深黄色长袍，左手握一黑色木棍，右手向上置于胸前，脚穿黑色靴子。男主人两边各端坐一位衣着华丽的妇人，应为男主人妻妾。右边妇人身体微微前倾，脸形宽圆，面部安详，略显呆板。双手插在袖内。外穿对开式白地黄花半袖

短衫，领部用浅绿色镶边，内穿黑色左衽长袍，领口及袖口亦用浅绿色镶边。腰系红带，垂至膝下。左边妇人略显清瘦，面部端庄，双手插在袖内。外穿浅灰色对开式半袖短衫，内穿黄色右衽长袍，领口用浅绿色镶边。腰系红带，垂至膝下。男主人身后两边各站一名男侍者。右边侍者圆脸大耳，头戴有后帘的浅黄色盖笠式盔形帽，外穿红色右衽半袖长袍，内穿黄绿色衣服，腰系绿色腰带，双手紧握仪仗。左边侍者面向右偏，眉毛向上面部威严，头戴有后帘的浅黄色盖笠式盔形帽，外穿深蓝色右衽长袍，双手托物于胸前。妇人两边各站一女仆。右边女仆阔面大耳，面无表情。梳双丫髻，扎红绸，外穿白地黄花对开式半袖短衫，内穿深蓝色左衽长袍，红色腰带飘落两边，双手捧一褐色唾盂。左边女仆身体微倾，面部略显清瘦，大耳，梳双丫髻，外穿白地黄花对开式半袖短衫，内穿绿色右衽长袍，灰色腰带飘落两边，双手捧一红色唾盂。两女仆后边各有一对正在摆列用品的女仆。右边一组女仆站在黑色方桌旁，桌上放有黄色执壶等物。桌后站着的女仆面容清瘦，梳双丫髻，扎红绸，外穿黄色对开式半长袍，领口为浅绿色，双手执一玉壶春瓶。在桌子、几与内框的空隙间，还分别对称绘松柏和桑树等植物。

《夫妇并坐图》中的蒙古族服饰是研究元代蒙古史及民俗、服饰的宝贵资料。

《夫妇并坐图》藏于内蒙古博物院。

第四节 版画

《梵文陀罗尼咒经图》 唐代文物。唐至德二年（757年）刊行。1944年，国立四川大学基建时，发现一座小型唐墓，该图位于墓主右臂的银臂钏内。这座唐墓的年代下限，根据墓主口含、手握的"益"字开元通宝钱，可定在唐武宗会昌年间（841～846年），因这一段时间出现了短暂的"州钱"现象。《大随求陀罗尼咒经》是一部广受欢迎的密教咒语，宣讲只要听读传布，即可得诸种功德。唐僧宝思惟、不空译为汉本。

《梵文陀罗尼咒经图》纵31厘米，横34厘米，塞填在墓主右臂的银臂钏内，保存较好。在画面右侧空白处，刻有一行题字："成都府成都县……龙池坊……匠卞……印卖咒本……"图中央一方格，有一菩萨像，身八臂，执法器坐于莲座上。围绕方形中心画面，刻有天城体梵文书17周，图最外侧刻16座菩萨像，间有契印、宝器等图案，三部分共同组成一坛场状。

《梵文陀罗尼咒经图》反映中国古代早期版画的实用性，此类版画的刊行，使佛教得以大为推广。此图也是中国较重要的一份唐代印刷珍品。

《梵文陀罗尼咒经图》藏于中国国家博物馆。

佛教版画残片 唐代文物。佛教版画残片，唐代刊行。此残片是日本大谷探险队在新疆哈拉和卓所获的考察品，后辗转于1929年进入关东厅博物馆。大谷探险队共三次前往西域，都曾到过哈拉和卓，但考察这三件残片的入藏时间，应是由橘瑞超领队的第二、三次探险所获。收集品保存在中、韩、日的多家博物馆、寺院、大学，也有的收藏于私人处。1929年，关东厅博物馆对大谷收集品进行了整理，这三件版画残片正式入藏。1937年，日本有光社出版了总结性的《新西域记》，其中带有一份详细的《关东厅博物馆大谷家出品目录》。

佛教版画残片最大者纵28.8厘米，横18.8厘米。版画有三种形态，从左至右为：单身坐

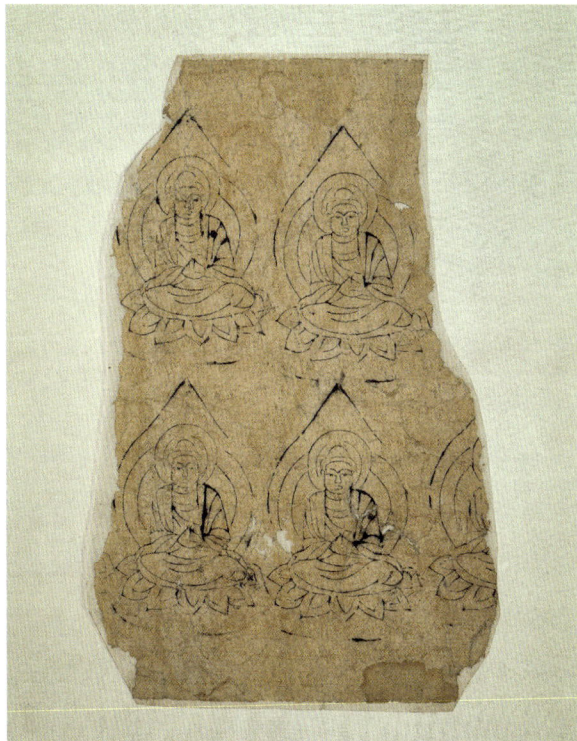

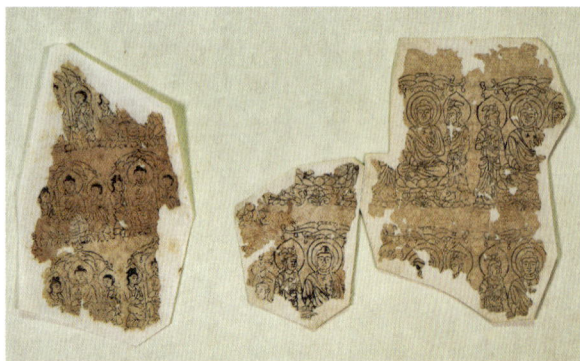

佛，结跏趺坐，施禅定印，有圆形头光；一佛二菩萨像，佛施接引咒，着偏袒袈裟，善跏趺坐，二菩萨身向内而跪，双手合十，均有头光，身后有华盖；一佛二菩萨，佛结跏趺坐，施接引印，带双圈头光，菩萨立于莲座，桃形头光，身后有华盖。线条简洁流畅。三件版画均为排印的形式，能够最大效率地使用纸张和印版。

哈拉和卓地区，在吐鲁番东南，塔克拉玛干沙漠的北道，是历史悠久的多文化汇集地。从高昌城的遗址中，可以恢复其有寺院和作坊的存在。这就为本地制造纸版画的推测提供了证据。唐义净《南海寄归内法传》卷四载："造泥制底及拓模泥像，或印绢、纸，随处供养。"所以将这样由泥质或木质的印版，捺印在佛经之上，是一种简便的供养方式。

佛教版画残片藏于辽宁省旅顺博物馆。

《大圣文殊师利菩萨图》 五代时期文物。五代后唐同光二年（924年）刊行。英国人斯坦因在敦煌藏经洞发现。文殊师利菩萨，属于菩萨造像部。菩萨信仰是佛教净土信仰中十分重要的一个内容，这一角色的存在，可以充当信徒与佛之间的桥梁。在壁画、绢本或纸本卷轴画、版画、造像上，均有表现。

《大圣文殊师利菩萨图》纵26.8厘米，横15.8厘米。画面两侧是题字："大圣文殊师

利菩萨，普劝志心供养受持。"画周边有双边栏，上下两栏分别为图文。画面主体呈三角形构图，人物神态安详。文殊菩萨骑狮，手持如意，身后光焰向四方辐射。狮爪踩莲花。菩萨左右分别是牵狮人与童子。牵狮人身西域装束，分腿挺立；童子作合掌拜谒状。图下栏的文字部分，是对文殊菩萨的介绍以及"五字心真言"：阿（上）啰跛左曩，以及八字真言："唵（引）阿味啰吽（引）佉左络。"文字部分倒数二行"对此像前，随分供养"，表示图画可随时用来供奉。

《大圣文殊师利菩萨图》不仅印证中国古代科学技术的发展历史，也是中国美术史上的重要资料。敦煌版画题材中的文殊师利菩萨，

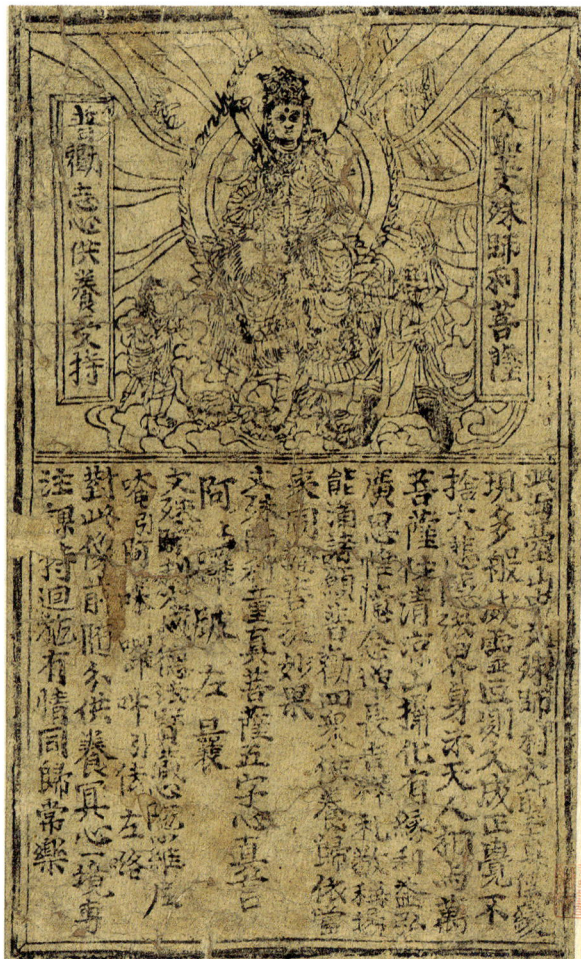

自唐代以来广泛流行于当地。菩萨图像伴随着大乘佛教的传入与普及而发展起来，随着有关经典相继译出，为中国工匠理解印度佛像和制作本土化图像提供了依据。

《大圣文殊师利菩萨图》藏于中国国家图书馆。

《证类本草》插图　北宋文物。北宋大观二年（1108年）刊行。《证类本草》全名《经史证类备急本草》，唐慎微编著，约在北宋神宗时成书。《证类本草》在《嘉祐本草》和《本草图经》的基础上，采纳240余种文献而成。名为"证类"，是指唐氏在每条药目下辑录有经史文献的相关著述，以病证为类，配以药物插图。言其"备急"，源于唐慎微医者初心，能使病患有所依据。全书共31卷，罗列药用之矿物、植物、动物等门类，共计1746种。具体到书页的设计，唐慎微在保留《嘉祐本草》《本草图经》的文本和药图基础上，加入他续添的证类部分，并重新收入历代文献所删去之药数百种。《证类本草》完稿后未能刊行，而其初刊，是北宋大观二年（1108年）的修订本《经史证类大观本草》，政和六年（1116年）又刊行《政和新修经史证类备用本草》，这两种版本成为后世《证类本草》的两大系统。其中《大观》系统存图922幅，《政和》系统存图931幅，而《政和》本由于刊行时遭"靖康之变"，被金人带去北方，在明代流行，成为《本草纲目》编纂的参考资料。

此幅《证类本草》插图题为"椰子"。图绘椰子树及枝干、叶子及果实2枚，描绘了椰子这一植物的性状。书中的药物插图，线条清晰、结构准确，与考据严谨、标识清晰的文字部分相得益彰。

中国的中医文献中，本草类文献是一大类，而北宋成书的《证类本草》是这一文献脉络的重要节点。在早期本草类文献多散佚的情况下，该书以其所辑丰富的文献资料和大量配图，备受重视。此书保存了大量宋之前的抄本本草史料，为后世的校勘工作提供了很大便利。

《证类本草》插图藏于中国国家图书馆。

《东家杂记》插图　北宋文物。北宋刊行，南宋中期补版。宋代孔传撰，杨端、王子正等刻。孔传生于两宋之际，北宋仙源（山东曲阜）人，字世文，自号杉溪，孔子第47代孙，官至中散大夫，历官奉议郎。《宋史·艺文志》记载孔传著有《阙里祖庭记》三卷，其他《杉溪集》《续尹直文枢纪要》《洙南野史》已不存。

《东家杂记》共上、下二卷，是记述孔子事迹的史志。南宋绍兴六年（1136年），孔传为《东家杂记》写序，推知《东家杂记》当撰成于此前，为已知最早的刊本。南宋中叶补版《杏坛图》据郑振铎考证，可能为后来补版，至迟不会在1200年之后。孔子多为静穆、庄重的仁者形象。该《杏坛图》与至顺本《事林广记》中《夫子杏坛图》画面类似。其《杏

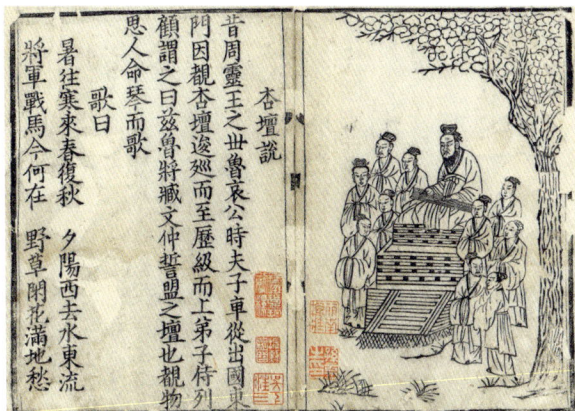

坛图》位置正在《文艺类》子类《琴》中，可见此图确与琴书有关，《东家杂记》中《杏坛图》当非原创。《东家杂记》插图左下钤有"丽南楼藏""孙育之印"二藏书印，表明此刊本经历了明代孙育的收藏。

此幅《东家杂记》插图纵19.8厘米，横13.9厘米，题为《杏坛图》。图中孔子端坐于杏坛高处，神情专注地抚琴，杏坛两旁站立着他的十余位弟子。右侧绘一粗壮杏树，枝繁叶茂，荫遮整个讲坛。画面构图严谨、人物传神，古朴有趣。杏坛者，意为万世师表立教之地。

随着印刷业和木刻版画的发展，先秦两汉诸子著作得以传播和普及。据张秀民在《中国印刷史》中统计，宋版可考的唐宋别集和古代文集总集，有260余家，虽多已佚，但仍可窥见宋代子、集两部书版刻插图之一斑。书籍中出现了孔子像的插图和表现孔子事迹等的连环图画。

《东家杂记》插图藏于中国国家图书馆。

大字《妙法莲华经》卷首图　南宋文物。南宋庆元年间（1195～1200年）刊行。《法华经》全名《妙法莲华经》，是一部重要的大乘佛教经典。该经的汉译本以鸠摩罗什弘始八年（406年）完成者最为流行，共8卷28品。第一卷所绘的是《序品》和《方便品》。

大字《妙法莲华经》卷首图，人物集中在画面右侧。佛居中，坐莲座之上，左右伴随天王、帝释，并有文殊与普贤从天而降。从画面的构图及表现手法来看，佛教体系内的佛、菩萨、天王等以释迦牟尼为中心，按照修行的层次高低对称排列。

宋代印刷技术发达，宋室南迁后，临安由于迁来了汴梁的工匠，得以继续发展。中央和地方官府、学宫、寺院、私家和书坊都从事雕版印刷，数量多，技艺高，印本的流传范围很大。印制的佛经也急剧增多，自唐代开始，印制佛经就有卷首绘画。北宋初宋太祖刻印《大藏经》，自此刻印佛经的风气盛行。两宋刻印的佛教印画，均以浙江所刻为最多。佛教印画进入了成熟阶段，而其中刻印表现《法华经》内容的版画尤多。排版形式多样，有7卷仅用首页一幅，也有7卷各配一幅。

大字《妙法莲华经》卷首图藏于中国国家图书馆。

《孔子祖庭广记》插图　南宋文物。南宋淳祐二年（1242年）刊行。孔元措撰，马天章绘。孔元措，山东曲阜人，字梦得，金承安二年（1197年）袭封衍圣公，《金史》有传。《孔氏祖庭广记》之《孔子乘辂图》，曲阜孔氏刊本，为此书遗存最早刻本。《孔氏祖庭广记》是孔子第五十一代孙孔元措于金正大四年（1227年）根据前人资料编纂整理，将孔氏家谱与《东家杂记》合著并续编成一书，共12卷。书成后初版刻于金都南京（河南开封），后散佚。南宋淳祐二年（1242年），孔

元措增补校正，重雕此书，述金皇统、大定、明昌以来崇奉孔子的故事，记录了有关孔氏宗族的历史情况，"祖庭事迹、林庙族世、古今名号、典礼沿革之始末，并列于篇，粲然完备"。《孔氏祖庭广记》原藏曲阜孔氏，清乾嘉时期孔氏将其赠予其婿何元锡，何元锡后又转让给黄丕烈，其后几易其手。《孔氏祖庭广记》钤有"丕烈""荛夫""士礼居""汪印士钟""阆源真赏""绶珊经眼""瞿印秉渊""祁阳陈澄中藏书记""郇斋"等印，生动再现了此书的收藏源流。

此幅《孔氏祖庭广记》插图纵21.9厘米，横14.5厘米，题为《孔子乘辂图》。绘孔子率众弟子出行，人物众多，排列有序，孔子端坐车中，端庄肃穆。画面构图严谨，刀法劲练，线条明快。

《孔氏祖庭广记》元代刊刻本传世数量极少。书中插图是中国蒙元早期版画插图的精品。历代帝王尊孔崇儒，充分体现了各个时期人们对孔子的不同认识和理解。蒙古族入主中原后，儒、道、佛并尊，《孔氏祖庭广记》之《孔子乘辂图》，充分体现了各个民族间文化信仰融合发展，是后世研究孔子和曲阜史地的珍贵资料。

《孔子祖庭广记》插图藏于中国国家图书馆。

《梅花喜神谱》插图　南宋文物。南宋景定二年（1261年）刊行。宋伯仁撰绘。宋伯仁，字器之，号雪岩，湖州（属浙江）人，曾任盐运司属官，能诗，尤善画梅。《梅花喜神谱》初刻于宋嘉熙二年（1238年），原刻本不见传世。后景定二年（1261年）由金华双桂堂重刻，遗存仍属孤本。双桂堂系民刻书坊，已

知所见刊刻仅有此谱，刻工不详。全书分上、下两册，是中国第一部专门描绘梅花种种情态的木刻画谱。因梅花在宋时俗称为"喜神"，故名《梅花喜神谱》，共收录100幅图，画面阳刻，用墨印成，表现出墨梅的艺术效果，又有绘画临摹的画谱功能。《梅花喜神谱》明时为文徵明收藏，在卷首可见其两处印记。清初，这部书在常熟藏书家钱曾处，其《读书敏求记》卷三有著录。后经黄丕烈、于昌遂、潘祖荫、潘仲午、潘树春父女递藏，最终归吴湖帆。吴潘夫妇二人对这本花谱格外珍视，还留有"吴湖帆潘静淑夫妇所藏海内孤本宋刊梅花喜神谱之印章"，吴之书斋"梅景书屋"，亦由此而来。

此幅《梅花喜神谱》插图纵14.6厘米，横10.2厘米。卷前有原刻宋伯仁自序及双桂堂重刻序各一篇，卷后附向士璧跋及菜绍翁跋各一篇。图中四周双栏，外粗内细，白口，版心上下有一双鱼尾，上鱼尾下书卷数，下鱼尾下书页码。目录半页八行，每行书二目。原版半页一幅，左二行刻五言诗一首，字作欧体，题名横列于右上，题名下为梅花图。分别绘出蓓蕾、小蕊、大蕊、欲开、大开、烂漫、欲谢、

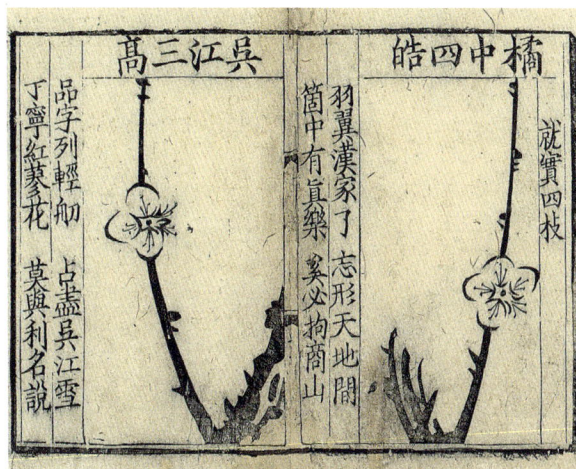

就实等梅花的种种形态。

《梅花喜神谱》具有珍贵的历史、艺术价值。

《梅花喜神谱》藏于上海博物馆。

《荀子》插图　南宋文物。南宋刊行。《荀子》原名《纂图互助荀子》，20卷，战国荀况撰，唐杨倞注。荀子（约前313～前238年），名况，战国末期赵国人，中国古代著名思想家、文学家、政治家，儒家代表人物之一。《荀子》是战国后期儒家学派的重要著作，内容涉及哲学、政治、道德、逻辑等诸多方面，"礼"是荀子哲学思想的核心观念。

此幅《荀子》插图纵18.8厘米，横12厘米，题为《天子大路图》，描绘了天子出行时的宏大场景。右竖题"天子大路图"，图中上方竖题"玉路"二字。上图下文，图文之间由一条单边横线隔开。上图绘天子乘驾的马车由6匹马牵引，天子身后分列6名侍从，马车造型纹饰和人物神态服饰描绘写实，刻画精细。下文刊刻《礼论》篇中对"礼"的重要论述。

两宋时期宗教、儒学类书籍刻本大量出现，如《荀子》《礼记》《道德经》《周礼》《论语》等被广泛刊刻。上图下文，图文并茂的排版形式被普遍使用，推动了书籍刊刻插图艺术性的发展进程。

《荀子》插图藏于中国国家图书馆。

《碛砂大藏经》插图　南宋文物。南宋绍定四年至元至治二年（1231～1322年）刊行。《碛砂大藏经》（简称《碛砂藏》）是一部刊刻跨宋元的大藏经，最初刻经地在南宋平江府碛砂延圣院（后改名碛砂禅寺，在苏州吴县澄湖之上）。关于《碛砂藏》的开雕时间，据日本奈良西大寺保存的《碛砂藏》中《大般

若经》卷一所记，南宋嘉定九年（1216年）已开始刊刻。中途遭遇寺火、政权更替等原因，刻毕于元至治二年（1322年），至明初才完成补配版。全藏共591函，按《千字文》排号，始于"天"而止于"烦"字，共6362卷，辑录自两晋至宋的佛经1521部，延续了北宋《崇宁藏》创制的折装式装帧，以竹纸印行。

《碛砂藏》保存有大量的佛经版画，每卷卷首均有说法图一幅，共用几种图样重复使用。此幅插图刊于《碛砂藏》卷首，纵28.3厘米，横44.4厘米。有印度画风，人物众多，线条繁密，富于装饰意味。在画面左、右下角分别署"陈昇画"和"陈宁刊"。

作为宋版大藏经中的最后一部，《碛砂藏》于1924年在西安卧龙寺现世，随后经书移交陕西省立第一图书馆保存。20世纪30年代，影印宋版大藏经会以陕西省馆所藏为底本，商借四方，印成全赞500部，遂广为流传。

《碛砂大藏经》插图藏于陕西省图书馆。

《南无释迦牟尼佛像图》　辽代文物。辽代刊行。1966年6月，应县木塔（全称山西应县佛宫寺释迦塔）三层的佛座之下发现，共3件，出于同一印版。该图折叠存放在一花式银盒中，是卷起的状态，盒中还有七宝、佛牙舍利。调查人员推测，该银盒是从四层主像的

中柱顶端一凹槽内取出，被放在三层佛座下。关于版画的年代，释迦塔始建于辽清宁二年（1056年），综合塔内文物的年代，这3件版画的年代应在辽金之间。

《南无释迦牟尼佛像图》纵95.8厘米，横62厘米。绢画所印内容为佛祖说法，佛端坐在画面中下的莲座上，双手扶膝，众弟子簇拥两侧，有正书题字"南无释迦牟尼佛"。画面呈中轴对称形态，其制作是以漏印法多次完成。将素绢对折后用镂孔版夹紧，于镂孔处先后染红、蓝二色，由于受压处不着色，共同形成彩色图案，然后刷以黄色，再以单线勾勒五官、衣领，简言之就是"木刻半版，折叠印刷"。

元至元六年（1340年）刊行的、朱墨双色印刷的《金刚经注》曾被认为是中国已知最早的彩色套印画，而这3件辽代单版彩印画的发现，使中国使用彩色套印的历史又向前有所推进。敦煌五代版画中，已有填彩的加工方式。从填色到单版漏印，真实反映了中国彩色版画

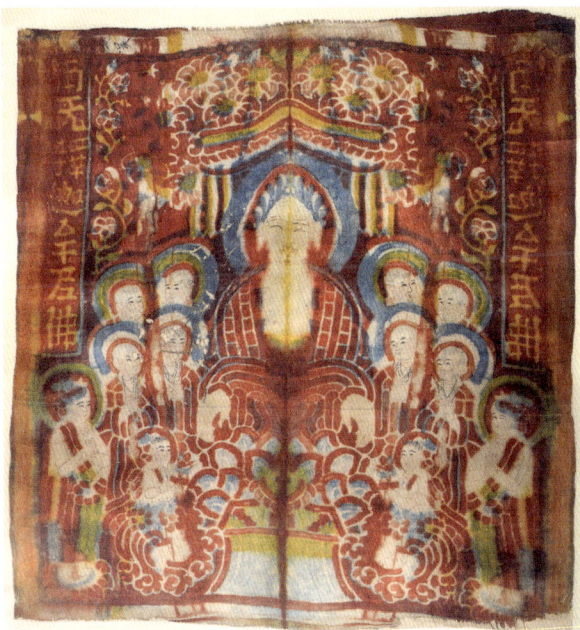

技术的初期情况。

《南无释迦牟尼佛像图》存于山西省雁北地区文管会。

《金藏》卷首图　金代文物。金皇统九年至大定十三年（1149～1173年）刊行。1933年，上海高僧范成在山西洪洞（赵城）霍山广胜寺发现。《赵城金藏》（原称《金版大藏经》，简称《金藏》）是继中国首部刻经——北宋《开宝藏》之后的又一部汉文佛教大典。据山西绛县太阴寺保存的元大德元年（1297年）《雕藏经主重修太阴寺碑》记载，《赵城金藏》雕刻工程始于金皇统八年（1148年），至大定十八年（1178年）刻成，历时30年，近7000卷。刻经的主持人是北宋末期解州天宁寺崔公法师及其接替者崔法珍，崔公法师主持了28年直至金大定十六年（1176年）去世，而后的工作由崔氏完成。金末元初，《赵城金藏》部分经版毁于兵火。约在元太宗窝阔台八年（1236年），耶律楚材主持补雕缺损经版。补雕后的经版基本上恢复《赵城金藏》旧刻的内容。1933年，山西省委派出部队秘密转移《赵城金藏》刻经，并于中华人民共和国成立前夕交北平图书馆接管，又经过近16年的修复工程，终于使这部经典得以妥善保存。经过整理统计，确定《赵城金藏》遗存4957卷，用卷子装，每版23行，每行14字。

《金藏》每卷卷首均有佛说法图一幅。此幅属于第一百二十五卷，纵26厘米，横48厘米。画右侧有"赵城县广胜寺"题字一行。图中佛位于近中央的位置，施说法印，坐于须弥座上，佛身后有头光和背光。佛周围围绕十大弟子，两端各一力士。该图中人物的袈裟，运

用了粗实的黑色线条，增强了衣着的立体感。

《赵城金藏》的原刻版式除千字文编次略有更动外，基本上是《开宝藏》的复刻本，保留了蜀版《开宝藏》的许多特点，无论在版本或校勘方面，都具有较高的价值。该版画是中国北方版画的优秀作品。郑振铎评其风格为"大胆而泼辣地表现佛的极乐世界"。

《金藏》卷首图藏于山西博物院。2009年6月，这部珍贵刻本入选第二批国家珍贵古籍名录。

《事林广记》插图　元代文物。元至元六年（1340年）刊行。《事林广记》原题《纂图增新群书类要事林广记》，陈元靓撰。陈元靓（1195～1264年），福建崇安人，著有《事林广记》《岁时广记》《博闻录》等。《事林广记》成书于宋理宗端平年间（1234～1236年），宋刻本已不存，存世最早的为元至顺年间（1330～1333年）建安椿庄书院刻本。此后又有元至元六年（1340年）郑氏积诚堂、元陈氏积善堂、元余氏西园精舍等刻本，卷次、内容与建安椿庄书院本多有不同，有增广和删改。其中建阳郑氏积诚堂本，共42卷43门类，内容涉及天文、地理、节令、文艺、器用、军阵、音乐、医药、伦理、宗教、衣食、植物等多个方面，是研究中国古代社会、经济、文化、地理等的重要史料，被后世称为"日用百科全书"。

至顺本《事林广记》卷十二《农桑类》中收有插图四幅，四图分为两组，一组是《耕获图》，描绘了耕种、收获二景；一组是《蚕织图》，描绘了养蚕、纺织二景。两组合二为一，与《农桑类》类目符合贴切，构思精巧。此处选《蚕歌图》纵18.6厘米，横11.8厘米。经过画家构思和布局，将养蚕、制丝等各个步骤的生产过程放在一个庭院场景中。画面右上竖题"蚕歌图"三字，通幅采用白描手法，从院外前景到室内中景再到屋后的树木山石、天空云彩，空间层次感强，疏密有致。院内假山、花木、狗畜等细节的描绘生动写实，整体画面黑白对比鲜明，多情多趣地展现了当时社会生产和家庭生活的场景。

《事林广记》首创了类书附载插图的体例，开元明建阳书坊刊刻插图本日用类书之先河，增强了其通俗性、趣味性和普及性。至明代，建阳书坊的刻本几乎无书不插图。版式上，从宋元时期较为单一的上图下文，发展出文中嵌图、单面大图、合页连图、月光版图等多种版式；版画风格从早期古朴向绚丽转变。至明万历年间（1573～1620年），建本版画技艺发展到了巅峰，与徽派版画争奇斗艳，开创了郑振铎称誉的中国古代木刻画史上"光芒万丈的万历时代"。

《事林广记》插图藏于北京大学图书馆。

西夏文《现在贤劫千佛名经》卷首图　元代文物。元代刊行。1917年，在甘肃灵武发现。该批文献除一部分散佚外，基本为京师图书馆所藏。1932年发行的《国立北平图书馆馆刊》第4卷3号中，周书迦作了简介："……经背表糊杂用西夏文《大智度论》《菩萨地持经》等文，又有他经佛象（像）一页，画译经之图。"1973年，史金波重新查阅北京图书馆馆藏西夏文献时，见到了这幅译经图，并撰文考订为珍贵的元刻本《西夏译经图》。

《西夏译经图》纵27厘米，横25厘米，呈方形，中有折痕一道。图中僧、俗人物共计25位，基本为左右对称，在主要人物旁均有西夏文题记，共计12条。图上部的帷幕上有横款一行，汉文译为"都译勾管作者安全国师白智光"。白智光是西夏惠宗李秉常时期的高僧，封号为"渡解三藏安全国师"，是西夏佛经

翻译的组织者之一，此图中位于中央作讲经状者，应该就是其形象。白智光两侧的款识译为"辅助译经者僧俗十六人"，即他身旁的僧人与文职官员，计有4排16人。图像较为生动地反映出他们不同的年龄、相貌和神态，表现了庄重严肃的译经工作。图的下方还出现了"子明盛皇帝"和"母梁氏皇太后"两人及其侍从。据史金波考证，这二人是西夏惠宗皇帝李秉常与其母梁氏皇太后。

《西夏译经图》对于西夏的历史与文化研究，有很高的价值。皇太后与皇帝亲临译经现场，突出印证了西夏统治者对佛教的重视程度。从国师的地位和现场的环境可以看出，皇室对高僧的礼待，以及佛事的扶持。图中官员的服饰、桌案上的器物，为了解西夏时期的物质文化提供了一定参照。《西夏译经图》是国内已知所见唯一一幅反映译经场景的图像资料。作为一幅表现具体事件的图画，《西夏译经图》构图完整，人物众多，场面浩大而层次

分明，显示出精致的雕版技术，可视为纸上的壁画。该图入选第一批国家珍贵古籍名录。

西夏文《现在贤劫千佛名经》卷首图藏于中国国家图书馆。

《乐书》插图　元代文物。元代刊行。陈旸著。陈旸（1064～1128年），字晋之，福建人。宋哲宗绍圣元年（1094年）中制科，授顺昌军节度推官。宋徽宗时期修成《乐书》，官至讲议司参详礼乐官，进鸿胪太常少卿、礼部侍郎。《东都事略》卷一一四、《淳熙三山志》卷二七、《宋史》卷四三二有传。《乐书》记录较多已散佚的唐、宋及以前的音乐文献，对音乐思想、音乐理论、乐器等都有详细的说明，共200卷。宋神宗熙宁、元丰（1068～1085年）年间开始编纂，宋徽宗建中靖国元年（1101年）成书，历时40余年。庆元六年（1200年），由陈旸的后人陈侯歧刊刻发行。《乐书》已作定论并通行的4个重要版本有宋刊本、宋刻元印本、宋刻明印本、元至正七年福州路儒学刻本明递修本。

《乐论》全书插图517幅，涉及乐器、乐律、舞姿、舞器、舞位、乐器排列、五礼等多个方面，形象生动地展示了当时乐器形制、舞蹈规模、发展演变等。此幅插图名为"矛

舞"，纵21.3厘米，横15.8厘米，是《鞮师篇》的插图。矛舞属于胡乐的一种，陈旸在《乐书》第一百七十三卷至一百七十四卷的《胡部》里第一个介绍到了矛舞。《周礼》里记载，舞师、龠师、旄人、鞮师均是教夷乐的掌舞之官。此篇"矛舞"插图左侧竖排三列刊印文字阐释了礼治与夷狄乐的关系。插图右侧为一胡人呈站立舞蹈状，左手持矛，双足分开，双膝微弯自然半蹲，面部微微上扬，衣饰圆领宽袖。插图以阳刻为主，单线勾勒，线条流畅，人物面部表情刻画写实逼真，形象栩栩如生。

《乐书》对诸如占城（越南中南部）和渤泥国（马来西亚）等国的异域音乐也有记载，对了解其他国家地理位置、民俗文化、舞蹈乐器、文化交流等具有重要的文献价值。

《乐论》插图藏于中国国家图书馆。

《金刚经》卷首图　明代文物。郑振铎收藏。遗存经文部分是残本，图画部分基本完整。鬼子母信仰，自西晋时期传入中国，宋代开始有较为丰富的文献记载，如《东京梦华录》等，清《秘殿珠林》中多记为"揭钵图卷"。

《鬼子母揭钵图》横133厘米，是为明永乐年间（1403～1424年）单刊本《金刚经》配置的卷首图，未署名，十纸相连，以长卷的形式表现鬼子母揭钵的佛教故事。画面中央是稳坐的释迦牟尼，座前为扣鬼子之钵，以透视的效果呈现。佛祖左侧，鬼子母诃梨帝指挥群鬼救子，众鬼形象各异，场面激烈、紧张，与佛祖之安然形成对比。而画卷的结束部分，鬼子母已降顺，与子匍匐，授佛五戒。图中人物繁

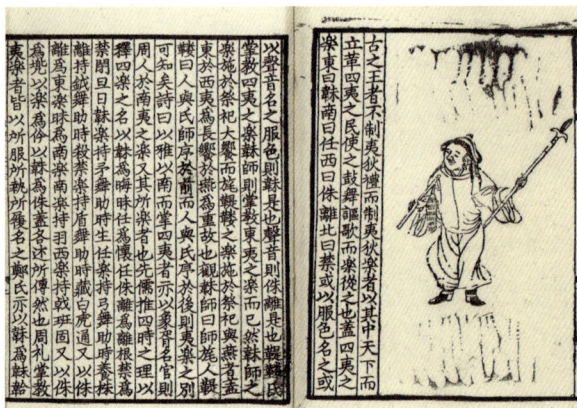

多，神态动作一一生动，在流云的点缀下，成为完整的故事。

明代为中国版画史上的繁盛时期，题材广泛，绘刻俱精，雕版佛经及单幅佛像、长卷佛画也多有问世。《鬼子母揭钵图》为佛教版画巨作，从中可以看出木刻版画继承了宋元时期的木刻版画风格，并有所发展，可以窥见这个时期木刻版画的艺术成就提高到了新的水平。

《金刚经》卷首图藏于中国国家图书馆。

《观音经普门品》卷首图　明代文物。明永乐年间（1403～1424年）刊行。《观音经普门品》卷首图纵27.5厘米，横19厘米，图右侧的题记为："应以居士身得度者，即现居士身而为说法。"按《法华经普门品》所说，观音菩萨普度众生时，会顺应各类人物示现出32种化身，其中第14种为"居士身"。此图表现的就是观音以居士的相貌现身的场面，在文献中称"居士应"。《三藏法数·居士应》："谓若诸众生，爱谈名言，清净自居，菩萨即于彼前，应现居士身而为说法，令其成就也。"图中自上而下、由远而近地描绘"居士应"，构图饱满繁复，线条细劲。远端为观音形象，近处是其所化身的居士形象，而相应的人间居士面对听法，有童子伴其左右。人物间点缀云气、树石、香炉等。

《观音经普门品》卷首图，郑振铎曾收藏一帧，他认为是永乐初年的民间印本，还有洪武时期的水平。明代是佛教版画的黄金时代。明早期由于皇室的推崇，使得佛典的配图在集成前代的经验之上，再次推进，成为当时主导的品类。与本图同时代的《释氏源流》等书籍的配图，都是精湛的作品。

《观音经普门品》卷首图藏于中国国家图书馆。

《释氏源流》插图　明代文物。明永乐年间（1403～1424年）刊行。由僧释宝成主持编纂。《释氏源流》是明代官方出版的一部反映佛祖生平的佛学著作，全称《释氏源流应化事迹》。全书原6卷，而永乐、景泰、成化诸刊本的体例不尽相同。此述为永乐刊本，分为上、下两卷，上卷述佛祖出身，下卷记佛与高僧故事，采用上图下文的紧凑格式，由"释迦垂迹"至"胆巴国师"，于每卷后附有音释。

《释氏源流》插图纵29厘米，横17厘米，题为"达摩渡江"。线条舒朗，刀锋流畅。藏于美国国会图书馆的成化刊本最为阔大，是宪宗皇帝为继续推广佛教的重梓之举，前有成化二十二年（1486年）八月十五日作《御制释氏源流序》，用左图右文的全页展示。

《释氏源流》不仅介绍了释迦牟尼从诞生到圆寂的种种经历，论述了佛教的起源与发展，还详述了佛教东传中国的历史，是一部资料丰富的佛教图说简史，对佛教有明显的普及传播作用。全书引用佛教经典达近百种，其中包括不少古梵文典籍。《释氏源流》记录了佛

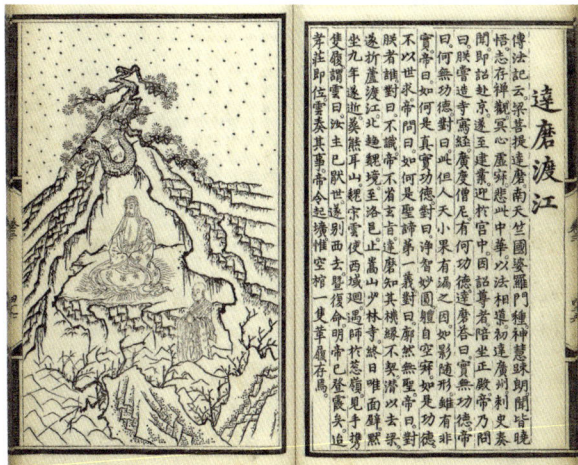

教传播的曲折过程，从佛教本位出发，极力将儒教、道教纳入佛教的体系，展现了佛教发展史上诸位高僧的贡献，强调佛教文化对中国传统文化的影响。《释氏源流》是研究明代早期北方佛教版画的重要资料。

《释氏源流》插图藏于中国国家图书馆。

《永乐北藏》扉页图　明代文物。明正统五年（1440年）刊行。《永乐北藏》全称《大明三藏圣教北藏》，明永乐十九年至正统五年（1421～1440年）间刊刻，全书按《千字文》的编次，自"天"字至"火"字，共收佛教典籍1662部6930卷，装693函。用经折装，每版25行，每半页5行17字，字体采赵体楷书。《永乐北藏》雕版，在刊成后就藏于内府，不得轻易请印，故流传稀少。1995年12月，甘肃张掖大佛寺藏经殿的夹墙中发现大批佛经，其中就包含一部完整的《永乐北藏》及其经柜。

《永乐北藏》扉页图纵27.4厘米，有一龙牌形题记，"御制"标记，署"大明正统五年十一月十一日"。图占5面，佛居中央，帝后位左右，菩萨、众僧侣、神仙、天官等角色排成4排，边角还有飞天和法师。全图线条流畅，富于变化，人物造型兼具庄重与生动，纸墨俱佳，装潢考究，在明代佛教版画中占有突出位置。

明代是中国古代佛教出版物的繁荣时期，对大型丛书《大藏经》的出版就达6次，其中出于政府的有3部：《洪武南藏》《大明三藏圣教南藏》《大明三藏圣教北藏》。此版《大明三藏圣教北藏》在3部官刻《大藏经》中最为庞大，收录的经典最多，保存也最完整。书内除了收入宋元以来大小乘经论，还采集了大批历代高僧的言论、文集等。此外，《永乐北藏》还收有许多历史、哲学、地理等方面的作品，为佛教的传播提供了巨大便利。

《永乐北藏》扉页图藏于中国国家图书馆。

《正统道藏》卷首图　明代文物。明正统十年（1445年）刊行。《道藏》是道教书籍的总汇，主要收录道经、方书、道家著作和神仙传记等与道教有关的书籍。明成祖朱棣诏命江西龙虎山第43代天师张宇初编修《道藏》，永乐八年（1410年）张宇初羽化后，命第44代天师张宇清继续编修，直到明英宗正统九年（1444年）方开始刊版，正统十年（1445年）竣工。此次《道藏》因刊版于正统年间，故称《正统道藏》。全藏共5305卷，以千字文为函，起于"天"字，止于"英"字，共480函。

《正统道藏》为经折本，每函卷首刊印三清圣像，后接龙牌一面，上隽文字："天地定位，阴阳协和。星辰顺度，日月昭明。寒暑应候，雨旸以时。山岳靖谧，河海澄清。草木蕃庑，鱼鳖咸若。家和户宁，衣食充足。礼让兴行，教化修明。风俗敦厚，刑罚不用。华夏归

仁，四夷宾服。邦国巩固，宗社尊安。景运隆长，本支万世。正统十年十一月十一日。"卷末有护法神像。此卷首图纵27厘米，横118厘米，由7面组成，后有一页御制龙牌题记，署"正统十年十一月十一日"。画面中央置三清像，众道仙列左右，气魄非常。

《正统道藏》内容涵盖了古代道教的方方面面，使我们对道教史的研究有了可以依据的史料。同时，《正统道藏》中收录了大量古代哲学、医药学、文学、气象学、化学等著作，这对于保存中国古代文献的原貌起到了重要的作用。因此，《正统道藏》的刊印和留存，对于道教文化乃至中国古代文化的保存和研究都有相当重要的意义。

《正统道藏》卷首图藏于中国国家图书馆。

《寂光镜》插图 明代文物。明正统十年（1445年）刊行。洪应明撰并摹图，黄秀野刻。洪应明，字自诚，号还初道人，明代文学家。万历三十年（1602年）前后曾居住在南京秦淮河一带，潜心著述，著有《仙佛奇踪》《菜根谭》等。黄秀野（1553～1620年），新安虬川黄氏第25世刻工。黄氏刻工是徽派版刻工中最杰出的代表，也是中国版刻艺术史上最著名的刻工世家。明万历中期至明末清初，黄氏刻工创作众多版画精品。

《寂光镜》为大型佛教版画人物肖像图册，共3卷。全书有图61幅，录写西土诸祖及中土圣僧祖师像。卷一为西竺佛祖19人，卷二及卷三为中华佛祖42人。

《寂光镜》插图纵21.4厘米，横14.2厘米，所绘为"闇夜多尊者"。闇夜多尊者，五百罗汉之一，古印度北天竺国人，精通佛法，广闻博识，是佛教的第二十祖。尊者表情怡然，手持禅定印，右侧一仙鹤曲颈回转，身后围栏曲折，几竿翠竹，桌凳及文房用品自然摆放，人物服饰造型及器物布置繁简得当，线条朴实。

《寂光镜》内有历代仙真人物版画，颇为精美，为明代徽派版画风格。末尾附录养生、精修等文辞，不仅反映了明人奉道近佛风气，对于研究和探讨古代哲学和养生也有比较重要的史料和研究价值。

《寂光镜》插图藏于上海图书馆。

《历代古人像赞》插图 明代文物。明弘治十一年（1498年）刊行。不著绘者姓名，明朝宗室朱天然撰写赞辞及序。朱天然（1429～1506年），名范址。明太祖朱元璋四世孙，韩宪王朱松孙，襄陵庄穆王朱冲烁子。明正统七年（1442年）封镇国将军，成化十五年（1479）袭襄陵王。谥襄陵恭惠王。《历代古人像赞》收录自伏羲氏至黄庭坚共88幅人物画像，并附有图赞与人物小传。

《历代古人像赞》插图纵25.5厘米，横12.5厘米，所绘人物右上角题姓名为"仓颉"，赞辞为"取像鸟迹始作文字，辨治百官领理万事"。图中赞辞道出人物行事与功绩，指仓颉为汉字的发明者。仓颉，原姓侯冈，名颉，俗称仓颉先师，又史皇氏。《说文解字》记载仓颉是黄帝时期造字的左史官，见鸟兽的足迹受启发，依照其形象首创文字，并革除当时结绳记事之陋，把异体殊形的文字统一起来，使它系统化、整齐化，对后世产生深远的影响，开创了文明之基，因而被尊奉为"文祖仓颉"。插图刻版工致，线条清晰，人物直

发垂肩，须髯齐整，身披桑麻，尤其"双瞳四眼"，依神话和传说造型而为，寓意为古之神圣者也。整幅画作体现弘治木刻画的特点，精彩有力，细致而不流于庸俗。

《历代古人像赞》是已知所见刊刻时间最早的版画人物肖像画集。笔力和刀法刚劲而不流于粗豪，工致而不流于板涩，富有生动的表现力。相较于明万历时胡文焕所刻《历代圣贤像赞》和王圻在《三才图绘》所收的历代名人图像，技法更胜一筹。

《历代古人像赞》插图藏于中国国家图书馆。

《帝鉴图说》插图　明代文物。明万历元年（1573年）刊行。张居正等人撰写。张居正（1525～1582年），明代政治家、改革家，万历时期内阁首辅，"万历新政"的开创者和推行者。《帝鉴图说》是以图说形式教诲幼帝的启蒙读物。全书共有117个故事，一事一图，均采用双面连页式。第一部分"圣贤芳规"收

录禹舜至北宋时期历代明君励精图治、从谏如流、兴国安邦的81例历史典故；第二部分"狂愚覆辙"叙述昏君荒淫怠政、劳民伤财、祸国殃民的36例历史教训。万历以后，明代历朝都重视对帝王的"帝鉴"启蒙教育，并一直延传至明末崇祯帝。类似以史为鉴的图说还有焦竑撰的万历二十二年（1594年）玩虎轩刊本《养正图解》和汪耕撰的万历三十八年（1610年）环翠堂刻本《入镜阳秋》。

《帝鉴图说》插图纵20厘米，横14厘米，题为"遣使赈恤"，描述唐元和四年（809年）南方旱饥，唐宪宗遣使开仓赈灾的故事。张居正在书中写道"国依于民，而民依于食，使民有饥荒，而不为体恤，则死者固多，而民心亦离散矣"；所以，君主当"以民命为重，必使百姓受惠"，"薄于自奉，而厚于恤民"。插图布局精微，左右画面情节均比较完整，相互照应。宫墙砖瓦，柱门窗格均用粗厚之黑线条，有北方木刻特点。插图人物服饰多用扁平直线描绘，衣纹转折方劲，呈现出浑朴、遒健之气。

明代万历时期，是中国版画发展历史的黄金阶段。这一时期的刻书有官刻、私刻、坊刻三种方式。《帝鉴图说》是当时典型的官刻本。该版画线条简单，轮廓清晰，朴拙中带有几分稚趣，可爱又不失传神，兼具欣赏性和收藏性。

《帝鉴图说》插图藏于安徽博物院。

《海内奇观》插图　明代文物。明万历三十七年（1609年）刊行，夷白堂刊本。明代杨尔曾辑，钱塘陈一贯绘，新安汪忠信镌。杨尔曾，字圣鲁，号雉衡山人，浙江钱塘人，杭

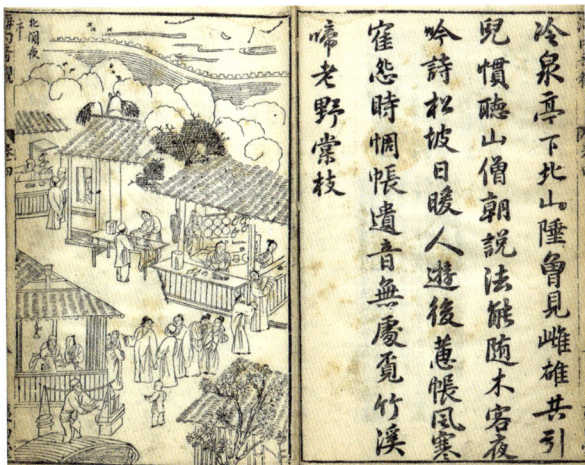

郡重要的版画作者和编者，擅编并刊行多种插图通俗书籍，编有小说《东西晋演义》12卷50回、《韩湘子全传》30回；《中国通俗小说书目》刊有《海内奇观》《图绘宗彝》等。刻者汪忠信，技艺高超，黄冕仲称其"雕镂刻划，穷工极巧，精细莫可名状，把玩足当卧游"。《海内奇观》共10卷，以图为主，辅以文字说明。单面、双面对页连式不等，所收皆名山大川、古刹名胜，图中标出山名古迹，实为山川游记。书内插图，绘制隽秀典雅、丰富而精工，实则为对景写生。

《海内奇观》插图纵22.7厘米，横14.6厘米，题为"北关夜市"。图中绘星宿点缀夜空，北关长城高悬，云雾升腾，雁鸟归巢；夜市灯火通明，热闹非凡。各色小吃叫卖，路人或独自观望或三五成群评头论足；近景担挑小食商贩过桥而去，儿童立于市中。

《海内奇观》插图绘刻俱工，中国古代绘画精湛的传统技法在书中得以显现。此书堪为版画奇珍，是明代山水版画的重要作品。

《海内奇观》插图藏于中国国家图书馆。

《三才图会》插图 明代文物。明万历三十七年（1609年）刊行。明代王圻及其子王思义撰写，吴云轩、陶国臣、晦之等刻。《三才图会》又名《三才图说》，是一部图文并茂的大型类书，共106卷。

《三才图会》插图纵20.5厘米，横14厘米。图中描绘冒顿与其妻观看城头木偶剧之情景，取自"人事十卷，四十"，绘傀儡起源典故。起源一，即汉高祖平城之围（唐《乐府杂录》、宋《都城纪胜》）：高祖刘邦被匈奴酋长冒顿困于平城，谋臣陈平为解危困，访知冒顿甚为好色，其妻阏氏对此十分嫉妒。陈平利用其矛盾，用雕刻的木偶化妆成美女，在城头上翩翩起舞，冒顿看得目不转睛，而阏氏大发醋意，她担心城破之后，丈夫必纳"美女"。于是迫冒顿退兵，刘邦遂解平城之围。由于木偶退敌有功，汉高祖便将它珍藏宫中，"后乐家翻为戏"。图左边文字亦提及起源二：偃师，为周代擅制奇巧器物之巧匠。他自制人偶像真人一样活动自如，能歌善舞。一次表演过后，木偶竟然转动双眼，向穆王的左右侍女频送秋波，引得穆王大怒，将杀偃师。偃师立即肢解人偶，穆王见木偶原来是由木、胶、漆、毛发、黑白丹青等各种原料制造而成，深为感叹。此为傀儡的另一起源说。

《三才图会》插图人物神态传神，版图镌刻细腻，布局丰满，刀法流畅，为明代版画不可多得的艺术珍品。

《三才图会》插图藏于上海复旦大学图书馆。

《牡丹亭还魂记》插图 明代文物。明万历年间（1573～1620年）刊行。《牡丹亭还魂记》即《还魂记》，也称《还魂梦》或《牡丹亭梦》，明汤显祖撰传奇剧本，内容描写杜丽娘与柳梦梅的爱情故事，为中国古典戏剧的优秀代表作，2卷，55出。存世有《玉茗堂四梦》刊本、朱氏玉海堂刊本、七峰草堂刊本等。朱氏玉海堂刊本，朱元镇校，黄德新、黄德修、黄凤岐、黄端甫、黄一凤等刻。七峰草堂刊本《原本牡丹亭记》，明万历四十五年（1617年）刊刻，单面方式图40幅，署名刻工有鸣岐（黄一凤）、端甫、翔甫、应淳等，是《牡丹亭》版画中影响较大的本子。

《牡丹亭还魂记》插图纵22.8厘米，横13.3厘米，单面，右上刻"第二十二折婚走"，绘杜丽娘与柳梦梅私奔，与道姑辞别之情景。山石树木、水波不兴，河中船工手持船篙坐于船中，怡然回首等待。刻绘纤秀，线条流畅，尽显徽派刻技之精美。此图刻工为黄氏家族。当时，黄氏刻工镌图名手，不下三四十人。郑振铎在《中国木刻画史略》一文中评介说："歙县虬川黄氏诸名手所刻版画，盛行于明万历至清乾隆初年。时人有刻，必求歙工，而黄氏父子昆仲，尤为其中之俊。举凡隽雅秀丽或奔放豪迈之画幅，一入黄氏诸名工中，胥能阐工尽巧以赴之。"

《牡丹亭还魂记》插图绘刻精美，对于研究明代版画艺术具有重要的史料价值。图中展现了书中的重要故事情节和场景，从中也可窥见明代的风俗、世情，对于研究此书具有重要的图像价值。

《牡丹亭还魂记》插图藏于上海图书馆。

《谱双》插图　明代文物。明万历年间（1573～1620年）刊行。宋代洪遵编著。洪遵（1120～1174年），字景严，南宋饶州乐平（属江西）人。绍兴十二年（1142年）二月，与兄洪适、弟洪迈先后中博学鸿词科，有"三洪"之称。擢秘书省正字，累官至翰林学士承旨、同知枢密院事、端明殿学士、提举太平兴国宫，右丞相，封鄱阳郡开国侯，卒晋少保、信国公。著名的钱币学家，对医学也有研究。著有《泉志》《订正〈史记〉真本凡例》《翰苑群书》《翰苑遗事》《谱双》《洪氏集验方》《金生指迷方》《洪文安公遗集》等。《谱双》是部游艺书，共5卷。有《重订欣赏编》本、《洪氏晦斋丛书》本、《丽度丛书》本、《园先生全书》本。

《谱双》插图纵17厘米，横13.5厘米，题为"大食双陆毯"，折页中缝书"欣赏谱双"4字。图中描绘大食国人对弈的情状，两棋手高鼻多冉，身着条纹长袍，头缠包布，席地而坐于棋盘两侧，分执黑白两色棋，古趣雅然。双陆是中国古代博戏的一种。"大食"是唐代中国对西亚地区出现的阿拉伯帝国的称呼。谱，编排记录；双，指双陆。双陆，即双六。明谢肇淛《五杂俎》卷六："曰双陆者，子随役行，若得双六无不胜也。"古代一种博戏，略如叶子戏之法。其玩法甚多，形制各异。该书所收双陆局，有北双陆、广州双陆、大食双陆、真腊双陆、日本双陆等多种。

洪遵在学术文化上的贡献是多方面的。他博通文史，通晓宋朝翰苑故事，好藏金石、钱币，能诗善文，既明医方，又是游艺能手。《谱双》就是游艺类书，是研究当时文化的最好史料。

《谱双》插图藏于辽宁省图书馆。

《天工开物》插图　明代文物。明崇祯十年（1637年）刊行。明代宋应星撰，宋绍煃绘刻。宋应星（约1587～1664年），字长庚，江

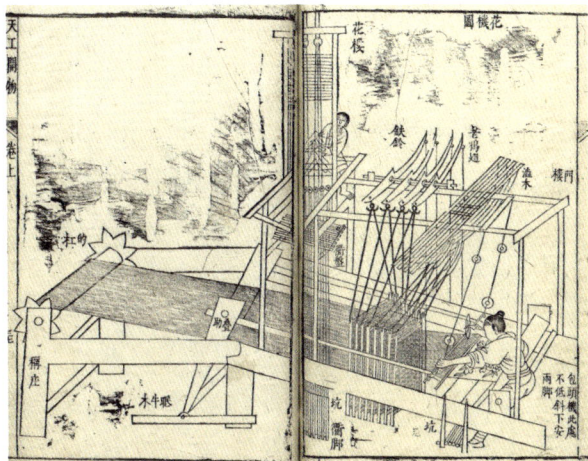

西奉新人，万历四十三年（1615年）举人。崇祯七年至十一年（1634~1638年）受任江西分宜县教谕。宋绍煃（约1582~1645年），字伯聚，号映蔽，江西南昌新建人，万历四十三年（1615年）举人，官至河南汝南兵备道，四川督学。帮助宋应星完成《天工开物》的绘刻刊行。《天工开物》对中国明代以前传统手工业和农业的生产技术经验进行了较为全面的概括总结，被后世称为世界上第一部关于农业和手工业生产的综合性科技著作，共18卷。

《天工开物》插图纵21.7厘米，横14.3厘米，题为《花机图》《锤锚图》。画面详细生动再现了当时社会生产实践情况。花机，手工提花织机的简称，又称花楼机。明朝中后期棉纺织业兴盛，成为主要的家庭副业，大花楼提花机的织机功能已渐趋完善。《花机图》对其结构作了详细注释，标出大花楼机主要零部件：门楼、花楼、衢脚、衢盘、老鸦翅、澝木、铁铃、叠助、眠牛木、的杠、称庄，共11个装置。花机"通身度长一丈六尺，隆起花楼，中托衢盘，下垂衢脚"，"其机式两接，前一接平安，自花楼向身一接斜倚低下尺许，则叠助力雄"。花机突破了织造大型复杂提花

织物的局限，提高了织造的效率和织物的美观性。锚是船舶停靠固定之物，《天工开物·锤锻·锚》记录了制锚的详细过程，将铜和铁入炉冶炼再经锻造，黄泥或筛细的沙土撒在接口上，最终煅焊出大型船锚。《锤锚图》反映了明代中后期冶铁技术的高超和造船业的发达。

《天工开物》插图刻画写实，线条细致精准，标注完备准确，信息传达客观，是当时科学、技术、文化等活动的历史记录，为考察明代社会、生活、科技等发展传承起到重要作用。

《天工开物》插图藏于中国国家图书馆。

《农政全书》插图 明代文物。明崇祯十二年（1639年）刊行。明代徐光启撰。徐光启（1562~1633年），字子先，号玄扈，上海人，官至礼部尚书，明代政治家、科学家。早年从利玛窦等学习西方近代科学，为中国最早介绍西方科学知识的人物之一。陈子龙在徐光启逝后，于崇祯十二年（1639年）修订并刊刻平露堂刊本《农政全书》。陈子龙（1608~1647年），上初名介，后改名子龙；初字人中，后改字卧子，又字懋中；晚号大樽、海士、轶符等。上海人，明代晚期著名的诗人、词人、散文家、官员，有"明诗殿

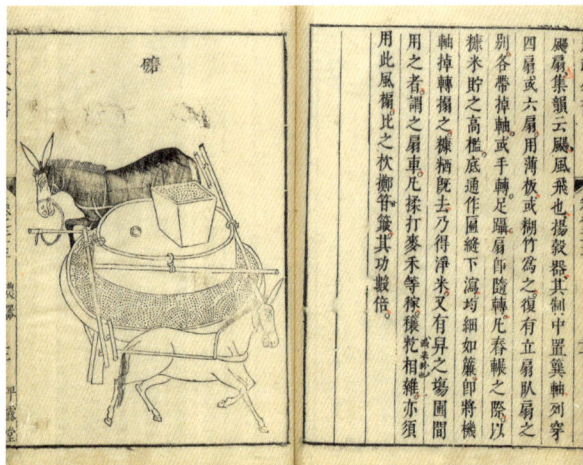

军"雅称，对清代诗歌产生了较大的影响。主编有《黄明经世文编》，参与定稿和刊刻《农政全书》。《农政全书》内容不仅涵盖农事，还包括政典，因此称作"农政全书"，也被称为"中国传统农学的代名词"。共50余万字，60卷12大类。之后有道光十七年（1837年）贵州粮署刊本、道光二十三年（1843年）上海曙海楼刊本、同治十三年（1874年）山东书局刊本、光绪二十六年（1900年）上海文海书局石印本、宣统元年（1909年）上海求学斋石印本。

此幅《农政全书》纵20.2厘米，横13.7厘米，插图题为"磨"，选自书中"农器"内容。图绘深浅两色毛驴，逆时针方向共同拉磨，磨上谷物满斗，等待磨细加工，磨盘上已有磨好的细谷。本图选自平露堂刊本，线条刻画细腻，黑白对比强烈，生动再现了粮食作物精细加工的场景。

《农政全书》插图丰富，刻画精良，多从实用出发，未做过多雕饰，是当时农事操作的真实反映，为研究明代农事提供了珍贵而形象的资料。

《农政全书》插图藏于中国国家图书馆。

《十竹斋笺谱》初集插图　明代文物。明崇祯十七年（1644年）刊行。胡正言辑印。胡正言（1584～1674年），字曰从，明末书画家、出版家，徽州休宁人，历经明万历、泰昌、天启、崇祯，以及清顺治和康熙两朝六代。胡正言的十竹斋相继发行了笺谱、画谱与印谱。在胡正言十竹斋之前，只有朱墨二色，而在他改革之后木版水印从单色变为彩色世界。《十竹斋笺谱》是明代末年版、拱花木刻彩印的画集。有九龙李于坚、上元李克恭序文。共4卷。卷一有"清供""华石""博古""画诗"等72种；卷二有"胜览""入林""无花""凤子"等77种；卷三有"孺慕""棣华""应求""闺则"等72种；卷四有"建议""寿征""灵瑞""香雪"等72种。《十竹斋笺谱》始印后流入并收藏于日本、欧洲，享誉海内外，日本长崎海关有大量关于十竹斋笺谱、画谱、画册上岸的记录。1934年，鲁迅与郑振铎主持复刻《十竹斋笺谱》，鲁迅离世前仅完成一册，并将其送给了在上海的日本小学。中国境内存世的明版《十竹斋笺谱》除中国国家图书馆馆藏郑振铎捐赠本外几乎绝迹，鲁迅、郑振铎复刻版也非常稀少。

此幅插图选自《十竹斋笺谱》初集，纵21厘米，横14厘米。图绘彩色版枇杷枝叶及果实。绿色的叶子之上，明黄色的果实，色彩艳丽，生动写实。

郑振铎在《中国版画史序例》中曾盛赞："十竹斋所刊画谱，笺谱纤妙精雅、旷古无伦，实臻彩色版画最精至美之境，已跻彩色版画至高之界。"《十竹斋笺谱》所运用的技艺被称为木版水印，其专业学名叫作"古代彩色版画印刷术"，是对中国书画精品进行高仿真复制的传统工艺，将彩色套印木刻画艺术水平推向新的高峰。被鲁迅赞誉为"明末清初士大夫清玩文化之最高成就"。

《十竹斋笺谱》初集插图藏于上海图书馆。

《万寿盛典》插图 清代文物。清康熙五十二年（1713年）刊行。最初由画家兼朝臣的宋骏业设计，后王原祁被皇帝指派监督画作的完成。王原祁逝世后，他的堂弟王奕清接手，完成了这项工作。《万寿盛典》所记为庆祝清圣祖康熙帝玄烨六十大寿的盛况。《图记》部分有万寿盛典长图，该图为木刻绘画长卷，由第四十一卷的73块木刻，以及第四十二卷中的75块木刻组成。整幅木刻绘画以首尾相连之卷轴形式呈现，描绘了康熙生日大典之际，庆典队伍从北京西北的畅春园行至紫禁城（距离约为10千米）的浩大场景。举凡园林亭台、城池庙宇、銮仪执仗、街景人物，无不纤毫毕具、惟妙惟肖。

此幅选《万寿盛典图》中一节，纵45厘米。描绘百官朝贺的盛隆景象。周围亭台之外，百官簇拥，等待銮驾。《万寿盛典图》内容包括六大部分：一宸藻，康熙帝撰写的诏谕及文赋颂诗；二圣德，对康熙帝孝德、谦德、保泰、教化的恭奉之词；三典礼，有关贺诞过程中的朝贺、銮仪、祭告、颁诏，以及敬老、庆贺；四恩赏，朝廷对宗室、外藩、臣僚、耆旧的封费，以及蠲赋、开科、赏兵、恤刑的情况；五庆祝，包括记述盛典的图记、外省大臣入觐、臣下贡献、瑞应等情况；六歌颂，皇子、大臣、词臣及各类人物的颂词等。

《万寿盛典图》是中国古代美术史上的巨幅杰作，是版画遗产中的珍宝。图中所绘加入了北京的社会生活、民间情况，包罗万象，是重要的历史文献。

《万寿盛典》插图藏于中国国家图书馆。

《西湖佳话》小说集插图 清代文物。《西湖佳话》全称《西湖佳话今古遗迹》，作者古吴墨浪子，又名西湖墨浪子。清代白话短篇小说集，成书于清康熙十二年（1673年），共16卷。以西湖名胜为背景，叙写葛洪、白居易、苏轼、骆宾王、林逋、苏小小、岳飞等16个人物故事。结构完整，文字朴素自然。有康熙年间金陵王衙精刊本，附西湖全图及西湖佳景十图，用五色套色版印，甚为精美。另有乾隆十六年（1751年）会敬堂藏版杭州文翰楼发兑本，藏于大连图书馆。

《西湖佳话》插图纵17.8厘米，横11.6

厘米，题为"双峰插云"，南宋时称"两峰插云"，位列西湖十景之一，清康熙帝改题为"双峰插云"，并建景碑亭于洪春桥畔。通幅景色描绘细致入微，图画中南峰与北峰的古塔遥相对峙，近景湖水漪涟，花木葱郁，远景山脉连绵，苍岚起伏。画面虚实对比，意境深远，展现了一幅繁茂生动的西湖美景。

《西湖佳话》版刻精工典丽，彩色套印用料讲究，色彩鲜明，方体字端正秀雅，代表了清代初期内务府多色套印技术的高超水平。

《西湖佳话》插图藏于中国国家图书馆。

《武英殿聚珍版程式》插图　清代文物。清乾隆四十一年（1776年）刊行。金简撰。金简，字可亭，主要作品有《皇上八旬万寿恭纪》。《武英殿聚珍版程式》为《钦定武英殿聚珍版书》之一种。清乾隆三十八年（1773年）修《四库全书》时，馆臣奉命辑《永乐大典》中之佚书，并将其中善本交武英殿刊印。乾隆帝乃采纳管理刻书事务大臣金简的建议，准改以刻制枣木活字摆印书籍，特赐名"聚珍版"。乾嘉时期共印书134种，连同先行雕印的4种，合为一部丛书《钦定武英殿聚珍版书》。《武英殿聚珍版程式》记载了活字制造方法，制版、印刷流程，活字使用流程管理，版式标准。《四库全书总目》著录。

此幅《武英殿聚珍版程式》插图纵18.4厘米，横11.8厘米。图中刻绘《成造木子图》，即木活字制作过程图。图绘树下庭院内几人各有分工，有锯木料、分拣木条、刨平切割木条、制成木块、运送木活字等程序。画面线条流畅，布局合理，留白自然，生动地再现了制作木活字的过程。

《武英殿聚珍版程式》是继宋沈括《梦溪笔谈》、元王桢《造活字印书法》之后的第三部关于活字印刷方法的著述，且为三者之中唯一的独立专著，所叙更为详细、具体。刊行后，各地纷纷仿效，推动了清代刻书事业的发展，堪称中国活字印刷技术史上里程碑式的重要文献。此书先后被译成德、英、日等文字，得以广泛流传。

《武英殿聚珍版程式》插图藏于故宫博物院。

《东轩吟社画像记传》插图　清代文物。清光绪二年（1876年）刊行。费丹旭绘。费丹旭（1802～1850年），清代画家。字子苕，号晓楼，别号环溪生、环渚生、三碑乡人、长房后裔，晚号偶翁，乌程（浙江湖州吴兴）人。他以画仕女闻名，与改琦并称"改费"。代表作有《十二金钗图》册、《红楼梦》十二金钗肖像、《果园感旧图》卷等。《东轩吟社图》有两个版本，其一为道光十二年（1832年）秋，费丹旭奉振绮堂主人汪远孙之命画了《东轩吟社图》，此为正本。画中绘出了27位东轩社友群像式肖像画。画面总长600多厘米，人物姿态各异。浙江省博物馆收藏的《东轩吟社图》为副本。东轩吟社是道光年间创办于杭州的诗社，成员为乡贤老宿、青年才俊，兼及闺秀社员。东轩吟社绵延数十年，文人酬唱、优游畅吟、寄情山水的盛景构成了以东轩庭园为背景的民间文人群像图。

此幅《东轩吟社画像记传》插图纵21.7厘米，横13.5厘米。图中刻画4位文人雅士，围桌而坐，或手拿书卷，或默念诗稿，面带笑容，场面轻松、愉悦。图右下角一小童手执老人竹杖，似在与画外人攀谈。

《东轩吟社图》中描绘了20多位东轩诗社社友群像，对人物不同性格、特征作细致刻画，代表了费丹旭人物画的特色。其刻工精湛，也是清代后期版画的代表作。

《东轩吟社画像记传》插图藏于南京图书馆。

《三国画像》插图 清代文物。清光绪七年（1881年）刊行。书首刊刻"溪山潘锦画堂摹写，梁溪秦祖永逸芳鉴定"，书尾有"顺德冯廉校刻"字样。潘锦，字昼堂，别号醉烟道人，江苏无锡人。工诗词，善画山水、人物、花鸟。笔法多习古法，用笔精巧韵致。著有聚珍本《写心诗集》2卷，1917年木活字本《湖山叠影楼诗钞》6卷。秦祖永（1825～1884年）字逸芬，号声白，别号楞烟外史、金诸生、桐阴生，江苏无锡人。清道光三十年（1850年）贡生，官至广东碧甲场盐大使。工诗词古文，善书画，室名"桐荫馆"。主要著作有《桐阴画诀》《桐阴论画》《桐阴续论画》《画学心印》等。冯廉，广东顺德人。擅木刻版画，刀法精致。画集共绘三国人物119人。

《三国画像》插图纵14.5厘米，横10.9厘米，右上竖题"刘玄德古城聚义"6字，画面描绘张飞占领古城，关羽过五关斩六将来到古城，斩杀蔡阳，消除与张飞误会，并找到刘备，兄弟三人和诸臣重新相会，英雄再聚义的场景。"人物描摹逼真传神，线条流畅，刀刻细劲轻利，刚柔相济，繁简得宜，气脉通连"。

郑振铎评价"整套木板画集都是离书独立的美术作品"。清晚期版画发展呈衰微之势，《三国画像》代表中国当时古典小说木板画集的流行趋势和艺术精粹。

《三国画像》插图藏于中国国家图书馆。

《百花诗笺谱》配图 清代文物。清宣统三年（1911年）刊行，张兆祥绘制。张兆祥（1852～1908年），画家，字和庵，天津人。师从孟绣村，通晓西洋照相技法和诗文书画，尤擅写生，画花鸟，并吸收郎世宁西洋画法，开一代画坛新风。作品有《石榴花》《四时花卉》等。《百花诗笺谱》又名《文美斋诗笺谱》，天津文美斋南纸局刊，收录蜡梅、玉兰、波斯菊等各种花卉55幅，笺谱刻工细致，印刷精良，装帧典雅，为清末笺谱之一。清光绪十八年（1892年），文美斋主人焦书卿请津门名家张兆祥绘制《百花诗笺谱》。清宣统三年（1911年），文美斋以加料宣纸，采用传统水墨套色印制发行《百花诗笺谱》，线装一函两册，张祖翼作序。刊刻《百花诗笺谱》时，采用了"饾版"和"拱花"的技法，将张氏画作淋漓尽致地展现在纸上。

此选《百花诗笺谱》中两幅花草图，纵23.8厘米，横15.2厘米。一幅绘水仙花，包括根茎、叶及花朵；另一幅绘玉兰花，褐色枝干、白色盛开花朵。两幅图均色彩艳丽，线条明朗柔和，花朵呼之欲出。

《百花诗笺谱》的花卉绘制姹紫嫣红，果实枝叶栩栩如生，线条粗细适度，花卉走向与伸展富于变化。一经出版，被各界公认为绘、刻、印俱佳之作，在中国出版史上占有重要的地位。《百花诗笺谱》在印刷时，拼版准确到位，纸张湿度正好，色彩浓淡与先后次序适宜，木刻气味浓重，笺作秀美清妍，色彩动人，如同真迹，可作为画谱临习。

《百花诗笺谱》配图存于上海古籍出版社资料室。